MAURICE LEBLANC

MAURICE
LEBLANC

ÉDITIONS FRANCE LOISIRS

Édition du Club France Loisirs, Paris
réalisée avec l'autorisation
de la librairie des Champs-Élysées

Éditions France Loisirs,
123, boulevard de Grenelle, Paris,
www.franceloisirs.com

ISBN : 2-7441-3588-7

Présentation de Jacques Derouard

LES DENTS DU TIGRE

LES HUIT COUPS DE L'HORLOGE

LA COMTESSE DE CAGLIOSTRO

LA DEMOISELLE AUX YEUX VERTS

L'HOMME À LA PEAU DE BIQUE

PRÉSENTATION
par
Jacques DEROUARD

Les aventures d'Arsène Lupin qu'on lira dans ce troisième volume ont paru de 1920 à 1927. Il faut mettre à part *Les Dents du tigre* : si ce roman ne parut dans *Le Journal* qu'en août 1920, Maurice Leblanc en avait terminé la rédaction bien avant la fin de la guerre, et ce livre offre les mêmes caractéristiques que ceux qui l'ont immédiatement précédé, *Le Triangle d'or* ou *L'Île aux trente cercueils* : il présente une intrigue très complexe, et met Arsène Lupin aux prises avec des personnages très inquiétants.

En revanche, avec le recueil de nouvelles des *Huit Coups de l'horloge*, Maurice Leblanc revient à une inspiration beaucoup plus sereine. Son gentleman il est vrai a bien changé, laissant de côté ses outils de cambrioleur pour se faire le défenseur de la veuve et de l'orphelin. Maurice lui fait dire : « Partout, si on le veut, il y a prétexte à s'émouvoir, à faire le bien, à sauver une victime, à mettre fin à une injustice. » Mais le romancier a manifestement oublié les cauchemars qui hantaient les œuvres du temps de guerre. Cette nouvelle jeunesse se manifeste aussi avec le beau roman *La Comtesse de Cagliostro*, qui raconte la première aventure — et le premier amour — d'Arsène Lupin, et avec *La Demoiselle aux yeux verts*, un roman dans lequel l'énigme baigne dans un climat de poésie tout à fait particulier. Pour les beaux yeux d'Aurélie, Lupin-Leblanc retrouve le merveilleux de ses visions d'enfant.

*

Le Maurice Leblanc de cette époque a abandonné toute activité au sein de la Société des Gens de Lettres, et ses problèmes de santé, tout autant que son tempérament discret, le contraignent à une vie de plus en plus régulière. Il écrit à l'une de ses cousines de Rouen, en 1925 : « Ça va toujours à peu près, avec un système nerveux ultra-sensible et un estomac qui se contracte pour rien, et, au fond, un tempérament plutôt solide, que je dois à des ancêtres bien équilibrés qui, heureusement pour moi, ont vécu bien sagement en dehors de ce diabolique et charmant Paris. »

En vieillissant, il éprouve de plus en plus la nostalgie de son passé normand que, jeune écrivain, il avait rejeté avec une certaine vigueur. Cette nostalgie se traduit, dans un roman comme *La Comtesse de Cagliostro*, par l'évocation des lieux du pays de Caux les plus chers à son cœur, comme l'abbaye de Jumièges, près de laquelle il avait passé ses vacances de lycéen, Saint-Wandrille, où il est souvent allé voir sa sœur Georgette, à l'époque où elle y demeurait avec Maeterlinck, Gueures, près de Dieppe, où il a passé les mois d'été, de 1900 à 1910, dans le château loué par sa grande sœur Jehanne. *Les Huit Coups de l'horloge* décrivent « les courbes majestueuses » de la Seine, et la forêt de Brotonne, « toute pleine de souvenirs romains et de vestiges du Moyen Âge ».

Maurice collectionne les cartes postales représentant les châteaux et les manoirs de son cher pays de Caux dans un bel album qu'il évoque dans un texte écrit pour la petite revue fécampoise *La Feuille en 4*. Il parle avec émotion du « triangle cauchois », cadre de beaucoup des aventures d'Arsène Lupin, « ce triangle sacré pour moi », écrit-il, « où toute ma vie heureuse, ma vie des jours d'été et d'automne, s'est écoulée autour de ces quelques villages dont les noms jalonnent la route de mon passé : Jumièges et son abbaye, Saint-Wandrille et son cloître, Tancarville et ses ruines, Étretat et son aiguille... »

Son attachement pour sa province natale se manifeste par son adhésion, en 1920, à l'association des « Normands de Paris », qui organisait excursions et banquets, et par ses retours de plus en plus fréquents à Rouen. Il y est le 25 janvier 1923, avec André Maurois, pour l'inauguration du monument aux morts du lycée Corneille. Il assiste de plus en plus souvent aux réunions des anciens élèves, où il retrouve avec plaisir des visages depuis longtemps perdus de vue.

Il souhaite aussi renouer avec ses cousins rouennais, qu'il voyait très rarement, trop rarement à son goût. Il obtient qu'une fête de famille, à Rouen, en juin 1924, les réunisse tous. L'été 1925, avant de rejoindre Étretat, il fait étape à Rouen ; il rend visite au grand « cimetière monumental » où, depuis l'inhumation de son père, en 1905, il n'avait guère eu l'occasion de retourner. Voyant « avec tristesse l'état de délabrement où se trouve la chapelle funéraire » de ses parents, il demande à l'une de ses cousines rouennaises de lui trouver un artisan, qui n'aura qu'à lui envoyer sa facture.

Son attachement pour le pays de Caux explique aussi qu'il passe tous les mois d'été à Étretat. En février 1919, il a acheté la villa *Le Sphinx*, qu'il louait depuis quatre ans. Il l'a rebaptisée *Le Clos-Lupin*, a fait redessiner le jardin et fait rajeunir la façade à pans de bois. C'est à cette villa qu'il songe en évoquant *Le Clos des Lupins* dans lequel Arsène Lupin se retire à la fin des *Dents du tigre* : « En dehors de ses vieux livres de morale et de philosophie, qu'il a retrouvés avec tant de plaisir, il cultive son jardin. Ses fleurs le passionnent. Il en est fier. »

Une vue intérieure de la villa du Clos-Lupin, à Étretat.

Maurice reste souvent à Étretat jusqu'au milieu d'octobre, pour goûter aux charmes de l'arrière-saison, joliment évoqués dans *Les Huit Coups de l'horloge* : « Cette arrière-saison fut si douce que le 2 octobre au matin plusieurs familles attardées dans leur villa d'Étretat étaient descendues au bord de la mer. On eût dit, entre les falaises et les nuages de l'horizon, un lac de montagnes assoupi au creux des roches qui l'emprisonnent, s'il n'y avait eu dans l'air ce quelque chose de léger, et dans le ciel ces couleurs pâles, tendres et indéfinies, qui donnent à certains jours de ce pays un charme si particulier. »

À Étretat comme à Paris, les journées du romancier sont bien réglées. À onze heures, il est à « la Potinière », sur les terrasses du casino, où il converse avec ses amis habitués de la station balnéaire : le journaliste Georges Bourdon, les musiciens Henry Février et André Messager, les auteurs dramatiques René Peter et Maurice Sergine, le peintre Jules Cayron, son beau-frère le sénateur René Renoult, qui passe l'été dans la villa *Heurtevent.*

Étretat a renoué avec son animation d'avant-guerre. Animation sportive, avec les « challenges » qu'organise la « Jeunesse sportive étretataise », les compétitions de golf et le « tournoi international de tennis », où l'on put applaudir la célèbre Suzanne Lenglen, à qui Maurice consacre un article chaleureux, *Championne du monde*. Il y a aussi, et surtout, une grande animation mondaine et artistique. Maurice participe à beaucoup des fêtes organisées par les « Vieux Galets », association d'habitués d'Étretat créée par Georges Bourdon et le poète-musicien Louis de Morsier.

*

À la différence de celui d'avant-guerre, le Maurice Leblanc des années vingt s'est résolu à être devenu un romancier d'aventures. Il souhaite néanmoins, pour que son Arsène Lupin lui fasse moins d'ombre, donner vie à d'autres héros. En février 1918, il écrivait à Hachette qu'il aimerait que la maison accueille avec la même faveur tous ses ouvrages, y compris ceux qui ont peu de chance de connaître le succès : « Il est très possible que je donne à l'occasion un volume d'aventures plus sérieuses, ou un volume de contes, et je ne voudrais pas que la vente, inévitablement plus restreinte, de ce volume, parût un insuccès, un faux pas comme vous dites. »

À cette époque en effet, Maurice Leblanc est loin de ne travailler que pour son gentleman cambrioleur. Il donne à *Je sais tout* deux « romans d'aventure à point de départ scientifique » : *Les Trois Yeux* et *Le Formidable Événement*, qui occupent une place à part dans son œuvre. Ce sont, comme on dira plus tard, des romans d' « anticipation ». Ils permettent aussi de retrouver le passé, thème cher entre tous à Maurice : *Le Formidable Événement* nous fait découvrir, dans les profondeurs de la Manche, une civilisation disparue, et les Vénusiens des *Trois Yeux* nous envoient d'étranges scènes filmées de l'histoire de notre planète. Dans ce roman, Maurice réussit à mélanger adroitement une histoire d'amour, une énigme policière et une aventure mystérieuse.

Maurice Leblanc sous la pergola du Clos-Lupin.

L'été 1922, sous les pergolas de son Clos-Lupin d'Étretat, il commence à travailler au roman *La Vie extravagante de Balthazar*, avec lequel il souhaite donner vie à un nouveau héros. Mais celui-ci, qu'il a voulu pathétique, est plutôt ridicule, et Maurice doit se rattraper avec le « prière d'insérer » qui accompagne en 1926 l'édition illustrée du livre : « Le père d'Arsène Lupin a tenté la parodie du genre même où il excelle ».

C'est aussi un nouveau personnage qu'il veut créer avec la charmante héroïne de *Dorothée, danseuse de corde*, un roman qui développe un thème qui lui est cher, celui d'une énigme venue jusqu'à nous d'un lointain passé, comme celle qu'il avait imaginée dans la nouvelle *Le Signe de l'ombre*, dans *Les Confidences d'Arsène Lupin*. Mais, malgré la publicité faite par *Le Journal* et les éditions Hachette autour du nom de Dorothée, le livre ne connaît qu'un succès très relatif.

Est aussi caractéristique de ce désir de ne pas être considéré seulement comme le père d'Arsène Lupin la préface, intitulée *Maurice Leblanc et ses romans*, que Maurice écrit en 1923 pour une édition illustrée de *La Frontière* : « Si Maurice Leblanc s'est acquis une réputation universelle en contant les Aventures extraordinaires d'Arsène Lupin (...), il n'en est pas moins avantageusement connu comme auteur de nombreux contes et romans dans lesquels ne figure point le sympathique gentleman cambrioleur (...) Maurice Leblanc ne dépense pas tout son talent en faveur de son héros principal. Il sait nous émouvoir tout autant en narrant d'autres aventures. »

C'est aussi un autre personnage qu'il souhaite créer avec Hercule Petitgris, un détective qu'il met en scène dans une longue nouvelle publiée en décembre 1924 dans *Les Œuvres libres*, dirigées par son ami Henri Duvernois. Mais, là encore, cette « nouvelle création » n'en est pas vraiment une, et Maurice songera même à donner cette nouvelle dans un recueil de contes consacrés à Arsène Lupin. Il l'aurait alors intitulée *Le Pardessus d'Arsène Lupin*. Un peu plus tard, il connaîtra la même mésaventure avec Jim Barnett, dont il fera finalement un avatar d'Arsène Lupin. Il se consolera en 1930, en constatant, à propos de Conan Doyle, créateur de Sherlock Holmes : « Créer un type, ne fût-ce qu'un seul, ne pensez-vous pas que ce soit la marque de quelque souffle intérieur ? »

Maurice Leblanc au Clos-Lupin, à Étretat.

Pourquoi donc Dorothée, Balthazar, Hercule Petitgris, Jim Barnett, plus tard le Gérard du roman *De minuit à sept heures* ou *Le Prince de Jéricho*, ressemblent-ils tous, très curieusement, au gentleman cambrioleur ? Maurice Leblanc n'avait-il reçu le don de ne créer qu'un seul « type littéraire » ? N'est-ce pas plutôt que son Arsène Lupin, homme-protée, pouvait revêtir toutes les identités comme toutes les personnalités ?

En tout cas, ce Lupin connaît toujours un succès extraordinaire, notamment au théâtre. La pièce en quatre actes *Arsène Lupin*, écrite avec Francis de Croisset et présentée pour la première fois à l'Athénée le 28 octobre 1908, est constamment reprise avec succès. André Brulé, son interprète principal, n'avait cessé d'être identifié avec le gentleman cambrioleur. Comme il avait été victime d'un vol, *Comoedia* titrait, le 29 octobre 1919 : « Arsène Lupin n'a pas retrouvé son voleur ». Il reprend le rôle en juin 1920 au théâtre des Galeries Saint-Hubert. Adolphe Brisson, d'habitude sévère, écrit dans *Le Temps* : « Arsène Lupin est un cambrioleur délicieux. Le public a eu grande joie à le revoir. »

La pièce est reprise peu après au Théâtre de Paris (où elle est jouée 210 fois !), en juillet 1921 à l'Empire-Théâtre, en mai 1922 à la Porte Saint-Martin, en juin au Nouvel-Ambigu, en 1924 à nouveau au Théâtre de Paris...

*

Devant ce succès d'Arsène Lupin, Maurice éprouve une légitime fierté. Dans une lettre à son éditeur, en 1921, il regrette qu'on n'ait pas profité de l'extraordinaire succès de la pièce *Arsène Lupin* au Théâtre de Paris (plus de 200 000 spectateurs !) pour faire de la publicité à ses livres. Depuis que Bernard Grasset, pour imposer *L'Atlantide* de Pierre Benoit, en 1918, a utilisé la publicité, l'usage s'en répand dans les Lettres. Maurice aimerait en profiter. Le 1er mars 1921, il écrit à Paul Calvin, directeur de la librairie Hachette, pour demander un « budget de publicité » : « Mon livre est sorti. Qu'on le soutienne. J'ai mis dans les mains de la maison Hachette une belle affaire. Qu'elle l'exploite, non pas comme une série de livres classiques, mais selon les procédés modernes. C'est à elle de décider : ou bien l'enterrement du catalogue, ou bien la vie en plein air, le tumulte, l'appel ininterrompu aux foules. Ou bien la mort de Lupin, ou bien la continuation des succès qu'il a connus par *Je sais tout*, par la librairie Lafitte, par *Le Journal*. »

En mars 1923, preuve qu'il accorde beaucoup d'importance à son gentleman cambrioleur, Maurice manifeste le désir que ceux de ses volumes de la collection in-16 qui lui sont consacrés portent désormais sur la couverture « le nom d'Arsène Lupin en grosses lettres noires et en travers ».

Maurice Leblanc dans le jardin du Clos-Lupin.

Dans ces années d'après-guerre, l'édition connaît une grave crise, consécutive à l'augmentation du prix du papier et de la main-d'œuvre. Le prix des livres augmente considérablement... sans que puissent être augmentés d'autant les droits d'auteur. Le 16 février 1925, Maurice écrit sur ce sujet une longue et belle lettre à son ami Pierre Lafitte : « Je suis sûr que la maison Hachette (...) tiendra à honneur que l'auteur d'Arsène Lupin reçoive le juste prix d'un effort qu'il poursuit depuis vingt ans, et dont elle profitera, j'ai la fierté de le croire, de longues années encore après moi. »

La postérité a légitimé la fierté du père d'Arsène Lupin !

Témoigne aussi de ce nouvel état d'esprit à l'égard du roman d'aventures, chez Maurice Leblanc, la lettre qu'il envoie en avril 1927 à Mme Gaston Leroux, dont le mari, le célèbre créateur de Rouletabille, venait de disparaître : « On a rapproché nos deux noms et nos deux œuvres. C'est un honneur dont je suis fier. » Et aussi : « Je sais trop par moi-même tout ce que vaut l'effort d'imaginer et tout ce qu'il suppose de pensée consciente, de rêverie acharnée, d'obsession même, pour ne pas comprendre, mieux que personne, la puissance de Gaston Leroux, son besoin continu de renouvellement, ses dons incomparables de conteur, ses qualités merveilleuses de constructeur et d'animateur, tout ce bouillonnement d'idées, d'inventions, de conceptions amusantes et imprévues, sa verve, sa bonne humeur entraînante, son sens du tragique et du mystère, la conscience qu'il apportait à son travail. »

J. D.

1923

LES DENTS DU TIGRE

Ce roman fut écrit pendant la guerre : en 1918, il a déjà été traduit en Angleterre, en Amérique, et « un peu partout », écrit Maurice Leblanc le 8 octobre à la Société des Auteurs ; des Américains venaient de lui demander d'en autoriser une adaptation théâtrale. Maurice, qui est devenu soucieux de la bonne image de marque de son Arsène Lupin, tient absolument à lire la pièce avant d'autoriser sa diffusion en France : « Je me méfie en effet car je ne crois pas qu'on puisse faire quelque chose de bien avec Les Dents du tigre *au point de vue théâtre. »*

Le Journal *publie le roman en feuilleton à partir du 31 août 1920, avec des dessins de Jean Routier. Le 30 août,* Le Journal *donne, sous le titre* La Moralité d'Arsène Lupin, *un texte dans lequel Maurice montre comment son héros a peu à peu, « à son insu évidemment », évolué vers davantage de moralité : « Il vit toujours en marge de la société et en opposition avec ses lois. Mais, ces lois, il ne les transgresse que pour servir la société. C'est aussi un patriote. Il sert son pays à sa manière, et avec tant de magnificence que son pays, qui devrait le coffrer, est contraint de le remercier. Au fond, il est chauvin, cocardier, épris de gloire et de panache, réactionnaire en diable, bref un bourgeois, capitaliste et bien-pensant. »*

Le roman paraît en librairie le 3 juin 1921, en deux volumes sous-titrés Don Luis Perenna *et* Le Secret de Florence, *donnés en 1923 dans la collection illustrée « Les Romans d'aventure et d'action ». L'édition donnée en 1932 dans la collection « Le Point d'interrogation » apporte quelques modifications au dernier chapitre (Lupin ne prend plus sa retraite !).*

Le roman a droit à une chaleureuse critique de Paul Gustave van Heeke dans la prestigieuse revue littéraire belge Le Disque vert *: « Ces deux nouveaux volumes sont faits d'une épouvante si effroyablement logique qu'une fois dégagée de l'implacable torture, votre raison encore tremblante y découvrira une science étourdissante de la mise en scène et de l'effet. Cela n'est pas à dédaigner avec une moue littéraire, au moment où la "construction" du roman nouveau paraît si difficile à réussir ! »*

PREMIÈRE PARTIE

DON LUIS PERENNA

CHAPITRE PREMIER

D'ARTAGNAN, PORTHOS ET MONTE-CRISTO

À quatre heures et demie, M. Desmalions, le préfet de police, n'étant pas encore de retour, son secrétaire particulier rangea sur le bureau un paquet de lettres et de rapports qu'il avait annotés, sonna, et dit à l'huissier qui entrait par la porte principale :

« M. le préfet a convoqué pour cinq heures plusieurs personnes dont voici les noms. Vous les ferez attendre séparément, afin qu'elles ne puissent communiquer entre elles, et vous me donnerez leurs cartes. »

L'huissier sortit. Le secrétaire se dirigeait vers la petite porte qui donnait sur son cabinet, quand la porte principale fut rouverte et livra passage à un homme qui s'arrêta et s'appuya en chancelant contre le dossier d'un fauteuil.

« Tiens, fit le secrétaire, c'est vous, Vérot ? Mais qu'y a-t-il donc ? Qu'est-ce que vous avez ? »

L'inspecteur Vérot était un homme de forte corpulence, puissant des épaules, haut en couleur. Une émotion violente devait le bouleverser, car sa face striée de filaments sanguins, d'ordinaire congestionnée, paraissait presque pâle.

« Mais rien, monsieur le secrétaire.

— Mais si, vous n'avez plus votre air de santé... Vous êtes livide... Et puis ces gouttes de sueur... »

L'inspecteur Vérot essuya son front, et, se ressaisissant :

« Un peu de fatigue... Je me suis surmené ces jours-ci... Je voulais à tout prix éclaircir une affaire dont M. le préfet m'a chargé... Tout de même, c'est drôle, ce que j'éprouve.

— Voulez-vous un cordial ?

— Non, non, j'ai plutôt soif.

— Un verre d'eau ?

— Non... non...

— Alors ?

— Je voudrais... je voudrais... »

La voix s'embarrassait. Il eut un regard anxieux comme si, tout à coup, il n'eût pu prononcer d'autres paroles. Mais, reprenant le dessus :

« M. le préfet n'est pas là ?

— Non ; il ne sera là qu'à cinq heures, pour une réunion importante.

— Oui... je sais... très importante. C'est aussi pour cela qu'il m'a convoqué. Mais j'aurais voulu le voir avant. J'aurais tant voulu le voir ! »

Le secrétaire examina Vérot et lui dit :

« Comme vous êtes agité ! Votre communication a donc tellement d'intérêt ?

— Un intérêt considérable. Il s'agit d'un crime qui a eu lieu il y a un mois, jour pour jour... Et il s'agit surtout d'empêcher deux assassinats qui sont la conséquence de ce crime et qui doivent être commis cette nuit... Oui, cette nuit, fatalement, si nous ne prenons pas les mesures nécessaires.

— Voyons, asseyez-vous, Vérot.

— Ah ! c'est que tout cela est combiné d'une façon si diabolique ! Non, on ne s'imagine pas...

— Mais puisque vous êtes prévenu, Vérot... puisque M. le préfet va vous donner tout pouvoir...

— Oui, évidemment... évidemment... Mais tout de même c'est effrayant de penser que je pourrais ne pas le rencontrer. Alors j'ai eu l'idée d'écrire cette lettre où je lui raconte tout ce que je sais sur l'affaire. C'était plus prudent. »

Il remit une grande enveloppe jaune au secrétaire, et il ajouta :

« Tenez, voici une petite boîte également que je mets sur cette table. Elle contient quelque chose qui sert de complément et d'explication au contenu de la lettre.

— Mais pourquoi ne gardez-vous pas tout cela ?

— J'ai peur... On me surveille... On cherche à se débarrasser de moi... Je ne serai tranquille que quand je ne serai plus seul à connaître le secret.

— Ne craignez rien, Vérot. M. le préfet ne saurait tarder à arriver. Jusque-là je vous conseille de passer à l'infirmerie et de demander un cordial. »

L'inspecteur parut indécis. De nouveau il essuya son front qui dégouttait. Puis, se raidissant, il sortit.

Une fois seul, le secrétaire glissa la lettre dans un dossier volumineux étalé sur le bureau du préfet et s'en alla par la porte qui communiquait avec son cabinet particulier.

Il l'avait à peine refermée que la porte de l'antichambre fut rouverte encore une fois et que l'inspecteur rentra, en bégayant :

« Monsieur le secrétaire... il est préférable que je vous montre... »

Le malheureux était blême. Il claquait des dents. Quand il s'aperçut que la pièce était vide, il voulut marcher vers le cabinet du secrétaire. Mais une défaillance le prit, et il s'écroula sur une chaise où il demeura quelques minutes, anéanti, la voix gémissante.

« Qu'est-ce que j'ai ?... Est-ce du poison, moi aussi ? Oh ! j'ai peur... j'ai peur... »

Le bureau se trouvait à portée de sa main. Il saisit un crayon, approcha un bloc-notes et commença à griffonner des mots. Mais il balbutia :

« Mais non, pas la peine, puisque le préfet va lire ma lettre... Qu'est-ce que j'ai donc ? Oh ! j'ai peur... »

D'un coup il se dressa sur ses jambes et articula :

« Monsieur le secrétaire, il faut... il faut que... C'est pour cette nuit... Rien au monde n'empêchera... »

À petits pas, comme un automate, tendu par un effort de toute sa volonté, il avança vers la porte du cabinet. Mais, en route, il vacilla et dut s'asseoir une seconde fois.

Une terreur folle le secoua et il poussa des cris, si faibles, hélas ! qu'on ne pouvait l'entendre. Il s'en rendit compte, et du regard chercha une sonnette, un timbre, mais il n'y voyait plus. Un voile d'ombre semblait peser sur ses yeux.

Alors il tomba à genoux, rampa jusqu'au mur, battant l'air d'une main, comme un aveugle, et finit par toucher des boiseries. C'était le mur de séparation. Il le longea. Malheureusement son cerveau confus ne lui présentait plus qu'une image trompeuse de la pièce, de sorte qu'au lieu de tourner vers la gauche, comme il l'eût dû, il suivit le mur à droite, derrière un paravent qui masquait une petite porte.

Sa main ayant rencontré la poignée de cette porte, il réussit à ouvrir. Il balbutia : « Au secours... au secours... » et s'abattit dans une sorte de réduit qui servait de toilette au préfet de police.

« Cette nuit ! gémissait-il, croyant qu'on l'entendait et qu'il se trouvait dans le cabinet du secrétaire, cette nuit... le coup est pour cette nuit... Vous verrez... la marque des dents... quelle horreur !... Comme je souffre !... Au secours ! C'est le poison... Sauvez-moi ! »

La voix s'éteignit. Il dit plusieurs fois, comme dans un cauchemar :

« Les dents... les dents blanches... elles se referment !... »

Puis la voix s'affaiblit encore, des sons indistincts sortirent de ses lèvres blêmes. Sa bouche parut mâcher dans le vide, comme celle de certains vieillards qui ruminent interminablement. Sa tête s'inclina peu à peu sur sa poitrine. Il poussa deux ou trois soupirs, fut secoué d'un grand frisson et ne bougea plus.

Et le râle de l'agonie commença, très bas, d'un rythme égal, avec des interruptions où un effort suprême de l'instinct semblait ranimer le souffle vacillant de l'esprit et susciter dans les yeux éteints comme des lueurs de conscience.

À cinq heures moins dix, le préfet de police entrait dans son cabinet de travail.

M. Desmalions, qui occupait son poste depuis quelques années avec une autorité à laquelle tout le monde rendait hommage, était un homme de cinquante ans, lourd d'aspect, mais de figure intelligente et fine. Sa mise — veston et pantalon gris, guêtres blanches, cravate flottante — n'avait rien d'une mise de fonctionnaire. Les manières étaient dégagées, simples, pleines de bonhomie et de rondeur.

Ayant sonné, il fut aussitôt rejoint par son secrétaire auquel il demanda :

« Les personnes que j'ai convoquées sont ici ?

— Oui, monsieur le préfet, et j'ai donné l'ordre qu'on les fît attendre dans des pièces différentes.

— Oh ! il n'y avait pas d'inconvénient à ce qu'elles pussent communiquer entre elles. Cependant... cela vaut mieux. J'espère que l'ambassadeur des États-Unis ne s'est pas dérangé lui-même ?...

— Non, monsieur le préfet.

— Vous avez les cartes de ces messieurs ?

— Voici. »

Le préfet de police prit les cinq cartes qu'on lui tendait et lut :

ARCHIBALD BRIGHT, *premier secrétaire de l'ambassade des États-Unis.*

MAÎTRE LEPERTUIS, *notaire.*

JUAN CACÉRÈS, *attaché à la légation du Pérou.*

LE COMMANDANT COMTE D'ASTRIGNAC, *en retraite.*

La cinquième carte portait simplement un nom sans adresse ni autre désignation :

DON LUIS PERENNA.

« J'ai bien envie de le voir, celui-là, fit M. Desmalions. Il m'intéresse diablement !... Vous avez lu le rapport de la Légion étrangère ?

— Oui, monsieur le préfet, et j'avoue que, moi aussi, ce monsieur m'intrigue...

— N'est-ce pas ? Quel courage ! Une sorte de fou héroïque et vraiment prodigieux. Et puis ce surnom d'Arsène Lupin, que ses camarades lui avaient donné, tellement il les dominait et les stupéfiait !... Il y a combien de temps qu'Arsène Lupin est mort ?

— Deux ans avant la guerre, monsieur le préfet. On a retrouvé son cadavre et celui de Mme Kesselbach sous les décombres d'un petit chalet incendié, non loin de la frontière du Luxembourg[1]. L'enquête a prouvé qu'il avait étranglé cette monstrueuse Mme Kesselbach, dont les crimes furent découverts par la suite, et qu'il s'était pendu après avoir mis le feu au chalet.

1. Voir *813*.

— C'est bien la fin que méritait ce damné personnage, dit M. Desmalions, et j'avoue que, pour ma part, je préfère de beaucoup n'avoir pas à le combattre... Voyons, où en sommes-nous ? Le dossier de l'héritage Mornington est prêt ?

— Sur votre bureau, monsieur le préfet.

— Bien. Mais j'oubliais... L'inspecteur Vérot est-il arrivé ?

— Oui, monsieur le préfet, il doit être à l'infirmerie, en train de se réconforter.

— Qu'est-ce qu'il avait donc ?

— Il m'a paru dans un drôle d'état, assez malade.

— Comment ? Expliquez-moi donc... »

Le secrétaire raconta l'entrevue qu'il avait eue avec l'inspecteur Vérot.

« Et vous dites qu'il m'a laissé une lettre ? fit M. Desmalions d'un air soucieux. Où est-elle ?

— Dans le dossier, monsieur le préfet.

— Bizarre... tout cela est bizarre. Vérot est un inspecteur de premier ordre, d'un esprit très rassis, et s'il s'inquiète ce n'est pas à la légère. Ayez donc l'obligeance de me l'amener. Pendant ce temps-là, je vais prendre connaissance du courrier. »

Le secrétaire s'en alla rapidement. Quand il revint, cinq minutes plus tard, il annonça, d'un air surpris, qu'il n'avait pas trouvé l'inspecteur Vérot.

« Et ce qu'il y a de plus curieux, monsieur le préfet, c'est que l'huissier qui l'avait vu sortir d'ici l'a vu rentrer presque aussitôt, et qu'il ne l'a pas vu sortir une seconde fois.

— Peut-être n'aura-t-il fait que traverser cette pièce pour passer chez vous.

— Chez moi, monsieur le préfet ? Je n'ai pas bougé de chez moi.

— Alors c'est incompréhensible...

— Incompréhensible... à moins d'admettre que l'huissier ait eu un moment d'inattention puisque Vérot n'est ni ici ni à côté.

— Évidemment. Sans doute aura-t-il été prendre l'air et va-t-il revenir d'un instant à l'autre. Je n'ai d'ailleurs pas besoin de lui dès le début. »

Le préfet regarda sa montre.

« Cinq heures dix. Veuillez dire à l'huissier qu'il introduise ces messieurs... Ah ! cependant... »

M. Desmalions hésita. En feuilletant le dossier, il avait trouvé la lettre de Vérot. C'était une grande enveloppe de commerce jaune, au coin de laquelle se trouvait l'inscription : « Café du Pont-Neuf. »

Le secrétaire insinua :

« Étant donné l'absence de Vérot et les paroles qu'il m'a dites, je crois urgent, monsieur le préfet, que vous preniez connaissance de cette lettre. »

M. Desmalions réfléchit.

« Oui, peut-être avez-vous raison. »

Puis, se décidant, il mit un stylet dans le haut de l'enveloppe et coupa vivement. Un cri lui échappa :

« Ah ! non, celle-là est raide.

— Qu'est-ce qu'il y a donc, monsieur le préfet ?

— Ce qu'il y a ? Tenez... une feuille de papier blanc... Voilà tout ce que contient l'enveloppe.

— Impossible !

— Regardez... une simple feuille pliée en quatre... Pas un mot dessus.

— Pourtant Vérot m'a dit, en propres termes, qu'il avait mis là-dedans tout ce qu'il savait de l'affaire...

— Il vous l'a dit, mais vous voyez bien... Vraiment, si je ne connaissais pas l'inspecteur Vérot, je croirais à une plaisanterie...

— Une distraction, monsieur le préfet, tout au plus.

— Certes, une distraction, mais qui m'étonne de sa part. On n'a pas de distraction quand il s'agit de la vie de deux personnes. Car il vous a bien averti qu'un double assassinat était combiné pour cette nuit ?

— Oui, monsieur le préfet, pour cette nuit, et dans des conditions particulièrement effrayantes... diaboliques, m'a-t-il dit. »

M. Desmalions se promenait à travers la pièce, les mains au dos. Il s'arrêta devant une petite table.

« Qu'est-ce que c'est que ce paquet à mon adresse ? "Monsieur le préfet de police... À ouvrir en cas d'accident."

— En effet, dit le secrétaire, je n'y pensais pas... C'est encore de l'inspecteur Vérot, une chose importante selon lui, et qui sert de complément et d'explication au contenu de la lettre.

— Ma foi, dit M. Desmalions, qui ne put s'empêcher de sourire, la lettre en a besoin d'explication, et, quoiqu'il ne soit pas question d'accident, je n'hésite pas. »

Tout en parlant, il avait coupé une ficelle et découvert, sous le papier qui l'enveloppait, une boîte, une petite boîte en carton, comme les pharmaciens en emploient, mais salie celle-là, abîmée par l'usage qu'on en avait fait.

Il souleva le couvercle.

Dans le carton, il y avait des feuilles d'ouate, assez malpropres également, et au milieu de ces feuilles une demi-tablette de chocolat.

« Que diable cela veut-il dire ? » marmotta le préfet avec étonnement.

Il prit le chocolat, le regarda, et tout de suite son examen lui montra ce que cette tablette, de matière un peu molle, offrait de particulier, et les raisons certaines pour lesquelles l'inspecteur Vérot l'avait conservée. En dessus et en dessous, elle portait des empreintes de dents, très nettement dessinées, très nettement détachées les unes des autres, enfoncées de deux ou trois millimètres dans le bloc de chocolat, chacune ayant sa forme et sa largeur spéciales, et chacune écartée des autres par un intervalle différent. La mâchoire qui avait ainsi commencé à croquer la tablette avait incrusté la marque de quatre de ses dents supérieures et de cinq dents du bas.

M. Desmalions resta pensif, et, la tête baissée, il reprit durant quelques minutes sa promenade de long en large, en murmurant :

« Bizarre ! Il y a là une énigme dont je voudrais bien avoir le mot... Cette feuille de papier, ces empreintes de dents... Que signifie toute cette histoire ? »

Mais, comme il n'était pas homme à s'attarder longtemps à une énigme dont la solution devait lui être révélée d'un moment à l'autre, puisque l'inspecteur Vérot se trouvait dans la préfecture même, ou aux environs, il dit à son secrétaire :

« Je ne puis faire attendre ces messieurs plus longtemps. Veuillez donner l'ordre qu'on les fasse entrer. Si l'inspecteur Vérot arrive durant la réunion, comme cela est inévitable, prévenez-moi aussitôt. J'ai hâte de le voir. Sauf cela, qu'on ne me dérange sous aucun prétexte, n'est-ce pas ? »

Deux minutes après, l'huissier introduisait maître Lepertuis, gros homme rubicond, à lunettes et à favoris, puis le secrétaire d'ambassade, Archibald Bright, et l'attaché péruvien Cacérès. M. Desmalions, qui les connaissait tous trois, s'entretint avec eux et ne les quitta que pour aller au-devant du commandant comte d'Astrignac, le héros de la Chouia, que ses blessures glorieuses avaient contraint à une retraite prématurée, et auquel il adressa quelques mots chaleureux sur sa belle conduite au Maroc.

La porte s'ouvrit encore une fois.

« Don Luis Perenna, n'est-ce pas ? » dit le préfet en tendant la main à un homme de taille moyenne, plutôt mince, décoré de la médaille militaire et de la Légion d'honneur, et que sa physionomie, que son regard, que sa façon de se tenir et son allure très jeune, permettaient de considérer comme un homme de quarante ans, bien que certaines rides au coin des yeux et sur le front indiquassent quelques années de plus.

Il salua.

« Oui, monsieur le préfet. »

Le commandant d'Astrignac s'écria :

« C'est donc vous, Perenna ! Vous êtes donc encore de ce monde ?

— Ah ! mon commandant ! Quel plaisir de vous revoir !

— Perenna vivant ! Mais quand j'ai quitté le Maroc, on était sans nouvelles de vous. On vous croyait mort.

— Je n'étais que prisonnier.

— Prisonnier des tribus, c'est la même chose.

— Pas tout à fait, mon commandant, on s'évade de partout... La preuve... »

Durant quelques secondes, le préfet de police examina, avec une sympathie dont il ne pouvait se défendre, ce visage énergique, à l'expression souriante, aux yeux francs et résolus, au teint bronzé comme cuit et recuit par le feu du soleil.

Puis, faisant signe aux assistants de prendre place autour de son bureau, lui-même s'assit et s'expliqua de la sorte, en un préambule articulé nettement et lentement :

« La convocation que j'ai adressée à chacun de vous, messieurs, a dû vous paraître quelque peu sommaire et mystérieuse... Et la manière dont je vais entamer notre conversation ne sera point pour atténuer votre étonnement. Mais, si vous voulez m'accorder quelque crédit, il vous sera facile de constater qu'il n'y a rien dans tout cela que de très simple et de très naturel. D'ailleurs, je serai aussi bref que possible. »

Il ouvrit devant lui le dossier préparé par son secrétaire, et, tout en consultant les notes, il reprit :

« Quelques années avant la guerre de 1870, trois sœurs, trois orphelines âgées de vingt-deux, de vingt et de dix-huit ans, Ermeline, Élisabeth et Armande Roussel, habitaient Saint-

Étienne avec un cousin germain du nom de Victor, plus jeune de quelques années.

« L'aînée, Ermeline, quitta Saint-Étienne la première pour suivre à Londres un Anglais du nom de Mornington, qu'elle devait épouser et dont elle eut un fils qui reçut le prénom de Cosmo. Le ménage était pauvre et traversa de rudes épreuves. Plusieurs fois, Ermeline écrivit à ses sœurs pour leur demander quelques secours. Ne recevant pas de réponse, elle cessa toute correspondance. Vers 1875, M. et Mme Mornington partirent pour l'Amérique. Cinq ans plus tard, ils étaient riches. M. Mornington mourut en 1883, mais sa femme continua de gérer la fortune qui lui était léguée, et comme elle avait le génie de la spéculation et des affaires elle porta cette fortune à un chiffre colossal. Quand elle décéda, en 1905, elle laissait à son fils la somme de 400 millions. »

Le chiffre parut faire quelque impression sur les assistants. Le préfet, ayant surpris un regard entre le commandant et don Luis Perenna, leur dit :

« Vous avez connu Cosmo Mornington, n'est-ce pas ?

— Oui, monsieur le préfet, répliqua le comte d'Astrignac. Il séjournait au Maroc quand nous y combattions, Perenna et moi.

— En effet, reprit M. Desmalions, Cosmo Mornington s'était mis à voyager. Il s'occupait de médecine, m'a-t-on dit, et donnait ses soins, lorsque l'occasion s'en présentait, avec beaucoup de compétence, et gratuitement bien entendu. Il habita l'Égypte, puis l'Algérie et le Maroc, et, à la fin de 1914, passa en Amérique pour y soutenir la cause des Alliés. L'année dernière, après l'armistice, il s'établit à Paris. Il y est mort voici quatre semaines, à la suite de l'accident le plus stupide.

— Une piqûre mal faite, n'est-ce pas, monsieur le préfet ? dit le secrétaire d'ambassade des États-Unis. Les journaux ont parlé de cela, et nous-mêmes, à l'ambassade, nous avons été prévenus.

— Oui, déclara M. Desmalions. Pour se remettre d'une longue influenza qui l'avait tenu au lit tout l'hiver, M. Mornington, sur l'ordre de son docteur, se faisait des piqûres de glycéro-phosphate de soude. L'une de ces piqûres n'ayant pas été entourée, évidemment, de toutes les précautions nécessaires, la plaie s'envenima avec une rapidité foudroyante. En quelques heures, M. Mornington était emporté. »

Le préfet de police se retourna vers le notaire et lui dit :

« Mon résumé est-il conforme à la réalité, maître Lepertuis ?

— Exactement conforme, monsieur le préfet. »

M. Desmalions reprit :

« Le lendemain matin, maître Lepertuis se présentait ici, et, pour des raisons que la lecture de ce document vous expliquera, me montrait le testament de Cosmo Mornington que celui-ci avait déposé entre ses mains. »

Tandis que le préfet compulsait les papiers, maître Lepertuis ajouta :

« Monsieur le préfet me permettra de spécifier que je n'ai vu mon client, avant d'être appelé à son lit de mort, qu'une seule fois : le jour où il me manda dans la chambre de son hôtel pour me remettre le testament qu'il venait d'écrire. C'était au début de son influenza. Dans notre conversation, il me confia qu'il avait fait, en vue de retrouver la famille de sa mère, quelques recherches qu'il comptait poursuivre sérieusement après sa guérison. Les circonstances l'en empêchèrent. »

Cependant le préfet de police avait sorti du dossier une enveloppe ouverte qui contenait deux feuilles de papier. Il déplia la plus grande et dit :

« Voici le testament. Je vous demanderai d'en écouter la lecture avec attention, ainsi que celle de la pièce annexe qui l'accompagne :

« Je, soussigné Cosmo Mornington, fils légitime de Hubert Mornington et d'Ermeline Roussel, naturalisé citoyen des États-Unis, lègue à mon pays d'adoption la moitié de ma fortune, pour être employée en œuvres de bienfaisance, conformément aux instructions écrites de ma main, que maître Lepertuis voudra bien transmettre à l'ambassade des États-Unis.

« Pour les deux cents millions environ constitués par mes dépôts dans diverses banques de Paris et de Londres, dépôts dont la liste est en l'étude de maître Lepertuis, je les lègue, en souvenir de ma mère bien-aimée, d'abord à sa sœur préférée, Élisabeth Roussel, ou aux héritiers en ligne directe d'Élisabeth Roussel — sinon à sa seconde sœur, Armande Roussel, ou aux héritiers directs d'Armande —, sinon, à leur défaut, à leur cousin Victor ou à ses héritiers directs.

« Au cas où je disparaîtrais sans avoir retrouvé les membres survivants de la famille Roussel ou du cousin des trois sœurs, je demande à mon ami don Luis Perenna de faire toutes les recherches nécessaires. Je le nomme à cet effet mon exécuteur testamentaire pour la partie européenne de ma fortune, et je le prie de prendre en main la conduite des événements qui pourraient survenir après ma mort, ou par suite de ma mort, de se considérer comme mon représentant, et d'agir en tout pour le bien de ma mémoire et l'accomplissement de mes volontés. En reconnaissance de ce service, et en mémoire des deux fois où il me sauva la vie, il voudra bien accepter la somme d'un million. »

Le préfet s'interrompit quelques instants. Don Luis murmura :

« Pauvre Cosmo... Je n'avais pas besoin de cela pour remplir ses derniers vœux. »

« En outre, continua M. Desmalions reprenant sa lecture, en outre, si, trois mois après ma mort, les recherches faites par don Luis Perenna et par maître Lepertuis n'ont pas abouti, si aucun héritier ni aucun survivant de la famille Roussel ne s'est présenté pour recueillir l'héritage, la totalité des deux cents millions sera définitivement, et quelles que puissent être les réclamations ultérieures, acquise à mon ami don Luis Perenna. Je le connais assez pour savoir qu'il fera de cette fortune un emploi conforme à la noblesse de ses desseins et à la grandeur des projets dont il m'entretenait, avec un tel enthousiasme, sous la tente marocaine. »

M. Desmalions s'arrêta de nouveau et leva les yeux sur don Luis. Il demeurait impassible, silencieux. Une larme pourtant brilla à la pointe de ses cils. Le comte d'Astrignac lui dit :

« Mes félicitations, Perenna.

— Mon commandant, répondit-il, je vous ferai remarquer que cet héritage est subordonné à une condition. Et je vous jure bien que, si cela dépend de moi, les survivants de la famille Roussel seront retrouvés.

— J'en suis sûr, dit l'officier, je vous connais.

— En tout cas, demanda le préfet de police à don Luis, cet héritage... conditionnel, vous ne le refusez pas ?

— Ma foi non, dit Perenna en riant. Il y a des choses qu'on ne refuse pas.

— Ma question, dit le préfet, est motivée par ce dernier paragraphe du testament :

« Si, pour une raison ou pour une autre, mon ami Perenna refusait cet héritage, ou bien s'il était mort avant la date fixée pour le recueillir, je prie M. l'ambassadeur des États-Unis et M. le préfet de police de s'entendre sur les moyens de construire à Paris et d'entretenir une université réservée aux étudiants et aux artistes de nationalité américaine. M. le préfet de police voudra bien en tout cas prélever une somme de trois cent mille francs qu'il versera dans la caisse de ses agents. »

M. Desmalions replia la feuille de papier et en prit une autre.

« À ce testament est joint un codicille constitué par une lettre que M. Mornington écrivit quelque temps après à maître Lepertuis, et où il s'explique sur certains points de façon plus précise :

« Je demande à maître Lepertuis d'ouvrir mon testament le lendemain de ma mort, en présence de M. le préfet de police, lequel voudra bien tenir la chose entièrement secrète durant un mois. Un mois après, jour pour jour, il aura l'obligeance de réunir dans son cabinet un membre important de l'ambassade des États-Unis, maître Lepertuis et don Luis Perenna. Après lecture, un chèque d'un million devra être remis à mon légataire et ami don Luis Perenna sur le simple examen de ses papiers et sur la simple constatation de son identité. J'aimerais que cette constatation fût faite : au point de vue de la personne, par le commandant comte d'Astrignac, qui fut son chef au Maroc et qui, malheureusement, a dû prendre une retraite prématurée ; au point de vue de l'origine, par un membre de la légation du Pérou, puisque don Luis Perenna, bien qu'ayant conservé la nationalité espagnole, est né au Pérou.

« En outre, j'exige que mon testament ne soit communiqué aux héritiers Roussel que deux jours plus tard, et en l'étude de maître Lepertuis.

« Enfin — et ceci est la dernière expression de mes volontés pour ce qui concerne l'attribution de ma fortune et le mode de procéder à cette attribution —, M. le préfet voudra bien convoquer une seconde fois les mêmes personnes dans son cabinet à une date qui pourra être choisie par lui entre le soixantième et le quatre-vingt-dixième jour qui suivra la première réunion. C'est alors, et alors seulement, que l'héritier définitif sera désigné d'après ses droits et proclamé ; et nul ne pourra l'être s'il n'assiste à cette séance, à l'issue de laquelle don Luis Perenna, qui devra s'y rendre également, deviendra l'héritier définitif, si, comme je l'ai dit, aucun survivant de la famille Roussel et du cousin Victor ne s'est présenté pour recueillir l'héritage. »

« Tel est le testament de M. Cosmo Mornington, conclut le préfet de police, et telles sont les raisons de votre présence ici, messieurs. Une sixième personne doit être introduite tout à l'heure, un de mes agents que j'ai chargé de faire une première enquête sur la famille Roussel et qui vous rendra compte de ses recherches. Mais, pour l'instant, nous devons procéder conformément aux prescriptions du testateur. Les papiers que, sur ma demande, don Luis Perenna m'a fait remettre, il y a deux semaines, et que j'ai examinés moi-même, sont parfaitement en règle. Au point de vue de l'origine, j'ai prié M. le ministre du Pérou de vouloir bien réunir les renseignements les plus précis.

— C'est à moi, monsieur le préfet, dit M. Cacérès, l'attaché péruvien, que M. le ministre du Pérou a confié cette mission. Elle fut facile à remplir. Don Luis Perenna est d'une vieille famille espagnole émigrée il y a trente ans, mais qui a conservé ses terres et ses propriétés d'Europe. De son vivant, le père de don Luis, que j'ai rencontré en Amérique, parlait de son fils unique avec ferveur. C'est notre légation qui a appris au fils, voilà cinq ans, la mort du père. Voici la copie de la lettre écrite au Maroc.

— Et voilà la lettre elle-même, communiquée par don Luis Perenna, dit le préfet de police. Et vous, mon commandant, vous reconnaissez le légionnaire Perenna qui combattit sous vos ordres ?

— Je le reconnais, dit le comte d'Astrignac.

— Sans erreur possible ?

— Sans erreur possible et sans le moindre sentiment d'hésitation. »

Le préfet de police se mit à rire et insinua :

« Vous reconnaissez le légionnaire Perenna que ses camarades, par une sorte d'admiration stupéfiée pour ses exploits, appelaient Arsène Lupin ?

— Oui, monsieur le préfet, riposta le commandant, celui que ses camarades appelaient Arsène Lupin, mais que ses chefs appelaient tout court : *le héros*, celui dont nous disions qu'il était brave comme d'Artagnan, fort comme Porthos...

— Et mystérieux comme Monte-Cristo, dit en riant le préfet de police. Tout cela en effet se trouve dans le rapport que j'ai reçu du 4e régiment de la Légion étrangère, rapport inutile à lire dans son entier, mais où je constate ce fait inouï que le légionnaire Perenna, en l'espace de deux ans, fut décoré de la médaille militaire, décoré de la Légion d'honneur pour services exceptionnels, et cité sept fois à l'ordre du jour. Je relève au hasard...

— Monsieur le préfet, je vous en supplie, protesta don Luis, ce sont là des choses banales, et je ne vois pas l'intérêt...

— Un intérêt considérable, affirma M. Desmalions. Ces messieurs sont ici, non pas seulement pour entendre la lecture d'un testament, mais aussi pour en autoriser l'exécution dans la seule de ses clauses qui soit immédiatement exécutoire : la délivrance d'un legs s'élevant à un million. Il faut donc que la religion de ces messieurs soit éclairée sur le bénéficiaire de ce legs. Par conséquent, je continue...

— Alors, monsieur le préfet, dit Perenna en se levant et en se dirigeant vers la porte, vous me permettrez...

— Demi-tour !... Halte !... Fixe ! » ordonna le commandant d'Astrignac d'un ton de plaisanterie.

Il ramena don Luis en arrière au milieu de la pièce et le fit asseoir.

« Monsieur le préfet, je demande grâce pour mon ancien compagnon d'armes, dont la modestie serait, en effet, mise à une trop rude épreuve si on lisait devant lui le récit de ses prouesses. D'ailleurs, le rapport est ici et chacun peut le consulter. D'avance, et sans le connaître, je souscris aux éloges qu'il contient, et je déclare que dans ma carrière militaire, si remplie pourtant, je n'ai jamais rencontré un soldat qui pût être comparé au légionnaire Perenna. Cependant, j'en ai vu des gaillards là-bas, des sortes de démons comme on n'en trouve qu'à la Légion, qui se font crever la peau pour le plaisir, pour la rigolade, comme ils disent, histoire d'épater le voisin. Mais aucun ne venait à la cheville de Perenna. Celui que nous appelions d'Artagnan, Porthos, de Bussy, méritait d'être mis en parallèle avec les héros les plus étonnants de la légende et de la réalité. Je l'ai vu accomplir des choses que je ne voudrais pas raconter sous peine d'être traité d'imposteur, des choses si invraisemblables qu'aujourd'hui, de sang-froid, je me demande si je suis sûr de les avoir vues. Un jour, à Settat, comme nous étions poursuivis...

— Un mot de plus, mon commandant, s'écria gaiement don Luis, et je sors, tout de bon cette fois. Vrai, vous avez une façon d'épargner ma modestie...

— Mon cher Perenna, reprit le comte d'Astrignac, je vous ai toujours dit que vous aviez toutes les qualités et un seul défaut : c'est de n'être pas Français.

— Et je vous ai toujours répondu, mon commandant, que j'étais Français par ma mère, et que je l'étais aussi de cœur et de tempérament. Il y a des choses que l'on ne peut accomplir que si l'on est Français. »

Les deux hommes se serrèrent la main de nouveau affectueusement.

« Allons, dit le préfet de police, qu'il ne soit plus question de vos prouesses, monsieur, ni de ce rapport. J'y relèverai cependant ceci, c'est qu'au cours de l'été 1915 vous êtes tombé dans une embuscade de quarante Berbères, que vous avez été capturé et que vous n'avez reparu à la Légion que le mois dernier.

— Oui, monsieur le préfet, pour être désarmé, mes cinq années d'engagement étant largement dépassées.

— Mais comment M. Cosmo Mornington a-t-il pu vous désigner comme légataire puisque, au moment où il rédigeait son testament, vous étiez disparu depuis quatre ans ?

— Cosmo et moi, nous correspondions.

— Hein ?

— Oui, et je lui avais annoncé mon évasion prochaine et mon retour à Paris.

— Mais par quel moyen ?... Où étiez-vous ? Et comment vous fut-il possible ?... »

Don Luis sourit sans répondre.

« Monte-Cristo, cette fois, dit M. Desmalions, le mystérieux Monte-Cristo...

— Monte-Cristo, si vous voulez, monsieur le préfet. Le mystère de ma captivité, de mon évasion, bref, de toute ma vie pendant la guerre, est en effet assez étrange. Peut-être un jour sera-t-il intéressant de l'éclaircir. Je demande un peu de crédit. »

Il y eut un silence. M. Desmalions examina de nouveau ce singulier personnage, et il ne put s'empêcher de dire, comme s'il eût obéi à une association d'idées dont lui-même ne se fût pas rendu compte :

« Un mot encore... le dernier. Pour quelles raisons vos camarades vous donnaient-ils ce surnom bizarre d'Arsène Lupin ? Était-ce seulement une allusion à votre audace, à votre force physique ?

— Il y avait autre chose, monsieur le préfet, la découverte d'un vol très curieux, dont certains détails, inexplicables en apparence, m'avaient permis de désigner l'auteur.

— Vous avez donc le sens de ces affaires ?

— Oui, monsieur le préfet, une certaine aptitude que j'eus

l'occasion d'exercer plusieurs fois en Afrique. D'où mon surnom d'Arsène Lupin, dont on parlait beaucoup à cette époque, à la suite de sa mort.

— Ce vol était important ?

— Assez, et commis justement au préjudice de Cosmo Mornington, qui habitait alors la province d'Oran. C'est de là que datent nos relations. »

Il y eut un nouveau silence, et don Luis ajouta :

« Pauvre Cosmo !... Cette aventure lui avait donné une confiance inébranlable dans mes petits talents de policier. Il me disait toujours : Perenna, si je meurs assassiné (c'était une idée fixe chez lui qu'il mourrait de mort violente), si je meurs assassiné, jurez-moi de poursuivre le coupable. »

— Ses pressentiments n'étaient pas justifiés, dit le préfet de police. Cosmo Mornington n'a pas été assassiné.

— C'est ce qui vous trompe, monsieur le préfet », déclara Don Luis.

M. Desmalions sursauta.

« Quoi ! Qu'est-ce que vous dites ? Cosmo Mornington...

— Je dis que Cosmo Mornington n'est pas mort, comme on le croit, d'une piqûre mal faite, mais il est mort, comme il le redoutait, de mort violente.

— Mais, monsieur, votre assertion ne repose sur rien.

— Sur la réalité, monsieur le préfet.

— Étiez-vous là ? Savez-vous quelque chose ?

— Je n'étais pas là le mois dernier. J'avoue même que, quand je suis arrivé à Paris, n'ayant pas lu les journaux de façon régulière, j'ignorais la mort de Cosmo. C'est vous, monsieur le préfet, qui me l'avez apprise tout à l'heure.

— En ce cas, monsieur, vous n'en pouvez connaître que ce que j'en connais, et vous devez vous en remettre aux constatations du médecin.

— Je le regrette, mais, pour ma part, ces constatations sont insuffisantes.

— Mais enfin, monsieur, de quel droit cette accusation ? Avez-vous une preuve ?

— Oui.

— Laquelle ?

— Vos propres paroles, monsieur le préfet.

— Mes paroles ?

— Celles-ci, monsieur le préfet. Vous avez dit, d'abord, que Cosmo Mornington s'occupait de médecine et qu'il pratiquait avec beaucoup de compétence, et, ensuite, qu'il s'était fait une piqûre qui, mal donnée, avait provoqué une inflammation mortelle et l'avait emporté en quelques heures.

— Oui.

— Eh bien, monsieur le préfet, j'affirme qu'un monsieur qui s'occupe de médecine avec beaucoup de compétence et qui soigne des malades comme le faisait Cosmo Mornington, est incapable de se donner une piqûre sans l'entourer de toutes les précautions antiseptiques nécessaires. J'ai vu Cosmo à l'œuvre, je sais comment il s'y prenait.

— Alors ?

— Alors, le médecin a écrit un certificat comme le font tous les médecins quand un indice quelconque n'éveille pas leurs soupçons.

— De sorte que votre avis ?...

— Maître Lepertuis, demanda Perenna en se tournant vers le notaire, lorsque vous fûtes appelé au lit de mort de M. Mornington, vous n'avez rien remarqué d'anormal ?

— Non, rien. M. Mornington était entré dans le coma.

— Il est déjà bizarre, nota don Luis, qu'une piqûre, si mauvaise qu'elle soit, produise des résultats si rapides. Il ne souffrait pas ?

— Non... ou plutôt si... si, je me rappelle, le visage offrait des taches brunes que je n'avais pas vues la première fois.

— Des taches brunes ? Cela confirme mon hypothèse ! Cosmo Mornington a été empoisonné.

— Mais comment ? s'écria le préfet.

— Par une substance quelconque que l'on aura introduite dans une des ampoules de glycéro-phosphate, ou dans la seringue dont se servait le malade.

— Mais le médecin ? ajouta M. Desmalions.

— Maître Lepertuis, reprit Perenna, avez-vous fait observer au médecin la présence de ces taches brunes ?

— Oui, il n'y attacha aucune importance.

— C'était son médecin ordinaire ?

— Non. Son médecin ordinaire, le docteur Pujol, un de mes amis précisément, et qui m'avait adressé à lui comme notaire, était malade. Celui que j'ai vu à son lit de mort devait être un médecin du quartier.

— Voici son nom et son adresse, dit le préfet de police qui avait cherché le certificat dans le dossier. Docteur Bellavoine, 14, rue d'Astorg.

— Vous avez un annuaire des médecins, monsieur le préfet ? »

M. Desmalions ouvrit un annuaire qu'il feuilleta. Au bout d'un instant, il déclarait :

« Il n'y a pas de docteur Bellavoine, et aucun docteur n'habite au 14 de la rue d'Astorg. »

Un assez long silence suivit cette déclaration. Le secrétaire d'ambassade et l'attaché péruvien avaient suivi l'entretien avec un intérêt passionné. Le commandant d'Astrignac hochait la tête d'un air approbateur : pour lui Pérenna ne pouvait pas se tromper.

Le préfet de police avoua :

« Évidemment... évidemment... il y a là un ensemble de circonstances... plutôt équivoques... Ces taches brunes... ce médecin... C'est une affaire à étudier... »

Et, comme malgré lui, interrogeant don Luis Perenna, il dit :

« Et sans doute, selon vous, il y aurait corrélation entre le crime... possible et le testament de M. Mornington ?

— Cela je l'ignore, monsieur le préfet. Ou alors il faudrait supposer que quelqu'un connaissait le testament. Croyez-vous que ce soit le cas, maître Lepertuis ?

— Je ne crois pas, car M. Mornington semblait agir avec beaucoup de circonspection.

— Et il n'est pas admissible, n'est-ce pas, qu'une indiscrétion ait pu être commise en votre étude ?

— Par qui ? Moi seul ai manié ce testament, et moi seul d'ailleurs ai la clef du coffre où je range tous les soirs les documents de cette importance.

— Ce coffre n'a pas été l'objet d'une effraction ? Il n'y a pas eu de cambriolage dans votre étude ?

— Non.

— C'est un matin que vous avez vu Cosmo Mornington ?

— Un vendredi matin.

— Qu'avez-vous fait du testament jusqu'au soir, jusqu'à l'instant où vous l'avez rangé dans votre coffre-fort ?

— Probablement l'aurai-je mis dans le tiroir de mon bureau.

— Et ce tiroir n'a pas été forcé ?

Maître Lepertuis parut stupéfait et ne répondit pas.

— Eh bien ? reprit Perenna.

— Eh bien.... oui... je me rappelle... il y a eu quelque chose... ce jour-là, ce même vendredi.

— Vous êtes sûr ?

— Oui. Quand je suis revenu après mon déjeuner, j'ai constaté que le tiroir n'était pas fermé à clef. Pourtant je l'avais fermé, cela sans aucune espèce de doute. Sur le moment, je n'ai attaché à cet incident qu'une importance relative. Aujourd'hui, je comprends... je comprends... »

Ainsi se vérifiaient au fur et à mesure toutes les hypothèses imaginées par don Luis Perenna, hypothèses appuyées, il est vrai, sur quelques indices, mais où il y avait, avant tout, une part d'intuition et de divination, réellement surprenante chez un homme qui n'avait assisté à aucun des événements qu'il reliait entre eux avec tant d'habileté.

« Nous n'allons pas tarder, monsieur, dit le préfet de police, à contrôler vos assertions, un peu hasardées, avouez-le, avec le témoignage plus rigoureux d'un de mes agents que j'ai chargé de cette affaire... et qui devrait être ici.

— Son témoignage porte-t-il sur les héritiers de Cosmo Mornington ? demanda le notaire.

— Sur les héritiers d'abord, puisque avant-hier il me téléphonait qu'il avait réuni tous les renseignements, et aussi sur les points mêmes dont... Mais tenez... je me rappelle qu'il a parlé à mon secrétaire d'un crime commis il y a un mois, jour pour jour. Or, il y a un mois, jour pour jour, que M. Cosmo Mornington... »

D'un coup sec, M. Desmalions appuya sur un timbre.

Aussitôt son secrétaire particulier accourut.

« L'inspecteur Vérot ? demanda vivement le préfet de police.

— Il n'est pas encore de retour.

— Qu'on le cherche ! Qu'on l'amène ! Il faut le trouver à tout prix et sans retard. »

Et, s'adressant à don Luis Perenna :

« Voilà une heure que l'inspecteur Vérot est venu ici assez souffrant, très agité, paraît-il, en se disant surveillé, poursuivi. Il avait à me communiquer les déclarations les plus importantes sur l'affaire Mornington et à mettre la police en garde contre deux assassinats qui doivent être commis cette nuit et qui seraient la conséquence du meurtre de Cosmo Mornington.

— Et il était souffrant ?

— Oui, mal à son aise, et très bizarre même, l'imagination frappée. Par prudence, il m'a fait remettre un rapport détaillé sur l'affaire. Or, ce rapport n'est autre chose qu'une feuille de papier blanc. Voici cette feuille et son enveloppe. Et voici une boîte de carton qu'il a déposée également et qui contenait une tablette de chocolat avec des empreintes de dents.

— Puis-je voir ces deux objets, monsieur le préfet ?

— Oui, mais ils ne vous apprendront rien du tout.

— Peut-être... »

Don Luis examina longuement la boîte en carton et l'enveloppe jaune où se lisait l'inscription « Café du Pont-Neuf ». On attendait ses paroles comme si elles eussent dû apporter une lumière imprévue. Il dit simplement :

« L'écriture n'est pas la même sur l'enveloppe et sur la petite boîte. L'écriture de l'enveloppe est moins nette, un peu tremblante, visiblement imitée.

— Ce qui prouve ?...

— Ce qui prouve, monsieur le préfet, que cette enveloppe jaune ne provient pas de votre agent. Je suppose qu'après avoir écrit son rapport sur une table du café du Pont-Neuf et l'avoir cacheté, il aura eu un moment de distraction pendant lequel on a substitué à son enveloppe une autre enveloppe portant la même adresse, mais ne contenant qu'une feuille blanche.

— Supposition ! dit le préfet.

— Peut-être, mais ce qu'il y a de sûr, monsieur le préfet, c'est que les pressentiments de votre inspecteur sont motivés, qu'il est l'objet d'une surveillance étroite, que les découvertes qu'il a pu faire sur l'héritage Mornington contrarient des manœuvres criminelles, et qu'il court des dangers terribles.

— Oh ! Oh !

— Il faut le secourir, monsieur le préfet. Depuis le début de cette réunion, la conviction s'impose à moi que nous nous heurtons à une entreprise déjà commencée. Je souhaite qu'il ne soit pas trop tard et que votre inspecteur n'en soit pas la première victime.

— Eh ! monsieur, s'écria le préfet de police, vous affirmez tout cela avec une conviction que j'admire, mais qui ne suffit pas à établir que vos craintes sont justifiées. Le retour de l'inspecteur Vérot en sera la meilleure démonstration.

— L'inspecteur Vérot ne reviendra pas.

— Mais enfin pourquoi ?

— Parce qu'il est déjà revenu. L'huissier l'a vu revenir.

— L'huissier a la berlue. Si vous n'avez pas d'autre preuve que le témoignage de cet homme...

— J'en ai une autre, monsieur le préfet, et que l'inspecteur Vérot a laissée ici même de sa présence... Ces quelques mots presque indéchiffrables, qu'il a griffonnés sur le bloc-notes, que votre secrétaire ne l'a pas vu écrire, et qui viennent de me tomber sous les yeux. Les voici. N'est-ce pas une preuve qu'il est revenu ? Et une preuve formelle ! »

Le préfet ne cacha pas son trouble. Tous les assistants paraissaient émus. Le retour du secrétaire ne fit qu'augmenter les appréhensions. Personne n'avait vu l'inspecteur Vérot.

« Monsieur le préfet, prononça don Luis, j'insiste vivement pour qu'on interroge l'huissier. »

Et dès que l'huissier fut là, il lui demanda, sans même attendre l'intervention de M. Desmalions :

« Êtes-vous sûr que l'inspecteur Vérot soit rentré une seconde fois dans cette pièce ?

— Absolument sûr.

— Et qu'il n'en soit pas sorti ?

— Absolument sûr.

— Vous n'avez pas eu la moindre minute d'inattention ?

— Pas la moindre. »

Le préfet s'écria :

« Vous voyez bien, monsieur ! Si l'inspecteur Vérot était ici, nous le saurions.

— Il est ici, monsieur le préfet.

— Quoi ?

— Excusez mon obstination, monsieur le préfet, mais je dis que quand quelqu'un entre dans une pièce et qu'il n'en sort pas, c'est qu'il s'y trouve encore.

— Caché ? fit M. Desmalions qui s'irritait de plus en plus.

— Non, mais évanoui, malade... mort peut-être.

— Mais où ? que diable !

— Derrière ce paravent.

— Il n'y a rien derrière ce paravent, rien qu'une porte.

— Et cette porte ?

— Donne sur un cabinet de toilette.

— Eh bien, monsieur le préfet, l'inspecteur Vérot, étourdi, titubant, croyant passer de votre bureau dans celui de votre secrétaire, est tombé dans ce cabinet de toilette. »

M. Desmalions se précipita, mais, au moment d'ouvrir la porte, il eut un geste de recul. Était-ce appréhension ? désir de se soustraire à l'influence de cet homme stupéfiant qui donnait des ordres avec tant d'autorité et qui semblait commander aux événements eux-mêmes ? Don Luis demeurait imperturbable, en une attitude pleine de déférence.

« Je ne puis croire... dit M. Desmalions.

— Monsieur le préfet, je vous rappelle que les révélations de l'inspecteur Vérot peuvent sauver la vie à deux personnes qui doivent mourir cette nuit. Chaque minute perdue est irréparable. »

M. Desmalions haussa les épaules. Mais cet homme le dominait de toute sa conviction. Il ouvrit.

Il ne fit pas un mouvement, il ne poussa pas un cri. Il murmura simplement :

« Oh ! est-ce possible !... »

À la lueur pâle d'un peu de jour qui entrait par une fenêtre aux vitres dépolies, on apercevait le corps d'un homme qui gisait à terre.

« L'inspecteur... l'inspecteur Vérot... », balbutia l'huissier qui s'était élancé.

Avec l'aide du secrétaire, il put soulever le corps et l'asseoir sur un fauteuil du cabinet de travail.

L'inspecteur Vérot vivait encore, mais si faiblement qu'on entendait à peine les battements de son cœur. Un peu de salive coulait au coin de sa bouche. Les yeux n'avaient pas d'expression. Cependant certains muscles du visage remuaient, peut-être sous l'effort d'une volonté qui persistait, au-delà de la vie aurait-on pu dire.

Don Luis murmura :

« Regardez, monsieur le préfet... les taches brunes... »

Une même épouvante bouleversa les assistants qui se mirent à sonner et à ouvrir les portes en appelant au secours.

« Le docteur !... ordonnait M. Desmalions, qu'on amène un docteur... le premier venu, et un prêtre... On ne peut pourtant pas laisser cet homme... »

Don Luis leva le bras pour réclamer du silence.

« Il n'y a plus rien à faire, dit-il... Tâchons plutôt de profiter de ces dernières minutes... Voulez-vous me permettre, monsieur le préfet ?... »

Il s'inclina sur le moribond, renversa la tête branlante contre le dossier du fauteuil, et, d'une voix très douce, chuchota :

« Vérot, c'est le préfet qui vous parle. Nous voudrions avoir quelques renseignements sur ce qui doit se passer cette nuit. Vous m'entendez bien, Vérot ? Si vous m'entendez, fermez les paupières. »

Les paupières s'abaissèrent. Mais n'était-ce pas le hasard ? Don Luis continua :

« Vous avez retrouvé les héritiers des sœurs Roussel, cela nous le savons, et ce sont deux de ces héritiers qui sont menacés de mort... Le double crime doit être commis cette nuit. Mais le nom de ces héritiers, qui sans doute ne s'appellent plus Roussel, nous est inconnu. Il faut nous le dire. Écoutez-moi bien : vous avez inscrit sur un bloc-notes trois lettres qui paraissent former la syllabe FAU... Est-ce que je me trompe ? Est-ce le commencement d'un nom ? Quelle est la lettre qui suit ces trois lettres ?... Est-ce un B ? un C ? »

Mais plus rien ne remuait dans le visage blême de l'inspecteur. La tête retomba lourdement sur la poitrine. Il poussa deux ou trois soupirs, fut secoué d'un grand frisson, et ne bougea plus.

Il était mort.

CHAPITRE II

L'HOMME QUI DOIT MOURIR

La scène tragique s'était déroulée avec une telle rapidité que les personnes qui en furent les témoins frémissants demeurèrent un moment confondues. Le notaire fit un signe de croix et s'agenouilla. Le préfet murmura :

« Pauvre Vérot... un brave homme qui ne songeait qu'au service, qu'au devoir... Au lieu d'aller se faire soigner, et qui sait ? peut-être l'eût-on sauvé, il est revenu ici dans l'espoir de livrer son secret. Pauvre Vérot...

— Une femme ? des enfants ? demanda anxieusement don Luis.

— Une femme et trois enfants, répondit le préfet.

— Je me charge d'eux », déclara don Luis simplement.

Puis, comme on amenait un médecin, et que M. Desmalions donnait des ordres pour qu'on transportât le cadavre dans une pièce voisine, il prit le médecin à part et lui dit :

« Il est hors de doute que l'inspecteur Vérot a été empoisonné. Regardez son poignet, vous observerez la trace d'une piqûre, entourée d'un cercle d'inflammation.

— On l'aurait donc piqué là ?

— Oui, à l'aide d'une épingle ou d'un bec de plume, et pas

aussi violemment qu'on l'eût voulu, puisque la mort n'est survenue que quelques heures après. »

Les huissiers emportèrent le cadavre, et bientôt il ne resta plus dans le cabinet du préfet que les cinq personnages qu'il y avait convoqués.

Le secrétaire d'ambassade américain et l'attaché péruvien, jugeant leur présence inutile, s'en allèrent, après avoir chaudement félicité don Luis Perenna de sa clairvoyance.

Puis ce fut le tour du commandant d'Astrignac, qui secoua la main de son ancien subordonné avec une affection visible. Et maître Lepertuis et Perenna, ayant pris rendez-vous pour la délivrance du legs, étaient eux-mêmes sur le point de se retirer, quand M. Desmalions entra vivement.

« Ah ! vous êtes encore là, don Luis Perenna... Tant mieux !... Une idée qui me frappe... Ces trois lettres que vous avez cru déchiffrer sur le bloc-notes... vous êtes certain qu'il y a bien la syllabe Fau ?...

— Il me semble, monsieur le préfet. Tenez, n'est-ce pas les trois lettres F, A et U ?... Et remarquez que la lettre F est tracée en majuscule. Ce qui me fait supposer que cette syllabe est le début d'un nom propre.

— En effet, en effet, dit M. Desmalions. Eh bien, il se présente ceci de curieux, c'est que cette syllabe est justement... Du reste, nous allons vérifier... »

D'une main hâtive, M. Desmalions feuilletait la correspondance que son secrétaire lui avait remise à son arrivée et qui se trouvait rangée sur un coin de la table.

« Ah ! voici, s'exclama-t-il en saisissant une lettre et en se reportant aussitôt à la signature... Voici... C'est bien ce que je croyais... Fauville... la syllabe initiale est la même... Regardez, Fauville tout court, sans prénom... La lettre a dû être écrite dans un moment de fièvre... Il n'y a ni date ni adresse... L'écriture est tremblée...

Et M. Desmalions lut à haute voix :

Monsieur le préfet,

Un grand danger est suspendu sur ma tête et sur la tête de mon fils. La mort approche à grands pas. J'aurai cette nuit, ou demain matin au plus tard, les preuves de l'abominable complot qui nous menace. Je vous demande la permission de vous les apporter dans la matinée. J'ai besoin de protection et je vous appelle à mon secours.

Veuillez agréer, etc.

FAUVILLE.

« Pas d'autre désignation ? fit Perenna. Aucun en-tête ?

— Rien, mais il n'y a pas d'erreur. Les déclarations de l'inspecteur Vérot coïncident d'une façon trop évidente avec cet appel désespéré. C'est bien M. Fauville et son fils qui doivent être assassinés cette nuit. Et ce qu'il y a de terrible, c'est que le nom de Fauville étant très répandu il est impossible que nos recherches aboutissent à temps.

— Comment ! monsieur le préfet, mais à tout prix...

— À tout prix, certes, et je vais mettre tout le monde sur pied. Mais notez bien que nous n'avons pas le moindre indice.

— Ah ! s'écria don Luis, ce serait effrayant. Ces deux êtres qui doivent mourir et que nous ne pourrions sauver. Monsieur le préfet, je vous en supplie, prenez cette affaire en main. Par la volonté de Cosmo Mornington, vous y êtes mêlé dès la première heure, et par votre autorité et votre expérience vous lui donnerez une impulsion plus vigoureuse.

— Cela concerne la Sûreté... le parquet... objecta M. Desmalions.

— Certes, monsieur le préfet, Mais ne croyez-vous pas qu'il y a des moments où le chef a seul qualité pour agir ? Excusez mon insistance... »

Il n'avait pas achevé ces mots que le secrétaire particulier du préfet entra avec une carte à la main.

« Monsieur le préfet, cette personne insiste tellement... j'ai hésité... »

M. Desmalions saisit la carte et jeta une exclamation de surprise et de joie.

« Regardez, monsieur, dit-il à Perenna qui lut ces mots :

HIPPOLYTE FAUVILLE
Ingénieur,
14, bis, boulevard Suchet.

— Allons, fit M. Desmalions, le hasard veut que tous les fils de cette affaire viennent se placer dans mes mains, et que je sois amené à m'en occuper selon votre désir, monsieur. D'ailleurs, il semble que les événements tournent en notre faveur. Si ce monsieur Fauville est un des héritiers Roussel, la tâche sera simplifiée.

— En tout cas, monsieur le préfet, objecta le notaire, je vous rappellerai qu'une des clauses du testament stipule que la lecture n'en doit être faite que dans quarante-huit heures. Ainsi donc M. Fauville ne doit pas encore être mis au courant... »

La porte du bureau s'entrouvrit à peine, un homme bouscula l'huissier et entra brusquement.

Il bredouillait :

« L'inspecteur... l'inspecteur Vérot ? Il est mort, n'est-ce pas ? On m'a dit...

— Oui, monsieur, il est mort.

— Trop tard ! J'arrive trop tard », balbutia-t-il.

Et il s'effondra, les mains jointes, en sanglotant :

« Ah ! les misérables ! les misérables ! »

Son crâne chauve surmontait un front que rayaient des rides profondes. Un tic nerveux agitait son menton et tirait les lobes de ses oreilles. C'était un homme de cinquante ans environ, très pâle, les joues creuses, l'air maladif. Des larmes roulaient dans ses yeux.

Le préfet lui dit :

« De qui parlez-vous, monsieur ? De ceux qui ont tué l'inspecteur Vérot ? Vous est-il possible de les désigner, de guider notre enquête ?... »

Hippolyte Fauville hocha la tête.

« Non, non. Pour l'instant, cela ne servirait de rien... Mes preuves ne suffiraient pas... Non, en vérité, non. »

Il s'était levé déjà et s'excusait :

« Monsieur le préfet, je vous ai dérangé inutilement... mais je voulais savoir... J'espérais que l'inspecteur Vérot aurait échappé... Son témoignage réuni au mien aurait été précieux. Mais peut-être a-t-il pu vous prévenir ?

— Non, il a parlé de ce soir... de cette nuit... »

Hippolyte Fauville sursauta.

« De ce soir ! Alors, ce serait déjà l'heure... Mais non, mais non, c'est impossible, ils ne peuvent rien encore contre moi... Ils ne sont pas prêts.

— L'inspecteur Vérot affirme pourtant que le double crime doit être commis cette nuit.

— Non, monsieur le préfet... Là, il se trompe... Je le sais bien, moi... Demain soir, au plus tôt. Et nous les prendrons au piège... Ah ! les misérables... »

Don Luis s'approcha et lui dit :

« Votre mère s'appelait bien Ermeline Roussel, n'est-ce pas ?

— Oui, Ermeline Roussel. Elle est morte maintenant.

— Et elle était bien de Saint-Étienne ?

— Oui... Mais pourquoi ces questions ?...

— Monsieur le préfet vous expliquera demain... Un mot encore. »

Il ouvrit la boîte de carton déposée par l'inspecteur Vérot.

« Cette tablette de chocolat a-t-elle une signification pour vous ? Ces empreintes ?...

— Oh ! fit l'ingénieur, la voix sourde... Quelle infamie !... Où l'inspecteur a-t-il trouvé cela ? »

Il eut encore une défaillance, mais très courte, et, se redressant aussitôt, il se hâta vers la porte, d'un pas saccadé.

« Je m'en vais, monsieur le préfet, je m'en vais. Demain matin, je vous raconterai... J'aurai toutes les preuves... et la justice me protégera... Je suis malade, c'est vrai, mais enfin, je veux vivre !... J'ai le droit de vivre... et mon fils aussi... Et nous vivrons... Oh ! les misérables... »

Et il sortit en courant, à l'allure d'un homme ivre.

M. Desmalions se leva précipitamment.

« Je vais faire prendre des renseignements sur l'entourage de cet homme... faire surveiller sa demeure. J'ai déjà téléphoné à la Sûreté. J'attends quelqu'un en qui j'ai toute confiance. »

Don Luis déclara :

« Monsieur le préfet, je vous en conjure, accordez-moi l'autorisation de poursuivre cette affaire sous vos ordres. Le testament de Cosmo Mornington m'en fait un devoir, et, permettez-moi de le dire, m'en donne le droit. Les ennemis de M. Fauville sont d'une adresse et d'une audace extraordinaires. Je tiens à l'honneur d'être au poste, ce soir, chez lui et auprès de lui. »

Le préfet hésita. Comment n'eût-il pas songé à l'intérêt considérable que don Luis Perenna avait à ce qu'aucun des héritiers Mornington ne fût retouvé, ou du moins ne pût s'interposer entre lui et les millions de l'héritage ? Devait-on attribuer à un noble sentiment de gratitude, à une conception supérieure de l'amitié et du devoir, ce désir étrange de protéger Hippolyte Fauville contre la mort qui le menaçait ?

Durant quelques secondes, M. Desmalions observa ce visage résolu, ces yeux intelligents, à la fois ironiques et ingénus, graves et souriants, au travers desquels on ne pouvait certes pas pénétrer jusqu'à l'énigme secrète de l'individu, mais qui vous regardaient avec une telle expression de sincérité et de franchise. Puis il appela son secrétaire.

« On est venu de la Sûreté ?

— Oui, monsieur le préfet, le brigadier Mazeroux est là.

— Veuillez dire qu'on l'introduise. »

Et, se tournant vers Perenna :

« Le brigadier Mazeroux est un de nos meilleurs agents. Je l'employais concurremment avec ce pauvre Vérot lorsque j'avais besoin de quelqu'un de débrouillard et d'actif. Il vous sera très utile. »

Le brigadier Mazeroux entra. C'était un petit homme sec et robuste, auquel ses moustaches tombantes, ses paupières lourdes, ses yeux larmoyants, ses cheveux plats et longs donnaient l'air le plus mélancolique. Le préfet lui dit :

« Mazeroux, vous devez connaître déjà la mort de votre camarade Vérot et les circonstances atroces de cette mort. Il s'agit de le venger et de prévenir d'autres crimes. Monsieur, qui connaît l'affaire à fond, vous fournira toutes les explications nécessaires. Vous marcherez d'accord avec lui, et demain matin vous me rendrez compte de ce qui s'est passé. »

C'était donner le champ libre à don Luis Perenna et se confier à son initiative et à sa clairvoyance.

Don Luis s'inclina.

« Je vous remercie, monsieur le préfet. J'espère que vous n'aurez pas à regretter le crédit que vous voulez bien m'accorder. »

Et, prenant congé de M. Desmalions et de maître Lepertuis, il sortit avec le brigadier Mazeroux.

Dehors il raconta ce qu'il savait à Mazeroux, lequel sembla fort impressionné par les qualités professionnelles de son compagnon et tout disposé à se laisser conduire par lui.

Ils décidèrent de passer d'abord au café du Pont-Neuf.

Là ils apprirent que l'inspecteur Vérot, un habitué de l'établissement, avait, en effet le matin, écrit une longue lettre. Et le garçon de table se rappela fort bien que son voisin de table, entré presque en même temps que l'inspecteur, avait demandé également du papier à lettre et réclamé deux fois des enveloppes jaunes.

« C'est bien cela, dit Mazeroux à don Luis. Il y a eu, comme vous le pensiez, substitution de lettres. »

Quant au signalement que le garçon put donner, il était suffisamment explicite : un individu de taille élevée, un peu voûté, qui portait une barbe châtaine coupée en pointe, un lorgnon d'écaille retenu par un cordonnet de soie noire, et une canne d'ébène dont la poignée d'argent formait une tête de cygne.

« Avec cela, dit Mazeroux, la police peut marcher. »

Ils allaient sortir du café, lorsque don Luis arrêta son compagnon.

« Un instant.

— Qu'y a-t-il ?

— Nous avons été suivis...

— Suivis ! Elle est raide celle-là. Et par qui donc ?

— Aucune importance. Je sais ce que c'est, et j'aime autant régler cette histoire-là en un tournemain. Attendez-moi. Je reviens, et vous ne vous ennuierez pas, je vous le promets. Vous allez voir un type à la hauteur. »

Il revint, en effet, au bout d'une minute, avec un monsieur mince et grand, au visage encadré de favoris.

Il fit les présentations :

« Monsieur Mazeroux, un de mes amis. Monsieur Cacérès, attaché à la légation péruvienne, et qui, tout à l'heure, assistait à l'entrevue chez le préfet. C'est M. Cacérès qui fut chargé par le ministre du Pérou de réunir les pièces relatives à mon identité. »

Et gaiement, il ajouta :

« Alors, cher monsieur Cacérès, vous me cherchiez... J'avais bien cru, en effet, quand nous sommes sortis de la Préfecture... »

L'attaché péruvien fit un signe et montra le brigadier Mazeroux. Perenna reprit :

« Je vous en supplie... Que monsieur Mazeroux ne vous gêne pas !... Vous pouvez parler devant lui... Il est très discret... et d'ailleurs il est au courant de la question. »

L'attaché se taisait. Perenna le fit asseoir en face de lui.

« Parlez sans détours, cher monsieur Cacérès. C'est un sujet qui doit être traité carrément et où, même, je ne redoute pas une certaine crudité de mots. Que de temps gagné de la sorte ! Allons-y. Il vous faut de l'argent, n'est-ce pas ? Ou, du moins, un supplément d'argent. Combien ? »

Le Péruvien eut une dernière hésitation, jeta un coup d'œil sur le compagnon de don Luis, puis, se décidant tout à coup, prononça, d'une voix sourde :

« Cinquante mille francs !

— Bigre de bigre ! s'écria don Luis, vous êtres gourmand ! Qu'est-ce que vous en dites, monsieur Mazeroux ? Cinquante mille francs, c'est une somme. D'autant plus... Voyons, mon cher Cacérès, récapitulons. Il y a quelques années, ayant eu l'honneur de lier connaissance avec vous en Algérie, où vous étiez de passage, ayant compris d'autre part à qui j'avais affaire, je vous ai demandé s'il vous était possible de m'établir, en trois ans, avec mon nom de Perenna, une personnalité hispano-péruvienne, munie de papiers indiscutables et d'ancêtres respectables. Vous m'avez répondu : « Oui. » Le prix fut fixé : vingt mille francs. La semaine dernière, le préfet de police m'ayant fait dire de lui communiquer mes papiers, j'allai vous voir, et j'appris de vous que vous étiez justement chargé d'une enquête sur mes origines. D'ailleurs, tout était prêt. Avec les papiers convenablement mis au point de feu Perenna, noble hispano-péruvien, vous m'aviez confectionné un état civil de tout premier ordre. Après entente sur ce qu'il y avait à dire devant le préfet de police, je versai les vingt mille francs. Nous étions quittes. Que voulez-vous de plus ? »

L'attaché péruvien ne montrait plus le moindre embarras. Il posa ses deux coudes sur la table, et tranquillement il articula :

« Monsieur, en traitant avec vous jadis, je croyais traiter avec un monsieur qui, se cachant sous l'uniforme de légionnaire pour des raisons personnelles, désirait plus tard recouvrer les moyens de vivre honorablement. Aujourd'hui, il s'agit du légataire universel de Cosmo Mornington, lequel légataire touche demain, sous un faux nom, la somme d'un million, et dans quelques mois peut-être la somme de deux cents millions. C'est tout autre chose. »

L'argument sembla frapper don Luis. Pourtant il objecta :

« Et si je refuse ?

— Si vous refusez, j'avertis le notaire et le préfet de police que je me suis trompé dans mon enquête, et qu'il y a erreur sur la personne de don Luis Perenna. Ensuite de quoi vous ne toucherez rien du tout et serez même tout probablement mis en état d'arrestation.

— Ainsi que vous, mon brave monsieur.

— Moi ?

— Dame ! pour faux et maquillage d'état civil... Car vous pensez bien que je mangerai le morceau. »

L'attaché ne répondit pas. Son nez, qu'il avait très fort, semblait s'allonger entre ses deux longs favoris.

Don Luis se mit à rire.

« Allons, monsieur Cacérès, ne faites pas cette binette-là. On ne vous fera pas mal. Seulement ne cherchez plus à me mettre dedans. De plus malins que vous l'ont essayé qui s'y sont cassé les reins. Et, vrai, vous n'avez pas l'air de premier ordre quand il s'agit de rouler le prochain. Un peu poire même, le sieur Cacérès, un peu poire. Eh bien, c'est compris, n'est-ce pas ? On désarme ? Plus de noirs desseins contre cet excellent Perenna ? Parfait monsieur Cacérès, parfait, je serai bon prince et vous prouverai que le plus honnête des deux... est bien celui qu'on pense. »

Il tira de sa poche un carnet de chèques timbré par le Crédit lyonnais.

« Tenez, cher ami, voici vingt mille francs que vous donne le légataire de Cosmo Mornington. Empochez-les avec un sourire. Dites merci au bon monsieur. Et prenez vos cliques et vos claques sans plus détourner la tête que les filles de M. Loth. Allez... Ouste ! »

Cela fut dit de telle manière que l'attaché obéit, point par point, aux prescriptions de don Luis Perenna. Il sourit en empochant l'argent, répéta deux fois merci et s'esquiva sans détourner la tête.

« Crapule !... murmura don Luis. Hein, qu'en dites-vous, brigadier ? »

Le brigadier Mazeroux le regardait avec stupeur, les yeux écarquillés.

« Ah çà ! mais, monsieur...

— Quoi, brigadier ?

— Ah çà ! mais, monsieur, qui êtes-vous ?

— Qui je suis ?

— Oui.

— Mais ne vous l'a-t-on pas dit ? Un noble Péruvien ou un noble Espagnol... Je ne sais pas trop... Bref, don Luis Perenna.

— Des blagues ! Je viens d'assister...

— Don Luis Perenna, ancien légionnaire...

— Assez, monsieur...

— Médaillé... décoré sur toutes les coutures.

— Assez, monsieur, encore une fois, et je vous somme de me suivre devant le préfet.

— Mais laissez-moi continuer, que diable ? Donc, ancien légionnaire... ancien héros... ancien détenu à la Santé... ancien prince russe... ancien chef de la Sûreté... ancien...

— Mais vous êtes fou ! grinça le brigadier... Qu'est-ce que c'est que cette histoire ?

— De l'histoire vraie, authentique. Vous me demandez ce que je suis... J'énumère. Dois-je remonter plus haut ? J'ai encore quelques titres à vous offrir... marquis, baron, duc, archiduc, grand-duc, petit-duc, contre-duc... tout le Gotha, quoi ! On me dirait que j'ai été roi, ventre-saint-gris je n'oserais pas jurer le contraire. »

Le brigadier Mazeroux saisit de ses deux mains, habituées aux rudes besognes, les deux poignets, frêles en apparence, de son interlocuteur, et lui dit :

« Pas d'pétard, n'est-ce pas ? Je ne sais pas à qui j'ai affaire, mais je ne vous lâche pas. On s'expliquera à la Préfecture.

— Parle pas si fort, Alexandre. »

Les deux poignets frêles se dégagèrent avec une aisance inouïe, les deux mains robustes du brigadier furent happées à leur tour et immobilisées, et don Luis ricana :

« Tu ne me reconnais donc pas, imbécile ? »

Le brigadier Mazeroux ne souffla pas mot. Ses yeux s'écarquillèrent davantage. Il tâchait de comprendre et demeurait absolument ahuri. Le son de cette voix, cette manière de plaisanter, cette gaminerie alliée à cette audace, l'expression narquoise de ces yeux, et puis ce prénom d'Alexandre, qui n'était pas le sien et qu'une seule personne lui donnait autrefois. Était-ce possible ?

Il balbutia :

« Le patron... le patron...

— Pourquoi pas ?

— Mais non... mais non... puisque...

— Puisque quoi ?

— *Vous êtes mort.*

— Et après ? Crois-tu que ça me gêne pour vivre, d'être mort ? »

Et, comme l'autre semblait de plus en plus confondu, il lui posa la main sur l'épaule et lui dit :

« Qui est-ce qui t'a fait entrer à la Préfecture de police ?

— Le chef de la Sûreté, M. Lenormand.

— Et qui était-ce, M. Lenormand ?

— C'était le patron.

— C'est-à-dire Arsène Lupin, n'est-ce pas[1] ?

— Oui.

1. Voir *813*.

— Eh bien, Alexandre, ne sais-tu pas qu'il était beaucoup plus difficile pour Arsène Lupin d'être chef de la Sûreté, et il le fut magistralement, que d'être don Luis Perenna, que d'être décoré, que d'être légionnaire, que d'être un héros, et même que d'être vivant tout en étant mort ? »

Le brigadier Mazeroux examina silencieusement son compagnon. Puis ses yeux tristes s'animèrent, son visage terne s'enflamma, et soudain, frappant la table d'un coup de poing, il mâchonna, la voix rageuse :

« Eh bien, soit, mais je vous avertis qu'il ne faut pas compter sur moi ! Ah ! non, alors. Je suis au service de la société, et j'y reste. Rien à faire. J'ai goûté à l'honnêteté. Je ne veux plus manger d'autre pain. Ah ! non, alors, non, non, non, plus de sottises ! »

Perrenna haussa les épaules.

« T'es bête, Alexandre. Vrai, le pain de l'honnêteté ne t'engraisse pas l'intelligence. Qui te parle de recommencer ?

— Cependant...

— Cependant, quoi ?

— Toute votre manigance, patron...

— Ma manigance ! Crois-tu donc que j'y sois pour quelque chose, dans cette affaire-là ?

— Voyons, patron...

— Mais pour rien du tout, mon petit. Il y a deux heures, je n'en savais pas plus long que toi. C'est le bon Dieu qui m'a bombardé héritier sans crier gare, et c'est bien pour ne pas lui désobéir que...

— Alors ?

— Alors j'ai mission de venger Cosmo Mornington, de rerouver ses héritiers naturels, de les protéger et de répartir entre eux les deux cents millions qui leur appartiennent. Un point, c'est tout. Est-ce une mission d'honnête homme, cela ?

— Oui, mais...

— Oui, mais si je ne l'accomplis pas en honnête homme, c'est ça que tu veux dire, n'est-ce pas ?

— Patron...

— Eh bien, mon petit, si tu distingues à la loupe la moindre chose qui te déplaise dans ma conduite, si tu découvres un point noir sur la conscience de don Luis Perenna, pas d'hésitation, fiche-moi tes deux mains au collet. Je t'y autorise. Je te l'ordonne. Ça te suffit-il ?

— Il ne suffit pas que ça me suffise, patron.

— Qu'est-ce que tu chantes ?
— Il y a encore les autres.
— Explique.
— Si vous êtes pincé ?
— Comment ?
— Vous pouvez être trahi.
— Par qui ?
— Nos anciens camarades...
— Partis. Je les ai expédiés hors de France.
— Où ça ?
— C'est mon secret. Toi, je t'ai laissé à la préfecture, au cas où j'aurais eu besoin de tes services. Et tu vois que j'ai eu raison.
— Mais si l'on découvre votre véritable personnalité ?
— Eh bien ?
— On vous arrête.
— Impossible.
— Pourquoi ?
— On ne peut pas m'arrêter.
— La raison ?
— Tu l'as dite toi-même, bouffi, une raison supérieure, formidable, irrésistible.
— Laquelle ?
— *Je suis mort.* »

Mazeroux parut suffoqué. L'argument le frappait en plein. D'un coup il l'apercevait, dans toute sa vigueur et dans toute sa cocasserie. Et, subitement, il partit d'un éclat de rire fou, qui le tordait en deux et convulsait de la façon la plus drôle son mélancolique visage.

« Ah ! patron, toujours le même !... Dieu, que c'est rigolo !... Si je marche ? Je crois bien que je marche !... Et deux fois plutôt qu'une !... Vous êtes mort ! enterré ! supprimé ! Ah ! quelle rigolade ! quelle rigolade ! »

Hippolyte Fauville, ingénieur, habitait, sur le boulevard Suchet, le long des fortifications, un hôtel assez vaste flanqué à gauche d'un jardin où il avait fait bâtir une grande pièce qui lui servait de cabinet de travail. Le jardin se trouvait ainsi réduit à quelques arbres et à une bande de gazon, en bordure de la grille habillée de lierre et percée d'une porte qui le séparait du boulevard Suchet.

Don Luis Perenna se rendit avec Mazeroux au commissariat

de Passy, où Mazeroux, sur ses instructions, se fit connaître et demanda que l'hôtel de l'ingénieur Fauville fût surveillé, durant la nuit, par deux agents de police, qui mettraient en arrestation toute personne suspecte tentant de s'introduire.

Le commissaire promit son concours.

Après quoi don Luis et Mazeroux dînèrent dans le quartier. À neuf heures, ils arrivaient devant la porte principale de l'hôtel.

« Alexandre, fit Perenna.

— Patron ?

— Tu n'as pas peur ?

— Non, patron. Pourquoi ?

— Pourquoi ? Parce que, en défendant l'ingénieur Fauville et son fils, nous nous attaquons à des gens qui ont un intérêt considérable à les faire disparaître, et que ces gens n'ont pas l'air d'avoir froid aux yeux. Ta vie, la mienne... un souffle, un rien... Tu n'as pas peur ?

— Patron, répondit Mazeroux, je ne sais pas si je connaîtrai la peur un jour ou l'autre. Mais il y a un cas où je ne la connaîtrai jamais.

— Lequel, mon vieux ?

— Tant que je serai à vos côtés. »

Et résolument il sonna.

La porte s'ouvrit et un domestique apparut, Mazeroux fit passer sa carte.

Hippolyte Fauville les reçut tous deux dans son cabinet. La table était encombrée de brochures, de livres et de papiers. On voyait, sur deux pupitres soutenus par de hauts chevalets, des épures et des dessins, et, dans deux vitrines, des réductions en ivoire et en acier d'appareils construits ou inventés par l'ingénieur. Un large divan s'étalait contre le mur. À l'opposé se trouvait un escalier tournant qui montait à une galerie circulaire. Au plafond, un lustre électrique. Au mur, le téléphone.

Tout de suite, Mazeroux, après avoir décliné son titre et présenté son ami Perenna comme envoyé également par le préfet de police, exposa l'objet de leur démarche. M. Desmalions, sur des indices très graves dont il venait d'avoir connaissance, s'inquiétait. Sans attendre l'entretien du lendemain, il priait M. Fauville de prendre toutes les précautions que lui conseilleraient ses agents.

Fauville montra d'abord une certaine humeur.

« Mes précautions sont prises, messieurs, et bien prises. Et je craindrais, d'autre part, que votre intervention ne fût pernicieuse.

— En quoi donc ?

— En éveillant l'attention de mes ennemis, et en m'empêchant, par là même, de recueillir les preuves dont j'ai besoin pour les confondre.

— Pouvez-vous m'expliquer ?

— Non, je ne peux pas. Demain, demain matin... pas avant.

— Et s'il est trop tard ? interrompit don Luis Perenna.

— Trop tard, demain ?

— L'inspecteur Vérot l'a dit au secrétaire de M. Desmalions : « Le double assassinat aura lieu cette nuit. C'est fatal, c'est irrévocable. »

— Cette nuit ? s'écria Fauville, avec colère... Je vous dis que non, moi. Pas cette nuit, j'en suis sûr... Il y a des choses que je sais, n'est-ce pas ? et que vous ne savez pas...

— Oui, objecta don Luis, mais il y a peut-être aussi des choses que savait l'inspecteur Vérot et que vous ignorez. Il avait peut-être pénétré plus avant dans le secret de vos ennemis. La preuve, c'est qu'on se défiait de lui. La preuve, c'est qu'un individu, porteur d'une canne d'ébène, l'espionnait. La preuve, enfin, c'est qu'il a été tué. »

L'assurance d'Hippolyte Fauville diminuait. Perenna en profita pour insister, et de telle façon que Fauville, sans toutefois sortir de sa réserve, finit par s'abandonner à cette volonté, plus forte que la sienne.

« Eh bien, quoi ? Vous n'avez pourtant pas la prétention de passer la nuit ici ?

— Précisément.

— Mais c'est absurde ! Mais c'est du temps perdu ! Car enfin, en mettant les choses au pire... Et puis, quoi encore, que voulez-vous ?

— Qui habite cet hôtel ?

— Qui ? Ma femme d'abord. Elle occupe le premier étage.

— Mme Fauville n'est pas menacée.

— Non, nullement. C'est moi qui suis menacé, moi et mon fils Edmond. Aussi, depuis huit jours, au lieu de coucher dans ma chambre, comme d'habitude, je m'enferme dans cette pièce... J'ai donné comme prétexte des travaux, des écritures qui m'obligent à veiller très tard, et pour lesquels j'ai besoin de mon fils.

— Il couche donc ici ?

— Au-dessus de nous, dans une petite chambre que je lui ai fait aménager. On n'y peut accéder que par cet escalier intérieur.

— Il s'y trouve actuellement ?

— Oui. Il dort.

— Quel âge a-t-il ?

— Seize ans.

— Mais, si vous avez ainsi changé de chambre, c'est que vous redoutiez qu'on ne vous attaquât ? Qui ? Un ennemi habitant l'hôtel ? Un de vos domestiques ? Ou bien des gens du dehors ? En ce cas, comment pourrait-on s'introduire ? Toute la question est là.

— Demain... demain... répondit Fauville, obstiné. Demain, je vous expliquerai...

— Pourquoi pas ce soir ? reprit Perenna avec entêtement.

— Parce qu'il me faut des preuves, je vous le répète... parce que le fait seul de parler peut avoir des conséquences terribles... et que j'ai peur... oui, j'ai peur... »

De fait, il tremblait et il paraissait si misérable, si terrifié, que don Luis n'insista plus.

« Soit, dit-il. Je vous demanderai seulement, pour mon camarade et moi, la permission de passer la nuit à portée de votre appel.

— Comme vous voudrez, monsieur. Après tout, cela vaut peut-être mieux. »

À ce moment, un des domestiques frappa et vint annoncer que madame désirait voir monsieur avant de sortir. Presque aussitôt, Mme Fauville entra.

Elle salua, d'un signe de tête gracieux, Perenna et Mazeroux. C'était une femme de trente à trente-cinq ans, d'une beauté souriante, qu'elle devait à ses yeux bleus, à ses cheveux ondulés, à toute la grâce de son visage un peu futile, mais aimable et charmant. Elle portait, sous un grand manteau de soie brochée, une toilette de bal qui découvrait ses belles épaules.

Son mari lui dit avec étonnement :

« Tu sors donc ce soir ?

— Rappelle-toi, dit-elle, les Auverard m'ont offert une place dans leur loge, à l'Opéra, et c'est toi-même qui m'as priée d'aller ensuite quelques instants à la soirée de Mme d'Ersinger.

— En effet... en effet... dit-il, je ne me souvenais plus... Je travaille tellement ! »

Elle acheva de boutonner ses gants et reprit :

« Tu ne viendras pas me retrouver chez Mme d'Ersinger ?

— Pour quoi faire ?

— Ce serait un plaisir pour eux.

— Mais pas pour moi. D'ailleurs, ma santé me le défend.

— Je t'excuserai.

— Oui, tu m'excuseras. »

Elle ferma son manteau, d'un joli geste, et elle resta quelques secondes immobile, comme si elle eût cherché une parole d'adieu. Puis elle dit :

« Edmond n'est donc pas là ? Je croyais qu'il travaillait avec toi.

— Il était fatigué.

— Il dort ?

— Oui.

— J'aurais voulu l'embrasser.

— Mais non, tu le réveillerais. D'ailleurs, voici ton automobile. Va, chère amie. Amuse-toi bien.

— Oh ! m'amuser... dit-elle, comme on s'amuse à l'Opéra et en soirée.

— Ça vaut toujours mieux que de rester dans ta chambre. »

Il y eut un peu de gêne. On sentait un de ces ménages peu unis, où l'homme, de mauvaise santé, hostile aux plaisirs mondains, s'enferme chez lui, tandis que la femme cherche les distractions auxquelles lui donnent droit son âge et ses habitudes.

Comme il ne lui adressait plus la parole, elle se pencha et l'embrassa au front.

Puis, saluant de nouveau les deux visiteurs, elle sortit.

Un instant plus tard, on perçut le bruit du moteur qui s'éloignait.

Aussitôt Hippolyte Fauville se leva et, après avoir sonné, il dit :

« Personne ici ne se doute du danger qui est sur ma tête. Je ne me confie à personne, pas même à Silvestre, mon valet de chambre particulier, qui me sert cependant depuis des années, et qui est la probité même. »

Le domestique entra.

« Je vais me coucher, Silvestre, préparez tout », dit M. Fauville.

Silvestre ouvrit le dessus du grand divan, qui forma ainsi un lit confortable, et il disposa les draps et les couvertures. Ensuite, sur l'ordre de son maître, il apporta une carafe, un verre, une assiette de gâteaux secs et un compotier de fruits. M. Fauville croqua des gâteaux, puis coupa une pomme d'api. Elle n'était pas mûre. Il en prit deux autres, tâta et, ne les jugeant pas à point, les remit également. Puis il pela une poire et la mangea.

« Laissez le compotier, dit-il au domestique. Si j'ai faim cette nuit, je serai bien aise... Ah ! j'oubliais, ces messieurs restent ici. N'en parlez à personne. Et demain matin ne venez que quand je sonnerai. »

Le domestique, avant de se retirer, déposa donc le compotier sur la table. Perenna, qui remarquait tout, et qui, par la suite, devait évoquer les plus petits détails de cette soirée que sa mémoire enregistrait avec une fidélité pour ainsi dire mécanique, Perenna compta, dans le compotier, trois poires et quatre pommes d'api.

Cependant Fauville montait l'escalier tournant, et, suivant la galerie, gagnait la chambre où couchait son fils.

« Il dort à poings fermés », dit-il à Perenna qui l'avait rejoint.

La pièce était petite. L'air y arrivait par un système spécial d'aération, car un volet de bois cloué bouchait hermétiquement la lucarne.

« C'est une précaution que j'ai prise l'an dernier, expliqua Hippolyte Fauville. Comme c'est dans cette pièce que je faisais mes expériences électriques, je craignais qu'on ne m'épiât. J'ai donc fermé l'issue qui donnait sur le toit. »

Et il ajouta, la voix basse :

« Il y a longtemps que l'on rôde autour de moi. »

Ils redescendirent.

Fauville consulta sa montre.

« Dix heures et quart... C'est l'heure du repos. Je suis très las, et vous m'excuserez... »

Il fut convenu que Perenna et Mazeroux s'installeraient sur deux fauteuils qu'ils transportèrent dans le couloir qui menait du cabinet de travail au vestibule même de l'hôtel.

Mais, avant de les quitter, Hippolyte Fauville, qui jusqu'ici, bien que fort agité, semblait maître de lui, eut une défaillance soudaine. Il exhala un faible cri. Don Luis se retourna et vit que la sueur lui coulait comme de l'eau sur le visage et sur le cou, et il grelottait de fièvre et d'angoisse.

« Qu'est-ce que vous avez ?

— J'ai peur... j'ai peur... dit-il.

— C'est de la folie, s'écria don Luis, puisque nous sommes là tous les deux ! Nous pourrions même fort bien passer la nuit auprès de vous, à votre chevet. »

L'ingénieur secoua violemment Perenna par l'épaule, et, la figure convulsée, bégaya :

« Quand vous seriez dix... quand vous seriez vingt auprès de moi, croyez-vous que cela les gênerait ? Ils peuvent tout, vous entendez... Ils peuvent tout !... Ils ont déjà tué l'inspecteur Vérot... ils me tueront... et ils tueront mon fils... Ah ! les misérables... Mon Dieu, ayez pitié de moi !... Ah ! quelle épouvante !... Ce que je souffre ! »

Il était tombé à genoux et se frappait la poitrine en répétant :

« Mon Dieu, ayez pitié de moi... Je ne veux pas mourir... Je ne veux pas que mon fils meure... Ayez pitié de moi, je vous en supplie... »

Il se releva d'un bond, conduisit Perenna devant une vitrine qu'il poussa et qui roula aisément sur ses roulettes de cuivre, et, découvrant un petit coffre scellé dans le mur même :

« Toute mon histoire est ici, écrite au jour le jour depuis trois ans. S'il m'arrivait malheur, la vengeance serait facile. »

Hâtivement, il avait tourné les lettres de la serrure, et, à l'aide d'une même clef qu'il tira de sa poche, il ouvrit.

Le coffre était aux trois quarts vide. Sur l'un des rayons seulement, parmi des tas de papiers, il y avait un cahier de toile grise ceinturé d'un ruban de caoutchouc rouge.

Il saisit ce cahier et scanda :

« Tenez... voici... tout est là-dedans. Avec ça on peut reconstituer l'abominable chose... Il y a mes soupçons d'abord, et puis mes certitudes... et tout... tout... de quoi les prendre au piège... de quoi les perdre... Vous vous rappellerez, n'est-ce pas ? un cahier de toile grise... je le replace dans le coffre... »

Peu à peu son calme revenait. Il repoussa la vitrine, rangea quelques papiers, alluma la poire électrique qui dominait son lit, éteignit le lustre qui marquait le milieu du cabinet et pria don Luis et Mazeroux de le laisser.

Don Luis, qui faisait le tour de la pièce et qui examinait les volets de fer des deux fenêtres, nota une porte en face de l'entrée et questionna l'ingénieur...

« Je m'en sers, dit Fauville, pour mes clients habituels... et puis quelquefois aussi je sors par là.

— Elle donne sur le jardin ?

— Oui.

— Elle est bien fermée ?

— Vous pouvez voir... fermée à clef et au verrou de sûreté. Les deux clefs sont à mon trousseau, avec celle du jardin. »

Il déposa le trousseau sur la table, ainsi que son portefeuille. Il y plaça également sa montre, après l'avoir remontée.

Sans se gêner, don Luis s'empara du trousseau et fit fonctionner la serrure et le verrou. Trois marches le conduisirent au jardin. Il fit le tour de l'étroite plate-bande. À travers le lierre il aperçut et il entendit les deux agents de police qui déambulaient sur le boulevard. Il vérifia la serrure de la grille. Elle était fermée.

« Allons, dit-il en remontant, tout va bien, et vous pouvez être tranquille. À demain.

— À demain », dit l'ingénieur en reconduisant Perenna et Mazeroux.

Il y avait entre son cabinet et le couloir une double porte, dont l'une était matelassée et recouverte de moleskine. De l'autre côté le couloir était séparé du vestibule par une lourde tapisserie.

« Tu peux dormir, dit Perenna à son compagnon. Je veillerai.

— Mais enfin, patron, vous ne supposez pas qu'une alerte soit possible !

— Je ne le suppose pas, vu les précautions que nous avons prises. Mais toi, qui connais l'inspecteur Vérot, crois-tu que c'était un type à se forger des idées ?

— Non, patron.

— Eh bien, tu sais ce qu'il a prédit. C'est qu'il avait des raisons pour cela. Donc j'ouvre l'œil.

— Chacun son tour, patron, réveillez-moi quand ce sera mon heure de faction. »

Immobiles l'un près de l'autre, ils échangèrent encore de rares paroles. Peu après, Mazeroux s'endormit. Don Luis resta sur son fauteuil, sans bouger, l'oreille aux aguets. Dans l'hôtel, tout était calme. Dehors, de temps en temps passait le roulement d'une auto ou d'un fiacre. On entendait aussi les derniers trains sur la ligne d'Auteuil.

Don Luis se leva plusieurs fois et s'approcha de la porte. Aucun bruit. Sans nul doute, Hippolyte Fauville dormait.

« Parfait, se disait Perenna. Le boulevard est gardé. On ne peut pas pénétrer dans la pièce par un autre passage que celui-ci. Donc rien à craindre. »

À deux heures du matin, une auto s'arrêta devant l'hôtel, et un des domestiques qui devait attendre du côté de l'office et des cuisines, se hâta vers la grande porte. Perenna éteignit l'électricité dans le couloir et, soulevant légèrement la tapisserie, aperçut Mme Fauville qui rentrait, suivie de Silvestre.

Elle monta. La cage de l'escalier redevint obscure. Durant une demi-heure encore, des murmures de voix et des bruits de chaises remuées se firent entendre aux étages supérieurs. Et ce fut le silence.

Et, dans ce silence, Perenna sentit sourdre en lui une angoisse inexprimable. Pourquoi ? Il n'eût pu le dire. Mais c'était si violent, l'impression devenait si aiguë qu'il murmura :

« Je vais voir s'il dort. Les portes ne doivent pas être fermées au verrou. »

De fait, il n'eut qu'à pousser les battants pour ouvrir. Sa lanterne électrique à la main, il s'approcha du lit.

Hippolyte Fauville, tourné vers le mur, dormait.

Perenna eut un soupir de soulagement. Il revint dans le couloir et secouant Mazeroux :

« À ton tour, Alexandre.

— Rien de nouveau, patron ?

— Non, non, rien, il dort.

— Comment le savez-vous donc ?

— J'ai été le voir.

— C'est drôle, je n'ai pas entendu. C'est vrai que je pionçais comme une brute. »

Il suivit dans la pièce Perenna, qui lui dit :

« Assieds-toi et ne le réveille pas. Je vais m'assoupir un instant. »

Il reprit encore une faction. Mais, même en sommeillant, il gardait conscience de tout ce qui se passait autour de lui.

Une pendule sonnait les heures à voix basse, et, chaque fois, Perenna comptait. Puis ce fut la vie du dehors qui s'éveilla, les voitures de laitiers qui roulèrent, les premiers trains de banlieue qui sifflèrent.

Dans l'hôtel aussi, l'agitation commença.

Le jour filtrait par les interstices des volets, et la pièce peu à peu s'emplissait de lumière.

« Allons-nous-en, dit le brigadier Mazeroux. Il vaut mieux qu'il ne nous trouve pas ici.

— Tais-toi, ordonna don Luis en accompagnant son injonction d'un geste impérieux.

— Mais pourquoi ?

— Tu vas le réveiller.

— Vous voyez bien qu'il ne se réveille pas, fit Mazeroux sans baisser le ton.

— C'est vrai... c'est vrai... » chuchota don Luis, étonné que le son de cette voix n'eût pas troublé le dormeur.

Et il se sentit envahi par la même angoisse qui l'avait bouleversé au milieu de la nuit. Angoisse plus précise, quoiqu'il ne voulût pas, qu'il n'osât pas, se rendre compte du motif qui la suscitait.

« Qu'est-ce que vous avez, patron ? Vous êtes tout chose. Qu'y a-t-il ?

— Rien... rien... j'ai peur. »

Mazeroux frissonna.

« Peur de quoi ? Vous dites ça comme il le disait hier soir, lui.

— Oui... oui... et pour la même cause.

— Mais enfin ?...

— Tu ne comprends donc pas ?... Tu ne comprends donc pas que je me demande...

— Quoi donc ?

— S'il n'est pas mort !

— Mais vous êtes fou, patron

— Non... je ne sais pas... seulement... seulement... j'ai l'impression de la mort. »

Sa lanterne à la main, il demeurait comme paralysé en face du lit, et, lui qui ne craignait rien au monde, il n'avait pas le courage d'éclairer le visage d'Hippolyte Fauville. Un silence terrifiant s'accumulait dans la pièce.

« Oh ! patron, il ne bouge pas...

— Je sais... je sais... et je m'aperçois maintenant qu'il n'a pas bougé une seule fois cette nuit. Et c'est cela qui m'effraie. »

Il dut faire un réel effort pour avancer. Il toucha presque au lit.

L'ingénieur ne semblait pas respirer.

Résolument il lui prit la main.

Elle était glacée.

D'un coup Perenna reprit tout son sang-froid.

« La fenêtre ! ouvre la fenêtre ! » cria-t-il.

Et, lorsque la lumière jaillit dans la pièce, il vit la figure d'Hippolyte Fauville tuméfiée, tachée de plaques brunes.

« Oh ! dit-il à voix basse, il est mort.

— Cré tonnerre !... cré tonnerre !... », bégaya le brigadier.

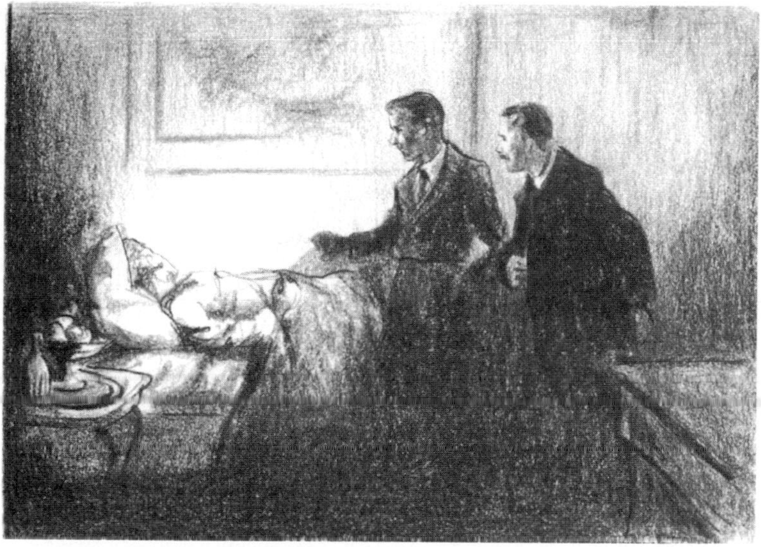

« Sa lanterne à la main, il demeurait comme paralysé. »

Durant deux ou trois minutes, ils restèrent pétrifiés, stupides, anéantis par la constatation du plus prodigieux et du plus mystérieux des phénomènes. Puis une idée soudaine fit sursauter Perenna. En quelques bonds il monta l'escalier intérieur, galopa le long de la galerie, et se précipita dans la mansarde.

Sur son lit, Edmond, le fils d'Hippolyte Fauville, était étendu, rigide, le visage terreux, mort aussi.

« Cré tonnerre !... cré tonnerre ! » répéta Mazeroux.

Jamais peut-être, au cours de sa vie aventureuse, Perenna n'avait éprouvé une telle commotion. Il en ressentait une sorte de courbature, et comme une impuissance à tenter le moindre geste, à prononcer la moindre parole. Le père et le fils étaient morts ! On les avait tués au cours de cette nuit ! Quelques heures auparavant, bien que la maison fût gardée, et toutes les issues hermétiquement closes, on les avait, à l'aide d'une piqûre infernale, empoisonnés tous deux, comme on avait empoisonné l'Américain Cosmo Mornington.

« Cré tonnerre ! redit encore Mazeroux, c'était pas la peine de nous occuper d'eux, les pauvres diables, et de faire tant d'épate pour les sauver ! »

Il y avait un reproche dans cette explication. Perenna le saisit et avoua :

« Tu as raison, Mazeroux, je n'ai pas été à la hauteur de la tâche.

— Moi non plus, patron.

— Toi... toi... tu n'es dans l'affaire que depuis hier soir.

— Eh bien, vous aussi, patron.

— Oui, je sais, depuis hier soir, tandis qu'eux la combinent depuis des semaines et des semaines... Mais tout de même, ils sont morts, et j'étais là ! J'étais là, moi, Lupin... La chose s'est accomplie sous mes yeux, et je n'ai rien vu... Je n'ai rien vu... Est-ce possible ? »

Il découvrait les épaules du pauvre garçon et, montrant la trace d'une piqûre en haut du bras :

« La même marque... la même évidemment que l'on retrouve sur le père... L'enfant ne semble pas avoir souffert non plus. Malheureux gosse ! Il n'avait pas l'apparence bien robuste... N'importe... une jolie figure... Ah ! comme la mère va être malheureuse ! »

Le brigadier pleurait de rage et de pitié, tout en mâchonnant :

« Cré tonnerre !... cré tonnerre !

— Nous les vengerons, hein, Mazeroux ?

— À qui le dites-vous, patron ? Plutôt deux fois qu'une !

— Une fois suffira, Mazeroux. Mais ce sera la bonne.

— Ah ! je le jure bien.

— Tu as raison, jurons-le. Jurons que ces deux morts seront vengés. Jurons que nous ne désarmerons pas avant que les assassins d'Hippolyte Fauville et de son fils soient punis selon leurs crimes.

— Je le jure sur mon salut éternel, patron.

— Bien, fit Perenna. Maintenant à l'œuvre. Toi, tu vas téléphoner immédiatement à la préfecture de police. Je suis sûr que M. Desmalions trouvera bon que tu le fasses avertir sans retard. Cette affaire l'intéresse au plus haut point.

— Et si les domestiques viennent ? Si Mme Fauville...

— Personne ne viendra avant que nous ouvrions, et nous n'ouvrirons les portes qu'au préfet de police. C'est lui qui se chargera ensuite d'annoncer à Mme Fauville qu'elle est veuve et qu'elle n'a plus de fils. Va, dépêche-toi.

— Un instant, patron, nous oublions quelque chose qui va singulièrement nous aider.

— Quoi ?

— Le petit cahier de toile grise contenu dans le coffre, où M. Fauville racontait la machination ourdie contre lui.

— Eh ! parbleu, fit Perenna, tu as raison..., d'autant plus qu'il avait négligé de brouiller le chiffre de la serrure, et que, d'autre part, la clef est au trousseau laissé sur la table. »

Ils descendirent rapidement.

« Laissez-moi faire, dit Mazeroux. Il est plus régulier que vous ne touchiez pas à ce coffre-fort. »

Il prit le trousseau, dérangea la vitrine et introduisit la clef, avec une émotion fébrile que don Luis ressentait plus vivement encore. Ils allaient enfin connaître l'histoire mystérieuse ! Le mort allait leur livrer le secret de ses bourreaux !

« Dieu, que tu es long ! » ronchonna don Luis.

Mazeroux plongea les deux mains dans le fouillis des papiers qui encombraient le rayon de fer.

« Eh bien, Mazeroux, donne-le-moi.

— Quoi ?

— Le cahier de toile grise.

— Impossible, patron.

— Hein ?

— Il a disparu. »

Don Luis étouffa un juron. Le cahier de toile grise que l'ingénieur avait placé devant eux dans le coffre avait disparu !

Mazeroux hocha la tête.

« Cré tonnerre ! ils savaient donc l'existence de ce cahier ?

— Parbleu ! et bien d'autres choses. Nous ne sommes pas au bout de notre rouleau avec ces gaillards-là. Aussi, pas de temps à perdre. Téléphone. »

Mazeroux obéit. Presque aussitôt, M. Desmalions lui fit répondre qu'il venait à l'appareil.

Il attendit.

Au bout de quelques minutes, Perenna, qui s'était promené de droite et de gauche en examinant divers objets, vint s'asseoir à côté de lui. Il paraissait soucieux. Il réfléchit assez longuement. Mais, son regard s'étant fixé sur le compotier, il murmura :

« Tiens, il n'y a plus que trois pommes au lieu de quatre. Il a donc mangé la quatrième ?

— En effet, dit Mazeroux, il a dû la manger.

— C'est bizarre, reprit Perenna, car il ne les trouvait pas mûres. »

Il garda de nouveau le silence, accoudé à la table, visiblement préoccupé, puis, relevant la tête, il laissa tomber ces mots :

« Le crime a été commis avant que nous n'entrions dans la pièce, exactement à minuit et demi.

— Qu'est-ce que vous en savez, patron ?

— L'assassin, ou les assassins de M. Fauville, en touchant aux objets rangés sur cette table, ont fait tomber la montre que M. Fauville y avait déposée. Ils l'ont remise à sa place. Mais sa chute l'avait arrêtée. Elle marque minuit et demi.

— Donc, patron, quand nous nous sommes installés ici, vers deux heures du matin, c'est un cadavre qui reposait à côté de nous, et un autre au-dessus de nous ?

— Oui.

— Mais par où ces démons-là sont-ils entrés ?

— Par cette porte, qui donne sur le jardin, et par la grille qui donne sur le boulevard Suchet.

— Ils avaient donc les clefs des verrous et des serrures ?

— De fausses clefs, oui.

— Mais les agents de police qui surveillent la maison, de dehors ?

— Ils la surveillent encore, comme ces gens-là surveillent, en marchant d'un point à un autre, et sans songer que l'on peut s'introduire dans un jardin tandis qu'ils ont le dos tourné. C'est ce qui a eu lieu, à l'arrivée comme au départ. »

Le brigadier Mazeroux semblait abasourdi. L'audace des criminels, leur habileté, la précision de leurs actes, le confondaient.

« Ils sont bougrement forts, dit-il.

— Bougrement, Mazeroux, tu l'as dit, et je prévois que la bataille sera terrible. Crebleu ! quelle vigueur dans l'attaque ! »

La sonnerie du téléphone s'agitait. Don Luis laissa Mazeroux poursuivre sa communication, et, prenant le trousseau de clefs, il fit aisément fonctionner la serrure et le verrou de la porte, et passa dans le jardin avec l'espoir d'y trouver quelque vestige qui faciliterait ses recherches.

Comme la veille, il aperçut, à travers les rameaux de lierre, deux agents de police qui déambulaient d'un bec de gaz à un autre. Ils ne le virent point. D'ailleurs ce qui pouvait se passer dans l'hôtel leur paraissait totalement indifférent.

« C'est là ma grande faute, se dit Perenna. On ne confie pas une mission à des gens qui ne se doutent pas de son importance. »

Les investigations aboutirent à la découverte de traces sur

le gravier, trop confuses pour que l'on pût reconstituer la forme des chaussures qui les y avaient faites, assez précises cependant pour que l'hypothèse de Perenna fût confirmée : les bandits avaient passé par là.

Tout à coup, il eut un mouvement de joie. Contre la bordure de l'allée, entre les feuilles d'un petit massif de rhododendrons, il avait aperçu quelque chose de rouge qui l'avait frappé.

Il se baissa.

C'était une pomme, la quatrième pomme, celle dont il avait remarqué l'absence dans le compotier.

« Parfait, se dit-il, Hippolyte Fauville ne l'a pas mangée. C'est l'un d'eux qui l'aura emportée... Une fantaisie... une fringale soudaine... et elle aura roulé de sa main sans qu'il ait eu le temps de la rechercher. »

Il ramassa le fruit et l'examina.

« Ah ! fit-il en tressaillant, est-ce possible ? »

Il restait interdit, saisi d'une véritable émotion, n'admettant pour ainsi dire point la chose inadmissible qui s'offrait cependant à ses yeux avec l'évidence même de la réalité. On avait mordu dans la pomme, dans la pomme trop acide pour qu'on pût la manger. *Et les dents avaient laissé leur empreinte !*

« Est-ce possible ? répétait don Luis, est-ce possible que l'un d'eux ait commis une pareille imprudence ? Il faut que la pomme soit tombée à son insu... ou qu'il n'ait pu la retrouver au milieu des ténèbres. »

Il n'en revenait pas et cherchait des explications. Mais le fait était là. Deux rangées de dents, trouant en demi-cercle la mince pellicule rouge, avaient laissé dans la pulpe même leur morsure bien nette et bien régulière. Il y en avait six en haut, tandis qu'en bas cela s'était fondu en une seule ligne courbe.

« Les dents du tigre !... murmurait Perenna, qui ne pouvait détacher son regard de cette double empreinte. Les dents du tigre ! celles qui s'inscrivaient déjà sur la tablette de l'inspecteur Vérot ! Quelle coïncidence ! Peut-on supposer qu'elle soit fortuite ? Ne doit-on pas admettre comme certain que c'est la même personne qui a mordu dans ce fruit et qui avait marqué la tablette que l'inspecteur Vérot apportait à la Préfecture comme la preuve la plus irréfragable ? »

Il hésita une seconde. Cette preuve, la garderait-il pour lui, pour l'enquête personnelle qu'il voulait mener ? ou bien l'abandonnerait-il aux investigations de la justice ? Mais il éprouvait au contact de cet objet une telle répugnance, un tel malaise physique, qu'il rejeta la pomme et la fit rouler sous le feuillage.

Et il redisait en lui-même :

« Les dents du tigre !... les dents de la bête fauve ! »

Il referma la porte du jardin, poussa le verrou, remit le trousseau de clefs sur la table, et dit à Mazeroux :

« Tu as parlé au préfet de police ?

— Oui.

— Il vient ?

— Oui.

— Il ne t'a pas donné l'ordre de téléphoner au commissaire de police ?

— Non.

— C'est qu'il veut tout voir par lui-même. Tant mieux ! Mais la Sûreté ? Le Parquet ?

— Il les a prévenus.

— Qu'est-ce que tu as, Alexandre ? Il faut te tirer les réponses du fond des entrailles. Eh bien, et après ? Tu me lorgnes d'un drôle d'air ? Qu'y a-t-il ?

— Rien.

— À la bonne heure. C'est cette histoire sans doute qui t'a tourné la tête. De fait, il y a de quoi... Et le préfet ne va pas rigoler... D'autant qu'il s'est confié à moi un peu à la légère et qu'on lui demandera des explications sur ma présence ici... Ah ! à ce propos, il est de beaucoup préférable que tu prennes la responsabilité de tout ce que nous avons fait. N'est-ce pas ? Ça n'en vaut que mieux pour toi. D'ailleurs, mets-toi carrément en avant. Efface-moi le plus possible, et surtout — tu ne verras, je suppose, aucun inconvénient à ce petit détail —, ne commets pas la bêtise de dire que tu t'es endormi une seule seconde, cette nuit, dans le couloir. D'abord, ça te retomberait sur le dos. Et puis... et puis voilà... Nous sommes d'accord, hein ? Alors il n'y a plus qu'à se quitter. Si le préfet a besoin de moi, comme je m'y attends, qu'on me téléphone, à mon domicile, place du Palais-Bourbon. J'y serai. Adieu. Il est inutile que j'assiste à l'enquête, ma présence y serait déplacée. Adieu, camarade. »

Il se dirigea vers la porte du couloir.

« Un instant, s'écria Mazeroux.

— Un instant ? mais... »

Le brigadier s'était jeté entre la porte et lui, et barrait le passage.

« Oui, un instant... Je ne suis pas de votre avis. Il est de beaucoup préférable que vous patientiez jusqu'à l'arrivée du préfet.

— Mais je me fiche pas mal de ton avis.

— Ça se peut, mais vous ne passerez pas.

— Quoi ? Ah çà ! mais, Alexandre, tu es malade ?

— Voyons, patron, supplia Mazeroux pris d'une défaillance, qu'est-ce que ça peut vous faire ? Il est tout naturel que le préfet désire causer avec vous.

— Ah ! c'est le préfet qui désire ?... Eh bien, tu lui diras, mon petit, que je ne suis pas à ses ordres, que je ne suis aux ordres de personne, et que si le président de la République, que si Napoléon Ier lui-même, me barrait la route... Et puis, zut, assez causé. Décampe.

— Vous ne passerez pas ! déclara Mazeroux d'un ton résolu et en étendant les bras.

— Elle est rigolote, celle-là.

— Vous ne passerez pas.

— Alexandre, compte jusqu'à dix.

— Jusqu'à cent, si vous voulez, mais vous ne...

— Ah ! tu m'embêtes avec ton refrain. Allons, ouste ! »

Il saisit Mazeroux par les deux épaules, le fit pirouetter et, d'une poussée, l'envoya buter contre le divan.

Puis il ouvrit la porte.

« Halte ! ou je fais feu ! »

C'était Mazeroux, debout déjà, et le revolver au poing, l'expression implacable.

Don Luis s'arrêta, stupéfait. La menace lui était absolument indifférente, et ce canon de revolver braqué sur lui le laissait aussi froid que possible. Mais par quel prodige Mazeroux, son complice d'autrefois, son disciple fervent, son serviteur dévoué, par quel prodige Mazeroux osait-il accomplir un pareil geste ?

Il s'approcha de lui, et, appuyant doucement sur le bras tendu :

« Ordre du préfet, n'est-ce pas ?

— Oui, murmura le brigadier, tout confus.

— Ordre de me retenir jusqu'à son arrivée ?

— Oui.

— Et si je manifestais l'intention de sortir, ordre de m'en empêcher ?

— Oui.

— Par tous les moyens ?

— Oui.

— Même en m'envoyant une balle dans la peau ?

— Oui. »

Perenna réfléchit, puis d'une voix grave :

« Tu aurais tiré, Mazeroux ? »

Le brigadier baissa la tête et articula faiblement :

« Oui, patron. »

Perenna le regarda sans colère, d'un regard de sympathie affectueuse, et c'était pour lui un spectacle passionnant que de voir son ancien compagnon dominé par un tel sentiment du devoir et de la discipline. Rien ne prévalait contre ce sentiment-là, rien, pas même l'admiration farouche, l'attachement en quelque sorte animal que Mazeroux conservait pour son maître.

« Je ne t'en veux pas, Mazeroux. Je t'approuve même. Seulement, tu vas m'expliquer la raison pour laquelle le préfet de police... »

Le brigadier ne répondit pas, mais ses yeux avaient une expression si douloureuse que don Luis sursauta, comprenant tout à coup.

« Non... non, s'écria-t-il, c'est absurde... il n'a pas pu avoir cette idée... Et toi, Mazeroux, est-ce que tu me crois coupable ?

— Oh ! moi, patron, je suis sûr de vous comme de moi-même... Vous ne tuez pas, vous !... Mais, tout de même, il y a des choses, des coïncidences...

— Des choses... des coïncidences... », répéta don Luis, lentement.

Il demeura pensif, et, tout bas, il scanda :

« Oui... au fond... il y a du vrai dans ce que tu dis... Oui, tout ça coïncide... Comment n'y ai-je pas songé ?... Mes relations avec Cosmo Mornington, mon arrivée à Paris pour l'ouverture du testament, mon insistance pour passer la nuit ici, le fait que la mort des deux Fauville me donne sans doute les millions... Et puis... et puis... Mais il a mille fois raison, ton préfet de police !... D'autant plus... Enfin... enfin... quoi ! je suis fichu.

— Voyons, patron.

— Fichu, camarade, mets-toi bien ça dans la caboche... Non pas fichu en tant qu'Arsène Lupin, ex-cambrioleur, ex-forçat, ex tout ce que tu voudras... sur ce terrain-là, je suis inattaquable... mais fichu en tant que don Luis Perenna, honnête homme, légataire universel, etc. Et c'est trop bête ! car enfin, qui retrouvera l'assassin de Cosmo, de Vérot et des deux Fauville, si on me flanque en prison ?

— Voyons, patron...

— Tais-toi... Écoute... »

Une automobile s'arrêtait sur le boulevard, et une autre survint. C'était évidemment le préfet de police et les magistrats du parquet.

Don Luis saisit le bras de Mazeroux :

« Un seul moyen, Alexandre, ne dis pas que tu as dormi.

— Impossible, patron.

— Triple idiot ! grogna don Luis. Peut-on être gourde à ce point ! C'est à vous dégoûter d'être honnête. Alors quoi ?

— Alors, patron, découvrez le coupable...

— Hein ! Qu'est-ce que tu chantes ? »

À son tour, Mazeroux lui prit le bras, et, s'accrochant à lui avec une sorte de désespoir, la voix mouillée de larmes :

« Découvrez le coupable, patron. Sans ça, vous êtes réglé... c'est certain... Le préfet me l'a dit... Il faut un coupable à la justice... et dès ce soir... Il en faut un... À vous de le découvrir.

— Tu en as de bonnes, Alexandre.

— C'est un jeu pour vous, patron. Vous n'avez qu'à vouloir.

— Mais il n'y a pas le moindre indice, idiot !

— Vous en trouverez... il le faut... Je vous en supplie, livrez quelqu'un... Je serais trop malheureux si on vous arrêtait. Et puis, vous, le patron, accusé d'assassinat ! Non... non... je vous en supplie, découvrez le coupable et livrez-le... Vous avez toute la journée pour cela... et Lupin en a fait bien d'autres ! »

Il bégayait, pleurait, se tordait les mains, grimaçait de tout son visage comique. Et c'était touchant, cette douleur, cet effarement à l'approche du danger qui menaçait son maître.

La voix de M. Desmalions se fit entendre dans le vestibule, à travers la tapisserie qui fermait le couloir. Une troisième automobile stoppa sur le boulevard, et une quatrième, toutes deux sans doute chargées d'agents.

L'hôtel était cerné, en état de siège.

Perenna se taisait.

Près de lui, la figure anxieuse, Mazeroux semblait l'implorer.

Quelques secondes s'écoulèrent.

Puis Perenna déclara posément :

« Tout compte fait, Alexandre, j'avoue que tu as vu clair

dans la situation et que tes craintes sont pleinement justifiées. Si je n'arrive pas, en quelques heures, à livrer à la justice l'assassin ou les assassins d'Hippolyte Fauville et de son fils, ce soir, jeudi, premier jour du mois d'avril, c'est moi, don Luis Perenna, qui coucherai sur la paille humide. »

CHAPITRE III

LA TURQUOISE MORTE

Il était environ neuf heures du matin lorsque le préfet de police entra dans le bureau où s'était déroulé le drame incompréhensible de ce double et mystérieux assassinat.

Il ne salua même pas don Luis, et les magistrats qui l'accompagnaient auraient pu croire que don Luis n'était qu'un auxiliaire du brigadier Mazeroux, si le chef de la Sûreté n'eût eu soin de préciser en quelques mots le rôle de cet intrus.

Brièvement, M. Desmalions examina les deux cadavres et se fit donner par Mazeroux de rapides explications.

Puis, regagnant le vestibule, il monta dans un salon du premier étage, où Mme Fauville, prévenue de sa visite, le rejoignit presque aussitôt.

Perenna, qui n'avait pas bougé du couloir, à son tour se glissa dans le vestibule, que les domestiques de l'hôtel, déjà mis au courant du crime, traversaient en tous sens, et il descendit les quelques marches qui conduisaient à un premier palier, sur lequel s'ouvrait la grande porte.

Deux hommes étaient là, dont l'un lui dit :

« On ne passe pas.

— Mais...

— On ne passe pas... c'est la consigne.

— La consigne ? Et qui donc l'a donnée ?

— Le préfet lui-même.

— Pas de veine, dit Perenna en riant. J'ai veillé toute la nuit et je crève de faim. Pas moyen de se mettre quelque chose sous la dent ? »

Les deux agents se regardèrent, puis l'un d'eux fit signe à Silvestre, le domestique, qui s'approcha et avec lequel il s'entretint. Silvestre s'en alla du côté de la salle à manger et de l'office et rapporta un croissant.

« Bien, pensa don Luis, après avoir remercié, la preuve est faite. Je suis bouclé. C'est ce que je voulais savoir. Mais M. Desmalions manque de logique. Car si c'est Arsène Lupin qu'il a l'intention de retenir ici, tous ces braves agents sont quelque peu insuffisants ; et si c'est don Luis Perenna, ils sont inutiles, puisque la fuite du sieur Perenna enlèverait au sieur Perenna toute chance de palper la galette du bon Cosmo. Sur quoi, je m'assieds. »

Il reprit sa place en effet dans le couloir et attendit les événements.

Par la porte ouverte du bureau, il vit les magistrats poursuivre leur enquête. Le médecin légiste fit un premier examen des deux cadavres et reconnut aussitôt les mêmes indices d'empoisonnement qu'il avait lui-même constatés la veille au soir sur le cadavre de l'inspecteur Vérot. Puis des agents soulevèrent les corps, que l'on transporta dans les deux chambres contiguës que le père et le fils occupaient naguère au second étage de l'hôtel.

Le préfet de police redescendit alors, et don Luis saisit ces paroles qu'il adressait aux magistrats :

« Pauvre femme ! elle ne voulait pas comprendre... Quand elle a compris, elle est tombée raide par terre, évanouie. Pensez donc ! son mari et son fils d'un seul coup... La malheureuse ! »

À partir de ce moment, il ne vit plus rien et n'entendit plus rien. La porte fut fermée. Le préfet dut ensuite donner des ordres de l'extérieur, par la communication que le jardin offrait avec l'entrée principale, car les deux agents vinrent s'installer dans le vestibule, à l'issue même du couloir, à droite et à gauche de la tapisserie.

« Décidément, se dit Perenna, mes actions ne sont pas en hausse. Quelle bile doit se faire Alexandre ! Non, mais quelle bile ! »

À midi, Silvestre lui apporta quelques aliments sur un plateau.

Et l'attente recommença, très longue, pénible.

Dans le bureau et dans l'hôtel, l'enquête, interrompue par le déjeuner, avait repris. Il percevait de tous côtés des allées et venues et des bruits de voix. À la fin, fatigué, ennuyé, il se renversa sur son fauteuil et s'endormit.

Il était quatre heures lorsque le brigadier Mazeroux le réveilla. Et, tout en le conduisant, Mazeroux chuchotait :

« Eh bien, vous l'avez découvert ?

— Qui ?

— Le coupable ?

— Parbleu ! dit Perenna, c'est simple comme bonjour.

— Ah ! heureusement, fit Mazeroux, tout joyeux, et ne comprenant pas la plaisanterie. Sans cela, comme vous le disiez, vous étiez fichu. »

Don Luis entra. Dans la pièce se trouvaient réunis le procureur de la République, le juge d'instruction, le chef de la Sûreté, le commissaire du quartier, deux inspecteurs et trois agents en uniforme.

Dehors, sur le boulevard Suchet, s'élevaient des clameurs, et quand le commissaire et les trois agents, obéissant au préfet, sortirent pour écarter la foule, on entendit la voix éraillée d'un camelot qui hurlait :

« Le double assassinat du boulevard Suchet ! Curieux détails sur la mort de l'inspecteur Vérot ! Le désarroi de la police ! »

Puis, la porte close, ce fut le silence.

« Mazeroux ne se trompait pas, pensa don Luis, moi ou *l'autre*, c'est net. Si je ne parviens pas à tirer, des paroles qui vont être dites et des faits qui vont se produire au cours de cet interrogatoire, quelque lumière qui me permette de leur désigner cet X mystérieux, c'est moi qu'ils livreront, ce soir, en pâture au public. Attention, mon bon Lupin ! »

Il eut ce frisson de joie qui le faisait tressaillir à l'approche des grandes luttes. Celle-là, en vérité, comptait au nombre des plus terribles qu'il eût encore soutenues. Il connaissait la réputation du préfet, son expérience, sa ténacité, le plaisir très vif qu'il éprouvait à s'occuper des instructions importantes et à les pousser lui-même à fond avant de les remettre aux mains du juge, et Perenna connaissait aussi toutes les qualités professionnelles du chef de la Sûreté, toute la finesse, toute la logique pénétrante du juge d'instruction.

Ce fut le préfet de police qui dirigea l'attaque. Il le fit nettement, sans détours, d'une voix un peu sèche, où il n'y avait plus, à l'égard de don Luis, les mêmes intonations de sympathie. L'attitude également était plus raide et manquait de cette bonhomie qui, la veille, avait frappé don Luis.

« Monsieur, dit-il, les circonstances ayant voulu que, comme légataire universel et comme représentant de M. Cosmo Mornington, vous passiez la nuit dans ce rez-de-chaussée, tandis que s'y commettait un double assassinat, nous désirons recevoir votre témoignage détaillé sur les divers incidents de cette nuit.

— En d'autres termes, monsieur le préfet, dit Perenna qui riposta directement à l'attaque, en d'autres termes, les circonstances ayant voulu que vous m'accordiez l'autorisation de passer la nuit ici, vous seriez désireux de savoir si mon témoignage correspond exactement à celui du brigadier Mazeroux.

— Oui, dit le préfet.

— C'est-à-dire que mon rôle vous semble suspect ? »

M. Desmalions hésita. Ses yeux s'attachèrent aux yeux de don Luis. Visiblement il fut impressionné par ce regard si franc. Néanmoins, il répondit, et sa réponse était claire et son accent brusque :

« Vous n'avez pas de questions à me poser, monsieur. »

Don Luis s'inclina.

« Je suis à vos ordres, monsieur le préfet.

— Veuillez nous dire ce que vous savez. »

Don Luis fit alors une relation minutieuse des événements, à la suite de quoi M. Desmalions réfléchit quelques instants et dit :

« Il est un point au sujet duquel il nous faut quelques éclaircissements. Lorsque vous êtes entré ce matin à deux heures et demie dans cette pièce, et que vous avez pris place à côté de M. Fauville, aucun indice ne vous a révélé qu'il était mort ?

— Aucun, monsieur le préfet... sinon le brigadier Mazeroux et moi nous aurions donné l'alarme.

— La porte du jardin était fermée ?

— Elle l'était forcément, puisque nous avons dû l'ouvrir à sept heures du matin.

— Avec quoi ?

— Avec la clef du trousseau.

— Mais comment des assassins, venus du dehors, auraient-ils pu l'ouvrir, eux ?

— Avec de fausses clefs.

— Vous avez une preuve qui vous permet de supposer qu'elle a été ouverte avec de fausses clefs ?

— Non, monsieur le préfet.

— Donc, jusqu'à preuve du contraire, nous devons penser

qu'elle n'a pas pu être ouverte du dehors et que le coupable se trouvait à l'intérieur.

— Mais, enfin, monsieur le préfet, il n'y avait là que le brigadier Mazeroux et moi ! »

Il y eut un silence, un silence dont la signification ne faisait aucun doute, et auquel les paroles de M. Desmalions allaient donner une valeur plus précise encore.

« Vous n'avez pas dormi de la nuit ?

— Si, vers la fin.

— Vous n'avez pas dormi auparavant, tandis que vous étiez dans le couloir ?

— Non.

— Et le brigadier Mazeroux ? »

Don Luis resta indécis une seconde, mais pouvait-il espérer que l'honnête et scrupuleux Mazeroux eût désobéi aux ordres de sa conscience ?

Il répondit :

« Le brigadier Mazeroux s'est endormi sur son fauteuil et il ne s'est réveillé qu'au retour de Mme Fauville, deux heures plus tard. »

Il y eut un nouveau silence, et qui signifiait évidemment, celui-là :

« Donc, pendant les deux heures que le brigadier Mazeroux dormait, il vous eût été matériellement possible d'ouvrir la porte et de supprimer les deux Fauville. »

L'interrogatoire suivait la marche que Perenna avait prévue, et le cercle se restreignait autour de lui. Son adversaire menait le combat avec une logique et une vigueur qu'il admirait sans réserve.

« Bigre, se disait-il, que c'est malaisé de se défendre quand on est innocent ! Voilà mon aile droite et mon aile gauche enfoncées. Le centre pourra-t-il supporter l'assaut ? »

M. Desmalions, après s'être concerté avec le juge d'instruction, reprit la parole en ces termes :

« Hier soir, lorsque M. Fauville ouvrit son coffre-fort devant vous et devant le brigadier, qu'y avait-il dans ce coffre ?

— Un amoncellement de paperasses sur un des rayons, et, parmi ces paperasses, le cahier de toile grise qui a disparu.

— Vous n'avez pas touché à ces paperasses ?

— Pas plus qu'au coffre, monsieur le préfet. Le brigadier Mazeroux a dû même vous dire que ce matin, pour la régularité de l'enquête, il m'a tenu à l'écart.

— Donc, de vous à ce coffre, il n'y a pas eu le moindre contact ?

— Pas le moindre. »

M. Desmalions regarda le juge d'instruction en hochant la tête. Si Perenna avait pu douter qu'un piège lui fût tendu, il lui eût suffi, pour être renseigné, de jeter un coup d'œil sur Mazeroux : Mazeroux était livide.

Cependant, M. Desmalions continua :

« Vous vous êtes occupé d'enquêtes, monsieur, d'enquêtes policières. C'est donc au détective qui fit ses preuves que je vais poser une question.

— J'y répondrai de mon mieux, monsieur le préfet.

— Voici. Au cas où il y aurait actuellement dans le coffre-fort un objet quelconque, un bijou... mettons un brillant détaché d'une épingle de cravate, et que ce brillant fût détaché d'une épingle de cravate appartenant, sans contestation possible, à une personne connue de nous, personne ayant passé la nuit dans cet hôtel, que penseriez-vous de cette coïncidence ? »

« Ça y est, se dit Perenna, voilà le piège. Il est clair qu'ils ont trouvé quelque chose dans le coffre, et ensuite qu'ils s'imaginent que ce quelque chose m'appartient. Bien. Mais, pour cela, il faudrait supposer, puisque je n'ai pas touché au coffre, que ce quelque chose m'eût été dérobé et qu'on l'eût placé dans le coffre pour me compromettre. Et c'est impossible, puisque je ne suis mêlé à cette affaire que depuis hier soir et qu'on n'a pas eu le temps, durant cette nuit où je n'ai vu personne, de préparer contre moi une intrigue aussi ardue. Donc... »

Le préfet de police interrompit ce monologue et répéta :

« Quelle serait votre opinion ?

— Il y aurait, monsieur le préfet, corrélation indéniable entre la présence de cet individu dans l'hôtel et les deux crimes commis.

— Nous aurions par conséquent le droit tout au moins de soupçonner cet individu ?

— Oui.

— C'est votre avis ?

— Très net. »

M. Desmalions sortit de sa poche un papier de soie qu'il déplia, et saisit entre deux doigts une petite pierre bleue qu'il montra :

« Voici une turquoise que nous avons trouvée dans le coffre.

Cette turquoise, sans aucune espèce de doute, fait partie de la bague que vous portez à l'index. »

Un accès de rage secoua don Luis. Il grinça, les dents serrées :

« Ah ! les coquins ! Sont-ils forts tout de même !... Mais non, je ne puis croire... »

Il examina sa bague. Le chaton en était formé par une grosse turquoise éteinte, morte, qu'entourait un cercle de petites turquoises irrégulières, d'un bleu également pâle. L'une d'elles manquait. Celle que M. Desmalions tenait à la main la remplaça exactement.

M. Desmalions prononça :

« Qu'en dites-vous ?

— Je dis que cette turquoise fait partie de ma bague, bague qui me fut donnée par Cosmo Mornington la première fois que je lui sauvai la vie.

— Donc, nous sommes d'accord ?

— Oui, monsieur le préfet, nous sommes d'accord. »

Don Luis Perenna se mit à marcher à travers la pièce en réfléchissant. Au mouvement que les agents de la Sûreté firent vers chacune des portes, il comprit que son arrestation avait été prévue. Une parole de M. Desmalions, et le brigadier Mazeroux serait obligé de mettre la main au collet de son patron.

De nouveau, don Luis lança un coup d'œil vers son ancien complice. Mazeroux esquissa un geste de supplication, comme s'il eût voulu dire : « Eh bien, qu'est-ce que vous attendez pour leur livrer le coupable ? Vite, il est temps. »

Don Luis sourit.

« Qu'y a-t-il ? » demanda le préfet, d'un ton où plus rien ne perçait de cette sorte de politesse involontaire que, malgré tout, il lui témoignait depuis le début de l'instruction.

« Il y a... Il y a... »

Perenna saisit une chaise par le dossier, la fit pirouetter et s'assit en disant ce simple mot :

« Causons. »

Et le mot était dit de telle manière, et le mouvement exécuté avec tant de décision, que le préfet murmura, comme ébranlé :

« Je ne vois pas bien...

— Vous allez comprendre, monsieur le préfet. »

Et, la voix lente, en scandant chacune des syllabes de son discours, il commença :

« Monsieur le préfet, la situation est limpide. Vous m'avez donné hier soir une autorisation qui engage votre responsabilité de la façon la plus grave. Il vous faut donc à tout prix, et sur-le-champ, un coupable. Le coupable, ce sera donc moi. Comme charges, vous avez ma présence ici, le fait que la porte était fermée à l'intérieur, le fait que le brigadier Mazeroux dormait pendant le crime, et la découverte, dans le coffre, de cette turquoise. C'est écrasant, je l'avoue. Il s'y ajoute cette présomption terrible que j'avais tout intérêt à la disparition de M. Fauville et de son fils, puisque s'il n'existe pas d'héritier de Cosmo Mornington je touche deux cents millions. Parfait. Il n'y a donc plus pour moi qu'à vous suivre au Dépôt... ou bien...

— Ou bien ?

— Ou bien à remettre en vos mains le coupable, le vrai coupable. »

Le préfet de police sourit ironiquement et tira sa montre.

« J'attends.

— Ce sera l'affaire d'une petite heure, monsieur le préfet, dit Perenna, pas davantage, si vous me laissez toute latitude. Et la recherche de la vérité vaut bien, il me semble, un peu de patience.

— J'attends, répéta M. Desmalions.

— Brigadier Mazeroux, veuillez dire au sieur Silvestre, domestique, que M. le préfet désire le voir. »

Sur un signe de M. Desmalions, Mazeroux sortit.

Don Luis expliqua :

« Monsieur le préfet, si la découverte de la turquoise constitue à vos yeux une preuve extrêmement grave, elle est pour moi une révélation de la plus haute importance. Voici pourquoi. Cette turquoise a dû se détacher de ma bague hier soir et rouler sur le tapis. Or, quatre personnes seulement ont pu remarquer cette chute pendant qu'elle se produisait, ramasser la turquoise et, pour compromettre l'ennemi nouveau que j'étais, la glisser dans le coffre. La première de ces personnes est un de vos agents, le brigadier Mazeroux... n'en parlons pas. La seconde est morte. C'est M. Fauville... n'en parlons pas. La troisième, c'est le domestique Silvestre. Je voudrais lui dire quelques mots. Ce sera bref. »

L'audition de Silvestre fut brève, en effet. Le domestique put prouver que, avant l'arrivée de Mme Fauville à qui il devait ouvrir la porte, il n'avait pas quitté la cuisine, où il jouait aux cartes avec la femme de chambre et un autre domestique.

« C'est bien, dit Perenna. Un mot encore. Vous avez dû lire dans les journaux de ce matin la mort de l'inspecteur Vérot et voir son portrait ?

— Oui.

— Connaissez-vous l'inspecteur Vérot ?

— Non.

— Pourtant il est probable qu'il a dû venir ici dans la journée.

— Je l'ignore, répondit le domestique. M. Fauville recevait beaucoup de personnes par le jardin, et il leur ouvrait lui-même.

— Vous n'avez pas d'autre déposition à faire ?

— Aucune.

— Veuillez prévenir Mme Fauville que M. le préfet serait heureux de lui parler. »

Silvestre se retira.

Le juge d'instruction et le procureur de la République s'étaient approchés avec étonnement.

Le préfet s'écria :

« Quoi ! monsieur, vous n'allez pas prétendre que Mme Fauville serait pour quelque chose...

— Monsieur le préfet, Mme Fauville est la quatrième personne qui ait pu voir tomber ma turquoise.

— Et après ? A-t-on le droit, sans une preuve réelle, de supposer qu'une femme puisse tuer son mari, qu'une mère puisse empoisonner son fils ?

— Je ne suppose rien, monsieur le préfet.

— Alors ? »

Don Luis ne répondit point. M. Desmalions ne cachait pas son irritation. Cependant il dit :

« Soit, mais je vous donne l'ordre absolu de garder le silence. Quelle question dois-je poser à Mme Fauville ?

— Une seule, monsieur le préfet. Mme Fauville connaît-elle, en dehors de son mari, un descendant des sœurs Roussel ?

— Pourquoi cette question ?

— Parce que, si ce descendant existe ce n'est pas moi qui hérite des millions, mais lui, et c'est alors lui, et non pas moi, qui aurait intérêt à la disparition de M. Fauville et de son fils.

— Évidemment... évidemment... murmura M. Desmalions... Encore faudrait-il que cette nouvelle piste... »

Mme Fauville entra sur ces paroles. Son visage restait gracieux et charmant, malgré les pleurs qui avaient rougi ses paupières et altéré la fraîcheur de ses joues. Mais ses yeux exprimaient l'effarement de l'épouvante, et la pensée obsédante du drame donnait à toute sa jolie personne, à sa démarche, ses mouvements, quelque chose de fébrile et de saccadé qui faisait peine à voir.

« Asseyez-vous, madame, lui dit le préfet avec une déférence extrême, et pardonnez-moi de vous imposer la fatigue d'une nouvelle émotion. Mais le temps est précieux et nous devons tout faire pour que les deux victimes que vous pleurez soient vengées sans retard. »

Des larmes encore s'échappèrent des beaux yeux et, avec un sanglot, elle balbutia :

« Puisque la justice a besoin de moi, monsieur le préfet...

— Oui, il s'agit d'un renseignement. La mère de votre mari est morte, n'est-ce pas ?

— Oui, monsieur le préfet.

— Elle était bien originaire de Saint-Étienne et s'appelait de son nom de jeune fille Roussel ?

— Oui.

— Élisabeth Roussel ?

— Oui.

— Votre mari avait-il un frère ou une sœur ?

— Non.

— Par conséquent, il ne reste plus aucun descendant d'Élisabeth Roussel ?

— Aucun.

— Bien. Mais Élisabeth Roussel avait deux sœurs, n'est-ce pas ?

— Oui.

— Ermeline Roussel, l'aînée, s'exila, et personne n'entendit plus parler d'elle. L'autre, la plus jeune...

— L'autre s'appelait Armande Roussel. C'était ma mère.

— Hein ? Comment ?

— Je dis que ma mère s'appelait, de son nom de jeune fille, Armande Roussel et que j'ai épousé mon cousin, le fils d'Élisabeth Roussel. »

Ce fut un véritable coup de théâtre.

Ainsi donc, Hippolyte Fauville et son fils Edmond, descendants directs de la sœur aînée, étant morts, l'héritage de Cosmo Mornington passait à l'autre branche, celle d'Armande Roussel, et cette branche cadette était représentée jusqu'ici par Mme Fauville.

Le préfet de police et le juge d'instruction échangèrent un

regard, après quoi l'un et l'autre se tournèrent instinctivement du côté de don Luis Perenna. Il ne broncha pas.

Le préfet demanda :

« Vous n'avez pas de frère ni de sœur, madame ?

— Non, monsieur le préfet, je suis seule. »

Seule ! C'est-à-dire que, rigoureusement, sans aucune espèce de contestation, maintenant que son mari et son fils étaient morts, les millions de Cosmo Mornington lui revenaient à elle, à elle seule.

Une idée affreuse cependant, un cauchemar, pesait sur les magistrats, et ils ne pouvaient s'en délivrer : la femme qu'ils avaient devant eux était la mère d'Edmond Fauville. M. Desmalions observa don Luis Perenna. Celui-ci avait écrit quelques mots sur une carte qu'il tendit à M. Desmalions.

Le préfet, qui peu à peu reprenait vis-à-vis de don Luis son attitude courtoise de la veille, lut cette carte, réfléchit un instant et posa cette question à Mme Fauville :

« Quel âge avait votre fils Edmond ?

— Dix-sept ans.

— Vous paraissez si jeune...

— Edmond n'était pas mon fils, mais mon beau-fils, le fils d'une première femme que mon mari avait épousée, et qui est morte.

— Ah !... Ainsi, Edmond Fauville... », murmura le préfet, qui n'acheva pas sa phrase...

En deux minutes toute la situation avait changé. Aux yeux des magistrats, Mme Fauville n'était plus la veuve et la mère inattaquable. Elle devenait tout à coup une femme que les circonstances exigeaient que l'on interrogeât. Si prévenu que l'on fût en sa faveur, si charmé par la séduction de sa beauté, il était impossible qu'on ne se demandât pas si, pour une raison quelconque, pour être seule par exemple à jouir de l'énorme fortune, elle n'avait pas eu la folie de tuer son mari et l'enfant qui n'était que le fils de son mari. En tout cas, la question se posait. Il fallait la résoudre.

Le préfet de police reprit :

« Connaissez-vous cette turquoise ? »

Elle saisit la pierre qu'on lui tendait, et l'examina sans le moindre trouble.

« Non, dit-elle. J'ai un collier en turquoise, que je ne mets jamais. Mais les pierres sont plus grosses et aucune d'elles n'a cette forme irrégulière.

— Nous avons recueilli celle-ci dans le coffre-fort, dit M. Desmalions. Elle fait partie d'une bague qui appartient à une personne que nous connaissons.

— Eh bien, fit-elle vivement, il faut retrouver cette personne.

— Elle est ici », dit le préfet, en désignant don Luis, qui, se tenant à l'écart, n'avait pas été remarqué par Mme Fauville.

Elle tressaillit en voyant Perenna, et s'écria, très agitée :

« Mais ce monsieur était là hier soir ! Il causait avec mon mari... et, tenez avec cet autre monsieur, dit-elle en montrant le brigadier Mazeroux... Il faut les interroger, savoir pour quelle raison ils sont venus. Vous comprenez que si cette turquoise appartient à l'un d'eux... »

L'insinuation était claire, mais combien maladroite ! et comme elle donnait du poids à l'argumentation de Perenna : « Cette turquoise a été ramassée par quelqu'un qui m'a vu hier soir et qui veut me compromettre. Or, en dehors de M. Fauville et du brigadier, deux personnes seulement m'ont vu, le domestique Silvestre et Mme Fauville. Par conséquent, le domestique Silvestre étant hors de cause, j'accuse Mme Fauville d'avoir mis la turquoise dans ce coffre-fort. »

M. Desmalions reprit :

« Voulez-vous me faire voir votre collier, madame ?

— Certes. Il est avec mes autres bijoux, dans mon armoire à glace. Je vais y aller.

— Ne vous donnez pas cette peine, madame. Votre femme de chambre le connaît ?

— Très bien.

— En ce cas, le brigadier Mazeroux va s'entendre avec elle. »

Durant les quelques minutes que dura l'absence de Mazeroux, aucune parole ne fut échangée. Mme Fauville semblait absorbée par sa douleur. M. Desmalions ne la quittait pas des yeux.

Le brigadier revint. Il apportait une grande cassette qui contenait beaucoup d'écrins et de bijoux.

M. Desmalions trouva le collier, l'examina et put constater que, en effet, les pierres différaient de la turquoise et qu'aucune d'elles ne manquait...

Mais, ayant écarté l'un de l'autre deux écrins pour dégager un diadème où il y avait également des pierres bleues, il eut un geste de surprise.

« Qu'est-ce que c'est que ces deux clefs ? » demanda-t-il, en montrant deux clefs identiques comme forme à celles qui ouvraient le verrou et la serrure de la porte du jardin.

Mme Fauville resta fort calme. Pas un muscle de son visage ne bougea. Rien n'indiqua que cette découverte pût la troubler. Elle dit uniquement :

« Je ne sais pas... Il y a longtemps qu'elles sont ici...

— Mazeroux, dit M. Desmalions, essayez-les à cette porte. »

Mazeroux exécuta l'ordre. La porte fut ouverte !

« En effet, dit Mme Fauville, je me souviens maintenant que mon mari me les avait confiées. Je les avais en double... »

Ces mots furent prononcés du ton le plus naturel, et comme si la jeune femme n'eût même pas entrevu la charge terrible qui se levait contre elle.

Et rien n'était plus angoissant que cette tranquillité. Était-ce la marque d'une innocence absolue ? ou la ruse infernale d'une criminelle que rien ne pouvait émouvoir ? Ne comprenait-elle rien au drame qui se jouait et dont elle était l'héroïne inconsciente ? ou bien devinait-elle l'accusation terrible qui, peu à peu, l'enserrait de toutes parts et la menaçait du danger le plus effrayant ? Mais, en ce cas, comment avait-elle pu commettre la maladresse inouïe de conserver ces deux clefs ?

Une série de questions s'imposait à l'esprit de tous. Le préfet de police s'exprima ainsi :

« Pendant que le crime s'accomplissait, vous étiez absente, n'est-ce pas, madame ?

— Oui.

— Vous avez été à l'Opéra ?

— Oui, et ensuite à la soirée d'une de mes amies, Mme d'Ersinger.

— Votre chauffeur vous accompagnait ?

— En allant à l'Opéra, oui. Mais je l'ai renvoyé à son garage, et il est venu me rechercher à la soirée.

— Ah ! fit M. Desmalions, mais comment avez-vous été de l'Opéra chez Mme d'Ersinger ? »

Pour la première fois, Mme Fauville parut comprendre qu'elle était l'objet d'un véritable interrogatoire, et son regard, son attitude trahirent une sorte de malaise. Elle répondit :

« J'ai pris une automobile.

— Dans la rue ?

— Sur la place de l'Opéra.

— À minuit, par conséquent.

— Non, à onze heures et demie. Je suis partie avant la fin du spectacle.

— Vous aviez hâte d'arriver chez votre amie ?

— Oui... ou plutôt... »

Elle s'arrêta, ses joues étaient empourprées, un tremblement agitait ses lèvres et son menton, et elle dit :

« Pourquoi toutes ces questions ?

« Elles sont nécessaires, madame. Elles peuvent nous éclairer. Je vous supplie donc d'y répondre. À quelle heure êtes-vous arrivée chez votre amie ?

— Je ne sais pas trop... Je n'ai pas fait attention.

— Vous y avez été directement ?

— Presque.

— Comment presque ?

— Oui... J'avais un peu mal à la tête, j'ai dit au chauffeur de monter les Champs-Élysées... l'avenue du Bois... très lentement... et puis de redescendre les Champs-Élysées... »

Elle s'embarrassait de plus en plus. Sa voix devenait indistincte. Elle baissa la tête et se tut.

Certes il n'y avait pas d'aveu dans ce silence, et rien n'autorisait à croire que son accablement fût autre chose qu'une conséquence de sa douleur. Mais cependant elle semblait si lasse qu'on eût pu dire que, se sentant perdue, elle renonçait à la lutte. Et c'était presque de la pitié qu'on éprouvait pour cette femme contre qui se tournaient toutes les circonstances et qui se défendait si mal qu'on hésitait à la presser davantage.

De fait, M. Desmalions avait l'air indécis, comme si la victoire eût été trop facile et qu'il eût eu quelque scrupule à la poursuivre.

Machinalement, il observa Perenna.

Celui-ci lui tendit un bout de papier en disant :

« Voici le numéro du téléphone de Mme d'Ersinger. »

M. Desmalions murmura :

« Oui... en effet... on peut savoir... »

Et, décrochant le récepteur, il demanda :

« Allô... Louvre 25-04, s'il vous plaît. »

Et, tout de suite obtenant la communication, il continua :

« Qui est à l'appareil ?... Le maître d'hôtel... Ah ! bien... Est-ce que Mme d'Ersinger est chez elle ?... Non... Et monsieur ? Non plus... Mais, j'y pense, vous pourriez me répondre à ce sujet... Je suis M. Desmalions, préfet de police, et j'aurais besoin d'un renseignement. À quelle heure Mme Fauville est-elle arrivée cette nuit ? Comment dites-vous ?... Vous êtes sûr ?... À deux heures du matin ?... Pas avant ?... Et elle est repartie ?... Au bout de dix minutes, n'est-ce pas ?... Bien... Donc, sur l'heure de l'arrivée, vous ne vous trompez pas ?... J'insiste là-dessus de la façon la plus formelle... Alors, c'est à deux heures du matin ?... Deux heures du matin... Bien. Je vous remercie. »

Lorsque M. Desmalions se retourna, il aperçut, debout près de lui, Mme Fauville qui le regardait avec une angoisse folle. Et la même idée revint à l'esprit des assistants : ils étaient en présence d'une femme absolument innocente, ou d'une comédienne exceptionnelle dont le visage se prêtait à l'expression la plus parfaite de l'innocence.

« Qu'est-ce que vous voulez ?... balbutia-t-elle. Qu'est-ce que ça veut dire ? Expliquez-vous ! »

Alors M. Desmalions demanda simplement :

« Qu'avez-vous fait cette nuit de onze heures et demie du soir à deux heures du matin ? »

Question terrifiante au point où l'interrogatoire avait été amené. Question fatale, qui signifiait : « Si vous ne pouvez pas donner l'emploi rigoureusement exact de votre temps pendant que le crime s'accomplissait, nous avons le droit de conclure que vous n'êtes pas étrangère au meurtre de votre mari et de votre beau-fils... »

Elle le comprit ainsi et vacilla sur ses jambes en gémissant :

« C'est horrible... c'est horrible... »

Le préfet répéta :

« Qu'avez-vous fait ? La réponse doit vous être facile.

— Oh ! dit-elle sur ce même ton lamentable, comment pouvez-vous croire ?... Oh ! non... non... est-il possible ? Comment pouvez-vous croire ?

— Je ne crois rien encore, fit-il... D'un mot, d'ailleurs, vous pouvez établir la vérité. »

Ce mot, on eût supposé, au mouvement de ses lèvres et au geste soudain de résolution qui la souleva, qu'elle allait le dire. Mais elle parut tout à coup stupéfaite, bouleversée, articula quelques syllabes inintelligibles et s'écroula sur un fauteuil avec des sanglots convulsifs et des cris de désespoir.

C'était l'aveu. C'était tout au moins l'aveu de son impuissance à fournir l'explication plausible qui eût clos ce débat.

Le préfet de police s'écarta d'elle et s'entretint à voix basse avec le juge d'instruction et le procureur de la République.

Perenna et le brigadier Mazeroux demeurèrent seuls l'un près de l'autre.

Mazeroux murmura :

« Qu'est-ce que je vous disais ? Je savais bien que vous trouveriez ! Ah ! quel homme vous faites ! Vous avez mené ça !... »

Il rayonnait à l'idée que le patron était hors de cause et n'avait plus maille à partir avec ses chefs à lui, Mazeroux, ses chefs qu'il vénérait presque à l'égal du patron. Tout le monde s'entendait maintenant. « On était des amis. » Mazeroux suffoquait de joie.

« On va la coffrer, hein ?

— Non, dit Perenna. Il n'y a pas assez de « prise » pour qu'on la mette sous mandat.

Comment, grogna Mazeroux, indigné, pas assez de prise ! J'espère bien, en tout cas, que vous n'allez pas la lâcher. Avec ça qu'elle mettait des gants, elle, pour vous attaquer ! Allons, patron, achevez-la. Une pareille diablesse ! »

Don Luis demeurait pensif. Il songeait aux coïncidences inouïes, à l'ensemble de faits qui traquaient de toutes parts Mme Fauville. Et la preuve décisive qui devait réunir tous ces faits les uns aux autres et donner à l'accusation la base qui lui manquait encore, cette preuve, Perenna pouvait la fournir. C'était la morsure des dents sur la pomme, sur la pomme cachée parmi les feuillages du jardin. Pour la justice, cela vaudrait une empreinte de doigts. D'autant que l'on pouvait corroborer les marques avec celles que portait la tablette de chocolat.

Pourtant il hésitait. Et, de toute son attention anxieuse, il examinait, avec un mélange de pitié et de répulsion, cette femme qui, selon toute vraisemblance, avait tué son mari et le fils de son mari. Devait-il lui porter le coup de grâce ? Avait-il le droit de jouer ce rôle de justicier ? Et s'il se trompait ?

M. Desmalions cependant s'était rapproché de lui, et, tout en affectant de parler à Mazeroux, ce fut à Perenna qu'il dit :

« Qu'est-ce que vous en pensez ? »

Mazeroux hocha la tête. Don Luis répliqua :

« Je pense, monsieur le préfet, que si cette femme est coupable elle se défend, malgré toute son habileté, avec une incroyable maladresse.

— C'est-à-dire ?

— C'est-à-dire qu'elle n'a sans doute été qu'un instrument entre les mains d'un complice.

— Un complice ?

— Rappelez-vous, monsieur le préfet, l'exclamation de son mari, hier, à la Préfecture : « Ah ! les misérables !... les misérables ! » Il y a donc tout au moins un complice, qui n'est autre peut-être que cet homme dont, le brigadier Mazeroux a dû vous le dire, nous avons noté la présence au café du Pont-Neuf, en même temps que s'y trouvait l'inspecteur Vérot, un homme à barbe châtaine, porteur d'une canne d'ébène à poignée d'argent. De sorte que...

— De sorte que, acheva M. Desmalions, nous avons des chances, en arrêtant, dès aujourd'hui et sur de simples présomptions, Mme Fauville, de parvenir jusqu'au complice ? »

Perenna ne répondit pas. Le préfet reprit, pensivement :

« L'arrêter... l'arrêter... Encore faudrait-il une preuve... Vous n'avez relevé aucune trace ?...

— Aucune, monsieur le préfet. Il est vrai que mon enquête fut sommaire.

— Mais la nôtre fut minutieuse. Nous avons fouillé cette pièce à fond.

— Et le jardin, monsieur le préfet ?

— Aussi.

— Avec autant de soin ?

— Peut-être pas. Mais il me semble...

— Il me semble au contraire, monsieur le préfet, que, les assassins ayant passé par le jardin pour entrer et pour repartir, on aurait quelque chance...

— Mazeroux, dit M. Desmalions, allez donc voir cela d'un peu plus près. »

Le brigadier sortit. Perenna, qui se tenait de nouveau à l'écart, entendit le préfet de police qui répétait au juge d'instruction :

« Ah ! si nous avions une preuve, une seule ! Il est évident que cette femme est coupable. Il y a trop de présomptions contre elle !... Et puis les millions de Cosmo Mornington... Mais, d'autre part, regardez-la... regardez tout ce qu'il y a d'honnête dans sa jolie figure, tout ce qu'il y a de sincère dans sa douleur. »

Elle pleurait toujours, avec des sanglots saccadés et des sursauts de révolte qui lui crispaient les poings. Un moment, elle saisit son mouchoir trempé de larmes, le mordit à pleines dents, et le déchira comme font certaines actrices. Et Perenna voyait les belles dents blanches, un peu larges, humides et claires, qui s'acharnaient après la fine batiste. Et il songeait aux empreintes de la pomme. Et un désir extrême le pénétrait de savoir. Était-ce la même mâchoire qui avait imprimé sa forme dans la chair du fruit ?

Mazeroux rentra. M. Desmalions se dirigea vivement vers le brigadier, qui lui montra la pomme trouvée sous le lierre. Et, tout de suite, Perenna put se rendre compte de l'importance considérable que le préfet de police attribuait aux explications et à la découverte inattendue de Mazeroux.

Un colloque assez long s'engagea entre les magistrats, qui aboutit à la décision que don Luis avait prévue.

M. Desmalions revint vers Mme Fauville.

C'était le dénouement.

Il réfléchit quelques instants sur la manière dont il devait engager cette dernière bataille, et il dit :

« Il ne vous est toujours pas possible, madame, de nous donner l'emploi de votre temps cette nuit ? »

Elle fit un effort et murmura :

« Si... si... J'étais en auto... Je me suis promenée... et aussi un peu à pied...

— C'est là un fait qu'il nous sera facile de vérifier lorsque nous aurons retrouvé le chauffeur de cette auto... En attendant, il se présente une occasion de dissiper l'impression un peu... fâcheuse que nous a laissée votre silence...

— Je suis toute prête...

— Voici. La personne, ou une des personnes qui ont participé au crime, a mordu dans une pomme qu'elle a ensuite jetée dans le jardin et que nous venons de retrouver. Pour couper court à toute hypothèse vous concernant, nous vous prions de vouloir bien exécuter le même geste...

— Oh ! sûrement, s'écria-t-elle avec vivacité. S'il suffit de cela pour vous convaincre... »

Elle saisit une des trois autres pommes que M. Desmalions lui tendait et qu'il avait prise dans le compotier, et la porta à sa bouche.

L'acte était décisif. Si les deux empreintes se ressemblaient, la preuve existait, certaine, irréfragable.

Or, avant que son geste ne fût achevé, elle s'arrêta net, comme frappée d'une peur subite... Peur d'un piège ? peur du hasard monstrueux qui pouvait la perdre ? ou, plutôt, peur de l'arme effrayante qu'elle allait donner contre elle ? En tout cas, rien ne l'accusait plus violemment que cette hésitation suprême, incompréhensible si elle était innocente, mais combien claire si elle était coupable !

« Que craignez-vous, madame ? dit M. Desmalions.

— Rien... rien... dit-elle en frissonnant... je ne sais pas... je crains tout... tout cela est si horrible.

— Pourtant, madame, je vous assure que ce que nous vous demandons n'a aucune espèce d'importance et ne peut avoir pour vous, j'en suis persuadé, que des conséquences heureuses. Alors ?... »

Elle leva le bras davantage, et davantage encore, avec une lenteur où se révélait son inquiétude. Et vraiment, de la façon dont les événements se déroulaient, la scène avait quelque chose de solennel et de tragique qui serrait les cœurs.

« Et si je refuse ? dit-elle tout à coup.

— C'est votre droit absolu, madame, dit le préfet de police. Mais est-ce bien la peine ? Je suis sûr que votre avocat sera le premier à vous donner le conseil...

— Mon avocat... », balbutia-t-elle, comprenant la signification redoutable de cette réponse.

Et brusquement, avec une résolution farouche, et cet air, en quelque sorte féroce, qui tord le visage aux minutes des grands dangers, elle fit le mouvement auquel on la contraignait. Elle ouvrit la bouche. On vit l'éclair des dents blanches. D'un coup, elles s'enfoncèrent dans le fruit.

« C'est fait, monsieur », dit-elle.

M. Desmalions se retourna vers le juge d'instruction :

« Vous avez la pomme trouvée dans le jardin ?

— Voici, monsieur le préfet. »

M. Desmalions rapprocha les deux fruits l'un de l'autre.

Et ce fut, chez tous ceux qui s'empressaient autour de lui et regardaient anxieusement, ce fut une même exclamation.

Les deux empreintes étaient identiques.

Identiques ! Certes, avant d'affirmer l'identité de tous les détails, l'analogie absolue des empreintes de chaque dent, il fallait attendre les résultats de l'expertise. Mais il y avait une chose qui ne trompait pas : c'était la similitude totale de la double courbe. Sur un fruit comme sur l'autre, l'arc s'arrondissait selon la même inflexion. Les deux demi-cercles auraient pu se confondre, très étroits tous deux, un peu allongés et ovales, et d'un rayon restreint, qui était la caractéristique même de la mâchoire.

Les hommes ne prononcèrent pas une parole. M. Desmalions leva la tête. Mme Fauville ne bougeait pas, livide, folle d'épouvante. Mais tous les sentiments d'épouvante, de stupeur, d'indignation qu'elle pouvait simuler avec la mobilité de sa figure et ses dons prodigieux de comédienne, ne prévalaient pas contre la preuve péremptoire qui s'offrait à tous les yeux.

Les deux empreintes étaient identiques : les mêmes dents avaient mordu les deux pommes !

« Madame, commença le préfet de police...

— Non, non, s'écria-t-elle, prise d'un accès de fureur... non... ce n'est pas vrai... Tout cela n'est qu'un cauchemar... Non, n'est-ce pas ? Vous n'allez pas m'arrêter ? Moi, en prison ! mais c'est affreux... Qu'ai-je fait ? Ah ! je vous jure, vous vous trompez... »

Elle se prenait la tête à deux mains.

« Ah ! mon cerveau éclate... Qu'est-ce que tout ça veut dire ? Je n'ai pas tué pourtant... je ne savais rien. C'est vous qui m'avez tout appris ce matin... Est-ce que je m'en doutais ? Mon pauvre mari... et ce petit Edmond qui m'aimait tant... et que j'aimais... Mais pourquoi les aurais-je tués ? Dites-le... Dites-le donc ? On ne tue pas sans motif... Alors... Alors... Mais répondez donc ! »

Et, secouée d'une nouvelle colère, l'attitude agressive, les poings tendus vers le groupe des magistrats, elle proférait :

« Vous n'êtes que des bourreaux... On n'a pas le droit de torturer une femme comme ça !... Ah ! quelle horreur ! m'accuser... m'arrêter... pour rien ! Ah ! c'est abominable... Quels bourreaux que tous ces gens ! Et c'est vous surtout (elle s'adressait à Perenna), oui, c'est vous... je le sais bien... c'est vous l'ennemi... Ah ! je comprends ça... vous avez des raisons... vous étiez là cette nuit, vous... Alors, pourquoi ne vous arrête-t-on pas ? Pourquoi n'est-ce pas vous, puisque vous étiez là... et que je n'y étais pas... et que je ne sais rien, absolument rien de tout ce qui s'est passé ?... Pourquoi n'est-ce pas vous ? »

Les derniers mots furent prononcés d'une façon à peine intelligible. Elle n'avait plus de forces. Elle dut s'asseoir. Sa tête s'inclina jusqu'à ses genoux et elle pleura de nouveau, abondamment.

Perenna s'approcha d'elle, et, lui relevant le front, découvrant la figure ravagée de larmes, il dit :

« Les empreintes gravées dans les deux pommes sont absolument identiques. Il est donc hors de doute que la première provient de vous comme la seconde.

— Non, dit-elle.

— Si, affirma-t-il. C'est là un fait qu'il est matériellement impossible de nier. Mais la première empreinte a pu être laissée par vous avant cette nuit, c'est-à-dire que vous avez pu mordre dans cette pomme hier, par exemple... »

Elle balbutia :

« Vous croyez ?... Oui, peut-être, il me semble, que je me rappelle... hier matin... »

Mais le préfet de police l'interrompit :

« Inutile, madame, je viens de questionner le domestique Silvestre... C'est lui-même qui a acheté les fruits, hier soir, à huit heures. Quand M. Fauville s'est couché, quatre pommes étaient dans le compotier. Ce matin, à huit heures, il n'y en avait plus que trois. Donc celle qu'on a retrouvée dans le jardin est incontestablement la quatrième, et cette quatrième fut marquée cette nuit. Or, cette marque est celle de vos dents. »

Elle bégaya :

« Ce n'est pas moi... ce n'est pas moi... cette marque n'est pas de moi.

— Cependant...

— Cette marque n'est pas de moi... Je le jure sur mon salut éternel... Et puis je jure que je vais mourir... Oui... mourir... j'aime mieux la mort que la prison... je me tuerai... je me tuerai... »

Ses yeux étaient fixes. Elle se raidit dans un effort suprême pour se lever. Mais, une fois debout, elle tournoya sur elle-même et tomba évanouie.

Tandis qu'on la soignait, Mazeroux fit signe à don Luis, et, tout bas :

« Fichez le camp, patron.

— Ah ! la consigne est levée. Je suis libre ?

— Patron, regardez l'individu qui vient d'entrer il y a dix minutes, et qui cause avec le préfet. Le connaissez-vous ?

— Nom d'un chien ! fit Perenna après avoir examiné un gros homme au teint rouge, qui ne le quittait pas des yeux... Nom d'un chien ! c'est le sous-chef Weber.

— Et il vous a reconnu, patron ! Du premier coup, il a reconnu Lupin. Avec lui, il n'y a pas de camouflage qui tienne. Il a le chic pour ça. Or, rappelez-vous, patron, tous les tours que vous lui avez joués[1], et demandez-vous s'il ne fera pas l'impossible pour prendre sa revanche.

— Il a averti le préfet ?

— Parbleu, et le préfet a donné l'ordre aux camarades de vous filer. Si vous faites mine de leur fausser compagnie, on vous empoigne.

— En ce cas, rien à faire.

— Comment, rien à faire ? Mais il s'agit de les semer, et proprement.

— À quoi cela me servirait-il, puisque je rentre chez moi et que mon domicile est connu ?

— Hein ? Après ce qui s'est passé, vous auriez le toupet de rentrer chez vous ?

— Où veux-tu que je couche ? Sous les ponts ?

— Mais, cré tonnerre ! vous ne comprenez donc pas qu'à la suite de cette histoire il va y avoir un tapage infernal, que vous êtes déjà compromis jusqu'à la gauche et que tout le monde va se retourner contre vous ?

— Eh bien ?

— Eh bien, lâchez l'affaire.

— Et les assassins de Cosmo Mornington et de Fauville ?

— La police s'en charge.

— T'es bête, Alexandre.

— Alors, redevenez Lupin, l'invisible et l'imprenable Lupin, et combattez-les vous-même, comme autrefois. Mais, pour Dieu ! ne restez pas Perenna ! c'est trop dangereux, et ne vous occupez plus officiellement d'une affaire où vous n'êtes pas intéressé.

— T'en as de bonnes, Alexandre. J'y suis intéressé pour deux cents millions. Si Perenna ne demeure pas solide à son poste, les deux cents millions lui passeront sous le nez. Et, pour une fois où je peux gagner quelques centimes par la droiture et la probité, ce serait vexant.

— Et si l'on vous arrête ?

— Pas mèche. Je suis mort.

— Lupin est mort. Mais Perenna est vivant.

— Du moment qu'on ne m'a pas arrêté aujourd'hui, je suis tranquille.

1. Voir *813*.

— Ce n'est que partie remise. Et, d'ici là, les ordres sont formels. On va cerner votre maison, vous surveiller jour et nuit.

— Tant mieux ! J'ai peur la nuit.

— Mais, bon sang ! qu'est-ce que vous espérez ?

— Je n'espère rien, Alexandre. Je suis sûr. Je suis sûr que, maintenant, l'on n'osera pas m'arrêter.

— Weber se gênera !

— Je me fiche de Weber. Sans ordres, Weber ne peut rien.

— Mais on lui en donnera, des ordres !

— L'ordre de me filer, oui ; celui de m'arrêter, non. Le préfet de police est tellement engagé à mon égard qu'il sera obligé de me soutenir. Et puis, il y a encore ceci : il y a que l'affaire est tellement absurde, tellement complexe, que vous êtes incapables d'en sortir. Un jour ou l'autre vous viendrez me chercher. Car personne autre que moi n'est de taille à combattre de pareils adversaires, pas plus toi que Weber, et pas plus Weber que tous vos copains de la Sûreté. J'attends ta visite, Alexandre. »

Le lendemain, une expertise légale identifiait les empreintes des deux pommes et constatait également que l'empreinte gravée sur la tablette était semblable aux autres.

En outre, un chauffeur de taxi-auto vint déposer qu'une dame l'avait appelé au sortir de l'Opéra, qu'elle s'était fait conduire directement à l'extrémité de l'avenue Henri-Martin, et qu'elle l'avait quitté à cet endroit.

Or, l'extrémité de l'avenue Henri-Martin se trouve à cinq minutes de l'hôtel Fauville.

Confronté avec Mme Fauville, cet homme n'hésita pas à la reconnaître.

Qu'avait-elle fait dans ce quartier pendant plus d'une heure ?

Marie-Anne Fauville fut écrouée au Dépôt.

Le soir même elle couchait à la prison de Saint-Lazare.

C'est ce même jour, alors que les reporters commençaient à divulguer certains détails de l'enquête, comme la découverte des empreintes, mais alors qu'ils ignoraient à qui les attribuer, c'est ce même jour que deux grands quotidiens donnaient comme titre à leurs articles les mots mêmes que don Luis Perenna avait employés pour désigner les marques de la pomme, les mots sinistres qui évoquaient si bien le caractère sauvage, féroce, et pour ainsi dire bestial, de l'aventure : *Les dents du tigre.*

CHAPITRE IV

LE RIDEAU DE FER

La tâche est parfois ingrate de raconter la vie d'Arsène Lupin, pour ce motif que chacune de ses aventures est en partie connue du public, qu'elle fut, à son heure, l'objet de commentaires passionnés, et qu'on est contraint, si l'on veut éclaircir ce qui se passa dans l'ombre, de recommencer tout de même, et par le menu, l'histoire de ce qui se déroula en pleine lumière.

C'est en vertu de cette nécessité qu'il faut redire ici l'émotion extrême que souleva en France, en Europe et dans le monde entier, la nouvelle de cette abominable série de forfaits. D'un coup — car deux jours plus tard l'affaire du testament de Cosmo Mornington était publiée —, d'un coup, c'était quatre crimes que l'on apprenait. La même personne, en toute certitude, avait frappé Cosmo Mornington, l'inspecteur Vérot, l'ingénieur Fauville et son fils Edmond. La même personne avait fait l'identique et sinistre morsure, laissant contre elle, par une étourderie qui semblait la revanche du destin, la preuve la plus impressionnante et la plus accusatrice, la preuve qui donnait aux foules comme le frisson de l'épouvantable réalité, laissant contre elle l'empreinte même de ses dents, — les dents du tigre !

Et, au milieu de ce carnage, à l'instant le plus tragique de la funèbre tragédie, voici que la plus étrange figure surgissait de l'ombre ! Voici qu'une sorte d'aventurier héroïque, surprenant d'intelligence et de clairvoyance, dénouait en quelques heures une partie des fils embrouillés de l'intrigue, pressentait l'assassinat de Cosmo Mornington, annonçait l'assassinat de l'inspecteur Vérot, prenait en main la conduite de l'enquête, livrait à la justice la créature monstrueuse dont les belles dents blanches s'adaptaient aux empreintes comme des pierres précieuses aux alvéoles de leur monture, touchait, le lendemain de ces exploits, un chèque d'un million, et, finalement, se trouvait le bénéficiaire probable d'une fortune prodigieuse.

Et voilà qu'Arsène Lupin ressuscitait !

Car la foule ne s'y trompa pas, et, grâce à une intuition miraculeuse, avant qu'un examen attentif des événements ne donnât quelque crédit à l'hypothèse de cette résurrection, elle proclama : don Luis Perenna, c'est Arsène Lupin.

« Mais il est mort ! » objectèrent les incrédules.

À quoi l'on répondit :

« Oui, on a retrouvé, sous les décombres encore fumants d'un petit chalet situé près de la frontière luxembourgeoise, le cadavre de Dolorès Kesselbach[1] et le cadavre d'un homme que la police reconnut comme étant Arsène Lupin. Mais tout prouve que la mise en scène fut machinée par Lupin, qui voulait, pour des raisons secrètes, que l'on crût à sa mort. Et tout prouve que la police accepta et rendit légale cette mort pour le seul motif qu'elle désirait se débarrasser de son éternel adversaire. Comme indications, il y a les confidences de Valenglay, qui était déjà président du conseil à cette époque. Et il y a l'incident mystérieux de l'île de Capri où l'empereur d'Allemagne, au moment d'être enseveli sous un éboulement, aurait été sauvé par un ermite, lequel, selon la version allemande, n'était autre qu'Arsène Lupin. »

Là-dessus, nouvelle objection :

« Soit, mais lisez les feuilles de l'époque. Dix minutes plus tard cet ermite se jetait du haut du promontoire de Tibère. »

Et nouvelle réponse :

« En effet. Mais le corps ne fut pas retrouvé. Et justement il est notoire qu'un navire recueillit en mer, dans ces parages, un homme qui lui faisait des signaux, et que ce navire se dirigeait vers Alger. Or, comparez les dates et notez les coïncidences : quelques jours après l'arrivée du bateau à Alger, le nommé don Luis Perenna, qui nous occupe aujourd'hui, s'engageait, à Sidi-bel-Abbès, dans la Légion étrangère. »

Bien entendu, la polémique engagée par les journaux à ce sujet fut discrète. On craignait le personnage, et les reporters gardaient une certaine réserve dans leurs articles, évitant d'affirmer trop catégoriquement ce qu'il pouvait y avoir de Lupin sous le masque de Perenna. Mais sur le chapitre du légionnaire, sur son séjour au Maroc, ils prirent leur revanche et s'en donnèrent à cœur joie.

Le commandant d'Astrignac avait parlé. D'autres officiers, d'autres compagnons de Perenna relatèrent ce qu'ils avaient vu. On publia les rapports et les ordres du jour qui le concernaient. Et ce que l'on appela « l'Épopée du héros » se constitua en

1. Voir *813*.

une sorte de livre d'or dont chaque page racontait la plus folle et la plus invraisemblable des prouesses.

À Médiouna, le 24 mars, l'adjudant Pollex inflige quatre jours de salle de police au légionnaire Perenna. Motif : « Malgré les ordres, est sorti du camp après l'appel du soir, a bousculé deux sentinelles, et n'est rentré que le lendemain à midi. Il rapportait le corps de son sergent tué au cours d'une embuscade. »

Et, en marge, cette note du colonel : « Le colonel double la punition du légionnaire Perenna, le cite à l'ordre du jour, et lui adresse ses félicitations et ses remerciements. »

Après le combat de Ber-Rechid, le détachement Fardet ayant été obligé de battre en retraite devant une harka de quatre cents Maures, le légionnaire Perenna demanda à couvrir la retraite en s'installant dans une kasbah.

« Combien vous faut-il d'hommes, Perenna ?

— Aucun, mon lieutenant.

— Quoi ! vous n'avez pas la prétention de couvrir une retraite à vous tout seul ?

— Quel plaisir y aurait-il à mourir, mon lieutenant, si d'autres mouraient avec moi ? »

Sur sa prière on lui laissa une douzaine de fusils et on partagea avec lui ce qui restait de cartouches. Pour sa part, il en eut soixante-quinze.

Le détachement s'éloigna sans être inquiété davantage. Le lendemain, quand on put revenir avec des renforts, on surprit les Marocains à l'affût autour de la kasbah. Ils n'osaient pas approcher.

Soixante-quinze des leurs jonchaient le sol.

On les chassa.

Dans la kasbah on trouva le légionnaire Perenna étendu.

On le supposait mort. *Il dormait !!!*

Il n'avait plus une seule cartouche. Seulement les soixante-quinze balles avaient porté.

Mais ce qui frappa le plus l'imagination populaire fut le récit du commandant comte d'Astrignac, relativement à la bataille de Dar-Dbibarh. Le commandant avoua que cette bataille, qui dégagea Fez au moment où l'on croyait tout perdu, et qui fit tant de bruit en France, fut gagnée avant d'être livrée, et qu'elle fut gagnée par Perenna tout seul !

Dès l'aube, comme les tribus marocaines se préparaient à l'attaque, le légionnaire Perenna prit au lasso un cheval arabe qui galopait dans la plaine, sauta sur la bête, qui n'avait ni selle, ni bride, ni harnachement d'aucune sorte, et, sans veste, sans képi, sans arme, la chemise blanche bouffant autour de son torse, la cigarette aux lèvres, *les mains dans ses poches, il chargea !*

Il chargea droit vers l'ennemi, pénétra dans le camp, le traversa au galop, fit des évolutions au milieu des tentes et revint par l'endroit même où il avait pénétré.

Cette course à la mort, vraiment inconcevable, répandit parmi les Marocains une telle impression de stupeur que leur attaque fut molle et la bataille gagnée sans résistance.

Ainsi se forma — et combien d'autres traits de bravoure la renforcèrent ! — la légende héroïque de Perenna. Elle mettait en relief l'énergie surhumaine, la témérité prodigieuse, la fantaisie étourdissante, l'esprit d'aventures, l'adresse physique et le sang-froid d'un personnage singulièrement mystérieux qu'il était difficile de ne pas confondre avec Arsène Lupin, mais un Arsène Lupin nouveau, plus grand, ennobli par ses exploits, idéalisé et purifié.

Un matin, quinze jours après le double assassinat du boulevard Suchet, cet homme extraordinaire, qui suscitait une curiosité si ardente, et de qui l'on parlait de tous côtés comme d'un être fabuleux, en quelque sorte irréel, don Luis Perenna, s'habilla et fit le tour de son hôtel.

C'était une confortable et spacieuse construction du XVIIIe siècle, située à l'entrée du faubourg Saint-Germain, sur la petite place du Palais-Bourbon, et qu'il avait achetée toute meublée à un riche Roumain, le comte Malonesco, gardant pour son usage et pour son service les chevaux, les voitures, les automobiles, les huit domestiques, et conservant même la secrétaire du comte, Mlle Levasseur, qui se chargeait de diriger le personnel, de recevoir et d'éconduire les visiteurs, journalistes, importuns ou marchands de bibelots, attirés par le luxe de la maison et la réputation de son nouveau propriétaire.

Ayant terminé l'inspection des écuries et du garage, il traversa la cour d'honneur, remonta dans son cabinet de travail, entrouvrit une des fenêtres et leva la tête. Au-dessus de lui, il y avait un miroir incliné et ce miroir reflétait, par-dessus la cour et par-dessus le mur qui la fermait, tout un côté de la place du Palais-Bourbon.

« Zut ! dit-il, ces policiers de malheur sont encore là. Et voilà deux semaines que cela dure ! Je commence à en avoir assez, d'une telle surveillance. »

De mauvaise humeur, il se mit à parcourir son courrier, déchirant, après les avoir lues, les lettres qui le concernaient personnellement, annotant les autres, demandes de secours, sollicitations d'entrevues...

Quand il eut fini, il sonna.

« Priez Mlle Levasseur de m'apporter les journaux. »

Elle servait naguère de lectrice et de secrétaire au comte roumain et Perenna l'avait habituée à lire dans les journaux tout ce qui le concernait, et à lui rendre, chaque matin, un compte exact de l'instruction dirigée contre Mme Fauville.

Toujours vêtue d'une robe noire, très élégante de taille et de tournure, elle lui était sympathique. Elle avait un air de grande dignité, une physionomie grave, réfléchie, au travers de laquelle il était impossible de pénétrer jusqu'au secret de l'âme, et qui eût paru austère si des boucles de cheveux blonds, rebelles à toute discipline, ne l'eussent encadrée d'une auréole de lumière et de gaieté. La voix avait un timbre musical et doux que Perenna aimait entendre, et, un peu intrigué par la réserve même que gardait Mlle Levasseur, il se demandait ce qu'elle pouvait penser de lui, de son existence, de ce que les journaux racontaient sur son mystérieux passé.

« Rien de nouveau ? » dit-il, tout en parcourant les titres des articles : *Le bolchevisme en Hongrie. Les prétentions de l'Allemagne.*

Elle lut les informations relatives à Mme Fauville et don Luis put voir que, de ce côté, l'instruction n'avançait guère. Marie-Anne Fauville ne se départait pas de son système, pleurant, s'indignant et affectant une entière ignorance des faits sur lesquels on la questionnait.

« C'est absurde, pensa-t-il à haute voix. Je n'ai jamais vu personne se défendre d'une façon aussi maladroite.

— Cependant, si elle est innocente ? »

C'était la première fois que Mlle Levasseur formulait une opinion, ou plutôt une remarque sur cette affaire. Don Luis la regarda, très étonné.

« Vous la croyez donc innocente, mademoiselle ? »

Elle sembla prête à répondre et à expliquer le sens de son interruption. On eût dit qu'elle dénouait son masque d'impassibilité, et que, sous la poussée des sentiments qui la remuaient,

« Don Luis regarda Florence, très étonné. »

sa figure allait prendre une expression plus animée. Mais, par un effort visible, elle se contint et murmura :

« Je ne sais pas... je n'ai aucun avis.

— Peut-être, dit-il, en l'examinant avec curiosité, mais vous avez un doute... un doute qui serait permis s'il n'y avait pas les empreintes laissées par la morsure même de Mme Fauville. Ces empreintes-là, voyez-vous, c'est plus qu'une signature, plus qu'un aveu de culpabilité. Et tant qu'elle n'aura pas donné là-dessus une explication satisfaisante... »

Mais, pas plus là-dessus que sur les autres choses, Marie-Anne Fauville ne donnait la moindre explication. Elle demeurait impénétrable. D'autre part, la police ne réussissait pas à découvrir son complice, ou ses complices, ni cet homme à la canne d'ébène et au lorgnon d'écaille dont le garçon du café du Pont-Neuf avait donné le signalement à Mazeroux, et dont le rôle semblait singulièrement suspect. Bref, aucune lueur ne s'élevait du fond des ténèbres. On recherchait également en vain les traces de ce Victor, le cousin germain des sœurs Roussel, lequel, à défaut d'héritiers directs, eût touché l'héritage Mornington.

« C'est tout ? fit Perenna.

— Non, dit Mlle Levasseur, il y a dans *L'Écho de France* un article...

— Qui se rapporte à moi ?

— Je suppose, monsieur. Il est intitulé : *Pourquoi ne l'arrête-t-on pas ?*

— Cela me regarde », dit-il en riant.

Il prit le journal et lut :

« Pourquoi ne l'arrête-t-on pas ? Pourquoi prolonger, à l'encontre de toute logique, une situation anormale qui remplit de stupeur les honnêtes gens ? C'est une question que tout le monde se pose et à laquelle le hasard de nos investigations nous permet de donner l'exacte réponse.

« Un an après la mort simulée d'Arsène Lupin, la justice ayant découvert, ou cru découvrir, qu'Arsène Lupin n'était autre, de son vrai nom, que le sieur Floriani, né à Blois, et disparu, a fait inscrire sur les registres de l'état civil, à la page qui concernait le sieur Floriani, la mention *décédé*, suivie de ces mots : *sous le nom d'Arsène Lupin.*

« Par conséquent, pour ressusciter Arsène Lupin, il ne faudrait pas seulement avoir la preuve irréfutable de son existence — ce qui ne serait pas impossible —, il faudrait mettre en jeu les rouages administratifs les plus compliqués et obtenir un décret du Conseil d'État.

« Or, il paraîtrait que M. Valenglay, président du conseil, d'accord avec le préfet de police, s'oppose à toute enquête trop minutieuse, susceptible de déchaîner un scandale dont on s'effraye en haut lieu. Ressusciter Arsène Lupin ? Recommencer la lutte avec ce damné personnage ? Risquer encore la défaite et le ridicule ? Non, non, mille fois non.

« Et, c'est ainsi qu'il arrive cette chose inouïe, inadmissible, inimaginable, — scandaleuse ! — qu'Arsène Lupin, l'ancien voleur, le récidiviste impénitent, le roi des bandits, l'empereur de la cambriole et de l'escroquerie, qu'Arsène Lupin peut aujourd'hui, non pas clandestinement, mais au vu et au su du monde entier, poursuivre l'œuvre la plus formidable qu'il ait encore entreprise, habiter publiquement sous un nom qui n'est pas le sien, mais qu'il a fait en sorte qu'on ne lui contestât pas, supprimer impunément quatre personnes qui le gênaient, faire jeter en prison une femme innocente contre laquelle il a lui-même accumulé les preuves les plus mensongères, et, en fin de compte, malgré la révolte du bon sens, et grâce à des complicités inavouables, toucher les deux cents millions de l'héritage Mornington.

« Voilà l'ignominieuse vérité. Il était bon qu'elle fût dite. Espérons qu'une fois révélée elle influera sur la conduite des événements. »

« Elle influera tout au moins sur la conduite de l'imbécile qui a écrit cet article », ricana don Luis.

Il congédia Mlle Levasseur et demanda le commandant d'Astrignac au téléphone.

« C'est vous, mon commandant ?

— Vous avez lu l'article de *L'Écho de France ?*

— Oui.

— Cela vous ennuierait-il beaucoup de demander une réparation par les armes à ce monsieur ?

— Oh ! oh ! un duel !

— Il le faut, mon commandant. Tous ces artistes-là m'embêtent avec leurs élucubrations. Il est nécessaire de leur mettre un bâillon. Celui-là paiera pour les autres.

— Ma foi, si vous y tenez beaucoup...

— Énormément. »

Les pourparlers furent immédiats.

Le directeur de *L'Écho de France* déclara que, bien que l'article, déposé à son journal sans signature et sous forme dactylographique, eût été publié à son insu, il en prenait l'entière responsabilité.

Le même jour, à trois heures, don Luis Perenna, accompagné du commandant d'Astrignac, d'un autre officier et d'un docteur, quittait dans son automobile l'hôtel de la place du Palais-Bourbon et, suivi de près par un taxi où s'entassaient les agents de la Sûreté chargés de le surveiller, arrivait au Parc des Princes.

En attendant l'adversaire, le comte d'Astrignac emmena don Luis à l'écart :

« Mon cher Perenna, je ne vous demande rien. Qu'y a-t-il de vrai dans tout ce que l'on publie à votre égard ? Quel est votre véritable nom ? Cela m'est égal. Pour moi, vous êtes le légionnaire Perenna, et ça suffit. Votre passé commence au Maroc. Quant à l'avenir, je sais que, quoi qu'il advienne, et quelles que soient les tentations, vous n'aurez d'autre but que de venger Cosmo Mornington et de protéger ses héritiers. Seulement, il y a une chose qui me tracasse.

— Parlez, mon commandant.

— Donnez-moi votre parole que vous ne tuerez pas cet homme.

— Deux mois de lit, mon commandant, ça vous va-t-il ?

— C'est trop. Quinze jours.

— Adjugé. »

Les deux adversaires se mirent en ligne. À la seconde reprise, le directeur de *L'Écho de France* s'écroula, touché à la poitrine.

« Ah ! c'est mal, Perenna, grommela le comte d'Astrignac, vous m'aviez promis...

— J'ai promis, j'ai tenu, mon commandant. »

Cependant les docteurs examinaient le blessé.

L'un d'eux se releva au bout d'un instant et dit :

« Ce ne sera rien... trois semaines de repos, tout au plus. Seulement, un centimètre de plus et ça y était.

— Oui, mais le centimètre n'y est pas », murmura Perenna.

Toujours suivi par l'automobile des policiers, don Luis retourna au faubourg Saint-Germain, et c'est alors qu'il se produisit un incident qui devait l'intriguer singulièrement et jeter sur l'article de *L'Écho de France* un jour vraiment étrange.

Dans la cour de son hôtel, il aperçut deux petites chiennes, lesquelles appartenaient au cocher et se tenaient généralement à l'écurie. Elles jouaient alors avec une pelote de ficelle rouge qui s'accrochait un peu partout, aux marches du perron, aux vases de fleurs. À la fin le bouchon de papier autour duquel la ficelle était enroulée apparut. Don Luis passait à cet instant. Machinalement, son regard ayant discerné des traces d'écriture sur le papier, il le ramassa et le déplia.

Il tressaillit. Tout de suite, il avait reconnu les premières lignes de l'article inséré dans *L'Écho de France.* Et l'article s'y trouvait, intégralement écrit à la plume, sur du papier quadrillé, avec des ratures, des phrases ajoutées, biffées, recommencées.

Il appela le cocher et lui demanda :

« D'où vient donc cette pelote de ficelle ?

— Cette pelote, monsieur ?... Mais de la sellerie, je crois... C'est cette diablesse de Mirza qui l'aura...

— Et quand avez-vous enroulé la ficelle sur le papier ?

— Hier soir, monsieur.

— Ah ! hier soir... Et d'où provient ce papier ?

— Ma foi, monsieur, je ne sais pas trop... j'avais besoin de quelque chose pour ma ficelle... j'ai pris cela derrière la remise, là où l'on jette tous les chiffons de la maison, en attendant qu'on les porte dans la rue, le soir. »

Don Luis poursuivit ses investigations. Il questionna ou il pria Mlle Levasseur de questionner les autres domestiques. Il ne découvrit rien, mais un fait demeurait acquis : l'article de *L'Écho de France* avait été écrit — le brouillon ramassé en faisait foi — par quelqu'un qui habitait la maison, ou qui entretenait des relations avec un des habitants de la maison.

L'ennemi était dans la place.

Mais quel ennemi ? Et que voulait-il ? Simplement l'arrestation de Perenna ?

Toute cette fin d'après-midi, don Luis resta soucieux, tourmenté par le mystère qui l'entourait, exaspéré par son inaction et surtout par cette menace d'arrestation qui, certes, ne l'inquiétait pas, mais qui paralysait ses mouvements.

Aussi, quand on lui annonça, vers dix heures, qu'un individu, qui se présentait sous le nom d'Alexandre, insistait pour le voir, quand il eut fait entrer cet individu, et qu'il se trouva en face de Mazeroux, mais d'un Mazeroux travesti, enfoui sous un vieux manteau méconnaissable, se jeta-t-il sur lui comme sur une proie et, le bousculant, le secouant :

« Enfin, c'est toi ! Hein ! je te l'avais dit, vous n'en sortez pas, à la préfecture, et tu viens me chercher ? Avoue-le donc, triple buse ! Mais oui... mais oui... tu viens me chercher... Ah ! elle est rigolote, celle-là... Morbleu ! je savais bien que vous n'auriez pas le culot de m'arrêter et que le préfet de police calmerait un peu les ardeurs intempestives de ce sacré Weber. D'abord est-ce qu'on arrête un homme dont on a besoin ? Va, dégoise. Dieu ! que tu as l'air abruti ! Mais réponds donc. Où en êtes-vous ? Vite, parle. Je vais vous régler ça en cinq sec. Jette-moi seulement vingt mots sur votre enquête, et je vous la fais aboutir d'un coup de bistouri. Montre en main, deux minutes. Tu dis ?

— Mais, patron... bredouilla Mazeroux interloqué.

— Quoi ? Faut t'arracher les paroles ! Allons-y. J'opère. Il s'agit de l'homme à la canne d'ébène, n'est-ce pas ? de celui qu'on a vu au café du Pont-Neuf, le jour où l'inspecteur Vérot a été assassiné ?

— Oui... en effet.

— Vous avez retrouvé ses traces ?

— Oui.

— Eh bien, bavarde, voyons !

— Voilà, patron. Il n'y a pas que le garçon de café qui l'avait remarqué. Il y a aussi un autre consommateur, et cet autre consommateur, que j'ai fini par découvrir, était sorti du café en même temps que notre homme, et, dehors, l'avait entendu demander à un passant « la plus proche station du métro pour aller à Neuilly ».

— Excellent, cela. Et, dans Neuilly, à force d'interroger de droite et de gauche, vous avez déniché l'artiste ?

— Et même appris son nom, patron : Hubert Lautier, avenue du Roule. Seulement, il a décampé de là, il y a six mois, laissant son mobilier et n'emportant que deux malles.

— Mais à la poste ?

— Nous avons été à la poste. Un des employés a reconnu le signalement qu'on lui a fourni. Notre homme vient tous les huit ou dix jours chercher son courrier, qui, d'ailleurs, est très peu important... une lettre ou deux. Il n'est pas venu depuis quelque temps.

— Et ce courrier est sous son nom ?

— Sous des initiales.

— On a pu se les rappeler ?

— Oui. B. R. W. 8.

— C'est tout ?

— De mon côté, absolument tout. Mais un de mes collègues a pu établir, d'après les dépositions de deux agents de police, qu'un individu portant une canne d'ébène à manche d'argent et un binocle d'écaille est sorti, le soir du double assassinat, de la gare d'Auteuil, vers onze heures trois quarts et s'est dirigé vers le Ranelagh. Rappelez-vous la présence de Mme Fauville dans ce quartier, à la même heure. Et rappelez-vous que le crime fut commis un peu avant minuit... J'en conclus...

— Assez, file.

— Mais...

— Au galop.

— Alors on ne se revoit plus ?

— Rendez-vous dans une demi-heure devant le domicile de notre homme.

— Quel homme ?

— Le complice de Marie-Anne Fauville...

— Mais vous ne connaissez pas...

— Son adresse ? Mais c'est toi-même qui me l'as donnée. Boulevard Richard-Wallace, numéro huit. Va, et ne prends pas cette tête d'idiot. »

Il le fit pirouetter, le poussa par les épaules jusqu'à la porte et le remit, tout ahuri, aux mains d'un domestique.

Lui-même sortait quelques minutes plus tard, entraînant sur ses pas les policiers attachés à sa personne, les laissait de planton devant un immeuble à double issue, et se faisait conduire à Neuilly en automobile.

Il suivit à pied l'avenue de Madrid et rejoignit le boulevard Richard-Wallace, en vue du bois de Boulogne.

Mazeroux l'attendait là, devant une petite maison qui dressait ses trois étages au fond d'une cour que bordaient les murs très hauts de la propriété voisine.

« C'est bien le numéro huit ?

Oui, patron, mais vous allez m'expliquer...

— Une seconde, mon vieux, que je reprenne mon souffle ! »

Il aspira largement quelques bouffées d'air.

« Dieu ! que c'est bon d'agir ! dit-il. Vrai, je me rouillais... Et quel plaisir de poursuivre ces bandits ! Alors tu veux que je t'explique ? »

Il passa son bras sous celui du brigadier.

« Écoute, Alexandre, et profite. Quand une personne choisit des initiales quelconques pour son adresse de poste restante, dis-toi bien qu'elle ne les choisit pas au hasard, mais presque toujours de façon que les lettres aient une signification pour la personne en correspondance avec elle, signification qui permettra à cette autre personne de se rappeler facilement l'adresse qu'on lui donne.

— Et en l'occurrence ?

— En l'occurrence, Mazeroux, un homme comme moi, qui connais Neuilly et les alentours du Bois, est aussitôt frappé par ces trois lettres B R W et surtout par cette lettre étrangère W, lettre étrangère, lettre anglaise. De sorte que, dans mon esprit, devant mes yeux, instantanément, comme une hallucination, j'ai vu les trois lettres à leur place logique d'initiales, à la tête des mots qu'elles appellent et qu'elles nécessitent. J'ai vu le B du boulevard, j'ai vu l'R et le W anglais de Richard et de Wallace. Et je suis venu vers le boulevard Richard-Wallace. Et voilà pourquoi, mon cher monsieur, votre fille est sourde. »

Mazeroux sembla quelque peu sceptique.

« Et vous croyez, patron ?

— Je ne crois rien. Je cherche. Je construis une hypothèse sur la première base venue... une hypothèse vraisemblable... Et je me dis... je me dis... je me dis, Mazeroux, que ce petit coin est diablement mystérieux... et que cette maison... Chut... Écoute... »

Il repoussa Mazeroux dans un renfoncement d'ombre. Ils avaient entendu du bruit, le claquement d'une porte.

De fait, des pas traversèrent la cour, devant la maison. La serrure de la grille extérieure grinça. Quelqu'un parut, que la lumière d'un réverbère éclaira en plein visage.

« Cré tonnerre ! mâchonna Mazeroux, c'est lui.

— Il me semble, en effet...

— C'est lui, patron. Regardez la canne noire et le brillant de la poignée.. Et puis vous avez vu le lorgnon... et la barbe... Quel type vous êtes, patron !

— Calme-toi, et suivons-le. »

L'individu avait traversé le boulevard Richard-Wallace et tournait sur le boulevard Maillot. Il marchait assez vite, la tête haute, en faisant tournoyer sa canne d'un geste allègre. Il alluma une cigarette.

À l'extrémité du boulevard Maillot, l'homme passa l'octroi et pénétra dans Paris. La station du chemin de fer de Ceinture était proche. Il se dirigea vers elle et, toujours suivi, prit un train qui le conduisait à Auteuil.

« Bizarre, dit Mazeroux, il refait ce qu'il a fait il y a quinze jours. C'est là qu'on l'a aperçu. »

L'individu longea dès lors les fortifications. En un quart d'heure, il atteignit le boulevard Suchet, et presque aussitôt l'hôtel où l'ingénieur Fauville et son fils avaient été assassinés.

En face de cet hôtel, il monta sur les fortifications, et il resta là quelques minutes, immobile, tourné vers la façade. Puis, continuant sa route, il gagna la Muette, s'engagea dans les ténèbres du bois de Boulogne.

« À l'œuvre et hardiment », fit don Luis qui pressa le pas.

Mazeroux le retint :

« Que voulez-vous dire, patron ?

— Eh bien, sautons-lui à la gorge, nous sommes deux, et le moment est propice.

— Comment ! mais c'est impossible.

— Impossible ! Tu as peur ? Soit. Laisse-moi faire.

— Voyons, patron, vous n'y pensez pas ?

— Pourquoi n'y penserais-je pas ?

— Parce qu'on ne peut arrêter un homme sans motif.

— Sans motif ? Un bandit de son espèce ? Un assassin ? Qu'est-ce qu'il te faut donc ?

— En l'absence d'un cas de force majeure, d'un flagrant délit, il me faut quelque chose que je n'ai pas.

— Quoi ?

— Un mandat. Je n'ai pas de mandat. »

L'accent de Mazeroux était si convaincu et sa réponse parut si comique à don Luis Perenna qu'il éclata de rire.

« T'as pas de mandat ? Pauvre petit ! Eh bien, tu vas voir si j'en ai besoin, d'un mandat !

— Je ne verrai rien du tout, s'écria Mazeroux en s'accrochant au bras de son compagnon. Vous ne toucherez pas à cet individu.

— C'est ta mère ?

— Voyons, patron...

— Mais, triple honnête homme, articula don Luis, exaspéré, si nous laissons échapper l'occasion, la retrouverons-nous ?

— Facilement. Il rentre chez lui. Je préviens le commissaire de police. On téléphone à la préfecture, et demain matin...

— Et si l'oiseau est envolé ?

— Je n'ai pas de mandat.

— Veux-tu que je t'en signe un, idiot ? »

Mais don Luis domina sa colère. Il sentait bien que tous ses arguments se briseraient contre l'obstination du brigadier, et que Mazeroux irait au besoin jusqu'à défendre l'ennemi contre lui. Il formula simplement d'un ton sentencieux :

« Un imbécile et toi, ça fait deux imbéciles, et il y a autant d'imbéciles qu'il y a de gens qui veulent faire de la police avec des chiffons de papier, des signatures, des mandats et d'autres calembredaines. La police, mon petit, ça se fait avec le poing. Quand l'ennemi est là, on cogne. Sinon, on risque de cogner dans le vide. Là-dessus, bonne nuit. Je vais me coucher. Téléphone-moi quand tout sera fini. »

Il rentra chez lui, furieux, excédé d'une aventure où il n'avait pas ses coudées franches, et où il lui fallait se soumettre à la volonté ou, plutôt, à la mollesse des autres.

Mais, le lendemain matin, lorsqu'il se réveilla, le désir de voir la police aux prises avec l'homme à la canne d'ébène, et surtout le sentiment que son concours ne serait pas inutile, le poussèrent à s'habiller plus vite.

« Si je n'arrive pas à la rescousse, se disait-il, ils vont se laisser rouler. Ils ne sont pas de taille à soutenir un tel combat. »

Justement Mazeroux le demanda au téléphone. Il se précipita vers une petite cabine que son prédécesseur avait fait établir au premier étage, dans un réduit obscur qui ne communiquait qu'avec son bureau, et il alluma l'électricité.

« C'est toi, Alexandre ?

— Oui, patron. Je suis chez un marchand de vin, près de la maison du boulevard Richard-Wallace.

— Et notre homme ?

— L'oiseau est au nid. Mais il était temps.

— Ah !

— Oui, sa valise est faite. Il doit partir ce matin en voyage.

— Comment le sait-on ?

— Par la femme de ménage. Elle vient d'entrer chez lui, et nous ouvrira.

— Il habite seul ?

— Oui, cette femme lui prépare ses repas et s'en va le soir. Personne ne vient jamais, sauf une dame voilée qui lui a rendu trois visites depuis qu'il est ici. La femme de ménage ne pourrait pas la reconnaître. Lui, c'est un savant, dit-elle, qui passe son temps à lire et à travailler.

— Et tu as un mandat ?

— Oui, on va opérer.

— J'accours.

— Impossible ! C'est le sous-chef Weber qui nous commande. Ah ! dites donc, vous ne savez pas la nouvelle à propos de Mme Fauville ?

— À propos de Mme Fauville ?

— Oui, elle a voulu se tuer, cette nuit.

— Hein ! elle a voulu se tuer ? »

Perenna avait jeté une exclamation de stupeur, et il fut très étonné d'entendre, presque en même temps, un autre cri, comme un écho très proche.

Sans lâcher le récepteur, il se retourna. Mlle Levasseur était dans le cabinet de travail, à quelques pas de lui, la figure contractée, livide.

Leurs regards se rencontrèrent. Il fut sur le point de l'interroger, mais elle s'éloigna.

« Pourquoi diable m'écoutait-elle ? se demanda don Luis, et pourquoi cet air d'épouvante ? »

Mazeroux continuait cependant :

« Elle l'avait bien dit, qu'elle essaierait de se tuer. Il lui a fallu un rude courage. »

Perenna reprit :

« Mais comment ?

— Je vous raconterai cela. On m'appelle. Mais surtout ne venez pas, patron.

— Si, répondit-il nettement, je viens. Après tout, c'est bien le moins que j'assiste à la capture du gibier, puisque c'est moi qui ai découvert son gîte. Mais ne crains rien : je resterai dans la coulisse.

— Alors, dépêchez-vous, patron. On donne l'assaut.

— J'arrive. »

Il raccrocha vivement le récepteur et fit demi-tour sur lui-même pour sortir de la cabine.

Un mouvement de recul le rejeta jusqu'au mur du fond.

À l'instant précis où il allait franchir le seuil, quelque chose s'était déclenché au-dessus de sa tête, et il n'avait eu que le temps de bondir en arrière pour n'être pas atteint par un rideau de fer qui tomba devant lui avec une violence terrible.

Une seconde de plus, et la masse énorme l'écrasait. Il en sentit le frôlement contre sa main. Et jamais peut-être il n'éprouva de façon plus intense l'angoisse du danger.

Après un moment de véritable frayeur où il resta comme pétrifié, le cerveau en désordre, il reprit son sang-froid et se jeta sur l'obstacle.

Mais tout de suite l'obstacle lui parut infranchissable. C'était un lourd panneau de métal, non pas fait de lamelles ou de pièces rattachées les unes aux autres, mais formé d'un seul bloc, massif, puissant, rigide et que le temps avait revêtu de sa patine luisante, à peine obscurcie, çà et là, par des taches de rouille. De droite et de gauche, en haut et en bas, les bord du panneau s'enfonçaient dans une rainure étroite qui les recouvrait hermétiquement.

Il était prisonnier. À coups de poing, avec une rage soudaine, il frappa, se rappelant la présence de Mlle Levasseur dans le cabinet de travail. Si elle n'avait pas encore quitté la pièce — et sûrement elle ne pouvait pas encore l'avoir quittée lorsque la chose s'était produite — elle entendrait le bruit. Elle devait l'entendre. Elle allait revenir sur ses pas. Elle allait donner l'alarme et le secourir.

Il écouta. Rien. Il appela. Aucune réponse. Sa voix se heurtait aux murs et au plafond de la cabine où il était enfermé, et il avait l'impression que l'hôtel entier, par-delà les salons, et les escaliers, et les vestibules, demeurait sourd à son appel.

Pourtant... pourtant... Mlle Levasseur ?

« Qu'est-ce que ça veut dire ? murmura-t-il... Qu'est-ce que tout cela signifie ? »

Et immobile maintenant, taciturne, il pensait de nouveau à l'étrange attitude de la jeune fille, à son visage bouleversé, à ses yeux égarés. Et il se demandait aussi par quel hasard s'était déclenché le mécanisme invisible qui avait projeté sur lui, sournoisement et implacablement, le redoutable rideau de fer.

CHAPITRE V

L'HOMME À LA CANNE D'ÉBÈNE

Sur le boulevard Richard-Wallace, le sous-chef Weber, l'inspecteur principal Ancenis, le brigadier Mazeroux, trois inspecteurs et le commissaire de police de Neuilly, étaient groupés devant la grille du numéro huit.

Mazeroux surveillait l'avenue de Madrid par laquelle don Luis devait venir, mais il commençait à s'étonner, car une demi-heure s'était écoulée depuis qu'ils avaient échangé un coup de téléphone, et Mazeroux ne trouvait plus de prétexte pour reculer l'opération.

« Il est temps, dit le sous-chef Weber, la femme de ménage nous a fait signe d'une fenêtre : le type s'habille.

— Pourquoi ne pas l'empoigner quand il sortira ? objecta Mazeroux. En un tour de main il sera pris.

— Et s'il se trotte par une autre issue que nous ne connaissons pas ? dit le sous-chef. C'est qu'il faut se méfier de pareils bougres. Non, attaquons-le au gîte. Il y a plus de certitude.

— Cependant...

— Qu'est-ce que vous avez donc, Mazeroux ? dit le sous-chef en le prenant à part. Vous ne voyez donc pas que nos hommes sont nerveux ? Ce type là les inquiète. Il n'y a qu'un moyen, c'est de les lancer dessus, comme sur une bête fauve. Et puis il faut que l'affaire soit dans le sac quand le préfet viendra.

— Il vient donc ?

— Oui. Il veut se rendre compte par lui-même. Toute cette histoire-là le préoccupe au plus haut point. Ainsi donc, en avant ! Vous êtes prêts, les gars ? Je sonne. »

Le timbre retentit en effet, et, tout de suite, la femme de ménage accourut et entrebâilla la porte.

Bien que la consigne fût de garder le plus grand calme afin de ne pas effaroucher trop tôt l'adversaire, la crainte qu'il inspirait était telle qu'il y eut une poussée et que tous les agents se ruèrent dans la cour, prêts au combat... Mais une fenêtre s'ouvrit et quelqu'un cria, du second étage :

« Qu'y a-t-il ? »

Le sous-chef ne répondit pas. Deux agents, l'inspecteur principal, le commissaire et lui, envahissaient la maison, tandis que les deux autres, restés dans la cour, rendaient toute fuite impossible.

La rencontre eut lieu au premier étage. L'homme était descendu, tout habillé, le chapeau sur la tête, et le sous-chef proférait :

« Halte ! Pas un geste ! C'est bien vous, Hubert Lautier ? »

L'homme sembla confondu. Cinq revolvers étaient braqués sur lui. Pourtant, aucune expression de peur n'altéra son visage, et il dit simplement :

« Que voulez-vous, monsieur ? Que venez-vous faire ici ?

— Nous venons au nom de la loi. Voici le mandat qui vous concerne, un mandat d'arrêt.

— Un mandat d'arrêt contre moi !

— Contre Hubert Lautier, domicilié au huit, boulevard Richard-Wallace.

— Mais c'est absurde !... dit-il, c'est incroyable... Qu'est-ce que cela signifie ! Pour quelle raison ?... »

Sans qu'il opposât la moindre résistance, on l'empoigna par les deux bras et on le fit entrer dans une pièce assez grande où il n'y avait que trois chaises de paille, un fauteuil, et une table encombrée de gros livres.

« Là, dit le sous-chef, et ne bougez pas. Au moindre geste, tant pis pour vous... »

L'homme ne protestait pas. Tenu au collet par les deux agents, il paraissait réfléchir, comme s'il eût cherché à comprendre les motifs secrets d'une arrestation à laquelle rien ne l'eût préparé. Il avait une figure intelligente, une barbe châtaine à reflets un peu roux, des yeux d'un bleu gris dont l'expression devenait par instants, derrière le binocle qu'il portait, d'une certaine dureté. Les épaules larges, le cou puissant dénotaient la force.

« On lui passe le cabriolet ? dit Mazeroux au sous-chef.

— Une seconde... Le préfet arrive, je l'entends... Vous avez fouillé les poches ? Pas d'armes ?

— Non.

— Pas de flacon ? pas de fiole ? Rien d'équivoque ?

— Non, rien. »

Dès son arrivée, M. Desmalions, tout en examinant la figure du prisonnier, s'entretint à voix basse avec le sous-chef et se fit raconter les détails de l'opération.

« Bonne affaire, dit-il, nous avions besoin de cela. Les deux complices arrêtés, il faudra bien qu'ils parlent, et tout s'éclaircira. Ainsi, il n'y a pas eu de résistance ?

— Aucune, monsieur le préfet.

— N'importe ! restons sur nos gardes. »

Le prisonnier n'avait pas prononcé une parole, et il conservait le visage pensif de quelqu'un pour qui les événements ne se prêtent à aucune explication. Cependant, lorsqu'il eut compris que le nouveau venu n'était autre que le préfet de police, il releva la tête, et M. Desmalions lui ayant dit :

« Inutile, n'est-ce pas, de vous exposer les motifs de votre arrestation ? »

Il répliqua d'une voix déférente :

« Excusez-moi, monsieur le préfet, je vous demande au contraire de me renseigner. Je n'ai pas la moindre idée à ce sujet : Il y a là, chez vos agents, une erreur formidable qu'un mot sans doute peut dissiper. Ce mot, je le désire... je l'exige... »

Le préfet haussa les épaules et dit :

« Vous êtes soupçonné d'avoir participé à l'assassinat de l'ingénieur Fauville et de son fils Edmond.

— Hippolyte est mort ! »

Il répéta, la voix sourde, avec un tremblement nerveux :

« Hippolyte est mort ? Qu'est-ce que vous dites là ? Est-ce possible qu'il soit mort ? Et comment ? Assassiné ? Edmond également ? »

Le préfet haussa de nouveau les épaules.

« Le fait même que vous appeliez M. Fauville par son prénom montre que vous étiez dans son intimité. Et en admettant que vous ne soyez pour rien dans son assassinat, la lecture des journaux depuis quinze jours eût suffi à vous l'apprendre.

— Pour ma part, je ne lis jamais de journaux, monsieur le préfet.

— Hein ! vous allez prétendre...

— Cela peut être invraisemblable, mais c'est ainsi. Je vis

une existence de travail, m'occupant exclusivement de recherches scientifiques en vue d'un ouvrage de vulgarisation, et sans prendre la moindre part ni le moindre intérêt aux choses de dehors. Je défie donc qui que ce soit au monde de prouver que j'aie lu un seul journal depuis des mois et des mois. Et c'est pourquoi j'ai le droit de dire que j'ignorais l'assassinat d'Hippolyte Fauville. Je l'ai connu autrefois, mais nous nous sommes fâchés.

— Quelles raisons ?

— Des affaires de famille...

— Des affaires de famille ! Vous étiez donc parents ?

— Oui, Hippolyte était mon cousin.

— Votre cousin ! M. Fauville était votre cousin ? Mais... mais alors... Voyons, précisons. M. Fauville et sa femme étaient les enfants de deux sœurs, Élisabeth et Armande Roussel. Ces deux sœurs avaient été élevées avec un cousin germain du nom de Victor.

— Oui, Victor Sauverand, issu du grand-père Roussel, Victor Sauverand s'est marié à l'étranger et il a eu deux fils. L'un est mort il y a quinze ans. L'autre, c'est moi. »

M. Desmalions tressaillit. Son émotion était visible. Si cet homme disait vrai, s'il était réellement le fils de ce Victor dont la police n'avait pas encore pu reconstituer l'état civil, on avait arrêté par là même, puisque M. Fauville et son fils étaient morts et Mme Fauville pour ainsi dire convaincue d'assassinat et déchue de ses droits, on avait arrêté l'héritier définitif de l'Américain Cosmo Mornington.

Mais par quelle aberration donnait-il contre lui, sans y être obligé, cette charge écrasante ?

Il reprit :

« Mes révélations, monsieur le préfet, semblent vous étonner. Peut-être vous éclairent-elles sur l'erreur dont je suis victime ? »

Il s'exprimait sans aucun trouble, avec une grande politesse et une distinction de voix remarquable, et il n'avait nullement l'air de se douter que ses révélations confirmaient au contraire la légitimité des mesures prises à son égard.

Sans répondre à sa question, le préfet de police lui demanda :

« Ainsi, votre nom véritable, c'est ?...

— Gaston Sauverand, dit-il.

— Pourquoi vous faites-vous appeler Hubert Lautier ? »

L'homme eut une petite défaillance qui ne pouvait échapper

à un observateur aussi perspicace que M. Desmalions. Il fléchit sur ses jambes, ses yeux papillotèrent, et il dit :

« Cela ne regarde pas la police, cela ne regarde que moi. »

M. Desmalions sourit :

« L'argument est médiocre. M'opposerez-vous le même si je veux savoir pourquoi vous vous cachez, pourquoi vous avez quitté votre domicile de l'avenue du Roule sans laisser d'adresse et pourquoi vous recevez votre correspondance à la poste, sous des initiales ?

— Oui, monsieur le préfet, ce sont là des actes d'ordre privé, qui relèvent de ma seule conscience. Vous n'avez pas à m'interroger là-dessus.

— C'est l'exacte réponse que nous oppose à tout instant votre complice.

— Mon complice ?

— Oui, Mme Fauville.

— Mme Fauville ? »

Gaston Sauverand avait poussé le même cri qu'à l'annonce de la mort de l'ingénieur, et ce fut une stupeur plus grande encore, une angoisse qui rendit ses traits méconnaissables.

« Quoi ?... Quoi ?... Qu'est-ce que vous dites ? Marie-Anne... Non, n'est-ce pas ? Ce n'est pas vrai ? »

M. Desmalions jugea inutile de répondre, tellement cette affectation d'ignorer tout ce qui concernait le drame du boulevard Suchet était absurde et puérile.

Hors de lui, les yeux effarés, Gaston Sauverand murmura :

« C'est vrai ? Elle est victime de la même méprise que moi ? On l'a peut-être arrêtée ? Elle ! elle ! Marie-Anne en prison ! »

Ses poings crispés s'élevèrent dans un geste de menace qui s'adressait à tous les ennemis inconnus dont il était entouré, à ceux qui le persécutaient et qui avaient assassiné Hippolyte Fauville et livré Marie-Anne.

Mazeroux et l'inspecteur Ancenis l'empoignèrent brutalement... Il eut un mouvement de révolte comme s'il allait repousser ses agresseurs. Mais ce ne fut qu'un éclair, et il s'abattit sur une chaise en cachant sa figure entre ses mains.

« Quel mystère ! balbutia-t-il !... Je ne comprends pas... je ne comprends pas... »

Il se tut.

Le préfet de police dit à Mazeroux :

« C'est la même comédie qu'avec Mme Fauville, et jouée

par un comédien de la même espèce qu'elle et de la même force. On voit qu'ils sont parents.

— Il faut se méfier de lui, monsieur le préfet. Pour l'instant, son arrestation l'a déprimé, mais gare au réveil ! »

Le sous-chef Weber, qui était sorti depuis quelques minutes, rentra. M. Desmalions lui dit :

« Tout est prêt ?

— Oui, monsieur le préfet, j'ai fait avancer le taxi jusqu'à la grille, à côté de votre automobile.

— Combien êtes-vous ?

— Huit. Deux agents viennent d'arriver du commissariat.

— Vous avez fouillé la maison ?

— Oui. D'ailleurs, elle est presque vide. Il n'y a que les meubles indispensables et, dans la chambre, des liasses de papiers.

— C'est bien, emmenez-le et redoublez de surveillance. »

Gaston Sauverand se laissa faire docilement et suivit le sous-chef et Mazeroux.

Sur le seuil de la porte, il se retourna :

« Monsieur le préfet, puisque vous perquisitionnez, je vous adjure de prendre soin des papiers qui encombrent la table de ma chambre : ce sont des notes qui m'ont coûté bien des veilles. En outre... »

Il hésita, visiblement embarrassé.

« En outre ?

— Eh bien, Monsieur le préfet, je vais vous dire... certaines choses... »

Il cherchait ses mots et paraissait en craindre les conséquences, tout en les prononçant. Mais il se décida d'un coup :

« Monsieur le préfet, il y a ici... quelque part... un paquet de lettres auxquelles je tiens plus qu'à ma vie. Peut-être ces lettres, si on les interprète dans un mauvais sens, donneront-elles des armes contre moi... mais n'importe... Avant tout, il faut... il faut qu'elles soient à l'abri... Vous verrez... Il y a là des documents d'une importance extrême... Je vous les confie... à vous seul, monsieur le préfet.

— Où sont-elles ?

— La cachette est facile à trouver. Il suffit de monter dans la mansarde au-dessus de ma chambre et d'appuyer, à droite de la fenêtre, sur un clou... un clou inutile en apparence, mais qui commande une cachette située au-dehors, sous une des ardoises, le long de la gouttière. »

Il se remit en marche, encadré par les deux hommes. Le préfet les retint.

« Une seconde... Mazeroux, montez dans la mansarde. Vous m'apporterez les lettres. »

Mazeroux obéit et revint au bout de quelques minutes. Il n'avait pu faire jouer le mécanisme.

Le préfet ordonna à l'inspecteur principal Ancenis de monter à son tour avec Mazeroux et d'emmener le prisonnier, qui leur ferait voir le fonctionnement de sa cachette.

Lui-même, il demeura dans la pièce avec le sous-chef Weber, attendant le résultat de la perquisition, et il se mit à examiner les titres des livres qui s'empilaient sur la table.

C'étaient des volumes de science, parmi lesquels il remarqua des ouvrages de chimie : *La chimie organique, La chimie dans ses rapports avec l'électricité*. Tous ils étaient chargés de notes, en marge. Il feuilletait l'un d'eux lorsqu'il crut entendre des clameurs. Il se précipita. Mais il n'avait pas franchi le seuil de la porte qu'une détonation retentit au creux de l'escalier et qu'il y eut un hurlement de douleur.

Et aussitôt, deux autres coups de feu. Et puis des cris, un bruit de lutte et une détonation encore...

Par bonds de quatre marches, avec une agilité qu'on n'eût pas attendue d'un homme de sa taille, le préfet de police, suivi du sous-chef, escalada le second étage et parvint au troisième, qui était plus étroit et plus abrupt.

Quand il eut gagné le tournant, un corps qui chancelait au-dessus de lui s'abattit dans ses bras : c'était Mazeroux blessé.

Sur les marches gisait un autre corps inerte, celui de l'inspecteur principal Ancenis.

En haut, dans l'encadrement d'une petite porte, Gaston Sauverand, terrible, la physionomie féroce, avait le bras tendu. Il tira un cinquième coup au hasard. Puis, apercevant le préfet de police, il visa, posément.

Le préfet eut la vision foudroyante de ce canon braqué sur son visage, et il se crut perdu. Mais, à cette seconde précise, derrière lui, une détonation claqua, l'arme de Sauverand tomba de sa main avant qu'il eût pu tirer, et le préfet aperçut, comme dans une vision, un homme, celui qui venait de le sauver de la mort, et qui enjambait le corps de l'inspecteur principal, repoussait Mazeroux contre le mur, et s'élançait, suivi des agents.

Il le reconnut. C'était don Luis Perenna.

Don Luis entra vivement dans la mansarde où Sauverand

avait reculé, mais il n'eut que le temps de l'aviser, debout sur le rebord de la fenêtre, et qui sautait dans le vide, du haut des trois étages.

« Il s'est jeté par là ? cria le préfet en accourant. Nous ne l'aurons pas vivant !

— Ni vivant ni mort, monsieur le préfet. Tenez, le voilà qui se relève. Il y a des miracles pour ces gens-là... Il file vers la grille... C'est à peine s'il boite un peu.

— Mais mes hommes ?

— Eh ! ils sont tous dans l'escalier, dans la maison, attirés par les coups de feu, soignant les blessés...

— Ah ! le démon, murmura le préfet, il a joué sa partie en maître ! »

De fait, Gaston Sauverand prenait la fuite sans rencontrer personne.

« Arrêtez-le ! Arrêtez-le ! » vociféra M. Desmalions.

Il y avait deux automobiles le long du trottoir, qui à cet endroit est fort large, l'automobile du préfet de police et celle que le sous-chef avait fait venir pour le prisonnier. Les deux chauffeurs, assis sur leurs sièges, n'avaient rien perçu de la bataille. Mais ils virent le saut, dans l'espace, de Gaston Sauverand, et le chauffeur de la préfecture, sur le siège duquel on avait déposé un certain nombre de pièces à conviction, prenant dans le tas et au hasard la canne d'ébène, seule arme qu'il eût sous la main, se précipita courageusement au-devant du fugitif.

« Arrêtez-le ! arrêtez-le ! » criait M. Desmalions.

La rencontre se produisit à la sortie de la cour. Elle fut brève. Sauverand se jeta sur son agresseur, lui arracha la canne, fit un bond en arrière et la lui cassa sur la figure. Puis, sans lâcher la poignée, il se sauva, poursuivi par l'autre chauffeur et par trois agents qui surgissaient enfin de la maison.

Il avait alors trente pas d'avance sur les agents. L'un d'eux tira vainement plusieurs coups de revolver.

Lorsque M. Desmalions et le sous-chef Weber redescendirent, ils trouvèrent au second étage, dans la chambre de Gaston Sauverand, l'inspecteur principal étendu sur le lit, le visage livide.

Frappé à la tête, il agonisait.

Presque aussitôt il mourut.

Le brigadier Mazeroux, dont la blessure était insignifiante, raconta, tandis qu'on le pansait, que Sauverand les avait, l'inspecteur principal et lui, conduits jusqu'à la mansarde, et que, devant la porte, il avait plongé vivement la main dans une sorte de vieille sacoche accrochée au mur entre des tabliers de domestique et des blouses hors d'usage. Il en tirait un revolver et faisait feu à bout portant sur l'inspecteur principal, qui tombait comme une masse. Empoigné par Mazeroux, le meurtrier se dégageait et envoyait trois balles dont la troisième atteignait le brigadier à l'épaule.

Ainsi, dans la bataille où la police disposait d'une troupe d'agents exercés, où l'ennemi, captif, semblait n'avoir aucune chance de salut, cet ennemi, par un stratagème d'une audace inouïe, emmenait à l'écart deux de ses adversaires, les mettait hors de combat, attirait les autres dans la maison et, la route devenue libre, s'enfuyait.

M. Desmalions était pâle de colère et de désespoir. Il s'écria :

« Il nous a roulés... Ses lettres, sa cachette, le clou mobile... autant de trucs... Ah ! le bandit ! »

Il gagna le rez-de-chaussée et passa dans la cour. Sur le boulevard, il rencontra un des agents qui avaient donné la chasse au meurtrier, et qui revenait à bout de souffle.

« Eh bien ? dit-il anxieusement.

— Monsieur le préfet, il a tourné par la rue voisine... Là, une automobile l'attendait... Le moteur devait être sous pression, car tout de suite notre homme nous a distancés.

— Mais mon automobile, à moi ?

— Le temps de se mettre en marche, monsieur le préfet, vous comprenez...

— La voiture qui l'a emporté était une voiture de louage ?

— Oui... un taxi...

— On la retrouvera alors. Le chauffeur viendra de lui-même quand il connaîtra par les journaux... »

Weber hocha la tête :

« À moins, monsieur le préfet, que ce chauffeur ne soit un compère également. Et puis, quand bien même on retrouverait la voiture, peut-on admettre qu'un gaillard comme Gaston Sauverand ignore les moyens d'embrouiller une piste ? Nous aurons du mal, monsieur le préfet. »

« Oui, murmura don Luis qui avait assisté sans mot dire aux premières investigations, et qui resta seul un instant avec Mazeroux, oui, vous aurez du mal, surtout si vous laissez prendre la poudre d'escampette aux gens que vous tenez. Hein, Mazeroux, qu'est-ce que je t'avais dit hier soir ? Mais, tout de même, quel bandit ! Et il n'est pas seul, Alexandre. Je te réponds qu'il a des complices... et pas plus loin que chez moi encore... tu entends, chez moi ! »

Après avoir interrogé Mazeroux sur l'attitude de Sauverand et sur les incidents de l'arrestation, don Luis regagna son hôtel de la place du Palais-Bourbon.

L'enquête qu'il avait à faire se rapportait, certes, à des événements aussi étranges, et, si la partie que jouait Gaston Sauverand dans la poursuite de l'héritage Cosmo Mornington méritait toute son attention, la conduite de Mlle Levasseur ne l'intriguait pas moins vivement.

Il lui était impossible d'oublier le cri de terreur qui avait échappé à la jeune fille pendant qu'il téléphonait avec Mazeroux, impossible aussi d'oublier l'expression effarée de son visage. Or, pouvait-il attribuer ce cri de terreur et cet effarement à autre chose qu'à la phrase prononcée par lui en réponse à Mazeroux : « Qu'est-ce que tu dis ? Mme Fauville a voulu se tuer ? » Le fait était certain, et il y avait entre l'annonce du suicide et l'émotion extrême de Mlle Levasseur un rapport trop évident pour que Perenna n'essayât pas d'en tirer des conclusions.

Il entra directement dans son bureau, et aussitôt examina la baie qui ouvrait sur la cabine téléphonique. Cette baie, en forme de voûte, large de deux mètres environ et très basse, n'était fermée que par une portière de velours qui, presque toujours relevée, la laissait à découvert. Sous la portière, parmi les moulures de la cimaise, don Luis trouva un bouton mobile sur lequel il suffisait d'appuyer pour que tombât le rideau de fer auquel il s'était heurté deux heures auparavant.

Il fit jouer le déclenchement à trois ou quatre reprises. Ces expériences lui prouvèrent de la façon la plus catégorique que le mécanisme était en parfait état et ne pouvait fonctionner sans une intervention étrangère. Devait-il donc conclure que la jeune fille avait voulu le tuer, lui, Perenna ? Mais pour quels motifs ?

Il fut sur le point de sonner et de la faire venir afin d'avoir avec elle l'explication qu'il était résolu à lui demander. Cependant le temps passait, et il ne sonna pas. Par la fenêtre, il la vit qui traversait la cour. Elle avait une démarche lente, et son buste se balançait sur ses hanches avec un rythme harmonieux. Un rayon de soleil alluma l'or de sa chevelure.

Tout le reste de la matinée, il resta sur un divan, à fumer

des cigares... Il était mal à l'aise, mécontent de lui et des événements dont aucun ne lui apportait la moindre lueur de vérité, et qui, tous, au contraire, s'entendaient de manière à verser plus d'ombre encore dans les ténèbres où il se débattait. Avide d'agir, aussitôt qu'il agissait il rencontrait de nouveaux obstacles qui paralysaient sa volonté d'agir, et rien, dans la nature de ces obstacles, ne le renseignait sur la personnalité des adversaires qui les suscitaient. Mais à midi, comme il venait de donner l'ordre qu'on lui servît à déjeuner, son maître d'hôtel pénétra dans le cabinet de travail, un plateau à la main, et s'écria avec une agitation qui montrait que le personnel de la maison n'ignorait pas la situation équivoque de don Luis :

« Monsieur, c'est le préfet de police.

— Hein ? fit Perenna. Où se trouve-t-il ?

— En bas, monsieur. Je ne savais pas d'abord... et je voulais avertir Mlle Levasseur. Mais...

— Vous êtes sûr ?

— Voici sa carte, monsieur. »

Perenna lut, en effet, sur le bristol :

GUSTAVE DESMALIONS

Il alla vers la fenêtre, qu'il ouvrit, et, à l'aide du miroir supérieur, observa la place du Palais-Bourbon. Une demi-douzaine d'individus s'y promenaient. Il les reconnut. C'étaient ses surveillants ordinaires, ceux qu'il avait « semés » le soir précédent et qui venaient de reprendre leur faction.

« Pas davantage ? se dit-il. Allons, il n'y a rien à craindre, et le préfet de police n'a que de bonnes intentions à mon égard. C'est bien ce que j'avais prévu, et je crois que je n'ai pas été trop mal inspiré en lui sauvant la vie. »

M. Desmalions entra sans dire un seul mot. Tout au plus inclina-t-il légèrement la tête, d'un geste qui pouvait être interprété comme un salut. Weber, qui l'accompagnait, ne prit même pas la peine, lui, de masquer les sentiments qu'un homme comme Perenna pouvait lui inspirer...

Don Luis parut ne pas s'en apercevoir, et, en revanche, affecta de n'avancer qu'un fauteuil. Mais M. Desmalions se mit à marcher dans la pièce, les mains au dos, et comme s'il eût voulu poursuivre ses réflexions avant de prononcer une seule parole.

Le silence se prolongea. Don Luis attendait, paisiblement. Puis, soudain, le préfet s'arrêta et dit :

« En quittant le boulevard Richard-Wallace, êtes-vous rentré directement chez vous, monsieur ? »

Don Luis accepta la conversation sur ce mode interrogatoire, et il répliqua :

« Oui, monsieur le préfet.

— Dans ce cabinet de travail ?

— Dans ce cabinet de travail. »

M. Desmalions fit une pause et reprit :

« Moi, je suis parti trente ou quarante minutes après vous, et mon automobile m'a conduit à la Préfecture. J'y ai reçu ce pneumatique que vous pouvez lire. Vous remarquerez qu'il fut mis à la Bourse à neuf heures et demie. »

Don Luis prit le pneumatique et il lut ces mots, écrits en lettres capitales :

« Vous êtes averti que Gaston Sauverand, après sa fuite, a retrouvé son complice, le sieur Perenna, qui n'est autre, comme vous le savez, qu'Arsène Lupin. Arsène Lupin vous avait fourni l'adresse de Sauverand pour se débarrasser de lui et toucher l'héritage Mornington. Ils se sont réconciliés ce matin, et Arsène Lupin a indiqué à Sauverand une retraite sûre. La preuve de leur rencontre et de leur complicité est facile. Par prudence, Sauverand a remis à Lupin le tronçon de canne qu'il avait emporté à son insu. Vous le trouverez sous les coussins qui ornent un divan placé entre les deux fenêtres du cabinet de travail du sieur Perenna. »

Don Luis haussa les épaules. La lettre était absurde, puisqu'il n'avait pas quitté son cabinet de travail. Il la replia tranquillement et la rendit au préfet de police, sans ajouter aucun commentaire. Il était résolu à laisser M. Desmalions maître de l'entretien.

Celui-ci demanda :

« Que répondez-vous à l'accusation ?

— Rien, monsieur le préfet.

— Elle est précise pourtant et facile à contrôler.

— Très facile, monsieur le préfet, le divan est là, entre ces deux fenêtres. »

M. Desmalions attendit deux ou trois secondes, puis il s'approcha du divan et dérangea les coussins.

Sous l'un d'eux le tronçon de la canne apparut.

Don Luis ne put réprimer un geste de stupeur et de colère.

Pas une seconde il n'avait envisagé la possibilité d'un tel miracle, et l'événement le prenait au dépourvu. Cependant il se domina. Après tout, rien ne prouvait que cette moitié de canne fût bien celle que l'on avait vue dans les mains de Gaston Sauverand et que celui-ci avait emportée par mégarde.

« J'ai l'autre moitié sur moi, dit le préfet de police, répondant ainsi à l'objection. Le sous-chef Weber l'a ramassée lui-même sur le boulevard Richard-Wallace. La voici. »

Il la tira de la poche intérieure de son pardessus et fit l'épreuve.

Les extrémités des deux bâtons s'adaptaient exactement l'une à l'autre.

Il y eut un nouveau silence. Perenna était confondu, comme devaient l'être, comme l'étaient toujours ceux auxquels, lui-même, il infligeait des défaites et des humiliations de ce genre. Il n'en revenait pas. Par quel prodige Gaston Sauverand avait-il pu, en ce court espace de vingt minutes, s'introduire dans cette maison et pénétrer dans cette pièce ? C'est à peine si l'hypothèse d'un complice attaché à l'hôtel rendait le phénomène moins inexplicable.

« Voilà qui démolit mes prévisions, pensa-t-il, et cette fois il faut que j'y passe. J'ai pu échapper à l'accusation de Mme Fauville et déjouer le coup de la turquoise. Mais jamais M. Desmalions n'admettra qu'il y ait là, aujourd'hui, une tentative analogue, et que Gaston Sauverand ait voulu, comme Marie-Anne Fauville, m'écarter de la bataille en me compromettant et en me faisant arrêter. »

« Eh bien, s'écria le préfet de police impatienté, répondez donc ! Défendez-vous !

— Non, monsieur le préfet, je n'ai pas à me défendre. »

M. Desmalions frappa du pied et bougonna :

« En ce cas... en ce cas... puisque vous avouez... puisque... »

Il saisit la poignée de la fenêtre, prêt à l'ouvrir. Un coup de sifflet : les agents faisaient irruption, et l'acte était accompli.

« Dois-je faire appeler vos inspecteurs, monsieur le préfet ? » demanda don Luis.

M. Desmalions ne répliqua pas. Il lâcha la poignée de la fenêtre, et il recommença à marcher dans la pièce. Et soudain, alors que Perenna cherchait les motifs de cette hésitation suprême, pour la seconde fois il se planta devant son interlocuteur et prononça :

« Et si je considérais l'incident de cette canne d'ébène

comme non avenu, ou plutôt comme un incident qui, prouvant sans nul doute la trahison d'un de vos domestiques, ne saurait vous compromettre, vous ? Si je ne considérais que les services que vous nous avez déjà rendus ? En un mot si je vous laissais libre ? »

Perenna ne put s'empêcher de sourire. Malgré l'incident de la canne, bien que toutes les apparences fussent contre lui, les choses prenaient, au moment où tout semblait se gâter, la direction qu'il avait envisagée dès le début, celle même qu'il avait indiquée à Mazeroux pendant l'enquête du boulevard Suchet. On avait besoin de lui.

« Libre ? dit-il... Plus de surveillance ? Personne à mes trousses ?

— Personne.

— Et si la campagne de presse continue autour de mon nom, si l'on réussit, par suite de certains racontars et de certaines coïncidences, à créer un mouvement d'opinion, si l'on demande contre moi des mesures ?...

— Ces mesures ne seront pas prises.

— Je n'ai donc rien à craindre ?

— Rien.

— M. Weber renoncera aux préventions qu'il entretient à mon égard ?

— Il agira du moins comme s'il y renonçait, n'est-ce pas, Weber ? »

Le sous-chef poussa quelques grognements que l'on pouvait prendre, à la rigueur, pour un acquiescement, et don Luis aussitôt s'écria :

« Alors, monsieur le préfet, je suis sûr de remporter la victoire et de la remporter selon les désirs et les besoins de la justice. »

Ainsi, par un changement subit de la situation, après une série de circonstances exceptionnelles, la police elle-même, s'inclinant devant les qualités prodigieuses de don Luis Perenna, reconnaissant tout ce qu'il avait déjà fait et pressentant tout ce qu'il pouvait faire, décidait de le soutenir, sollicitait son concours, et lui offrait, pour ainsi dire, la conduite des opérations.

L'hommage était flatteur. S'adressait-il seulement à don Luis Perenna ? et Lupin, le terrible, l'indomptable Lupin, n'avait-il pas droit d'en réclamer sa part ? Était-il possible de croire que

M. Desmalions, au fond de lui-même, n'admît pas l'identité des deux personnages ?

Rien dans l'attitude du préfet de police n'autorisait la moindre hypothèse sur sa pensée secrète. Il proposait à don Luis Perenna un de ces pactes comme la justice est souvent obligée d'en conclure pour atteindre son but. Le pacte était conclu. Il n'en fut pas dit davantage à ce sujet.

« Vous n'avez pas de renseignements à me demander ? fit-il.

— Si, monsieur le préfet. Les journaux ont parlé d'un calepin qu'on aurait trouvé dans la poche du malheureux inspecteur Vérot. Ce calepin contenait-il une indication quelconque ?

— Aucune. Des notes personnelles, des relevés de dépenses, c'est tout. Ah ! j'oubliais, une photographie de femme... une photographie à propos de laquelle je n'ai encore pu obtenir le moindre renseignement... Je ne suppose pas d'ailleurs qu'elle ait rapport à l'affaire, et je ne l'ai pas communiquée aux journaux. Tenez, la voici. »

Perenna prit le carton qu'on lui tendait et il eut un tressaillement qui n'échappa pas à M. Desmalions.

« Vous connaissez cette femme ?

— Non... non, monsieur le préfet, j'avais cru... mais non... une simple ressemblance... un air de famille peut-être, que je vérifierai d'ailleurs s'il vous est possible de me laisser cette photographie jusqu'à ce soir.

— Jusqu'à ce soir, oui. Vous la rendrez au brigadier Mazeroux, auquel, d'ailleurs, je donnerai l'ordre de se concerter avec vous pour tout ce qui concerne l'affaire Mornington. »

Cette fois, l'entretien était fini. Le préfet se retira. Don Luis le reconduisit jusqu'à la porte du perron.

Mais, sur le seuil, M. Desmalions se retourna et dit simplement :

« Vous m'avez sauvé la vie ce matin. Sans vous, ce bandit de Sauverand...

— Oh ! monsieur le préfet, protesta don Luis.

— Oui, je sais, ce sont là des choses dont vous êtes coutumier. Tout de même, vous accepterez mes remerciements. »

Et le préfet de police salua, comme s'il eût réellement salué don Luis Perenna, noble Espagnol, héros de la Légion étrangère. Quant à Weber, il mit les deux mains dans ses poches et passa avec un air de dogue muselé, en lançant à l'ennemi un regard de haine atroce.

« Fichtre ! pensa don Luis. En voilà un qui ne me ratera pas quand l'occasion s'en présentera ! »

D'une fenêtre, il aperçut l'automobile de M. Desmalions qui démarrait. Les agents de la Sûreté emboîtèrent le pas du sous-chef et quittèrent la place du Palais-Bourbon. Le siège était levé.

« À l'œuvre, maintenant ! fit don Luis, j'ai les coudées franches. Ça va ronfler. »

Il appela le maître d'hôtel.

« Servez-moi, et vous direz à Mlle Levasseur qu'elle vienne me parler aussitôt après le repas. »

Il se dirigea vers la salle à manger et se mit à table. Près de lui, il avait posé la photographie laissée par M. Desmalions et, penché sur elle, il l'examinait avec une attention extrême.

Elle était un peu pâlie, un peu usée, comme le sont les photographies qui ont traîné dans des portefeuilles ou parmi des papiers, mais l'image n'en paraissait pas moins nette. C'était l'image rayonnante d'une jeune femme en toilette de bal, aux épaules nues, aux bras nus, coiffée de fleurs et de feuilles, et qui souriait.

« Mlle Levasseur, murmura-t-il à diverses reprises... Est-ce possible ? »

Dans un coin il y avait quelques lettres effacées à peine visibles. Il lut « Florence », le prénom de la jeune fille, sans doute.

Il répéta :

« Mlle Levasseur... Florence Levasseur... Comment sa photographie se trouvait-elle dans le portefeuille de l'inspecteur Vérot ? Et par quel lien la lectrice du comte hongrois dont j'ai pris la succession dans cette maison se rattache-t-elle à toute cette aventure ? »

Il se rappela l'incident du rideau de fer. Il se rappela l'article de *L'Écho de France*, article dirigé contre lui et dont il avait trouvé le brouillon dans la cour même de son hôtel. Surtout il évoqua l'énigme de ce tronçon de canne apporté dans son cabinet de travail.

Et tandis que son esprit tâchait de voir clair en ces événements, tandis qu'il essayait de préciser le rôle joué par Mlle Levasseur, ses yeux demeuraient fixés sur la photographie, et distraitement il contemplait le joli dessin de la bouche, la grâce du sourire, la ligne charmante du cou, l'épanouissement admirable des épaules nues.

La porte s'ouvrit brusquement. Mlle Levasseur fit irruption dans la pièce.

À ce moment, Perenna, qui était seul, portait à ses lèvres un verre qu'il avait rempli d'eau. Elle bondit, lui saisit le bras, arracha le verre et le jeta sur le tapis où il se brisa.

« Vous avez bu ? Vous avez bu ? » proféra-t-elle d'une voix étranglée.

Il affirma :

« Non, je n'avais pas encore bu. Pourquoi ? »

Elle balbutia :

« L'eau de cette carafe... l'eau de cette carafe...

— Eh bien ?

— Cette eau est empoisonnée. »

Il sauta de sa chaise, et, à son tour, lui agrippa le bras avec une violence terrible.

« Empoisonnée ! Que dites-vous ? Parlez ! Vous êtes certaine ? »

Malgré son empire sur lui-même, il s'effrayait après coup. Connaissant les effets redoutables du poison employé par les bandits auxquels il s'attaquait, ayant vu le cadavre de l'inspecteur Vérot, les cadavres d'Hippolyte Fauville et de son fils, il savait que, si entraîné qu'il fût à supporter des doses relativement considérables de poison, il n'aurait pu échapper à l'action foudroyante de celui-là. Celui-là ne pardonnait pas. Celui-là tuait, sûrement, fatalement.

La jeune fille se taisait. Il ordonna :

« Mais répondez donc ! Vous êtes certaine ?

— Non... c'est une idée que j'ai eue... un pressentiment... certaines coïncidences... »

On eût dit qu'elle regrettait ses paroles et qu'elle cherchait à les rattraper.

« Voyons, voyons, s'écria-t-il, je veux pourtant savoir... Vous n'êtes pas certaine que l'eau de cette carafe soit empoisonnée ?

— Non... il se peut...

— Cependant, tout à l'heure...

— J'avais cru en effet... mais non... non...

— Il est facile de s'en assurer », dit Perenna qui voulut prendre la carafe.

Elle fut plus vive que lui, la saisit et la cassa d'un coup sur la table.

« Qu'est-ce que vous faites ? dit-il exaspéré.

— Je m'étais trompée. Par conséquent, il est inutile d'attacher de l'importance... »

Rapidement don Luis sortit de la salle à manger. D'après ses ordres, l'eau qu'il buvait provenait d'un filtre placé dans une arrière-office, à l'extrémité du couloir qui menait de la salle aux cuisines, et plus loin que les cuisines.

Il y courut et prit sur une planchette un bol où il versa de l'eau du filtre. Puis, continuant de suivre le couloir qui bifurquait à cet endroit pour aboutir à la cour, il appela Mirza, la petite chienne. Elle jouait à côté de l'écurie.

« Tiens », dit-il en lui présentant le bol.

La petite chienne se mit à boire.

Mais presque aussitôt elle s'arrêta et demeura immobile, les pattes tendues, toutes raides. Un frisson la secoua. Elle eut un gémissement rauque, tourna deux ou trois fois sur elle et tomba.

« Elle est morte », dit-il après avoir touché la bête.

Mlle Levasseur l'avait rejoint. Il se tourna vers la jeune fille et lui jeta :

« C'était vrai, le poison... et vous le saviez... Mais comment le saviez-vous ? »

Tout essoufflée, elle comprima les battements de son cœur et répondit :

« J'ai vu l'autre petite chienne en train de boire, dans l'office. Elle est morte... J'ai averti le chauffeur et le cocher... Ils sont là dans l'écurie... Et j'ai couru pour vous prévenir.

— Alors, il n'y avait pas à douter. Pourquoi disiez-vous que vous n'étiez pas certaine qu'il y eût du poison, puisque... »

Le cocher, le chauffeur, sortaient de l'écurie. Entraînant la jeune fille, Perenna lui dit :

« Nous avons à parler. Allons chez vous. »

Ils regagnèrent le tournant du couloir. Près de l'office où le filtre était installé, se détachait un autre corridor terminé par trois marches.

Au haut de ces marches, une porte.

Perenna la poussa.

C'était l'entrée de l'appartement réservé à Mlle Levasseur. Ils passèrent dans un salon. Don Luis ferma la porte de l'entrée, ferma la porte du salon.

« Et maintenant, expliquons-nous », dit-il d'un ton résolu.

CHAPITRE VI

SHAKESPEARE, TOME HUIT

Deux pavillons, d'époque ancienne comme le reste de l'hôtel, flanquaient, à droite et à gauche, le mur assez bas qui s'élevait entre la cour d'honneur et la place du Palais-Bourbon. Ces pavillons étaient reliés au corps de logis principal, situé dans le fond de la cour, par une série de bâtiments dont on avait fait les communs.

D'un côté les remises, écuries, sellerie, garage, et au bout le pavillon des concierges. De l'autre côté les lingeries, cuisines, offices, et au bout le pavillon réservé à Mlle Levasseur.

Celui-ci n'avait qu'un rez-de-chaussée, composé d'un vestibule obscur et d'une grande pièce, dont la partie la plus importante servait de salon, et dont l'autre, disposée en chambre, n'était en réalité qu'une sorte d'alcôve. Un rideau cachait le lit et la toilette. Deux fenêtres donnaient sur la place du Palais-Bourbon.

C'était la première fois que don Luis pénétrait dans l'appartement de Mlle Levasseur. Si absorbé qu'il fût, il en subit l'agrément. Les meubles étaient simples, de vieux fauteuils et des chaises d'acajou, un secrétaire Empire sans ornement, un guéridon à gros pied massif, des rayons de livres. Mais la couleur claire des rideaux de toile égayait la pièce. Aux murs pendaient des reproductions de tableaux célèbres, des dessins de monuments et de paysages ensoleillés, villes italiennes, temples de Sicile...

La jeune fille se tenait debout. Elle avait repris, avec son sang-froid, sa figure énigmatique, si déconcertante par l'immobilité des traits et par cette expression volontairement morne sous laquelle Perenna croyait deviner une émotion contenue, une vie intense, des sentiments tumultueux, que l'énergie la plus attentive avait du mal à discipliner. Le regard n'était ni craintif, ni provocant. On eût dit vraiment qu'elle n'avait rien à redouter de l'explication.

Don Luis garda le silence assez longtemps. Chose étrange, et dont il se rendait compte avec irritation, il éprouvait un certain embarras en face de cette femme contre laquelle, au fond de lui-même, il portait les accusations les plus graves. Et n'osant pas les formuler, n'osant pas dire nettement ce qu'il pensait, il commença :

« Vous savez ce qui s'est passé ce matin dans cette maison ?

— Ce matin ?

— Oui, alors que je finissais de téléphoner ?

— Je l'ai su depuis, par les domestiques, par le maître d'hôtel...

— Pas avant ?

— Comment l'aurais-je su plus tôt ? »

Elle mentait. Il était impossible qu'elle ne mentît pas. Pourtant de quelle voix calme elle avait répondu !

Il reprit :

« Voici, en quelques mots, ce qui s'est passé. Je sortais de la cabine lorsque le rideau de fer dissimulé dans la partie supérieure de la muraille s'est abattu devant moi. Ayant acquis la certitude qu'il n'y avait rien à tenter contre un pareil obstacle, je résolus tout simplement, puisque j'avais le téléphone à ma disposition, de demander l'assistance d'un de mes amis. Je téléphonai donc au commandant d'Astrignac. Il accourut, et, avec l'aide du maître d'hôtel, me délivra. C'est bien ce qu'on vous a raconté ?

— Oui, monsieur. Je m'étais retirée dans ma chambre, ce qui explique que je n'ai rien su de l'incident, ni de la visite du commandant d'Astrignac.

— Soit. Cependant il résulte de ce que j'ai appris au moment de ma libération, il résulte que le maître d'hôtel, et que tout le monde ici d'ailleurs, et vous-même par conséquent, connaissiez l'existence de ce rideau de fer.

— Certes.

— Et par qui ?

— Par le comte Malonesco. Je tiens de lui que, durant la Révolution, son arrière-grand-mère maternelle, qui habitait alors cet hôtel et dont le mari fut guillotiné, resta cachée treize mois dans ce réduit. À cette époque, le rideau était recouvert d'une boiserie semblable à celle de la pièce.

— Il est regrettable qu'on ne m'ait pas averti, car enfin il s'en est fallu de bien peu que je ne sois écrasé. »

Cette éventualité ne parut pas émouvoir la jeune fille. Elle prononça :

« Il sera bon de vérifier le mécanisme et de voir pour quelle raison il s'est déclenché. Tout cela est vieux et fonctionne mal.

— Le mécanisme fonctionne parfaitement bien. Je m'en suis assuré. On ne peut donc accuser le hasard.

— Qui alors, si ce n'est le hasard ?

— Quelque ennemi que j'ignore.

— On l'aurait vu.

— Une seule personne aurait pu le voir, vous, vous qui passiez précisément dans mon bureau tandis que je téléphonais, et dont j'avais surpris l'exclamation de frayeur à propos de Mme Fauville.

— Oui, la nouvelle de son suicide m'avait donné un coup. Je plains cette femme infiniment, qu'elle soit coupable ou non.

— Et comme vous vous trouviez à côté de la baie, la main à portée du mécanisme, la présence d'un malfaiteur n'eût pu vous échapper. »

Elle ne baissa pas le regard. Un peu de rougeur, peut-être, effleura son visage, elle dit :

« En effet, je l'aurais tout au moins rencontré, puisque je suis sortie, d'après ce que je vois, quelques secondes avant l'accident.

— Sûrement, dit-il. Mais ce qu'il y a de curieux... d'invraisemblable, c'est que vous n'ayez pas entendu le fracas du rideau qui s'abattait, et pas davantage mes appels, le vacarme que j'ai fait.

— J'avais déjà sans doute refermé la porte de ce bureau. Je n'ai rien entendu.

— Alors je dois supposer que quelqu'un se trouvait caché dans mon bureau à ce moment, et que ce personnage a des relations de complicité avec les bandits qui ont commis le double crime du boulevard Suchet, puisque le préfet de police vient de découvrir, sous les coussins de mon divan, le tronçon d'une canne qui appartient à l'un de ces bandits. »

Elle eut un air très étonné. Vraiment cette nouvelle histoire semblait lui être tout à fait inconnue. Il s'approcha d'elle et, les yeux dans les yeux, il articula :

« Avouez du moins que cela est étrange.

— Qu'est-ce qui est étrange ?

— Cette série d'événements, tous dirigés contre moi. Hier, ce brouillon de lettre que j'ai trouvé dans la cour — le brouillon de l'article paru dans *L'Écho de France !* Ce matin, d'abord l'écroulement du rideau de fer à l'instant même où je passe, et ensuite la découverte de cette canne... et puis... et puis... tout à l'heure, cette carafe d'eau empoisonnée... »

Elle hocha la tête et murmura :

« Oui... oui... il y a un ensemble de faits...

— Un ensemble de faits, acheva-t-il avec force, dont la signification est telle que, sans le moindre doute, je dois considérer comme certaine l'intervention directe du plus implacable et du plus audacieux des ennemis. Sa présence est avérée. Son action est constante. Son but est évident. Par le moyen de l'article anonyme, par le moyen de ce tronçon de canne, il a voulu me compromettre et me faire arrêter. Par la chute du rideau, il a voulu me tuer, ou tout au moins me retenir captif durant quelques heures. Maintenant, c'est le poison, le poison qui tue lâchement, sournoisement, et qu'on jette dans mon verre, et qu'on jettera demain dans mes aliments... Et puis ce sera le poignard, et puis la balle de revolver, ou la corde qui étrangle... n'importe quoi... pourvu que je disparaisse, car c'est cela qu'on veut : me supprimer. Je suis l'adversaire, je suis le monsieur dont on a peur, celui qui, un jour ou l'autre, découvrira le pot aux roses et empochera les millions que l'on rêve de voler. Je suis l'intrus. Devant l'héritage Mornington, montant la garde, il y a moi. C'est à mon tour d'y passer. Quatre victimes sont mortes déjà. Je serai la cinquième. Gaston Sauverand l'a décidé, Gaston Sauverand ou tel autre qui dirige l'affaire. Et le complice est là, dans cet hôtel, au cœur de la place, à mes côtés. Il me guette. Il marche sur la trace de mes pas. Il vit dans mon ombre. Il cherche, pour me frapper, la minute opportune et l'endroit favorable. Eh bien, j'en ai assez. Je veux savoir, je le veux, et je le saurai. Qui est-il ? »

La jeune fille avait un peu reculé et s'appuyait au guéridon.

Il avança d'un pas encore et, sans la quitter des yeux, tout en cherchant sur le visage inaltérable un indice de trouble, un frisson d'inquiétude, il répéta, plus violemment :

« Qui est-il, ce complice ? Qui donc ici a juré ma mort ?

— Je ne sais pas..., dit-elle, je ne sais pas... Peut-être n'y a-t-il pas de complot, comme vous le croyez... mais des événements fortuits... »

Il eut envie de lui dire, avec son habitude de tutoyer ceux qu'il considérait comme des adversaires :

« Tu mens, la belle, tu mens. Le complice, c'est toi. Toi seule, qui as surpris ma conversation téléphonique avec Mazeroux, toi seule as pu aller au secours de Gaston Sauverand, l'attendre en auto au coin du boulevard, et, d'accord avec lui, rapporter ici le tronçon de canne. C'est toi, la belle, qui veux me tuer pour des raisons que j'ignore. La main qui me frappe dans les ténèbres, c'est la tienne. »

Mais il lui était impossible de la traiter ainsi, et cela l'exaspérait tellement de ne pas oser crier sa certitude par des mots d'indignation et de colère, qu'il lui avait pris les doigts entre les siens, et qu'il les étreignait durement, et que son regard et toute son attitude accusaient la jeune fille avec plus de force encore que ne l'eussent fait les paroles les plus âpres.

Se dominant, il desserra son étreinte. La jeune fille se dégagea d'un geste rapide, où il y avait de la révolte et de la haine. Don Luis prononça :

« Soit. J'interrogerai les domestiques. Au besoin, je renverrai ceux qui me sembleront suspects.

— Mais non, mais non, fit-elle vivement. Il ne faut pas... Je les connais tous. »

Allait-elle les défendre ? Était-ce des scrupules de conscience qui l'agitaient, au moment où, par sa duplicité et son obstination, elle sacrifiait des serviteurs dont elle savait la conduite irréprochable ?

Don Luis eut l'impression que dans le regard qu'elle lui adressa il y avait comme un appel à la pitié. Mais pitié pour qui ? pour les autres ? ou pour elle ?

Ils gardèrent un long silence. Don Luis, debout à quelques pas d'elle, songeait à la photographie, et il retrouvait avec étonnement dans la femme actuelle toute la beauté de l'image, toute cette beauté qu'il n'avait pas remarquée jusqu'ici, mais qui le frappait maintenant comme une révélation. Les cheveux d'or brillaient d'un éclat qu'il ignorait. La bouche avait une expression moins heureuse peut-être, un peu amère, mais qui conservait malgré tout la forme même du sourire. La courbe du menton, la grâce de la nuque, que découvrait l'échancrure du col de lingerie, la ligne des épaules, le geste des bras et des mains posées sur les genoux, tout cela était charmant, d'une grande douceur, et en quelque sorte d'une grande honnêteté. Était il possible que cette femme fût une meurtrière, une empoisonneuse ?

Il lui dit :

« Je ne me souviens plus du prénom que vous m'avez donné comme étant le vôtre. Mais ce n'était pas le véritable.

— Mais si, mais si, dit-elle... Marthe...

— Non. Vous vous appelez Florence... Florence Levasseur... »

Elle sursauta.

« Quoi ? Qui est-ce qui vous a dit ? Florence ?... Comment savez-vous ?

— Voici votre photographie, et voici votre nom, presque effacé.

— Ah ! fit-elle, stupéfaite, et regardant l'image, est-ce croyable ?... D'où vient-elle ? Dites, où l'avez-vous eue ?... »

Et soudain :

« C'est le préfet de police qui vous l'a remise, n'est-ce pas ? Oui... c'est lui... j'en suis sûre... Je suis sûre que cette photographie sert de signalement et qu'on me cherche... moi aussi... Et c'est toujours vous... toujours vous...

— Soyez sans crainte, dit Perenna, il suffit de quelques retouches sur cette épreuve pour que votre visage soit méconnaissable... Je les ferai... Soyez sans crainte... »

Elle ne l'écoutait plus. Elle observait la photographie avec une attention concentrée, et elle murmurait :

« J'avais vingt ans... J'habitais l'Italie... Mon Dieu, comme j'étais heureuse le jour où j'ai posé !... et si heureuse quand j'ai vu mon portrait ! Je me trouvais belle alors... Et puis il a disparu... On me l'a volé, comme on m'avait déjà volé d'autres choses, dans le temps... »

Et plus bas encore, prononçant son nom comme si elle se fût adressée à une autre femme, à une amie malheureuse, elle répéta :

« Florence... Florence... »

Des larmes coulèrent sur ses joues.

« Elle n'est pas de celles qui tuent, pensa don Luis... il est inadmissible qu'elle soit complice... Et pourtant... pourtant... »

Il s'éloigna d'elle et marcha dans la pièce, allant de la fenêtre à la porte. Les dessins de paysages italiens accrochés au mur attirèrent son attention. Puis il examina, sur les rayons, les titres des livres. C'étaient des ouvrages de littérature française et étrangère, des romans, des pièces de théâtre, des essais de morale, des volumes de poésie qui témoignaient d'une culture réelle et variée. Il vit Racine à côté de Dante, Stendhal auprès d'Edgar Poe, Montaigne entre Goethe et Virgile. Et soudain, avec cette extraordinaire faculté qui lui permettait d'apercevoir dans un ensemble d'objets les détails mêmes qu'il n'observait pas, il remarqua que l'un des tomes d'une édition anglaise de Shakespeare ne présentait peut-être pas exactement la même apparence que les autres. Le dos, relié en chagrin rouge, avait quelque chose de spécial, de plus rigide, sans ces cassures et ces plis qui attestent l'usure d'un livre.

C'était le tome huit. Il le prit vivement, de manière qu'on n'entendît point.

Il ne s'était pas trompé. Le volume était faux, simple cartonnage, avec un vide à l'intérieur qui formait une boîte et offrait ainsi une véritable cachette, et dans ce livre il avisa du papier à lettre blanc, des enveloppes assorties et des feuilles de papier ordinaire quadrillées, toutes de même grandeur et comme détachées d'un bloc-notes.

Et tout de suite l'aspect de ces feuilles le frappa. Il lui rappelait l'aspect de la feuille sur laquelle on avait écrit le brouillon de l'article destiné à *L'Écho de France*. Le quadrillage était identique, et les dimensions semblaient pareilles.

D'ailleurs, ayant soulevé ces feuilles les unes après les autres, il vit, sur l'avant-dernière, une série de lignes formées par des mots et des chiffres qu'on avait tracés au crayon, comme des notes jetées en hâte.

Il lut :

Hôtel du boulevard Suchet.
Première lettre. Nuit du 15 *au* 16 *avril.*
Deuxième. Nuit du 25.
Troisième et quatrième. Nuits du 5 *mai et du* 15 *mai.*
Cinquième et explosion. Nuit du 25 *mai.*

Et tout en constatant, d'abord que la date de la première nuit était précisément celle de la nuit qui venait, et ensuite que toutes ces dates se succédaient à dix jours d'intervalle, il remarquait l'analogie de l'écriture avec l'écriture du brouillon.

Ce brouillon, il l'avait en poche, dans un calepin. Il pouvait ainsi vérifier la similitude des deux écritures et celle des deux feuilles quadrillées.

Il prit son calepin et l'ouvrit.

Le brouillon n'y était plus.

« Cré nom de Dieu ! grinça-t-il entre ses dents. Elle est raide, celle-là. »

Et en même temps il se souvenait très nettement que, pendant qu'il téléphonait le matin à Mazeroux, son calepin se trouvait dans la poche de son pardessus et son pardessus sur une chaise située près de la cabine.

Or, à cet instant, Mlle Levasseur, sans aucune raison, rôdait dans le cabinet de travail.

Qu'y faisait-elle ?

« Ah ! la cabotine, se dit Perenna furieux, elle était en train de me rouler. Ses larmes, ses airs de candeur, ses souvenirs attendris, autant de balivernes ! Elle est de la même race et de la même bande que la Marie-Anne Fauville, que le Gaston Sauverand, comme eux menteuse et comédienne jusqu'en ses moindres gestes et dans les moindres inflexions de sa voix innocente. »

Il fut sur le point de la confondre. La preuve était irréfutable cette fois. Par crainte d'une enquête où l'on aurait pu remonter jusqu'à elle, elle n'avait pas voulu laisser entre les mains de l'adversaire le brouillon de l'article. Comment douter dès lors que ce fût elle la complice dont se servaient les gens qui opéraient dans l'affaire Mornington et qui cherchaient à se débarrasser de lui ? N'avait-on même pas le droit de supposer qu'elle dirigeait la bande sinistre, et que, dominant les autres par son audace et son intelligence, elle les conduisait vers le but obscur où ils tendaient ?

Car enfin elle était libre, entièrement libre de ses actes et de ses mouvements. Par les fenêtres qui donnaient sur la place du Palais-Bourbon, elle avait toute facilité pour sortir de l'hôtel à la faveur de l'ombre et y rentrer sans que personne contrôlât ses absences. Il était donc parfaitement possible que la nuit du double crime elle se fût trouvée parmi les assassins d'Hippolyte Fauville et de son fils. Il était donc parfaitement possible qu'elle y eût participé, et même que le poison eût été injecté aux deux victimes par sa main, par cette petite main qu'il voyait appuyée contre les cheveux d'or, si blanche et si mince.

Un frisson l'envahit. Il avait remis doucement le papier dans le livre, et le livre à sa place, et il s'était approché de la jeune fille. Et voilà tout à coup qu'il se surprenait à étudier le bas de son visage, la forme de sa mâchoire ! Oui, c'était cela qu'il s'ingéniait à deviner, sous la courbe des joues et sous le voile des lèvres. Malgré lui, avec un mélange d'angoisse et de curiosité torturante, il regardait, il regardait, prêt à desserrer violemment ces lèvres closes et à chercher la réponse au problème effrayant qui se posait à lui. Ces dents, ces dents qu'il ne voyait pas, n'était-ce point celles qui avaient laissé dans le fruit l'empreinte accusatrice ? Les dents du tigre, les dents de la bête fauve, étaient-ce celles-là, ou celles de l'autre femme ?

Hypothèse absurde, puisque l'empreinte avait été reconnue comme provenant de Marie-Anne Fauville. Mais l'absurdité d'une hypothèse, est-ce une raison suffisante pour écarter cette hypothèse ?

Étonné lui-même des sentiments qui le bouleversaient, craignant de se trahir, il préféra couper court à l'entretien, et, passant près de la jeune fille, il lui dit, d'un ton impérieux, agressif :

« Je désire que tous les domestiques de l'hôtel soient congédiés. Vous réglerez leurs gages, vous leur donnerez les indemnités qu'ils voudront, et ils partiront aujourd'hui, irrévocablement. Un autre personnel se présentera ce soir. Vous le recevrez. »

Elle ne répliqua point. Il s'en alla, emportant de cette entrevue l'impression de malaise qui marquait ses rapports avec Florence. Entre elle et lui l'atmosphère demeurait toujours lourde et opprimante. Les mots ne semblaient jamais être ceux que chacun d'eux pensait en secret, et les actes ne correspondaient pas aux paroles prononcées. Est-ce que la situation n'entraînait pas comme seul dénouement logique le renvoi immédiat de Florence Levasseur ? Pourtant don Luis n'y songea même point.

Aussitôt revenu dans son cabinet de travail, il demanda Mazeroux au téléphone, et, tout bas, de façon à n'être pas entendu de l'autre pièce :

« C'est toi, Mazeroux ?

— Oui.

— Le préfet t'a mis à ma disposition ?

— Oui.

— Eh bien, tu lui diras que j'ai flanqué tous mes domestiques à la porte, que je t'ai donné leurs noms, et que je t'ai chargé d'établir autour d'eux une surveillance active. C'est par là qu'on doit chercher le complice de Sauverand. Autre chose : demande au préfet l'autorisation, pour toi et pour moi, de passer la nuit dans la maison de l'ingénieur Fauville.

— Allons donc ! dans la maison du boulevard Suchet ?

— Oui, j'ai toutes raisons de croire qu'un événement s'y produira.

— Quel événement ?

— Je ne sais pas. Mais quelque chose y doit avoir lieu. Et j'insiste vivement. C'est convenu ?

— Convenu, patron. Sauf avis contraire, rendez-vous ce soir, à neuf heures, au boulevard Suchet. »

Ce jour-là, Perenna ne vit plus Mlle Levasseur. Il quitta son hôtel au cours de l'après-midi et se rendit dans un bureau de placement, où il choisit des domestiques, chauffeur, cocher, valet de chambre, cuisinière, etc.

Puis il alla chez un photographe, qui tira sur la photographie de Mlle Levasseur une épreuve nouvelle, que don Luis fit retoucher et qu'il maquilla lui-même, pour que le préfet de police ne pût voir la substitution.

Il dîna au restaurant.

À neuf heures, il rejoignit Mazeroux.

Depuis le double assassinat, l'hôtel Fauville était sous la garde du concierge. Les scellés avaient été mis à toutes les chambres et à toutes les serrures, sauf à la porte intérieure de l'atelier, dont la police conservait les clefs pour les besoins de l'enquête.

La vaste pièce offrait le même aspect. Cependant, tous les papiers avaient été enlevés ou rangés, et il ne restait rien, ni livres, ni brochures, sur la table de travail. Un peu de poussière, déjà visible à la clarté électrique, en recouvrait le cuir noir et l'encadrement d'acajou.

« Eh bien, mon vieil Alexandre, s'écria don Luis quand ils se furent installés, qu'est-ce que tu en dis ? C'est impressionnant de se retrouver ici, hein ? Mais, cette fois, n'est-ce pas, plus de portes barricadées. Plus de verrous. Si tant est qu'il doive se passer quelque chose, en cette nuit du 15 au 16 avril, n'y mettons pas d'obstacles. La liberté pleine et entière pour ces messieurs. À vous, la pose. »

Bien qu'il plaisantât, don Luis n'en était pas moins singulièrement impressionné, comme il disait, par le souvenir épouvantable des deux crimes qu'il n'avait pu empêcher et par la vision obsédante des deux cadavres. Et il se rappelait aussi, avec une émotion réelle, le duel implacable qu'il avait soutenu contre Mme Fauville, le désespoir de cette femme et son arrestation.

« Parle-moi d'elle, dit-il à Mazeroux. Alors, elle a voulu se tuer ?

— Oui, dit Mazeroux, et pour de bon, et par un genre de suicide qui devait cependant lui faire horreur : elle s'est pendue avec des lambeaux de toile arrachés à ses draps et à son linge et tressés les uns autour des autres. Il a fallu la ranimer par des tractions et des mouvements respiratoires. Actuellement, m'a-t-on dit, elle est hors de péril, mais on ne la quitte pas, car elle a juré de recommencer.

— Elle n'a point fait d'aveu ?

— Non. Elle persiste à se proclamer innocente.

— Et l'opinion du parquet, de la préfecture ?

— Comment voulez-vous que l'opinion change à son égard, patron ? L'instruction a confirmé point par point toutes les charges relevées contre elle, et notamment on a établi, sans contestation possible, qu'elle seule a pu toucher à la pomme, et qu'elle n'a pu y toucher qu'entre onze heures du soir et sept heures du matin. Or, la pomme porte les marques irrécusables de ses dents. Admettez-vous qu'il y ait au monde deux mâchoires qui puissent laisser identiquement la même empreinte ?

— Non... non, affirma don Luis, qui songeait à Florence Levasseur... Non, l'argumentation ne souffre pas la moindre controverse. Il y a là un fait clair comme le jour, et cette empreinte constitue, pour ainsi dire, un flagrant délit. Mais alors, qu'est-ce que vient faire au milieu de tout cela ?...

— Qui, patron ?

— Rien... une idée qui me tracasse... Et puis, vois-tu, il existe là-dedans tant de choses anormales, des coïncidences et des contradictions si bizarres, que je n'ose pas m'attacher à une certitude que la réalité de demain peut détruire. »

Ils causèrent assez longtemps, à voix basse, étudiant la question sous toutes ses faces.

Vers minuit, ils éteignirent le plafonnier électrique, et il fut convenu que chacun dormirait à son tour.

Et les heures s'écoulèrent, pareilles aux heures de leur première veillée. Mêmes bruits de voitures tardives et d'automobiles. Mêmes sifflements de chemins de fer. Même silence.

La nuit passa.

Il n'y eut aucune alerte, aucun incident.

Au petit jour, la vie du dehors recommença et don Luis, à ses heures de garde, n'avait entendu, dans la pièce, que le ronflement monotone de son compagnon.

« Me serais-je trompé ? se disait-il. L'indication recueillie dans le volume de Shakespeare avait-elle un autre sens ? Ou bien faisait-elle allusion à des événements de l'année précédente, ayant eu lieu aux dates inscrites ? »

Malgré tout, une inquiétude confuse l'envahissait à mesure que l'aube filtrait par les volets à demi clos. Quinze jours auparavant, rien non plus ne s'était produit qui pût l'avertir, et pourtant, au réveil, les deux victimes gisaient auprès de lui.

À sept heures, il appela :

« Alexandre ?

— Hein ! quoi, patron ?

— Tu n'es pas mort ?

— Qu'est-ce que vous dites ? Si je suis mort ? Mais non, patron.

— Tu es bien sûr ?

— Eh bien ! vous en avez de bonnes, patron. Pourquoi pas vous ?

— Oh ! mon tour ne tardera pas. Avec des bandits de ce calibre-là, ils pourraient bien ne pas me rater. »

Ils patientèrent encore une heure. Puis, Perenna ouvrit une fenêtre et poussa les volets.

« Dis donc, Alexandre. Tu n'es peut-être pas mort. Mais en revanche...

— En revanche ?

— Tu es vert. »

Mazeroux eut un rire forcé.

« Ma foi, patron, je vous avoue que quand j'étais de faction, pendant que vous dormiez, je n'en menais pas large.

— Tu avais peur ?

— Jusqu'à la pointe des cheveux. Il me semblait tout le temps qu'il allait arriver quelque chose. Mais vous-même, patron, vous n'avez pas l'air dans votre assiette... Est-ce que, vous aussi ?... »

Il s'interrompit tellement la figure de don Luis exprimait d'étonnement.

« Qu'est-ce qu'il y a, patron ?

— Regarde... sur la table... cette lettre... »

Il regarda.

Sur la table de travail, il y avait, en effet, une lettre, ou plutôt une carte-lettre dont la bande de fermeture avait été déchirée selon le pointillé, et dont on voyait l'extérieur avec l'adresse, le timbre et les cachets de la poste.

« C'est toi qui as mis cela ici, Alexandre ?

— Vous riez, patron. Vous savez bien que ce ne peut être que vous.

— Ce ne peut être que moi... et cependant, ce n'est pas moi...
— Mais alors ?... »

Don Luis prit la carte-lettre et, l'ayant examinée, il constata que l'adresse et que les cachets de la poste avaient été grattés de telle façon qu'on ne pouvait distinguer ni le nom du destinataire, ni le lieu qu'il habitait, mais que le lieu de l'expédition était très net, ainsi que les dates :

« Paris, 4 janvier 1919. »

« La lettre est donc vieille de trois mois et demi », fit don Luis.

Il la retourna du côté de l'intérieur. Elle contenait une douzaine de lignes, et, tout de suite, il s'écria :

« La signature d'Hippolyte Fauville !

— Et son écriture, nota Mazeroux, je la reconnais maintenant. Pas d'erreur. Qu'est-ce que ça signifie ? Une lettre écrite par Hippolyte Fauville, trois mois avant sa mort... »

Perenna lut à haute voix :

Mon cher ami,

Je ne puis, hélas ! que confirmer ce que je t'écrivais l'autre jour : la trame se resserre. Je ne sais encore quel est leur plan et moins encore comment ils l'exécuteront, mais tout m'apprend que le dénouement approche. Je vois cela dans ses yeux à elle. Comme elle me regarde étrangement parfois ! Ah ! quelle infamie ! Qui donc aurait jamais supposé qu'elle serait capable... Je suis bien malheureux, mon pauvre ami.

« Et c'est signé Hippolyte Fauville, continua Mazeroux... Et je vous affirme que c'est bien écrit par lui..., écrit le 4 janvier de cette année, à un ami dont nous ignorons le nom, mais que nous saurons bien dénicher, je vous le jure. Et cet ami nous donnera toutes les preuves nécessaires. »

Mazeroux s'exaltait :

« Des preuves ! Mais il n'en est plus besoin ! Elles sont là. M. Fauville les donne lui-même. « Le dénouement approche. *Je vois cela dans ses yeux à elle.* » *Elle*, c'est sa femme, c'est Marie-Anne Fauville, et le témoignage du mari confirme tout ce que nous savions contre elle. Qu'en dites-vous, patron ?

— Tu as raison, répondit Perenna distraitement, tu as raison, cette lettre est définitive. Seulement...

— Qui diable a pu l'apporter ? Il faut donc que quelqu'un soit entré cette nuit dans cette pièce, pendant que nous y étions ?

Est-ce possible ? Car enfin nous aurions entendu... Voilà ce qui me stupéfie.

— Il est de fait que...

— N'est-ce pas ? Il y a quinze jours, le coup était déjà bizarre. Mais enfin nous avions pris notre poste dans l'antichambre et on opérait ici. Tandis qu'aujourd'hui nous y étions, ici, tous les deux, près de cette table même. Et sur cette table où, hier soir, il n'y avait pas le moindre morceau de papier, ce matin nous trouvons cette lettre. »

Une étude minutieuse des lieux ne leur fit découvrir aucune indication qui les mît sur la voie. Ils visitèrent l'hôtel de fond en comble et purent s'assurer que personne ne s'y cachait. D'ailleurs, en admettant que quelqu'un s'y cachât, comment aurait-on pu pénétrer dans la pièce sans attirer leur attention ? Le problème était insoluble.

« Ne cherchons pas davantage, dit Perenna, ça ne sert de rien. Dans les histoires de ce genre, un jour ou l'autre la lumière pénètre par une fissure invisible et tout s'éclaire peu à peu. Porte cette lettre au préfet de police, raconte-lui notre veillée et dis-lui que nous demandons l'autorisation de revenir dans la nuit du 25 au 26 avril prochain. Cette nuit-là, encore, il doit y avoir du nouveau, et j'ai diablement envie de savoir si une seconde lettre nous sera remise par l'opération du Saint-Esprit. »

Ils refermèrent les portes et sortirent de l'hôtel.

Comme ils s'en allaient à droite, vers la Muette, pour y prendre une auto, et qu'ils parvenaient au bout du boulevard Suchet, le hasard fit que don Luis tourna la tête du côté de la chaussée.

Un homme les dépassait, à bicyclette.

Don Luis eut juste le temps de voir son visage glabre, ses yeux étincelants, fixés sur lui.

« Gare à toi ! » cria-t-il en poussant Mazeroux avec une telle brusquerie que le brigadier perdit l'équilibre.

L'homme avait tendu son poing, armé d'un revolver. Un coup de feu jaillit. La balle siffla aux oreilles de don Luis, qui s'était baissé rapidement.

« Courons dessus, proféra-t-il. Tu n'es pas blessé, Mazeroux ?

— Non, patron. »

Ils s'élancèrent tous deux en appelant au secours. Mais, à cette heure matinale, les passants étaient rares sur les larges avenues de ce quartier. L'homme, qui filait vivement, augmenta son avance, tourna au loin par la rue Octave-Feuillet et disparut.

« Gredin, va, je te repincerai, grinça don Luis en renonçant à une vaine poursuite.

— Mais vous ne savez même pas qui c'est, patron.

— Si, c'est lui.

— Qui donc ?

— L'homme à la canne d'ébène. Il a coupé sa barbe. Il s'est rasé. N'importe, je l'ai reconnu. C'était bien l'homme qui nous canardait hier matin, du haut de l'escalier de sa maison, boulevard Richard-Wallace, celui qui a tué l'inspecteur principal Ancenis. Ah ! le misérable, comment a-t-il pu savoir que j'avais passé la nuit dans l'hôtel Fauville ? On m'a donc suivi, espionné ? Mais qui donc ? Et pour quelle raison ? Et par quel moyen ? »

Mazeroux réfléchit et prononça :

« Rappelez-vous, patron, vous m'avez téléphoné dans l'après-midi pour me donner rendez-vous. Qui sait ? vous aviez beau me parler tout bas, quelqu'un de chez vous a peut-être entendu. »

Don Luis ne répondit point. Il pensait à Florence.

Ce matin-là, ce ne fut point Mlle Levasseur qui apporta le courrier à don Luis, et il ne la fit pas venir non plus. Il l'aperçut plusieurs fois qui donnait des ordres aux nouveaux domestiques. Elle dut ensuite se retirer dans sa chambre, car il ne la vit plus.

L'après-midi, il commanda son automobile et se rendit à l'hôtel du boulevard Suchet pour y continuer, avec Mazeroux, et sur l'ordre du préfet, des investigations qui, d'ailleurs, n'aboutirent à aucun résultat.

Il était six heures quand il rentra. Le brigadier et lui dînèrent ensemble. Le soir, désireux d'examiner à son tour le domicile de l'homme à la canne d'ébène, il repartit en automobile, toujours accompagné de Mazeroux, et donna comme adresse le boulevard Richard-Wallace.

La voiture traversa la Seine, qu'elle suivit sur la rive droite.

« Allez plus vite, dit-il par le porte-voix à son nouveau chauffeur, j'ai l'habitude de marcher bon train.

— Vous culbuterez un jour ou l'autre, patron, dit Mazeroux.

— Pas de danger, répondit don Luis. Les accidents d'auto sont réservés aux imbéciles. »

Ils arrivaient à la place de l'Alma. La voiture, à ce moment, tourna vers la gauche.

« Droit devant vous, cria don Luis... montez par le Trocadéro. »

L'automobile se redressa. Mais, tout de suite, elle fit trois ou quatre embardées, à toute allure, escalada un trottoir, se heurta contre un arbre et fut renversée.

En quelques secondes, une douzaine de passants accoururent. On cassa une des glaces et l'on ouvrit la portière. Don Luis surgit le premier.

« Rien, dit-il, je n'ai rien. Et toi, Alexandre ? »

On tira le brigadier. Il avait quelques contusions, des douleurs, mais aucune blessure qui parût sérieuse.

Seulement, le chauffeur avait été précipité de son siège et gisait inerte sur le trottoir, la tête ensanglantée.

On le transporta dans une pharmacie. Il mourut dix minutes plus tard.

Lorsque Mazeroux, qui avait accompagné la malheureuse victime et qui, lui-même assez étourdi, avait dû avaler un cordial, retourna vers l'automobile, il trouva deux agents de police qui constataient l'accident et recueillaient des témoignages, mais le patron n'était pas là.

Perenna, en effet, venait de sauter dans un taxi et se faisait ramener chez lui aussi vite que possible. Sur la place, il descendit de voiture, passa sous le porche en courant, traversa la cour et suivit le couloir qui conduisait au logement de Mlle Levasseur.

Au haut des marches, il frappa, puis entra sans attendre la réponse.

La porte de la pièce qui servait de salon fut ouverte. Florence apparut.

Il la repoussa dans le salon et lui dit d'un ton d'indignation et de courroux :

« C'est fait. L'accident s'est produit. Pourtant aucun des anciens domestiques n'a pu le préparer, puisqu'ils n'étaient plus là et que je suis sorti cet après-midi dans l'automobile. Donc, c'est à la fin de la journée, entre six heures et neuf heures du soir, qu'on a dû s'introduire dans la remise et qu'on a limé aux trois quarts la barre de direction.

— Je ne comprends pas... je ne comprends pas... dit-elle, l'air effaré.

— Vous comprenez parfaitement que le complice des bandits ne peut pas être un des nouveaux domestiques, et vous comprenez parfaitement que le coup ne pouvait pas manquer de réussir, et qu'il a réussi, au-delà de toute espérance. Il y a une victime, et qui paie à ma place.

— Mais parlez donc, monsieur ! Vous m'effrayez !... Quel accident ?... Qu'y a-t-il eu ?

— L'automobile s'est renversée. Le chauffeur est mort.

— Ah ! dit-elle, quelle horreur ! Et vous croyez que j'aurais pu, moi... Ah ! cette mort, quelle horreur ! le pauvre homme... »

Sa voix s'affaiblit. Elle était en face de Perenna, tout contre lui. Pâle, défaillante, elle ferma les yeux et chancela.

Il la reçut dans ses bras au moment où elle tombait. Elle voulut se dégager, mais elle n'avait pas de force, et il l'étendit sur un fauteuil, tandis qu'elle gémissait à diverses reprises :

« Le pauvre homme... le pauvre homme... »

Un de ses bras derrière la tête de la jeune fille, il essuyait avec un mouchoir le front couvert de sueur et les joues pâlies où des larmes roulaient. Elle avait dû perdre tout à fait conscience, car elle s'abandonnait aux soins de Perenna sans marquer la moindre révolte. Et lui, ne bougeant plus, se mit à regarder anxieusement la bouche qui s'offrait à ses yeux, la bouche aux lèvres si rouges d'ordinaire, et maintenant décolorées, comme privées de sang.

Doucement, posant sur chacune d'elles l'un de ses doigts, d'un effort continu il les écarta ainsi que l'on écarte les pétales d'une rose, et la double rangée des dents lui apparut.

Elles étaient charmantes, admirables de forme et de blancheur, peut-être un peu moins grandes que celles de Mme Fauville, peut-être aussi disposées en un cercle plus élargi. Mais qu'en savait-il ? Et qui pouvait assurer que leur morsure ne laissait pas la même empreinte ? Supposition invraisemblable, miracle inadmissible, il le savait. Et néanmoins combien les circonstances accusaient la jeune fille et la désignaient comme la plus audacieuse des criminelles, comme la plus cruelle, la plus implacable et la plus terrible !

Sa respiration devenait régulière. Un souffle égal s'exhalait de sa bouche, dont il sentit la caresse fraîche, enivrante comme le parfum d'une fleur. Malgré lui, il se pencha davantage, si près, si près qu'un vertige le prit et qu'il lui fallut faire un grand effort pour reposer sur le dossier du fauteuil la tête de la jeune fille et pour détacher son regard du beau visage aux lèvres entrouvertes.

Il se releva et partit.

CHAPITRE VII

LA GRANGE-AUX-PENDUS

De tous ces événements, on ne connut que la tentative de suicide de Marie-Anne Fauville, la capture et l'évasion de Gaston Sauverand, le meurtre de l'inspecteur principal Ancenis et la découverte d'une lettre écrite par Hippolyte Fauville. Ils suffirent, d'ailleurs, à raviver la curiosité d'un public que l'affaire Mornington intriguait déjà vivement et qui se passionnait aux moindres gestes de ce mystérieux don Luis Perenna que l'on s'obstinait à confondre avec Arsène Lupin.

Bien entendu, on lui attribua la capture momentanée de l'homme à la canne d'ébène. On sut, en outre, qu'il avait sauvé la vie du préfet de police, et que, finalement, ayant, sur sa demande, passé la nuit dans l'hôtel du boulevard Suchet, il avait reçu de la façon la plus incompréhensible la fameuse lettre de l'ingénieur Fauville. Et tout cela surexcitait l'opinion au plus haut point.

Mais combien les problèmes posés à don Luis Perenna étaient plus complexes et plus troublants ! Quatre fois en l'espace de quarante-huit heures, et sans parler de l'article anonyme où on le dénonçait, quatre fois, par l'écroulement du rideau de fer, par le poison, par le coup de feu du boulevard Suchet et par le « truquage » de son automobile, on avait essayé de le tuer. La participation de Florence à ces attentats consécutifs était indéniable. Et voilà que les relations de la jeune fille avec les assassins d'Hippolyte Fauville se trouvaient établies grâce à la petite note recueillie dans le volume huit de Shakespeare ! Et voilà que deux morts nouvelles s'ajoutaient à la liste funèbre, la mort de l'inspecteur principal Ancenis, la mort du chauffeur d'automobile.

Comment définir et comment expliquer le rôle que jouait, au milieu de toutes ces catastrophes, l'énigmatique créature ?

Chose étrange, la vie reprit à l'hôtel de la place du Palais-Bourbon, comme si rien d'anormal ne s'y fût passé. Chaque matin, Florence Levasseur dépouillait le courrier en présence de don Luis et lisait à haute voix les articles de journaux qui le concernaient ou se rapportaient à l'affaire Mornington.

Pas une fois, il ne fit allusion à la lutte sauvage qu'on avait poursuivie contre lui pendant deux jours. Il semblait qu'une trêve fût conclue entre eux et que, pour l'instant, l'ennemi eût renoncé à ses attaques. Et don Luis se sentait tranquille, à l'abri du danger. Et il parlait à la jeune fille d'un air indifférent, ainsi qu'il eût parlé à la première venue.

Mais avec quel intérêt fiévreux il l'épiait à la dérobée ! Comme il observait l'expression à la fois si ardente et si calme de ce visage, où frémissait, sous le masque paisible, une sensibilité douloureuse, excessive, difficilement contenue, et que l'on devinait à certains frissons des lèvres, à certains battements des narines !

« Qu'es-tu ? Qu'es-tu ? avait-il envie de crier. Est-ce donc ta volonté de semer les cadavres sur la route ? Et te faut-il encore ma mort pour atteindre ton but ? Où vas-tu, et d'où viens-tu ? »

À la réflexion, une certitude l'avait envahi, qui résolvait un problème dont il s'était souvent préoccupé, à savoir le rapport mystérieux existant entre sa présence, à lui, dans l'hôtel de la place du Palais-Bourbon, et la présence d'une femme qui, manifestement, le poursuivait de sa haine. Aujourd'hui, il comprenait que ce n'était point par hasard qu'il avait acheté cet hôtel. En agissant ainsi, il avait cédé à une offre anonyme qu'on lui avait faite au moyen d'un prospectus dactylographié. D'où venait cette offre, sinon de Florence, de Florence qui voulait l'attirer auprès d'elle pour le surveiller et pour le combattre ?

« Eh oui ! pensa-t-il, la vérité est là. Héritier possible de Cosmo Mornington, mêlé directement à cette affaire, je suis l'ennemi, et l'on cherche à me supprimer comme les autres. Et c'est Florence qui agit contre moi. Et c'est elle qui a tué. Tout l'accuse, et rien ne la défend. Ses yeux purs ? Sa voix sincère ? La gravité et la noblesse de sa personne ?... Et après ?... Oui, après ? N'en ai-je pas vu de ces femmes au regard candide, et qui tuaient sans raison, par volupté presque ? »

Il tressaillait d'épouvante au souvenir de Dolorès Kesselbach[1]... Quel lien obscur unissait à chaque instant, dans son esprit, l'image de ces deux femmes ? Il avait aimé l'une, la

1. Voir *813*.

monstrueuse Dolorès, et, de ses propres mains, l'avait étranglée. La destinée le conduisait-elle aujourd'hui vers un même amour et vers un meurtre semblable ?

Quand Florence s'en allait, il éprouvait une satisfaction et respirait plus à l'aise, comme délivré d'un poids qui l'eût oppressé, mais il courait à la fenêtre, et il la regardait traverser la cour, et il attendait encore que passât et repassât la jeune fille dont il avait senti sur son visage l'haleine parfumée.

Un matin, elle lui dit :

« Les journaux annoncent que c'est pour ce soir.

— Pour ce soir ?

— Oui, fit-elle en montrant un article, nous sommes le 25 avril, et les renseignements de la police, fournis par vous, dit-on, prétendent que, tous les dix jours, il y aura une lettre dans l'hôtel du boulevard Suchet, et que l'hôtel sera détruit par une explosion, la nuit même où apparaîtra la cinquième et dernière lettre. »

Était-ce un défi ? Voulait-elle lui faire entendre que, quoi qu'il arrivât, et quels que fussent les obstacles, les lettres apparaîtraient, ces lettres mystérieuses annoncées sur la liste qu'il avait trouvée dans le tome huit de Shakespeare ?

Il la regarda fixement. Elle ne broncha pas. Il répondit :

« En effet, c'est pour cette nuit. Et j'y serai. Rien au monde ne peut m'empêcher d'y être. »

Elle fut encore sur le point de répliquer, mais, une fois de plus, elle imposa silence aux sentiments qui la bouleversaient.

Ce jour-là, don Luis se tint sur ses gardes. Il déjeuna et dîna au restaurant, et s'entendit avec Mazeroux pour qu'on surveillât la place du Palais-Boubon.

L'après-midi, Mlle Levasseur ne quitta pas l'hôtel. Le soir, don Luis donna l'ordre aux hommes de Mazeroux que l'on suivît toute personne qui sortirait.

À dix heures, le brigadier rejoignait don Luis dans le cabinet de travail de l'ingénieur Fauville. Le sous-chef Weber et deux agents l'accompagnaient.

Don Luis prit Mazeroux à part.

« On se méfie de moi, avoue-le.

— Non. Tant que M. Desmalions sera là, on ne peut rien contre vous. Seulement Weber prétend, et il n'est pas le seul, que c'est vous qui manigancez toutes ces histoires-là.

— Dans quel but ?

— Dans le but de fournir des preuves contre Marie-Anne Fauville et de la faire condamner. Alors, c'est moi qui ai demandé la présence du sous-chef et de deux hommes. Nous serons quatre pour témoigner de votre bonne foi. »

Chacun prit son poste.

Tour à tour, deux policiers devaient veiller.

Cette fois, après avoir fouillé minutieusement la petite chambre où couchait jadis le fils d'Hippolyte Fauville, on ferma et on verrouilla les portes et les volets.

À onze heures, on éteignit le plafonnier électrique.

Don Luis et Weber dormirent à peine.

La nuit s'écoula sans le moindre incident.

Mais, à sept heures, quand les volets furent poussés, on s'aperçut qu'il y avait une lettre sur la table.

De même que l'autre fois, il y avait une lettre sur la table !

Cette lettre, le premier moment de stupeur passé, le sous-chef la prit. Il avait ordre de ne pas la lire et de ne la laisser lire à personne.

La voici, telle que les journaux la publièrent, en même temps qu'ils publiaient les déclarations des experts attestant que l'écriture était bien celle d'Hippolyte Fauville.

« Je l'ai vu ! Tu comprends, n'est-ce pas, mon bon ami, je l'ai vu ! Il se promenait dans une allée du Bois, le col relevé, le chapeau enfoncé jusqu'aux oreilles. M'a-t-il vu, lui ? Je ne crois pas. Il faisait presque nuit. Mais, moi, je l'ai bien reconnu. J'ai reconnu la poignée d'argent de sa canne d'ébène. C'était bien lui, le misérable !

« Le voilà donc à Paris, malgré sa promesse. Gaston Sauverand est à Paris ! Comprends-tu ce qu'il y a de terrible dans ce fait ? S'il est à Paris, c'est qu'il veut agir. S'il est à Paris, c'est que ma mort est décidée. Ah ! c'est mon homme, quel mal il m'aura fait ! Il m'a déjà volé mon bonheur, et maintenant c'est ma vie qu'il lui faut. J'ai peur. »

Ainsi l'ingénieur Fauville savait que l'homme à la canne d'ébène, que Gaston Sauverand préméditait de le tuer. Cela, Hippolyte Fauville, par un témoignage écrit de sa propre main, le déclarait de la façon la plus formelle, et la lettre, en outre, corroborant les paroles échappées à Gaston Sauverand lors de son arrestation, laissait entendre que les deux hommes avaient été jadis en relations, qu'il y avait eu entre eux rupture d'amitié, et que Gaston Sauverand avait promis de ne jamais venir à Paris.

Un peu de clarté pénétrait donc en la ténébreuse aventure de l'héritage Mornington. Mais, d'autre part, quel mystère inconcevable que la présence de cette lettre sur la table du cabinet de travail ! Cinq hommes avaient veillé, cinq hommes qui comptaient parmi les plus habiles, et pourtant, cette nuit-là, comme la nuit du 15 avril, une main inconnue avait déposé la lettre dans une pièce aux fenêtres et aux portes barricadées, sans que le moindre bruit fût perçu, sans qu'une trace d'effraction pût être relevée aux fermetures des portes et des fenêtres.

Tout de suite, on souleva l'hypothèse d'une issue secrète. Hypothèse qu'on dut abandonner après un examen attentif des murs, et après convocation de l'entrepreneur qui avait construit la maison quelques années auparavant, sur le plan de l'ingénieur Fauville.

Il est inutile de rappeler encore à ce propos ce qu'on pourrait appeler l'ahurissement du public. Dans les conditions où il se produisait, le fait prenait l'apparence d'un tour de passe-passe. Plutôt que l'intervention d'un personnage disposant de moyens ignorés, on était tenté de voir là le divertissement d'un prestidigitateur doué d'une adresse prodigieuse.

Il n'en restait pas moins établi que les indications de don Luis Perenna se trouvaient justifiées, et que la date du 25, comme celle du 15 avril, avait suscité l'incident prévu. La date du 5 mai continuerait-elle la série ? Nul n'en douta, puisque don Luis l'avait prédit, et qu'il semblait à tous que don Luis ne pût pas se tromper. Et toute la nuit du 5 au 6 mai, il y eut foule sur le boulevard Suchet. Des curieux, des noctambules venaient en bande chercher les dernières nouvelles.

Le préfet de police lui-même, vivement impressionné par le double miracle, voulut se rendre compte et assister en personne aux opérations de la troisième nuit. Il se fit accompagner de plusieurs inspecteurs qu'il laissa dans le jardin, dans le couloir et dans la mansarde de l'étage supérieur. Lui-même s'établit au rez-de-chaussée avec le sous-chef Weber, avec Mazeroux et avec don Luis Perenna.

L'attente fut déçue. Et cela par la faute de M. Desmalions. Malgré l'avis formel de don Luis qui jugeait l'expérience inutile, il avait décidé, afin de savoir si la lumière empêcherait le miracle de se produire, de ne pas éteindre l'électricité. Dans de telles conditions, aucune lettre ne pouvait surgir, et aucune lettre ne surgit. Truc de magicien ou stratagème de malfaiteur, il fallait le secours de l'ombre propice.

C'étaient donc dix jours perdus, si tant est que le correspondant diabolique osât renouveler sa tentative et produire la troisième lettre mystérieuse.

Le 15 mai, la faction recommença, tandis qu'une même foule s'accumulait dehors, une foule anxieuse, haletante, remuée par les moindres bruits et qui, les yeux fixés sur l'hôtel Fauville, gardait un silence impressionnant.

Cette fois, on éteignit. Mais le préfet de police tenait la main sur l'interrupteur électrique. Dix fois, vingt fois, il alluma inopinément : sur la table, rien. C'était le craquement d'un meuble qui avait éveillé son attention, ou le geste d'un des assistants.

Soudain, tous, ils eurent une exclamation. Quelque chose d'insolite, un froissement de feuille venait d'interrompre le silence.

Déjà M. Desmalions avait tourné l'interrupteur.

Il poussa un cri.

La lettre était là, non pas sur la table, mais à côté, par terre, sur le tapis.

Mazeroux fit le signe de la croix.

Les inspecteurs étaient livides.

M. Desmalions regarda don Luis, qui hocha la tête sans rien dire.

On vérifia l'état des serrures et des verrous. Rien n'avait bougé.

Ce jour-là encore, le contenu de la lettre compensa, en quelque manière, la façon vraiment inouïe dont elle émergeait des ténèbres. Elle achevait de dissiper tous les nuages qui enveloppaient le double assassinat du boulevard Suchet.

Toujours signée par l'ingénieur, écrite par lui à la date du huit février précédent, sans adresse visible, elle disait :

« Mon cher ami,

« Eh bien ! non, je ne me laisserai pas égorger comme un mouton qu'on mène à l'abattoir. Je me défendrai, je lutterai jusqu'à la dernière minute. Ah ! c'est que maintenant les choses ont changé de face. J'ai des preuves maintenant, des preuves irrécusables... Je possède des lettres qu'ils ont échangées ! Et je sais qu'ils s'aiment toujours, comme au début, et qu'ils

veulent s'épouser, et que rien ne les arrêtera. C'est écrit, tu entends, c'est écrit de la main même de Marie-Anne : « Patiente, mon Gaston bien aimé, le courage grandit en moi. Tant pis pour celui qui nous sépare, il disparaîtra. »

« Mon bon ami, si je succombe dans la lutte, tu trouveras ces lettres-là (et tout le dossier que je réunis contre la misérable créature) dans le coffre-fort qui est caché derrière la petite vitrine. Alors, venge-moi. Au revoir. Adieu, peut-être... »

Telle fut la troisième missive. Du fond de sa tombe Hippolyte Fauville nommait et accusait l'épouse coupable. Du fond de sa tombe il donnait le mot de l'énigme en expliquant les raisons pour lesquelles le crime avait été commis : Marie-Anne et Gaston Sauverand s'aimaient.

Certes, ils connaissaient l'existence du testament de Cosmo Mornington, puisqu'ils avaient commencé par supprimer Cosmo Mornington, et la hâte de conquérir l'énorme fortune avait précipité le dénouement. Mais l'idée première du crime prenait racine dans un sentiment ancien : Marie-Anne et Gaston Sauverand s'aimaient.

Restait à résoudre un problème. Qu'était-ce donc que ce correspondant inconnu auquel Hippolyte Fauville avait confié le soin de sa vengeance, et qui, au lieu de remettre purement et simplement les lettres à la justice, s'ingéniait à les lui faire parvenir au moyen de combinaisons des plus machiavéliques ? Avait-il intérêt lui-même à rester dans l'ombre ?

À toutes ces questions Marie-Anne riposta de la façon la plus inattendue, et qui cependant était bien conforme à ses menaces. Huit jours après, à la suite d'un long interrogatoire où on la pressa de dire qui pouvait être cet ancien ami de son mari, et où l'on se heurta au mutisme le plus opiniâtre et à une sorte de torpeur hébétée, le soir, rentrée dans sa cellule, elle s'ouvrit les veines du poignet avec un morceau de verre qu'elle avait réussi à dissimuler.

Dès le lendemain matin, avant huit heures, don Luis en fut averti par Mazeroux qui vint le surprendre au saut du lit. Le brigadier tenait en main un sac de voyage.

La nouvelle qu'il apportait bouleversa don Luis.

« Elle est morte ? s'écria-t-il.

— Non... Il paraît qu'elle en réchappera encore. Mais à quoi bon !

— Comment, à quoi bon ?

— Parbleu ! elle recommencera. Elle a ça dans la tête. Et un jour ou l'autre...

— Et elle n'a pas fait d'aveux, cette fois non plus, avant sa tentative ?

— Non. Elle a écrit quelques mots sur un bout de papier, disant que, à bien réfléchir, il fallait chercher l'origine des lettres mystérieuses du côté d'un sieur Langernault. C'était le seul ami qu'elle eût connu autrefois à son mari, le seul en tout cas qu'il appelât : « Mon bon ami ». Ce monsieur Langernault ne pourrait que la disculper et montrer l'effroyable malentendu dont elle était la victime.

— Alors, fit don Luis, si quelqu'un peut la disculper, pourquoi commence-t-elle par s'ouvrir les veines ?

— Tout lui est égal, d'après ce qu'elle dit. Sa vie est perdue. Ce qu'elle veut, c'est le repos, la mort.

— Le repos, le repos, il n'y a pas que dans la mort qu'elle pourrait le trouver. Si la découverte de la vérité doit être le salut pour elle, la vérité n'est peut-être pas impossible à découvrir.

— Qu'est-ce que vous dites, patron ? Vous avez deviné quelque chose ? Vous commencez à comprendre ?

— Oh ! très vaguement, mais, tout de même, l'exactitude vraiment anormale de ces lettres me semble justement une indication... »

Il réfléchit et continua :

« On a examiné de nouveau l'adresse effacée des trois lettres ?

— Oui, et l'on a réussi, en effet, à reconstruire le nom de Langernault.

— Et ce Langernault habite ?...

— Selon Mme Fauville, au village de Formigny, dans l'Orne.

— On a déchiffré ce nom de Formigny sur une des missives ?

— Non, mais celui de la ville auprès de laquelle il est situé.

— Cette ville ?

— Alençon.

— Et c'est là que tu vas ?

— Oui, le préfet de police m'y expédie en toute hâte. Je prends le train aux Invalides.

— Tu veux dire que tu montes avec moi dans mon auto ?

— Hein ?

— Nous partons tous deux, mon petit. J'ai besoin d'agir, l'air de cette maison est mortel pour moi.

— Mortel ? Que chantez-vous, patron ?

— Rien, je me comprends. »

Une demi-heure plus tard, ils filaient sur la route de Versailles. Perenna conduisait lui-même son auto découverte, et il la conduisait d'une telle façon que Mazeroux, un peu suffoqué, articulait de temps à autre :

« Bigre, nous marchons... Cré tonnerre ! ce que vous en mettez, patron !... Vous ne craignez pas la culbute ?... Rappelez-vous l'autre jour... »

Ils arrivèrent à Alençon pour déjeuner. Le repas fini, ils se rendirent au bureau de poste principal. On n'y connaissait pas le sieur Langernault, et, en outre, la commune de Formigny avait son bureau particulier.

Il fallait donc supposer, puisque les lettres portaient le cachet d'Alençon, que M. Langernault se faisait adresser sa correspondance dans cette ville, mais sous le couvert de la poste restante.

Don Luis et Mazeroux se rendirent au village de Formigny. Là non plus le receveur ne connaissait personne qui portât le nom de Langernault, quoiqu'il n'y eût à Formigny qu'un millier d'habitants.

« Allons voir le maire », dit Perenna.

À la mairie, Mazeroux exposa ses qualités et l'objet de sa visite.

Le maire hocha la tête.

« Le bonhomme Langernault..., je crois bien... un brave type... un ancien commerçant de la capitale.

— Ayant l'habitude, n'est-ce pas, de prendre sa correspondance à la poste d'Alençon ?

— C'est ça même... histoire de faire une promenade quotidienne.

— Et sa maison ?

— Au bout du village. Vous avez passé devant.

— On peut la voir ?

— Ma foi oui... seulement...

— Il n'est peut-être pas chez lui ?

— Pour sûr, qu'il n'y est pas. Il n'y est même plus rentré depuis quatre ans qu'il est sorti, ce pauvre cher homme.

— Comment ça ?

— Dame, voilà quatre ans qu'il est mort. »

Don Luis et Mazeroux se regardèrent avec stupéfaction.

« Ah ! il est mort... reprit don Luis.

— Oui, un coup de fusil.

— Qu'est-ce que vous dites ? s'écria Perenna. Il a été tué ?

— Non, non, on l'a cru d'abord quand on l'a ramassé sur le parquet de sa chambre, mais l'enquête a prouvé qu'il y avait accident. En nettoyant son fusil de chasse, il s'était envoyé une décharge dans le ventre. Seulement, tout de même, au village ça nous a semblé louche. Le père Langernault, vieux chasseur devant l'Éternel, n'était pas un homme à commettre une imprudence.

— Il avait de l'argent ?

— Oui, et c'est là justement ce qui corsait l'affaire, on n'a pas pu dénicher un sou de sa fortune. »

Don Luis resta pensif un long moment, puis il reprit :

« Il a laissé des enfants, des parents qui ont le même nom ?

— Personne, pas un cousin. À preuve que sa propriété — le Vieux-Château qu'on l'appelle à cause des ruines qui s'y trouvent — est demeurée dans l'état. L'administration du domaine public a fait mettre les scellés sur les portes de la maison et barricadé celles du parc. On attend les délais pour prendre possession.

— Et les curieux ne vont pas se promener dans le parc, malgré les murs ?

— Ma foi, non. D'abord les murs sont hauts. Et puis... et puis, le Vieux-Château a toujours eu mauvaise réputation dans le pays. On a toujours parlé de revenants... des tas d'histoires à dormir debout... Mais, tout de même... »

« Elle est raide celle-là, s'écria don Luis, lorsqu'ils eurent quitté la mairie. Voilà que l'ingénieur Fauville écrivait ses lettres à un mort, et à un mort, entre parenthèses, qui m'a tout l'air d'avoir été assassiné.

— Quelqu'un les aura interceptées, ces lettres.

— Évidemment. N'empêche qu'il les écrivait à un mort auquel il faisait ses confidences et racontait les projets criminels de sa femme. »

Mazeroux se tut. Lui aussi, il semblait extrêmement troublé.

Une partie de l'après-midi, ils se renseignèrent sur les habitudes du bonhomme Langernault, espérant découvrir quelque indication utile auprès de ceux qui l'avaient connu. Mais leurs efforts n'aboutirent à aucun résultat.

Vers six heures, au moment de partir, don Luis, constatant que l'auto manquait d'essence, dut envoyer Mazeroux en carriole jusqu'aux faubourgs d'Alençon. Il profita de ce répit pour aller voir le Vieux-Château, à l'extrémité du village.

Il fallait suivre, entre deux haies, un chemin qui conduisait à un rond-point planté de tilleuls et où se dressait, au milieu d'un mur, une porte en bois massif. La porte étant fermée, don Luis longea le mur qui était, en effet, très élevé et n'offrait aucune brèche, mais pourtant qu'il réussit à franchir en s'aidant des branches d'un arbre voisin. Dans le parc, c'étaient des pelouses incultes, encombrées de grandes fleurs sauvages, et des avenues couvertes d'herbe qui s'en allaient à droite vers un monticule lointain, où se pressaient des constructions en ruines, et à gauche vers une petite maison délabrée aux volets mal joints.

Il se dirigeait de ce côté, lorsqu'il fut très étonné d'apercevoir sur la terre d'une plate-bande que les pluies récentes avait détrempée, des traces de pas toutes fraîches. Et ces traces, il put s'en rendre compte, avaient été laissées par des bottines de femme, des bottines élégantes et fines.

« Qui diable vient se promener par là ? » pensa-t-il.

Il retrouva les traces un peu plus loin, sur une autre plate-bande que la promeneuse avait traversée, et elles le conduisirent à l'opposé de la maison, vers une suite de bosquets où il les revit deux fois encore.

Puis il les perdit définitivement.

Il était alors auprès d'une vaste grange adossée à un talus très haut, à moitié ruinée, et dont les portes vermoulues ne semblaient tenir que par un hasard d'équilibre.

Il s'en approcha et appliqua son œil contre une fente du bois.

À l'intérieur, dans les demi-ténèbres de cette grange sans fenêtres et que les ouvertures bouchées avec de la paille éclairaient d'autant moins que le jour commençait à baisser, on distinguait un amoncellement de barriques, de pressoirs démolis, de vieilles charrues et de ferrailles de toutes sortes.

« Ce n'est certes pas là que ma promeneuse a dirigé ses pas, pensa don Luis. Cherchons ailleurs. »

Il ne bougea point pourtant. Il avait entendu du bruit dans la grange.

Il écouta et ne perçut rien. Mais, comme il voulait en avoir le cœur net, d'un choc de l'épaule il renversa une planche, et il entra.

La brèche qu'il avait ainsi pratiquée donnant un peu de lumière, il put se glisser, entre deux futailles, par-dessus des débris de châssis dont il cassa les verres, jusqu'à un espace vide situé de l'autre côté.

Il marcha. Ses yeux s'habituaient à l'ombre. Néanmoins, il heurta du front, sans l'avoir vu, quelque chose d'assez dur et qui, mis en mouvement, se balança avec un bruit étrange et sec.

Décidément l'obscurité était trop épaisse. Don Luis tira de sa poche une lanterne électrique dont il fit jouer le ressort.

« Crebleu de crebleu ! » jura-t-il en reculant, effaré.

Au-dessus de lui il y avait un squelette pendu !

Et tout de suite Perenna poussa encore un juron.

À côté du premier, il y avait un deuxième squelette, pendu également !

De grosses cordes les accrochaient tous deux à des pitons fixés aux solives de la grange. La tête s'inclinait hors du nœud coulant. Celui que Perenna avait heurté bougeait encore un peu, et les os, en s'entrechoquant, faisaient un cliquetis sinistre.

Il avança une table boiteuse qu'il cala tant bien que mal, et sur laquelle il monta afin d'examiner de près les deux squelettes.

Des lambeaux de vêtements et des lambeaux de chair durcie et racornie reliaient et retenaient les os. Cependant l'un des deux n'avait plus qu'un bras, et l'autre plus qu'un bras et une jambe.

Alors même qu'aucun choc ne les agitait, le vent qui soufflait par les ouvertures de la grange les balançait légèrement, et les approchait et les éloignait l'un de l'autre en une sorte de danse très lente, d'un rythme égal.

Mais, ce qui lui fit peut-être l'impression la plus forte dans cette vision macabre, ce fut de voir que chacun de ces squelettes gardait un anneau d'or, trop large maintenant que la chair avait disparu, mais que retenaient, comme des crochets, les phalanges recourbées de chaque doigt.

Avec un frisson de dégoût il les prit, ces anneaux.

C'étaient des alliances.

Il les examina. À l'intérieur, chacune d'elles portait une date, la même date, 12 août 1892, et deux noms : Alfred, Victorine.

« Le mari et la femme, murmura-t-il. Est-ce un double suicide ? un crime ? Mais comment est-ce possible qu'on n'ait pas encore découvert ces deux squelettes ? Faut-il donc admettre qu'ils soient là depuis la mort du bonhomme Langernault, depuis que l'administration a pris possession du domaine et que personne n'y peut entrer ? »

Il réfléchit :

« Personne n'y peut entrer ?... Personne ?... Si, puisque j'ai vu des traces de pas dans le jardin, et que, aujourd'hui même, une femme s'y est introduite. »

L'idée de cette visiteuse inconnue l'obsédant de nouveau, il redescendit. Malgré le bruit qu'il avait entendu, il n'était guère à supposer qu'elle eût pénétré dans la grange. Après quelques minutes d'investigations, il allait donc en sortir, quand il se produisit, vers la gauche, un fracas de choses qui dégringolaient, et des cercles de futaille s'abattirent non loin de lui.

Cela tombait d'en haut, d'une soupente également bourrée d'objets et d'instruments à laquelle s'appuyait une échelle. Devait-on croire que la visiteuse, surprise par son arrivée et s'étant réfugiée dans cette cachette, eût fait un mouvement qui eût déterminé la chute des cercles de futaille ?

Don Luis installa sa lanterne électrique sur un tonneau de façon que la lumière éclairât en plein la soupente. Ne voyant rien de suspect, rien qu'un arsenal de vieux rateaux, de pioches, de faux hors d'usage, il attribua les incidents à quelque bête, à quelque chat sauvage, et, pour s'en assurer, il s'avança vivement vers l'échelle et monta.

Soudain, et au moment même où il parvenait au niveau du plancher, il y eut un nouveau tumulte, une nouvelle dégringolade. Et une silhouette surgit de l'encombrement avec un geste effroyable.

Cela fut rapide comme l'éclair. Don Luis aperçut la grande lame d'une faux qui sabrait l'espace à la hauteur de sa tête. Une seconde d'hésitation, un dixième de seconde, et l'arme épouvantable le décapitait.

Il eut juste le temps de s'aplatir contre l'échelle. La faux siffla tout près de lui, effleurant son veston. Il se laissa glisser jusqu'au bas.

Mais il avait vu.

Il avait vu le masque terrible de Gaston Sauverand, et, derrière l'homme à la canne d'ébène, blafarde sous le jet de la lumière électrique, la figure convulsée de Florence Levasseur !

CHAPITRE VIII

LA COLÈRE DE LUPIN

Il demeura un moment immobile, interdit. En haut il y avait tout un vacarme d'objets bousculés, comme si les deux assiégés se fussent construit une barricade.

Mais, à droite de la projection électrique, la clarté confuse du jour pénétra par une ouverture brusquement découverte, et il avisa devant cette ouverture une silhouette, puis une autre, qui se baissaient pour s'enfuir sur les toits.

Il braqua son revolver et tira, mais mal, car il pensait à Florence et sa main tremblait. Trois détonations encore retentirent. Les balles crépitaient sur la ferraille de la soupente.

Au cinquième coup, il y eut un cri de douleur. Don Luis s'élança de nouveau sur l'échelle.

Retardé par l'enchevêtrement des ustensiles, puis par des bottes de colza desséché qui formaient un véritable rempart, il réussit à la fin, en se meurtrissant et en s'écorchant, à gagner l'ouverture, et fut très étonné, quand il l'eut franchie, de se trouver sur un terre-plein. C'était le sommet du talus contre lequel la grange était adossée.

Au hasard il descendit le talus à gauche de la grange et repassa devant la façade du bâtiment, sans voir personne. Alors il remonta par la droite, et bien que le terre-plein fût de proportions exiguës, il le fouilla avec précaution, car, dans l'ombre naissante du crépuscule, il pouvait craindre un retour offensif de l'ennemi.

Et c'est ainsi qu'il se rendit compte d'une chose qu'il n'avait pas remarquée. Le talus bordait le faîte du mur, qui, à cet endroit, mesurait bien cinq mètres de hauteur. Sans aucun doute Gaston Sauverand et Florence s'étaient enfuis par là.

Perenna suivit le faîte, qui était assez large, jusqu'à une partie moins élevée du mur, et là, il sauta dans une bande de terres labourées, situées en lisière d'un petit bois vers lequel les fugitifs avaient dû se sauver. Il en commença l'exploration, mais, étant donné l'épaisseur des fourrés, il reconnut aussitôt que c'était perdre son temps que de s'attarder à une vaine poursuite.

Il rentra donc au village, tout en songeant aux péripéties de cette nouvelle bataille. Une fois de plus, Florence et son complice avaient tenté de se débarrasser de lui. Une fois de plus, Florence apparaissait au centre de ce réseau d'intrigues criminelles. À l'instant où le hasard apprenait à don Luis que le bonhomme Langernault avait été probablement assassiné, à l'instant où le hasard, en l'amenant dans la grange-aux-pendus, selon son expression, le mettait en face de deux squelettes, Florence surgissait, vision de meurtre, génie malfaisant que l'on voyait partout où la mort avait passé, partout où il y avait du sang, des cadavres...

« Ah ! l'horrible créature ! murmurait-il en frémissant... Est-ce possible qu'elle ait un visage si noble ?... Et des yeux, des yeux dont on ne peut pas oublier la beauté grave, sincère, presque naïve... »

Sur la place de l'église, devant l'auberge, Mazeroux, de retour, emplissait le réservoir d'essence et allumait les phares. Don Luis avisa le maire de Formigny qui traversait la place. Il le prit à part.

« À propos, monsieur le maire, est-ce que vous avez entendu parler dans la région, il y a peut-être deux ans, de la disparition d'un ménage âgé de quarante ou cinquante ans ? Le mari s'appelait Alfred...

— Et la femme, Victorine, n'est-ce pas ? interrompit le maire. Je crois bien. L'histoire a fait assez de bruit. C'étaient des petits rentiers d'Alençon qui ont disparu du jour au lendemain sans que jamais, depuis, on ait pu savoir ce qu'ils sont devenus — pas plus d'ailleurs que leur magot, une vingtaine de mille francs qu'ils avaient réalisés, la veille, sur la vente de leur maison... Si je me rappelle ! Les époux Dedessuslamare !...

— Je vous remercie, monsieur le maire », dit Perenna, à qui le renseignement suffisait.

L'automobile était prête. Une minute plus tard, il filait sur Alençon, avec Mazeroux.

« Où allons-nous, patron ? demanda le brigadier.

— À la gare. J'ai tout lieu de croire : 1° que Gaston Sauverand a eu connaissance dès ce matin — comment ? nous le saurons un jour ou l'autre — a eu connaissance des révélations faites cette nuit par Mme Fauville, relativement au bonhomme Langernault ; 2° qu'il est venu rôder aujourd'hui autour du domaine et dans le domaine du bonhomme Langernault, pour des motifs que nous saurons également un jour ou l'autre. Or, je suppose qu'il est venu par le train et que c'est par le train qu'il s'en retourne. »

La supposition de Perenna reçut une confirmation immédiate. À la gare, on lui dit qu'un monsieur et une dame étaient arrivés de Paris à deux heures, qu'ils avaient loué un cabriolet à l'hôtel voisin, et que, leurs affaires finies, ils venaient de reprendre l'express de 7 h 40. Le signalement de ce monsieur et de cette dame correspondait exactement à celui de Sauverand et de Florence.

« En route, dit Perenna après avoir consulté l'horaire. Nous avons une heure de retard. Il est possible que nous soyons au Mans avant le bandit.

— Nous y serons, patron, et nous lui mettrons la main au collet, je vous le jure... à lui et à sa dame, puisqu'ils sont deux.

— Ils sont deux en effet. Seulement...

— Seulement... »

Don Luis attendit pour répondre qu'ils eussent pris place, et que le moteur fût lancé, et il prononça :

« Seulement, mon petit, tu laisseras la dame tranquille.

— Et pourquoi ça ?

— Sais-tu qui c'est ? As-tu un mandat contre elle ?

— Non.

— Alors, fiche-nous la paix !

— Cependant...

— Une parole de plus, Alexandre, et je te dépose sur le bord du chemin. Tu opéreras alors toutes les arrestations qui te plairont. »

Mazeroux ne souffla plus mot. D'ailleurs, la vitesse à laquelle ils marchèrent tout de suite ne lui laissa guère de loisir pour protester. Assez inquiet, il ne songeait qu'à scruter l'horizon et annoncer les obstacles.

De chaque côté, les arbres s'évanouissaient à peine entrevus. Au-dessus, leur feuillage faisait un bruit rythmé de vagues qui mugissent. Des bêtes de nuit s'affolaient dans la lumière des phares.

Mazeroux risqua :

« Nous arriverons tout de même. Inutile « d'en mettre davantage ».

L'allure augmenta. Il se tut.

Des villages, des plaines, des collines, et puis soudain, au milieu des ténèbres, la clarté d'une grande ville, le Mans.

« Tu sais où est la gare, Alexandre ?

— Oui, patron, à droite, et puis tout droit devant nous. »

Bien entendu, c'était à gauche qu'il eût fallu tourner. Ils perdirent sept à huit minutes à errer dans des rues où on leur donnait des renseignements contradictoires. Quand l'auto stoppa devant la station, le train sifflait.

Don Luis sauta de voiture, se rua dans les salles, trouva les portes closes, bouscula des employés qui voulaient le retenir, et parvint sur le quai.

Un train allait partir, deux voies plus loin. On fermait la dernière portière. Il courut le long des wagons en s'accrochant aux barres de cuivre.

« Votre billet, monsieur !... vous n'avez pas de billet !... » cria un employé d'un ton furieux...

Don Luis continuait sa voltige sur les marchepieds, lançant un coup d'œil à travers les vitres, repoussant les personnes dont la présence aux fenêtres le pouvait gêner, tout prêt à envahir le compartiment où se tenaient les deux complices.

Il ne les vit pas dans les dernières voitures. Le train s'ébranlait. Et, soudain, il jeta un cri. Ils étaient là, tous deux, seuls ! Il les avait vus ! Ils étaient là ! Florence, étendue sur la banquette, sa tête appuyée contre l'épaule de Gaston Sauverand, et celui-ci penché sur elle, ses deux bras autour de la jeune fille !

Fou de rage, il leva le loquet de cuivre et saisit la poignée.

Au même instant, il perdit l'équilibre, tiré par l'employé furieux et par Mazeroux, qui s'égosillait :

« Mais c'est de la folie, patron, vous allez vous faire écraser.

— Imbéciles ! hurla don Luis... ce sont eux... lâchez-moi donc... »

Les wagons défilaient. Il voulut sauter sur un autre marchepied. Mais les deux hommes se cramponnaient à lui. Des facteurs s'interposaient. Le chef de gare accourait. Le train s'éloigna.

« Idiots ! proféra-t-il... Butors ! Tas de brutes ! Vous ne pouviez pas me laisser ? Ah ! je vous jure, Dieu !... »

D'un coup de son poing gauche il abattit l'employé. D'un coup de son poing droit il renversa Mazeroux. Et, se débarrassant des facteurs et du chef de gare, il s'élança sur le quai jusqu'à la salle des bagages, où, en quelques bonds, il franchit plusieurs groupes de malles, de caisses et de valises.

« Ah ! la triple buse, mâchonna-t-il, en constatant que Mazeroux avait eu le soin d'éteindre le moteur de l'automobile... Quand il y a une bêtise à faire, il ne la rate pas. »

Si don Luis avait conduit sa voiture à belle vitesse dans la journée, ce soir-là ce fut vertigineux. Une véritable trombe traversa les faubourgs du Mans et se précipita sur les grandes routes. Il n'avait qu'une idée, qu'un but, arriver à la prochaine station, qui était Chartres, avant les deux complices, et sauter à la gorge de Sauverand. Il ne voyait que cela, l'étreinte sauvage qui ferait râler entre ses deux mains l'amant de Florence Levasseur.

« Son amant !... son amant !... grinçait-il. Eh ! parbleu, oui, comme ça, tout s'explique. Ils se sont ligués tous les deux contre leur complice, Marie-Anne Fauville, et c'est la malheureuse qui paiera seule l'effroyable série de crimes. Est-elle leur complice même ? Qui sait ! Qui sait si ce couple de démons n'est pas capable, après avoir tué l'ingénieur Fauville et son fils, d'avoir machiné la perte de Marie-Anne, dernier obstacle qui les séparait de l'héritage Mornington ? Pourquoi pas ? Est-ce que tout ne concorde pas avec cette hypothèse ? Est-ce que la liste des dates n'a pas été trouvée par moi dans un volume appartenant à Florence ? Est-ce que la réalité ne prouve pas que les lettres ont été communiquées par Florence ?... Ces lettres accusent aussi Gaston Sauverand ? Qu'importe ! Il n'aime plus Marie-Anne, mais Florence... Et Florence l'aime... Elle est sa complice, sa conseillère, celle qui vivra près de lui et qui jouira de sa fortune... Parfois, certes, elle affecte de défendre Marie-Anne... Cabotinage ! Ou peut-être remords, effarement à l'idée de tout ce qu'elle a fait contre sa rivale et du sort qui attend la malheureuse !... Mais elle aime Sauverand. Et elle continue la lutte sans pitié, sans repos. Et c'est pour cela qu'elle a voulu me tuer, moi, l'intrus, moi dont elle craignait la clairvoyance... Et elle m'exècre... et elle me hait... »

Dans le ronflement du moteur, dans le sifflement des arbres qui s'abattaient à leur rencontre, il murmurait des paroles incohérentes. Le souvenir des deux amants, tendrement enlacés, le faisait crier de jalousie. Il voulait se venger. Pour la première fois, l'envie, la volonté du meurtre, bouillonnait en son cerveau tumultueux.

« Nom d'un chien, gronda-t-il tout à coup, le moteur a des ratés. Mazeroux ! Mazeroux !

— Hein ! quoi ! patron, vous saviez donc que j'étais là, vociféra Mazeroux en jaillissant de l'ombre où il se tenait enfoui.

— Crétin ! t'imagines-tu que le premier imbécile venu puisse s'accrocher au marchepied de ma voiture sans que je m'en aperçoive ? Tu dois être à ton aise là-dessus.

— À la torture, et je grelotte.

— Tant mieux, ça t'apprendra. Dis donc, où as-tu acheté ton essence ?

— Chez l'épicier.

— Un voleur. C'est de la saleté. Les bougies s'encrassent.

— Vous êtes sûr ?

— Et les ratés, tu ne les entends pas, idiot ? »

L'auto semblait hésiter, en effet, par moments. Puis tout redevint normal. Don Luis força l'allure. En descendant les côtes, ils avaient l'air de se jeter dans des abîmes. Un des phares s'éteignit. L'autre n'avait pas sa clarté coutumière. Mais rien ne diminuait l'ardeur de don Luis.

Il y eut encore des ratés, une nouvelle hésitation, puis des efforts, comme si le moteur s'acharnait courageusement à faire son devoir. Et puis ce fut, brusquement, l'impuissance définitive, l'arrêt le long de la route, la panne stupide.

« Nom de Dieu ! hurla don Luis, nous y sommes. Ah ! ça, c'est le comble !

— Voyons, patron. On va réparer. Et l'on cueillera le Sauverand à Paris au lieu de Chartres, voilà tout.

— Triple imbécile ! Il y en a pour une heure ! et puis après, ça recommencera. Ce n'est pas de l'essence qu'on t'a collé, c'est de la crasse. »

Autour d'eux la campagne s'étendait à l'infini, sans autre lumière que les étoiles qui criblaient les ténèbres du ciel.

Don Luis piétinait de rage. Il eût voulu casser l'auto à coups de pied. Il eût voulu...

C'est Mazeroux qui « encaissa », selon l'expression du malheureux brigadier. Don Luis l'empoigna aux épaules, le secoua, l'agonit d'injures et de sottises, et, finalement, le renversant contre le talus, lui dit, d'une voix entrecoupée, tour à tour haineuse et douloureuse :

« C'est elle, tu entends, Mazeroux, c'est la compagne de Sauverand qui a tout fait. Je te le dis tout de suite, parce que j'ai peur de faiblir... Oui, je suis lâche... Elle a un visage si grave... et des yeux d'enfant. Mais c'est elle, Mazeroux... Elle habite chez moi... Rappelle-toi son nom, Florence Levasseur... Tu l'arrêteras, n'est-ce pas ? Moi, je ne pourrais pas... Je n'ai pas de courage quand je la regarde. C'est que jamais je n'ai aimé... Les autres femmes... les autres femmes... non, c'étaient des caprices... même pas... je ne me souviens même pas du passé !... Tandis que Florence... Il faut l'arrêter, Mazeroux... Il faut me délivrer de ses yeux... Ils me brûlent... C'est du poison. Si tu ne me délivres pas, je la tuerai comme Dolorès... ou bien on me tuera... ou bien... Oh ! je ne sais pas toutes les idées qui me déchirent... C'est qu'il y a un autre homme... il y a Sauverand qu'elle aime... Ah ! les misérables... Ils ont tué Fauville, et l'enfant, et le vieux Langernault, et les deux autres dans la grange... et d'autres, Cosmo Mornington, Vérot, et d'autres encore... Ce sont des monstres... Elle surtout... Et si tu voyais ses yeux... »

Il parlait si bas que Mazeroux l'entendait à peine. Son étreinte s'était desserrée, et il semblait terrassé par un désespoir, qui surprenait chez cet homme si prodigieux d'énergie et de maîtrise.

« Allons, patron, dit le brigadier en le relevant, tout ça c'est du chichi... Des histoires de femme... Je connais ça... J'y ai passé comme tout un chacun... Mme Mazeroux... Mon Dieu, oui, pendant votre absence, je me suis marié. Eh bien, Mme Mazeroux n'a pas été ce qu'elle aurait dû être. J'ai beaucoup souffert... Mme Mazeroux... Mais je vous raconterai cela, patron, et comment Mme Mazeroux m'a récompensé. »

Il l'amenait tout doucement vers la voiture et l'installait sur la banquette du fond.

« Reposez-vous, patron... La nuit n'est pas trop froide, et les fourrures ne manquent pas... Le premier paysan qui passe, au petit matin, je l'envoie chercher ce qu'il nous faut à la ville voisine... et des provisions aussi, car je meurs de faim. Et tout s'arrangera... Tout s'arrange avec les femmes... Il suffit de les ficher à la porte de sa vie... à moins qu'elles ne prennent les devants elles-mêmes... Ainsi Mme Mazeroux... »

Don Luis ne devait jamais savoir ce que Mme Mazeroux était devenue. Les crises les plus violentes n'avaient pas le moindre retentissement sur la paix de son sommeil. Il s'endormit presque aussitôt.

Il était tard le lendemain quand il se réveilla. À sept heures du matin seulement, Mazeroux avait pu héler un cycliste qui filait vers Chartres.

À neuf heures il partait.

Don Luis avait repris tout son sang-froid. Il dit au brigadier :

« J'ai lâché des tas de sottises cette nuit. Je ne les regrette pas. Non, mon devoir est de tout faire pour sauver Mme Fauville, et pour atteindre la vraie coupable. Seulement c'est à moi que cette tâche-là incombe, et je te jure que je n'y faillirai pas. Ce soir Florence Levasseur couchera au Dépôt.

— Je vous y aiderai, patron, répondit Mazeroux, d'une voix singulière.

— Je n'ai besoin de personne. Si tu touches à un seul cheveu de sa tête, je te démolis. C'est convenu ?

— Oui, patron.

— Donc, tiens-toi tranquille. »

Sa colère revenait peu à peu et se traduisait par une accélération de vitesse, qui semblait à Mazeroux une vengeance exercée contre lui. On brûla le pavé de Chartres. Rambouillet, Chevreuse, Versailles eurent la vision effrayante d'un bolide qui les traversait de part en part.

Saint-Cloud. Le bois de Boulogne...

Sur la place de la Concorde, comme l'auto se dirigeait vers les Tuileries, Mazeroux objecta :

« Vous ne rentrez pas chez vous, patron ?

— Non. D'abord, le plus pressé : il faut soustraire Marie-Anne Fauville à son obsession de suicide en lui faisant dire qu'on a découvert les coupables...

— Et alors ?

— Alors, je veux voir le préfet de police.

— M. Desmalions est absent et ne rentre que cet après-midi.

— En ce cas, le juge d'instruction.

— Il n'arrivera au Palais qu'à midi, et il est onze heures.

— Nous verrons bien. »

Mazeroux avait raison. Il n'y avait personne au Palais de Justice.

Don Luis déjeuna aux environs et Mazeroux, après avoir passé à la Sûreté, vint le rechercher et le conduisit dans le couloir des juges. Son agitation, son inquiétude extraordinaire ne pouvaient échapper à Mazeroux qui lui demanda :

« Vous êtes toujours décidé, patron ?

— Plus que jamais. En déjeunant, j'ai lu les journaux. Marie-Anne Fauville, que l'on avait envoyée à l'infirmerie à la suite de sa seconde tentative, a encore essayé de se casser la tête contre les murs de la chambre. On lui a mis la camisole de force. Mais elle refuse toute nourriture. Mon devoir est de la sauver.

— Comment ?

— En livrant la vraie coupable. J'avertis le juge d'instruction, et, ce soir, je vous amène Florence Levasseur, morte ou vive.

— Et Sauverand ?

— Sauverand ! ça ne tardera pas. À moins...

— À moins ?

— À moins que je ne l'exécute moi-même, le forban.

— Patron !

— La barbe ! »

Il y avait près d'eux des journalistes qui venaient aux informations. On le reconnut. Il leur dit :

« Vous pouvez annoncer, messieurs, que, à partir d'aujourd'hui, je prends la défense de Marie-Anne Fauville et me consacre entièrement à sa cause. »

On se récria. N'était-ce pas lui qui avait fait arrêter Mme Fauville ? N'était-ce pas lui qui avait réuni contre elle un faisceau de preuves irrécusables ?

« Ces preuves, dit-il, je les détruirai une à une. Marie-Anne Fauville est la victime de misérables qui ont ourdi contre elle la plus diabolique des machinations, et que je suis sur le point de livrer à la justice.

— Mais les dents ? l'empreinte des dents ?

— Coïncidence ! Coïncidence inouïe, mais qui m'apparaît aujourd'hui comme la preuve d'innocence la plus forte. Je mets en fait que, si Marie-Anne Fauville avait été assez habile pour commettre tous ces crimes, elle l'eût été également pour ne pas laisser derrière elle un fruit marqué par la double marque de ses dents.

— Néanmoins...

— Elle est innocente ! Et c'est cela que je vais dire au juge d'instruction. Il faut qu'on la prévienne des efforts tentés en sa faveur. Il faut qu'on lui donne tout de suite de l'espoir. Sinon, la malheureuse se tuera, et sa mort pèsera sur tous ceux qui auront accusé une innocente. Il faut... »

À ce moment, il s'interrompit. Ses yeux s'étaient fixés sur un des journalistes qui, un peu à l'écart, l'écoutait en prenant des notes...

Il dit tout bas à Mazeroux :

« Est-ce que tu pourrais savoir le nom de ce type-là ? Je ne sais où diable je l'ai rencontré. »

Mais un huissier avait ouvert la porte du juge d'instruction, lequel, sur la présentation de la carte de Perenna, désirait le voir aussitôt.

Il s'avança donc, et il allait entrer dans le bureau ainsi que Mazeroux, lorsqu'il se retourna brusquement vers son compagnon avec un cri de fureur :

« C'est lui ! C'est Sauverand qui était là, camouflé. Arrêtez-le ! Il vient de se défiler. Mais courez donc ! »

Lui-même il s'élança, suivi de Mazeroux, des gardes et des journalistes. Il ne tarda pas, du reste, à les distancer tous, de telle façon que, trois minutes après, il n'entendit plus personne derrière lui. Il avait dégringolé l'escalier de la Souricière et franchi le souterrain qui fait passer d'une cour à l'autre. Là, deux personnes lui affirmèrent avoir rencontré un homme qui marchait à vive allure.

La piste était fausse. Il s'en rendit compte, chercha, perdit du temps, et réussit à établir que Sauverand s'était enfui par le boulevard du Palais et qu'il avait rejoint, sur le quai de l'Horloge, une femme blonde, très jolie, Florence Levasseur, évidemment... Tous deux étaient montés dans l'autobus qui va de la place Saint-Michel à la gare Saint-Lazare.

Don Luis revint vers une petite rue isolée où il avait laissé son automobile, sous la surveillance d'un gamin. Il mit le moteur en mouvement, et, à toute vitesse, gagna la gare Saint-Lazare. Du bureau de l'autobus, il partit sur une nouvelle piste, qui se trouva mauvaise, perdit encore plus d'une heure, revint à la gare et finit par acquérir la certitude que Florence était montée seule dans un autobus qui l'emmenait vers la place du Palais-Bourbon. Ainsi donc, et contre toute attente, la jeune fille devait être rentrée.

L'idée de la revoir surexcita sa colère. Tout en suivant la rue Royale et en traversant la place de la Concorde, il bredouillait des paroles de vengeance et des menaces, qu'il avait hâte de mettre à exécution. Et il outrageait Florence. Et il la cinglait de ses injures. Et c'était un besoin, âpre et douloureux, de faire du mal à la vilaine créature.

Mais, arrivé à la place du Palais-Bourbon, il s'arrêta net. D'un coup, son œil exercé avait compté, de droite et de gauche, une demi-douzaine d'individus dont il était impossible de méconnaître les allures professionnelles. Et Mazeroux, qui l'avait aperçu, venait de pivoter sur lui-même et se dissimulait sous une porte cochère.

Il l'appela :

« Mazeroux ! »

Le brigadier parut très surpris d'entendre son nom et s'approcha de la voiture.

« Tiens, le patron ! »

Sa figure exprimait une telle gêne que don Luis sentit ses craintes se préciser.

« Dis donc, ce n'est pas pour moi que tes hommes et toi faites le pied de grue devant mon hôtel ?

— En voilà une idée, patron ! répondit Mazeroux d'un air embarrassé. Vous savez bien que vous êtes en faveur, vous. »

Don Luis sursauta. Il comprenait. Mazeroux l'avait trahi. Autant pour obéir aux scrupules de sa conscience que pour soustraire le patron aux dangers d'une passion funeste, Mazeroux avait dénoncé Florence Levasseur.

Il crispa les poings, dans un effort de tout son être, pour étouffer la rage qui bouillonnait en lui. Le coup était terrible. Il avait l'intuition subite de toutes les fautes auxquelles la démence de la jalousie l'avait entraîné depuis la veille, et le pressentiment de ce qui pouvait en résulter d'irréparable. La direction des événements lui échappait.

« Tu as le mandat ? » dit-il.

Mazeroux balbutia :

« C'est bien par hasard... J'ai rencontré le préfet qui était de retour... On s'est expliqué sur cette affaire de la demoiselle. Et, voilà justement que l'on avait découvert que cette photographie..., vous savez la photographie de Florence Levasseur que le préfet vous avait confiée ?... Eh bien, on a découvert que vous l'aviez maquillée. Alors, quand j'ai dit le nom de Florence, le préfet s'est souvenu que c'était ce nom-là.

— Tu as le mandat ? répéta don Luis d'un ton plus âpre.

— Dame... n'est-ce pas ?... il a bien fallu... M. Desmalions... le juge... »

Si la place du Palais-Bourbon avait été déserte, don Luis se fût certainement soulagé sur le menton de Mazeroux d'un swing envoyé selon les règles de l'art. D'ailleurs, Mazeroux prévoyait cette éventualité, car il se tenait prudemment aussi loin que possible, et, pour apaiser le courroux du patron, débitait toute une kyrielle d'excuses.

« C'est pour votre bien, patron... Il le fallait... Pensez donc ! Vous me l'aviez ordonné : "Débarrasse-moi de cette créature. Moi, je suis trop lâche... Tu l'arrêteras, n'est-ce pas ? Ses yeux me brûlent... C'est du poison..." Alors, patron, pouvais-je faire autrement ? Non, n'est-ce pas ? D'autant plus que le sous-chef Weber...

— Ah ! Weber est au courant ?...

— Dame ! oui. Le préfet se défie un peu de vous, maintenant que le maquillage du portrait est connu... Alors, Weber va rappliquer, dans une heure peut-être, avec du renfort. Je disais donc que le sous-chef venait d'apprendre que la femme qui allait chez Gaston Sauverand, à Neuilly, vous savez, dans la maison du boulevard Richard-Wallace, était blonde, très jolie, et qu'elle s'appelait Florence. Elle y restait même quelquefois la nuit.

— Tu mens ! Tu mens ! » grinça Perenna.

Toute sa haine remontait en lui. Il avait poursuivi Florence avec des intentions qu'il n'aurait pu formuler. Et voilà, tout à coup, qu'il voulait la perdre de nouveau, et consciemment, cette fois. En réalité, il ne savait plus ce qu'il faisait. Il agissait au hasard, tour à tour ballotté par les passions les plus diverses, en proie à cet amour désordonné qui nous pousse aussi bien à égorger l'être que nous aimons qu'à mourir pour son salut.

Un camelot passa, qui vendait une édition spéciale du journal de Midi, où il put lire, en gros caractères :

Déclaration de don Luis Perenna. Mme Fauville serait innocente. — Arrestation imminente des coupables.

« Oui, oui, fit-il à haute voix. Le drame touche à sa fin. Florence va payer sa dette. Tant pis pour elle. »

Il remit sa voiture en marche et franchit le seuil de la grand'porte. Dans la cour, il dit à son chauffeur qui se présentait :

« Faites tourner l'auto et ne la remisez pas. Je peux repartir d'un moment à l'autre. »

Il sauta du siège et, interpellant le maître d'hôtel :

« Mlle Levasseur est ici ?

— Oui, monsieur, dans son appartement.

— Elle s'est absentée hier, n'est-ce pas ?

— Oui, monsieur, au reçu d'une dépêche qui la demandait en province, auprès d'un parent malade. Elle est revenue cette nuit.

— J'ai à lui parler. Envoyez-la-moi. Je l'attends.

— Dans le cabinet de travail de monsieur ?

— Non, en haut, dans le boudoir, auprès de ma chambre. »

C'était une petite pièce du deuxième étage, jadis boudoir de femme, et qu'il préférait à son cabinet de travail depuis les tentatives de meurtre dont il avait été l'objet. Il était plus tranquille, plus à l'écart, et il y cachait ses papiers importants. La clef ne le quittait pas, une clef spéciale, à triple rainure et à ressort intérieur.

Mazeroux l'avait suivi dans la cour et s'attachait à ses pas, sans que Perenna, jusqu'ici, parût s'en rendre compte. Il prit le brigadier par le bras et l'entraîna vers le perron.

« Tout va bien. Je redoutais que Florence, soupçonnant quelque chose, ne fût pas rentrée. Mais, sans doute, ne pense-t-elle point que je l'ai vue hier. Maintenant, elle ne peut nous échapper. »

Ils traversèrent le vestibule, puis montèrent au premier étage. Mazeroux se frotta les mains.

« Vous voilà donc raisonnable, patron ?

— En tout cas, me voilà résolu. Je ne veux pas, tu entends, je ne veux pas que Mme Fauville se tue, et, puisqu'il n'y a qu'un seul moyen d'empêcher cette catastrophe, je sacrifie Florence.

— Sans chagrin ?

— Sans remords.

— Donc, vous me pardonnez ?

— Je te remercie. »

Nettement, puissamment, il lui appliqua son poing sous le menton.

Sans un gémissement, Mazeroux tomba, évanoui, sur les marches du second étage.

Il y avait, au milieu de l'escalier, un réduit obscur qui servait de débarras, et où les domestiques rangeaient les ustensiles de ménage et le linge sale. Don Luis y porta Mazeroux et, l'ayant assis confortablement par terre, le dos appuyé à un coffre, il lui enfonça son mouchoir dans la bouche, le bâillonna avec une serviette, et lui lia les chevilles et les poignets avec deux nappes, dont les autres bouts furent fixés à des clous solides.

Comme Mazeroux sortait de son engourdissement, il lui dit :

« Je crois que tu as tout ce qu'il faut... nappes... serviettes..., une poire dans la bouche pour apaiser ta faim. Mange tranquillement. Par là-dessus, une petite sieste, et tu seras frais comme une rose. »

Il l'enferma, puis, consultant sa montre :

« J'ai une heure devant moi. C'est parfait. »

À cette minute, son intention était celle-ci : injurier Florence, lui cracher à la figure toutes ses infamies et tous ses crimes, et, par là même, obtenir d'elle des aveux écrits et signés. Après, le salut de Marie-Anne étant assuré, il verrait. Peut-être jetterait-il Florence au fond de son auto, et l'emporterait-il vers quelque refuge où, la jeune fille lui servant d'otage, il pèserait sur la justice. Peut-être... Mais, il ne cherchait pas à prévoir les événements. Ce qu'il voulait, c'était l'explication immédiate, violente.

Il avait couru jusqu'à sa chambre, au second étage. Il s'y plongea la figure dans l'eau froide. Jamais il n'avait éprouvé une pareille excitation de tout son être, un pareil déchaînement de ses instincts aveugles.

« C'est elle ! Je l'entends ! balbutia-t-il... Elle est au bas de l'escalier. Enfin ! quelle volupté de la tenir devant moi ! Face à face ! tous deux seuls ! »

Il était revenu sur le palier, devant le boudoir. Il tira la clef de sa poche. La porte s'ouvrit.

Il poussa un cri terrible.

Gaston Sauverand était là.

Dans la chambre close, debout, les bras croisés, Gaston Sauverand l'attendait.

CHAPITRE IX

SAUVERAND S'EXPLIQUE

Gaston Sauverand !

Instinctivement, don Luis recula et sortit son revolver, qu'il braqua sur le bandit.

« Haut les mains, ordonna-t-il... haut les mains, ou je fais feu ! »

Sauverand ne parut pas se troubler. D'un signe de tête, il montra deux revolvers qu'il avait déposés sur une table, hors de sa portée, et il dit :

« Voici mes armes. Je ne viens pas ici pour combattre, mais pour causer.

— Comment êtes-vous entré ? proféra don Luis, que ce calme exaspérait. Une fausse clef, n'est-ce pas ? Mais, cette fausse clef, comment avez-vous pu... et par quel moyen ? »

L'autre ne répondait pas. Don Luis frappa du pied.

« Parlez donc ! Parlez ! Sinon... »

Mais Florence accourait. Elle passa près de lui sans qu'il essayât de la retenir et se jeta sur Gaston Sauverand, à qui elle dit, indifférente à la présence de Perenna :

« Pourquoi êtes-vous venu ? Vous m'aviez promis de ne pas venir... Vous me l'aviez juré... Allez-vous-en. »

Sauverand se dégagea et la contraignit à s'asseoir.

« Laisse-moi faire, Florence. Ma promesse n'avait d'autre but que de te rassurer. Laisse-moi faire.

— Mais non, mais non, protesta la jeune fille avec ardeur. Mais non ! c'est de la folie. Je vous défends de dire un seul mot... Oh ! je vous en supplie, ne tentez pas cela ! »

Lentement, il lui caressa le front, écartant les cheveux d'or, un peu incliné vers elle.

« Laisse-moi faire, Florence », répéta-t-il tout bas.

Elle se tut, comme désarmée par la douceur de cette voix, et il prononça d'autres paroles que don Luis ne put entendre et qui semblèrent la convaincre.

En face d'eux, Perenna n'avait pas bougé.

Le bras tendu, le doigt sur la détente, il visait l'ennemi.

Lorsque Sauverand tutoya Florence, des pieds à la tête, il tressaillit, et son doigt se crispa. Par quel prodige ne tira-t-il pas ? Par quel effort suprême de volonté put-il étouffer la haine jalouse qui le brûla comme une flamme ? Et voilà que Sauverand avait l'audace de caresser les cheveux de Florence !

Il baissa le bras. Plus tard, il les tuerait, plus tard, il ferait d'eux ce que bon lui semblerait, puisqu'ils étaient en son pouvoir, et que rien, désormais, ne pouvait les soustraire à sa vengeance.

Il saisit les deux revolvers de Sauverand et les plaça dans un tiroir. Puis il revint vers la porte, avec l'intention de la fermer. Mais, entendant du bruit au palier du premier étage, il approcha de la rampe. C'était le maître d'hôtel qui montait, un plateau à la main.

« Qu'y a t il encore ?

— Une lettre urgente, monsieur, qu'on vient d'apporter pour M. Mazeroux.

— M. Mazeroux est avec moi. Donnez. Et qu'on ne me dérange plus. »

Il déchira l'enveloppe. La lettre, écrite au crayon, hâtivement, et signée par un des inspecteurs qui cernaient l'hôtel, contenait ces mots :

« Attention, brigadier, Gaston Sauverand est dans la maison. D'après deux personnes qui demeurent en face, la jeune fille, que l'on connaît dans le quartier comme l'intendante de l'hôtel, est entrée, il y a une heure et demie, avant que nous ne prenions notre faction. On l'a vue, ensuite, à la fenêtre du pavillon qu'elle occupe. Et puis, quelques instants plus tard, une petite porte basse, qui doit être employée pour le service de la cave, et qui est située sous ce pavillon, a été entrouverte, par elle, évidemment. Presque aussitôt, un homme a débouché sur la place, a longé les murs, et s'est glissé dans la cave. Pas d'erreur. D'après le signalement, c'est Gaston Sauverand. Donc, attention, brigadier. À la moindre alerte, au premier signal de vous, nous entrons. »

Don Luis réfléchit. Il comprenait, maintenant, comment le bandit avait accès chez lui et comment il pouvait impunément, caché dans la retraite la plus sûre, échapper à toutes les recherches. Lui, Perenna, il habitait chez celui-là même qui s'était déclaré son plus terrible adversaire.

« Allons, se dit-il, le bonhomme est réglé... et sa demoiselle aussi. Les balles de mon revolver ou les menottes de la police, c'est à leur choix. »

Il ne songeait même plus à son auto, toute prête en bas. Il ne songeait plus à la fuite de Florence. S'il ne les tuait pas l'un et l'autre, la justice mettrait sur eux sa main qui ne relâche pas. Aussi bien, il valait mieux qu'il en fût ainsi, et que la société punît elle-même les deux coupables qu'il allait lui offrir.

Il referma la porte, poussa le verrou, se remit en face de ses deux captifs, et prenant une chaise, dit à Sauverand :

« Causons. »

La pièce où ils se trouvaient, étant de dimensions restreintes, les rapprochait les uns des autres, de telle sorte que don Luis avait la sensation de toucher presque à cet homme qu'il exécrait jusqu'au plus profond de son âme.

Un mètre à peine séparait leurs deux chaises. Une table longue, couverte de livres, se dressait entre eux et la fenêtre, dont l'embrasure, percée à travers le mur très épais, formait un recoin comme dans les vieilles demeures.

Florence avait un peu tourné son fauteuil, et don Luis discernait mal son visage, que la lumière n'éclairait pas. Mais il voyait en plein celui de Gaston Sauverand, et il l'observait avec une curiosité ardente et une colère qui s'avivait au spectacle des traits, jeunes encore, de la bouche expressive, des yeux intelligents et beaux malgré la dureté du regard.

« Eh bien, quoi, parlez ! fit don Luis d'un ton impérieux. J'ai accepté une trêve entre nous, mais une trêve momentanée, le temps de dire les paroles nécessaires. Avez-vous peur, maintenant ? Regrettez-vous votre démarche ? »

L'homme eut un calme sourire et prononça :

« Je n'ai peur de rien, et je ne regrette pas d'être venu, car j'ai le pressentiment très net que nous pouvons, que nous devons nous entendre.

— Nous entendre ! protesta don Luis avec un haut-le-corps.

— Pourquoi pas ?

— Un pacte ! un pacte d'alliance entre vous et moi !

— Pourquoi pas, c'est une idée que j'ai eue déjà plusieurs fois, qui s'est précisée tout à l'heure dans le couloir de l'instruction, et qui m'a conquis définitivement lorsque j'ai lu la reproduction de votre note dans l'édition spéciale de ce journal :

Déclaration sensationnelle de don Luis Perenna, Madame Fauville serait innocente...

Gaston Sauverand se leva de sa chaise à moitié, et, martelant ses paroles, les scandant de gestes secs, il murmura :

« Tout est là, monsieur, dans ces quatre mots : *Madame Fauville est innocente*. Ces quatre mots, que vous avez écrits, que vous avez prononcés publiquement et solennellement, sont-ils l'expression même de votre pensée ? Croyez-vous, maintenant, et de toute votre foi, à l'innocence de Marie-Anne Fauville ? »

Don Luis haussa les épaules.

« Eh ! mon Dieu, l'innocence de Mme Fauville n'a rien à faire ici. Il ne s'agit pas d'elle, mais de vous, de vous deux et de moi. Donc droit au but, et le plus vite possible. C'est votre intérêt, plus encore que le mien.

— Notre intérêt ? »

Don Luis s'écria :

« Vous oubliez le troisième sous-titre de l'article... Je n'ai pas proclamé seulement l'innocence de Marie-Anne Fauville. J'ai aussi annoncé... lisez donc :

Arrestation imminente des coupables. »

Sauverand et Florence se levèrent ensemble, d'un même mouvement irréfléchi.

« Et pour vous... les coupables ? demanda Sauverand.

— Dame ! vous les connaissez comme moi. C'est l'homme à la canne d'ébène, qui, tout au moins, ne peut nier le meurtre de l'inspecteur principal Ancenis. Et c'est la complice de tous ses crimes. L'un et l'autre doivent se rappeler leurs tentatives d'assassinat contre moi, le coup de revolver sur le boulevard Suchet, le sabotage de mon automobile suivi de la mort de mon chauffeur... et, hier encore, dans la grange, là-bas, vous savez, la grange où il y a deux squelettes pendus... hier encore, rappelez-vous, la faux, la faux implacable qui fut sur le point de me décapiter.

— Et alors ?

— Alors, dame ! la partie est perdue. Il faut payer sa dette, et il le faut d'autant plus que vous vous êtes jetés stupidement dans la gueule du loup.

— Je ne comprends pas. Qu'est-ce que tout cela veut dire ?

— Cela veut dire simplement que l'on connaît Florence Levasseur, que l'on connaît votre présence ici, que l'hôtel est cerné, et que le sous-chef Weber va venir. »

Sauverand sembla déconcerté par cette menace imprévue. Près de lui, Florence était livide. Une angoisse folle la défigurait. Elle balbutia :

« Oh ! c'est terrible !... non, non, je ne veux pas ! »

Et, se précipitant sur don Luis :

« Lâche ! Lâche ! c'est vous qui nous livrez ! Lâche ! Ah ! je savais bien que vous étiez capable de toutes les trahisons ! Vous êtes là, comme un bourreau... Ah ! quelle infamie ! Quelle lâcheté ! »

Épuisée, elle tomba assise. Elle sanglotait, une de ses mains contre son visage.

Don Luis se détourna. Chose bizarre, il n'éprouvait aucune pitié, et les larmes de la jeune fille, de même que ses injures, ne le remuaient pas plus que s'il n'eût jamais aimé Florence. Il fut heureux de cette libération. L'horreur qu'elle lui inspirait avait tué tout amour.

Mais, étant revenu devant eux après avoir fait quelques pas à travers la pièce, il s'aperçut qu'ils se tenaient par la main, comme deux amis en détresse qui se soutiennent, et, repris d'un brusque mouvement de haine, subitement hors de lui, il empoigna le bras de l'homme.

« Je vous défends... De quel droit ?... Est-ce votre femme ? votre maîtresse ? Alors, n'est-ce pas ?... »

Sa voix s'embarrassait. Lui-même sentait l'étrangeté de cet accès furieux, où se révélait soudain, dans toute sa force et dans tout son aveuglement, une passion qu'il croyait à jamais éteinte. Et il rougit, car Gaston Sauverand le regardait avec stupeur, et il ne douta pas que l'ennemi n'eût percé son secret.

Un long silence suivit, durant lequel il rencontra les yeux de Florence, des yeux hostiles, pleins de révolte et de dédain. Avait-elle deviné, elle aussi ?

Il n'osa plus dire un seul mot. Il attendit l'explication de Sauverand.

Et, dans cette attente, ne songeant ni aux révélations qui allaient se produire, ni aux problèmes redoutables dont il allait enfin connaître la solution, ni aux événements tragiques qui se préparaient, il pensait uniquement, et avec quelle fièvre ! avec quelle palpitation de tout son être ! à ce qu'il était sur le point de savoir sur Florence, sur les sentiments de la jeune fille, sur son passé, sur son amour pour Sauverand. Cela seul l'intéressait.

« Soit, dit Sauverand. Je suis pris. Que le destin s'accomplisse ! Cependant, puis-je vous parler ? Je n'ai plus maintenant d'autre désir que celui-là.

— Parlez, répondit-il. Cette porte est close. Je ne l'ouvrirai que quand il me plaira. Parlez.

— Je le ferai brièvement, dit Gaston Sauverand ; d'ailleurs, ce que je sais est peu de chose. Je ne vous demande pas de le croire, mais d'écouter comme s'il était possible que je pusse dire la vérité, l'entière vérité. »

Et il s'exprima en ces termes :

« Je n'avais jamais rencontré Hippolyte Fauville et Marie-Anne, avec qui, cependant, j'étais en correspondance — vous vous rappelez que nous sommes cousins — lorsque le hasard nous mit en présence, il y a quelques années, à Palerme, où ils passaient l'hiver pendant que l'on construisait leur nouvel hôtel du boulevard Suchet. Nous vécûmes cinq mois ensemble, nous voyant chaque jour. Hippolyte et Marie-Anne ne s'entendaient pas très bien. Un soir, à la suite de querelles plus violentes, je la surpris qui pleurait. Bouleversé par ses larmes, je ne pus retenir mon secret. Depuis le premier instant de notre rencontre, j'aimais Marie-Anne... Je devais l'aimer toujours, et de plus en plus.

— Vous mentez ! s'écria don Luis, incapable de se contenir. Hier, dans le train qui vous ramenait d'Alençon, je vous ai vus tous les deux... »

Gaston Sauverand observa Florence. Elle se taisait, les poings à la figure, ses coudes sur les genoux. Sans répondre à l'exclamation de don Luis, il continua :

« Marie-Anne, elle aussi, m'aimait. Elle me l'avoua, mais en me faisant jurer que je n'essaierais jamais d'obtenir d'elle plus que ne doit accorder l'amitié la plus pure. Je tins mon serment. Nous eûmes alors quelques semaines de bonheur incomparable. Hippolyte Fauville, qui s'était amouraché d'une chanteuse de concert public, faisait de longues absences. Je m'occupais beaucoup de l'éducation physique du petit Edmond, dont la santé laissait à désirer. Et nous avions, en outre, auprès de nous, entre nous, la meilleure amie, la conseillère dévouée, affectueuse, qui pansait nos blessures, soutenait notre courage, ranimait notre joie, et qui prêtait à notre amour quelque chose de sa force et de sa noblesse : Florence était là. »

Don Luis sentit battre son cœur plus hâtivement. Non pas qu'il attachât le moindre crédit aux paroles que débitait Gaston Sauverand. Mais, à travers ces paroles, il espérait bien pénétrer au cœur même de la réalité. Peut-être aussi subissait-il, sans le savoir, l'influence de Gaston Sauverand, dont l'apparente franchise et l'intonation sincère lui causaient un certain étonnement.

Sauverand reprit :

« Quinze années plus tôt, mon frère, Raoul Sauverand, recueillait, à Buenos Aires, où il s'était établi, une orpheline, la petite fille d'un ménage de ses amis. À sa mort, il confia l'enfant — elle avait alors quatorze ans —, à une vieille bonne qui m'avait élevé, et qui avait suivi mon frère dans l'Amérique du Sud. La vieille bonne m'amena l'enfant et mourut elle-même d'un accident, quelques jours après son arrivée en France.

« Je conduisis la petite en Italie, chez des amis, où elle travailla et devint... ce qu'elle est. Voulant vivre par ses propres moyens, elle accepta une place d'institutrice dans une famille. Plus tard, je la recommandai à mes cousins Fauville, auprès de qui je la retrouvai à Palerme, gouvernante du petit Edmond, qui l'adorait, et surtout amie, amie dévouée et chérie de Marie-Anne Fauville.

« Elle fut la mienne aussi, à cette heureuse époque, si rayonnante et si courte, hélas ! Notre bonheur, en effet, notre bonheur à tous trois allait sombrer de la façon la plus brusque et la plus stupide. Chaque soir, j'écrivais sur un journal intime la vie quotidienne de mon amour, vie sans événements, sans espérance et sans avenir, mais combien ardente, et combien resplendissante ! Marie-Anne y était exaltée comme une déesse. Agenouillé pour écrire, je traçais les litanies de sa beauté, et j'inventais aussi, pauvre revanche de mon imagination, des scènes illusoires où elle me disait les mots qu'elle aurait pu me dire, et me promettait toutes les joies auxquelles nous avions volontairement renoncé.

« Ce journal, Hippolyte Fauville le trouva. Par quel hasard prodigieux, par quelle méchanceté sournoise du destin, je ne sais, mais il le trouva.

« Sa colère fut terrible. Il voulait d'abord chasser Marie-Anne. Mais, devant l'attitude de sa femme, devant les preuves qu'elle lui donna de son innocence, devant la volonté inflexible qu'elle manifesta de ne pas divorcer et la promesse qu'elle lui fit de ne jamais me revoir, il se calma.

« Moi, je partis, la mort dans l'âme. Florence, renvoyée, partit également. Jamais plus, vous entendez, jamais plus depuis cette heure fatale, je n'échangeai une seule parole avec Marie-Anne. Mais un amour indestructible nous unissait. Ni la séparation, ni le temps n'en devait atténuer la puissance. »

Il s'arrêta un moment, comme pour lire sur le visage de don Luis l'effet que provoquait son récit. Don Luis ne cachait pas son attention anxieuse. Ce qui l'étonnait le plus, c'était le calme inouï de Gaston Sauverand, l'expression tranquille de ses yeux, l'aisance avec laquelle il exposait, sans hâte, presque lentement, et d'une manière si simple, l'histoire de ce drame intime.

« Quel comédien ! » pensa-t-il.

Et, en même temps qu'il pensait cela, il se rappelait que Marie-Anne Fauville lui avait donné la même impression. Devait-il donc revenir à sa conviction première et croire Marie-Anne coupable, comédienne comme son complice, et comédienne comme Florence ? ou bien devait-il attribuer à cet homme une certaine loyauté ?

« Et ensuite ? » dit-il.

Sauverand continua :

« Et ensuite, je fus mobilisé dans une ville du centre.

— Et Mme Fauville ?

— Elle habitait à Paris, dans sa nouvelle maison, il n'était plus question du passé entre elle et son mari.

— Comment le savez-vous ? Elle vous écrivait ?

— Non. Marie-Anne est une femme qui ne transige pas avec le devoir, et sa conception du devoir est rigide à l'excès. Jamais elle ne m'écrivit. Mais Florence, qui avait accepté ici, chez le baron Malonesco, votre prédécesseur, une place de secrétaire et de lectrice, Florence recevait souvent dans son pavillon la visite de Marie-Anne. Pas une fois elles ne parlèrent de moi, n'est-ce pas, Florence ? Marie-Anne ne l'eût pas permis. Mais toute sa vie et toute son âme, n'est-ce pas, Florence ? n'étaient qu'amour et que souvenir passionné. À la fin, las d'être si loin d'elle, et démobilisé d'ailleurs, je revins à Paris. Ce fut notre perte.

« Il y a de cela un an environ. Je louai un appartement avenue du Roule, et j'y vécus de la façon la plus secrète afin que mon retour ne pût être connu d'Hippolyte Fauville, tellement je craignais que la paix de Marie-Anne ne fût troublée. Seule, Florence était au courant et venait me voir de temps à autre. Je sortais peu, uniquement à la fin du jour, et dans les allées les plus désertes du bois. Mais il arriva ceci — les résolutions les plus héroïques ont leurs défaillances — il arriva qu'un soir, un mercredi soir, vers onze heures, ma promenade me rapprocha du boulevard Suchet, sans que je m'en rendisse compte, et je passai devant la demeure de Marie-Anne. Et le hasard fit qu'à cette même heure, comme la nuit était belle et chaude, Marie-Anne se trouvait à sa fenêtre. Elle me vit, j'en eus la certitude, et elle me reconnut, et mon bonheur fut tel que mes jambes tremblaient sous moi, tandis que je m'éloignais. Depuis, chaque soirée de mercredi, j'ai passé devant son hôtel, et presque chaque fois Marie-Anne, que sa vie mondaine, la recherche toute naturelle de distractions, et la position de son mari obligeaient pourtant à de fréquentes sorties, presque chaque fois Marie-Anne était là, m'accordant cette joie inespérée et toujours nouvelle.

— Plus vite ! hâtez-vous donc ! articula don Luis que soulevait le désir d'en savoir davantage. Hâtez-vous. Les faits, tout de suite... Parlez ! »

Voilà que, soudain, il avait peur de ne pas entendre la suite de l'explication, et voilà soudain qu'il s'apercevait que les paroles de Gaston Sauverand s'infiltraient en lui comme des paroles qui n'étaient peut-être pas mensongères. Bien qu'il s'efforçât de les combattre, elles étaient plus fortes que ses préventions et victorieuses de ses arguments. La vérité, c'est que, au fond de son âme tourmentée d'amour et de jalousie, quelque chose l'inclinait à croire cet homme dans lequel il n'avait vu jusqu'ici qu'un rival détesté et qui proclamait si hautement, devant Florence elle-même, son amour pour Marie-Anne.

« Hâtez-vous, répéta-t-il, les minutes sont précieuses. »

Sauverand hocha la tête.

« Je ne me hâterai pas. Toutes mes paroles, avant que je me sois résolu à les prononcer, ont été pesées, une à une. Toutes sont indispensables. Aucune d'elles ne peut être omise. Car ce n'est pas dans des faits quelconques, détachés les uns des autres, que vous trouverez la solution du problème, mais dans l'enchaînement de tous ces faits et dans un récit aussi fidèle que possible.

— Pourquoi ? Je ne comprends pas...

— Parce que la vérité se trouve cachée dans ce récit.

— Mais cette vérité, c'est votre innocence, n'est-ce pas ?

— C'est l'innocence de Marie Anne.

— Mais puisque je ne la discute pas !

— À quoi cela sert-il si vous ne pouvez pas la prouver ?

— Eh ! justement, c'est à vous de me donner des preuves !

— Je n'en ai pas.

— Hein ?

— Je dis que je n'ai aucune preuve de ce que je vous demande de croire.

— Alors, je ne le croirai pas, s'écria don Luis d'un ton irrité. Non, non, mille fois non ! Si vous ne me fournissez pas les preuves les plus convaincantes, je ne croirai pas un seul mot de ce que vous allez dire.

— Vous avez bien cru tout ce que j'ai dit jusqu'ici », répliqua Sauverand avec beaucoup de simplicité.

Don Luis ne protesta pas. Ayant tourné les yeux vers Florence Levasseur, il lui sembla qu'elle le regardait avec moins d'aversion, et comme si elle eût souhaité de toutes ses forces qu'il ne résistât point aux impressions qui l'envahissaient.

Il murmura :

« Continuez. »

Et ce fut vraiment une chose étrange que l'attitude de ces deux hommes, l'un s'expliquant en termes précis et de façon à donner à chaque mot toute sa valeur, l'autre écoutant et pesant chacun de ces mots ; tous deux maîtrisant les soubresauts de leur émotion ; tous deux aussi calmes en apparence que s'ils eussent cherché la solution philosophique d'un cas de conscience. Ce qui se passait en dehors ne signifiait rien. Ce qui allait survenir ne comptait pas. Avant tout, et quelles que fussent les conséquences de leur inaction, au moment où le cercle des forces policières se refermait autour d'eux, avant tout, il fallait que l'un parlât et que l'autre écoutât.

« Nous arrivons, d'ailleurs, dit Sauverand de sa voix grave, aux événements les plus importants, à ceux dont l'interprétation, nouvelle pour vous, mais strictement conforme à la vérité, vous démontrera notre bonne foi. La malchance m'ayant mis sur le chemin d'Hippolyte Fauville, au cours d'une de mes promenades au Bois, par prudence je changeai de domicile et m'installai dans la petite maison du boulevard Richard-Wallace, où Florence vint me voir plusieurs fois. J'eus même la précaution de supprimer ces visites, et, en outre, de ne plus correspondre avec elle que par l'intermédiaire de la poste restante. J'étais donc tout à fait tranquille. Je travaillais dans la solitude la plus complète et en pleine sécurité. Je ne m'attendais à rien. Aucun péril, aucune possibilité de péril ne nous menaçait. Et je puis dire, selon l'expression la plus banale et la plus juste, que c'est dans un ciel absolument pur que le coup de tonnerre éclata. J'appris à la fois, lorsque le préfet de police et ses agents firent irruption chez moi et procédèrent à mon arrestation, j'appris à la fois l'assassinat d'Hippolyte Fauville, l'assassinat d'Edmond, et l'arrestation de ma bien-aimée Marie-Anne.

— Impossible, s'écria don Luis, de nouveau agressif et courroucé. Impossible ! ces faits étaient déjà vieux de quinze jours. Je ne puis admettre que vous ne les ayez pas connus.

— Par qui ?

— Par les journaux ! et plus certainement encore, par mademoiselle », s'exclama don Luis en désignant la jeune fille.

Sauverand affirma :

« Par les journaux ? Je ne les lisais jamais. Quoi ! Est-ce donc inadmissible ? Est-ce une obligation, une nécessité inéluctable que de perdre chaque jour une demi-heure à parcourir les inepties de la politique et les ignominies des faits divers ? Et ne pouvons-nous imaginer un homme qui ne lise que des revues ou des brochures scientifiques ? Le fait est rare, soit, mais la rareté d'un fait ne prouve rien contre ce fait.

« D'un autre côté, le matin même du crime, j'avais averti Florence que je partais en voyage pour trois semaines, et je lui dis adieu. Au dernier moment, je changeai d'avis. Mais elle l'ignora, et me croyant parti, ne sachant où j'étais, elle ne put me prévenir ni du crime, ni de l'arrestation de Marie-Anne, ni plus tard, lorsque l'on accusa l'homme à la canne d'ébène, des recherches dirigées contre moi.

— Eh ! justement, déclara don Luis, vous ne pouvez pas prétendre que l'homme à la canne d'ébène, que l'individu qui suivit l'inspecteur Vérot jusqu'au café du Pont-Neuf et qui lui déroba la lettre...

— Je ne suis pas cet homme-là », interrompit Sauverand.

Et, comme don Luis haussait les épaules, il insista, sur un ton plus énergique :

« Je ne suis pas cet homme-là. Il y a dans tout ceci une erreur inexplicable, mais je n'ai jamais mis les pieds au café du Pont-Neuf. Je vous le jure. Il faut que vous acceptiez cette déclaration comme rigoureusement vraie. Elle est, d'ailleurs, en concordance absolue avec la vie de retraite que je menais par nécessité et par goût. Et, je le répète, je ne savais rien. Le coup de tonnerre fut inattendu. Et c'est précisément pour cela, comprenez-le, que le choc produisit en moi une réaction inattendue, un état d'âme en opposition absolue avec ma nature véritable, un déchaînement de mes instincts les plus sauvages et les plus primitifs. Pensez donc, monsieur, on avait touché à ce que j'ai de plus sacré au monde : Marie-Anne était en prison ! Marie-Anne était accusée d'un double assassinat ! Je devins fou. Me dominant d'abord, jouant la comédie avec le préfet de police, puis renversant tous les obstacles, abattant l'inspecteur principal Ancenis, me débarrassant du brigadier Mazeroux, sautant par la fenêtre, je n'avais qu'une idée : m'enfuir. Une fois libre, je sauverais Marie-Anne. Des gens me barraient le chemin ? Tant pis pour eux. De quel droit ces gens avaient-ils osé s'attaquer à la plus pure des femmes ? Je n'ai tué qu'un homme, ce jour-là... j'en aurais tué dix ! j'en aurais tué vingt ! Que m'importait la vie de l'inspecteur principal Ancenis ? Que m'eût importé la vie de tous ces misérables ? Ils se dressaient entre Marie-Anne et moi. Et Marie-Anne était en prison ! »

Gaston Sauverand fit un effort qui contracta tous les muscles de son visage, pour recouvrer un sang-froid qui l'abandonnait peu à peu. Il y réussit, mais sa voix, malgré tout, resta plus frémissante, et la fièvre dont il était dévoré le secouait de tremblements qu'il ne parvenait pas à dissimuler.

Il continua :

« Au coin de la rue par où je venais de tourner après avoir distancé, sur le boulevard Richard-Wallace, les agents du préfet, et alors que je pouvais me croire perdu, Florence me sauva.

Florence savait tout, elle, depuis quinze jours. Le lendemain même du double assassinat, elle l'apprenait par les journaux, par ces journaux qu'elle lisait à vos côtés, et que vous commentiez, que vous discutiez devant elle. Et c'est auprès de vous, c'est en vous écoutant, qu'elle acquit cette opinion, que les événements, d'ailleurs, contribuaient tous à lui donner : l'ennemi, le seul ennemi de Marie-Anne, c'était vous.

— Mais pourquoi ? pourquoi ?

— Parce qu'elle vous voyait agir, s'exclama Sauverand avec force, parce que vous aviez intérêt plus que toute autre personne à ce que Marie-Anne d'abord, puis moi dans la suite, ne fussions pas entre vous et l'héritage Mornington, et enfin...

— Et enfin... »

Gaston Sauverand hésita, puis nettement :

« Et enfin, parce qu'elle connaissait, à n'en pas douter, votre vrai nom, et que, suivant elle, Arsène Lupin est capable de tout. »

Il y eut un silence, et combien poignant, le silence, en une pareille minute ! Florence demeurait impassible sous le regard de don Luis Perenna, et, sur ce visage hermétiquement clos, il ne pouvait discerner aucune des émotions qui la devaient agiter.

Gaston Sauverand reprit :

« C'est donc contre Arsène Lupin que Florence, l'amie épouvantée de Marie-Anne, engagea la lutte. C'est pour démasquer Lupin qu'elle écrivit, ou plutôt fit écrire cet article dont vous avez trouvé l'original sous une pelote de ficelle. C'est Lupin qu'elle entendit un matin téléphoner avec le brigadier Mazeroux et se réjouir de mon arrestation imminente. C'est pour me sauver de Lupin qu'elle abattit devant lui, au risque d'un accident, le rideau de fer, et qu'elle se fit conduire en auto à l'angle du boulevard Richard-Wallace, où elle devait arriver trop tard pour me prévenir, puisque les policiers avaient déjà envahi ma maison, mais à temps pour me soustraire à leur poursuite.

« Cette idée de défiance à votre égard, cette haine terrifiée, elle me la communiqua instantanément. Durant les vingt minutes que nous employâmes à dépister mes agresseurs, hâtivement, elle me traça les grandes lignes de l'affaire, me dit en quelques mots la part prédominante que vous y preniez, et, sur l'heure, nous préparâmes contre vous une contre-attaque, afin que l'on vous suspectât de complicité. Tandis que j'envoyais un message au préfet de police, Florence rentrait et cachait, sous les coussins de votre divan, le tronçon de canne que j'avais conservé à la main par mégarde. Riposte insuffisante et qui manqua son but. Mais le duel était commencé. Je m'y lançai à corps perdu.

« Monsieur, pour bien comprendre mes actes, il faut vous rappeler qui j'étais..., un homme d'étude, un solitaire, mais aussi un amant passionné. J'aurais vécu toute ma vie dans le travail, ne demandant rien au destin que d'apercevoir Marie-Anne à sa fenêtre, la nuit, de temps à autre. Mais, dès le moment où on la persécutait, un autre homme surgit en moi, un homme d'action, maladroit certes, inexpérimenté, mais décidé à tout, et qui, ne sachant comment sauver Marie-Anne, n'eut pas d'autre but que de supprimer cet ennemi de Marie-Anne, auquel il avait le droit d'attribuer tous les malheurs de celle qu'il aimait.

« Et ce fut la série de mes tentatives contre vous. Introduit dans votre hôtel, caché dans l'appartement même de Florence, j'essayai — à son insu, cela je vous le jure —, j'essayai de vous empoisonner. Les reproches, la révolte de Florence devant un pareil acte m'eussent peut-être fléchi, mais, je vous le répète, j'étais fou, oui, absolument fou, et votre mort me paraissait le salut même de Marie-Anne. Et, un matin, sur le boulevard Suchet, où je vous avais suivi, je vous envoyai un coup de revolver. Et le même soir, votre automobile vous emmenait à la mort, ainsi que le brigadier Mazeroux, votre complice.

« Cette fois encore, vous alliez échapper à ma vengeance. Mais un innocent, le chauffeur qui conduisait, payait pour vous, et le désespoir de Florence fut tel que je dus céder à ses prières et désarmer. Moi-même, d'ailleurs, terrifié de ce que j'avais fait, obsédé par le souvenir de mes deux victimes, je changeai de plan et ne pensai qu'à sauver Marie-Anne, en préparant son évasion.

« Je suis riche. Je versai de l'argent aux gardiens de sa prison, sans toutefois découvrir mes projets. Je nouai des intelligences avec les fournisseurs et avec le personnel de l'infirmerie. Et, chaque jour, m'étant procuré une carte de rédacteur judiciaire, j'allais au Palais de justice et dans le couloir des juges d'instruction où j'espérais rencontrer Marie-Anne et l'encourager d'un regard, d'un geste, peut-être lui glisser quelques mots de réconfort.

« Son martyre continuait, en effet. Par cette mystérieuse affaire des lettres d'Hippolyte Fauville, vous lui portiez le coup le plus terrible. Que signifiaient ces lettres ? D'où provenaient-elles ? N'avait-on pas le droit de vous attribuer toute cette machination, à vous qui les versiez dans l'effroyable débat ? Florence vous surveillait, nuit et jour, pouvait-on dire. Nous cherchions un indice, une lueur qui nous permît de voir un peu plus clair.

« Or, hier matin, Florence aperçut le brigadier Mazeroux. Elle ne put entendre ce qu'il vous confiait. Mais elle surprit le nom du sieur Langernault, et le nom de Formigny, le village où il habitait. Langernault ! Elle se souvint de cet ancien ami d'Hippolyte Fauville. N'était-ce pas à lui que les lettres avaient été écrites, et n'était-ce pas à sa recherche que vous partiez en auto avec le brigadier Mazeroux ?

« Une demi-heure plus tard, désireux nous aussi de faire notre enquête, nous prenions le train d'Alençon. De la gare, une voiture nous conduisit aux alentours de Formigny, où nous fîmes notre enquête avec le plus de circonspection possible. Après avoir appris ce que vous devez savoir également, la mort du sieur Langernault, nous résolûmes de visiter sa demeure, et nous avions réussi à y pénétrer, lorsque soudain Florence vous avisa dans le parc. Voulant à tout prix éviter une rencontre entre vous et moi, elle m'entraîna à travers la pelouse et derrière les massifs. Vous nous suiviez cependant, et comme une grange s'offrait, elle poussa une des portes, qui s'entrebâilla et nous livra passage. Rapidement, dans l'ombre, nous parvînmes à passer au milieu de fouillis et à monter, par une échelle que nous heurtâmes, à une soupente qui nous servit de refuge. Au même moment, vous entriez.

« Vous savez la suite, votre découverte des deux pendus, votre attention attirée vers nous par un geste imprudent de Florence, votre attaque, à laquelle je ripostai en brandissant la première arme que le hasard me fournît, et finalement, sous le feu de votre revolver, notre fuite par la lucarne. Nous étions libres. Mais le soir, dans le train, Florence eut un évanouissement. En la soignant, je constatai qu'une de vos balles l'avait blessée à l'épaule, blessure légère et dont elle ne souffrait pas, mais qui aggravait l'extrême tension de ses nerfs. Quand vous nous avez vus — à la station du Mans, n'est-ce pas ? — elle dormait, la tête appuyée sur mon épaule. »

Pas une fois don Luis n'avait interrompu ce récit, fait d'une voix de plus en plus frémissante, et qu'animait un souffle de vérité profonde. Par un effort d'attention prodigieux, il enregistrait dans son esprit les moindres mots et les moindres gestes de Sauverand. Et, au fur et à mesure que ces mots étaient prononcés et ces gestes accomplis, il avait l'impression que, à côté de la vraie Florence, se levait parfois en lui une autre femme, délivrée de toute la fange et de toute l'ignominie dont il l'avait salie sur la foi des événements.

Et cependant, il ne s'abandonnait pas encore. Florence innocente, était-ce possible ? Non, non, le témoignage de ses yeux qui avaient vu, le témoignage de sa raison qui avait jugé, s'accordaient contre une pareille assertion. Il n'admettait pas que Florence différât soudain de ce qu'elle était réellement pour lui : fourbe, sournoise, cruelle, sanguinaire, monstrueuse. Non, non, cet homme mentait avec une infernale habileté. Il présentait les choses avec un tel génie qu'on ne pouvait plus distinguer le faux du vrai, ni séparer la lumière des ténèbres.

Il mentait ! Il mentait ! mais néanmoins, quelle douceur dans ce mensonge ! Comme elle était belle cette Florence imaginaire, cette Florence entraînée par le destin vers des actes qu'elle exécrait, mais pure de tout crime, sans remords, humaine, pitoyable, les yeux clairs et les mains toutes blanches. Et comme c'était bon de se laisser aller à ce rêve chimérique !

Gaston Sauverand épiait le visage de son ancien ennemi. Tout proche de don Luis, sa physionomie illuminée par l'expression de sentiments et de passions qu'il n'essayait plus de contenir, il murmura :

« Vous me croyez, n'est-ce pas ?

— Non... non... fit Perenna qui se raidissait contre l'influence de cet homme...

— Il le faut, s'écria Sauverand avec une énergie farouche. Il faut que vous croyiez à la force de mon amour. Il est la cause de tout. Marie-Anne est ma vie. Elle morte, je n'ai plus qu'à mourir. Ah ! ce matin, quand j'ai lu dans les journaux que la malheureuse s'était ouvert les veines ! Et par votre faute, à la suite de ces lettres accusatrices d'Hippolyte ! Ah ! ce n'est plus vous égorger que j'aurais voulu, mais vous infliger le plus barbare des supplices. Ma pauvre Marie-Anne, quelle torture elle devait endurer ! Comme vous n'étiez pas de retour, toute la matinée, Florence et moi nous avons erré pour avoir de ses nouvelles, autour de la prison d'abord, puis du côté de la Préfecture et du Palais de justice. Et c'est là, dans le couloir de l'instruction, que je vous rencontrai. À ce moment, vous prononciez le nom de Marie-Anne Fauville devant un groupe de journalistes. Et vous leur disiez que Marie-Anne Fauville était innocente ! Et vous leur donniez communication de votre témoignage en faveur de Marie-Anne !

« Ah ! monsieur, du coup, ma haine tomba. En une seconde l'ennemi devint l'allié, le maître que l'on implore à genoux. Ainsi vous aviez l'audace admirable de répudier toute votre œuvre et de vous consacrer au salut de Marie-Anne ! Je m'enfuis, tout palpitant de joie et d'espoir, et je m'écriai, en rejoignant Florence :

« Marie-Anne est sauvée. *Il* la proclame innocente. Je veux *le* voir. Je veux *lui* parler. »

« Nous revînmes ici. Florence, qui ne désarmait pas, me supplia de ne pas mettre mon projet à exécution avant que votre nouvelle attitude dans l'affaire se fût affirmée par des actes décisifs. Je promis tout ce qu'elle exigea de moi. Mais j'étais résolu. Ma volonté se fortifia encore après la lecture du journal qui publia votre déposition. À tout prix, et sans perdre une heure, je mettrais entre vos mains le sort de Marie-Anne. J'attendis votre retour, et je suis venu. »

Ce n'était pas le même homme qui, au début de l'entretien, faisait montre d'un tel sang-froid. Épuisé par son effort et par une lutte qui durait depuis des semaines, et où il avait dépensé vainement tant d'énergie, il tremblait à présent, et, s'accrochant à don Luis, un de ses genoux sur le fauteuil auprès duquel don Luis se tenait debout, il balbutiait :

« Sauvez-la, je vous en supplie... vous en avez le pouvoir... Oui, vous avez tous les pouvoirs... J'ai appris à vous connaître en vous combattant... C'est plus que votre génie qui vous défendait contre moi, c'est une chance heureuse qui vous protège. Vous êtes différent des autres hommes. Mais tenez, tenez, le fait seul de ne pas m'avoir tué, dès le début, moi qui vous avais poursuivi si férocement, le fait de m'écouter et d'accueillir comme admissible cette vérité inconcevable de notre innocence à tous les trois, mais c'est un miracle inouï ! Et pendant que je vous attendais et que je m'apprêtais à vous parler, j'ai eu l'intuition de tout cela ! J'ai vu clairement que l'homme qui, sans autre guide que sa raison, criait l'innocence de Marie-Anne, que cet homme-là pouvait seul la sauver, et qu'il la sauverait. Ah ! sauvez-la, je vous en conjure... Et sauvez-la dès maintenant. Sinon, dans quelques jours, Marie-Anne aura vécu. Il est impossible qu'elle vive en prison. Vous voyez, elle veut mourir... Aucun obstacle ne l'en empêchera. Est-ce qu'on peut empêcher quelqu'un de se tuer ?... Et quelle horreur, si elle mourait !... Ah ! s'il faut un coupable à la justice, j'avouerai tout ce qu'on voudra. J'accepterai toutes les charges et je me réjouirai de tous les châtiments, mais que Marie-Anne soit libre ! Sauvez-la... Moi, je n'ai pas su... je ne sais pas ce qu'il faut faire... Sauvez-la de la prison et de la mort... Sauvez-la... je vous en prie... sauvez-la ! »

Des larmes coulaient sur son visage que tordait l'angoisse. Florence pleurait aussi, courbée en deux. Et Perenna sentit brusquement sourdre en lui l'angoisse la plus terrible.

Bien que, depuis le début de l'entretien, une conviction nouvelle l'envahît peu à peu, ce fut pour ainsi dire subitement qu'il en prit conscience. Subitement il s'avisa que sa foi dans les paroles de Sauverand ne comportait aucune restriction, et que Florence n'était peut-être pas la créature abominable qu'il avait eu le droit d'imaginer, mais une femme dont les yeux ne mentaient pas et dont l'âme et la figure avaient une égale beauté. Subitement il apprit que ces deux êtres-là, ainsi que cette Marie-Anne pour l'amour de qui ils avaient lutté si maladroitement, étaient emprisonnés dans un cercle de fer que leurs efforts ne parviendraient pas à rompre. Et ce cercle tracé par une main inconnue, c'était lui, Perenna, qui l'avait resserré autour d'eux avec l'acharnement le plus implacable.

« Oh ! dit-il, pourvu qu'il ne soit pas trop tard ! »

Il chancelait sous le choc des sensations et des idées qui l'assaillaient. Tout se heurtait dans son cerveau avec une violence tragique : certitude, joie, épouvante, désespoir, fureur. Il se débattait sous les griffes du cauchemar le plus affreux, et il lui semblait déjà que la main lourde d'un policier se posait sur l'épaule de Florence.

« Allons-nous-en ! allons-nous-en ! s'écria-t-il en un sursaut d'effroi. C'est de la folie de rester !

— Mais puisque l'hôtel est cerné... objecta Sauverand.

— Et après ? Alors vous supposez que je puisse admettre une seconde... Mais non, mais non, voyons. Il faut que nous combattions ensemble. Il y aura certes encore des doutes en moi... Vous les détruirez, et nous sauverons Mme Fauville.

— Mais les agents qui nous entourent ?

— On leur passera dessus.

— Le sous-chef Weber ?

— Il n'est pas là. Et tant qu'il n'est pas là, je me charge de tout. Allons, suivez-moi, mais d'assez loin. Quand je vous ferai signe, et seulement alors... »

Il tira le verrou et saisit la poignée de la porte. À ce moment quelqu'un frappa.

C'était le maître d'hôtel.

« Eh bien, dit-il, pourquoi me dérange-ton ?

— Le sous-chef de la Sûreté, M. Weber, vient d'arriver, monsieur. »

CHAPITRE X

LA DÉBÂCLE

Certes, don Luis s'attendait à cette éventualité redoutable.

Le coup cependant parut le prendre au dépourvu, et il répéta plusieur fois :

« Ah ! Weber est là... Weber est là... »

Tout son élan se brisait contre cet obstacle, comme une armée en fuite et presque libérée qui se heurterait aux pentes abruptes d'une montagne.

Weber était là, c'est-à-dire le chef, le maître des ennemis, celui qui organiserait l'attaque et la résistance de telle façon qu'il n'y avait plus rien à espérer.

Weber à la tête de ses agents, ç'eût été absurde que de tenter le passage de vive force.

« Vous lui avez ouvert ? demanda-t-il.

— Monsieur ne m'avait pas donné l'ordre de ne pas ouvrir.

— Il est seul ?

— Non, monsieur, le sous-chef est accompagné de six hommes qu'il a laissés dans la cour.

— Et lui ?

— Le sous-chef a voulu monter au premier étage. Il croyait trouver monsieur dans son cabinet de travail.

— Il croit maintenant que je suis avec M. Mazeroux et Mlle Levasseur ?

— Oui, monsieur. »

Perenna réfléchit un instant et reprit :

« Dites-lui que vous ne m'avez pas trouvé et que vous allez me chercher dans l'appartement de Mlle Levasseur. Peut-être vous accompagnera-t-il. Tant mieux. »

Il referma la porte.

La tempête qui venait de le secouer n'avait laissé aucune trace sur son visage, et, maintenant qu'il fallait agir et que tout était perdu, il recouvrait cet admirable sang-froid qui ne l'abandonnait jamais aux minutes décisives.

Il s'approcha de Florence. Elle était très pâle et elle pleurait silencieusement.

Il lui dit :

« Il ne faut pas avoir peur, mademoiselle. Si vous m'obéissez aveuglément, il n'y a rien à craindre. »

Comme elle ne répondait pas, il vit qu'elle se défiait toujours, et il pensa, presque avec joie, qu'il l'obligerait à croire en lui.

« Écoutez-moi, dit-il à Sauverand. Au cas, possible après tout, où je ne réussirais pas, il y a plusieurs points encore qu'il me faut éclaircir.

— Lesquels ? » fit Sauverand dont le calme ne s'était pas démenti.

Alors, contraignant à l'ordre et à la discipline les idées qui s'entrechoquaient dans son cerveau, posément, afin de ne rien oublier et de ne dire cependant que les mots essentiels, don Luis demanda :

« Le matin du crime, tandis qu'un homme porteur d'une canne d'ébène et répondant à votre signalement, pénétrait dans le café du Pont-Neuf à la suite de l'inspecteur Vérot, où étiez-vous ?

— Chez moi.

— Vous êtes sûr de n'être pas sorti ?

— Absolument sûr, et sûr également de n'avoir jamais été au café du Pont-Neuf, dont j'ignorais même l'existence.

— Bien. Autre chose. Pourquoi, lorsque vous avez eu connaissance de toute cette affaire, pourquoi ne vous êtes-vous pas rendu chez le préfet de police ou chez le juge d'instruction ? Il eût été plus simple de vous livrer et de dire l'exacte vérité, plutôt que d'engager cette lutte inégale.

— Je fus sur le point d'agir ainsi. Mais tout de suite je compris que la machination ourdie contre moi était si habile que le simple récit de la vérité ne suffirait pas à convaincre la justice. On ne m'eût pas cru. Quelle preuve pouvais-je fournir ? Aucune... tandis que, au contraire, les preuves qui nous accablaient étaient de celles auxquelles on ne peut pas répondre... L'empreinte de ses dents ne démontrait-elle pas la culpabilité certaine de Marie-Anne ? Et, d'autre part, mon silence, ma fuite, le meurtre de l'inspecteur principal Ancenis, n'étaient-ce pas autant de crimes ? Non, pour secourir Marie-Anne, il fallait rester libre.

— Mais elle eût pu parler, elle ?

— Raconter notre amour ? Outre qu'une pudeur toute féminine a dû l'en empêcher, à quoi cela eût-il servi ? C'était, au contraire, donner plus de force à l'accusation. Et c'est justement ce qui arriva le jour où les lettres d'Hippolyte Fauville, jetées dans le débat, une à une, révélèrent à la justice le motif encore inconnu des crimes que l'on nous imputait. *Nous nous aimions.*

— Ces lettres, comment les expliquez-vous ?

— Je ne les explique pas. Nous ignorions la jalousie de Fauville. Il la tenait secrète. Et, d'autre part, pourquoi se défiait-il de nous ? Qui a pu lui mettre dans la tête que nous voulions le tuer ? D'où proviennent ses terreurs, ses cauchemars ? Mystère. Il possédait des lettres de nous, a-t-il écrit. Quelles lettres ?

— Et les empreintes des dents, ces empreintes qui furent incontestablement laissées par Mme Fauville ?

— Je ne sais pas. Tout cela est incompréhensible.

— Vous ne savez pas non plus ce qu'elle a pu faire à la sortie de l'Opéra, entre minuit et deux heures du matin ?

— Non. Il est évident qu'elle a été attirée dans un piège. Mais comment ? Par qui ? Et pourquoi ne dit-elle pas ce qu'elle a fait ? Mystère.

— Ce soir-là, le soir du crime, vous avez été remarqué à la gare d'Auteuil. Qu'y faisiez-vous ?

— J'allais sur le boulevard Suchet, et je suis passé sous les fenêtres de Marie-Anne. Rappelez-vous que c'était un mercredi. J'y suis revenu le mercredi d'après, et, toujours ignorant du drame et de l'arrestation de Marie-Anne, j'y suis revenu le deuxième mercredi, le soir précisément où vous avez découvert mon domicile, et où vous m'avez dénoncé au brigadier Mazeroux.

— Autre chose. Connaissiez-vous l'héritage Mornington ?

— Non, et Florence non plus, et nous avons tout lieu de penser que Marie-Anne et que son mari ne le connaissaient pas davantage.

— Cette grange de Formigny, c'était la première fois que vous y entriez ?

— La première fois, et notre stupeur devant les deux squelettes accrochés à la poutre fut égale à la vôtre. »

Don Luis se tut. Il chercha quelques secondes encore s'il n'avait pas une autre question à poser. Puis il dit :

« C'est tout ce que je voulais savoir. De votre côté, êtes-vous sûr que toutes les paroles nécessaires aient été prononcées ?

— Oui.

— La minute est grave. Il est possible que nous ne puissions pas nous revoir. Or, vous ne m'avez donné aucune preuve de vos affirmations.

— Je vous ai donné la vérité. À un homme comme vous, la vérité suffit. Pour moi, je suis vaincu. J'abandonne la lutte, ou plutôt je me soumets à vos ordres. Sauvez Marie-Anne.

— Je vous sauverai tous les trois, fit Perenna. C'est demain soir que doit apparaître la quatrième des lettres mystérieuses, ce qui nous donne tout le temps nécessaire pour nous concerter et pour étudier l'affaire à fond. Et, demain soir, j'irai là-bas et, avec les nouveaux éléments de vérité que nous aurons réunis, je trouverai la preuve de votre innocence à tous trois. L'essentiel, c'est d'assister à cette réunion du 25 mai.

— Ne pensez qu'à Marie-Anne, je vous en supplie. Sacrifiez-moi, s'il le faut. Sacrifiez même Florence. Je parle en son nom comme au mien en vous disant qu'il vaut mieux nous abandonner que de compromettre la plus petite chance de réussite.

— Je vous sauverai tous les trois », répéta don Luis.

Il entrebâilla la porte et, après avoir écouté, il leur dit :

« Ne bougez pas. Et n'ouvrez à personne, sous aucun prétexte, avant que je ne vienne vous rechercher. D'ailleurs je ne tarderai pas. »

Il referma la porte à double tour et descendit au premier étage. Il n'éprouvait pas cette allégresse qui le soulevait d'ordinaire aux approches des grandes batailles. Car l'enjeu de celle-ci, c'était Florence, et les conséquences d'une défaite lui semblaient pires que la mort.

Par la fenêtre du palier, il avisa les agents qui gardaient la cour. Il en compta six. Et il avisa aussi, à l'une des fenêtres de son cabinet de travail, le sous-chef qui surveillait la cour et se tenait en communication avec ses agents.

« Bigre, pensa-t-il, il est resté au poste. Ce sera dur. Il se défie. Enfin, allons-y. »

Il traversa le premier salon et gagna son cabinet de travail. Weber l'aperçut. Les deux ennemis étaient l'un devant l'autre.

Il y eut quelques secondes de silence avant que le duel ne s'engageât, duel qui ne pouvait être que rapide, serré, sans la moindre défaillance et sans la moindre distraction. En trois minutes il fallait que ce fût terminé.

La figure du sous-chef exprimait une joie mêlée d'inquiétude. Pour la première fois il avait la permission, il avait l'ordre de combattre ce don Luis maudit, contre lequel sa rancune n'avait jamais pu s'assouvir. Et, cela, c'était une volupté d'autant plus grande qu'il avait tous les atouts en main et que don Luis, en défendant Florence Levasseur et en maquillant le portrait de la jeune fille, s'était mis dans son tort. Mais, d'autre part, Weber n'oubliait pas que don Luis n'était autre qu'Arsène Lupin, et cette considération lui inspirait un certain malaise. Visiblement il pensait :

« La plus petite gaffe, et je suis réglé. »

Il engagea le fer, en plaisantant.

« D'après ce que je vois, vous n'étiez pas dans le pavillon de Mlle Levasseur, comme le prétendait votre domestique.

— Mon domestique a parlé selon mes instructions. J'étais dans ma chambre, là au-dessus. Mais, avant de descendre, je voulais en finir.

— Et c'est fait ?

— C'est fait. Florence Levasseur et Gaston Sauverand sont chez moi, ficelés et bâillonnés. Vous n'avez qu'à en prendre livraison.

— Gaston Sauverand ! s'écria Weber. C'était donc bien lui qu'on a vu entrer ?

— Oui. Il habitait tout simplement chez Florence Levasseur, dont il est l'amant.

— Ah ! ah ! dit le sous-chef d'un ton goguenard, son amant !

— Oui, et quand le brigadier Mazeroux a fait venir Florence Levasseur dans sa chambre pour l'interroger loin des domestiques, Sauverand, prévoyant l'arrestation de sa maîtresse, a eu l'audace de nous rejoindre. Il voulait l'arracher à nos mains.

— Et vous l'avez maté ?

— Oui. »

Il était clair que le sous-chef ne croyait pas un seul mot de l'histoire. Il savait, par M. Desmalions et par Mazeroux, que don Luis aimait Florence, et don Luis n'était pas homme à livrer, même par jalousie, une femme qu'il aimait. Il redoubla d'attention.

« Voilà de la bonne besogne, dit-il. Conduisez-moi dans votre chambre. La lutte a été dure ?

— Pas trop. J'ai pu désarmer le bandit. Mazeroux cependant a été atteint au pouce d'un coup de poignard.

— Rien de sérieux ?

— Oh ! non, il est allé se faire soigner à la pharmacie voisine. »

Le sous-chef s'arrêta, très surpris.

« Comment ! Mazeroux n'est pas avec les deux prisonniers dans votre chambre ?

— Je ne vous ai jamais dit qu'il y fût.

— Non, mais votre domestique...

— Mon domestique a commis une erreur. Mazeroux est sorti quelques minutes avant votre arrivée.

— C'est bizarre, dit Weber en observant don Luis, tous mes agents le croient ici. Ils ne l'ont pas vu sortir.

— Ils ne l'ont pas vu sortir ? répéta don Luis affectant l'inquiétude. Mais alors où serait-il ? Il m'a pourtant bien dit qu'il voulait se faire panser. »

Le sous-chef se défiait de plus en plus. Évidemment Perenna voulait se débarrasser de lui en l'envoyant à la recherche du brigadier.

« Je vais dépêcher un de mes agents, dit-il. La pharmacie est proche ?

— À côté, rue de Bourgogne. D'ailleurs on peut téléphoner.

— Ah ! on peut téléphoner », murmura le sous-chef.

Il n'y comprenait plus rien. Il avait l'air d'un homme qui ne sait pas ce qui va lui tomber sur la tête. Lentement, il se dirigea vers le téléphone, tout en barrant la route à don Luis de façon à ce qu'il ne pût s'échapper.

Don Luis recula donc jusqu'à l'appareil, comme si on l'y avait forcé, d'une main décrocha le récepteur, et tandis qu'il appelait :

« Allô... allô... Saxe 24-09... »

De l'autre main, appuyée contre le mur, il coupait un des fils à l'aide d'une petite pince qu'il avait eu soin de prendre sur la table.

« Allô... le 24-09... C'est le pharmacien ? Allô... Le brigadier Mazeroux, de la Sûreté, est chez vous, n'est-ce pas ? Hein ?

Quoi ? Qu'est-ce que vous dites ? Mais c'est horrible ! Vous êtes certain ? La blessure est empoisonnée ? »

D'un mouvement irréfléchi, le sous-chef poussa don Luis, qui fut ainsi, comme il l'avait voulu, rejeté contre la boiserie, et au-dessous même du rideau de fer. Weber empoigna le récepteur. Cette idée de la blessure empoisonnée le bouleversait.

« Allô... allô... cria-t-il en surveillant don Luis et en lui ordonnant, d'un geste, de ne pas s'éloigner... allô... Eh bien ! quoi ? Je suis le sous-chef Weber, de la Sûreté... Allô... Ainsi, le brigadier Mazeroux... Allô... mais parlez donc, crédieu !... »

Brusquement il lâcha l'appareil, regarda les fils, aperçut la coupure et, se retournant, montra un visage qui exprimait très nettement cette pensée :

« Ça y est. Je suis roulé. »

Perenna se tenait à trois pas en arrière de lui, nonchalamment appuyé contre la boiserie de la baie, et sa main gauche passée entre son dos et cette boiserie.

Il souriait. Il souriait avec gentillesse, avec une bonhomie cordiale.

« Bouge pas ! » dit-il en lui faisant signe de la main droite.

Weber ne bougea pas, plus effrayé par ce sourire qu'il ne l'eût été par des menaces.

« Bouge pas, répéta don Luis d'une voix ineffable. Et surtout ne crains rien... Il n'y aura pas de bobo. Cinq minutes seulement de cachot noir pour le petit garçon qui n'a pas été sage. Tu es prêt ? Une, deux, trois, crac ! »

Il s'effaça un peu et pressa du doigt le bouton qui commandait le rideau de fer. La lourde plaque tomba. Le sous-chef était prisonnier.

« Deux cents millions qui tombent, ricana don Luis. Le coup est joli, mais un peu cher. Adieu l'héritage Mornington ! Adieu ! don Luis Perenna ! Et maintenant, brave Lupin, si tu ne veux pas que Weber prenne sa revanche, fiche le camp, et en bon ordre. Une deusse, une deusse... paille, foin... »

Tout en parlant, il fermait à clef, de l'intérieur, la porte à deux battants qui donnait du premier salon sur l'antichambre du premier étage, puis, revenant dans son cabinet de travail, il fermait la porte qui donnait de cette pièce dans le salon.

À ce moment, le sous-chef frappait le rideau de fer à coups redoublés et appelait de telle façon que l'on devait l'entendre de dehors par la fenêtre ouverte.

« Vous ne faites pas encore assez de bruit, sous-chef », cria don Luis.

Il prit son revolver et tira trois balles dont une cassa l'un des carreaux. Puis, rapidement, il sortit de son cabinet de travail par une petite porte massive qu'il ferma soigneusement à clef. Il se trouvait dans un couloir de dégagement qui contournait les deux pièces et aboutissait à une autre porte donnant sur l'antichambre.

Il ouvrit cette autre porte toute grande et put ainsi se cacher derrière le battant.

Déjà, attirés par les détonations et par le bruit, les agents envahissaient le vestibule et l'escalier. Quand ils arrivèrent au premier étage et qu'ils eurent traversé l'antichambre, la porte du salon étant close, une seule issue s'offrait à eux, le couloir, le couloir au bout duquel retentissaient les appels du sous-chef. Ils s'y engouffrèrent tous les six.

Lorsque le dernier eut disparu après le tournant, don Luis rabattit doucement la porte qui le dissimulait et la ferma comme les autres. De même que le sous-chef, les six agents étaient prisonniers.

« Embouteillés, murmura don Luis. Il leur faudra bien cinq minutes pour se rendre compte de la situation, pour se cogner aux portes closes, et pour en démolir une. Dans cinq minutes, nous serons loin. »

Il rencontra deux de ses domestiques qui accouraient effarés, le chauffeur et le maître d'hôtel. Il leur jeta deux billets de mille francs, et il dit au chauffeur :

« Mets le moteur en marche, l'artiste. Et personne autour de la voiture pour me barrer le chemin. Deux mille francs de plus à chacun si je peux prendre le large en auto. Mais oui, c'est comme ça, ne faites pas cette tête d'abrutis. Deux mille francs. C'est à vous de les gagner. Au galop, messieurs. »

Lui-même, sans trop se presser, toujours maître de lui, escalada le second étage. Mais aux dernières marches, une telle joie le secouait qu'il s'exclama :

« Victoire ! la route est libre. »

La porte de la petite pièce se trouvait en face.

Il l'ouvrit en répétant :

« Victoire ! Mais pas une seconde à perdre. Suivez-moi. »

Il entra.

Un juron s'étrangla dans sa gorge.

La pièce était vide.

« Quoi ! balbutia-t-il... Qu'est-ce que cela signifie ?... Ils sont partis... Florence... »

Certes, si invraisemblable que fût l'hypothèse, il avait supposé jusqu'ici que Sauverand possédait une fausse clef de la serrure. Mais comment avaient-ils pu s'enfuir tous deux, au milieu des agents ? Il regarda autour de lui. Et, tout de suite, il comprit. Dans le renfoncement où se trouvait la fenêtre, la partie basse du mur, qui formait comme un coffre très large au-dessous de la croisée, avait sa boiserie supérieure soulevée et appuyée contre les carreaux, précisément comme le couvercle d'un coffre. Et, à l'intérieur du coffre ouvert, on apercevait les premiers échelons d'un escalier à claire-voie, très étroit, et qui descendait...

En une seconde, don Luis évoqua toute l'aventure d'autrefois, l'aïeule de son prédécesseur le comte Malonesco, cachée dans le vieil hôtel de la famille, échappant aux recherches des perquisiteurs et vivant ainsi durant la tourmente révolutionnaire. Tout s'expliquait. Un passage, pratiqué dans l'épaisseur même du mur, conduisait à quelque issue lointaine. Et c'est ainsi que Florence allait et venait à travers l'hôtel, et que Gaston Sauverand entrait et sortait en toute sécurité. Et c'est ainsi que l'un et l'autre pouvaient pénétrer dans sa chambre et surprendre ses secrets.

« Pourquoi ne m'avoir rien dit ? se demanda-t-il. Un reste de défiance, sans doute... »

Mais, sur la table, un papier attira ses yeux. D'une main fébrile, Gaston Sauverand avait tracé ces lignes :

Nous tentons de fuir pour ne pas vous compromettre. Si nous sommes pris, tant pis. L'essentiel, c'est que vous soyez libre. Tout notre espoir est en vous.

Sous ces lignes, il y avait deux mots, écrits par Florence :

Sauvez Marie-Anne.

« Ah ! murmura-t-il, déconcerté par ce dénouement, et ne sachant à quelle décision s'arrêter, pourquoi ne m'ont-ils pas obéi ? Nous voilà séparés, maintenant... »

En bas, les policiers démolissaient la porte du couloir où ils étaient emprisonnés. Avant qu'ils n'y eussent réussi, peut-être avait-il encore le temps de gagner son auto ? Néanmoins, il préféra suivre le même chemin que Florence et que Sauverand, ce qui lui donnait l'espoir de les retrouver et de les secourir en cas de péril.

Donc, enjambant le rebord du coffre, il mit le pied sur l'échelon supérieur et descendit.

Une vingtaine de barreaux le conduisirent au milieu du premier étage. Là, à la lueur de sa lanterne électrique, il s'engagea dans une sorte de tunnel en voûte, très bas, creusé, comme il le pensait, dans la muraille, et si peu large que l'on ne pouvait avancer qu'en tenant les épaules de biais.

Trente mètres plus loin, il y eut un coude à angle droit, puis, au bout d'un autre tunnel, aussi long, une trappe qui était ouverte et où apparaissaient les échelons d'un autre escalier. Il ne douta pas que les fugitifs n'eussent passé par là. En bas, une clarté l'accueillit. Il se trouvait dans un placard également ouvert, et que des rideaux, actuellement écartés, devaient recouvrir en temps ordinaire. Ce placard dominait un lit, qui remplissait presque l'espace d'une alcôve. Après avoir franchi l'alcôve et gagné la pièce dont elle n'était séparée que par une cloison, à son grand étonnement il reconnut le salon de Florence.

Cette fois, il savait. L'issue, non pas secrète, puisqu'elle aboutissait à la place du Palais-Bourbon, mais très sûre cependant, était celle dont Sauverand usait d'habitude lorsque Florence l'introduisait chez elle. Il traversa donc l'antichambre, descendit quelques marches et, un peu avant l'office, dégringola l'escalier qui menait aux caves de l'hôtel. Dans l'ombre, la porte basse, qui servait au passage des barricades, se reconnaissait à un petit judas grillagé par où filtrait le jour. À tâtons, il trouva la serrure. Tout heureux d'arriver enfin au terme de son expédition, il ouvrit.

« Cré nom d'un chien ! » gronda-t-il en sautant en arrière et en se cramponnant à la serrure, qu'il réussit à refermer.

Deux agents de police en uniforme gardaient la sortie, deux agents qui, à son apparition, avaient voulu se jeter sur lui.

D'où venaient-ils, ces deux hommes-là ? Avaient-ils empêché l'évasion de Sauverand et de Florence ? Mais alors, en ce cas, don Luis eût rencontré les deux fugitifs, puisqu'ils avaient suivi exactement le même chemin.

« Non, pensa-t-il, la fuite a eu lieu avant que la sortie ne fût surveillée. Mais, fichtre ! c'est à mon tour de déguerpir, et ce n'est pas commode. Vais-je me faire pincer au gîte comme un lapin ? »

Il remonta l'escalier de la cave, avec l'intention de brusquer les choses, de se glisser dans la cour d'honneur par les couloirs des communs, de sauter dans son auto et de forcer le passage. Mais lorsqu'il fut sur le point d'arriver à la cour, près de la remise, il aperçut quatre agents de la Sûreté, de ceux qu'il avait emprisonnés et qui survenaient en gesticulant et en criant. Et il se rendit compte, en outre, que tout un tumulte s'élevait du côté de la grande porte et du pavillon des concierges. De nombreuses voix d'hommes s'entrechoquaient. On disputait violemment.

Peut-être y avait-il là une occasion dont il pouvait profiter pour se faufiler dehors à la faveur du désordre. Au risque d'être aperçu, il avança la tête.

Et le spectacle qui s'offrit à ses yeux le stupéfia.

Entouré d'agents de police et d'agents de la Sûreté, bloqué contre le mur, insulté, bousculé, Gaston Sauverand était là, le cabriolet de fer aux poignets.

Gaston Sauverand prisonnier ! Quel drame avait donc bien pu se jouer entre les deux fugitifs et la police ? Le cœur étreint d'angoisse, il se pencha davantage. Mais il ne vit pas Florence. Sans doute, la jeune fille avait dû réussir à se sauver.

L'apparition de Weber sur le perron et les paroles du sous-chef confirmèrent son espoir. Weber était fou de rage. La captivité, l'humiliation de la défaite l'exaspéraient.

« Ah ! proféra-t-il, en apercevant le prisonnier, en voilà toujours un ! Gaston Sauverand ! du gibier de choix... Où l'avez-vous pigé, celui-là, les amis ?

— Sur la place du Palais-Bourbon, dit l'un des inspecteurs. On l'a vu qui fichait le camp par la porte de la cave.

— Et sa complice, la fille Levasseur ?

— On l'a ratée, chef. Elle était partie la première.

— Et don Luis ? On ne l'a pas laissé sortir de l'hôtel, hein ! J'avais donné la consigne.

— Il a voulu sortir aussi par la porte de la cave, cinq minutes après !

— Qui vous l'a dit ?

— Un des agents de police placés devant cette porte.

— Eh bien ?

— Le type est rentré dans la cave. »

Weber poussa un cri de joie.

« Nous le tenons ! Et c'est une sale affaire pour lui ! Rébellion contre la police !... Complicité !... Enfin ! On va pouvoir le démasquer. Taïaut ! Taïaut ! les enfants... Deux hommes pour garder Sauverand, quatre hommes sur la place du Palais-Bourbon, le revolver au poing. Deux hommes sur les toits. Les autres avec moi ! Commençons par la chambre de la fille Levasseur. Et puis, sa chambre à lui. En chasse, les enfants ! »

Don Luis n'attendit pas la ruée des agresseurs. Renseigné sur leurs intentions, il battit en retraite, sans avoir été aperçu, vers l'appartement de Florence. Là, comme Weber ne connaissait pas encore le chemin direct qui passait à travers les communs, il eut le temps de constater que le mécanisme de la trappe fonctionnait fort bien, et qu'il n'y avait aucune raison pour que l'on découvrît, au fond de l'alcôve et derrière les rideaux du lit, l'existence d'un placard secret.

Une fois entré dans le passage, il remonta le premier escalier, suivit le long corridor pratiqué à l'intérieur du mur, escalada l'échelle qui aboutissait à son boudoir, et, s'étant rendu compte que cette seconde trappe s'adaptait si exactement à la boiserie qu'on ne pouvait rien soupçonner, il la referma sur sa tête.

Quelques minutes plus tard, il entendit au-dessus de lui le tumulte des hommes qui perquisitionnaient.

Ainsi donc, le 24 mai, à cinq heures de l'après-midi, voici quelle était la situation. Florence Levasseur, sous le coup d'un mandat d'arrêt, Gaston Sauverand en prison, Marie-Anne Fauville en prison et refusant toute nourriture. Et don Luis, qui croyait à leur innocence et qui, seul, aurait pu les sauver, don Luis était bloqué dans son hôtel et traqué lui-même par vingt agents de police.

Quant à l'héritage Mornington, il n'en pouvait plus être question, puisque, à son tour, le légataire venait de se mettre en rébellion ouverte contre la société.

« À merveille, ricana don Luis, voilà la vie telle que je la comprends. La question est simple et s'énonce de diverses façons. Comment un pouilleux, qui n'a pas un sou dans sa poche, peut-il faire fortune en vingt-quatre heures, sans sortir de son bouge ? Comment un général, qui n'a plus de soldats ni munitions, peut-il gagner une bataille qu'il a perdue ? Bref, comment, moi, Arsène Lupin, réussirai-je à assister demain soir à la réunion du boulevard Suchet et à m'y comporter de telle manière que je sauverai Marie-Anne Fauville, Florence Levasseur, Gaston Sauverand, et, par-dessus le marché, mon excellent ami, don Luis Perenna ? »

Des coups sourds retentissaient quelque part. On devait chercher sur les toits. On devait interroger les murailles.

Don Luis s'étendit sur le sol, à plat ventre, cacha sa figure entre ses bras croisés, et, fermant les yeux, murmura :

« Réfléchissons. »

DEUXIÈME PARTIE

LE SECRET DE FLORENCE

CHAPITRE PREMIER

AU SECOURS !

Lorsque, par la suite, Arsène Lupin me raconta cet épisode de la tragique aventure, il me dit à ce propos, et non sans fatuité :

« Ce qui m'étonnait alors, et ce qui m'étonne encore aujourd'hui comme une des victoires les plus belles dont j'ai le droit de m'enorgueillir, c'est que j'ai pu admettre tout à coup, et ainsi qu'un problème irrévocablement résolu, l'innocence de Sauverand et de Marie-Anne Fauville. Cela, je vous le jure, est de premier ordre et dépasse, en valeur psychologique aussi bien qu'en mérite policier, les plus fameuses déductions des plus fameux détectives.

« Car enfin, tout bien pesé, il ne s'était pas produit l'ombre d'un fait nouveau qui me permît de reviser le procès. Les charges accumulées contre les deux captifs étaient les mêmes, et si graves qu'aucun juge d'instruction n'eût hésité une seule seconde à signer son ordonnance, et pas un jury à répondre oui sur toutes les questions. Je ne vous parlerai pas de Marie-Anne Fauville, il suffisait de songer aux empreintes de ses dents pour acquérir une conviction inébranlable. Mais Gaston Sauverand, le fils de Victor Sauverand, et, par conséquent l'héritier de Cosmo Mornington, Gaston Sauverand, l'homme à la canne d'ébène et le meurtrier de l'inspecteur principal Ancenis, Gaston Sauverand n'était-il pas coupable au même titre que Marie-

Anne Fauville, comme elle accusé par les révélations mêmes du mari qu'ils avaient tué ?

« Et cependant pourquoi ce revirement subit qui eut lieu en moi ? Pourquoi ai-je marché contre l'évidence ? Pourquoi ai-je cru à une vérité incroyable ? Pourquoi ai-je admis l'inadmissible ?

« Pourquoi ? Ah ! sans doute, c'est que la vérité a un accent qui sonne aux oreilles d'une façon particulière. D'un côté toutes les preuves, tous les faits, toutes les réalités, toutes les certitudes ; de l'autre un récit, un récit présenté par un des trois coupables, donc, *a priori*, absurde et mensonger depuis la première syllabe jusqu'à la dernière... Mais un récit, présenté d'une voix loyale, un récit clair, sobre, d'une trame serrée, se déroulant, d'un bout à l'autre de l'aventure, sans complications ni invraisemblances, un récit qui n'apportait aucune solution positive, mais qui, par sa probité même, obligeait tout esprit impartial à reviser la solution acquise.

« J'ai cru le récit. »

Les explications de Lupin, telles qu'il me les donnait, n'étaient pas complètes. Je lui dis :

« Et Florence Levasseur ?

— Florence Levasseur ?

— Oui, vous ne concluez pas à son égard. Quelle opinion avez-vous eue d'elle ? Tout l'accusait, et non seulement à vos yeux, puisque logiquement elle avait participé à toutes les tentatives d'assassinat dirigées contre vous, mais aussi aux yeux de la justice. Ne savait-on pas qu'elle allait rendre à Gaston Sauverand, boulevard Richard-Wallace, des visites clandestines ? N'avait-on pas trouvé sa photographie dans le carnet de l'inspecteur Vérot ? Et puis... et puis, tout enfin... vos accusations... vos certitudes... Est-ce que tout cela fut modifié par le récit de Sauverand ? Pour vous, Florence fut-elle innocente ou coupable ? »

Il hésita, fut sur le point de répondre directement et franchement à ma question, mais ne put s'y décider et prononça :

« Je voulais avoir confiance. Pour agir, il fallait que j'eusse pleine et entière confiance, quels que fussent les doutes qui pouvaient encore m'assaillir, et quelles que fussent les ténèbres qui pesaient encore sur telle ou telle partie de l'aventure. J'ai donc cru. Et, croyant, j'ai agi selon ma foi. »

Agir, pour don Luis Perenna, en ces heures d'immobilité forcée, cela consista uniquement à se répéter sans cesse la relation que Gaston Sauverand avait faite des événements. Il tâchait de la reconstituer dans tous ses détails, d'en retrouver les moindres phrases et les termes en apparence les plus insignifiants. Et ces phrases, il les examinait une à une, et ces termes il les scrutait un à un, afin d'en extraire la part de vérité qu'ils contenaient.

Car la vérité était là, Sauverand le lui avait dit, et don Luis n'en doutait pas. Toute l'histoire sinistre, tout ce qui constituait l'affaire de l'héritage Mornington et le drame du boulevard Suchet, tout ce qui pouvait mettre en lumière le complot ourdi contre Marie-Anne Fauville, tout ce qui pouvait expliquer la perte de Sauverand et de Florence, cela était dans le récit de Sauverand. Il suffisait de le comprendre. Et la vérité surgirait, comme la morale qui se tire de quelque symbole obscur.

Pas une fois don Luis ne dévia de sa méthode. Si telle objection s'insinuait dans son esprit, il y répondait aussitôt :

« Soit. Il se peut que je me trompe, et que le récit de Sauverand ne m'apporte aucun élément capable de me guider. Il se peut que la vérité soit en dehors. Mais suis-je en mesure de l'atteindre autrement, cette vérité ? En tout et pour tout, comme instrument de recherche et sans tenir compte outre mesure de certaines lueurs que l'apparition régulière des lettres mystérieuses m'a données sur l'affaire, en tout et pour tout j'ai le récit de Gaston Sauverand. Ne dois-je pas m'en servir ? »

Et, de nouveau, comme un chemin que l'on parcourt sur les traces d'une autre personne, il recommençait à vivre l'aventure vécue par Sauverand. Il la comparait à celle qu'il avait imaginée jusqu'alors. Toutes deux s'opposaient l'une à l'autre, mais du choc même de leurs contrastes, ne pouvait-on faire jaillir une étincelle ?

« Voilà ce qu'il a dit, pensait-il, et voilà ce que je croyais. Que signifie cette différence ? Voilà ce qui fut, et voilà ce qui paraît être. Pourquoi le coupable a-t-il voulu que ce qui fut parût précisément sous cet aspect ? Pour éloigner de lui tous les soupçons ? Mais était-il nécessaire, en ce cas, qu'ils atteignissent justement ceux qu'ils ont atteint ? »

Et les questions se pressaient en lui. Il y répondait quelquefois au hasard, citant des noms et prononçant des mots à la suite les uns des autres, comme si le nom cité eût pu être précisément celui du coupable, et les mots prononcés ceux qui contenaient l'invisible réalité.

Puis aussitôt il reprenait le récit, comme les écoliers font avec leurs devoirs, analyse logique et analyse grammaticale, où chaque expression est passée au crible, chaque période disloquée, chaque phrase réduite à sa valeur essentielle.

Des heures et des heures s'écoulèrent.

Et tout à coup, au milieu de la nuit, il eut un soubresaut. Il tira sa montre. À la clarté de sa lanterne électrique, il constata qu'elle marquait onze heures quarante trois.

« C'est donc à onze heures quarante-trois minutes du soir, dit-il à haute voix, que j'ai pénétré jusqu'au fond des ténèbres. »

Il cherchait à dominer son émotion, mais elle était immense, et il se mit à verser des larmes, tellement ses nerfs étaient ébranlés par l'épreuve.

Il venait, en effet, d'entrevoir brusquement, comme on devine un paysage nocturne à la lueur d'un éclair, la formidable vérité.

Il n'est pas de sensation plus violente que ces sortes d'illuminations qui éclatent soudain au milieu de l'ombre où l'on tâtonne et où l'on se débat. Épuisé déjà par l'effort physique et par le manque de nourriture dont il commençait à souffrir, il subit cette secousse si profondément que, sans vouloir réfléchir un instant de plus, il réussit à s'endormir, ou plutôt à s'enfoncer dans le sommeil, comme on s'enfonce dans l'eau d'un bain réparateur.

Quand il se réveilla, au petit matin, dispos malgré l'incommodité de sa couche, il eut un frisson en songeant à l'hypothèse qu'il avait acceptée et son instinct fut d'abord de la mettre en doute. Il n'en eut pour ainsi dire pas le temps. Toutes les preuves accouraient d'elles-mêmes au-devant de sa pensée et transformaient immédiatement l'hypothèse en une de ces certitudes qu'il serait fou de contrôler. C'était cela, et ce n'était pas autre chose. Comme il l'avait pressenti, la vérité se trouvait inscrite dans le récit de Sauverand. Et il ne s'était pas trompé non plus en disant à Mazeroux que la façon dont surgissaient les lettres mystérieuses l'avait mis sur le chemin de la vérité.

Et cette vérité était effroyable.

Il éprouvait, à l'évoquer, la même épouvante qui avait affolé l'inspecteur Vérot, alors que, déjà torturé par le poison, il balbutiait :

« Ah ! j'ai peur... j'ai peur... tout cela est combiné d'une façon si diabolique ! »

Si diabolique, en effet ! Et don Luis demeurait confondu

devant la révélation d'un forfait dont il ne semblait pas que la conception eût pu germer dans un cerveau d'homme.

Deux heures encore il consacra tout l'effort de sa pensée à examiner la situation sous toutes ses faces. Quant au dénouement, il ne s'en inquiétait pas beaucoup puisque, maître du secret terrible maintenant, il n'avait plus qu'à s'évader, et à se rendre ce soir-là à la réunion du boulevard Suchet, où il ferait devant tous la démonstration du crime.

Mais lorsque, voulant essayer ses chances d'évasion, il remonta le souterrain et se hissa au sommet de l'échelle supérieure, c'est-à-dire au niveau de son boudoir, il entendit à travers la trappe les voix d'hommes qui se trouvaient dans cette pièce.

« Bigre, se dit-il, l'affaire se complique. Afin d'échapper aux sbires de la police, il faut que je sorte de ma prison, et voilà tout au moins qu'une de ces deux issues est condamnée. Reste l'autre. »

Il redescendit vers l'appartement de Florence, et fit jouer le mécanisme qui consistait en un contrepoids.

Le panneau du placard glissa.

Poussé par la faim, espérant trouver quelques provisions qui lui permettraient de soutenir un siège sans être réduit par la famine, il était sur le point de contourner l'alcôve, derrière les rideaux, lorsque un bruit de pas l'arrêta net. Quelqu'un entrait dans l'appartement :

« Eh bien, Mazeroux, vous avez passé la nuit ici. Rien de nouveau ? »

À la voix, don Luis reconnut le préfet de police, et la question posée lui apprit, d'abord que l'on avait sorti Mazeroux du cabinet noir où il était ligoté, et ensuite que le brigadier se trouvait dans la pièce voisine. Par bonheur, le mécanisme du plafond avait fonctionné sans le moindre grincement, et don Luis put surprendre la conversation des deux hommes.

« Rien de nouveau, monsieur le préfet, répondit Mazeroux.

— C'est curieux, il faut pourtant que ce damné personnage soit quelque part. Ou alors c'est qu'il a filé par les toits.

— Impossible, monsieur le préfet, fit une troisième voix que don Luis reconnut comme étant celle du sous-chef Weber. Impossible, nous avons constaté hier qu'à moins d'avoir des ailes...

— Donc, votre avis, Weber ?

— Mon avis, monsieur le préfet, c'est qu'il se cache dans

l'hôtel. L'hôtel est vieux. Tout probablement il existe quelque retraite sûre...

— Évidemment... évidemment... fit M. Desmalions, que don Luis, par un interstice de rideau, voyait passer et repasser devant la baie de l'alcôve... Évidemment, vous avez raison, et nous le prendrons au gîte. Seulement est-ce bien nécessaire ?

— Monsieur le préfet !

— Eh oui, vous savez mon opinion à ce sujet, et l'opinion du président du conseil. Exhumer Lupin, c'est une gaffe, et ça nous retombera sur le dos. Après tout, quoi, il est devenu un honnête homme, il nous est utile, et il ne fait rien de mal...

— Rien de mal, vous trouvez, monsieur le préfet ? » prononça Weber d'un ton pincé.

M. Desmalions éclata de rire.

« Ah ! oui, le coup d'hier, le coup du téléphone ! Avouez que c'est drôle. Le président du conseil s'en tenait les côtes, quand je lui ai raconté...

— Ma foi, je ne vois pas qu'il y ait de quoi rire.

— Non, mais tout de même, le gredin, il n'est jamais pris de court. Drôle ou non, le truc est inouï d'audace. Démolir le fil du téléphone sous vos yeux et puis vous bloquer derrière un rideau de fer... À propos, Mazeroux, il faudra, dès ce matin, faire réparer ce téléphone pour que vous restiez ici en communication avec la Préfecture. Vous avez commencé vos perquisitions dans ces deux pièces ?

— Selon vos ordres, monsieur le préfet. Depuis une heure, le sous-chef et moi nous cherchons.

— Oui, fit M. Desmalions, cette Florence Levasseur me semble une créature inquiétante. Sa complicité est certaine. Mais quelles relations avait-elle avec Sauverand, et quelles relations avec don Luis Perenna ? Cela serait important à savoir. Vous n'avez rien découvert dans ses papiers ?

— Rien, monsieur le préfet, dit Mazeroux. Ce sont des factures, des lettres de fournisseurs.

— Et vous, Weber ?

— Moi, monsieur le préfet, j'ai trouvé quelque chose d'intéressant. »

Il dit ces mots d'un ton de triomphe, et, comme M. Desmalions l'interrogeait, il reprit :

« C'est un volume de Shakespeare, monsieur le préfet, le tome huit. Vous remarquerez que, contrairement aux autres volumes, il est vide à l'intérieur et que la reliure n'est que le cartonnage d'une boîte secrète servant à dissimuler des papiers.

— En effet. Et ces papiers ?

— Les voici... des feuilles... des feuilles blanches, sauf trois... L'une sur laquelle est inscrite la liste des dates où devaient surgir les lettres mystérieuses.

— Oh ! oh ! fit M. Desmalions, la charge est écrasante contre Florence Levasseur. En outre, nous sommes renseignés : c'est par là que don Luis a eu cette liste. »

Perenna écoutait avec surprise : il avait totalement oublié ce détail, et Gaston Sauverand, dans son récit, n'y avait pas fait la moindre allusion. C'était fort grave pourtant et fort étrange. De qui Florence tenait-elle cette liste de dates ?

« Et les deux autres feuilles ? » demanda M. Desmalions.

Don Luis redoubla d'attention. Ces deux autres feuilles lui avaient échappé le jour de son entretien avec Florence dans cette même pièce.

« Voici l'une des deux », répondit Weber.

M. Desmalions prit la feuille et lut :

« Ne pas oublier que l'explosion est indépendante des lettres et qu'elle aura lieu à trois heures du matin. »

« Ah ! oui, fit-il en haussant les épaules, la fameuse explosion que don Luis a prédite et qui doit accompagner la cinquième lettre, comme l'annonce cette liste de dates. Bah ! nous avons le temps, puisqu'il n'y a eu que trois lettres, et que, ce soir, il s'agit de la quatrième. Et puis, faire sauter l'hôtel du boulevard Suchet, bigre, l'entreprise ne serait pas commode. C'est tout ?

— Monsieur le préfet, dit Weber, qui exhiba la dernière feuille, je vous prie d'examiner cet ensemble de lignes tracées au crayon et qui forment un grand carré qui en contient d'autres plus petits et des rectangles de toutes dimensions. Ne dirait-on pas le plan d'une maison ?

— Oui, en effet...

— C'est le plan de l'hôtel où nous sommes, affirma Weber avec une certaine solennité. Voilà la cour d'honneur, les bâtiments du fond, le pavillon des concierges, et, là, le pavillon de Mlle Levasseur. De ce pavillon part, au crayon rouge, une ligne pointillée qui s'en va en zigzags vers les bâtiments du fond. Le début de cette ligne est marqué par une petite croix qui désigne la pièce où nous sommes... ou plus exactement l'alcôve. On a dessiné ici comme l'emplacement d'une cheminée... ou plutôt d'un placard... d'un placard creusé derrière le lit et qui serait dissimulé par les rideaux.

— Mais alors, Weber, murmura M. Desmalions, ce serait le tracé d'un passage conduisant de ce pavillon aux bâtiments du fond ? Tenez, à l'autre bout de la ligne, il y a également une petite croix au crayon rouge.

— Oui, monsieur le préfet, il y a une autre croix. Quel emplacement marque-t-elle ? Nous le déterminerons plus tard d'une façon certaine. Mais dès maintenant, et sur une simple hypothèse, j'ai posté des hommes dans une petite pièce située au second étage, où eut lieu hier le conciliabule suprême de don Luis, de Florence Levasseur et de Gaston Sauverand. Et, dès maintenant, en tout cas, nous connaissons la retraite de don Luis Perenna. »

Il y eut un silence, après quoi, le sous-chef reprit d'une voix de plus en plus solennelle :

« Monsieur le préfet, j'ai subi hier, de la part de cet homme, un affront sanglant. Mes subordonnés en ont été les témoins. Les domestiques ne peuvent l'ignorer. Avant peu, le public en sera instruit. Cet homme a fait évader Florence Levasseur. Il a voulu faire évader Gaston Sauverand. C'est un bandit de la plus dangereuse espèce. Monsieur le préfet, je suis sûr que vous ne me refuserez pas l'autorisation de le forcer dans sa tanière. Sinon... sinon, monsieur le préfet, je me verrai contraint de donner ma démission.

— Avec motif à l'appui, dit le préfet en riant. Décidément, vous ne pouvez pas digérer le coup du rideau de fer. Allez-y donc ! Aussi bien, tant pis pour don Luis. Il l'aura voulu... Mazeroux, dès que le téléphone sera réparé, vous me donnerez des nouvelles à la Préfecture. Et ce soir, rendez-vous, boulevard Suchet, à l'hôtel Fauville. N'oubliez pas qu'il s'agit de la quatrième lettre.

— Il n'y aura pas de quatrième lettre, monsieur le préfet, déclara Weber.

— Pourquoi ?

— Parce que d'ici là don Luis sera coffré.

— Ah ! c'est don Luis aussi que vous accusez d'être l'auteur... »

Don Luis n'en écouta pas davantage. Doucement il recula vers le placard, saisit le panneau et le rabattit sans bruit.

Ainsi donc, sa retraite était connue !

« Saperlipopette, grogna-t-il, elle est raide celle-là ! Me voici dans de beaux draps. »

Il avait couru jusqu'à la moitié du souterrain avec l'intention de gagner l'autre issue. Il s'arrêta.

« Pas la peine, puisque cette issue est gardée.... Alors, quoi, voyons, est-ce que je vais être pris au collet ? Voyons... Voyons... »

D'en bas, de l'alcôve, parvenait déjà un bruit de coups, le bruit des coups que l'on frappait sur le panneau, dont la sonorité spéciale avait probablement attiré l'attention du sous-chef. Et comme Weber, n'étant pas astreint aux mêmes précautions que don Luis, semblait démolir le panneau sans s'attarder à la recherche du mécanisme, le péril était proche.

« Nom d'un chien de nom d'un chien, ronchonna don Luis. C'est trop bête ! Que faire ? Leur passer sur le corps ?... Ah ! si j'étais en pleine force !... »

Mais le manque de nourriture l'épuisait. Ses jambes tremblaient sous lui, et son cerveau commençait à n'avoir plus sa lucidité habituelle.

Un redoublement de coups dans l'alcôve le poussa malgré tout vers l'issue d'en haut, et, grimpant à l'échelle, il promena sa lanterne électrique sur les pierres du mur et sur la boiserie de la trappe. Il tenta même de soulever celle-ci par une pesée d'épaule. Mais de nouveau des bruits de pas résonnèrent au-dessus de lui. Les hommes étaient toujours là.

Alors, dévoré de rage, impuissant, il attendit la venue du sous-chef.

Un craquement se produisit en bas, dont l'écho se propagea le long du souterrain, puis, il y eut un tumulte de voix.

« Ça y est, se dit-il, les menottes, le dépôt, la cellule... Bon Dieu de sort, quelle stupidité ! Et puis Marie-Anne Fauville qui va mourir... Et puis Florence... Florence... »

Avant d'éteindre sa lanterne, il en projeta une dernière fois la lumière autour de lui.

À deux mètres de l'échelle, environ aux trois quarts de la hauteur, et un peu en retrait, une pierre, une grosse pierre de taille manquait dans le mur, du côté de l'intérieur de la maison et laissait un trou de dimensions assez grandes pour qu'on pût s'y blottir.

Bien que la cachette ne valût pas grand-chose, il se pouvait cependant que l'on négligeât d'inspecter ce renfoncement.

D'ailleurs, don Luis n'avait pas le choix. À tout hasard, après avoir éteint, il se pencha vers le rebord du trou, l'atteignit et réussit à s'y installer en se courbant en deux.

Weber, Mazeroux et leurs hommes arrivaient. Don Luis s'arcbouta contre le fond de sa cachette pour échapper le plus possible au rayonnement des lanternes dont il voyait les premières lueurs. Et il advint cette chose stupéfiante, que la pierre, contre laquelle il s'adossait, bascula doucement, comme si elle eût pivoté autour d'un axe, et qu'il tomba à la renverse dans une seconde cavité située en arrière. Vivement il ramena ses jambes dans cette cavité, et la pierre se referma avec la même lenteur, non toutefois sans qu'un éboulement de cailloux, détachés de la muraille, lui recouvrît à demi les jambes.

« Tiens, tiens, ricana-t-il, est-ce que la Providence se mettrait du côté de la vertu et du bon droit ? »

Il entendit la voix de Mazeroux qui disait :

« Personne ! et voilà l'extrémité du passage. À moins qu'il n'ait fui à notre approche... Tenez, par la trappe qui est en haut de cette échelle. »

Et Weber répondit :

« Étant donné la pente que nous avons monté, il est certain que le niveau de cette trappe se trouve au second étage. Or, la deuxième petite croix du plan marquerait, au second étage, le boudoir contigu à la chambre de don Luis. C'est bien ce que j'ai supposé, et c'est pourquoi j'ai placé là trois de nos hommes. S'il a voulu fuir de ce côté, il est pris.

— Nous n'avons qu'à frapper, dit Mazeroux, nos hommes trouveront la trappe et nous ouvriront. Sinon, on la démolira. »

De nouveaux coups retentirent. Un bon quart d'heure plus tard, la trappe cédait, et d'autres voix se mêlèrent à celles de Weber et de Mazeroux.

Pendant ce temps don Luis examinait son domaine et en constatait l'extrême exiguïté. Tout au plus pouvait-il s'y tenir assis. C'était un couloir, ou plutôt une sorte de boyau d'un mètre cinquante de long, et qui se terminait par un orifice, plus étroit encore, où des briques étaient accumulées. Les parois, d'ailleurs, étaient formées de briques, dont quelques-unes manquaient, et les moellons de construction qu'elles auraient dû retenir s'éboulaient au moindre choc. Le sol en était jonché.

« Bigre ! pensa Lupin, il ne faudrait pas que je m'agitasse par trop ! Sans quoi, je risque d'être enterré vivant. Agréable perspective ! »

En outre, la crainte de faire du bruit l'immobilisait. Il se trouvait, en effet, près de deux pièces occupées par des agents, son boudoir d'abord, et ensuite son cabinet de travail, puisque son boudoir, il le savait, était situé sur la partie de son cabinet de travail réservée au téléphone.

Cette idée lui en suggéra une autre. À bien réfléchir, et en se rappelant qu'il s'était demandé parfois comment l'aïeule du comte Malonesco avait pu vivre, derrière le rideau de fer, aux heures où il lui fallait se cacher, il comprit qu'il y avait eu jadis communication entre le passage secret et ce qui était actuellement la cabine téléphonique, communication trop étroite pour qu'on y pût passer, mais qui devait servir comme conduit d'aération. Par précaution, au cas où le passage secret aurait été découvert, une pierre masquait l'entrée supérieure de ce conduit. Le baron Malonesco avait dû boucher l'extrémité inférieure en réinstallant les boiseries du cabinet de travail.

Donc, il était emprisonné là, dans l'épaisseur des murs, sans autre décision bien nette que celle d'échapper à l'étreinte de la police. Des heures passèrent encore.

Peu à peu, torturé par la faim et par la soif, il tomba dans un sommeil lourd, traversé de cauchemars, si angoissant qu'il eût voulu en sortir à tout prix, mais si profond qu'il ne put reprendre conscience avant huit heures du soir.

À son réveil, il se sentit très las, et il eut subitement une perception affreuse, et à la fois si juste de la situation que, par un revirement subit où il y avait de la peur, il résolut de quitter sa cachette et de se livrer. Tout valait mieux que le supplice qu'il endurait et que les dangers auxquels l'exposait une plus longue attente.

Mais, s'étant retourné sur lui-même pour atteindre l'entrée de sa tanière, il s'aperçut, d'abord que la pierre ne basculait pas sur une simple poussée, et ensuite, après plusieurs tentatives, qu'il n'arrivait pas à trouver le mécanisme qui sans doute la faisait basculer. Il s'acharna. Tous ses efforts furent vains. La pierre ne bougeait pas.

Seulement, à chacun de ses efforts, quelques moellons se détachaient de la paroi supérieure et diminuaient encore l'espace où il pouvait évoluer.

Il lui fallut un sursaut d'énergie pour dominer son émotion, et pour dire en plaisantant :

« Parfait ! Je vais en être réduit à appeler au secours, moi, Arsène Lupin ! Oui, appeler au secours ces messieurs de la police... Sans quoi, mes chances d'ensevelissement augmentent minute par minute. Comme enterré vivant, je me prends à dix contre un... »

Il serra les poings.

« Cré tonnerre ! Je m'en tirerai seul. Appeler au secours ? Ah ! non, mille fois non ! »

De toute sa volonté il s'efforça de réfléchir, mais son cerveau exténué ne lui permettait plus que des idées confuses et sans lien les unes avec les autres. L'image de Florence le hantait, et celle de Marie-Anne également.

« C'est cette nuit que je dois les sauver, se disait-il... Et certainement je les sauverai, puisqu'elles ne sont pas criminelles et que je connais le coupable. Mais par quel moyen réussirai-je ? »

Il songeait au préfet de police, à la réunion qui devait avoir lieu boulevard Suchet, dans l'hôtel de l'ingénieur Fauville. Cette réunion était commencée. La police gardait l'hôtel. Et cette idée lui rappela la feuille de papier trouvée par Weber dans le tome huit de Shakespeare, et la phrase inscrite, que le préfet avait lue.

Ne pas oublier que l'explosion est indépendante des lettres et qu'elle aura lieu à trois heures du matin.

« Oui, pensa don Luis qui s'en tenait au raisonnement de M. Desmalions, oui, dans dix jours, puisqu'il n'y a eu que trois lettres. La quatrième lettre doit surgir cette nuit, et l'explosion ne doit avoir lieu qu'avec la cinquième lettre, donc, dans dix jours. »

Il répéta :

« Dans dix jours... avec la cinquième lettre... oui, dans dix jours... »

Et soudain, il tressaillit d'effroi. Une vision atroce venait de lui traverser l'esprit, une vision qui avait toutes les apparences de la réalité. C'était cette nuit même que l'explosion allait se produire !

Et, tout de suite, sachant ce qu'il savait de la vérité, tout de suite, dans un retour de sa clairvoyance habituelle, il admit cette hypothèse comme certaine. Évidemment, trois lettres seulement avaient surgi de l'ombre mystérieuse, mais quatre lettres auraient dû surgir, puisque l'une d'elles n'avait pas surgi à la date fixée, mais dix jours plus tard, et cela précisément pour une raison que don Luis connaissait. Et puis, et puis, il ne s'agissait pas de tout cela. Il ne s'agissait pas de chercher la vérité dans cette confusion de dates et de lettres, dans cet imbroglio inextricable où nul ne pouvait prétendre à la certitude. Non. Une seule chose dominait la situation, cette phrase : *« Ne pas oublier que l'explosion est indépendante des lettres. »* Or, comme l'explosion était marquée pour la nuit du vingt-cinq au vingt-six mai, l'explosion se produirait cette nuit même, à trois heures du matin !

« Au secours ! au secours ! » cria-t-il.

Cette fois, il n'hésitait plus. S'il avait eu le courage, jusqu'ici, de rester au fond de sa prison et d'y attendre l'événement miraculeux qui lui viendrait en aide, il aimait mieux affronter tous les périls et subir tous les châtiments, que d'abandonner au sort qui les menaçait le préfet de police, Weber, Mazeroux et leurs compagnons.

« Au secours ! Au secours ! »

Dans trois ou quatre heures, l'hôtel de l'ingénieur Fauville allait sauter. Cela, il le savait de la façon la plus sûre. Avec autant d'exactitude que les lettres mystérieuses étaient arrivées à leur destination malgré tous les obstacles qui s'y opposaient, l'explosion se produirait à l'heure indiquée. L'artisan infernal de l'œuvre maudite l'avait voulu ainsi. À trois heures du matin, il ne resterait rien de l'hôtel Fauville.

« Au secours ! Au secours ! »

Il retrouvait des forces pour crier désespérément, et pour que sa voix retentît au-delà des pierres et au-delà des boiseries.

Puis, comme il ne semblait pas que l'on répondît à son appel, il s'interrompit et longtemps écouta.

Aucun bruit à l'entour. Le silence absolu.

Alors, une angoisse terrible le couvrit de sueur. Si les agents, renonçant à la garde des étages supérieurs, s'étaient confinés, pour passer la nuit, dans les pièces du rez-de-chaussée ?

Comme un fou, il saisit une brique et frappa, à diverses reprises, sur la pierre d'entrée, espérant que le bruit se propagerait à travers l'hôtel. Mais aussitôt, une avalanche de moellons, détachés par le choc, s'abattit sur lui, le renversa de nouveau et l'immobilisa.

« Au secours ! Au secours ! Au secours ! »

Le silence. Le silence énorme, implacable.

« Au secours ! Au secours ! »

Il avait l'impression que ses cris ne dépassaient pas les parois qui l'étouffaient. D'ailleurs sa voix devenait de plus en plus faible, gémissement rauque, haletant, qui expirait en son gosier meurtri.

Il se tut, écoutant encore, de toute son attention anxieuse, le grand silence qui enveloppait comme avec des couches de plomb le cercueil de pierre où il gisait. Toujours rien. Aucun bruit. Personne ne viendrait et personne ne pouvait venir à son secours.

L'image et le nom de Florence continuaient à l'obséder. Et il pensait aussi à Marie-Anne qu'il avait promis de sauver. Mais Marie-Anne mourrait de faim. Et comme elle, et comme Gaston Sauverand, et comme tant d'autres, il était à son tour victime de cette monstrueuse affaire.

Un incident accrut son désarroi. Tout à coup, sa lampe électrique qu'il avait laissée allumée pour dissiper l'horreur des ténèbres s'éteignit. Il était onze heures du soir.

Des vertiges l'étourdissaient. Il respirait à peine, et un air insuffisant, déjà vicié. Son cerveau subissait, ainsi qu'un mal physique et très douloureux, le retour d'images qui lui semblaient s'y incruster, et c'était toujours la belle figure de Florence ou le visage livide de Marie-Anne. Et, dans son hallucination, tandis que Marie-Anne agonisait, il entendait l'explosion de l'hôtel Fauville, et il voyait le préfet de police et Mazeroux affreusement mutilés, morts.

Une torpeur l'engourdit. Il tomba dans une sorte d'évanouissement, où il continuait à balbutier des syllabes confuses :

« Florence... Marie-Anne... Marie-Anne... »

CHAPITRE II

L'EXPLOSION DU BOULEVARD SUCHET

La quatrième lettre mystérieuse ! La quatrième de ces lettres que « le diable mettait à la poste et que le diable distribuait », selon l'expression d'un journal ! Qu'on se rappelle la surexcitation vraiment extraordinaire du public à l'approche de la nuit du vingt-cinq au vingt-six mai...

Et quelque chose de nouveau portait au plus haut point ce bouillonnement de curiosité. Coup sur coup, on avait appris l'arrestation de Sauverand, la fuite de sa complice Florence Levasseur, secrétaire de don Luis Perenna, et la disparition inexplicable de ce Perenna que l'on s'obstinait, et pour de bonnes raisons, à confondre avec Arsène Lupin.

Sûre de la victoire désormais, tenant sous ses griffes presque tous les auteurs du drame, la police avait glissé peu à peu aux indiscrétions, et par les détails révélés à tel ou à tel journaliste, on connaissait les revirements de don Luis, on soupçonnait son amour pour Florence Levasseur et la cause réelle de sa rébellion, et l'on frémissait d'émotion au spectacle de cette lutte nouvelle engagée par ce stupéfiant personnage.

Qu'allait-il faire ? S'il voulait soustraire aux poursuites celle qu'il aimait, et libérer Marie-Anne et Sauverand, il fallait qu'il intervînt au cours de cette nuit même, qu'il participât, d'une manière ou d'une autre, à l'événement qui se préparait et que, en arrêtant le messager invisible de la quatrième lettre, ou en apportant des explications irrécusables, il démontrât l'innocence des trois complices. Bref, il fallait qu'il fût là. Quel élément d'intérêt !

Et puis les nouvelles n'étaient pas bonnes, concernant Marie-Anne. Avec un acharnement inlassable, elle s'obstinait dans ses projets de suicide. On devait l'alimenter par des moyens artificiels, et, à l'infirmerie de Saint-Lazare, les docteurs ne dissimulaient pas leur inquiétude. Don Luis Perenna arriverait-il à temps ?

Et enfin il y avait cette autre chose, la menace d'une explosion qui devait faire sauter l'hôtel de l'ingénieur Fauville dix jours après la quatrième lettre, menace vraiment impressionnante quand on songeait que l'ennemi n'avait jamais rien annoncé qui ne se produisît à l'heure dite. Et bien que l'on fût encore, du moins le croyait-on, à dix jours de la catastrophe, cela donnait à toute l'affaire une allure de plus en plus sinistre.

Aussi, ce soir-là, c'est une véritable multitude qui se porta, par la Muette et par Auteuil, vers le boulevard Suchet, et qui accourait non seulement de Paris, mais de la banlieue et de la province. Le spectacle passionnait. On voulait voir.

On ne vit que de loin, car la police avait organisé des barrages à cent mètres à droite et à gauche de l'hôtel, et refoulait dans les fossés des fortifications ceux qui avaient réussi à monter sur le talus opposé.

Le ciel était orageux, couvert de nuages lourds que l'on apercevait par intervalles à la lueur d'une lune toute blanche. Il y avait des éclairs et des roulements lointains de tonnerre. On chantait. Des gamins poussaient des cris d'animaux. Sur les bancs et sur les trottoirs on s'était installé par groupes, et l'on mangeait et l'on buvait, tout en discutant.

Une partie de la nuit s'écoula ainsi, sans que rien semblât répondre à l'attente de la foule, et l'on se demandait avec une certaine lassitude si l'on ne ferait pas mieux de s'en aller, puisque, aussi bien, Sauverand étant emprisonné, il y avait beaucoup de chances pour que la quatrième lettre ne surgît pas comme les autres des ténèbres mystérieuses.

Et pourtant on ne s'en allait pas : don Luis Perenna allait venir !

Depuis dix heures du soir le préfet de police et le secrétaire général de la préfecture, le chef de la Sûreté, le sous-chef Weber, le brigadier Mazeroux et deux agents se trouvaient réunis dans la grande salle où l'ingénieur Fauville avait été assassiné. Quinze autres agents occupaient les autres pièces, tandis qu'une vingtaine gardaient les toits, la façade et le jardin.

Une fois de plus, durant les heures de l'après-midi, on avait tout fouillé, sans plus de résultats, du reste, qu'auparavant. Mais il était décidé que tous les hommes veilleraient. Si la quatrième lettre était déposée quelque part, dans la grande salle, on voulait savoir, et l'on saurait qui l'apportait. Les miracles n'existent pas en matière de police.

Vers minuit, M. Desmalions fit servir du café à ses agents. Lui-même en prit deux tasses, et il ne cessait de marcher d'un bout à l'autre de la pièce, de monter l'escalier qui conduisait à la mansarde ou de parcourir l'antichambre et le vestibule. Préférant que la surveillance s'exerçât dans les conditions les plus favorables, il laissait toutes les portes ouvertes et toutes les lumières électriques allumées.

Et, comme Mazeroux objectait :

« Il faut de l'ombre pour que la lettre vienne. Rappelez-vous, monsieur le préfet, l'épreuve contraire a été déjà tentée, et la lettre n'est pas venue.

— Recommençons l'épreuve », répondit M. Desmalions qui, en réalité, et malgré tout, craignait l'intervention de don Luis et multipliait les mesures pour la rendre impossible.

Cependant, à mesure que la nuit avançait, l'impatience gagnait les esprits. Tous préparés à la lutte, les hommes souhaitaient l'occasion d'utiliser leur énergie exaspérée. Ils écoutaient et ils regardaient éperdument. Vers une heure, il y eut une alerte, qui montra à quel point de tension nerveuse ils étaient arrivés. Un coup de feu partit du premier étage, puis des clameurs. Renseignements pris, c'étaient deux agents, qui, se rencontrant au cours d'une ronde, ne se reconnurent pas et dont l'un tira en l'air pour avertir ses camarades.

Dehors, cependant, il y avait moins de monde, ainsi que put le constater M. Desmalions lorsqu'il entrouvrit la porte du jardin. La consigne, moins sévère, laissait approcher les curieux, tout en défendant les abords du trottoir.

Mazeroux lui dit :

« Heureusement que l'explosion n'est pas pour cette nuit, monsieur le préfet, sans quoi tous ces braves gens y passeraient tout comme nous.

— Il n'y aura pas d'explosion dans dix jours, pas plus qu'il n'y a de lettre cette nuit », dit M. Desmalions en haussant les épaules.

Et il ajouta :

« Du reste, ce jour-là, les ordres seront inflexibles. »

Il était alors 2 heures 10.

À 2 heures 25, comme le préfet de police allumait un cigare, le chef de la Sûreté risqua, en riant :

« Voilà une chose dont il faudra vous priver, la prochaine fois, monsieur le préfet, ce serait trop dangereux.

— La prochaine fois, fit M. Desmalions, je ne perdrai pas mon temps à monter la garde. Car vraiment je commence à croire que toute cette histoire de lettres est finie. »

Mazeroux insinua :

« Est-ce qu'on sait ?... »

Quelques minutes encore... M. Desmalions s'était assis. Les autres avaient pris place également. Personne ne parlait plus.

Et soudain, ils bondirent tous, d'un même mouvement, et avec une même expression de surprise.

Une sonnerie avait retenti.

Une sonnerie... Était-ce possible ?

Tout de suite ils virent d'où cela provenait.

« Le téléphone », murmura M. Desmalions.

Et c'était là un phénomène qui l'étonnait infiniment, et qui étonna tous les assistants, car on n'avait jamais songé que le téléphone fonctionnât encore à l'hôtel de l'ingénieur Fauville.

Comme le préfet de police approchait de l'appareil, le timbre retentit de nouveau.

Il prononça :

« C'est peut-être de la Préfecture, un avis urgent. »

Troisième sonnerie...

Il décrocha le récepteur :

« Allô... qu'est-ce que vous demandez ? »

Une voix lui répondit, si lointaine et si faible qu'il ne perçut que des sons incohérents, et qu'il s'écria :

« Parlez donc plus haut !... Quoi ? Qu'est-ce que c'est ? Qui est à l'appareil ?

La voix bredouilla quelques syllabes, qui parurent le stupéfier...

« Allô ! dit-il... je ne comprends pas... veuillez répéter... Allô... Qui est à l'appareil ?

— Don Luis Perenna, répliqua-t-on de manière plus distincte.

— Hein ? Quoi ? Don Luis... Perenna. »

Il fut sur le point de raccrocher le récepteur, et il maugréa :

« Une fumisterie... Quelque farceur qui se divertit. »

Pourtant, malgré lui, reprenant la communication, il dit d'un ton bourru :

« Enfin, qu'est-ce que c'est ? Vous êtes don Luis Perenna ?

— Oui.

— Que demandez-vous ?

— Quelle heure est-il ?

— Quelle heure est-il !

Le préfet eut un geste de colère, non pas tant à cause de cette question absurde, que parce qu'il avait reconnu, réellement, sans erreur possible, la voix même de don Luis Perenna.

« Et après ? fit-il en se dominant. Quelle est cette nouvelle histoire ? Où êtes-vous ?

— Dans mon hôtel, au-dessus du rideau de fer, dans le plafond de mon cabinet de travail. »

Le préfet répéta, confondu :

« Dans le plafond ?

— Oui, et quelque peu esquinté, je l'avoue.

— On va vous secourir, dit M. Desmalions qui commençait à s'amuser.

— Plus tard, monsieur le préfet. Répondez-moi d'abord. Vite... Sinon, je ne sais si j'aurai la force... Quelle heure est-il ?

— Ah ! çà mais...

— Je vous en prie...

— Trois heures moins vingt.

— Trois heures moins vingt ! »

On eût dit que don Luis trouvait une force imprévue dans un accès brusque de frayeur. Sa voix défaillante prit de l'accent, et, tour à tour, impérieux, désespéré, suppliant, plein d'une conviction qu'il cherchait à imposer, il ordonna :

« Allez-vous-en, monsieur le préfet... Partez tous... Quittez l'hôtel... À trois heures l'hôtel sautera... Mais oui, je vous le jure... Dix jours après la quatrième lettre, c'est maintenant, puisque la remise des lettres a subi un retard de dix jours.... C'est maintenant à trois heures du matin. Rappelez-vous ce qu'il y avait d'inscrit sur la feuille que le sous-chef Weber a trouvée ce matin. *« L'explosion est indépendante des lettres. Elle aura lieu à trois heures du matin. »* À trois heures du matin, aujourd'hui, monsieur le préfet ! Ah ! partez, je vous en conjure... Que personne ne reste dans l'hôtel... Il faut me croire... Je connais toute la vérité sur l'affaire... Et rien n'empêchera que la menace ne s'exécute... Allez-vous-en... allez-vous-en... Ah ! c'est horrible... je sens que vous ne croyez pas... et je n'ai plus de force... Allez-vous-en tous... »

Il dit encore plusieurs mots que M. Desmalions ne discerna point. Puis la communication s'interrompit, et bien que le préfet entendît des cris, il lui sembla que ces cris étaient lointains, comme si l'appareil n'eût plus été à la portée de la bouche qui les articulait.

Il raccrocha le récepteur.

« Messieurs, dit-il en souriant, il est trois heures moins dix-sept. Dans dix-sept minutes, nous allons sauter. Ainsi du moins l'affirme notre bon ami don Luis Perenna. »

Malgré les plaisanteries qui accueillirent cette menace, il y eut comme un sentiment de gêne. Le sous-chef Weber demanda :

« C'est bien don Luis, monsieur le préfet ?

— En personne. Il s'est terré dans quelque trou de son hôtel, au-dessus de son cabinet de travail, et les privations, la fatigue, semblent l'avoir un peu détraqué. Mazeroux, allez donc le prendre au gîte... si toutefois il n'y a pas là quelque nouveau tour de sa part. Vous avez le mandat ? »

Le brigadier Mazeroux s'approcha de M. Desmalions. Il était blême.

« Monsieur le préfet, *il* vous a dit que nous allions sauter ?

— Ma foi, oui. Il se base sur cette note que Weber a trouvée dans un volume de Shakespeare. L'explosion doit avoir lieu cette nuit.

— À trois heures du matin ?

— À trois heures du matin, c'est-à-dire dans un petit quart d'heure.

— Et vous restez, monsieur le préfet !

— Vous en avez de bonnes, brigadier. Croyez-vous que nous allons obéir aux lubies de ce monsieur ? »

Mazeroux chancela, hésita, mais, malgré toute sa déférence, incapable de se contenir, il s'écria :

« Monsieur le préfet, ce n'est pas une lubie. J'ai travaillé avec don Luis. Je connais l'homme. S'il annonce une chose, c'est qu'il a ses raisons.

— De mauvaises raisons.

— Mais non, monsieur le préfet, implora Mazeroux, qui s'animait de plus en plus... je vous jure qu'il faut l'écouter... À trois heures du matin, il l'a dit... l'hôtel sautera... Nous avons quelques minutes... Partons, je vous en prie, monsieur le préfet...

— C'est-à-dire, fuyons.

— Mais ce n'est pas fuir, monsieur le préfet. C'est une simple précaution... On ne peut pourtant pas risquer. Vous-même, monsieur le préfet...

— Assez...

— Mais, monsieur le préfet, puisque don Luis a dit...

— Assez ! répéta M. Desmalions d'un ton sec. Si vous avez peur, profitez de l'ordre que je vous ai donné, et filez chez don Luis. »

Mazeroux réunit les talons, et, d'un geste d'ancien soldat, fit le salut militaire.

« Je reste ici, monsieur le préfet. »

Et, pivotant sur lui-même, il alla reprendre sa place à l'écart.

Il y eut un silence, M. Desmalions se mit à marcher dans la pièce, les mains au dos, puis, s'adressant au chef de la Sûreté et au secrétaire général :

« Enfin, vous êtes de mon avis, j'espère ?

— Mais oui, monsieur le préfet.

— N'est-ce pas ? D'abord cette hypothèse ne repose sur rien de sérieux. Et ensuite, quoi, nous sommes gardés ! Les bombes ne vous dégringolent pas comme ça sur la tête. Il faut quelqu'un qui les jette. Comment ? Par où ?

— Par le même chemin que les lettres, risqua le secrétaire général.

— Hein ? Alors vous admettez ?... »

Le secrétaire général ne répondit pas et M. Desmalions n'acheva pas sa phrase. Lui-même il éprouvait, comme les autres, cette impression de malaise qui, peu à peu, à mesure que les secondes s'écoulaient, devenait douloureuse, presque intolérable.

Trois heures du matin !... Ces quelques mots revenaient sans cesse à son esprit. Deux fois, il consulta sa montre. Il y avait encore douze minutes. Il y en avait dix. Est-ce que vraiment, par le simple effet d'une volonté infernale et toute-puissante, est-ce que l'hôtel allait sauter ?

« C'est idiot ! c'est idiot ! » s'écria-t-il en frappant du pied.

Mais, ayant regardé ses compagnons, il fut stupéfait de voir la contraction de leurs visages, et il sentit dans sa poitrine son cœur qui se serrait étrangement.

Il n'avait pas peur, certes non, et les autres pas plus que lui. Mais tous, depuis les chefs jusqu'aux simples agents, ils subissaient l'ascendant de ce don Luis Perenna qu'ils avaient vu accomplir des choses si extraordinaires et se diriger dans cette ténébreuse aventure avec une habileté si prodigieuse. Consciemment ou à leur insu, qu'ils le voulussent ou non, ils songeaient à lui comme à un être exceptionnel, doué de facultés spéciales, un être auquel il leur était impossible de songer sans évoquer par là même le stupéfiant Arsène Lupin, avec sa légende d'audace, de génie et de clairvoyance surhumaine.

Et c'était Lupin qui leur disait de fuir. Poursuivi, traqué, il se livrait lui-même pour les avertir du danger. Et ce danger était immédiat. Encore sept minutes, encore six, et l'hôtel sauterait.

Très simplement, Mazeroux se mit à genoux, fit le signe de la croix et récita des prières à voix basse. Le geste était si impressionnant que le secrétaire général et le chef de la Sûreté esquissèrent un mouvement vers le préfet de police.

Il détourna la tête et continua sa promenade de long en large. Mais l'angoisse montait en lui, et les paroles entendues au téléphone retentissaient à son oreille, et toute l'autorité de Perenna, sa prière ardente, sa conviction éperdue, tout cela le bouleversait. Il avait vu Perenna à l'œuvre. On n'avait pas le droit, dans une pareille circonstance, de négliger l'avertissement d'un tel individu.

« Allons-nous-en », dit-il.

Ces mots furent prononcés de la façon la plus calme, et l'on eût cru vraiment que ceux qui les entendirent ne les considéraient que comme la conclusion judicieuse d'un état de choses très ordinaire. Ils s'en allèrent sans hâte et sans désordre, non pas en fugitifs, mais en hommes qui obéissent volontairement à un devoir de prudence.

Au seuil de la porte, ils s'effacèrent devant le préfet de police.

« Non, dit-il, passez, je vous suis. »

Il quitta la pièce le dernier, laissant l'électricité allumée.

Dans le vestibule, il pria le chef de la Sûreté de donner un coup de sifflet. Lorsque tous les agents furent là, il les fit sortir de l'hôtel ainsi que le concierge et referma la porte sur lui.

Appelant alors les agents qui surveillaient le boulevard, il leur enjoignit :

« Que tout le monde s'éloigne, et repoussez la foule le plus loin possible... et rapidement, n'est-ce pas ? D'ici un quart d'heure, nous rentrerons dans l'hôtel.

— Et vous, monsieur le préfet, murmura Mazeroux, j'espère que vous ne restez pas.

— Ma foi non, dit-il en riant ; si tant est que j'écoute le conseil de notre ami Perenna, je dois marcher jusqu'au bout.

— C'est qu'il n'y a plus que deux minutes.

— Notre ami Perenna a parlé de trois heures et non de trois heures moins deux. Donc... »

Il traversa le boulevard, accompagné du chef de la Sûreté, de son secrétaire général et de Mazeroux, et il escalada le talus opposé.

« Il faudrait peut-être se baisser, insista Mazeroux.

— Baissons-nous, dit le préfet, toujours de bonne humeur. Mais, en vérité, s'il n'y a pas d'explosion, je me flanque une balle dans la tête. Je ne pourrais pas vivre après m'être ainsi couvert de ridicule.

— Il y aura une explosion, monsieur le préfet, affirma Mazeroux.

— Faut-il que vous ayez confiance dans notre ami don Luis.

— Vous avez la même confiance, monsieur le préfet. »

Ils se turent, crispés par l'attente et luttant contre l'anxiété qui les étreignait. Une à une, ils comptaient les secondes aux battements de leurs cœurs. C'était interminable.

Trois heures sonnèrent quelque part.

« Vous voyez, ricana M. Desmalions, dont la voix s'altérait, vous voyez, il n'y aura rien... Dieu merci ! »

Et il bougonna :

« C'est idiot ! c'est idiot ! Comme si pareille chose pouvait se concevoir !... »

Une autre horloge sonna, plus lointaine, puis, au sommet d'un hôtel voisin, l'heure tinta également.

Avant que le troisième coup eût retenti, ils entendirent comme un craquement, et aussitôt, ce fut l'explosion, formidable, totale, et si brève, qu'ils n'eurent pour ainsi dire que la vision d'une gerbe immense de flammes et de fumée, d'où jaillissaient d'énormes pierres et des débris de murs, quelque chose comme le bouquet gigantesque d'un feu d'artifice. Et c'était fini. Le volcan avait éclaté.

« Ils entendirent comme un craquement et ce fut l'explosion. »

« En avant ! cria le préfet de police qui s'élança. Qu'on téléphone ! vite, les pompes en cas d'incendie. »

Il empoigna Mazeroux par le bras.

« Courez jusqu'à mon auto, à cent mètres de là. Faites-vous conduire chez don Luis, et si vous le trouvez, délivrez-le et amenez-le ici.

— Je le mets sous mandat, monsieur le préfet ?

— Sous mandat ? Vous êtes fou !

— Mais, si le sous-chef Weber...

— Weber nous fichera la paix. Je me charge de lui. Filez. »

Cette mission, Mazeroux l'accomplit, non pas avec plus de hâte que s'il se fût agi d'arrêter don Luis, car c'était un homme de devoir, mais avec une joie singulière. Le combat qu'il avait été obligé de poursuivre contre celui qu'il appelait toujours le patron l'avait bien souvent désolé, jusqu'à lui tirer les larmes des yeux. Cette fois, il arrivait en auxiliaire, peut-être en sauveur.

L'après-midi, renonçant, sur les ordres de M. Desmalions, à fouiller davantage l'hôtel, puisque l'évasion de don Luis semblait certaine, le sous-chef n'avait laissé que trois hommes de faction. Mazeroux les trouva dans une pièce du rez-de-chaussée, où ils veillaient tour à tour. Interrogés, ils affirmèrent qu'ils n'avaient pas entendu le moindre bruit.

Il monta seul, pour que son entrevue avec le patron n'eût pas de témoins, traversa le salon, et pénétra dans le cabinet de travail.

Là, une inquiétude l'assaillit, car, au premier coup d'œil, après avoir allumé une lampe électrique, il ne vit rien.

« Patron ! appela-t-il à diverses reprises, patron, où donc êtes-vous ? »

Aucune réponse.

« Pourtant, se dit Mazeroux, s'il a téléphoné, ce ne peut être que d'ici. »

En effet, il constata, de loin, que le récepteur était décroché, et, s'étant avancé vers la cabine, il heurta des morceaux de briques et de plâtre qui jonchaient le tapis. Alors, il fit aussi la lumière dans cette cabine, et il aperçut au-dessus de lui un bras qui pendait du plafond. Tout autour de ce bras, le plafond était éventré. Cependant, l'épaule n'avait pu passer et on ne discernait pas la tête du captif.

Mazeroux sauta sur une chaise et atteignit la main qu'il palpa, et dont le tiède contact le rassura.

« C'est toi, Mazeroux ? articula une voix, qui parut très lointaine au brigadier.

— Oui, c'est moi-même. Vous n'êtes pas blessé, hein ? Rien de grave ?

— Non, étourdi seulement... et assez faiblard... Écoute...

— J'écoute...

— Ouvre le second tiroir de gauche de mon bureau. Tu trouveras...

— Quoi, patron ?

— Un vieux bout de chocolat.

— Mais...

— Va toujours, Alexandre, j'ai une sacrée faim. »

De fait, après un instant, don Luis reprit, d'un ton plus gaillard :

« Ça va mieux. Je puis attendre. Cours à la cuisine et rapporte-moi du pain et de l'eau.

— Je reviens, patron.

— Pas directement. Reviens par la chambre de Florence Levasseur et par le passage secret jusqu'à l'échelle qui mène à la trappe supérieure. »

Et il lui indiqua le moyen de faire basculer la pierre et de s'introduire dans la sorte de canal où il avait cru trouver une fin si tragique.

En dix minutes, ce fut chose exécutée. Mazeroux déblayait l'orifice, parvenait à saisir don Luis par les jambes et le tirait hors de sa tanière.

« Eh bien, vrai, patron, gémissait-il tout apitoyé, en voilà une position ! Comment avez-vous fait votre compte ? Oui, je vois ça d'ici, vous avez creusé devant vous, à plat ventre, et creusé encore... plus d'un mètre ! Il vous en a fallu du courage, avec un estomac vide ! »

Lorsque don Luis fut installé dans sa chambre et qu'il eut avalé deux ou trois morceaux de pain et bu en conséquence, il raconta :

« Un rude courage, mon vieux. Bigre ! quand les idées tournent et qu'on n'a pas son cerveau à soi, parole d'honneur, on ne demande qu'à se laisser aller. Et surtout l'air manquait. Impossible de respirer. Je creusais pourtant, ainsi que tu l'as vu, je creusais, à moitié endormi, comme dans un cauchemar. Tiens, regarde, j'ai les doigts en marmelade. Seulement, voilà, je pensais à cette sacrée histoire de l'explosion, et coûte que coûte, je voulais vous avertir, et je creusais mon tunnel ! Quel métier ! et puis, v'lan, j'ai senti le vide, ma main passait, et puis le bras. Où étais-je ? Parbleu, au-dessus du téléphone. Je m'en rendis compte aussitôt, en tâtant le mur et en rencontrant les fils. Alors, ce fut tout un manège, qui dura bien une demi-heure, pour atteindre l'appareil. Je n'avais pas le bras assez long. C'est avec une ficelle et un nœud coulant que je réussis à pêcher le récepteur et à le tenir près de ma bouche, ou du moins à trente centimètres de ma bouche. Et je criais pour qu'on entendît ! Et je gueulais ! Et je souffrais ! Et puis, à la fin, ma ficelle a craqué... Et puis... et puis, j'étais à bout de forces... D'ailleurs, quoi, vous étiez prévenus, c'est à vous de vous débrouiller. »

Il leva la tête vers Mazeroux, et lui demanda, comme s'il n'eût pas douté de la réponse :

« L'explosion a eu lieu, n'est-ce pas ?

— Oui, patron.

— À trois heures précises ?

— Oui.

— Et, bien entendu, M. Desmalions avait fait évacuer l'hôtel ?

— Oui.

— À la dernière minute ?

— À la dernière minute. »

Don Luis dit en riant :

« Je pensais bien qu'il se débattrait, et qu'il ne céderait qu'au moment suprême. Tu as dû passer là un mauvais quart d'heure, mon pauvre Mazeroux, car, évidemment, tu m'as donné raison du premier coup, toi ? »

Il ne cessait pas de manger, tout en parlant, et chaque bouchée semblait lui rendre un peu de son animation ordinaire.

« Drôle de chose que la faim, dit-il. Ce que ça vous fait déménager ! Il faudra pourtant que je m'habitue à cette privation-là.

— En tout cas, patron, on ne dirait vraiment pas que vous avez jeûné pendant près de quarante-huit heures.

— Bah ! le coffre est bon, et il y a des réserves. Dans une demi-heure, il n'y paraîtra plus. Le temps de prendre un bain et de me raser. »

Sa toilette achevée, il s'attabla devant des œufs et de la viande froide que lui avait préparés Mazeroux, puis, se levant :

« Et maintenant, en route !

— Mais rien ne nous presse, patron. Couchez-vous donc quelques heures. Le préfet attendra.

— Tu es fou ! Et Marie-Anne Fauville ?

— Mme Fauville ?

— Parbleu, crois-tu que je vais la laisser en prison, ainsi que Sauverand ? Pas une seconde à perdre, mon vieux. »

Tout en se disant que le patron n'avait pas encore bien sa tête à lui, — délivrer Marie-Anne et Sauverand, comme ça, d'un coup de baguette ! non, tout de même, il allait un peu loin ! — Mazeroux conduisait, jusqu'à l'automobile du préfet, un Perenna de nouveau joyeux, fringant, aussi reposé que s'il fût sorti de son lit.

« Très flatteur pour mon amour-propre, dit-il à Mazeroux, très flatteur, cette hésitation du préfet après mon avertissement téléphonique, et son obéissance à l'instant décisif. Faut-il que je les tienne en mains, tous ces messieurs-là, pour qu'ils se tirent des pattes sur un signe de bibi ! "Attention, messieurs, qu'on leur téléphone du fond de l'enfer, attention ! À trois heures, bombe. — Mais non ! — Mais si ! — Comment le savez-vous ? — Parce que je le sais. — Mais la preuve ? — La preuve, c'est que je le dis. — Oh ! alors, du moment que vous le dites..." Et à trois heures moins cinq, on s'éloigne. Ah ! si je n'étais pas pétri de modestie !... »

Ils arrivèrent au boulevard Suchet, où la foule était si pressée qu'ils durent descendre d'automobile. Mazeroux franchit le cordon d'agents qui défendaient les abords de l'hôtel, et il conduisit don Luis sur le talus opposé.

« Attendez-moi là, patron, je vais avertir le préfet de police. »

En face, sous le ciel pâle du matin, où traînaient encore des nuages noirs, don Luis vit les dégâts causés par l'explosion. Ils étaient, en apparence, bien moins considérables qu'il ne le croyait. Malgré l'écroulement de quelques plafonds, dont on apercevait les décombres à travers le trou béant des fenêtres, l'hôtel restait debout. Même le pavillon de l'ingénieur Fauville semblait avoir peu souffert, et chose bizarre, l'électricité, que le préfet de police avait laissée allumée avant son départ, ne s'était pas éteinte. Dans le jardin ou sur la chaussée gisait un amoncellement de meubles, autour duquel veillaient des soldats et des agents.

« Suivez-moi, patron », dit Mazeroux, qui revint chercher don Luis et le dirigea vers le bureau de l'ingénieur.

Une partie du plancher avait été démolie. Les murs extérieurs de gauche, du côté de l'antichambre, étaient crevés, et, pour soutenir le plafond, deux ouvriers dressaient des poutres apportées d'un chantier voisin. Mais, somme toute, l'explosion n'avait pas eu les résultats qu'avait dû escompter celui qui l'avait préparée.

M. Desmalions se trouvait là, ainsi que tous ceux qui avaient passé la nuit dans cette pièce et plusieurs personnages importants du parquet de la police. Seul, le sous-chef Weber venait de partir. Il n'avait pas voulu se rencontrer avec son ennemi.

La présence de don Luis suscita une vive émotion. Le préfet s'avança aussitôt à sa rencontre, et lui dit :

« Tous nos remerciements, monsieur. Votre clairvoyance est au-dessus de tout éloge. Vous nous avez sauvé la vie, ces messieurs et moi nous tenons à le déclarer de la façon la plus formelle. Pour ma part, c'est la seconde fois.

— Il est un moyen très simple de me remercier, monsieur le préfet, reprenait don Luis, c'est de me permettre d'aller jusqu'au bout de ma tâche.

— De votre tâche ?

— Oui, monsieur le préfet. Mon acte de cette nuit n'en est que le début. L'achèvement, c'est la libération de Marie-Anne Fauville et de Gaston Sauverand. »

M. Desmalions sourit :

« Oh ! Oh !

— Est-ce trop demander, monsieur le préfet ?

— On peut toujours demander, mais encore faut-il que la demande soit raisonnable. Or, il ne dépend pas de moi que ces personnes soient innocentes.

— Non, mais il dépend de vous, monsieur le préfet, que vous les préveniez, si je vous démontre leur innocence.

— Ma foi, oui, si vous me le démontrez d'une façon irréfutable.

— Irréfutable... »

Malgré tout, et plus encore que les autres fois, l'assurance de don Luis impressionnait M. Desmalions, qui insinua :

« Les résultats de l'enquête sommaire que nous avons faite vous aideront peut-être. Ainsi, nous avons acquis la certitude que la bombe a été placée à l'entrée de cette antichambre et tout probablement sous les lames mêmes du parquet.

— Inutile, monsieur le préfet. Ce ne sont là que des détails secondaires. L'essentiel, maintenant, c'est que vous connaissiez la vérité totale, et non point seulement par des mots. »

Le préfet s'était rapproché de lui. Les magistrats et les agents l'entouraient. On épiait ses paroles et ses gestes avec une impatience fiévreuse. Était-ce possible que cette vérité, si lointaine encore et si confuse malgré toute l'importance que l'on attachait aux arrestations déjà opérées, pût enfin être connue ?

L'heure était grave, les cœurs se serraient. L'annonce de l'explosion, faite par don Luis, donnait à ses prédictions une valeur de chose accomplie, et ceux qu'il avait sauvés de la terrible catastrophe n'étaient pas loin d'admettre comme des réalités les affirmations les plus invraisemblables qu'un pareil homme pouvait énoncer.

Il dit :

« Monsieur le préfet, vous avez attendu vainement cette nuit que la quatrième des lettres mystérieuses fût introduite ici. C'est la venue de cette quatrième lettre à laquelle, par un miracle imprévu du hasard, il va nous être permis d'assister. Vous saurez alors que c'est la même main qui a commis tous les crimes... et vous saurez qui les a commis. »

Et, s'adressant à Mazeroux :

« Brigadier, ayez l'obligeance de faire, autant que possible, l'obscurité dans cette pièce. À défaut des volets, tirez les rideaux sur les fenêtres et ramenez les battants de la porte. Monsieur le préfet, est-ce fortuitement que l'électricité est allumée ici ?

— Fortuitement. On va l'éteindre.

— Un instant... Quelqu'un de vous, messieurs, a-t-il une lanterne de poche ? Ou bien... non, c'est inutile. Voici qui fera l'affaire. »

Dans un candélabre, il y avait une bougie. Il la prit et l'alluma.

Puis il tourna l'interrupteur.

Ce fut alors une demi-obscurité, où la flamme de la bougie, secouée par les courants d'air, vacillait. Don Luis la garantit avec la paume de la main et s'avança vers la table.

« Je ne pense pas qu'il nous faille attendre, dit-il. Selon mes prévisions, il ne se passera que quelques secondes avant que les faits parlent d'eux-mêmes, et mieux que je ne pourrais le faire. »

Ces quelques secondes, pendant lesquelles personne ne rompit le silence, furent de celles que l'on n'oublie pas. M. Desmalions a raconté depuis, dans une interview où il se moque de lui-même avec beaucoup de finesse, que son cerveau surexcité par les fatigues de la nuit et par cette mise en scène, imaginait les événements les plus insolites, comme une invasion de l'hôtel et une attaque à main armée, ou comme l'apparition d'esprits et de fantômes.

Il eut cependant la curiosité, a-t-il dit, d'observer don Luis. Assis sur le rebord de la table, la tête un peu renversée, les yeux distraits, don Luis mangeait un morceau de pain, et croquait une tablette de chocolat. Il semblait affamé, mais fort tranquille.

Les autres gardaient cette attitude crispée que l'on a dans les moments de grand effort physique. Une sorte de grimace contractait leur visage. Autant que par l'approche de ce qui allait se produire, ils étaient obsédés par le souvenir de l'explosion. Sur les murs, la flamme dessinait des ombres.

Il s'écoula plus de secondes que ne l'avait dit don Luis Perenna, trente ou quarante peut-être, qui leur parurent interminables. Puis Perenna leva un peu la bougie qu'il tenait, et il murmura :

« Voici. »

Presque en même temps que lui, d'ailleurs, tous ils avaient vu... ils voyaient... Une lettre descendait du plafond. Elle tournoyait lentement comme la feuille qui tombe d'un arbre et que le vent ne secoue pas. Elle frôla don Luis et vint se poser sur le parquet, entre deux pieds de la table.

Don Luis répéta, en ramassant le papier et en le tendant à M. Desmalions :

« Voici, monsieur le préfet, voici la quatrième lettre qui avait été annoncée pour cette nuit. »

CHAPITRE III

LE HAÏSSEUR

M. Desmalions le regardait sans comprendre et regardait le plafond. Perenna lui dit :

« Il n'y a là aucune fantasmagorie, et bien que personne n'ait jeté cette lettre d'en haut, bien qu'il n'y ait pas le moindre trou au plafond, l'explication est fort simple.

— Oh ! fort simple ! prononça M. Desmalions.

— Oui, monsieur le préfet. Tout cela prend des airs d'expérience de prestidigitation, compliquée à l'excès et par plaisir presque. Or, je l'affirme, c'est fort simple... et à la fois épouvantablement tragique. Brigadier Mazeroux, ayez l'obligeance d'ouvrir les rideaux et de nous faire toute la lumière possible. »

Tandis que Mazeroux exécutait ses ordres, tandis que M. Desmalions jetait un coup d'œil sur cette quatrième lettre, dont le contenu, d'ailleurs, avait peu d'importance et n'était qu'une confirmation des premières, don Luis saisit une échelle double que les ouvriers avaient laissée dans un coin, la dressa au milieu de la pièce, et monta.

Installé à califourchon sur le barreau supérieur, il se trouva à portée de l'appareil électrique.

C'était un plafonnier composé d'une grosse ceinture de cuivre doré, au-dessous de laquelle s'entrelaçaient des pendeloques de cristal. Trois ampoules occupaient l'intérieur, placées aux trois angles d'un triangle de cuivre qui cachait les fils.

Il dégagea ces fils et les coupa, puis il se mit à dévisser l'appareil. Mais, pour activer cette besogne, il dut, à l'aide d'un marteau qu'on lui passa, démolir le plâtre tout autour des crampons qui tenaient le lustre.

« Un coup de main, s'il vous plaît », dit-il à Mazeroux.

Mazeroux gravit l'échelle. À eux deux ils saisirent le lustre, qu'ils firent glisser le long des montants et qu'on posa sur la table avec une certaine difficulté, car il était beaucoup plus lourd qu'il n'eût dû l'être.

De fait, au premier examen, on s'aperçut qu'il était surmonté d'une espèce de boîte en métal ayant la forme d'un cube de vingt centimètres de côté, laquelle boîte, enfoncée dans le plafond, entre les crampons de fer, avait obligé don Luis à démolir le plâtre qui la dissimulait.

« Que diable cela veut-il dire ! s'exclama M. Desmalions.

— Ouvrez vous-même, monsieur le préfet, il y a un couvercle », répondit Perenna.

M. Desmalions souleva le couvercle. À l'intérieur du coffret, il y avait des rouages, des ressorts, tout un mécanisme compliqué et minutieux qui ressemblait fort à un mouvement d'horlogerie.

« Vous permettez, monsieur le préfet ? » fit don Luis.

Il ôta le mécanisme et en découvrit un autre en dessous, qui n'était réuni au premier que par l'engrenage de deux roues, et le second rappelait plutôt ces appareils automatiques qui déroulent des bandes imprimées.

Tout au fond de la boîte, une rainure en demi-cercle était pratiquée dans le métal, juste à l'endroit, par conséquent, où le dessous de la boîte effleurait le plafond. Au bord de la rainure, il y avait une lettre toute prête.

« La dernière des cinq lettres et, sans aucun doute, la suite des dénonciations, fit don Luis. Vous remarquerez, monsieur le préfet, que le lustre primitif comportait une quatrième ampoule centrale. Elle fut évidemment supprimée pour livrer passage aux lettres lorsqu'on aménagea le lustre pour cette destination. »

Et, continuant ses explications, il précisa :

« Donc, toute la série des lettres se trouvait placée là, dans le fond. Une à une, un mécanisme ingénieux, commandé par un mouvement d'horlogerie, les happait, à l'heure voulue, les poussait au bord de la rainure cachée entre les ampoules et les pendeloques du lustre, et les jetait dans le vide. »

On se taisait autour de don Luis, et peut-être eût-on pu noter un peu de désillusion chez les auditeurs. Tout cela, en effet, était très ingénieux, mais on s'attendait à mieux qu'à des trucs et à des déclenchements de mécanisme, si imprévus qu'ils fussent.

« Patientez, messieurs, je vous ai promis quelque chose dont l'horreur dépasse l'imagination. Vous ne serez pas déçus.

— Soit, dit le préfet de police, j'admets que voici le lieu de départ des lettres. Mais, outre que beaucoup de points demeurent obscurs, il y a un fait surtout qui me paraît incompréhensible. Comment les criminels ont-ils pu arranger ce lustre de telle manière ? Et, dans un hôtel gardé par la police, dans une pièce surveillée jour et nuit, comment ont-ils pu effectuer un tel travail sans être vus ni entendus ?

— La réponse est facile, monsieur le préfet, c'est que le travail a été effectué avant que l'hôtel fût gardé par la police.

— Donc, avant que le crime fût commis ?

— Donc avant que le crime fût commis.

— Et qui me prouve qu'il en fût de la sorte ?

— Vous l'avez dit vous-même, monsieur le préfet, parce qu'il est impossible qu'il en ait été autrement.

— Mais parlez donc, monsieur ! s'écria M. Desmalions avec un geste d'agacement. Si vous avez des révélations importantes à faire, pourquoi tardez-vous ?

— Il vaut mieux, monsieur le préfet, que vous alliez vers la vérité par le chemin que j'ai suivi. Quand on connaît le secret des lettres, elle est, cette vérité, beaucoup plus près qu'on ne pense, et vous auriez déjà nommé le criminel si l'abomination de son forfait n'eût écarté de lui tous les soupçons. »

M. Desmalions le regardait attentivement. Il sentait l'importance de chaque parole prononcée par Perenna et il éprouvait une anxiété réelle.

« Alors, selon vous, dit-il, ces lettres qui accusent Mme Fauville et Gaston Sauverand ont été placées là dans le but unique de les perdre tous deux ?

— Oui, monsieur le préfet.

— Et comme elles y ont été placées avant le crime, c'est que le complot avait été combiné avant le crime ?

— Oui, monsieur le préfet, avant le crime. Du moment que l'on admet l'innocence de Mme Fauville et de Gaston Sauverand, on est amené, puisque tout les accuse, à conclure que tout les accuse par suite d'une série de circonstances voulues. La sortie de Mme Fauville le soir du crime... machination ! L'impossibilité où elle se trouve de donner l'emploi de son temps pendant que le crime s'exécutait... machination ! Sa promenade inexplicable du côté de la Muette, et la promenade de son cousin Sauverand aux environs de l'hôtel... machination ! L'empreinte des dents autour de la pomme, des dents mêmes de Mme Fauville... machination, et la plus infernale de toutes ! Je vous le dis, tout est machiné d'avance, tout est préparé, dosé, étiqueté, numéroté. Chaque événement prend sa place à l'heure prescrite. Rien n'est laissé au hasard. C'est une œuvre d'ajustage méticuleux, digne du plus habile ouvrier, si solide que les choses extérieures n'ont pas pu la dérégler, et que toute la mécanique a fonctionné jusqu'à ce jour, exactement, précisément, imperturbablement... tenez, comme le mouvement d'horlogerie enfermé dans ce coffre, et qui est bien le symbole le plus parfait de l'aventure, en même temps que l'explication la plus juste, puisque, dès avant le crime, les lettres qui dénonçaient les auteurs du crime étaient mises à la poste et que, depuis, les levées s'effectuaient aux dates et aux heures prévues. »

M. Desmalions resta pensif assez longtemps, puis objecta :

« Cependant, dans ces lettres écrites par lui, M. Fauville accuse sa femme.

— Certes.

— Nous devons donc admettre, ou bien qu'il avait raison de l'accuser, ou bien que les lettres sont fausses ?

— Elles ne sont pas fausses, tous les experts ont reconnu l'écriture de M. Fauville.

— Alors ?

— Alors... »

Don Luis n'acheva pas sa réponse, et plus nettement encore, M. Desmalions sentit palpiter autour de lui le souffle de la vérité.

Les autres se taisaient, anxieux comme lui. Il murmura :

« Je ne comprends pas...

— Si, monsieur le préfet, vous comprenez, vous comprenez que si l'envoi de ces lettres fait partie intégrante de la machination ourdie contre Mme Fauville et contre Gaston Sauverand, c'est que leur texte a été préparé de manière à les perdre.

— Quoi ! quoi ! Qu'est-ce que vous dites ?

— Je dis ce que j'ai déjà dit. Du moment qu'ils sont innocents, tout ce qui les accuse est un des actes de la machination. »

Un long silence encore. Le préfet de police ne cachait pas son trouble. Il prononça, très lentement, les yeux fixés aux yeux de don Luis :

« Quel que soit le coupable, je ne connais rien de plus effrayant que cette œuvre de haine.

— C'est une œuvre plus invraisemblable encore que vous ne pouvez vous l'imaginer, monsieur le préfet, dit Perenna qui peu à peu s'animait, et c'est une haine que vous ne pouvez pas encore, ignorant la confession de Sauverand, mesurer dans toute sa violence. Moi, je l'ai sentie pleinement en écoutant cet homme, et, depuis, c'est à l'idée dominante de cette haine que se sont asservies toutes mes réflexions. Qui donc pouvait haïr ainsi ? À quelle exécration Marie-Anne et Sauverand avaient-ils été sacrifiés ? Quel était le personnage inconcevable dont le génie pervers avait entouré ses deux victimes de chaînes si puissamment forgées ?

« Et une autre idée dirigeait mon esprit, plus ancienne celle-là, et qui m'avait frappé à plusieurs reprises, et à laquelle j'ai fait allusion devant le brigadier Mazeroux, c'était le caractère vraiment mathématique de l'apparition des lettres. Je me disais que des pièces aussi graves ne pouvaient être versées au débat à époques fixes sans qu'une raison primordiale exigeât précisément la fixité de ces époques. Quelle raison ? S'il y avait eu *intervention humaine*, il y aurait eu plutôt, n'est-ce pas, irrégularité volontaire, et surtout à partir du moment où la justice s'était saisie de l'affaire et assistait à la délivrance des lettres. Or, malgré tous les obstacles, les lettres continuaient à venir, *comme si elles n'eussent pas pu ne point venir.* Et ainsi la raison de leur venue se fit jour en moi, petit à petit : elles venaient mécaniquement, par un procédé invisible, réglé une fois pour toutes et qui fonctionnait avec la rigueur stupide d'une loi physique. Il n'y avait plus là intelligence et volonté consciente, mais tout bêtement nécessité matérielle.

« C'est le choc de ces deux idées, l'idée de la haine qui poursuivait les innocents et l'idée de force mécanique qui servait aux desseins du “haïsseur”, c'est le choc de ces deux idées qui suscita la petite étincelle. Mises en contact l'une avec l'autre, elles se combinèrent dans mon esprit, et provoquèrent en moi ce souvenir que Hippolyte Fauville était ingénieur ! »

On l'écoutait avec une sorte d'oppression et de malaise. Ce qui se révélait peu à peu du drame, au lieu d'amoindrir l'anxiété, l'exaspérait jusqu'à la rendre douloureuse.

M. Desmalions objecta :

« Si les lettres arrivaient à la date indiquée, remarquez cependant que l'heure variait chaque fois.

— C'est-à-dire qu'elle variait selon que notre surveillance s'exerçait ou non dans les ténèbres, et voilà justement le détail qui me fournit le mot de l'énigme. Si les lettres, précaution indispensable, et dont nous pouvons nous rendre compte aujourd'hui, ne parvenaient qu'à la faveur de l'ombre, c'est qu'un dispositif quelconque leur interdisait le passage lorsque l'électricité était allumée, et c'est que, inévitablement, ce dispositif était commandé par un interrupteur qui existait dans la pièce. Aucune autre explication n'est possible. Nous avons affaire à un appareil de distribution automatique, qui, grâce à un mouvement d'horlogerie, ne délivre les lettres d'accusation dont il est chargé que de telle heure à telle heure de telle nuit fixée d'avance, et les délivre seulement aux minutes où le lustre électrique n'est pas allumé. Cet appareil, le voici devant vous. Nul doute que les experts n'en admirent l'ingéniosité et ne confirment mes assertions. Mais n'ai-je pas le droit, d'ores et déjà, étant donné qu'il fut trouvé dans le plafond de cette pièce, étant donné qu'il contenait des lettres écrites par M. Fauville, n'ai-je pas le droit de dire qu'il fut construit par M. Fauville, ingénieur électricien ? »

Une fois encore revenait, comme une obsession, le nom de M. Fauville, et, chaque fois, ce nom prenait un sens plus déterminé. C'était d'abord M. Fauville, puis M. Fauville, ingénieur, puis M. Fauville ingénieur électricien. Et ainsi voilà que l'image du « haïsseur », comme disait don Luis, apparaissait avec des contours exacts et donnait à ces hommes, habitués cependant aux plus étranges déformations criminelles, comme un frisson de peur. La vérité, maintenant, ne rôdait plus autour d'eux. Déjà on luttait contre elle, comme on lutte contre un adversaire que l'on ne voit pas, mais qui vous étreint à la gorge et qui vous terrasse.

Et le préfet de police, résumant les impressions, reprit d'une voix sourde :

« Ainsi, M. Fauville aurait écrit ces lettres pour perdre sa femme et l'homme qui aimait sa femme ?

— Oui.

— En ce cas...

— En ce cas ?

— Sachant, d'un autre côté, qu'il était menacé de mort, il a voulu, si jamais cette menace se réalisait, que sa femme et que son ami fussent accusés ?

— Oui.

— Et pour se venger de leur amour, pour assouvir sa haine, il a voulu que tout le faisceau des certitudes les désignât comme coupables de l'assassinat dont il allait être la victime ?

— Oui.

— De sorte que... de sorte que M. Fauville, dans une partie de son œuvre maudite, fut... comment dirais-je ? le complice de son meurtrier. Il tremblait devant la mort... Il se débattait... Mais il s'arrangeait pour que sa mort profitât à sa haine. C'est bien cela, n'est-ce pas ? C'est bien cela ?

— C'est presque cela, monsieur le préfet, vous suivez les étapes mêmes que j'ai parcourues, et, comme moi, vous hésitez devant la dernière vérité, devant celle qui donne au drame tout son caractère sinistre et hors de toutes proportions humaines. »

Le préfet de police frappa la table des deux poings, en un sursaut de révolte soudaine.

« Absurdité ! s'écria-t-il. Hypothèse stupide ! M. Fauville menacé de mort et combinant la perte de sa femme avec cette persévérance machiavélique... Allons donc ! L'homme qui est venu dans mon cabinet, l'homme que vous avez vu, ne pensait qu'à une chose, à ne pas mourir ! Une seule épouvante l'obsédait, celle de la mort. Ce n'est pas dans ces moments-là que l'on ajuste des mécanismes et que l'on tend des pièges..., surtout lorsque ces pièges ne peuvent avoir d'effet que si on meurt assassiné. Voyez-vous M. Fauville travaillant à son horloge, plaçant lui-même des lettres qu'il aurait eu soin, trois mois auparavant, d'écrire à un ami et d'intercepter, arrangeant les événements de façon que sa femme parût coupable, et disant : “Voilà ! au cas où je serais assassiné, je suis tranquille, c'est

Marie-Anne qu'on arrêtera." Non, avouez-le, on n'a pas de ces précautions macabres. Ou alors..., ou alors, c'est qu'on est sûr d'être assassiné. C'est qu'on accepte de l'être. C'est, pour ainsi dire, qu'on est d'accord avec le meurtrier et qu'on lui tend le cou. C'est enfin que... »

Il s'interrompit, comme si les phrases qu'il avait prononcées l'eussent surpris. Et les autres semblaient également déconcertés. Et de ces phrases, ils tiraient tous, sans le savoir, les conclusions qu'elles comportaient et qu'ils ignoraient encore.

Don Luis ne quittait pas le préfet des yeux et il attendait les inévitables paroles.

M. Desmalions murmura :

« Voyons, vous n'allez pas prétendre qu'il était d'accord...

— Je ne prétends rien, dit don Luis. C'est la pente logique et naturelle de vos réflexions, monsieur le préfet, qui vous amène au point où vous en êtes.

— Oui, oui, je le sais, mais je vous montre l'absurdité de votre hypothèse. Pour qu'elle soit exacte, et qu'on puisse croire à l'innocence de Marie-Anne Fauville, nous en arrivons à supposer cette chose inouïe que M. Fauville a participé au crime commis contre lui. C'est risible ! »

Il riait, en effet, mais d'un rire gêné et qui sonnait faux.

« Car enfin, voilà, et vous ne pouvez nier que nous n'en soyons là.

— Je ne le nie pas.

— Donc ?

— Donc, M. Fauville, comme vous le dites, monsieur le préfet, a participé au crime commis contre lui. »

Cela fut dit de la façon la plus paisible du monde, mais d'un air de telle certitude que l'on ne songea pas à protester. Après le travail de déductions et de suppositions auquel il avait contraint ses interlocuteurs, on se trouvait au fond d'une impasse d'où il n'était plus possible de sortir sans se heurter à des objections irréductibles. La participation de M. Fauville ne faisait plus aucun doute. Mais en quoi consistait-elle ? Quel rôle avait-il joué dans cette tragédie d'exécution et de meurtre ? Ce rôle, qui aboutissait au sacrifice de sa vie, l'avait-il joué de plein gré ou tout simplement subi ? Qui, en fin de compte, lui avait servi de complice ou de bourreau ?

Toutes ces questions se pressaient dans l'esprit de M. Desmalions et des assistants. On ne songeait plus qu'à les résoudre, et don Luis pouvait être sûr que la solution proposée par lui était acceptée d'avance. Il lui suffisait désormais, sans craindre un seul démenti, de dire ce qui s'était passé. Il le fit brièvement, à la façon d'un rapport où l'on n'envisage que les points essentiels.

« Trois mois avant le crime, M. Fauville écrivit une série de lettres à l'un de ses amis, M. Langernault, qui, le brigadier Mazeroux a dû vous le dire, monsieur le préfet, était mort depuis plusieurs années, circonstance que M. Fauville ne pouvait ignorer. Ces lettres furent mises à la poste, mais interceptées par un moyen qu'il nous importe peu de connaître pour l'instant. M. Fauville effaça les timbres, l'adresse, et introduisit les lettres dans un appareil spécialement construit, et dont il régla le mécanisme de manière que la première fût délivrée quinze jours après sa mort, et les autres de dix jours en dix jours. À ce moment, il est certain que son plan était combiné dans ses moindres détails. Connaissant l'amour de Sauverand pour sa femme, et surveillant les démarches de Sauverand, il avait dû, évidemment, remarquer que son rival abhorré passait tous les mercredis sous les fenêtres de l'hôtel, et que Marie-Anne Fauville se mettait à la fenêtre. C'est là un fait d'une importance capitale, dont la révélation me fut précieuse, et qui vous impressionnera à l'égal d'une preuve matérielle. Chaque mercredi soir, je le répète, Sauverand errait autour de l'hôtel. Or, notez-le : 1° c'est un mercredi soir que le crime préparé par M. Fauville fut commis, 2° c'est sur la demande formelle de son mari que Mme Fauville sortit ce soir-là et se rendit à l'Opéra et au bal de Mme d'Ersinger. »

Don Luis s'arrêta quelques secondes, puis reprit :

« Par conséquent, le matin de ce mercredi, tout était prêt, l'horloge fatale était remontée, la mécanique d'accusation allait à merveille, les preuves futures confirmeraient les preuves immédiates que M. Fauville tenait en réserve. Bien plus, vous aviez reçu de lui, monsieur le préfet, une lettre où il vous dénonçait le complot ourdi contre lui et où il implorait, pour le lendemain matin, c'est-à-dire *pour après sa mort*, votre assistance ! Tout, enfin, laissait donc prévoir que les choses se dérouleraient selon la volonté du "haïsseur", lorsqu'un incident se produisit, qui faillit bouleverser ses projets : l'inspecteur Vérot entra en scène, l'inspecteur Vérot, désigné par vous, monsieur le préfet, pour prendre des renseignements sur les héritiers de Cosmo Mornington. Que se passa-t-il entre les deux hommes ? Nul ne le saura probablement jamais. L'un et l'autre sont morts, et leur secret ne revivra pas. Mais nous pouvons tout au moins affirmer, d'abord que l'inspecteur Vérot est venu ici et qu'il en rapporta la tablette de chocolat où, pour la première fois, on vit, imprimées, les dents du tigre ; ensuite que l'inspecteur Vérot réussit, par une série de circonstances que nous ne connaîtrons pas, à découvrir les projets de M. Fauville. Et cela, nous le savons, puisque l'inspecteur Vérot l'a dit en propres termes, et avec quelle angoisse ! puisque c'est par lui que nous avons appris que le crime devait avoir lieu la nuit suivante, et puisqu'il avait consigné ses découvertes dans une lettre qui lui fut dérobée. Et cela, l'ingénieur Fauville le savait aussi, puisque, pour se débarrasser de l'ennemi redoutable qui contrecarrait ses desseins, il l'empoisonna ; puisque, le poison tardant à agir, il eut l'audace, sous un déguisement qui lui donnait l'apparence de Gaston Sauverand et qui devait un jour ou l'autre porter les soupçons vers celui-ci, il eut l'audace et la présence d'esprit de suivre l'inspecteur Vérot jusqu'au café du Pont-Neuf, de lui dérober la lettre d'explications que l'inspecteur Vérot vous écrivait, de la remplacer par une feuille de papier blanc, et de demander ensuite à un passant, qui pouvait devenir un témoin contre Sauverand, le chemin du métro conduisant à Neuilly, à Neuilly où demeurait Sauverand ! Voilà l'homme, monsieur le préfet. »

Don Luis parlait avec une force croissante, avec l'ardeur que donne la conviction, et son réquisitoire, logique et rigoureux, semblait évoquer la réalité elle-même.

Il répéta :

« Voilà l'homme, monsieur le préfet, voilà le bandit. Et telle était la situation où il se trouvait, telle était la peur que lui inspiraient les révélations possibles de l'inspecteur Vérot, que, avant de mettre à exécution l'acte effroyable qu'il avait projeté, il vint s'assurer à la préfecture de police que sa victime avait bien cessé de vivre et qu'elle n'avait pu le dénoncer. Vous vous rappelez la scène, monsieur le préfet, l'agitation, l'épouvante du personnage : "Protégez-moi, monsieur le préfet... Je suis menacé de mort... Demain, je serai frappé..." Demain, oui, c'est pour le lendemain qu'il implorait votre aide, parce qu'il savait que tout serait fini le soir même, et que le lendemain la police serait en face d'un crime, en face des deux coupables contre lesquels il avait lui-même accumulé les charges, en face de Marie-Anne Fauville, qu'il a, pour ainsi dire, accusée d'avance.

« Et c'est pourquoi la visite du brigadier Mazeroux et la mienne, à neuf heures du soir, dans son hôtel, l'ont si visiblement embarrassé. Quels étaient ces intrus ? N'arriveraient-ils pas à démolir son plan ? La réflexion le rassura, autant que notre insistance le contraignit à céder. Après tout, que lui importait ? Ses mesures étaient si bien prises qu'aucune surveillance ne pouvait les détruire ni même les percevoir. Ce qui devait se produire se produirait en notre présence et à notre insu. La mort, convoquée par lui, ferait son œuvre.

« Et la comédie, la tragédie plutôt, se déroula. Mme Fauville, qu'il envoyait à l'Opéra, vint lui dire adieu. Puis son domestique lui apporta des aliments, entre autres un compotier de pommes. Puis ce fut un accès de fureur, l'angoisse de l'homme qui va mourir et que la mort épouvante, et puis toute une scène de mensonge, où il nous montra son coffre-fort et le carnet de toile grise qui contenait soi-disant le récit du complot.

« Dès lors, tout était fini, Mazeroux et moi retirés dans l'antichambre, la porte fermée, Fauville demeurait seul et libre d'agir. Rien ne pouvait plus faire obstacle à sa volonté. À onze heures du soir, Mme Fauville — à qui sans doute, dans la journée, il avait expédié, en imitant l'écriture de Sauverand, une de ces lettres qu'on déchire aussitôt reçues, et par laquelle Sauverand suppliait la malheureuse de lui accorder un rendez-vous au Ranelagh —, Mme Fauville quitterait l'Opéra, et, avant d'aller à la soirée de Mme d'Ersinger, irait passer une heure aux environs de l'hôtel. D'autre part, à cinq cents mètres de là, et du côté opposé, Sauverand accomplirait son pèlerinage habituel du mercredi. Pendant ce temps, le crime serait exécuté. Se pouvait-il que l'un et l'autre, désignés à l'attention de la police, soit par les allusions de M. Fauville, soit par l'incident du café du Pont-Neuf, et tous deux incapables, en outre, soit de fournir un alibi, soit d'expliquer leur présence dans les parages de l'hôtel, se pouvait-il qu'ils ne fussent pas accusés et convaincus du crime ?

« Au cas inadmissible où un hasard les protégerait, une preuve irrécusable était là, à portée de la main, placée par M. Fauville, la pomme où se trouvaient incrustées les dents mêmes de Marie-Anne Fauville ! Et puis, quelques semaines plus tard, manœuvre suprême et décisive, l'arrivée mystérieuse, de dix jours en dix jours, des lettres de dénonciation.

« Ainsi tout est réglé. Les moindres détails sont prévus avec une lucidité infernale. Vous vous rappelez, monsieur le préfet, cette turquoise tombée de ma bague et retrouvée dans le coffre-fort ? Quatre personnes seulement avaient pu la voir et la ramasser. Parmi elles, M. Fauville. Or, c'est lui précisément que nous mîmes tout de suite hors de cause, et c'est lui, cependant, qui, pour me rendre suspect et pour écarter par avance une intervention qu'il devinait dangereuse, a saisi l'occasion offerte et introduit la turquoise dans le coffre-fort !

« Cette fois, l'œuvre est achevée. Le destin va s'accomplir. Entre le “haïsseur” et ses proies, il n'y a plus que la distance d'un geste. Ce geste est exécuté. M. Fauville meurt. »

Don Luis se tut. Un assez long silence suivit ses paroles, et il eut la certitude que le récit extraordinaire qu'il venait de terminer recueillait auprès de ses auditeurs l'approbation la plus absolue. On ne discutait pas, on croyait. Et c'était pourtant la plus incroyable vérité qu'il leur demandait de croire.

M. Desmalions posa une dernière question :

« Vous étiez dans cette antichambre avec le brigadier Mazeroux. Dehors, il y avait des agents. En admettant que M. Fauville ait su qu'on devait le tuer cette nuit-là, et à cette heure même de la nuit, qui donc a pu le tuer, et qui donc a pu tuer son fils ? Il n'y avait personne entre ces quatre murs.

— Il y avait M. Fauville. »

Ce fut subitement une clameur de protestations. D'un coup, le voile se déchirait, et le spectacle que montrait don Luis provoquait, en même temps que l'horreur, un sursaut inattendu d'incrédulité, et comme une révolte contre l'attention trop bienveillante que l'on avait accordée à de telles explications.

Le préfet de police résuma le sentiment de tous en s'écriant :

« Assez de mots ! Assez d'hypothèses ! Si logiques qu'elles paraissent, elles aboutissent à des conclusions absurdes.

— Absurdes en apparence, monsieur le préfet, mais qui nous dit que l'acte inouï de M. Fauville ne s'explique pas par des raisons toutes naturelles ? Évidemment, on ne meurt pas de gaieté de cœur, pour le simple plaisir de se venger. Mais qui nous dit que M. Fauville, dont vous avez pu noter, comme moi, l'extrême maigreur et la lividité, n'était pas atteint de quelque maladie mortelle, et que, se sachant déjà condamné...

— Assez de mots, je vous le répète, s'exclama le préfet, vous ne procédez que par suppositions. Or, ce que je vous demande, ce sont des preuves. C'est une preuve, une seule. Nous l'attendons encore.

— La voici, monsieur le préfet.

— Hein ! Qu'est-ce que vous dites ?

— Monsieur le préfet, lorsque j'ai dégagé le lustre du plâtre qui le soutenait, j'ai trouvé, sur le dessus et en dehors du coffret de métal, une enveloppe cachetée. Comme ce lustre était placé sous la mansarde occupée par le fils de M. Fauville, il est évident que M. Fauville pouvait, en soulevant les lames du plancher de cette mansarde, atteindre la partie supérieure du mécanisme agencé par lui. C'est ainsi que, au cours de la dernière nuit, il a placé là cette enveloppe cachetée, où, du reste, il a inscrit la date même du crime : "Trente et un mars, onze heures du soir", et sa signature : "Hippolyte Fauville."

Déjà, cette enveloppe, M. Desmalions l'avait ouverte d'une main hâtive. Au premier coup d'œil sur les pages écrites qu'elle contenait, il tressaillit.

« Ah ! Le misérable, le misérable, dit-il. Est-ce possible qu'il existe de pareils monstres ? Oh ! quelle abomination ! »

D'une voix saccadée, que la stupeur rendait plus sourde par moments, il lut :

« Le but est atteint, mon heure sonne. Endormi par moi, Edmond est mort sans que le feu du poison l'ait tiré de son inconscience. Maintenant, mon agonie commence. Je souffre toutes les tortures de l'enfer. À peine si ma main peut tracer ces dernières lignes. Je souffre, je souffre. Et pourtant, mon bonheur est immense !

« Il date, ce bonheur, du voyage que j'ai fait à Londres, avec Edmond, il y a quatre mois. Jusque-là, je traînais l'existence la plus affreuse, dissimulant ma haine contre celle qui me détestait et qui en aimait un autre, atteint dans ma santé, me sentant déjà rongé par un mal implacable, et voyant mon fils débile et languissant. L'après-midi, je consultais un grand docteur, et je ne pouvais plus garder le moindre doute : un cancer me rongeait. Et je savais, en outre, que mon fils Edmond était, comme moi, sur la route du tombeau, irrémédiablement perdu, tuberculeux.

« Le soir même, l'idée magnifique de la vengeance naissait en moi.

« Et quelle vengeance ! Une accusation, la plus redoutable des accusations, portée contre un homme et une femme qui s'aiment. La prison ! la cour d'assises ! le bagne ! l'échafaud ! Et pas de secours possible, pas de lutte, pas d'espoirs ! Les preuves accumulées, de ces preuves si formidables que l'innocent lui-même doute de son innocence et se tait, accablé, impuissant. Quelle vengeance !... Et quel châtiment ! Être innocent et se débattre vainement contre les faits eux-mêmes qui vous accusent, contre la réalité elle-même qui crie que vous êtes coupable !

« Et c'est dans la joie que j'ai tout préparé. Chaque trouvaille, chaque invention soulevait en moi des éclats de rire. Dieu ! que j'étais heureux ! Un cancer, vous croyez que cela fait du mal ? Mais non, mais non. Est-ce que l'on souffre dans son corps, lorsque l'âme frissonne de joie ? À cette heure, est-ce que je sens la brûlure atroce du poison ?

« Je suis heureux. La mort que je me donne, c'est le commencement de leur supplice. Alors, à quoi bon vivre et attendre une mort naturelle qui serait pour eux le commencement du bonheur ? Et puisque Edmond devait mourir, pourquoi ne pas lui épargner une lente agonie et pourquoi ne pas lui donner une mort qui doublera le forfait de Marie-Anne et de Sauverand ?

« C'est la fin ! J'ai dû m'interrompre, vaincu par la douleur. Un peu de calme, maintenant... Comme tout est silencieux ! Hors de l'hôtel et dans l'hôtel, des envoyés de la police veillent sur mon crime. Non loin d'ici, Marie-Anne, appelée par ma lettre, accourt au rendez-vous où son bien-aimé ne viendra pas. Et le bien-aimé rôde sous les fenêtres où sa belle n'apparaîtra pas. Ah ! les petites marionnettes dont je tiens les fils. Dansez ! Sautez ! Dieu, qu'elles sont amusantes ! La corde au cou, monsieur et madame, oui, la corde au cou. N'est-ce pas vous, monsieur, qui, le matin, avez empoisonné l'inspecteur Vérot, et qui l'avez suivi au café du Pont-Neuf avec votre jolie canne d'ébène ? Mais oui, c'est vous ! Et le soir, c'est la jolie dame qui m'empoisonne, et qui empoisonne son beau-fils. La preuve ? Eh bien, et cette pomme, madame, cette pomme où vous n'avez *pas mordu* et au creux de laquelle, cependant, on *trouvera les marques de vos dents !* Quelle comédie ! Sautez ! Dansez !

« Et les lettres ! Le coup des lettres à feu Langernault ! Cela, c'est ma plus admirable prouesse. Ah ! ce que j'y ai goûté de joie, à l'invention et à la construction de ma petite mécanique ! Est-ce assez bien combiné ? N'est-ce pas une merveille d'agencement et de précision ? À jour fixe, pan, la première lettre ! Et puis, dix jours après, pan, la seconde lettre ! Allons, il n'y a rien à faire, mes pauvres amis, vous êtes bien fichus. Dansez ! sautez !

« Et ce qui m'amuse — car je ris en ce moment —, c'est

de penser qu'on n'y verra que du feu. Marie-Anne et Sauverand coupables, là-dessus, pas le moindre doute. Mais, en dehors de cela, le mystère absolu. On ne saura rien, et on ne saura jamais rien. Dans quelques semaines, lorsque la perte des deux coupables sera irrévocablement consommée, lorsque les lettres seront entre les mains de la justice, le 25, ou plutôt le 26 mai, à trois heures du matin, une explosion anéantira toutes les traces de mon œuvre. La bombe est placée. Un mouvement, tout à fait indépendant du lustre, la fera éclater à l'heure dite. À côté, je viens d'enfouir le carnet de toile grise où j'ai soi-disant écrit mon journal, les flacons qui contiennent le poison, les aiguilles qui m'ont servi, une canne d'ébène, deux lettres de l'inspecteur Vérot, enfin, tout ce qui pourrait sauver les coupables. Alors, comment serait-il possible de savoir ? Non, on ne saura rien, et on ne saura jamais rien.

« À moins que... À moins que quelque miracle ne se produise... À moins que la bombe ne laisse les murs debout et le plafond intact... À moins que, par un prodige d'intelligence et d'intuition, un homme de génie, débrouillant les fils que j'ai entremêlés, ne pénètre au cœur même de l'énigme, et ne réussisse, après des mois et des mois de recherches, à découvrir cette lettre suprême.

« C'est pour cet homme que j'écris, sachant bien qu'il ne peut pas exister. Mais, après tout, qu'importe ! Marie-Anne et Sauverand seront déjà au fond de l'abîme, morts sans doute, en tout cas séparés à jamais. Et je ne risque rien de laisser aux soins du hasard ce témoignage de ma haine.

« Voilà, c'est fini. Je n'ai plus qu'à signer. Ma main tremble de plus en plus. La sueur coule à grosses gouttes de mon front. Je souffre comme un damné. Et je suis divinement heureux ! Ah ! mes amis, vous attendiez ma mort ! Ah ! toi, Marie-Anne, imprudente ! tu laissais deviner dans tes yeux, qui m'épiaient à la dérobée, toute ta joie de me voir malade ! et vous étiez tellement sûrs, tous deux, de l'avenir, que vous aviez le courage de rester vertueux ! La voici, ma mort. La voici, et vous voilà réunis au-dessus de ma tombe, liés avec les anneaux du cabriolet de fer. Marie-Anne, sois l'épouse de mon ami Sauverand. Sauverand, je te donne ma femme. Unissez-vous. C'est le juge d'instruction qui rédigera le contrat, et c'est le bourreau qui dira la messe. Ah ! quelle volupté ! Je souffre... Quelle volupté !... La bonne haine, qui rend la mort adorable... Je suis heureux de mourir... Marie-Anne est en prison... Sauverand pleure dans sa cellule de condamné... On ouvre sa porte... Oh ! l'horreur !... Des hommes en noir... Ils s'approchent du lit... "Gaston Sauverand, votre pourvoi est rejeté. Ayez du courage." Ah ! le matin froid..., l'échafaud !... À ton tour, Marie-Anne, à ton tour ! Est-ce que tu survivrais à ton amant ? Sauverand est mort. À ton tour ! Tiens, voici une corde. Aimes-tu mieux le poison ? Mais meurs donc, coquine... Meurs dans les flammes..., comme moi, qui te hais..., qui te hais..., qui te hais... »

M. Desmalions se tut, au milieu de la stupeur de tous. Il avait lu les dernières lignes avec beaucoup de difficulté, tellement, vers la fin, l'écriture devenait informe et illisible.

Il dit à voix basse, les yeux fixés sur le papier :

« Hippolyte Fauville... La signature y est bien... Le misérable a retrouvé un peu de force pour signer clairement. Il a craint qu'on pût mettre en doute son ignominie. De fait, comment aurait-on supposé ?... »

Et il ajouta, en regardant don Luis :

« Il fallait, pour arriver au but, une clairvoyance vraiment exceptionnelle, et des dons auxquels nous devons rendre hommage, auxquels je rends hommage. Toutes les explications données par ce fou ont été prévues de la façon la plus juste et la plus déconcertante. »

Don Luis s'inclina, et, sans répondre à l'éloge, il dit :

« Vous avez raison, monsieur le préfet, c'était un fou, et de la plus dangereuse espèce, le fou lucide et qui poursuit une idée dont rien ne le détourne. Il a poursuivi la sienne avec une ténacité prodigieuse et selon les ressources mêmes de son esprit méticuleux, asservi aux lois de la mécanique. Un autre eût tué franchement et brutalement. Lui, il s'est ingénié à tuer à longue échéance, comme un expérimentateur qui s'en remet au temps du soin de prouver l'excellence de son invention. Et il n'a que trop bien réussi, puisque la justice est tombée dans le piège et que Mme Fauville va peut-être mourir. »

M. Desmalions eut un geste de décision. Toute l'histoire, en effet, n'était plus que du passé, sur lequel l'enquête projetterait la lumière nécessaire. Un seul fait importait pour le présent, le salut de Marie-Anne Fauville.

« C'est vrai, dit-il, nous n'avons pas une minute à perdre. Mme Fauville doit être prévenue sans retard. En même temps, je convoquerai le juge d'instruction, et il est certain que le non-lieu sera rendu incessamment. »

Rapidement, il donna des ordres afin que l'on continuât les

investigations et que l'on vérifiât toutes les hypothèses de don Luis. Puis, s'adressant à celui-ci :

« Venez, monsieur, il est juste que Mme Fauville remercie son sauveur. Mazeroux, venez donc aussi. »

La réunion était terminée, cette réunion au cours de laquelle don Luis donna, de la plus éclatante manière, la mesure de son génie. En lutte, pourrait-on dire, avec des puissances d'outre-tombe, il força la mort à révéler son secret. Il dévoila, comme s'il y eût assisté, l'exécrable vengeance conçue dans les ténèbres et réalisée dans le tombeau.

Par son silence et par certains signes de tête, M. Desmalions laissait percer toute son admiration. Et Perenna goûtait vivement ce qu'il y avait d'étrange pour lui, que la police traquait une demi-journée plus tôt, à se trouver dans une automobile, à côté même du chef de cette police. Rien ne mettait mieux en relief la maîtrise avec laquelle il avait mené l'affaire et l'importance que l'on attachait aux résultats obtenus. Le prix de sa collaboration était tel que l'on voulait oublier les incidents des deux derniers jours. Les rancunes du sous-chef Weber ne pouvaient plus rien contre don Luis Perenna.

M. Desmalions, cependant, se mit à passer brièvement en revue les solutions nouvelles, et il conclut, discutant encore certains points :

« Oui, c'est cela... Il n'y a pas la moindre espèce de doute... nous sommes d'accord... C'est cela, et ce ne peut pas être autre chose. Néanmoins, quelques obscurités subsistent. Avant tout, l'empreinte des dents. Il y a là, contre Mme Fauville et malgré les aveux de son mari, un fait que nous ne pouvons négliger.

— Je crois que l'explication en est très simple, monsieur le préfet. Je vous la donnerai quand il me sera possible de l'accompagner des preuves nécessaires.

— Soit. Mais, autre chose. Comment se peut-il que Weber ait trouvé, hier matin, dans la chambre de Mlle Levasseur, cette feuille de papier relative à l'explosion ?

— Et comment se peut-il, ajouta don Luis en riant, que j'y aie trouvé, moi, la liste des cinq dates correspondant à la délivrance des lettres ?

— Donc, fit M. Desmalions, vous êtes de mon avis ? Le rôle de Mlle Levasseur est tout au moins suspect.

— J'estime que tout s'éclaircira, monsieur le préfet, et qu'il vous suffira maintenant d'interroger Mme Fauville et Gaston

Sauverand pour que la lumière dissipe ces dernières obscurités, et pour que Mlle Levasseur soit à l'abri de tout soupçon.

— Et puis, insista M. Desmalions, il y a encore un fait qui me semble bizarre. Dans sa confession, Hippolyte Fauville ne parle même pas de l'héritage Mornington. Pourquoi ? L'ignorait-il ? Devons-nous supposer qu'il n'existe aucun rapport entre la série des crimes et cet héritage, et que la coïncidence soit toute fortuite ?

— Là, je suis entièrement de votre avis, monsieur le préfet. Le silence d'Hippolyte Fauville relativement à cet héritage me déconcerte un peu, je l'avoue. Mais, tout de même, je n'y attache qu'une importance relative. L'essentiel, c'est la culpabilité de l'ingénieur Fauville et l'innocence des détenus. »

La joie de don Luis était sans mélange et n'admettait pas de restriction. À son point de vue, l'aventure sinistre prenait fin avec la découverte de la confession écrite par l'ingénieur Fauville. Ce qui ne trouvait pas son explication dans ces lignes la trouverait dans les éclaircissements que donneraient Mme Fauville, Florence Levasseur et Gaston Sauverand. Pour lui, cela n'offrait plus d'intérêt.

Saint-Lazare... La vieille prison lamentable et sordide à laquelle la pioche n'a pas encore touché.

Le préfet sauta de voiture.

La porte lui fut aussitôt ouverte.

« Le directeur est là ? dit-il au concierge. Vite, qu'on l'appelle. C'est urgent. »

Mais, tout de suite, incapable d'attendre, il se hâta vers les couloirs qui conduisaient à l'infirmerie, et il arrivait au palier du premier étage lorsqu'il se heurta au directeur lui-même.

« Mme Fauville ?... dit-il sans préambule. Je voudrais la voir. »

Il s'arrêta net, tellement le directeur avait un air de désarroi.

« Eh bien, quoi ? qu'est-ce que vous avez ?

— Comment, monsieur le préfet, balbutia le fonctionnaire, vous ne savez pas ? J'ai pourtant téléphoné à la Préfecture...

— Parlez donc ? Quoi ? Qu'y a-t-il ?

— Il y a, monsieur le préfet, que Mme Fauville est morte ce matin. Elle a réussi à s'empoisonner. »

M. Desmalions saisit le bras du directeur et courut jusqu'à l'infirmerie, suivi de Perenna et de Mazeroux. Dans une des chambres, il vit la jeune femme étendue.

Des taches brunes marquaient son pâle visage et ses épaules, des taches semblables à celles qu'on avait observées sur les cadavres de l'inspecteur Vérot, d'Hippolyte Fauville et de son fils Edmond.

Bouleversé, le préfet murmura :

« Mais le poison... d'où vient-il ?

— On a trouvé sous son oreiller cette petite fiole et cette seringue, monsieur le préfet.

— Sous son oreiller ? Mais comment sont-elles là ? Comment les a-t-elles eues ? Qui donc les lui a passées ?

— Nous ne savons pas encore, monsieur le préfet. »

M. Desmalions regarda don Luis. Ainsi, le suicide d'Hippolyte Fauville n'arrêtait pas la série des crimes. Son action n'avait pas suscité seulement la perte de Marie-Anne, voilà qu'elle déterminait l'empoisonnement de l'infortunée jeune femme ! Était-ce possible ? Devait-on admettre que la vengeance du mort se poursuivait de la même manière automatique et anonyme ? Ou plutôt... ou plutôt n'y avait-il pas quelque autre volonté mystérieuse qui continuait, dans l'ombre, avec la même audace, l'œuvre diabolique de l'ingénieur Fauville ?

Le surlendemain, nouveau coup de théâtre. On trouva dans sa cellule Gaston Sauverand qui agonisait. Il avait eu le courage de s'étrangler à l'aide de son drap. On essaya vainement de le rappeler à la vie.

Près de lui, sur la table, on recueillit une demi-douzaine d'extraits de journaux qu'une main inconnue lui avait communiqués.

Tous, ils relataient la mort de Marie-Anne Fauville.

CHAPITRE IV

L'HÉRITIER DES DEUX CENTS MILLIONS

Le quatrième soir qui suivit ces tragiques événements, un vieux cocher de fiacre, enfoui sous une vaste houppelande, vint sonner à la porte de l'hôtel Perenna et fit passer une lettre à don Luis. On le conduisit aussitôt dans le cabinet de travail du premier étage. Arrivé là, et prenant à peine le temps de se débarrasser de sa houppelande, il se précipita sur don Luis :

« Cette fois, ça y est, patron. Il ne s'agit plus de rigoler, mais de faire votre paquet et de ficher le camp, et presto. »

Don Luis, qui fumait tranquillement, installé au creux d'un large fauteuil, répondit :

« Qu'est-ce que tu préfères, Mazeroux, un cigare ou une cigarette ? »

Mazeroux s'indigna :

« Mais enfin, patron, vous ne lisez donc pas les journaux ?

— Hélas !

— En ce cas, la situation doit vous apparaître clairement, comme à moi, comme à tout le monde ! Depuis trois jours, depuis le double suicide, ou plutôt depuis le double assassinat de Marie-Anne Fauville et de son cousin Gaston Sauverand, il n'y a pas un seul journal où vous ne lisiez pas cette phrase ou quelque chose d'approchant : *« Et maintenant que M. Fauville, son fils, sa femme et son cousin, Gaston Sauverand, sont morts, plus rien ne sépare don Luis Perenna de l'héritage Cosmo Mornington. »* Comprenez-vous ce que parler veut dire, patron ? Certes, l'explosion du boulevard Suchet et les révélations posthumes de l'ingénieur Fauville, on en parle, et l'on se révolte contre l'abominable Fauville, et l'on ne sait comment louer votre habileté. Mais il y a un fait qui domine toutes les conversations et toutes les discussions. Les trois branches de la famille Roussel étant supprimées, qui est-ce qui reste ? Don Luis Perenna. À défaut des héritiers naturels, qui est-ce qui hérite ? Don Luis Perenna.

— Sacré veinard !

— Voilà ce qu'on se dit, patron. On se dit que cette série de crimes et d'atrocités ne peut pas être l'effet de coïncidences fortuites, mais indique, au contraire, l'existence d'une volonté directrice commençant son action par l'assassinat de Cosmo Mornington et la terminant par la capture des deux cents millions. Et, pour donner un nom à cette volonté, on prend ce qu'on a sous la main, c'est-à-dire le personnage extraordinaire, glorieux et mal famé, équivoque et mystérieux, omnipotent et omniprésent, qui, ami intime de Cosmo Mornington, depuis le début gouverne les événements, combine, accuse, absout, fait arrêter, fait évader, en un mot tripatouille toute cette affaire d'héritage, au bout de laquelle, en dernier ressort, s'il la conduit comme son intérêt lui conseille de le faire, il a deux cents millions à palper. Et le personnage, c'est don Luis Perenna, autant dire le peu recommandable Arsène Lupin, à qui il serait fou de ne pas songer quand on se trouve en face d'une aussi colossale affaire.

— Merci !

— Voilà ce qui se dit, patron, je vous le répète. Tant que Mme Fauville et Gaston Sauverand vivaient, on ne pensait pas beaucoup à vos titres de légataire universel et d'héritier en réserve. Mais voilà que l'un et l'autre ils meurent. Alors, n'est-ce pas ? on ne peut s'empêcher de remarquer l'obstination vraiment surprenante avec laquelle le hasard soigne les intérêts de don Luis Perenna. Vous vous rappelez l'axiome en matière juridique : *is fecit cui prodest.* À qui profite la disparition de tous les héritiers Roussel ? À don Luis Perenna.

— Le bandit !

— Le bandit, c'est le mot que Weber hurle dans les couloirs de la Préfecture et de la Sûreté. Vous êtes le bandit, et Florence Levasseur est votre complice. Et c'est à peine si l'on ose protester. Le préfet de police ? Il aura beau se souvenir qu'il vous doit la vie par deux fois, et que vous avez rendu à la justice des services inappréciables qu'il sera le premier à faire valoir. Il aura beau s'adresser au président du Conseil, Valenglay, lequel vous protège, c'est connu... Il n'y a pas que le préfet de police ! Il n'y a pas que le président du Conseil ! Il y a la Sûreté, le Parquet, le juge d'instruction, les journaux, et surtout l'opinion publique, l'opinion publique, à qui il faut donner satisfaction, et qui attend, qui réclame un coupable. Ce coupable, c'est vous ou bien Florence Levasseur. Ou plutôt, c'est vous *et* Florence Levasseur. »

Don Luis ne sourcilla pas. Mazeroux patienta encore une minute. Puis, ne recevant pas de réponse, il eut un geste désespéré :

« Patron, savez-vous à quoi vous m'obligez ? À trahir mon devoir. Eh bien, apprenez ceci. Demain matin, vous recevrez une convocation du juge d'instruction. À l'issue de l'interrogatoire, et quel que soit cet interrogatoire, on vous conduira directement au Dépôt. Le mandat est signé. Voilà ce que vos ennemis ont obtenu.

— Diable !

— Ce n'est pas tout. Weber, qui brûle de prendre sa revanche, a demandé l'autorisation de surveiller votre hôtel dès maintenant pour que vous ne puissiez pas vous défiler comme Florence Levasseur. Dans une heure, il sera sur la place avec ses hommes. Qu'en dites-vous, patron ? »

Sans quitter sa posture nonchalante, don Luis fit signe à Mazeroux.

« Brigadier, regarde ce qu'il y a sous le canapé, entre les deux fenêtres. »

Don Luis était sérieux. Instinctivement, Mazeroux obéit. Sous le canapé, il y avait une valise.

« Brigadier, dans dix minutes, quand j'aurai donné l'ordre à mes domestiques de se coucher, tu porteras cette valise au 143 bis de la rue de Rivoli, où j'ai retenu un petit appartement sous le nom de M. Lecocq.

— Qu'est-ce que ça veut dire, patron ?

— Ça veut dire que, depuis trois jours, n'ayant personne de sûr à qui confier cette valise, j'attendais ta visite.

— Ah çà ! mais, balbutia Mazeroux, confondu.

— Ah çà ! mais, quoi ?

— Vous aviez donc l'intention de vous esquiver ?

— Parbleu ! Seulement, pourquoi me presser ? Du moment que je t'ai placé dans les services de la Sûreté, c'est pour savoir ce qui se trame contre moi. Puisqu'il y a danger, je me trotte. »

Et, frappant l'épaule de Mazeroux qui le regardait de plus en plus ahuri, il lui dit sévèrement :

« Tu vois, brigadier, que ce n'était pas la peine de te déguiser en cocher de fiacre et de trahir ton devoir. Il ne faut jamais trahir son devoir, brigadier. Interroge ta conscience, je suis certain qu'elle te juge comme tu le mérites. »

Don Luis avait dit la vérité. Reconnaissant combien la mort de Marie-Anne et de Sauverand modifiait la situation, il estimait prudent de se mettre à l'abri. S'il ne l'avait pas fait plus tôt, c'est qu'il espérait recevoir des nouvelles de Florence Levasseur, soit par lettre, soit par téléphone. La jeune fille s'obstinant à garder le silence, il n'y avait pas de raison pour que don Luis risquât une arrestation que la marche des événements rendait infiniment probable.

Et, de fait, ses prévisions étaient justes. Le lendemain, Mazeroux arriva tout guilleret dans le petit appartement de la rue de Rivoli.

« Vous l'avez échappé belle, patron. Dès ce matin, Weber a su que l'oiseau s'était envolé. Il ne dérage pas. Avouons du reste que la situation est de plus en plus embrouillée. À la préfecture, on n'y comprend rien. Ils ne savent même plus s'il faut poursuivre Florence Levasseur. Eh ! oui, vous avez dû lire ça dans les journaux. Le juge d'instruction prétend que Fauville s'étant suicidé et ayant tué son fils Edmond, Florence Levasseur n'a rien à voir là-dedans. Pour lui, l'affaire est donc close de ce côté. Hein ! il en a de bonnes, le juge d'instruction ! Et l'assassinat de Gaston Sauverand, est-ce qu'il n'est pas clair comme le jour que Florence y a participé, comme à tout le reste ? N'est-ce pas chez elle, dans un volume de Shakespeare, qu'on a découvert des documents qui se rapportaient aux dispositions prises par M. Fauville, relativement aux lettres et à l'explosion ? Et puis... »

Mazeroux s'interrompit, intimidé par le regard de don Luis, et comprenant que le patron tenait plus que jamais à la jeune fille. Coupable ou non, elle lui inspirait la même passion.

« Entendu, dit-il, n'en parlons plus. L'avenir me donnera raison, vous verrez cela. »

Et les jours s'écoulèrent. Mazeroux venait aussi souvent que possible, ou bien téléphonait à don Luis tous les détails de la double enquête poursuivie à Saint-Lazare et à la Santé.

Enquête vaine, comme on sait. Si les affirmations de don Luis, relatives au plafonnier électrique et à la distribution automatique des lettres mystérieuses furent reconnues exactes, on échoua dans les recherches qui concernaient le double suicide. Tout au plus fut-il établi que, avant son arrestation, Sauverand avait essayé, par l'intermédiaire d'un fournisseur de l'infirmerie, d'entrer en correspondance avec Marie-Anne. Fallait-il supposer que la fiole de poison et que la seringue avaient suivi cette même voie ? Impossible de le prouver, et, d'autre part, impossible également de découvrir comment les extraits des journaux qui relataient le suicide de Marie-Anne avaient été introduits dans la cellule de Gaston Sauverand.

Et puis le mystère initial subsistait toujours, l'insondable mystère des dents imprimées dans le fruit ! Les aveux posthumes de M. Fauville innocentaient Marie-Anne. Et pourtant, c'était bien les dents de Marie-Anne qui avaient marqué la pomme ! Ce qu'on avait appelé les dents du tigre, c'étaient bien les siennes ! Alors ?...

Bref, comme disait Mazeroux, tout le monde pataugeait, à tel point que le préfet, qui avait mission, de par le testament, de réunir les héritiers Mornington trois mois au moins après le décès du testateur, et quatre mois au plus, décida tout à coup que cette réunion aurait lieu au cours de la semaine suivante, c'est-à-dire le 9 juin. Il espérait ainsi en finir avec une affaire exaspérante, où la justice ne montrait qu'incertitude et désarroi. Selon les circonstances, on prendrait une décision relative à l'héritage. Puis, on bouclerait l'instruction. Et ce serait peu à peu le silence sur la monstrueuse hécatombe des héritiers Mornington. Et le mystère des dents du tigre s'oublierait peu à peu...

Chose étrange, ces derniers jours, agités et fiévreux comme tous ceux qui précèdent les grandes batailles — car on prévoyait que cette réunion suprême serait une grande bataille —, don Luis les passa tranquillement dans un fauteuil, installé sur son balcon de la rue de Rivoli, à fumer des cigarettes ou à faire des bulles de savon que le vent emportait vers le jardins des Tuileries.

Mazeroux n'en revenait pas.

« Patron, vous m'ahurissez. Ce que vous avez l'air tranquille et insouciant !

— Je le suis, Alexandre.

— Alors, quoi ! l'affaire ne vous intéresse plus ? Vous renoncez à venger Mme Fauville et Sauverand ? On vous accuse ouvertement, et vous faites des bulles de savon ?

— Rien de plus passionnant, Alexandre.

— Voulez-vous que je vous dise, patron ? Eh bien, on croirait que vous connaissez le mot de l'énigme...

— Qui sait, Alexandre ? »

Rien ne semblait émouvoir don Luis. Des heures encore passèrent, et d'autres heures, et il ne bougeait toujours pas de son balcon. Les moineaux, maintenant, venaient manger le pain qu'il leur jetait. Vraiment, on eût dit que, pour lui aussi, l'affaire touchait à son terme et que les choses allaient le mieux du monde.

Mais le jour de la réunion, Mazeroux entra, une lettre à la main, et l'air effaré :

« C'est pour vous, patron. Elle m'était adressée, mais avec enveloppe intérieure à votre nom... Comment expliquez-vous cela ?

— Facilement, Alexandre. L'ennemi connaît nos relations cordiales, et, ignorant mon adresse...

— Quel ennemi ?

— Je te le dirai ce soir. »

Don Luis ouvrit l'enveloppe et lut ces mots, écrits à l'encre rouge :

« Il est encore temps, Lupin. Retire-toi de la bataille. Sinon, c'est la mort pour toi aussi. Quand tu te croiras au but, quand ta main se lèvera sur moi et que tu crieras des mots de victoire, c'est alors que l'abîme s'ouvrira sous tes pas. Le lieu de ta mort est déjà choisi. Le piège est prêt. Prends garde, Lupin. »

Don Luis sourit :

« À la bonne heure, ça se dessine.

— Vous trouvez, patron ?

— Mais oui, mais oui... Et qui t'a remis cette lettre ?

— Ah ! là, nous avons de la veine, patron, pour une fois ! L'agent de la Préfecture à qui elle a été remise habite justement aux Ternes, dans une maison voisine de celle qu'habite le porteur de la lettre. Il connaît très bien ce type-là. C'est de la chance, avouez-le. »

Don Luis bondit. Il rayonnait de joie.

« Qu'est-ce que tu chantes ? Dégoise ! Tu as des renseignements ?

— L'individu est un valet de chambre, employé dans une clinique de l'avenue des Ternes.

— Allons-y. Pas une minute à perdre.

— À la bonne heure, patron. On vous retrouve.

— Eh ! parbleu. Tant qu'il n'y avait rien à faire, j'attendais ce soir, et je me reposais, car je prévois que la lutte sera terrible. Mais, puisque l'ennemi commet enfin une gaffe, puisqu'il y a une piste, ah ! alors, plus besoin d'attendre. Je prends les devants. Sus au tigre, Mazeroux ! »

Il était une heure de l'après-midi quand don Luis et Mazeroux arrivèrent à la clinique des Ternes. Un valet de chambre les reçut. Mazeroux poussa don Luis du coude. C'était, sans nul doute, le porteur de la lettre. Sur les questions du brigadier, cet homme ne fit, en effet, aucune difficulté pour reconnaître qu'il avait été le matin à la préfecture.

« Sur l'ordre de qui ? demanda Mazeroux.

— Sur l'ordre de Mme la supérieure.

— La supérieure ?

— Oui, la clinique comprend aussi une maison de santé, laquelle est dirigée par des religieuses.

— Est-il possible de parler à la supérieure ?

— Certes, mais pas maintenant, elle est sortie.

— Et elle rentrera ?

— Oh ! d'un instant à l'autre. »

Le domestique les introduisit dans l'antichambre, où ils restèrent plus d'une heure. Ils étaient fort intrigués. Que signifiait l'intervention de cette religieuse ? Quel rôle tenait-elle dans l'affaire ?

Des gens entraient, que l'on conduisait auprès des malades en traitement. D'autres sortaient. Il vint aussi des sœurs qui allaient et qui venaient en silence, et des infirmières couvertes de leur longue blouse blanche serrée à la taille.

« Nous n'allons pas moisir ici, patron, murmura Mazeroux.

— Qu'est-ce qui te presse ? Ta bien-aimée ?

— Nous perdons notre temps.

— Je ne perds pas le mien. Le rendez-vous chez le préfet n'est qu'à cinq heures.

— Hein ! Qu'est-ce que vous dites, patron ? Ce n'est pas sérieux ! Vous n'avez pourtant pas l'intention d'assister...

— Pourquoi pas ?

— Comment ! Mais le mandat...

— Le mandat ? Un chiffon de papier...

— Un chiffon qui deviendra une réalité si vous forcez la justice à agir. Votre présence sera considérée comme une provocation...

— Et mon absence comme un aveu. Un monsieur qui hérite de deux cents millions ne se cache pas le jour de l'aubaine. Or, sous peine d'être déchu de mes droits, il faut que j'assiste à cette réunion. J'y assisterai.

— Patron... »

Un cri étouffé jaillit devant eux, et aussitôt une femme, une infirmière qui traversait la salle, se mit à courir, souleva une tenture et disparut.

Don Luis s'était levé, hésitant, déconcerté, puis tout à coup, après quatre ou cinq secondes d'indécision, il se rua vers la tenture, suivit un couloir et se heurta à une grosse porte matelassée de cuir, qui venait de se refermer, et autour de laquelle, stupidement, avec des mains qui tremblaient, il perdit encore quelques secondes.

Quand il l'eut ouverte, il se trouva en bas d'un escalier de service. Monterait-il ? À droite, le même escalier descendait au sous-sol. Il descendit, pénétra dans une cuisine et, empoignant la cuisinière, lui dit d'un ton furieux :

« Il y a une infirmière qui vient de sortir par là ?

— Mlle Gertrude ? La nouvelle...

— Oui... oui... vite..., on la cherche là-haut...

— Qui ?

— Ah ! sacré nom, dites-moi quel chemin elle a pris ?

— Ici..., cette porte... »

Don Luis s'élança, franchit un petit vestibule, et se précipita dehors, sur l'avenue des Ternes.

« Eh bien, en voilà une course », cria Mazeroux qui le rejoignait.

Don Luis observait l'avenue. Sur une petite place voisine, la place Saint-Ferdinand, un autobus démarrait.

« Elle y est, affirma-t-il, cette fois, je ne la lâche plus. »

Il héla un taxi.

« Chauffeur, suivez l'autobus à cinquante mètres de distance. »

Mazeroux lui dit :

« C'est Florence Levasseur ?

— Oui.

— Elle est raide, celle-là ! » ronchonna le brigadier.

Et, avec une violence soudaine :

« Mais enfin, patron, vous ne voyez donc rien du tout ? Vrai, on n'est pas aveugle à ce point ! »

Don Luis ne répliqua pas.

« Mais patron, la présence de Florence Levasseur dans cette clinique démontre, par *a* + *b*, que c'est elle qui a donné l'ordre au domestique de m'apporter cette lettre de menaces contre vous, et, alors, plus de doutes ! Florence Levasseur dirige toute l'affaire ! Et, vous le savez comme moi, avouez-le ! Depuis dix jours, vous êtes peut-être arrivé, par amour pour cette femme, à la considérer comme innocente malgré toutes les preuves qui l'accablent. Mais aujourd'hui, la vérité vous crève les yeux. Je le sens, j'en suis sûr. N'est-ce pas, patron, je ne me trompe pas ? Vous y voyez clair ? »

Cette fois, don Luis ne protesta pas. Le visage contracté, les yeux durs, il surveillait l'autobus qui, à ce moment, stoppait au coin du boulevard Haussmann.

« Halte ! » cria-t-il à son chauffeur.

Le jeune fille descendait. Sous son costume d'infirmière, il fut facile de reconnaître Florence Levasseur. Elle examina les alentours, comme une personne qui s'assure qu'elle n'est pas suivie, puis monta dans une voiture et se fit conduire, par le boulevard et la rue de la Pépinière, jusqu'à la gare Saint-Lazare.

De loin, don Luis la vit monter les escaliers qui débouchent sur la cour de Rome, et il put encore l'apercevoir au bout de la salle des Pas-Perdus, devant un guichet.

« Vite, Mazeroux, dit-il, sors ta carte de la Sûreté, et demande à la receveuse quel billet elle vient de délivrer. Dépêche-toi, avant qu'un autre voyageur ne se présente. »

Mazeroux se hâta, interrogea la buraliste, et, se retournant :

« Une seconde classe pour Rouen.

— Prends-en une aussi. »

Le brigadier obéit. S'étant informés, ils surent qu'un rapide partait à l'instant même. Quand ils arrivèrent sur les quais, Florence pénétrait dans un des compartiments du milieu.

Le train sifflait.

« Monte, fit don Luis, qui se dissimulait de son mieux. Tu me télégraphieras de Rouen, et je te rejoindrai ce soir. Surtout, ouvre l'œil. Qu'elle ne te glisse pas entre les doigts. Elle est très forte, tu sais.

— Mais vous, patron, pourquoi ne venez-vous pas ? Il serait bien préférable...

— Impossible. On ne s'arrête pas avant Rouen, et je ne pourrais être de retour que ce soir. Or, la réunion à la Préfecture a lieu à cinq heures.

— Et vous tenez à y être ?

— Plus que jamais. Va, embarque. »

Il le poussa dans une voiture de queue. Le train s'ébranlait et bientôt disparaissait sous le tunnel.

Alors, don Luis se jeta sur une banquette, dans une des salles d'attente, et il y resta deux heures, affectant de lire des journaux, mais les yeux vagues, et l'esprit obsédé par cette question angoissante qui se posait à lui une fois de plus, et avec quelle précision : « Florence est-elle coupable ? »

Il était cinq heures exactement lorsque le cabinet de M. Desmalions s'ouvrit devant le commandant comte d'Astrignac, maître Lepertuis et le secrétaire d'ambassade américain. À ce même moment, quelqu'un entra dans l'antichambre des huissiers et remit sa carte.

L'huissier de service jeta un coup d'œil sur le bristol, se tourna vivement vers un groupe de personnes qui parlaient à l'écart, puis demanda au nouveau venu :

« Monsieur n'a pas de convocation ?

— Inutile. Faites annoncer don Luis Perenna. »

Il y eut comme une secousse électrique parmi les personnes du groupe, et l'une d'elles s'avança. C'était le sous-chef Weber.

Les deux hommes se regardèrent un instant jusqu'au plus profond des yeux. Don Luis souriait aimablement. Weber était livide, un tremblement agitait ses lèvres, et l'on voyait tous les efforts qu'il faisait pour se contenir.

Auprès de lui, il y avait, outre deux journalistes, quatre agents de la Sûreté.

« Bigre ! ces messieurs sont là pour moi, pensa don Luis. Mais leur ahurissement prouve bien qu'on ne croyait pas que j'aurais le culot de venir. Vont-ils m'arrêter ? »

Weber ne bougea pas, mais à la fin, son visage exprimait un certain contentement, comme s'il se fût dit : « Toi, mon bonhomme, je te tiens. Tu n'y couperas pas. »

L'huissier revint et, sans un mot, montra le chemin à don Luis.

Don Luis passa devant Weber avec le salut le plus affable, fit également un petit signe amical aux agents, et entra.

Aussitôt, le commandant comte d'Astrignac se hâta vers lui, la main tendue, montrant ainsi que tous les racontars n'atteignaient en rien l'estime qu'il gardait au légionnaire Perenna. Mais l'attitude réservée du préfet de police fut significative. Il continua de feuilleter le dossier qu'il examinait et de causer à mi-voix avec le secrétaire d'ambassade et le notaire.

Don Luis songea :

« Mon bon Lupin, il y a quelqu'un qui sortira d'ici le cabriolet de fer aux poignets. Si ce n'est pas le vrai coupable, ce sera toi, mon pauvre vieux. À bon entendeur... »

Et il se rappela le début de l'aventure, lorsqu'il se trouvait dans le bureau de l'hôtel Fauville, devant les magistrats, et qu'il lui fallait, sous peine d'arrestation immédiate, livrer le criminel à la justice. Ainsi, du commencement à la fin de la lutte, il avait dû, tout en combattant l'invisible ennemi, s'offrir aux coups de la justice, sans qu'il lui fût possible de se défendre autrement que par d'indispensables victoires. Successivement, harcelé d'attaques, toujours en danger, il avait jeté dans le gouffre Marie-Anne et Sauverand, innocents sacrifiés aux lois cruelles des batailles. Allait-il enfin prendre corps à corps le véritable ennemi ou succomber lui-même à la minute définitive ?

Il se frotta les mains d'un mouvement si heureux que M. Desmalions ne put s'empêcher de le regarder. Don Luis avait cet air épanoui d'un homme qui éprouve une joie sans mélange et qui se prépare à en goûter d'autres beaucoup plus vives encore.

Le préfet de police demeura silencieux un moment, comme s'il se fût demandé ce qui pouvait réjouir ce diable d'homme, puis il feuilleta de nouveau son dossier, et, à la fin, il prononça :

« Nous nous retrouvons ici, messieurs, comme il y a deux mois, pour prendre des résolutions définitives au sujet du testament de Cosmo Mornington. M. Cacérès, attaché à la légation du Pérou, ne viendra pas. M. Cacérès en effet, d'après un télégramme que je viens de recevoir d'Italie, est assez gravement malade. Sa présence, d'ailleurs, n'était pas indispensable. Il ne manque donc personne, ici..., personne que ceux-là mêmes, hélas ! dont cette réunion aurait consacré les droits, c'est-à-dire les héritiers de Cosmo Mornington.

— Il manque une autre personne, monsieur le préfet. »

M. Desmalions leva la tête. C'était don Luis qui venait de parler. Le préfet hésita, puis, se décidant à l'interroger, il dit :

« Qui ? Quelle est cette personne ?

— L'assassin des héritiers Mornington. »

Cette fois encore, don Luis forçait l'attention, et malgré la résistance qu'on lui opposait, contraignait les assistants à tenir compte de sa présence et à subir son ascendant. Coûte que coûte, il fallait qu'on discutât avec lui comme un homme qui exprime des choses inconcevables, mais possibles puisqu'il les exprimait.

« Monsieur le préfet, dit-il, me permettez-vous d'exposer les faits tels qu'ils ressortent de la situation actuelle ? Ce sera la suite et la conclusion naturelle de l'entretien que nous avons eu après l'explosion du boulevard Suchet. »

Le silence de M. Desmalions laissa comprendre à don Luis qu'il pouvait parler. Il reprit aussitôt :

« Ce sera bref, monsieur le préfet. Ce sera bref pour deux motifs : d'abord, parce que les aveux de l'ingénieur Fauville demeurent acquis, et que nous connaissons définitivement le rôle monstrueux qu'il a joué dans l'affaire ; et ensuite, parce que, pour le surplus, la vérité, si compliquée qu'elle paraisse, est, au fond, très simple. Elle tient tout entière dans cette objection que vous m'avez faite, monsieur le préfet, en sortant de l'hôtel en ruine du boulevard Suchet :

« Comment expliquer que la confession d'Hippolyte Fauville ne mentionne pas une seule fois l'héritage de Cosmo Mornington ? »

« Tout est là, monsieur le préfet. Hippolyte Fauville n'a pas dit un mot de l'héritage. Et s'il n'en a pas dit un mot, c'est, évidemment, qu'il l'ignorait. Et si Gaston Sauverand a pu me raconter toute sa tragique histoire sans faire la moindre allusion à cet héritage, c'est que cet héritage n'a tenu dans l'histoire de Gaston Sauverand aucune espèce de place. Lui aussi, avant ces événements, l'ignorait, comme l'ignorait Marie-Anne Fauville et comme l'ignorait Florence Levasseur.

« Fait indéniable, la vengeance, la vengeance seule a guidé Hippolyte Fauville. Sinon, pourquoi eût-il agi, puisque les millions de Cosmo Mornington lui revenaient de plein droit ? Et, d'ailleurs, s'il avait voulu jouir de ces millions, il n'eût tout de même pas commencé par se tuer.

« Donc une certitude : l'héritage n'est pour rien dans les décisions et dans les actes d'Hippolyte Fauville.

« Et cependant, tour à tour, avec une inflexible régularité, et comme s'ils étaient frappés dans l'ordre même où il fallait qu'ils fussent frappés pour que l'héritage Mornington fût disponible, meurent Cosmo Mornington, puis Hippolyte Fauville, puis Edmond Fauville, puis Marie-Anne Fauville, puis Gaston Sauverand ! D'abord le détenteur de la fortune, ensuite tous ceux qu'il a institués ses légataires, et, je le répète, *dans l'ordre même où le testament leur permettait de prétendre à la fortune !*

« N'est-ce pas étrange ? Et comment ne pas supposer qu'il y ait, en tout cela, une pensée directrice ? Comment ne pas admettre que le formidable débat soit dominé par cet héritage, et que, au-dessus des haines et des jalousies de l'immonde Fauville, il y ait un être doué d'une énergie plus formidable encore, poursuivant un but tangible, et conduisant à la mort, comme des victimes numérotées, tous les acteurs inconscients du drame dont il a noué et dont il dénoue les fils ?

« Monsieur le préfet, l'instinct populaire est tellement d'accord avec moi, une partie de la police, le sous-chef Weber en tête, raisonne d'une façon tellement identique à la mienne, que l'existence de cet être s'affirma aussitôt dans toutes les imaginations. Il fallait quelqu'un qui fût la pensée directrice, qui fût la volonté et l'énergie. Ce fut moi. Pourquoi pas, après tout ? N'étais-je point, condition indispensable pour avoir intérêt aux crimes, héritier de Cosmo Mornington ?

« Je ne me défendrai pas. Il se peut que des interventions étrangères, il se peut que les circonstances vous obligent, monsieur le préfet, à prendre contre moi des mesures injustifiées, mais je ne vous ferai pas l'injure de croire, une seconde, que vous supposiez capable de tels forfaits l'homme dont vous avez pu juger les actes depuis deux mois.

« Et cependant, l'instinct populaire a raison de m'accuser, monsieur le préfet. En dehors de l'ingénieur Fauville, il y a fatalement un coupable, et fatalement ce coupable hérite de Cosmo Mornington. Puisque ce n'est pas moi, c'est qu'il existe un autre héritier de Cosmo Mornington. C'est celui-là que j'accuse, monsieur le préfet.

« Il n'y a pas, dans l'aventure sinistre qui se déroule devant nous, il n'y a pas, comme nous avons pu le croire un moment, que la volonté d'un mort. Ce n'est pas tout le temps contre un mort que j'ai lutté, et plus d'une fois j'ai senti le souffle même de la vie qui me heurtait au visage. Et plus d'une fois, j'ai senti les dents du tigre qui cherchaient à me déchirer. Le mort a fait beaucoup, mais il n'a pas tout fait. Et, même ce qu'il a fait, fut-il seul à le faire ? L'être dont je parle fut-il uniquement l'exécuteur de ses ordres, ou bien aussi le complice qui l'aida dans son entreprise ? Je ne sais. Mais il fut certainement le continuateur d'une œuvre qu'il avait peut-être inspirée, et que, en tout cas, il détourna à son profit, acheva résolument et poussa jusqu'aux dernières limites. *Et cela parce qu'il connaissait le testament de Cosmo Mornington.*

« Et c'est lui que j'accuse, monsieur le préfet.

« Je l'accuse tout au moins de la part de forfaits et de crimes qu'on ne saurait attribuer à Hippolyte Fauville.

« Je l'accuse d'avoir fracturé le tiroir de la table où maître Lepertuis, le notaire de Cosmo Mornington, avait déposé le testament de son client.

« Je l'accuse de s'être introduit dans l'appartement de Cosmo Mornington et d'avoir substitué à l'une des ampoules de cacodylate de soude qui devaient servir à Cosmo Mornington pour ses piqûres une ampoule remplie de liqueur toxique.

« Je l'accuse d'avoir tenu le rôle du docteur qui vint constater le décès de Cosmo Mornington et qui délivra un faux certificat.

« Je l'accuse d'avoir fourni à Hippolyte Fauville le poison qui, successivement, tua l'inspecteur Vérot, puis Edmond Fauville, puis Hippolyte Fauville lui-même.

« Je l'accuse d'avoir armé et dirigé contre moi la main de Gaston Sauverand qui, sur son conseil et d'après ses indications, attenta par trois fois à mon existence et, finalement, provoqua la mort de mon chauffeur.

« Je l'accuse d'avoir, profitant des intelligences que Gaston Sauverand s'était crées dans l'infirmerie pour communiquer avec Marie-Anne Fauville, d'avoir fait passer à Marie-Anne Fauville la fiole de poison et la seringue qui devaient servir à la malheureuse pour mettre à exécution ses projets de suicide.

« Je l'accuse d'avoir, par un procédé que j'ignore, et prévoyant le résultat inéluctable de son acte, communiqué à Gaston Sauverand les extraits des journaux qui relataient la mort de Marie-Anne.

« Je l'accuse donc, en résumé, et sans tenir compte de sa participation aux autres crimes — assassinat de l'inspecteur Vérot, assassinat de mon chauffeur —, je l'accuse d'avoir tué Cosmo Mornington, d'avoir tué Edmond Fauville, d'avoir tué Hippolyte Fauville, d'avoir tué Marie-Anne Fauville, d'avoir tué Gaston Sauverand, d'avoir tué, en définitive, tous ceux qui se trouvaient entre les millions et *lui*.

« Et ces derniers mots, monsieur le préfet, vous confirment clairement ma pensée. Si un homme supprime cinq de ses semblables pour toucher un certain nombre de millions, c'est qu'il est convaincu que cette suppression lui assurera fatalement et mathématiquement la possession de ces millions. Bref, si un homme supprime un millionnaire et ses quatre héritiers successifs, c'est qu'il est, lui, le cinquième héritier de ce millionnaire. Dans un instant, cet homme sera ici.

— Quoi ! »

L'exclamation du préfet de police fut spontanée. Il oubliait toute l'argumentation, si puissante et si serrée, de don Luis Perenna, pour ne songer qu'à l'apparition stupéfiante que don Luis annonçait. Et celui-ci répliqua :

« Monsieur le préfet, cette visite est la conclusion rigoureuse des accusations que je porte. Rappelez-vous que le testament de Cosmo Mornington est formel : les droits d'un héritier ne seront valables que si cet héritier assiste à la réunion d'aujourd'hui.

— Et s'il ne vient pas ? s'écria le préfet, prouvant ainsi que la conviction de don Luis avait peu à peu raison de ses doutes.

— Il viendra, monsieur le préfet. Sinon, toute cette affaire n'aurait plus aucune espèce de sens. Réduite aux crimes et aux actes de l'ingénieur Fauville, elle pouvait être considérée comme l'œuvre absurde d'un fou. Poussée jusqu'à la mort de

Marie-Anne Fauville et de Gaston Sauverand, elle exige comme dénouement inévitable l'apparition d'un personnage qui, dernier descendant de la famille Roussel, de Saint-Étienne, et, par conséquent, héritier dans toute la force du terme, et avant moi, de Cosmo Mornington, viendra réclamer les deux cents millions qu'il a conquis par tant d'épouvantable audace.

— Et s'il ne vient pas ? s'exclama de nouveau, avec plus de véhémence, M. Desmalions.

— Alors, monsieur le préfet, c'est que je suis le coupable, et vous n'aurez plus qu'à m'arrêter. Entre cinq heures et six heures, aujourd'hui, vous devez voir dans cette pièce, en face de vous, l'être qui a tué les héritiers Mornington. Il est humainement impossible que cela ne soit pas... Par conséquent en tout état de cause, la justice aura satisfaction. *Lui* ou moi, le dilemme est simple. »

M. Desmalions se taisait. Il mâchonnait sa moustache d'un air soucieux, et tournait autour de la table, dans le cercle étroit que formaient les assistants. Visiblement des objections se précisaient en son esprit contre une telle supposition. À la fin, il murmura, comme s'il se fût parlé à lui-même :

« Non... non... car enfin, comment expliquer que cet homme aurait attendu jusqu'à maintenant pour réclamer ses droits ?

— Un hasard peut-être, monsieur le préfet... un obstacle quelconque... ou bien, sait-on jamais ? le besoin pervers d'une émotion plus forte. Et puis, rappelez-vous, monsieur le préfet, avec quelle minutie, avec quelle subtilité mécanique toute cette affaire fut montée. Chaque événement se déclencha à la minute même fixée par l'ingénieur Fauville. Ne pouvons-nous admettre que son complice subisse jusqu'au bout l'influence de cette méthode, et qu'il ne se découvre qu'à la minute suprême ? »

Avec une sorte de colère, M. Desmalions s'exclama :

« Non, non, mille fois non, ce n'est pas possible. S'il existe un être assez monstrueux pour commettre une pareille série d'assassinats, cet être n'aura pas la bêtise de se livrer.

En venant ici, monsieur le préfet, il ignore le danger qui le menace, puisque personne même n'a envisagé l'hypothèse de son existence. Et d'ailleurs, que risque-t-il ?

— Ce qu'il risque ? Mais s'il a commis réellement cette série d'assassinats...

— Il ne les a pas commis, monsieur le préfet, *il les a fait commettre*, ce qui est différent. Et vous comprendrez maintenant en quoi consiste la force imprévue de cet homme : *il n'agit pas lui-même !* Depuis le jour où la vérité m'est apparue, j'ai réussi à découvrir peu à peu ses moyens d'action, à mettre à nu les rouages qu'il commande et les ruses qu'il emploie. *Il n'agit pas lui-même !* Voilà son procédé. Vous le retrouverez identique dans toute la série des assassinats. En apparence, Cosmo Mornington est mort des suites d'une piqûre mal faite ; mais, en réalité, c'est *l'autre* qui avait rendu la piqûre mortelle. En apparence, l'inspecteur Vérot a été tué par Hippolyte Fauville ; mais, en réalité, c'est *l'autre* qui a dû combiner le crime, en montrer la nécessité à Fauville et, pour ainsi dire, lui diriger la main. Et de même, en apparence, Fauville a tué son fils et s'est suicidé, et Marie-Anne s'est suicidée et Gaston Sauverand s'est suicidé ; mais, en réalité, c'est *l'autre* qui voulut leur mort, qui les accula au suicide, et qui leur fournit les moyens de mourir. Voilà le procédé, monsieur le préfet, et voilà l'homme. »

Et, d'une voix basse, où il y avait comme une appréhension, il ajouta :

« J'avoue que jamais encore, au cours d'une vie qui fut cependant fertile en rencontres, je ne me suis heurté à un plus effroyable personnage, agissant avec une virtuosité plus diabolique et une psychologie plus clairvoyante. »

Ses paroles éveillaient chez ceux qui l'écoutaient une émotion croissante. On voyait réellement l'être invisible. Il prenait corps dans les imaginations. On l'attendait. Par deux fois, don Luis s'était tourné vers la porte et avait prêté l'oreille. Et plus que tout, ce geste évoquait celui qui allait venir.

« Qu'il ait agi par lui-même ou qu'il ait fait agir, dès que la justice le tiendra, elle arrivera bien...

— La justice aura du mal, monsieur le préfet ! Un homme de ce calibre-là a dû tout prévoir, même son arrestation, même l'accusation dont il serait l'objet ; et l'on ne pourra guère relever contre lui que des charges morales et point de preuves.

— Alors ?

— Alors, monsieur le préfet, j'estime que l'on doit accepter ses explications comme toutes naturelles et ne pas le mettre en défiance. L'essentiel est de le connaître. Plus tard — et ce ne sera pas long — vous saurez bien le démasquer. »

Le préfet de police continuait à marcher autour de la table. Le commandant d'Astrignac examinait Perenna, dont le sang-froid l'émerveillait. Le notaire et le secrétaire d'ambassade semblaient fort agités. Et, de fait, rien n'était plus bouleversant que la pensée qui les dominait tous. L'abominable assassin allait-il se présenter devant eux ?

« Silence », dit le préfet de police en s'arrêtant.

On avait traversé l'antichambre.

Quelqu'un frappa.

« Entrez ! »

L'huissier entra. Il tenait un plateau à la main.

Dans ce plateau, il y avait une lettre, et il y avait aussi une de ces feuilles imprimées sur lesquelles on inscrit son nom et l'objet de sa visite.

M. Desmalions se précipita.

Au moment de saisir la feuille, il eut une courte hésitation. Il était très pâle, puis, vivement, il se décida :

« Oh ! » fit-il avec un haut-le-corps.

Il tourna les yeux vers don Luis, réfléchit, puis, prenant la lettre, il dit à l'huissier :

« Cette personne est ici ?

— Dans l'antichambre, monsieur le préfet.

— Dès que je sonnerai, introduisez-la. »

L'huissier sortit.

Debout devant son bureau, M. Desmalions ne bougeait plus. Une seconde fois don Luis rencontra son regard, et un trouble l'envahit. Que se passait-il ?

D'un mouvement sec le préfet de police décacheta l'enveloppe qu'il avait en main, puis il déplia la lettre et se mit à lire.

On épiait chacun de ses gestes, on épiait les moindres expressions de son visage. Les prédictions de Perenna allaient-elles se réaliser ? Un cinquième héritier réclamait-il ses droits ?

Dès les premières lignes, M. Desmalions leva la tête, et, s'adressant à don Luis, murmura :

« Vous aviez raison, monsieur, nous sommes en présence d'une réclamation.

— De qui, monsieur le préfet ? » ne put s'empêcher de dire don Luis.

M. Desmalions ne répondit pas. Il acheva sa lecture. Puis il recommença lentement avec l'attention d'un homme qui pèse tous les mots. Enfin, il lut à haute voix :

« Monsieur le préfet,

« Les hasards d'une correspondance m'ont révélé l'existence d'un héritier inconnu de la famille Roussel. C'est aujourd'hui seulement que j'ai pu me procurer les pièces nécessaires à son identification, et c'est au dernier moment, à la suite d'obstacles inattendus, qu'il m'est possible de vous les envoyer par la *personne même qu'elles concernent*. Respectueuse d'un secret qui ne m'appartient pas, et désireuse de rester en dehors d'une affaire à laquelle je n'ai été mêlée que par accident, je vous prie, monsieur le préfet, de m'excuser si je ne crois pas devoir apposer ma signature au bas de cette lettre. »

Ainsi donc Perenna avait vu clair et les événements justifiaient sa prophétie. Au terme indiqué, quelqu'un se présentait. La réclamation était faite en temps utile. Et la façon même dont les choses se passaient, à la minute précise, rappelait étrangement l'exactitude mécanique qui dominait toute l'aventure.

Restait maintenant la question suprême : qui était cet inconnu, héritier possible, et, par conséquent, cinq ou six fois assassin ? Il attendait dans la pièce voisine. Un mur seul le cachait aux regards. Il allait venir. On allait le voir. On allait le connaître.

Brusquement, le préfet sonna.

Quelques secondes d'angoisse s'écoulèrent. Chose bizarre, M. Desmalions ne quittait pas Perenna des yeux. Celui-ci demeurait tout à fait maître de lui, mais, au fond, inquiet, mal à l'aise.

La porte fut poussée.

L'huissier livra passage à quelqu'un.

C'était Florence Levasseur.

CHAPITRE V

WEBER PREND SA REVANCHE

Don Luis eut un moment de stupéfaction. Florence ici, Florence qu'il avait laissée dans le train sous la surveillance de Mazeroux, et à qui, matériellement, il était impossible de revenir à Paris avant huit heures du soir !

Aussitôt d'ailleurs, et malgré la déroute de son cerveau, il comprit. Florence, se sachant poursuivie, les avait entraînés jusqu'à la gare Saint-Lazare, et elle descendait à contre-voie tandis que l'excellent Mazeroux, emmené par le train, surveillait la voyageuse absente.

Mais soudain la situation lui apparut dans toute son horreur. Florence était là, pour réclamer l'héritage, et cette réclamation, il l'avait dit lui-même, constituait la preuve de culpabilité la plus effroyable.

D'un bond, sous l'impulsion d'un sentiment irrésistible, don Luis fut auprès de la jeune fille, la saisit par le bras, et lui dit avec une violence presque haineuse :

« Qu'est-ce que vous venez faire ici ? Qu'est-ce que vous venez faire ? Pourquoi ne m'avoir pas averti ?... »

M. Desmalions s'interposa. Mais don Luis, sans lâcher prise, s'écria :

« Eh ! monsieur le préfet, vous ne voyez donc pas que tout cela n'est qu'une erreur ? La personne que nous attendons, que je vous ai annoncée, n'est pas celle-ci. L'autre se cache, comme toujours. Mais il est impossible que Florence Levasseur...

— Je n'ai aucune prévention contre mademoiselle, dit le préfet de police d'une voix impérieuse. Mais mon devoir est de l'interroger sur les circonstances qui déterminent sa visite. Je n'y manquerai pas... »

Il dégagea la jeune fille et la fit asseoir. Lui-même prit place devant son bureau, et il était facile de voir combien la présence de la jeune fille l'impressionnait. Par cette présence l'argumentation de don Luis se trouvait pour ainsi dire illustrée. L'entrée en scène d'une personne nouvelle, ayant des droits à l'héritage, c'était incontestablement, pour tout esprit logique, l'entrée en scène d'une criminelle apportant elle-même les preuves de ses crimes. Don Luis le sentit nettement, et, dès lors, il ne quitta plus des yeux le préfet de police.

Florence les regardait tour à tour comme si tout cela eût été pour elle la plus insoluble des énigmes. Ses beaux yeux noirs conservaient leur habituelle expression de sérénité. Elle n'avait plus son vêtement d'infirmière, et sa robe grise, très simple, sans ornements, montrait sa taille harmonieuse. Elle était grave et tranquille ainsi que de coutume.

M. Desmalions lui dit :

« Expliquez-vous, mademoiselle. »

Elle répliqua :

« Je n'ai rien à expliquer, monsieur le préfet. Je viens à vous chargée d'une mission que je remplis sans en connaître la signification exacte.

— Que voulez-vous dire ?... sans en connaître la signification ?

— Voici, monsieur le préfet. Quelqu'un en qui j'ai toute confiance, et pour qui j'éprouve le plus profond respect, m'a priée de vous remettre certains papiers. Ils concernent, paraît-il, la question qui fait l'objet de votre réunion d'aujourd'hui.

— La question d'attribution de l'héritage Cosmo Mornington ?

— Oui, monsieur le préfet.

— Vous savez que, si cette réclamation ne s'était pas produite au cours de cette séance, elle eût été sans effet ?

— Je suis venue dès que les papiers m'ont été remis.

— Pourquoi ne vous les a-t-on pas remis une heure ou deux plus tôt ?

— Je n'étais pas là. J'avais dû quitter en toute hâte la maison que j'habite actuellement. »

Perenna ne douta pas que ce fût lui qui, par son intervention, avait, en provoquant la fuite de Florence, dérangé les plans de l'ennemi.

Le préfet continua :

« Donc vous ignorez les raisons pour lesquelles on vous a confié ces papiers ?

— Oui, monsieur le préfet.

— Et vous ignorez aussi, évidemment, ce en quoi ils vous concernent ?

— Ils ne me concernent pas, monsieur le préfet. »

M. Desmalions sourit, et prononça nettement, les yeux attachés à ceux de Florence :

« D'après la lettre qui les accompagne, ils vous concernent directement. Il établissent, en effet, de la manière la plus certaine, paraît-il, que vous descendez de la famille Roussel et que vous avez, par conséquent, tous les droits à l'héritage Cosmo Mornington.

— Moi ! »

Le cri fut spontané, cri d'étonnement et de protestation.

Et, tout de suite, insistant :

« Moi, des droits à cet héritage ! Aucun, monsieur le préfet, aucun. Je n'ai jamais connu M. Mornington. Quelle est cette histoire ? Il y a là un malentendu. »

Elle parlait avec beaucoup d'animation et avec une franchise apparente qui eût impressionné un autre homme que le préfet de police. Mais pouvait-il oublier les arguments de don Luis et l'accusation portée d'avance contre la personne qui se présenterait à cette réunion ?

« Donnez-moi ces papiers », fit-il.

Elle sortit d'un petit sac une enveloppe bleue qui n'était point cachetée, et à l'intérieur de laquelle il trouva plusieurs feuilles jaunies, usées à l'endroit des plis, déchirées çà et là.

Au milieu d'un grand silence, il les examina, les parcourut, les étudia dans tous les sens, déchiffra à l'aide d'une loupe les signatures et les cachets dont ils étaient revêtus, et dit :

« Ils offrent tous les signes de l'authenticité, les cachets sont officiels.

— Alors, monsieur le préfet ? articula Florence d'une voix qui tremblait...

— Alors, mademoiselle, je vous dirai que votre ignorance me semble bien incroyable. »

Et, se tournant vers le notaire, il prononça :

« Voici, en résumé, ce que contiennent et ce que prouvent ces documents. Gaston Sauverand, héritier en quatrième ligne de Cosmo Mornington, avait, comme vous le savez, un frère plus âgé que lui, du nom de Raoul, et qui habitait la République Argentine. Ce frère, avant de mourir, envoya en Europe, sous la garde d'une vieille nourrice, une enfant de cinq ans qui n'était autre que sa fille, fille naturelle, mais reconnue, qu'il avait eue de Mlle Levasseur, institutrice française établie à Buenos Aires. Voici l'acte de naissance. Voici la déclaration, écrite tout entière et signée par le père. Voici l'attestation libellée par la vieille nourrice. Voici le témoignage de trois amis, commerçants notoires de Buenos Aires. Et voici les actes de décès du père et de la mère. Tous ces documents furent légalisés et portent les cachets du consulat de France. Je n'ai, jusqu'à nouvel ordre, aucun motif de les suspecter, et je dois considérer Florence Levasseur comme la fille de Raoul Sauverand et comme la nièce de Gaston Sauverand.

— La nièce de Gaston Sauverand... sa nièce... » balbutia Florence.

L'évocation d'un père qu'elle n'avait pour ainsi dire pas connu ne l'émouvait pas. Mais elle se mit à pleurer au souvenir de Gaston Sauverand qu'elle chérissait si tendrement et à qui elle se trouvait unie par des liens de parenté si étroits.

Larmes sincères ? ou bien larmes de comédienne qui sait jouer son rôle jusqu'en ses moindres nuances ? Ces faits lui étaient-ils vraiment révélés ou bien simulait-elle les sentiments que la révélation de ces faits devait produire en elle ?

Plus encore qu'il ne surveillait la jeune fille, don Luis observait M. Desmalions, et tâchait de lire la pensée secrète de celui qui allait décider. Et soudain il vit avec une telle certitude que l'arrestation de Florence était chose résolue, comme peut l'être l'arrestation du plus monstreux criminel, qu'il s'approcha de la jeune fille et lui dit :

« Florence. »

Elle leva sur lui ses yeux brouillés de pleurs et ne répliqua point.

Alors il s'exprima lentement :

« Pour vous défendre, Florence, car vous êtes, à votre insu, je n'en doute pas, dans l'obligation de vous défendre, il faut que vous compreniez la situation terrible où vous placent les événements. Florence, M. le préfet de police a été conduit, par la logique même de ces événements, à cette conviction définitive que la personne qui entrera dans cette pièce et dont les droits à l'héritage seront évidents est la personne même qui a tué les héritiers Mornington. Vous êtes entrée, Florence, et vous êtes l'héritière certaine de Cosmo Mornington. »

Il la vit qui frémissait des pieds à la tête, et qui devenait pâle comme une morte. Pourtant elle n'eut pas un mot de protestation et pas un geste.

Il reprit :

« L'accusation est précise, vous n'y répondez pas ? »

Elle resta longtemps sans parler, puis déclara :

« Je n'ai rien à répondre. Tout cela est incompréhensible. Que voulez-vous que je réponde ? Ce sont des choses si obscures !... »

En face d'elle don Luis frissonnait d'angoisse. Il balbutia :

« C'est tout ?... Vous acceptez ?... »

Au bout d'un instant, elle dit à mi-voix :

« Expliquez-vous, je vous en supplie. Vous voulez dire, n'est-ce pas, qu'en ne répondant pas j'accepte l'accusation ?...

— Oui.

— Et alors ?

— C'est l'arrestation... la prison...

— La prison ! »

Elle parut souffrir atrocement. La peur décomposait son beau visage. La prison, pour elle, cela devait représenter les tortures subies par Marie-Anne et par Sauverand. Cela devait signifier le désespoir, la honte, la mort, toutes ces horribles choses que Marie-Anne et Sauverand n'avaient pu éviter et dont elle serait victime à son tour...

Un accablement immense la terrassa, et elle gémit :

« Comme je suis lasse !... Je sens si bien qu'il n'y a rien à faire !... Les ténèbres m'étouffent... Ah ! si je pouvais voir et comprendre !... »

Un long silence encore. Penché sur elle, M. Desmalions l'étudiait aussi de toute son attention concentrée. À la fin, comme elle se taisait, il tendit la main vers le timbre, et sonna, à trois reprises.

Don Luis ne bougea pas, les yeux éperdument attachés à Florence. Au fond de lui, c'était la bataille suprême entre tous ses instincts d'amour et de générosité qui le portaient à croire la jeune fille, et sa raison qui l'obligeait à la défiance. Innocente ? Coupable ? Il ne savait pas. Tout était contre elle. Et cependant pourquoi n'avait-il pas cessé de l'aimer ?

Weber entra, suivi de ses hommes. M. Desmalions s'entretint avec lui en désignant Florence. Weber s'approcha d'elle.

« Florence », appela don Luis.

Elle le regarda, et elle regarda Weber et ses hommes, et, soudain, comprenant ce qui allait se passer, elle recula, vacilla un moment sur elle-même, étourdie, défaillante, et s'abattit dans les bras de don Luis :

« Ah ! sauvez-moi ! Sauvez-moi ! je vous en supplie. »

Et il y avait dans ce geste un tel abandon, et il y avait dans ce cri une détresse où l'on sentait si bien l'effarement de l'innocence, que don Luis fut brusquement éclairé. Une foi ardente le souleva. Ses doutes, ses réserves, ses hésitations, ses tourments, tout cela fut englouti sous l'assaut d'une certitude qui déferlait en lui comme une vague indomptable. Et il s'exclama :

« Non, non, cela ne sera pas ! Monsieur le préfet, il y a des choses qui ne sont pas admissibles... »

Il s'inclina sur Florence, qu'il tenait dans ses bras si fortement que personne n'aurait pu la détacher de lui. Leurs yeux se rencontrèrent. Son visage était tout contre celui de la jeune fille. Il tressaillit d'émotion à la sentir toute palpitante, si faible et si désemparée, et il lui dit passionnément, d'une voix si basse qu'elle seule put l'entendre :

« Je vous aime... je vous aime... Ah ! Florence, si vous saviez ce qui se passe en moi... ce que je souffre, et combien je suis heureux... Ah ! Florence, Florence, je vous aime... »

Sur un signe du préfet, Weber s'était éloigné. M. Desmalions voulait assister au choc imprévu de ces deux êtres si mystérieux, don Luis Perenna et Florence Levasseur.

Don Luis délia ses bras et assit la jeune fille sur un fauteuil. Puis, posant ses deux mains sur les épaules, face à face, il prononça :

« Si vous ne comprenez pas, Florence, moi je commence à comprendre bien des choses, et déjà j'y vois presque dans les ténèbres qui vous effraient. Florence, écoutez-moi... Ce n'est pas vous qui agissez, n'est-ce pas ?... Il y a un autre être derrière vous, au-dessus de vous. Et c'est lui qui vous dirige... n'est-ce pas ? Et vous ignorez même où il vous conduit ?

— Personne ne me dirige... Quoi ?... Expliquez-vous.

— Oui, vous n'êtes pas seule dans la vie. Il y a bien des actes que vous accomplissez parce qu'on vous dit de les accomplir et que vous les croyez justes, et que vous ignorez leurs conséquences... Répondez... Êtes-vous entièrement libre ? Ne subissez-vous aucune influence ? »

La jeune fille semblait s'être reprise, et son visage recouvrait un peu de ce calme qui lui était habituel. On eût dit, cependant, que la question de don Luis l'impressionnait.

« Mais non, dit-elle, aucune influence... Non, je suis sûre. »

Il insista, avec une ardeur croissante :

« Non, vous n'êtes pas sûre, ne dites pas cela. Quelqu'un vous domine, et sans que vous le sachiez. Réfléchissez... Vous voici héritière de Cosmo Mornington... héritière d'une fortune qui vous est indifférente, je le sais, je l'affirme. Eh bien, cette fortune, si ce n'est pas vous qui la désirez, qui donc en sera le maître ? Répondez... Y a-t-il quelqu'un qui ait intérêt ou qui croie avoir intérêt à ce que vous soyez riche ? Tout est là. Votre existence est-elle attachée à celle d'un autre ? Êtes-vous son amie ? sa fiancée ? »

Elle eut un sursaut de révolte.

« Oh ! jamais ! Celui dont vous parlez est incapable...

— Ah ! s'écria-t-il, secoué de jalousie, vous l'avouez... Il existe donc bien, celui dont je parle ! Ah ! je vous jure que le misérable... »

Il se retourna vers M. Desmalions, la figure convulsée de haine, sans plus essayer de se contenir.

« Monsieur le préfet, nous arrivons au but. Je connais le chemin qui nous y mènera. La bête fauve sera traquée cette nuit... demain au plus tard... Monsieur le préfet, la lettre qui accompagne ces documents, la lettre non signée que mademoiselle vous a remise, cette lettre fut écrite par la mère supérieure qui dirige une clinique située avenue des Ternes. En faisant une enquête immédiate dans cette clinique, en interrogeant la supérieure, en la confrontant avec mademoiselle, on remontera jusqu'au coupable lui-même. Mais il ne faut pas perdre une minute... sinon, ce sera trop tard, la bête fauve aura pris la fuite. »

Son emportement était irrésistible. Sa conviction s'imposait avec une force contre laquelle on ne pouvait lutter.

M. Desmalions objecta :

« Mademoiselle pourrait nous renseigner...

— Elle ne parlera pas, ou du moins elle ne parlera qu'après, quand cet homme aura été démasqué devant elle. Ah ! monsieur le préfet, je vous supplie d'avoir confiance en moi comme les autres fois. Toutes mes promesses n'ont-elles pas été exécutées ? Ayez confiance, monsieur le préfet, ne doutez plus. Rappelez-vous que toutes les charges, et les plus lourdes, accablaient Marie-Anne Fauville et Gaston Sauverand et qu'ils ont succombé malgré leur innocence. La justice voudra-t-elle que Florence Levasseur soit sacrifiée comme les deux autres ? Et puis, ce que je demande, ce n'est pas sa libération, mais le moyen de la défendre... C'est-à-dire une heure ou deux de répit. Que le sous-chef Weber soit responsable d'elle. Que vos agents nous accompagnent. Ceux-là, et d'autres aussi, car ce n'est pas trop pour prendre au gîte l'abominable assassin. »

M. Desmalions ne répondit pas. Au bout d'un instant il emmena Weber à part, et il eut avec le sous-chef une conversation qui dura quelques minutes. En réalité, M. Desmalions ne semblait pas très favorable à la demande de don Luis. Mais on entendit Weber qui disait :

« N'ayez aucune crainte, monsieur le préfet, nous ne risquons rien. »

Et M. Desmalions céda.

Quelques moments plus tard, don Luis Perenna et Florence montaient dans une automobile avec Weber et deux inspecteurs. Une autre auto, chargée d'agents, suivait.

La maison de santé fut littéralement investie par les forces policières, et Weber accumula les précautions d'un siège en règle.

Le préfet de police, qui s'en vint de son côté, fut introduit par le domestique dans l'antichambre, puis dans le salon d'attente. La supérieure, mandée aussitôt, le rejoignit. En présence de don Luis, de Weber et de Florence, tout de suite, sans préambule, il l'interrogea.

« Ma sœur, dit-il, voici une lettre que l'on m'a apportée à la Préfecture et qui m'annonçait l'existence de certains documents concernant un héritage. D'après mes informations, cette lettre, non signée, et dont l'écriture est déguisée, aurait été écrite par vous. En est-il ainsi ? »

De figure énergique, d'aspect résolu, la supérieure répliqua sans embarras :

« Il en est ainsi, monsieur le préfet. Comme j'ai eu l'honneur de vous l'écrire, j'aurais préféré, pour des raisons faciles à comprendre, que mon nom ne fût pas prononcé. D'ailleurs l'envoi seul des documents importait. Mais, puisque l'on a pu remonter jusqu'à moi, je suis prête à répondre. »

M. Desmalions reprit, en dévisageant Florence :

« Je vous demanderai d'abord, ma sœur, si vous connaissez mademoiselle ?

— Oui, monsieur le préfet. Florence a passé six mois chez nous comme infirmière, il y a quelques années. J'étais si contente d'elle que j'ai été heureuse de la reprendre il y a huit jours. Sachant son histoire par les journaux, je l'ai simplement priée de changer de nom. Le personnel de la maison était nouveau. C'était donc ici, pour elle, un refuge assuré.

— Mais vous n'ignorez pas, puisque vous avez suivi les journaux, les accusations dont elle est l'objet ?

— Ces accusations ne comptent pas, monsieur le préfet, pour quiconque connaît Florence. C'est une des âmes les plus hautes et une des consciences les plus nobles que j'aie rencontrées. »

Le préfet continua :

« Parlons des documents, ma sœur. D'où viennent-ils ?

— Hier, monsieur le préfet, j'ai trouvé dans ma chambre un avis par lequel on s'offrait à me remettre des papiers intéressant Mlle Florence Levasseur...

— Comment pouvait-on savoir, interrompit M. Desmalions, qu'elle était dans cette maison ?

— Je l'ignore. On m'annonçait simplement que les papiers seraient tel jour — c'est-à-dire ce matin — à Versailles, poste restante, à mon nom. On me priait de n'en parler à personne et de les remettre à Florence Levasseur cet après-midi à trois heures, avec mission de les porter sur-le-champ au préfet de police. On me chargeait en outre de faire parvenir une lettre au brigadier Mazeroux.

— Au brigadier Mazeroux ! C'est bizarre.

— L'envoi de cette lettre, paraît-il, concernait toujours la même affaire. J'aime beaucoup Florence. J'ai donc envoyé la lettre, et ce matin j'ai été à Versailles. On ne m'avait pas trompée : les papiers étaient là. Quand je suis revenue, Florence était absente. Je n'ai pu les lui remettre qu'à son retour, vers quatre heures.

— Ils avaient été expédiés de quelle ville ?

— De Paris. L'enveloppe portait le timbre de l'avenue Niel, qui est précisément le bureau le plus proche d'ici.

— Et le fait de trouver tout cela dans votre chambre ne vous semblait pas étrange ?

— Certes, monsieur le préfet, mais pas plus étrange que tous les épisodes de l'affaire elle-même.

— Cependant... cependant... reprit M. Desmalions, qui examinait la pâle figure de Florence, cependant, en constatant que les instructions que l'on vous donnait provenaient d'ici, de cette maison, et qu'elles concernaient justement une personne qui résidait dans cette maison, n'avez-vous pas eu l'idée que cette personne...

— L'idée que Florence avait pénétré dans ma chambre à mon insu, pour y faire une pareille besogne ? s'écria la supérieure. Ah ! monsieur le préfet, Florence en est incapable. »

La jeune fille se taisait, mais sa figure contractée laissait voir les sentiments d'effroi qui la bouleversaient.

Don Luis s'approcha et lui dit :

« Les ténèbres se dissipent, n'est-ce pas, Florence ? et cela vous fait mal. Qui a donc déposé la lettre dans la chambre de la mère supérieure ? Vous le savez, n'est-ce pas ? et vous savez qui mène toute cette intrigue ? »

Elle ne répondit pas. Alors, s'adressant au sous-chef, le préfet prononça :

« Weber, veuillez visiter la chambre que mademoiselle occupa. »

Et comme la religieuse protestait.

« Il est indispensable, déclara-t-il, que nous soyons éclairés sur les raisons pour lesquelles mademoiselle garde un silence aussi obstiné. »

Elle-même, Florence indiqua le chemin. Mais, au moment où Weber sortait, don Luis s'écria :

« Attention, sous-chef.

— Attention, et pourquoi ?

— Je ne sais pas, fit don Luis, qui, en effet, n'aurait pu dire pourquoi la conduite de Florence l'inquiétait, je ne sais pas... Cependant, je vous préviens. »

Weber haussa les épaules, et, accompagné de la supérieure, s'en alla. Dans l'antichambre, il prit deux hommes avec lui. Florence marchait en avant. Elle monta un étage et suivit un long corridor bordé de chambres, lequel, après un tournant, aboutissait à un petit couloir extrêmement étroit et terminé par une porte.

C'était là qu'elle habitait.

La porte ouvrait, non pas à l'intérieur de la chambre, mais à l'extérieur. Florence la tira donc vers elle tout en reculant, ce qui obligea Weber à reculer également. Elle en profita pour entrer d'un bond, et pour refermer la porte sur elle, avec une telle promptitude que le sous-chef, en voulant saisir le battant, ne rencontra que le vide.

Il eut un mouvement de colère.

« La coquine ! elle va brûler des papiers. »

Et, s'adressant à la sœur :

« Cette chambre n'a pas d'autre issue ?

— Aucune, monsieur. »

Il essaya d'ouvrir, mais elle avait fermé à clef et au verrou. Alors il livra passage à un des hommes, un colosse, qui, d'un coup de poing, démolit un des panneaux.

Weber repassa au premier rang, glissa le bras par la brèche, tira le verrou, fit manœuvrer la clef, et entra.

Florence n'était plus dans la chambre.

En face, une petite fenêtre ouverte montrait le chemin suivi.

« Crebleu de bon sort ! cria-t-il, elle a fichu le camp. »

Et, retournant vers l'escalier, il ordonna d'une voix tonnante :

« Qu'on surveille toutes les sorties ! Qu'on lui mette la main au collet ! »

M. Desmalions accourut. Croisant le sous-chef, il se fit donner des explications, puis gagna la chambre de Florence. La fenêtre ouverte donnait sur une petite courette intérieure, sorte de puits par où s'aéraient certaines pièces de l'immeuble. Des tuyaux descendaient jusqu'en bas. Florence avait dû s'y accrocher. Mais quel sang-froid et quelle volonté indomptable dénonçait une telle évasion !

Déjà les agents s'étaient répandus de tous côtés pour barrer la route à la fugitive. On ne tardait pas à savoir que Florence, dont on cherchait les traces au rez-de-chaussée et au sous-sol, était rentrée de la courette dans la chambre située au-dessous de la sienne, et qui était précisément celle de la supérieure, qu'elle avait revêtu une robe de religieuse et que, à l'abri de ce déguisement, elle avait passé inaperçue au milieu même des gens qui la poursuivaient !

On s'élança dehors. Mais la nuit était venue. Comment les recherches ne seraient-elles pas vaines en ce quartier populeux ?

Le préfet de police ne cachait pas son mécontentement. Don Luis, très déçu également par cette fuite qui contrariait ses plans, ne se fit pas faute de souligner la maladresse de Weber :

« Je vous l'avais bien dit, sous-chef, il fallait prendre vos précautions ! L'attitude de Mlle Levasseur laissait tout prévoir. Il est évident qu'elle connaît le coupable, et qu'elle a voulu le rejoindre, lui demander des explications et, qui sait ? le sauver, s'il arrivait à la convaincre. Et que se passera-t-il entre eux ? Se sentant découvert, le bandit est capable de tout. »

M. Desmalions questionna de nouveau la supérieure, et il ne tardait pas à apprendre que Florence Levasseur, huit jours plus tôt, et avant de se réfugier à la clinique, avait habité durant quarante-huit heures un petit hôtel meublé de l'île Saint-Louis.

Si peu que valût l'indication, on ne pouvait la négliger. Le préfet de police, qui conservait tous ses doutes à l'égard de Florence et qui attachait une importance extrême à la capture de la jeune fille, enjoignit à Weber et à ses hommes de suivre cette piste sans plus tarder. Don Luis accompagna le sous-chef.

Tout de suite l'événement donna raison au préfet de police. Florence s'était réfugiée dans l'hôtel meublé de l'île Saint-Louis, où elle avait retenu une chambre sous un nom d'emprunt. Mais elle n'était pas arrivée qu'un petit gamin se présentait au bureau de l'hôtel, la faisait demander et l'emmenait avec lui.

On monta dans la chambre et l'on trouva un paquet enveloppé d'un journal et qui contenait une robe de religieuse. Donc aucune erreur possible.

Plus tard, dans la soirée, Weber réussit à découvrir le petit gamin. C'était le fils d'une concierge habitant le quartier. Où avait-il pu conduire Florence ? Interrogé, il répondit que pour rien au monde il ne trahirait la dame qui s'était confiée à lui et l'avait embrassé en pleurant. La mère le supplia. Son père le gifla. Il fut inflexible.

En tout cas, on pouvait conclure de l'incident que Florence n'avait pas quitté l'île Saint-Louis ou les environs immédiats de l'île Saint-Louis.

Toute la soirée on s'obstina. Weber avait établi son quartier général dans un cabaret où les renseignements étaient centralisés et où les agents revenaient de temps à autre prendre ses ordres. En outre, il demeurait en communication permanente avec la Préfecture.

À dix heures et demie, un peloton d'agents envoyé par le préfet vint se mettre à la disposition du sous-chef. Mazeroux, qui arrivait de Rouen, furieux contre Florence, s'était joint à ce peloton.

« Weber avait établi son quartier général dans un cabaret. »

Les recherches continuèrent. Peu à peu, don Luis en avait pris la direction, et c'était pour ainsi dire sur ses inspirations que Weber sonnait à telle porte ou interrogeait telle personne.

À onze heures, la chasse demeurait toujours sans résultat. Une inquiétude violente crispait don Luis.

Mais un peu après minuit un coup de sifflet strident rallia tous les hommes à l'extrémité orientale de l'île, au bout du quai d'Anjou. Là, deux agents les attendaient, entourés d'un groupe de passants. Ils venaient d'apprendre que, plus loin, sur le quai Henri-IV, en dehors de l'île par conséquent, une automobile de louage avait stationné devant une maison, qu'on avait entendu le bruit d'une discussion, puis que l'automobile avait disparu du côté de Vincennes.

On courut au quai Henri-IV. La maison fut aussitôt désignée. Au rez-de-chaussée, une porte donnait directement sur le trottoir. Le taxi avait stationné quelques minutes devant cette porte. Deux personnes étaient sorties du rez-de-chaussée, dont une femme que l'autre personne entraînait. Lorsque la portière de l'auto eut été refermée, une voix d'homme, à l'intérieur, avait crié :

« Chauffeur, boulevard Saint-Germain. Les quais... et puis la route de Versailles. »

Mais les renseignements de la concierge furent plus précis. Intriguée par le locataire de ce rez-de-chaussée, locataire qu'elle n'avait vu qu'une fois, le soir, qui payait son terme au moyen de mandats signés du nom de Charles et qui ne venait chez lui qu'à de longs intervalles, elle avait profité de ce que sa loge était contiguë à l'appartement pour écouter le bruit des voix. L'homme et la femme disputaient. À un moment, l'homme cria plus fort :

« Venez avec moi, Florence, je le veux. Dès demain matin je vous donnerai toutes les preuves de mon innocence. Et, si vous refusez quand même de devenir ma femme, je m'embarquerai. Toutes mes mesures sont prises. »

Et, un peu après, il se mit à rire et dit encore, d'une voix très haute :

« Peur de quoi, Florence ? que je vous tue, peut-être ? Non, non, soyez tranquille... »

La concierge n'avait plus rien entendu. Mais n'était-ce pas suffisant pour justifier toutes les craintes ?

Don Luis empoigna le sous-chef par le bras :

« En route ! Je le savais, cet homme est capable de tout. C'est le tigre ! Il va la tuer ! »

Il s'élança, emmenant le sous-chef vers les deux autos de la préfecture, qui stationnaient à cinq cents mètres de là. Mazeroux, cependant, essaya de protester :

« Il vaudrait mieux fouiller la maison, recueillir des indices...

— Eh ! s'exclama don Luis en redoublant de vitesse, la maison, les indices, on les retrouvera... tandis que lui, il gagne du terrain... et il emmène Florence... et il va la tuer... C'est un guet-apens... j'en suis sûr... »

Il criait dans la nuit, et entraînait les deux hommes avec une force irrésistible.

Ils approchaient.

« En marche ! commanda-t-il, dès qu'ils furent en vue des autos. Je vais conduire moi-même. »

Il voulut monter sur le siège, mais Weber le poussa à l'intérieur en objectant :

« Inutile... ce chauffeur-là connaît son affaire. Nous irons plus vite. »

Don Luis, le sous-chef et deux policiers s'engouffrèrent dans la voiture, Mazeroux prit place auprès du chauffeur.

« Route de Versailles ! » proféra don Luis.

L'auto s'ébranla, et il continuait :

« Nous le tenons !... Vous comprenez bien que l'occasion est unique. Il doit aller à bonne allure, mais sans trop forcer puisqu'il ne se croit pas poursuivi... Ah ! le bandit, ce que ça va ronfler... Plus vite, chauffeur ! Mais pourquoi diable sommes-nous chargés à ce point ? À nous deux, sous-chef, cela eût suffi... Eh ! Mazeroux, vous allez descendre et monter dans l'autre auto... Mais oui, n'est-ce pas, sous-chef, c'est absurde... »

Il s'interrompit, et, comme il était placé à l'arrière entre le sous-chef et un agent, il se souleva vers la portière et murmura :

« Ah çà ! mais, par où prend-il, cet imbécile-là ? Ce n'est pas le chemin... Voyons, voyons, qu'est-ce que ça veut dire ? »

Un éclat de rire lui répondit. C'était Weber qui trépignait de joie. Don Luis étouffa un juron, et, faisant un effort terrible, voulut sauter de voiture. Six mains s'abattirent sur lui et l'immobilisèrent. Le sous-chef le tenait à la gorge. Les agents paralysaient ses bras. La voiture, très exiguë, ne lui permettait pas de se débattre, et il sentit, sur sa tempe, le froid d'un revolver.

« Pas de chichi ! gronda Weber, ou je te brûle, mon bonhomme. Ah ! ah ! tu ne t'y attendais pas, à celle-là... Hein ! la revanche de Weber !... »

Et, comme Perenna se débattait, il ajouta, d'une voix menaçante :

« Tant pis pour toi... Je compte jusqu'à trois... un... deux...

— Mais enfin, quoi ? qu'y a-t-il ? hurla don Luis.

— Ordre du préfet, reçu tout à l'heure.

— Quel ordre ?

— T'emmener au Dépôt si la nommée Florence nous échappait encore.

— Tu as le mandat ?

— J'ai le mandat.

— Et après ?

— Après rien... La Santé... l'instruction...

— Mais, bougre de sort, le tigre file pendant ce temps... Non, non, mais faut-il en avoir une couche !... Quelles gourdes que ces gens-là ! Ah ! cré tonnerre ! »

Il écumait de rage, et lorsqu'il s'aperçut que l'on entrait dans la cour du Dépôt, il se raidit, désarma le sous-chef, étourdit d'un coup de poing l'un des agents.

Mais dix hommes se pressaient aux portières. Toute résistance était inutile. Il le comprit et sa fureur redoubla.

« Tas d'idiots ! proféra-t-il, tandis qu'on l'entourait et qu'on le fouillait à la porte du greffe. Tas de ratés ! Saboteurs ! Est-ce qu'on cochonne une affaire comme ça ! Ils ont le bandit à portée de la main et c'est l'honnête homme qu'ils coffrent... Et le bandit s'esbigne... Et le bandit va faire un massacre... Florence... Florence... »

À la lueur des lampes, au milieu des policiers qui le maintenaient, il était magnifique d'impuissance et d'énergie.

On l'entraîna. Avec une force inouïe il se dressa, secoua les hommes accrochés à lui comme une meute pendue à la chair de quelque bête agonisante et indomptable, se débarrassa de Weber, et, apostrophant Mazeroux, le tutoyant, superbe d'autorité, presque calme tellement il semblait dominer la rage qui bouillonnait en lui, il ordonna, en petites phrases haletantes, brèves comme des commandements militaires :

« Mazeroux, saute chez le préfet !... Qu'il téléphone à Valenglay... Oui, le ministre, président du Conseil... Je veux le voir... Qu'on le prévienne. Qu'on lui dise que c'est moi... moi, l'homme qui a fait marcher le Kaiser[1]... Mon nom ? Il le connaît. Et s'il ne s'en souvient pas, qu'on le lui rappelle. Le voici, mon nom. »

Il fit une pause de quelques secondes, puis, plus calme encore, déclara :

« Arsène Lupin ! Qu'on lui téléphone ces deux mots, et cette simple phrase : Arsène Lupin désire entretenir le président du

1. Voir *813*.

Conseil de choses très graves. » Qu'on lui téléphone cela immédiatement. Le président du Conseil serait fort mécontent s'il apprenait plus tard qu'on a négligé de lui transmettre ma demande. Va, Mazeroux, et ensuite retrouve les traces du bandit. »

Le directeur du Dépôt avait ouvert le registre d'écrou.

« Inscrivez mon nom, monsieur le directeur, fit don Luis. Inscrivez : Arsène Lupin. »

Le directeur sourit et répliqua :

« Je serais bien embarrassé s'il me fallait en inscrire un autre. C'est celui-là que porte le mandat qui vous concerne : *Arsène Lupin, dit don Luis Perenna.* »

Don Luis eut un petit frisson en entendant ces mots. Arrêté en tant qu'Arsène Lupin, il se trouvait dans une situation singulièrement plus dangereuse.

« Ah ! dit-il, on a donc résolu...

— Mon Dieu, oui, dit Weber qui triomphait. On a résolu d'attaquer le taureau par les cornes et de frapper Lupin en pleine figure. C'est de l'audace, ça, hein ? Bah ! tu en verras bien d'autres. »

Don Luis ne broncha pas. Se retournant vers Mazeroux, il répéta :

« N'oublie pas mes instructions, Mazeroux. »

Mais un autre coup lui était réservé. À son appel le brigadier ne répondit pas.

Don Luis l'observa avec plus d'attention, et, de nouveau, tressaillit. Il venait de s'apercevoir que Mazeroux, lui aussi, était entouré d'hommes et maintenu solidement. Et le malheureux brigadier, immobile, silencieux, pleurait.

Weber redoubla de gaieté.

« Tu voudras bien l'excuser, Lupin. Le brigadier Mazeroux est ton compagnon, sinon de cellule, du moins de Dépôt.

— Ah ! fit don Luis en se raidissant, Mazeroux est écroué ?

— Ordre du préfet. Mandat en règle.

— Et à quel titre ?

— Complice d'Arsène Lupin.

— Lui, mon complice. Allons donc ! Lui ! le plus honnête homme du monde !

— Le plus honnête homme du monde, évidemment. N'empêche qu'on s'adressait à lui pour t'écrire et qu'il te portait tes lettres. Preuve qu'il connaissait ta retraite. Et puis, bien d'autres choses qu'on t'expliquera, Lupin. Tu auras de quoi t'amuser. »

Don Luis murmura :

« Mon pauvre Mazeroux ! »

Et à haute voix :

« Pleure pas, mon vieux. C'est l'affaire d'une petite nuit. Mais oui, je te prends dans mon jeu, et nous abattrons le roi d'ici quelques heures. Pleure pas, je te réserve une situation autrement belle, plus honorable, et surtout plus lucrative. J'ai ton affaire. Si tu crois que je n'ai pas tout prévu, moi aussi ! Tu me connais pourtant bien ! Donc, demain, je serai libre, et le gouvernement, après t'avoir élargi, te bombardera quelque chose comme colonel, avec des émoluments de maréchal. Pleure pas, Mazeroux. »

Puis, s'adressant à Weber, il lui dit, du ton d'un chef qui donne la consigne et qui sait que cette consigne ne sera pas même discutée :

« Monsieur, je vous prie de remplir la mission de confiance que j'avais confiée à Mazeroux : d'abord prévenir M. le préfet de police que j'ai une communication de la plus haute importance à faire à M. le président du Conseil, ensuite retrouver à Versailles, et dès cette nuit, les traces du tigre. Je connais vos mérites, monsieur, et je m'en rapporte entièrement à votre zèle et à votre diligence. Rendez-vous demain à midi. »

Et, toujours comme un chef qui a communiqué ses ordres, il se laissa conduire dans sa cellule.

Il était une heure moins dix. Depuis cinquante minutes, l'ennemi roulait sur la grande route, emportant Florence ainsi qu'une proie qu'il semblait désormais impossible de lui ravir.

La porte fut fermée, verrouillée.

Don Luis pensa :

« En admettant que M. le préfet accepte de téléphoner à Valenglay, il ne s'y décidera que ce matin. Donc, jusqu'à ce que je sois libre, c'est huit heures d'avance que l'on donne au bandit. Huit heures... Malédiction ! »

Il réfléchit encore, puis haussa les épaules de l'air de quelqu'un qui pour l'instant n'a pas mieux à faire que d'attendre, et il se jeta sur sa couchette en murmurant :

« Dodo, Lupin. »

CHAPITRE VI

SÉSAME, OUVRE-TOI !

Malgré tout son pouvoir de sommeil, don Luis ne dormit que trois heures. Trop d'inquiétudes le torturaient, et, quoique son plan de conduite fût établi avec une rigueur mathématique, il ne pouvait s'empêcher de prévoir tous les obstacles susceptibles de s'opposer à la réalisation de ce plan. Évidemment, Weber parlerait à M. Desmalions. Mais M. Desmalions téléphonerait-il à Valenglay ?

« Il téléphonera, affirma-t-il en frappant du pied. Cela ne l'engage à rien. Et tout de même, il risquerait gros en ne le faisant pas. D'autant et surtout que Valenglay a dû être consulté sur mon arrestation et qu'on le tient nécessairement au courant de tout ce qui se passe... Alors... alors... »

Alors il se demandait à quoi Valenglay, une fois prévenu, pourrait bien se résoudre. Car enfin était-il permis de supposer que le chef du gouvernement, que le président du conseil des ministres se dérangerait pour obtempérer aux injonctions et pour servir les projets de M. Arsène Lupin ?

« Il viendra ! s'écria-t-il avec la même foi obstinée. Valenglay se fiche pas mal du protocole et de toutes ces balivernes. Il viendra ! Quand ce ne serait que par curiosité... pour savoir ce que je peux bien lui dire. Et puis, quoi, il me connaît ! Je ne suis pas un de ces types qui dérangent le monde sans raison. On tire toujours quelque profit d'une entrevue avec moi. Il viendra ! »

Mais aussitôt une autre question se présentait. La venue de Valenglay n'impliquait nullement un consentement au marché que voulait lui proposer Perenna. Et si, là également, don Luis arrivait à le convaincre, que de périls encore ! Que de points douteux ! Que de déceptions possibles ! Weber poursuivrait-il l'automobile du fugitif avec assez de promptitude et d'audace ? Retrouverait-il la piste ? et, l'ayant retrouvée, ne la perdrait-il pas ?

Et puis, et puis, en supposant que toutes les chances fussent favorables, ne serait-il pas trop tard ? On traquait la bête fauve. On la forçait. Soit. Mais n'aurait-elle pas égorgé sa proie ? Se sentant vaincu, est-ce qu'un être de cette sorte hésiterait à ajouter un crime de plus à la liste de ses forfaits ?

Et cela, pour don Luis, c'était l'épouvante suprême. Après toute la série d'obstacles que, en son imagination opiniâtrement confiante, il parvenait à surmonter, il aboutissait à cette vision horrible : Florence immolée, Florence morte !

« Oh ! quel supplice ! balbutia-t-il. Moi seul pouvais réussir, et l'on me supprime. »

À peine s'il cherchait les motifs pour lesquels M. Desmalions, changeant soudain d'avis, avait consenti à le faire arrêter, et à ressusciter ainsi cet encombrant Arsène Lupin dont la justice n'avait pas voulu s'embarrasser jusqu'alors. Non, cela ne l'intéressait point. Florence seule comptait. Et les minutes passaient, et chaque minute perdue rapprochait Florence du précipice effroyable.

Il se rappelait l'heure analogue où, quelques années auparavant, il attendait de même que la porte de son cachot s'ouvrît et que l'empereur allemand apparût. Mais combien l'heure présente était plus solennelle ! Jadis il s'agissait de sa liberté tout au plus. Maintenant c'était la vie de Florence que le destin allait lui offrir ou lui refuser.

« Florence ! Florence ! » répétait-il avec désespoir.

Il ne doutait plus qu'elle fût innocente. Et il ne doutait pas non plus que l'autre l'aimât et l'eût enlevée, non pas tant comme le gage d'une fortune convoitée que comme un butin d'amour que l'on détruit si on ne peut le garder.

« Florence ! Florence ! »

Il traversa une crise d'abattement extraordinaire. Sa défaite lui semblait irrémédiable. Courir après Florence ? Rattraper le meurtrier ? Il n'était pas question de cela. Il était en prison, sous son nom d'Arsène Lupin et tout le problème consistait à savoir combien de temps il y demeurerait, des mois ou des années !

Alors il eut la notion exacte de ce qu'était son amour pour Florence. Il s'aperçut qu'elle tenait dans sa vie toute la place que n'y tenaient plus ses passions d'autrefois, ses appétits de luxe, ses besoins d'autorité, ses joies de lutteur, ses ambitions, ses rancunes. Depuis deux mois il ne combattait que pour la conquérir. La recherche de la vérité, comme le châtiment du coupable, ce n'était que des moyens de sauver Florence des périls qui la menaçaient. Si Florence devait mourir, s'il était trop tard pour l'arracher à l'ennemi, en ce cas autant rester en prison. Arsène Lupin au bagne jusqu'à la fin de ses jours, n'était-ce pas le dénouement qui convenait à l'existence manquée d'un homme qui n'avait même pas su se faire aimer de la seule femme qu'il eût réellement aimée ?

Crise passagère. En contraste trop violent avec le caractère de don Luis, elle se termina subitement, et par un état de confiance absolue où il n'entrait plus la plus petite part d'inquiétude ou de doute. Le soleil s'était levé. La cellule s'emplissait d'une lumière croissante. Et don Luis se rappela que Valenglay arrivait à son ministère de la place Beauvau à huit heures du matin.

Dès lors, il se sentit absolument calme. Les événements prochains se présentèrent à lui sous un aspect tout à fait différent, comme s'ils se fussent, pour ainsi dire, retournés. La lutte lui sembla facile, la réalité sans complications. Il comprit, aussi clairement que si les actes étaient exécutés, que sa volonté ne pouvait pas n'être pas obéie. Fatalement, le sous-chef avait dû faire un rapport fidèle au préfet de police. Fatalement, le préfet de police avait dû transmettre dès le matin à Valenglay la demande d'Arsène Lupin. Fatalement, Valenglay s'offrirait le plaisir d'une entrevue avec Arsène Lupin. Fatalement, Arsène Lupin obtiendrait, au cours de cette entrevue, l'assentiment de Valenglay. Ce n'étaient pas là des hypothèses, mais des certitudes, non pas des problèmes à résoudre, mais des problèmes résolus. Étant donné le point de départ A, si l'on passe sur les points B et C, on arrive, qu'on le veuille ou non, au point D.

Don Luis se mit à rire.

« Voyons, mon vieil Arsène, réfléchis que tu as fait venir M. Hohenzollern du fond de ses Marches de Brandebourg. Valenglay n'habite pas si loin, que diable ! Et au besoin tu peux te déranger. C'est ça, je consens à faire le premier pas. C'est moi qui rendrai visite à M. de Beauvau. Monsieur le président, mes hommages respectueux. »

Joyeusement, il s'avança vers la porte, affectant de croire qu'elle était ouverte, et qu'il n'avait qu'à passer pour prendre son tour d'audience.

Trois fois il répéta cet enfantillage, saluant très bas et longuement, comme s'il eût tenu à la main un feutre à panache, et murmurant :

« Sésame, ouvre-toi. »

La quatrième fois, la porte s'ouvrit.

Un gardien apparut.

Il lui dit, d'un ton cérémonieux :

« Je n'ai pas trop fait attendre M. le président du Conseil ? »

Il y avait quatre inspecteurs dans le couloir.

« Ces messieurs sont d'escorte ? dit-il. Allons-y. Vous annoncerez Arsène Lupin, grand d'Espagne, cousin de Sa Majesté très catholique. Messeigneurs, je vous suis. Guichetier, vingt écus pour tes bons soins, mon ami. »

Il s'arrêta dans le couloir.

« Per Cristo, pas même une paire de gants, et ma barbe est d'hier. »

Les inspecteurs l'avaient encadré et le poussaient avec une certaine brusquerie. Il en saisit deux par le bras. Ils eurent un gémissement.

« À bon entendeur, salut, dit-il. Vous n'avez pas l'ordre de me passer à tabac, n'est-ce pas ? ni même de me mettre les menottes ? En ce cas, soyons sages, jeunes gens. »

Le directeur se tenait dans le vestibule. Il lui dit :

« Excellente nuit, mon cher directeur. Vos chambres "Touring Club" sont tout à fait recommandables. Un bon point pour l'hôtel du Dépôt. Voulez-vous mon attestation sur votre livre d'écrou ? Non ? Vous espérez peut-être que je vais revenir ? Hélas ! mon cher directeur, n'y comptez pas. D'importantes occupations... »

Dans la cour, une automobile stationnait. Ils y montèrent, les quatre agents et lui.

« Place Beauvau, dit-il au chauffeur.

— Rue Vineuse, rectifia l'un des agents.

— Oh ! oh ! fit-il, au domicile particulier de Son Excellence. Son Excellence préfère que ma visite soit secrète. C'est bon signe. À propos, chers amis, quelle heure avons-nous ? »

Sa question demeura sans réponse. Et, comme les agents avaient fermé les rideaux, il ne put consulter les horloges publiques.

Ce fut seulement chez Valenglay, dans le petit rez-de-chaussée que le président du Conseil habitait auprès du Trocadéro, qu'il vit une pendule.

« Sept heures et demie, s'écria-t-il. Parfait. Il n'y a pas trop de temps perdu. La situation s'éclaircit. »

Le bureau de Valenglay ouvrait sur un perron qui dominait un jardin rempli de volières. La pièce était encombrée de livres et de tableaux.

Sur un coup de timbre les agents sortirent, conduits par la vieille bonne qui les avait fait entrer.

Don Luis resta seul.

Toujours calme, il éprouvait cependant une certaine inquiétude, un besoin physique d'agir et de lutter, et ses yeux revenaient invinciblement au cadran de la pendule. La grande aiguille lui semblait animée d'une vie extraordinaire.

Enfin quelqu'un entra, qui précédait une autre personne.

Il reconnut Valenglay et le préfet de police.

« Ça y est, pensa-t-il, je le tiens. »

Il voyait cela à l'espèce de sympathie confuse que l'on pouvait discerner sur le visage osseux et maigre du vieux président. Aucune trace de morgue. Rien qui élevât une barrière entre le ministre et l'équivoque personnage reçu par lui. De l'enjouement, une curiosité manifeste et de la sympathie. Oui, une sympathie que Valenglay n'avait jamais cachée, et dont même il se targuait lorsque, après la mort simulée d'Arsène Lupin, il parlait de l'aventurier et des rapports étranges qu'ils avaient eus ensemble.

« Vous n'avez pas changé, dit-il après l'avoir considéré longuement. Plus noir de peau, les tempes un peu plus grisonnantes, voilà tout. »

Et il demanda, d'un ton de brusquerie, en homme qui va droit au but :

« Et alors, qu'est-ce qu'il vous faut ?

— Une réponse d'abord, monsieur le président du Conseil. Le sous-chef Weber, qui m'a conduit au Dépôt cette nuit, a-t-il retrouvé la piste de l'automobile qui emporta Florence Levasseur ?

— Oui, cette automobile s'est arrêtée à Versailles. Les personnes qui l'occupaient ont loué une autre voiture qui doit les conduire à Nantes. En plus de cette réponse, que demandez-vous ?

— La clef des champs, monsieur le président.

— Tout de suite, bien entendu ? fit Valenglay, qui se mit à rire.

— Dans quarante ou cinquante minutes au plus.

— À huit heures et demie, n'est-ce pas ?

— Dernière limite, monsieur le président.

— Et pourquoi la clef des champs ?

— Pour rejoindre l'assassin de Cosmo Mornington, de l'inspecteur Vérot et de la famille Roussel.

— Vous seul pouvez donc le rejoindre ?

— Oui.

— Cependant la police est sur pied. Le télégraphe marche.

L'assassin ne sortira pas de France. Il ne nous échappera certainement pas.

— Vous ne pourrez pas le découvrir.

— Nous le pourrons.

— En ce cas, il tuera Florence Levasseur. Ce sera la septième victime du bandit. Vous l'aurez voulu. »

Valenglay fit une petite pause, puis reprit :

« Selon vous, contrairement à toutes les apparences, et contrairement aux soupçons très motivés de M. le préfet de police, Florence Levasseur est innocente ?

— Oh ! absolument innocente, monsieur le président.

— Et vous la croyez en danger de mort ?

— Ellc est en danger de mort.

— Vous aimez Florence Levasseur ?

— Je l'aime. »

Valenglay eut un petit frisson de joie. Lupin amoureux ! Lupin agissant par amour, et avouant son amour ! Quelle aventure passionnante !

Il dit :

« J'ai suivi l'affaire Mornington jour par jour, et nul détail ne m'en est inconnu. Vous avez accompli des prodiges, monsieur. Il est évident que sans vous cette affaire ne serait jamais sortie des ténèbres du début. Mais cependant, je dois noter qu'il y a eu quelques fautes. Et ces fautes, qui m'étonnaient de votre part, s'expliquent plus facilement quand on sait que l'amour était le principe et le but de vos actes. D'autre part, et malgré votre affirmation, la conduite de Florence Levasseur, son titre d'héritière, son évasion imprévue de la maison de santé, nous laissent peu de doute sur le rôle qu'elle joue. »

Don Luis désigna la pendule.

« Monsieur le président, l'heure avance. »

Valenglay éclata de rire :

« Quel original ! Don Luis Perenna, je regrette de n'être pas quclque souverain omnipotent. Vous seriez le chef de ma police secrète.

— C'est un poste que l'ex-empereur d'Allemagne m'a déjà offert.

— Ah bah !

— Et que j'ai refusé. »

Valenglay rit de plus belle, mais la pendule marquait sept heures trois quarts. Don Luis s'inquiétait. Valenglay s'assit et, entrant sans plus tarder au cœur même du sujet, il dit, d'une voix sérieuse :

« Don Luis Perenna, du premier jour où vous avez reparu, c'est-à-dire au moment même des crimes du boulevard Suchet, M. le préfet de police et moi, nous étions fixés sur votre identité. Perenna, c'était Lupin. Je ne doute pas que vous n'ayez compris les raisons pour lesquelles nous n'avons pas voulu ressusciter le mort que vous étiez, et pour lesquelles nous vous avons accordé une sorte de protection. M. le préfet de police était absolument de mon avis. L'œuvre que vous poursuiviez était une œuvre de salubrité et de justice, et votre collaboration nous était trop précieuse pour que nous ne cherchions pas à vous épargner tout ennui. Donc, puisque don Perenna menait le bon combat, nous avons laissé dans l'ombre Arsène Lupin. Malheureusement... »

Valenglay fit une nouvelle pause et déclara :

« Malheureusement, M. le préfet de police a reçu hier, dans la soirée, une dénonciation très détaillée, avec preuves à l'appui, vous accusant d'être Arsène Lupin.

— Impossible ! s'écria don Luis, c'est là un fait que personne au monde ne peut matériellement prouver. Arsène Lupin est mort.

— Soit, accorda Valenglay, mais cela ne démontre pas que don Luis Perenna soit vivant.

— Don Luis Perenna existe, d'une vie très légale, monsieur le président.

— Peut-être. Mais on le conteste.

— Qui ? Un seul être aurait ce droit, mais en m'accusant il se perdrait lui-même. Je ne le suppose pas assez stupide.

— Assez stupide, non, mais assez fourbe, oui.

— Il s'agit du sieur Cacérès, attaché à la légation du Pérou ?

— Oui.

— Mais il est en voyage !

— Il est même en fuite, après avoir fait main basse sur la caisse de la légation. Mais, avant de s'enfuir à l'étranger, il a signé une déclaration qui nous est parvenue hier soir, et par laquelle il affirme vous avoir confectionné tout un état civil au nom de don Luis Perenna. Voici votre correspondance avec lui, et voici tous les papiers qui établissent la véracité de ses allégations. Il suffit de les examiner pour être convaincu : 1° que vous n'êtes pas don Luis Perenna ; 2° que vous êtes Arsène Lupin. »

Don Luis eut un geste de colère.

« Ce gredin de Cacérès n'est qu'un instrument, grinça-t-il. C'est *l'autre* qui est derrière lui, qui l'a payé et qui l'a fait agir. C'est le bandit lui-même. Je reconnais sa main. Une fois de plus, et au moment décisif, il a voulu se débarrasser de moi.

— Je le crois volontiers, fit le président du Conseil. Mais comme tous ces documents, selon la lettre qui les accompagne, ne sont que des photographies, et que si vous n'êtes pas arrêté ce matin, les originaux seront remis ce soir à un grand journal de Paris, nous devons faire état de la dénonciation.

— Mais, monsieur le président, s'écria don Luis, puisque Cacérès est à l'étranger, et que le bandit qui lui a acheté les documents a dû s'enfuir également avant d'avoir pu mettre sa menace à exécution, il n'y a pas à craindre maintenant que les documents soient livrés aux journaux

— Qu'en savons-nous ? L'ennemi a dû prendre ses précautions. Il peut avoir des complices.

— Il n'en a pas.

— Qu'en savons-nous ? »

Don Luis regarda Valenglay, et lui dit :

« Où donc voulez-vous en venir, monsieur le président ?

— À ceci. Bien que nous fussions pressés par les menaces du sieur Cacérès, M. le préfet de police, désireux de faire toute la lumière possible sur le rôle de Florence Levasseur, n'a pas interrompu votre expédition d'hier soir. Cette expédition n'ayant pas abouti, il a voulu tout au moins profiter de ce que don Luis s'était mis à notre disposition pour arrêter Arsène Lupin. Si nous le relâchons, les documents seront sans doute publiés, et vous voyez la situation absurde et ridicule où cela nous mettra devant le public. Or, c'est précisément à ce moment-là que vous demandez la mise en liberté d'Arsène Lupin, mise en liberté illégale, arbitraire, inadmissible. Je suis donc contraint de vous la refuser. Et je la refuse. »

Il se tut, puis, au bout de quelques secondes, ajouta :

« À moins que...

— À moins que ?... demanda don Luis.

— À moins que, et c'est à quoi je voulais arriver, à moins que vous ne me proposiez, en échange, quelque chose de si extraordinaire et de si formidable que je consente à risquer les ennuis que peut m'attirer la mise en liberté absurde d'Arsène Lupin.

— Mais monsieur le président, il me semble que si je vous apporte le vrai coupable, l'assassin de...

— Je n'ai pas besoin de vous pour cela...

— Et si je vous donne ma parole d'honneur, monsieur le président, de revenir aussitôt mon œuvre accomplie, et de me constituer prisonnier ? »

Valenglay haussa les épaules.

« Et après ? »

Il y eut un silence. La partie devenait serrée entre les deux adversaires. Il était évident qu'un homme comme Valenglay ne se contenterait pas de mots et de promesses. Il lui fallait des avantages précis, en quelque sorte palpables.

Don Luis reprit :

« Peut-être, monsieur le président, me permettrez-vous de faire entrer en ligne de compte certains services que j'ai rendus à mon pays ?...

— Expliquez-vous. »

Don Luis, après quelques pas à travers la pièce, revint en face de Valenglay et lui dit :

« Monsieur le président, au mois de mai 1915, vers la fin de la journée, trois hommes se trouvaient sur la berge de la Seine, au quai de Passy, à côté d'un tas de sable. La police cherchait, depuis des mois, un certain nombre de sacs contenant trois cents millions en or, patiemment recueillis en France par l'ennemi et sur le point d'être expédiés[1]. Deux de ces hommes s'appelaient, l'un Valenglay, l'autre Desmalions. Le troisième, qui les avait conviés à ce rendez-vous, pria le ministre Valenglay d'enfoncer sa canne dans le tas de sable. L'or était là. Quelques jours après, l'Italie, qui avait décidé de lier partie avec la France, recevait une avance de quatre cents millions en or. »

Valenglay sembla très étonné.

« Personne n'a su cette histoire. Qui vous l'a racontée ?

— Le troisième personnage.

— Et ce troisième personnage s'appelait ?

— Don Luis Perenna.

— Vous ! Vous ! s'écria Valenglay. C'est vous qui avez découvert la cachette ? C'est vous qui étiez là ?

— C'est moi, monsieur le président. Vous m'avez demandé

1. Voir *Le Triangle d'or.*

alors comment vous pouviez me récompenser. C'est aujourd'hui que je réclame ma récompense. »

La réponse ne tarda pas. Elle fut précédée d'un petit éclat de rire plein d'ironie.

« Aujourd'hui ? c'est-à-dire quatre ans après ? C'est bien tard, monsieur. Tout cela est réglé. La guerre est finie. Ne déterrons pas les vieilles histoires. »

Don Luis parut un peu déconcerté. Cependant il continua :

« En 1917, une épouvantable aventure se déroula dans l'île de Sarek[1]. Vous la connaissez, monsieur le président. Mais vous ignorez certainement l'intervention de don Luis Perenna, et les projets que celui-ci... »

Valenglay frappa du poing sur la table, et, enflant la voix, apostrophant son interlocuteur avec une familiarité qui ne manquait pas d'allure :

« Allons, Arsène Lupin, jouez franc jeu. Si vous tenez vraiment à gagner la partie, payez ce qu'il faut ! Vous me parlez de services passés ou futurs. Est-ce ainsi qu'on achète la conscience de Valenglay, quand on s'appelle Arsène Lupin ? Que diable ! Songez qu'après toutes vos histoires, et surtout après les incidents de cette nuit, Florence Levasseur et vous, vous allez être pour le public, et vous êtes déjà les auteurs responsables du drame, que dis-je ? les vrais et les seuls coupables. Et c'est lorsque Florence a pris la poudre d'escampette que vous me demandez, vous, la clef des champs ! Soit, mais, sacrebleu ! Mettez-y le prix, et sans barguigner. »

Don Luis se remit à marcher. Un dernier combat se livrait en lui. Au moment de découvrir son jeu, une hésitation suprême le retenait. Enfin, il s'arrêta de nouveau. La décision était prise. Il fallait payer : il paierait.

« Je ne marchande pas, monsieur le président, affirma don Luis avec une grande loyauté d'attitude et de visage. Ce que j'ai à vous offrir est certes beaucoup plus extraordinaire et plus formidable que vous ne l'imaginez. Mais cela serait-il plus extraordinaire encore et plus formidable que cela ne compterait pas, puisque la vie de Florence Levasseur est en danger. Cependant mon droit était de chercher une transaction moins désavantageuse. Vos paroles m'en interdisent l'espoir. J'abat-

1. Voir *L'Ile aux trente cercueils.*

trai donc toutes mes cartes sur la table, comme vous l'exigez, et comme j'y étais résolu. »

Le vieux président exultait. Quelque chose de formidable et d'extraordinaire ! En vérité, qu'est-ce que cela pouvait bien être ? Quelles propositions pouvaient mériter de telles épithètes ?

« Parlez, monsieur. »

Don Luis Perenna s'assit en face de Valenglay, ainsi qu'un homme qui traite avec un autre d'égal à égal.

« Ce sera bref. Une seule phrase, monsieur le président, résumera le marché que je propose au chef du gouvernement de mon pays.

— Une seule phrase ?

— Une seule phrase », affirma don Luis.

Et, plongeant ses yeux dans les yeux de Valenglay, lentement, syllabe par syllabe, il lui dit :

« Contre vingt-quatre heures de liberté, pas davantage, contre l'engagement d'honneur de revenir ici demain matin, et d'y revenir avec Florence, pour vous donner toutes les preuves de mon innocence, soit sans elle pour me constituer prisonnier, je vous offre... »

Il prit un temps et acheva d'une voix grave :

« Je vous offre un royaume, monsieur le président du Conseil. »

La phrase était énorme, burlesque, bête à faire hausser les épaules, une de ces phrases que seul peut émettre un imbécile ou un fou.

Pourtant Valenglay demeura impassible. Il savait qu'en de pareilles circonstances cet homme-là ne plaisantait pas.

Et il le savait tellement que, par instinct, habitué qu'il était aux grosses questions politiques où le secret est si important, il jeta un coup d'œil sur le préfet de police, comme si la présence de M. Desmalions l'eût gêné.

« J'insiste vivement, fit don Luis, pour que M. le préfet de police veuille bien écouter ma communication. Mieux que personne il en appréciera la valeur, et, pour certaines parties, il en attestera l'exactitude. D'ailleurs, je suis certain que M. Desmalions ne voudrait pas me désobliger par une indiscrétion. »

Valenglay ne put s'empêcher de rire.

« À lui aussi vous avez rendu service, peut-être ?

— Justement, monsieur le président.

— Je serais curieux de savoir ?... fit M. Desmalions.

— Si vous y tenez... Donc, le soir de notre conciliabule sur la berge du quai de Passy, il y a quatre ans, je vous ai promis, monsieur Desmalions, alors que vous n'étiez que fonctionnaire subalterne, de vous faire nommer préfet de police. J'ai tenu parole. Votre nomination fut demandée par trois ministres sur qui j'avais barre : dois-je les désigner ?...

— Inutile ! s'exclama Valenglay en riant de plus belle. Inutile ! Je vous crois. Je crois à votre toute-puissance. Quant à vous, Desmalions, ne faites pas cette tête. Il n'y a pas de déshonneur à être l'obligé d'un tel homme. Parlez, Lupin. »

Sa curiosité n'avait plus de bornes. Que la proposition de don Luis pût avoir des conséquences pratiques, il s'en souciait peu. Même, au fond, il n'y croyait pas. Ce qu'il voulait, c'était savoir jusqu'où ce diable d'individu avait poussé l'audace, et sur quelle aventure prodigieuse et nouvelle s'appuyaient des prétentions qu'il exprimait avec tant de sérénité et de candeur.

« Vous permettez ? » fit don Luis.

Se levant et s'avançant vers la cheminée, il décrocha une petite carte murale qui représentait le nord-ouest de l'Afrique. Puis, tout en étalant cette carte sur la table à l'aide d'objets un peu lourds posés aux quatre coins, il reprit :

« Il est une chose, monsieur le président, une chose qui intrigua M. le préfet de police, et à propos de laquelle j'ai su qu'il avait exécuté des recherches : c'est l'emploi de mon temps — disons plutôt du temps d'Arsène Lupin — durant ces trois dernières années, et en particulier pendant qu'il était à la Légion étrangère.

— Ces recherches furent exécutées sur mon ordre, interrompit Valenglay.

— Et elles aboutirent ?

— À rien.

— De sorte que, en définitive, vous ignorez ma conduite au cours de la guerre ?

— Je l'ignore.

— Je vais vous la dire, monsieur le préfet. D'autant qu'il est de toute justice que la France sache ce qu'a fait pour elle un de ses fils les plus dévoués... sans quoi... sans quoi on pourrait m'accuser un jour ou l'autre de m'être embusqué, ce qui serait fort injuste. Vous vous souvenez peut-être, monsieur le président, que je m'étais engagé dans la Légion étrangère à la suite de désastres intimes vraiment effroyables, et après une vaine tentative de suicide. Je voulais mourir, et je pensais qu'une balle marocaine me donnerait le repos auquel j'aspirais. Le hasard ne le permit pas. Ma destinée n'était pas achevée, paraît-il. Alors il arriva ce qui devait arriver. Peu à peu, à mon insu, la mort se dérobant, je repris goût à la vie. Quelques faits d'armes assez glorieux m'avaient rendu toute ma confiance en moi et tout mon appétit d'action. De nouveaux rêves m'envahirent. Un nouvel idéal me conquit. Il me fallut de jour en jour plus d'espace, plus d'indépendance, des horizons plus larges, des sensations plus imprévues et plus personnelles. La Légion, si grande que fût ma tendresse pour cette famille héroïque et cordiale qui m'avait accueilli, ne suffisait plus à mes besoins d'activité. Et déjà je me dirigeais vers un but grandiose, que je ne discernais pas très bien encore mais qui m'attirait mystérieusement, lorsque j'appris, en novembre 1914, que l'Europe était en guerre. J'avais alors des amis très puissants à la cour d'Espagne. À la suite de négociations entre Madrid et Paris, je fus réclamé à Madrid, puis envoyé en mission secrète à Paris. C'était mon but. Je voulais voir sur place comment m'employer au mieux des intérêts français.

« Je réussis trois ou quatre affaires importantes, comme celle des trois cents millions d'or, et participai ainsi à l'entrée en guerre de l'Italie. Mais tout cela me semblait, je l'avoue, plutôt secondaire. J'avais mieux à tenter, et maintenant je savais quoi. J'avais discerné le point faible par où la France pouvait être mise en infériorité. Le but que je cherchais se dévoilait à mes yeux. Ma mission finie, je retournai au Maroc. Un mois après mon arrivée, expédié dans le Sud, je me jetai dans une embuscade de Berbères, et, volontairement, bien qu'il m'eût été facile de lutter, je me laissai prendre.

« Toute mon histoire est là, monsieur le président. Prisonnier, j'étais libre. Une autre vie, la vie que j'avais désirée, s'ouvrait devant moi.

« L'aventure, cependant, faillit tourner mal. Mes quatre douzaines de Berbères, groupe détaché d'une importante tribu nomade qui pillait et rançonnait les pays situés sur les chaînes moyennes de l'Atlas, rejoignirent tout d'abord les quelques tentes où campaient, sous la garde d'une dizaine d'hommes, les femmes de leurs chefs. On plia bagages et l'on partit. Après huit jours de marche, qui me furent assez pénibles, car je suivais, les bras liés au dos, des gens à cheval, on s'arrêta sur un plateau étroit que dominaient des escarpements rocheux et où je remarquai, parmi les pierres, beaucoup d'ossements humains et des débris de sabres et d'armes françaises.

« Là on planta un poteau en terre et on m'y attacha. Aux allures de mes ravisseurs, et d'après quelques mots entendus, je compris que ma mort était décidée. On devait me couper les oreilles, le nez, la langue, puis, sans doute, la tête.

« Pourtant ils commencèrent par préparer leur repas. Ils allèrent au puits voisin. Ils mangèrent, et ils ne s'occupaient plus de moi que pour me décrire en riant les gentillesses qu'ils me réservaient.

« Il se passa une nuit encore. La torture était remise au matin, heure plus propice à leur gré.

« De fait, au petit jour ils m'entourèrent en poussant des cris et des rugissements auxquels se mêlait la clameur aiguë des femmes. Lorsque mon ombre cacha une ligne qu'ils avaient tracée la veille sur le sable, ils se turent, et l'un d'eux, chargé des opérations chirurgicales à mon endroit, s'avança et m'enjoignit de tirer la langue. J'obéis. Il la saisit alors avec un coin de son burnous et de l'autre main il sortit son poignard du fourreau.

« Je n'oublierai jamais la férocité et, en même temps, la joie ingénue de son regard, un regard d'enfant mauvais qui s'amuse à casser les ailes et les pattes d'un oiseau. Et je n'oublierai jamais non plus la stupeur de cet homme quand il s'aperçut que son poignard ne se composait plus que d'un pommeau et d'un tronçon de lame, inoffensif et de dimensions ridicules... tout juste assez long pour tenir dans le fourreau.

« Sa rage s'exprima par une crise de vociférations, et aussitôt il se jeta sur un camarade et lui arracha son poignard. Stupeur identique. Ce deuxième poignard était également brisé presque au ras de la poignée.

« Alors, ce fut un tumulte général et chacun brandit son couteau. Un hurlement de fureur s'éleva. Il y avait là quarante-cinq hommes, les quarante-cinq couteaux étaient cassés.

« Le chef sauta sur moi, comme s'il m'eût rendu responsable d'un phénomène aussi incompréhensible. C'était un grand vieillard, sec, un peu bossu, borgne, hideux à voir. Il braquait à bout portant un énorme pistolet, et il me parut si vilain que j'éclatai de rire.

« Il appuya sur la détente. Le coup rata.

« Il appuya une seconde fois. Le second coup rata.

« Tous aussitôt, gesticulant, se bousculant et tonitruant, ils bondirent autour du poteau auquel j'étais attaché et me visèrent de leurs armes diverses, fusils, pistolets, carabines, vieux tromblons espagnols. Les chiens claquèrent. Mais les fusils, pistolets, carabines et tromblons d'Espagne ne partirent pas.

« Quel miracle ! Il fallait voir leurs têtes ! Je vous jure que jamais je n'ai tant ri, ce qui achevait de les déconcerter. Les uns coururent aux tentes renouveler leur provision de poudre. Les autres rechargèrent leurs armes en toute hâte. Nouvel échec ! J'étais invulnérable. Et je riais ! Je riais !

« Cela ne pouvait pas se prolonger. Vingt autres moyens de m'exterminer s'offraient à eux. Ils avaient leurs mains pour m'étrangler, la crosse de leurs fusils pour m'assommer, des cailloux pour me lapider. Et ils étaient plus de quarante !

« Le vieux chef saisit une pierre massive et s'approcha, le visage effroyable de haine. Il se dressa, leva, avec l'aide de deux de ses hommes l'énorme bloc au-dessus de ma tête, et le laissa retomber... devant moi, sur le poteau. Spectacle ahurissant pour le malheureux vieillard, j'avais, en une seconde, détaché mes liens et bondi en arrière, et j'étais debout, planté à trois pas de lui, les poings tendus, et tenant dans ces poings crispés les deux revolvers qu'on m'avait confisqués le jour de ma capture !

« Ce qui se passa fut l'affaire de quelques secondes. Le chef à son tour se mit à rire comme j'avais ri, d'un rire sarcastique. Pour lui, dans le désordre de sa cervelle, ces deux revolvers dont je le menaçais, ne devaient pas et ne pouvaient pas avoir plus d'effet que les armes inutiles qui m'avaient épargné. Il ramassa un gros caillou, et leva la main, prêt à me le jeter à la figure. Et ses deux acolytes en firent autant. Et tous l'eussent également imité...

« "Bas les pattes, ou je tire !" criai-je.

« Le chef lança son caillou.

« Je baissai la tête. En même temps trois détonations retentirent. Le chef et ses deux acolytes tombèrent foudroyés.

« "Le premier de ces messieurs ?" demandai-je en regardant le reste du troupeau.

« Il restait quarante-deux Marocains. J'avais encore onze balles. Comme ils ne bougeaient pas, je passai un de mes revolvers sous le bras, et je sortis de ma poche deux petites boîtes de cartouches, c'est-à-dire cinquante autres balles.

« Et de ma ceinture j'extirpai trois beaux coutelas effilés et pointus.

« La moitié de la troupe fit le signe de la soumission et se rangea derrière moi.

« La seconde moitié capitula aussitôt.

« La bataille était finie. Elle n'avait pas duré quatre minutes. »

CHAPITRE VII

ARSÈNE Ier, EMPEREUR

Don Luis se tut. Un sourire amusé plissa ses lèvres. L'évocation de ces quatre minutes semblait le divertir infiniment.

Valenglay et le préfet de police, deux hommes pourtant que le courage et le sang-froid n'étonnaient guère, l'avaient écouté et le considéraient maintenant dans un silence confondu. Était-il possible qu'un être humain poussât l'héroïsme jusqu'à ces limites invraisemblables ?

Il s'avança cependant vers l'autre côté de la cheminée et, désignant une autre carte murale qui représentait la route de France :

« Vous m'avez bien dit, monsieur le président, que l'automobile du bandit avait quitté Versailles et roulait dans la direction de Nantes ?

— Oui, et toutes les dispositions sont prises pour l'arrêter, soit en cours de route, soit à Nantes, soit à Saint-Nazaire où il se peut qu'il veuille s'embarquer. »

De son mieux don Luis Perenna suivit la route à travers la France, faisant des haltes et marquant des étapes. Et rien n'était plus impressionnant que cette mimique. Un pareil homme, tranquille dans un tel bouleversement des choses qui lui tenaient le plus au cœur, semblait, par son calme, le maître des événements et le maître de l'heure. On eût dit que l'assassin fuyait au bout d'un fil incassable dont l'extrémité se trouvait dans la main de don Luis, et que don Luis pouvait interrompre sa fuite par un simple petit geste de sa main. Penché sur la carte, le Maître ne dominait pas seulement une feuille de carton, mais la grande route où glissait sous ses yeux une automobile soumise à sa volonté despotique.

Il retourna vers le bureau et reprit :

« La bataille était finie. Et il était impossible qu'elle recommençât. Plus qu'un vainqueur, contre qui une revanche est toujours possible, soit par la force, soit par la ruse, mes quarante-deux bonshommes avaient en face d'eux un être qui les avait domptés grâce à des moyens surnaturels. Il n'y avait pas d'autre explication susceptible de s'appliquer aux faits inexplicables dont ils avaient été les témoins. J'étais un sorcier, quelque chose comme un marabout, une émanation du Prophète. »

Valenglay dit en riant :

« Leur interprétation n'était pas si déraisonnable. Car enfin il y a là un tour de passe-passe qui me paraît, à moi aussi, tenir du merveilleux.

— Monsieur le président, vous avez lu l'étrange nouvelle de Balzac, intitulée *Une passion dans le désert ?*

— Oui.

— Eh bien, le mot de l'énigme est là.

— Hein ? je ne saisis pas. Vous n'étiez pas sous les griffes d'une tigresse ? Il n'y avait point, dans l'affaire, de tigresse à dompter.

— Non, mais il y avait des femmes.

— Quoi ! Qu'est-ce que vous dites ?

— Mon Dieu, fit don Luis gaiement, je ne voudrais pas vous effaroucher, monsieur le président. Mais je répète qu'il y avait, dans la troupe qui m'emportait depuis huit jours, des femmes... et les femmes sont un peu comme la tigresse de Balzac, des êtres qu'il n'est pas impossible d'apprivoiser... de séduire... d'assouplir au point de s'en faire des alliées.

— Oui... oui, murmura le président follement intrigué, mais pour cela il faut du temps...

— J'ai eu huit jours.

— Et il faut une liberté d'action complète.

— Non, non, monsieur le président... Les yeux suffisent d'abord. Les yeux provoquent la sympathie, l'intérêt, l'attachement, la curiosité, le désir de se connaître autrement que par le regard. Après cela, il suffit d'un hasard...

— Et le hasard s'est offert ?

— Oui... Une nuit, j'étais attaché, ou du moins on me croyait attaché... Près de moi, je savais que la favorite du chef était seule sous sa tente. J'y allai. Je la quittai une heure plus tard.

— Et la tigresse était apprivoisée ?

— Oui, comme celle de Balzac, soumise, aveuglément soumise.

— Mais elles étaient cinq ?...

— Je sais, monsieur le président, et c'était là le difficile. Je craignais des rivalités. Mais tout se passa bien, la favorite n'étant pas jalouse... au contraire... Et puis, je vous l'ai dit, sa soumission était absolue. Bref, j'eus cinq alliées, invisibles, résolues à tout, dont personne ne se méfiait. Avant même la dernière halte, mon plan était en voie d'exécution. Durant la nuit, mes cinq émissaires réunirent toutes les armes. On ficha les poignards en terre et on les cassa. On ôta les balles des pistolets. On mouilla les poudres. Le rideau pouvait se lever. »

Valenglay s'inclina :

« Mes compliments ! Vous êtes un homme de ressources. Sans compter que le procédé ne manque pas de charme. Car je suppose qu'elles étaient jolies, vos cinq dames ? »

Don Luis eut une expression gouailleuse. Il ferma les yeux avec un air de satisfaction, et il laissa tomber ce simple mot :

« Immondes. »

L'épithète provoqua une explosion de gaieté. Mais tout de suite, comme s'il avait hâte d'en finir, don Luis reprit :

« Quoi qu'il en soit, elles me sauvèrent, les coquines, et leur aide ne m'abandonna plus. Mes quarante-deux Berbères, privés d'armes, tremblants d'effroi dans ces solitudes où tout est piège et où la mort vous guette à chaque minute, se groupèrent autour de moi comme autour de leur véritable protecteur. Quand nous rejoignîmes l'importante tribu à laquelle ils appartenaient, j'étais vraiment leur chef. Et il ne me fallut pas trois mois de périls affrontés en commun, d'embuscades déjouées par mes conseils, de pillages et de razzias opérés sous ma direction, pour que je fusse aussi le chef de la tribu entière. Je parlais leur langue, je pratiquais leur religion, je portais leur costume, je me confondais à leurs mœurs — hélas ! n'avais-je pas cinq femmes ? Dès lors mon rêve devint possible. J'envoyai en France un de mes plus fidèles partisans avec soixante lettres qu'il devait remettre à soixante destinataires dont il apprit par cœur les noms et les adresses... Ces soixante destinataires étaient soixante camarades qu'Arsène Lupin avait licenciés avant de se jeter du haut des falaises de Capri. Tous s'étaient retirés des affaires, avec une somme liquide de cent mille francs, un petit fonds de commerce ou une ferme à exploiter. J'avais doté les uns d'un bureau de tabac, les autres d'une place de gardien de square public, d'autres d'une sinécure dans un ministère. Bref, c'étaient d'honnêtes bourgeois. À tous, fonctionnaires, fermiers, conseillers municipaux, épiciers, notables, sacristains d'église, à tous j'écrivis la même lettre, fis la même offre, et donnai, en cas d'acceptation, les mêmes instructions.

« Monsieur le président, je pensais que sur les soixante, dix ou quinze au plus me rejoindraient ; il en vint soixante, monsieur le président ! Soixante, pas un de moins. Soixante furent exacts au rendez-vous que j'avais donné. Au jour fixé, à l'heure dite, mon ancien croiseur de guerre, le *Quo-non-descendam ?* racheté par eux, mouillait à l'embouchure du Wady Draa, sur la côte de l'Atlantique, entre le cap Noun et le cap Juby. Deux chaloupes firent la navette pour débarquer mes amis et le matériel de guerre qu'ils avaient apporté, munitions, fournitures de campement, mitrailleuses, canots automobiles, vivres, conserves, marchandises, verroterie, caisses d'or aussi ! Car mes soixante fidèles avaient tenu à réaliser leur part des anciens bénéfices et à jeter dans l'aventure nouvelle les six millions jadis reçus de leur patron.

« Ai-je besoin d'en dire davantage, monsieur le président ? Dois-je vous raconter ce qu'un chef comme Arsène Lupin, secondé par soixante gaillards de cette espèce, appuyé sur une armée de dix mille Marocains fanatiques, bien armés et bien disciplinés, ce qu'un chef comme Arsène Lupin pouvait tenter ? Il le tenta, et ce fut inouï. Je ne crois pas qu'il y ait d'épopée semblable à celle que nous vécûmes durant ces quinze mois, sur les cimes de l'Atlas d'abord, puis dans les plaines infernales du Sahara, épopée d'héroïsmes, de privations, de tortures, de joies surhumaines, épopée de la faim et de la soif, de la défaite irrémédiable et de la victoire éblouissante.

« Mes soixante fidèles s'en donnèrent à cœur joie. Ah ! les braves gens ! Vous les connaissez, monsieur le président. Vous les avez combattus, monsieur le préfet de police. Ah ! les bougres ! Mes yeux se mouillent à certains souvenirs. Il y avait là Charolais et ses fils, qu'illustra jadis l'affaire du diadème de la princesse de Lamballe[1]. Il y avait là Marco, qui dut sa renommée à l'affaire Kesselbach, et Auguste, qui fut le chef de vos huissiers[2], monsieur le président du Conseil. Il y avait là Grognard et le Ballu, que la poursuite du Bouchon de Cristal a couverts de gloire. Il y avait là les frères Beuzeville, que je nommais les deux Ajax. Il y avait là Philippe d'Antrac, plus

1. Voir *Arsène Lupin*, pièce en quatre actes.
2. Voir *813*.

noble qu'un Bourbon, et Pierre le Grand, et Jean le Borgne, et Tristan le Roux, et Joseph le Jeune.

— Et il y avait là Arsène Lupin, interrompit Valenglay, que passionnait cette énumération homérique.

— Et il y avait Arsène Lupin », répéta don Luis d'une voix convaincue.

Il hocha la tête, sourit légèrement, et continua très bas :

« Je ne vous parlerai point de lui, monsieur le président. Je ne vous parlerai point de lui pour cette raison que vous n'ajouteriez pas foi à mes récits. Ce qu'on a dit à propos de son passage dans la Légion étrangère n'est qu'un jeu d'enfant à côté de ce qui devait être plus tard. À la Légion, Lupin n'était qu'un soldat. Au sud du Maroc il fut général. Là seulement Arsène Lupin donna sa mesure. Et, je le dis sans orgueil, cela fut imprévu pour moi-même. Comme exploits, l'Achille de la légende n'a pas fait plus. Comme résultats, Annibal et César n'ont pas obtenu davantage. Qu'il vous suffise de savoir qu'en quinze mois Arsène Lupin conquit un royaume deux fois grand comme la France. Sur les Berbères du Maroc, sur les Touareg indomptables, sur les Arabes de l'Extrême-Sud algérien, sur les nègres qui débordent le Sénégal, sur les Maures qui habitent les côtes de l'Atlantique, sur le feu du soleil, sur l'enfer, il a conquis la moitié du Sahara et ce qu'on peut appeler l'ancienne Mauritanie. Royaume de sable et de marais ? En partie, mais royaume tout de même, avec des oasis, des sources, des fleuves, des forêts, des richesses incalculables, royaume avec dix millions d'hommes et deux cent mille guerriers.

« C'est ce royaume que j'offre à la France, monsieur le président du Conseil. »

Valenglay ne cacha pas sa stupeur. Ému, troublé même par ce qu'il apprenait, penché sur son extraordinaire interlocuteur, les mains crispées à la carte d'Afrique, il chuchota :

« Expliquez-vous... précisez... »

Don Luis repartit :

« Monsieur le président du Conseil, je ne vous rappellerai pas les événements de ces dernières années. Vous les connaissez mieux que moi. Vous savez quels dangers la France a courus, pendant la guerre, du fait des soulèvements marocains. Vous savez que la guerre sainte a été prêchée là-bas, et qu'il eût suffi d'une étincelle pour que le feu gagnât toute la côte d'Afrique, toute l'Algérie, toute l'immense foule musulmane, protégée par la France, protégée par l'Angleterre. Ce danger que les hommes d'État des Alliés ont redouté avec tant d'angoisse, et que l'ennemi s'est efforcé de faire naître avec tant d'astuce et de persévérance, ce danger, moi, Arsène Lupin, je l'ai conjuré. Pendant que l'on combattait en France, pendant que l'on combattait au nord du Maroc, moi j'étais au sud, j'attirais contre moi les tribus rebelles, je les soumettais, je les réduisais à l'impuissance, je les enrôlais et les poussais vers d'autres régions et vers d'autres conquêtes. Bref, je les faisais travailler pour cette France qu'ils avaient voulu combattre.

— Et, ainsi, du rêve magnifique et lointain qui s'était peu à peu dressé dans mon esprit, j'ai fait la réalité d'aujourd'hui. La France sauvait le monde, moi je sauvais la France.

« Elle rachetait, à force d'héroïsme, ses anciennes provinces perdues : moi je reliais d'un seul coup le Maroc au Sénégal. La plus grande France africaine existe maintenant. Grâce à moi, c'est un bloc solide et compact. Des millions de kilomètres carrés, et de Tunis au Congo, sauf quelques enclaves insignifiantes, une ligne de côtes ininterrompues de plusieurs milliers de kilomètres. Voilà mon œuvre, monsieur le président ; le reste, les autres aventures, l'aventure du Triangle d'or ou celle de L'Île aux trente cercueils, balivernes ! Mon œuvre de guerre, la voilà. Ai-je perdu mon temps, durant ces cinq années, monsieur le président ?

— C'est une utopie, une chimère, protesta Valenglay.

— Une vérité.

— Allons donc ! Il faut vingt ans d'efforts pour arriver à cela.

— Il vous faut cinq minutes, s'écria don Luis avec un élan irrésistible. Ce n'est pas la conquête d'un empire que je vous offre, c'est un empire conquis, pacifié, administré, en plein travail et en pleine vie. Ce n'est pas de l'avenir, c'est du présent, mon présent à moi, Arsène Lupin. Moi aussi, je vous le répète, monsieur le président du Conseil, j'avais fait un rêve magnifique. Ayant trimé toute mon existence, ayant roulé dans tous les précipices et rebondi sur tous les sommets, plus riche que Crésus, puisque toutes les richesses du monde m'appartenaient, et plus pauvre que Job, puisque j'avais distribué tous mes trésors, rassasié de tout, las d'être malheureux, plus las encore d'être heureux, à bout de plaisirs, à bout de passions, à bout d'émotions, j'avais voulu une chose incroyable à notre époque :

régner ! Et, phénomène plus incroyable encore, cette chose s'étant accomplie, Arsène Lupin mort ayant ressuscité sous les espèces d'un sultan des *Mille et une Nuits*, Arsène Lupin régnant, gouvernant, légiférant, pontifiant, je voulais, dans quelques années, je voulais, d'un coup de pouce, déchirer le rideau de tribus rebelles contre lesquelles vous vous exténuez au nord du Maroc, et derrière lesquelles, paisiblement et silencieusement, j'ai bâti mon royaume... Et alors face à face, aussi puissant qu'elle, voisin qui traite de pair à pair, je criais à la France : « C'est moi, Arsène Lupin ! L'ancien escroc, le gentleman cambrioleur, le voilà ! Le sultan de l'Adrar, le sultan d'Iguidi, le sultan d'El-Djouf, le sultan des Touareg, le sultan de l'Aouabuta, le sultan de Braknas et de Frerzon, c'est moi, sultan des sultans, petits-fils de Mahomet, fils d'Allah, moi, moi, moi, Arsène Lupin ! Et j'aurais, sur le traité de paix, sur l'acte de donation où je livrais un royaume à la France, j'aurais, au-dessous du paraphe de mes grands dignitaires, caïds, pachas et marabouts, signé de ma signature légitime, de celle à laquelle j'ai pleinement droit, que j'ai conquise à la pointe de mon épée et par ma volonté toute-puissante : *Arsène Ier, empereur de Mauritanie !* »

Toutes ces paroles, don Luis les prononça d'une voix énergique, mais sans emphase, avec l'émotion et l'orgueil très simple d'un homme qui a beaucoup fait et qui sait la valeur de ce qu'il a fait. On ne pouvait lui répondre que par un haussement d'épaules, comme on répond à un fou, ou par le silence qui réfléchit et qui approuve.

Le président du Conseil et le préfet de police se turent, mais leur regard exprima leur pensée secrète. Ils avaient la sensation profonde de se trouver en présence d'un exemplaire d'humanité absolument exceptionnel, créé pour des actions démesurées, et façonné par lui-même en vue d'une destinée surnaturelle.

Don Luis reprit :

« Le dénouement était beau, n'est-ce pas, monsieur le président du Conseil ? Et la fin couronnait dignement l'œuvre. J'aurais été heureux qu'il en fût ainsi. Arsène Lupin sur un trône, sceptre à la main, cela ne manquait pas d'allure. Arsène Ier, empereur de Mauritanie et bienfaiteur de la France. Quelle apothéose ! Les dieux ne l'ont pas voulu. Jaloux sans doute, ils me rabaissent au niveau de mes cousins du vieux monde, et font de moi cette chose absurde, un roi exilé. Que leur volonté soit faite ! Paix à feu l'empereur de Mauritanie. Il a vécu ce que vivent les roses. Arsène Ier est mort, vive la France ! Monsieur le président du Conseil, je vous renouvelle mon offre. Florence Levasseur est en danger. Moi seul je puis la soustraire au monstre qui l'emporte. Pour cela il me faut vingt-quatre heures. Contre ces vingt-quatre heures de liberté, je vous donne l'empire de Mauritanie. Acceptez-vous, monsieur le président du Conseil ?

— Ma foi oui, dit Valenglay en riant, j'accepte. N'est-ce pas, mon cher Desmalions ? Tout cela n'est peut-être pas très catholique. Mais bah ! Paris vaut bien une messe, et le royaume de Mauritanie est un beau morceau. Tentons l'aventure. »

Le visage de don Luis exprima une joie si franche que l'on eût cru qu'il venait de remporter le plus éclatant des triomphes et non point de sacrifier une couronne et de jeter au gouffre le rêve le plus fantastique qu'un homme eût jamais conçu et réalisé.

Il demanda :

« Quelle garantie voulez-vous, monsieur le président ?

— Aucune.

— Je puis vous montrer des traités, des documents qui prouvent...

— Pas besoin. On reparlera de tout cela demain. Aujourd'hui, allez de l'avant. Vous êtes libre. »

La parole essentielle, la parole invraisemblable était prononcée.

Don Luis fit quelques pas vers la porte.

« Un mot encore, monsieur le président, dit-il en s'arrêtant. Parmi mes anciens compagnons, il en est un à qui j'avais procuré une place en rapport avec ses goûts et avec ses mérites. Celui-là, pensant qu'un jour ou l'autre il pourrait, de par sa fonction, m'être utile, je ne l'ai pas fait venir en Afrique. Il s'agit de Mazeroux, brigadier de la Sûreté.

— Le brigadier Mazeroux, que le sieur Cacérès a dénoncé, avec preuves à l'appui, comme complice d'Arsène Lupin, est en prison.

— Le brigadier Mazeroux est un modèle d'honneur professionnel, monsieur le président. Je n'ai dû son aide qu'à ma qualité d'auxiliaire de la police, accepté et en quelque sorte patronné par M. le préfet. Il m'a contrecarré dans tout ce que j'ai tenté d'illégal. Et il eût été le premier à me mettre la main au collet s'il en avait reçu l'ordre. Je demande son élargissement.

— Oh ! oh !

— Monsieur le président, votre assentiment sera un acte de justice et je vous supplie de me l'accorder. Le brigadier Mazeroux quittera la France. Il sera chargé par le gouvernement d'une mission secrète dans le sud du Maroc et portera le titre d'inspecteur colonial.

— Adjugé », dit Valenglay en riant de plus belle.

Et il ajouta :

« Mon cher préfet, quand on sort des voies légales, on ne sait plus où l'on va. Mais qui veut la fin veut les moyens, et la fin, c'est d'en terminer avec cette abominable histoire Mornington.

— Ce soir tout sera réglé, fit don Luis.

— Je l'espère. Nos hommes sont sur la piste.

— Ils sont sur la piste, mais à chaque ville, à chaque village, auprès de chaque paysan rencontré, ils doivent contrôler cette piste, s'informer si l'auto n'a pas bifurqué et ils perdent du temps. Moi, j'irai droit sur le bandit.

— Par quel miracle ?

— C'est encore mon secret, monsieur le président. Je vous demanderai seulement de vouloir bien donner à M. le préfet pleins pouvoirs pour lever toutes les petites difficultés et toutes les petites consignes qui pourraient entraver l'exécution de mon plan.

— Soit. En dehors de cela avez-vous besoin de...

— De cette carte de France.

— Prenez.

— Et de deux brownings.

— M. le préfet aura l'obligeance de demander deux revolvers à ses inspecteurs, et de vous les remettre. C'est tout ? De l'argent ?

— Merci, monsieur le président. J'ai toujours, en cas d'urgence, les cinquante mille francs indispensables. »

Le préfet de police interrompit :

« Alors, il est nécessaire que je vous fasse accompagner jusqu'au Dépôt. Je suppose que votre portefeuille est parmi les objets qui ont été saisis sur vous. »

Don Luis sourit.

« Monsieur le préfet, les objets que l'on peut saisir sur moi n'ont jamais la moindre espèce d'importance. Mon portefeuille est en effet au Dépôt. Mais l'argent... »

Il leva la jambe gauche, prit son pied entre ses mains, et imprima à son talon un petit mouvement de rotation. Un léger bruit de déclenchement se produisit, et une sorte de tiroir, caché dans l'épaisseur de la double semelle, émergea de la chaussure, par devant. Deux liasses de billets de banque étaient là, ainsi que différents objets de dimensions exiguës, une vrille, un ressort de montre, quelques pilules.

« De quoi m'échapper, dit-il, de quoi vivre... et de quoi mourir. Monsieur le président, je vous salue. »

Dans le vestibule M. Desmalions enjoignit aux inspecteurs de laisser le passage libre à leur prisonnier.

Don Luis demanda :

« Monsieur le préfet, le sous-chef Weber vous a-t-il communiqué des renseignements sur l'automobile du bandit ?

— Il a téléphoné de Versailles. C'est une voiture jaune orange, de la compagnie des Comètes. Le conducteur est placé à gauche. Il porte une casquette de toile grise à visière de cuir noir.

— Je vous remercie, monsieur le préfet. »

Ils sortirent de la maison.

Ainsi donc cette chose inconcevable venait de se produire : don Luis était libre. En une heure de conversation à peine il avait regagné le pouvoir d'agir et de livrer la bataille suprême.

Dehors l'automobile de la Préfecture attendait. Don Luis et M. Desmalions y prirent place.

« À Issy-les-Moulineaux, cria don Luis. Dixième vitesse ! »

On brûla Passy. On traversa la Seine. En dix minutes on arrivait à l'aérodrome d'Issy-les-Moulineaux.

Aucun appareil n'était sorti, car il soufflait une brise assez forte.

Don Luis se précipita vers les hangars. Au-dessus des portes étaient inscrits des noms.

« Davanne ! murmura-t-il. Voilà mon affaire. »

Justement la porte du hangar était ouverte. Un petit homme assez gros, la figure longue et rouge, fumait une cigarette, tandis que des mécaniciens travaillaient autour d'un monoplan. Ce petit homme n'était autre que Davanne, le célèbre aviateur.

Don Luis le prit à part, et, connaissant l'individu d'après tout ce que les journaux disaient de lui, il attaqua la conversation de manière à le surprendre dès le début.

« Monsieur, fit-il en dépliant la carte de France, je veux rattraper quelqu'un qui a enlevé en automobile la femme que j'aime, et qui roule dans la direction de Nantes. L'enlèvement a eu lieu à minuit. Il est neuf heures du matin. Supposons que l'auto, qui est un simple taxi de location, et dont le conducteur n'a aucune raison de s'esquinter, fasse en moyenne, arrêts compris, trente kilomètres à l'heure... au bout de douze heures, c'est-à-dire à midi, notre individu atteindra le trois cent soixantième kilomètre, c'est-à-dire un point situé entre Angers et Nantes... à cet endroit exact....

— Les Ponts-de-Drive, approuva Davanne qui écoutait tranquillement.

— Bien. Supposons d'autre part qu'un aéroplane s'envole d'Issy-les-Moulineaux à neuf heures du matin, et qu'il marche à raison de cent-vingt kilomètres à l'heure, sans escale... au bout de trois heures, c'est-à-dire à midi, il atteindra précisément les Ponts-de-Drive, au moment où l'automobile y passera, n'est-ce pas ?

— Tout à fait de votre avis.

— En ce cas, si nous sommes du même avis, tout va bien. Votre appareil peut prendre un passager ?

— À l'occasion.

— Nous allons partir.

— Impossible. Je n'ai pas d'autorisation.

— Vous l'avez. M. le préfet de police, que voici, et qui est d'accord avec le président du Conseil, prend sur lui de vous laisser partir. Donc nous partons. Quelles sont vos conditions ?

— Ça dépend. Qui êtes-vous ?

— Arsène Lupin !

— Fichtre ! s'exclama Davanne quelque peu estomaqué.

— Arsène Lupin. Vous devez connaître, par les journaux, la plupart des événements actuels. Eh bien, Florence Levasseur a été enlevée cette nuit. Je veux la sauver. Combien demandez-vous ?

— Rien.

— C'est trop.

— Peut-être, mais l'aventure m'amuse. Ça me fera de la réclame.

— Soit. Mais votre silence est nécessaire jusqu'à demain. Je l'achète. Voici vingt mille francs. »

Dix minutes après, don Luis avait revêtu un costume spécial, s'était coiffé d'une casquette d'aviateur et muni de lunettes, et l'aéroplane s'élevait à 800 mètres pour éviter les courants, évoluait au-dessus de la Seine, et piquait droit vers l'ouest de la France.

Versailles, Maintenon, Chartres...

Don Luis n'était jamais monté en aéroplane. La France avait conquis l'air, tandis qu'il guerroyait à la Légion et dans les sables du Sahara. Pourtant, si sensible qu'il fût à toutes les impressions nouvelles — et quelle impression plus que celle-là pouvait l'émouvoir ! —, il n'éprouva pas la volupté divine de l'homme qui pour la première fois s'affranchit de la terre. Ce qui accaparait sa pensée, tendait ses nerfs et provoquait en son être une excitation magnifique, c'était la vision encore impossible, mais inévitable, de l'auto poursuivie.

Dans tout le formidable fourmillement des choses dominées, dans le tumulte inattendu des ailes et du moteur, dans l'immensité du ciel, dans l'infini de l'horizon, ses yeux ne cherchaient que cela, et ses oreilles ne supposaient pas d'autre bruit que le ronflement de la voiture invisible. Sensations brutales et puissantes du chasseur qui force son gibier à la course ! Il était l'oiseau de proie auquel ne peut échapper la petite bête éperdue.

Nogent-le-Rotrou... La Ferté-Bernard... Le Mans...

Les deux compagnons n'échangeaient pas un seul mot. Devant lui Perenna voyait le dos large et l'encolure robuste de Davanne. Mais, en penchant un peu la tête, il voyait au-dessous de lui l'espace illimité, et nul autre spectacle ne l'intéressait que le ruban de route blanche qui se déroulait de ville en ville et de village en village, tout droit à certains moments, comme s'il eût été tendu, et à d'autres amolli, flexible, cassé par des tournants de rivière ou par l'obstacle d'une église.

Sur ce ruban, il y avait, à tel endroit de plus en plus proche, Florence et son ravisseur !

Il n'en doutait pas ! L'auto couleur orange continuait son petit effort courageux et patient. Les kilomètres s'ajoutaient aux kilomètres, les plaines aux vallées, les champs aux forêts, et ce serait Angers, et ce serait les Ponts-de-Drive, et tout au bout du ruban, but inaccessible, Nantes, Saint-Nazaire, le bateau en partance, la victoire pour le bandit...

Il riait à cette idée. Comme s'il était permis d'envisager d'autre victoire que la sienne, la victoire du faucon sur sa proie, de ce qui vole sur ce qui marche ! Pas une seconde il n'eut la pensée que l'ennemi avait pu se dérober en prenant une autre route. Il y a de ces certitudes qui équivalent à des faits. Et celle-là était si forte qu'il lui semblait que ses adversaires étaient contraints d'y obéir. L'auto suivait la route de Nantes. Elle ferait une moyenne de trente kilomètres à l'heure. Et comme il allait lui-même à raison de cent vingt kilomètres le choc aurait lieu au point indiqué, les Ponts-de-Drive, et à l'heure indiquée, midi.

Un amoncellement de maisons, la masse d'un château, des tours, des flèches, c'est Angers.

Don Luis demande l'heure à Davanne. Il est midi moins dix.

Angers n'est déjà plus qu'une vision disparue. De nouveau, la campagne rayée de champs multicolores. À travers tout cela, une route.

Et sur cette route, une auto jaune.

L'auto jaune ! L'auto du bandit ! L'auto qui emportait Florence Levasseur !

La joie de don Luis ne fut mêlée d'aucune surprise. Il savait tellement bien que cet événement allait se produire !

Davane, se retournant, cria :

« Nous y sommes, n'est-ce pas ?

— Oui. Piquez dessus. »

L'avion fonça dans le vide et se rapprocha de la voiture. Presque aussitôt, il la rattrapa.

Alors Davanne ralentit et se tint à deux cents mètres au-dessus et un peu en arrière.

De là ils distinguèrent tous les détails. Le chauffeur était assis à gauche du siège. Il portait une casquette de toile grise, à visière de cuir noir. C'était bien une voiture de la Compagnie des Comètes. C'était bien la voiture poursuivie. Et Florence s'y trouvait avec son ravisseur.

« Enfin, pensa don Luis, je les tiens ! »

Ils volèrent assez longtemps, en gardant la même distance.

Davanne attendait un signal que don Luis ne se pressait pas de donner, tellement il goûtait, avec une violence faite d'orgueil, de haine et de cruauté, la sensation de son pouvoir. Vraiment il était bien l'aigle qui plane et dont les serres palpitent avant d'étreindre la chair pantelante. Évadé de la cage où on l'avait emprisonné, affranchi des liens qui le garrottaient, à tire-d'aile il était venu de tout là-bas, et le voilà qui dominait la proie impuissante !

« L'avion fonça dans le vide et se rapprocha de la voiture. »

Il se souleva sur son siège et donna les indications nécessaires à Davanne.

« Et surtout, dit-il, ne les frôlez pas de trop près. D'une balle on pourrait nous démolir. »

Une minute encore s'écoula.

Soudain, ils virent que la route, un kilomètre plus loin, se divisait en trois et formait ainsi un carrefour très large que prolongeaient deux triangles d'herbe aux croisements des trois chemins.

« Faut-il ? » dit Davanne en se retournant.

La campagne était déserte aux environs.

« Allez-y », cria don Luis.

On eût dit que l'aéroplane se détendait soudain comme lancé par une force irrésistible, et que cette force l'envoyait ainsi qu'un projectile vers le but visé. Il passa à cent mètres au-dessus de la voiture, puis, tout à coup, se maîtrisant, choisissant l'endroit où il allait atteindre la cible, calme, silencieux comme un oiseau de nuit, évitant les arbres et les poteaux, il vint se poser sur l'herbe du carrefour.

Don Luis sauta et courut au-devant de l'auto.

Elle arrivait à belle allure.

Il se planta sur la route, et braqua ses deux revolvers en proférant :

« Halte ! ou je fais feu. »

Épouvanté, le conducteur serra les freins. La voiture stoppa.

Don Luis bondit vers l'une des portières.

« Tonnerre ! » hurla-t-il, en lâchant sans raison un coup de revolver qui démolit la vitre.

Il n'y avait personne dans l'automobile.

CHAPITRE VIII

« LE PIÈGE EST PRÊT, PRENDS GARDE, LUPIN. »

L'élan qui emportait don Luis vers la bataille et vers la victoire était si fougueux qu'il ne subit pour ainsi dire pas d'arrêt. La déception, la rage, l'humiliation, l'angoisse, tout cela se fondit en un grand besoin d'agir, de savoir, et de ne pas interrompre la poursuite. Quant au reste, il n'y avait là qu'un incident sans importance qui allait se dénouer de la façon la plus simple du monde.

Le chauffeur, immobile d'effroi, regardait d'un œil éperdu les paysans qui venaient des fermes lointaines, attirés par le bruit de l'aéroplane.

Don Luis le saisit à la gorge et lui appliqua le canon de son revolver sur la tempe.

« Raconte ce que tu sais... sinon tu meurs. »

Et, comme le malheureux bégayait des supplications :

« Pas la peine de gémir... Pas la peine non plus d'espérer du secours... Les gens arriveront trop tard. Donc, un seul moyen de te sauver : parle. Cette nuit, à Versailles, un monsieur venant de Paris en auto a laissé sa voiture et a loué la tienne, n'est-ce pas ?

— Oui.

— Ce monsieur était accompagné d'une dame ?

— Oui.

— Et il t'a engagé pour le conduire à Nantes ?

— Oui.

— Seulement, en route il a changé d'idée, et il s'est fait descendre ?

— Oui.

— Dans quelle ville ?

— Avant d'arriver au Mans. Une petite route à droite, où il y a, deux cents pas plus loin, comme un hangar, une sorte de remise. Ils ont descendu là tous les deux.

— Et toi, tu as continué ?

— Il m'a payé pour cela.

— Combien ?

— Deux mille francs. Et je devais retrouver à Nantes un autre voyageur que j'aurais ramené à Paris, pour trois mille francs.

— Tu y crois, à ce voyageur ?

— Non. Je crois qu'il a voulu dépister des gens en les lançant sur moi jusqu'à Nantes, tandis que, lui, il bifurquait. Mais, n'est-ce pas, j'étais payé.

— Et quand tu les as quittés, tu n'as pas eu la curiosité de voir ce qui se passait ?

— Non.

— Gare à toi. Un petit coup de mon index, et ta cervelle saute. Parle.

— Eh bien, oui. Je suis revenu à pied derrière un talus bordé d'arbres. L'homme avait ouvert la remise, et il mettait en marche une petite limousine. La dame ne voulait pas monter. Ils ont discuté assez fort. Lui, il la menaçait et il la suppliait aussi. Mais je n'ai pas entendu. Elle semblait très fatiguée. Il lui a donné à boire de l'eau qu'il a fait couler dans un verre, au robinet d'une fontaine, contre la remise. Alors elle s'est décidée. Il a refermé la portière sur elle, et il s'est établi sur le siège.

— Un verre d'eau, s'écria don Luis. Es-tu sûr qu'il n'a rien versé dans ce verre ? »

Le chauffeur parut surpris de la question, puis répondit :

« En effet, je crois... quelque chose qu'il a tiré de sa poche.

— Sans que la dame s'en aperçoive ?

— Oui, elle ne pouvait pas le voir. »

Don Luis domina sa frayeur. Après tout, il n'était pas possible que le bandit eût empoisonné Florence de la sorte, à cet endroit, et sans rien qui motivât une telle précipitation. Non, il fallait plutôt supposer l'emploi d'un narcotique, d'une drogue quelconque destinée à étourdir Florence et à la rendre incapable de discerner par quelles routes nouvelles et par quelles villes on allait la conduire.

« Et alors, dit-il, elle s'est décidée à monter ?

— Oui, et il a refermé la portière, et il s'est établi sur le siège. Moi, je suis parti.

— Avant de savoir la direction qu'ils prenaient ?

— Oui, avant.

— Pendant le voyage, tu n'as pas eu l'impression qu'ils se croyaient suivis ?

— Certes. À tout moment il se penchait hors de la voiture.

— La dame ne criait pas ?

— Non.

— Pourrais-tu le reconnaître, lui ?

— Non, sûrement non. À Versailles, c'était la nuit. Et, ce matin, je me trouvais trop loin. Et puis, c'est drôle, la première fois, il m'a paru très grand, et ce matin, au contraire, tout petit, comme cassé en deux. Je n'y comprends goutte, à tout cela. »

Don Luis réfléchit. Il lui semblait bien qu'il avait posé toutes les questions nécessaires. D'ailleurs une carriole s'en venait vers le carrefour, au trot d'un cheval. Deux autres la suivaient. Et les groupes de paysans étaient proches. Il fallait en finir.

Il dit au chauffeur :

« Je vois à ta tête que tu vas bavarder contre moi. Fais pas ça, camarade. Ce serait une bêtise. Tiens, voilà un billet de mille. Seulement, si tu causes, je ne te rate pas. À bon entendeur... »

Il retourna vers Davanne, dont l'appareil commençait à entraver la circulation, et lui dit :

« Nous pouvons repartir ?

— À votre disposition. Où allons-nous ? »

Indifférent aux allées et venues des gens qui affluaient de tous côtés, don Luis déplia sa carte de France et l'étala sous ses yeux. Il eut quelques secondes d'anxiété devant la complication des routes enchevêtrées, et en imaginant la multitude infinie des retraites où le bandit pouvait emporter Florence. Mais il se raidit. Il ne voulait pas hésiter. Il ne voulait pas même réfléchir. Il voulait savoir, et savoir du premier coup, sans indices, sans vaines méditations, par la grâce seule de cette merveilleuse intuition qui le guidait aux heures graves de la vie.

Et son amour-propre exigeait aussi qu'il répondît sans retard à Davanne et que la disparition de ceux qu'il cherchait n'eût pas l'air de l'embarrasser.

Les yeux accrochés à la carte, il mit un doigt sur Paris, un autre doigt sur Le Mans, et, avant même qu'il se fût demandé nettement pourquoi le bandit avait choisi cette direction Paris-Le Mans-Angers, il savait... Un nom de ville lui était apparu qui avait fait jaillir en lui la vérité comme la flamme d'un éclair. Alençon ! Et tout de suite, illuminé de souvenirs, il avait plongé jusqu'au fond des ténèbres.

Il reprit :

« Où allons-nous ? En arrière.

— Point de direction ?

— Alençon.

— Entendu, fit Davanne. Qu'on me donne un coup de main. Il y a là un champ d'où le départ ne sera pas trop difficile. »

Don Luis et quelques personnes l'aidèrent et les préparatifs furent faits rapidement. Davanne vérifia son moteur. Tout marchait à merveille.

À ce moment, une puissante torpédo, dont la sirène grognait comme une bête hargneuse, déboucha de la route d'Angers et, brusquement, s'arrêta.

Trois hommes en descendirent qui se précipitèrent sur le chauffeur de l'automobile jaune. Don Luis les reconnut. C'était le sous-chef Weber, et c'étaient les hommes qui l'avaient mené au Dépôt durant la nuit et que le préfet de police avait lancés sur les traces du bandit.

Ils eurent avec le chauffeur de l'auto jaune une brève explication qui sembla les déconcerter, et, tout en gesticulant et en le pressant de questions nouvelles, ils regardaient leurs montres et consultaient les cartes routières.

Don Luis s'approcha. La tête encapuchonnée, le visage masqué de lunettes, il était méconnaissable. Et, changeant sa voix :

« Envolés les oiseaux, dit-il, monsieur le sous-chef Weber. »

Celui-ci l'observa d'un air effaré.

Don Luis ricana :

« Oui, envolés. Le type de l'île Saint-Louis est un lascar qui ne manque pas d'adresse, hein ? Troisième auto de monsieur. Après l'auto jaune dont vous avez trouvé le signalement cette nuit à Versailles il en a pris une autre au Mans... destination inconnue. »

Le sous-chef écarquillait les yeux. Quel était ce personnage qui lui citait des faits téléphonés seulement à la Préfecture de police, et à deux heures du matin ? Il articula :

« Mais enfin, qui êtes-vous, monsieur ?

— Comment ! vous ne me reconnaissez pas ? Bien la peine d'avoir rendez-vous avec les gens... On fait des pieds et des mains pour être exact. Et puis ils vous demandent qui vous êtes. Voyons, Weber, avoue qu't'y mets de la mauvaise volonté. Faut-il donc que tu m'contemples en plein soleil ? Allons-y. »

Il leva son masque.

« Arsène Lupin ! balbutia le policier.

— Pour te servir, jeune homme, à pied, à cheval et dans les airs. J'y retourne. Adieu. »

Et l'ahurissement de Weber fut tel en voyant devant lui, libre, à quatre cents kilomètres de Paris, cet Arsène Lupin qu'il avait conduit au Dépôt douze heures auparavant, que don Luis, tout en rejoignant Davanne, se disait :

« Quel swing ! En quatre phrases bien appliquées, suivies d'un hook à l'estomac, je vous l'ai knock-outé. Ne nous pressons pas. Trois fois dix secondes au moins s'écouleront avant qu'il puisse crier : “Maman”. »

Davanne était prêt, don Luis escalada l'aéro. Les paysans poussaient aux roues. L'appareil décolla.

« Nord-nord-est, commanda don Luis. Cent cinquante kilomètres à l'heure. Dix mille francs.

— Nous avons le vent debout, fit Davanne.

— Cinq mille francs pour le vent », proféra don Luis.

Il n'admettait pas d'obstacle, tellement sa hâte était grande de parvenir à Formigny. Il comprenait maintenant toute l'affaire et, en considérant jusqu'à son origine, il s'étonnait que le rapprochement ne se fût jamais opéré dans son esprit entre les deux pendus de la grange et la série des crimes suscités par l'héritage Mornington. Bien plus, comment n'avait-il pas tiré de l'assassinat probable du père Langernault, ancien ami de l'ingénieur Fauville, tous les enseignements que comportait cet assassinat ? Le nœud de l'intrigue sinistre se trouvait là. Qui donc avait pu intercepter, pour le compte de l'ingénieur Fauville, les lettres d'accusation que l'ingénieur Fauville écrivait soi-disant à son ancien ami Langernault ? Qui, sinon quelqu'un du village ou du moins ayant habité le village ?

Et alors tout s'expliquait. C'était le bandit qui, jadis, débutant dans le crime, avait tué le père Langernault, puis les deux époux Dedessuslamare. Même procédé que plus tard : non point le meurtre direct mais le meurtre anonyme. Comme l'Américain Mornington, comme l'ingénieur Fauville, comme Marie-Anne, comme Gaston Sauverand, le père Langernault avait été supprimé sournoisement, et les deux époux Dedessuslamare acculés au suicide et conduits dans la grange.

Et c'est de là que le tigre était venu à Paris où, plus tard, il devait trouver l'ingénieur Fauville et Cosmo Mornington et combiner la tragique affaire de l'héritage.

Et c'est là qu'il retournait !

Sur le retour, aucun doute. D'abord le fait qu'il avait administré à Florence un narcotique constituait une preuve indiscutable. Ne fallait-il pas endormir Florence pour qu'elle ne reconnût pas les paysages d'Alençon et de Formigny, et ce vieux château qu'elle avait exploré avec Gaston Sauverand ! D'autre part, la direction Le Mans-Angers-Nantes, destinée à lancer la police sur une mauvaise voie, n'oblige celui qui va vers Alençon en automobile qu'à un crochet d'une heure ou deux tout au plus, s'il bifurque au Mans. Et enfin cette remise située près d'une grande ville, cette limousine toujours prête, chargée d'essence, tout cela ne démontrait-il pas que le bandit, quand il voulait aller à son repaire, prenait la précaution de s'arrêter au Mans pour se rendre ensuite, dans sa limousine, au domaine abandonné du sieur Langernault ? Ainsi donc, ce jour-là, à dix heures du matin, il arrivait dans sa tanière. *Et il y arrivait avec Florence Levasseur, endormie, inanimée.*

Et la question se posait, obsédante et terrible : Que voulait-il faire de Florence Levasseur ?

« Plus vite ! Plus vite ! » criait don Luis.

Depuis que la retraite du bandit lui était connue, les desseins de cet homme lui apparaissaient avec une effrayante clarté. Se sentant traqué, perdu, objet de haine et d'épouvante pour Florence maintenant que les yeux de la jeune fille s'étaient ouverts à la réalité, quel plan pouvait-il se proposer, sinon, comme toujours, un plan d'assassinat ?

« Plus vite ! criait don Luis. Nous n'avançons pas. Plus vite donc ! »

Florence assassinée ! Peut-être le forfait n'était-il pas encore accompli. Non, il ne devait pas l'être encore. Il faut du temps pour tuer. Cela est précédé de paroles, d'un marché qu'on offre, de menaces, de prières, de toute une mise en scène innommable. Mais la chose se préparait. Florence allait mourir !

Florence allait mourir de la main du bandit qui l'aimait. Car il l'aimait, don Luis avait l'intuition de cet amour monstrueux, et comment alors croire qu'un pareil amour pût se terminer autrement que dans la torture et dans le sang ?

Sablé... Sillé-le-Guillaume...

La terre fuyait sous eux. Les villes et les maisons glissaient comme des ombres.

Et ce fut Alençon.

Il n'était guère plus d'une heure et demie lorsqu'ils atterrirent dans une prairie située entre la ville et Formigny. Don Luis s'informa. Plusieurs automobiles avaient passé sur la route de Formigny, entre autres une petite limousine conduite par un monsieur, et qui s'était engagée dans un chemin de traverse.

Or ce chemin de traverse conduisait aux bois situés derrière le Vieux-Château du père Langernault.

La conviction de don Luis fut telle que, après avoir pris congé de Davanne, il l'aida à reprendre son vol. Il n'avait plus besoin de lui. Il n'avait besoin de personne. Le duel final commençait.

Et, tout en courant, guidé par l'empreinte des pneumatiques dans la poussière, il suivit le chemin de traverse. À sa grande surprise, ce chemin ne s'approchait pas des murs situés derrière la Grange-aux-Pendus, et du haut desquels il avait sauté quelques semaines auparavant. Après avoir franchi les bois, don Luis déboucha dans un vaste terrain inculte où le chemin tourna pour revenir vers le domaine et aboutir devant une vieille porte à deux battants, renforcée de plaques et de barres en fer.

La limousine avait passé par là.

« Et il faut que j'y passe, se dit don Luis, coûte que coûte, et tout de suite encore, sans perdre mon temps à découvrir une brèche ou un arbre propice. »

Or, le mur avait, en cette partie, quatre mètres de haut.

Don Luis passa. Comment ? Par quel effort prodigieux ? Lui-même n'aurait su le dire après avoir accompli son exploit. Toujours est-il que, en s'accrochant à d'invisibles aspérités, en plantant au creux des pierres un couteau que Davanne lui avait prêté, il passa.

Et, quand il fut de l'autre côté, il retrouva les traces des pneumatiques qui s'en allaient vers la gauche, vers une région du parc qu'il ignorait, plus accidentée, hérissée de monticules et de constructions en ruine sur lesquelles retombaient d'amples manteaux de lierre.

Et, si abandonné que fût le reste du parc, cette région semblait beaucoup plus barbare, bien que, au milieu des orties et des ronces, parmi la végétation luxuriante des grandes fleurs sauvages, où foisonnaient la valériane, le bouillon-blanc, la ciguë, la digitale, l'angélique, il y eût, par tronçons et poussant à l'aventure, des haies de lauriers et des murailles de buis.

Et soudain, au détour d'une ancienne charmille, don Luis Perenna aperçut la limousine qu'on avait laissée, ou plutôt cachée là, dans un renfoncement. La portière était ouverte. Le désordre de l'intérieur, le tapis qui pendait sur le marchepied, une des vitres brisée, un des coussins déplacé, tout attestait qu'il y avait eu lutte entre Florence et le bandit. Celui-ci sans doute avait profité de ce que la jeune fille dormait pour l'envelopper de liens, et c'est à l'arrivée, quand il avait voulu la sortir de la limousine, que Florence s'était accrochée aux objets.

Don Luis vérifia aussitôt la justesse de son hypothèse. En suivant le sentier très étroit, envahi d'herbe, qui s'engageait sur la pente des monticules, il vit que l'herbe était froissée sans interruption.

« Ah ! le misérable ! pensa-t-il, le misérable, il ne porte pas sa victime, il la traîne. »

S'il n'avait écouté que son instinct, il se fût élancé au secours de Florence. Mais le sentiment profond de ce qu'il fallait faire et de ce qu'il fallait éviter l'empêcha de commettre une imprudence pareille. À la moindre alerte, au moindre bruit, le tigre eût égorgé sa proie. Pour éviter l'horrible chose, don Luis devait le surprendre et le mettre du premier coup hors d'état d'agir.

Il se maîtrisa donc, et, doucement, avec les précautions nécessaires, il monta.

Le sentier s'élevait entre les amas de pierres et de constructions écroulées, et parmi des massifs d'arbustes que dominaient des hêtres et des chênes. C'était là en toute évidence l'emplacement de l'ancien château féodal qui avait donné son nom au domaine, et c'était là, vers le sommet, que le bandit avait choisi une de ses retraites. La piste continuait en effet dans l'herbe couchée. Et don Luis avisa même quelque chose qui brillait à terre, au-dessus d'une touffe. C'était une bague, une toute petite bague, très simple, formée d'un anneau d'or et de deux perles menues, qu'il avait souvent remarquée au doigt de Florence. Et ce qui frappa son attention, c'est qu'un brin d'herbe passait, repassait et passait une troisième fois à l'intérieur de l'anneau, comme un ruban que l'on y eût volontairement enroulé.

« Le signal est clair, se dit Perenna. Tout probablement le bandit a fait halte ici pour se reposer, et Florence, attachée, mais ayant tout de même les doigts libres, a pu laisser cette preuve de son passage. »

Donc la jeune fille espérait encore. Elle attendait du secours. Et don Luis songea avec émotion que c'était à lui peut-être qu'elle adressait cet appel suprême.

Cinquante pas plus loin, — et ce détail témoignait de la fatigue assez étrange éprouvée par le bandit, autre halte, et, second indice, une fleur, une sauge des prés, que la pauvre main avait cueillie et dont elle avait déchiqueté les pétales. Puis ce fut l'empreinte des cinq doigts enfoncés dans la terre, puis une croix tracée à l'aide d'un caillou. Et ainsi pouvait-on suivre, minute par minute, toutes les étapes de l'affreux calvaire.

La dernière station approchait. L'escarpement devenait plus rude. Les pierres éboulées opposaient des obstacles plus fréquents. À droite, deux arcades gothiques, vestiges d'une chapelle, se profilèrent sur le ciel bleu. À gauche, un pan de mur portait le manteau d'une cheminée.

Vingt pas encore. Don Luis s'arrêta. Il lui semblait entendre du bruit.

Il écouta. Il ne s'était pas trompé. Le bruit recommença, et c'était un bruit de rire, mais de quel rire épouvantable ! un rire strident, mauvais comme le rire d'un démon, et si aigu ! Un rire de femme plutôt, un rire de folle...

Le silence de nouveau. Puis un autre bruit, le bruit du sol que l'on frappe avec un instrument. Puis le silence encore...

Et cela se passait à une distance que don Luis pouvait supposer d'une centaine de mètres.

Le sentier se terminait par trois marches, taillées dans la terre. Au-dessus c'était un plateau très vaste, également encombré de débris et de ruines, et où se dressait, en face et au centre, un rideau de lauriers énormes, plantés en demi-cercle, et vers lesquels se dirigeaient les marques d'herbe foulée.

Assez étonné, car le rideau se présentait avec des contours impénétrables, don Luis s'avança, et il put constater qu'autrefois il y avait une coupure et que les branches avaient fini par se rejoindre.

Il était facile de les écarter. C'est ainsi que le bandit avait passé, et, selon toute apparence, il se trouvait là, au terme de sa course, à une distance très petite, et occupé à quelque sinistre besogne.

De fait, un ricanement déchira l'air, si proche que don Luis tressaillit d'effroi, et qu'il lui sembla que le bandit se moquait par avance de son intervention. Il se rappela la lettre et les mots écrits à l'encre rouge :

« Il est encore temps, Lupin. Retire-toi de la bataille. Sinon, c'est la mort pour toi aussi. Quand tu te croiras au but, quand ta main se lèvera sur moi et que tu crieras des mots de victoire, c'est alors que l'abîme s'ouvrira sous tes pas. Le lieu de ta mort est déjà choisi. Le piège est prêt. Prends garde, Lupin. »

La lettre entière défila dans son cerveau, menaçante, redoutable. Et il sentit le frisson de la peur.

Mais est-ce que la peur pouvait retenir un pareil homme ? De ses deux mains, il avait saisi des branches, et doucement tout son corps se frayait un passage.

Il s'arrêta. Un dernier rempart de feuilles le cachait. Il en écarta quelques-unes à hauteur de ses yeux.

Et il vit.

Tout d'abord, ce qu'il vit, ce fut Florence, seule en ce moment, étendue, attachée à trente mètres devant lui, et, comme il se rendit compte aussitôt, à certains mouvements de la tête, qu'elle vivait encore, il éprouva une joie immense. Il arrivait à temps. Florence n'était pas morte. Florence ne mourrait pas. Cela c'était un fait définitif, contre quoi rien ne pouvait prévaloir. Florence ne mourrait pas.

Alors, il examina les choses.

À droite et à gauche de lui, le rideau de lauriers s'incurvait et embrassait comme une sorte d'arène où, parmi des ifs autrefois taillés en cônes, gisaient des chapiteaux, des colonnes, des tronçons d'arcs et de voûtes, visiblement placés là pour orner l'espèce de jardin aux lignes régulières que l'on avait aménagé sur les ruines de l'ancien donjon. Au milieu un petit rond-point auquel on accédait par deux chemins étroits, l'un qui offrait les mêmes traces de piétinement sur l'herbe et qui continuait celui que don Luis avait pris, l'autre qui coupait à angle droit et rejoignait les deux extrémités du rideau d'arbustes.

En face un chaos de pierres écroulées et de rochers naturels, cimentés par de l'argile, reliés par les racines d'arbres tortueux, tout cela formant au fond du tableau une petite grotte sans profondeur, pleine de fissures par lesquelles le jour pénétrait, et dont le sol, que don Luis apercevait aisément, était recouvert de trois ou quatre dalles.

Sous cette grotte, Florence Levasseur, étendue, ligotée.

On eût dit vraiment la victime vouée au sacrifice et préparée pour une cérémonie mystérieuse qui allait s'accomplir sur l'autel de la grotte, dans l'amphithéâtre de ce vieux jardin que fermait l'enceinte des grands lauriers et que dominait un monceau de ruines séculaires.

Malgré la distance où elle se trouvait, don Luis put discerner, en ses moindres détails, sa pâle figure. Quoique convulsée par l'angoisse, elle gardait encore de la sérénité, une expression d'attente, d'espoir même, comme si Florence n'eût pas encore renoncé à la vie et qu'elle eût cru, jusqu'au dernier instant, à la possibilité d'un miracle. Pourtant, bien qu'elle ne fût pas bâillonnée, elle n'appelait pas au secours. Se disait-elle que c'eût été inutile, et que des cris, que le bandit eût vite étouffés d'ailleurs, ne valaient pas, pour mener jusqu'à elle, le chemin où elle avait semé les marques de son passage ? Chose étrange, il sembla à don Luis que les yeux de la jeune fille se fixaient obstinément sur le point même où il se cachait. Peut-être avait-elle deviné sa présence. Peut-être avait-elle prévu son intervention.

Tout à coup don Luis empoigna l'un de ses revolvers et leva

le bras à demi, prêt à viser. Non loin de l'autel où gisait la victime, venait de surgir le sacrificateur, le bourreau.

Il sortait d'entre deux rochers dont un buisson de ronces masquait l'intervalle et qui n'offraient sans doute qu'une issue très basse, car il marchait encore comme ployé sur lui-même, la tête courbée, et ses deux bras, très longs, atteignaient le sol.

Il s'approcha de la grotte et jeta son abominable ricanement.

« Tu es toujours là, dit-il. Le sauveur n'est pas venu ? Un peu en retard, le Messie... Qu'il se dépêche ! »

Le timbre de sa voix était si aigu, que don Luis entendit toutes les paroles, et si bizarre, si peu humain, qu'il en éprouva un véritable malaise. Il serra fortement son revolver. Au moindre geste équivoque, il eût tiré.

« Qu'il se dépêche ! répéta le bandit en riant. Sinon, dans cinq minutes, tout sera réglé. Tu vois que je suis un homme méthodique, n'est-ce pas, ma Florence adorée ? »

Il ramassa quelque chose à terre. C'était un bâton en forme de béquille. Il le dressa sous son bras gauche, s'y appuya et, ployé en deux, il se remit à marcher comme quelqu'un qui n'a pas la force de se tenir debout. Puis, subitement, et sans cause apparente qui expliquât ce changement d'attitude, il se releva et se servit de sa béquille ainsi que d'une canne. Il fit alors le tour extérieur de la grotte en poursuivant avec attention un examen dont la signification échappait à don Luis.

Il était de haute taille ainsi, et don Luis comprit aisément que le chauffeur de l'automobile jaune, l'ayant vu sous deux aspects aussi différents, n'eût pas pu dire de façon certaine s'il était très grand ou très petit.

Mais ses jambes, molles et flexibles, vacillaient sous lui, comme si un effort prolongé ne lui eût pas été permis. Il retomba.

C'était un infirme, atteint de quelque maladie de la locomotion, un rachitique, maigre à l'excès. D'ailleurs don Luis apercevait son visage blême, ses joues osseuses, le creux de ses tempes, sa peau couleur de parchemin — un visage de phtisique, où le sang ne circulait pas.

Quand il eut fini son examen, il vint près de Florence et lui dit :

« Quoique tu sois bien sage, petite, et que tu n'aies pas encore crié, il vaut mieux prendre nos précautions et prévenir toute surprise grâce à la pose d'un confortable bâillon, n'est-ce pas ? »

Il se pencha sur la jeune fille et lui entoura le bas de la figure d'un large foulard, puis, s'inclinant davantage, il se mit à lui parler tout bas, presque à l'oreille. Mais des éclats de rire confus rompaient ce chuchotement. Et c'était terrible à entendre.

Don Luis, sentant l'imminence du danger, redoutant quelque geste du misérable, un meurtre brusque, le choc soudain d'une piqûre empoisonnée, avait braqué son revolver et, confiant en son adresse, attendait.

Que se passait-il là-bas ? Quelles paroles étaient prononcées ? Quel marché infâme le bandit proposait-il à Florence Levasseur ? À quel prix honteux pouvait-elle se libérer ?

Violemment l'infirme recula, en criant dans un accent de rage :

« Mais tu ne comprends donc pas que tu es perdue ? Maintenant que je n'ai plus rien à craindre, maintenant que tu as été assez bête pour m'accompagner et pour te mettre à ma discrétion, qu'est-ce que tu espères ? Voyons, quoi, me fléchir, peut-être ? Parce que la passion me brûle, tu t'imagines... Ah ! Ah ! comme tu te trompes, ma petite ! Ta mort, mais je m'en soucie comme d'une pomme... Une fois morte, tu ne compteras plus pour moi. Alors, quoi ?... Peut-être te figures-tu qu'étant infirme je n'aurai pas la force de te tuer ? Te tuer, mais il ne s'agit pas de cela, Florence ! Est-ce que je tue, moi ? Jamais de la vie ! Je suis bien trop lâche pour tuer, j'aurais peur, je tremblerais... Non, non, je ne te toucherai pas, Florence, et cependant... Tiens, regarde de quoi il retourne... tu vas te rendre compte... Ah ! c'est que la chose est combinée comme je sais le faire... Et surtout n'aie pas peur, Florence. Ce n'est qu'un premier avertissement... »

Il s'était éloigné, et il avait, en s'aidant de ses mains et en s'accrochant aux branches d'un arbre, escaladé à droite les premières assises de la grotte. Là, il s'agenouilla. Il y avait près de lui une petite pioche. Il la souleva et frappa à trois reprises un premier amas de pierres. Un éboulement se produisit.

Don Luis bondit hors de sa cachette avec un hurlement de frayeur. D'un coup, il s'était rendu compte. La grotte, les chaos de moellons, les masses de granit, tout cela se trouvait dans une position telle que l'équilibre pouvait en être subitement rompu et que Florence risquait d'être écrasée sous les décombres. Ce n'était donc pas le bandit qu'il fallait abattre, mais Florence qu'il fallait sauver instantanément.

En deux ou trois secondes, il atteignit la moitié du parcours. Mais là, dans cet éclair de l'esprit qui est plus rapide encore que la course la plus folle, il eut la vision que les traces d'herbe foulée ne traversaient pas le petit rond-point central, et que le bandit avait contourné ce rond-point. Pourquoi ? Ce sont de ces questions que pose l'instinct défiant, mais que la raison n'a pas le temps de résoudre. Don Luis continua. Il n'avait pas mis le pied en cet endroit que la catastrophe eut lieu.

Ce fut d'une brutalité inouïe, comme s'il avait voulu marcher sur le vide et qu'il s'y fût précipité. Le sol s'abîma sous lui. Les mottes d'herbes se disjoignirent, et il tomba.

Il tomba dans un trou qui n'était autre chose que l'orifice d'un puits large tout au plus d'un mètre cinquante et dont la margelle avait été rasée au niveau même du sol. Seulement il arriva ceci : comme il courait à très vive allure, son élan même le projeta contre la paroi opposée de telle sorte que ses avant-bras reposèrent sur le bord extérieur et que ses mains s'agrippèrent à des racines de plantes.

Peut-être eût-il pu, si grande était sa vigueur, se rétablir à la force des poignets. Mais tout de suite, répondant à l'attaque, le bandit s'était hâté de venir à l'encontre de l'assaillant et, maintenant, posté à dix pas de don Luis, il le menaçait de son revolver.

« Bouge pas, cria-t-il, ou je te fracasse. »

Don Luis se trouvait ainsi réduit à l'impuissance sous peine d'essuyer le feu de l'ennemi.

Quelques secondes leurs yeux se rencontrèrent. Ceux de l'infirme étaient brûlants de fièvre, des yeux de malade.

Tout en rampant, attentif aux moindres mouvements de don Luis, il vint s'accroupir à côté du puits. Son bras tendu braquait le revolver. Et son rire infernal jaillit de nouveau :

« Lupin ! Lupin ! Lupin ! Ça y est ! le plongeon de Lupin ! Ah ! faut-il que tu en aies une couche ! Je t'avais prévenu cependant, prévenu à l'encre de sang. Rappelle-toi... *"L'emplacement de ta mort est déjà choisi. Le piège est prêt. Prends garde, Lupin."* Et te voilà ! Tu n'es donc pas en prison ? Tu as encore paré ce coup-là ? Coquin, va... Heureusement que j'avais prévu l'aventure et pris mes précautions. Hein ? Ça y est-il, comme combinaison ? Je me suis dit : "Toute la police va galoper sur mes trousses. Mais il n'y en a qu'un qui soit de taille à me rattraper, un seul, Lupin. Donc, montrons-lui la route, conduisons-le comme à la laisse tout du long d'un petit chemin ratissé par le corps de la victime..." Et alors, des points de repère, semés habilement çà et là... Ici la bague de la donzelle entortillée d'un brin d'herbe, plus loin une fleur déchiquetée, plus loin l'empreinte de cinq doigts enfoncés, ensuite le signe de la croix... Pas moyen de se tromper, hein ? Du moment que tu me jugeais assez stupide pour laisser à Florence le loisir de jouer au Petit Poucet, ça te menait tout droit dans la gueule du puits, sur les mottes de gazon que j'ai plaquées dessus, le mois dernier, en prévision de l'aubaine... Rappelle-toi... *le piège est prêt...* Et un piège à ma façon, Lupin, du meilleur cru. Ah ! c'est que mon plaisir est de me débarrasser des gens avec leur concours et leur bonne volonté. On collabore comme de bons camarades. Tu as déjà saisi la chose, hein ? Je n'opère pas moi-même. C'est eux qui s'opèrent, qui se pendent ou se fichent de mauvaises piqûres... à moins qu'ils ne préfèrent la gueule d'un puits, comme toi, Arsène Lupin ! Ah ! mon pauvre vieux, dans quelle mélasse t'es-tu fourré ? Non, mais ce que tu en fais une tête ! Florence, regarde donc la binette de ton amoureux ! »

Il s'interrompit, secoué par un accès d'hilarité qui agitait son bras tendu, donnait à sa figure l'expression la plus barbare, et faisait danser ses jambes sous son torse comme des jambes de pantin désarticulé. En face de lui, l'adversaire faiblissait. L'effort devenait de plus en plus désespéré et de plus en plus inutile. Les doigts, cramponnés d'abord aux racines des herbes, se crispaient vainement aux pierres de la paroi. Et les épaules s'enfonçaient peu à peu.

« Nous y sommes, bégaya le bandit avec des contorsions de gaieté. Dieu ! que c'est bon de rire ! Surtout quand on ne rit jamais... Mais non, je suis un sinistre, moi, un homme pour funérailles ! N'est-ce pas, ma Florence, tu ne m'as jamais vu rire ?... Mais aussi cette fois, c'est trop rigolo... Lupin dans son trou, et Florence dans sa grotte, l'un gigotant au-dessus de l'abîme, et l'autre râlant déjà sous sa montagne. Quel spectacle ! Allons, Lupin, ne t'esquinte pas... Pourquoi tant de simagrées ?... Tu as donc peur de l'éternité ? Un honnête homme comme toi ! le don Quichotte des temps modernes ! Allons, laisse-toi descendre... Il n'y a même plus d'eau dans le puits, où tu pourrais barboter... Non, c'est la bonne petite glissade dans l'inconnu... On n'entend seulement pas la chute des cailloux qu'on y jette, et tout à l'heure j'y ai lancé du papier en flamme, ça s'est perdu dans les ténèbres. Brr !... J'en ai eu froid dans le dos... Allons, du courage. Ce n'est qu'un moment à passer, et tu en as vu bien d'autres ! Bravo ! ça y est presque. Tu en prends ton parti. Eh ! Lupin, Lupin ! Comment ! tu ne me dis pas adieu ? Pas un sourire... pas un remerciement ? Au revoir, Lupin, au revoir... »

Il se tut. Il attendait l'épouvantable dénouement qu'il avait préparé avec tant de génie, et dont toutes les phases se déroulaient selon son inflexible volonté.

Ce ne fut pas long d'ailleurs. Les épaules s'étaient enfoncées. Le menton, et puis la bouche convulsée par un rictus d'agonie, et puis les yeux, ivres de terreur, et puis le front, et les cheveux, et toute la tête, enfin, toute la tête avait disparu.

L'infirme regardait éperdument, comme en extase, immobile, avec une expression de volupté sauvage, et sans un mot qui pût troubler le silence et suspendre sa haine.

Au bord du gouffre, il ne restait plus que les mains, les mains tenaces, opiniâtres, acharnées, héroïques, les pauvres mains impuissantes qui seules vivaient encore et qui, peu à peu, battant en retraite avec la mort, cédaient, reculaient, et lâchaient prise.

Et les mains glissèrent. Un instant les doigts s'accrochèrent comme des griffes. Il sembla même, tellement leur effort était surnaturel, qu'ils ne désespéraient pas, à eux seuls, de ramener au jour et de ressusciter le cadavre enseveli déjà dans l'ombre. Et puis, à leur tour, ils s'épuisèrent. Et puis, et puis, tout à coup on ne vit plus rien, et l'on n'entendit plus rien...

L'infirme sursauta, comme détendu, et, hurlant de joie :

« Pouf ! Ça y est ! Lupin au fond de l'enfer... C'est une aventure finie... Pif ! Paf ! Pouf ! »

Se retournant du côté de Florence, il dansa de nouveau sa danse macabre. Il se levait tout droit, et s'accroupissait d'un coup, en jouant avec ses jambes comme avec les chiffes grotesques d'un épouvantail. Et il chantait, et il sifflait, et il vomissait des injures, et il blasphémait abominablement.

Puis il revint au trou béant, et, de loin, comme s'il eût peur encore de s'approcher, il y cracha à trois reprises.

Cela ne suffit pas à sa haine. Il y avait à terre des débris de statues. Il saisit une tête, la roula sur l'herbe, et la précipita dans le vide. Et il y avait à quelque distance des masses de fer, d'anciens boulets couleur de rouille. Eux aussi, il les roula jusqu'au bord et les poussa. Cinq, dix, quinze boulets dégringolèrent, à la suite les uns des autres, et se cognèrent aux parois avec un vacarme sinistre que l'écho multipliait comme les grondements furieux du tonnerre qui s'éloigne.

« Tiens, attrape ça, Lupin ! Ah ! tu m'as assez embêté, sale canaille ! Tu m'en as mis des bâtons dans les roues, pour cet héritage de malheur !... Tiens, encore celui-là... et puis celui-là... Si tu as faim, voilà de quoi boulotter... En veux-tu encore ? Tiens, bouffe, mon vieux. »

Il vacilla sur lui-même, pris d'une sorte de vertige, et il dut s'accroupir. Il était à bout de forces. Cependant, soulevé par une convulsion suprême, il eut encore l'énergie de s'agenouiller devant le gouffre et, se penchant vers les ténèbres, il bégaya d'une voix haletante :

« Eh ! dis donc, le cadavre, ne frappe pas tout de suite à la porte de l'enfer... La petite va t'y rejoindre dans vingt minutes... C'est ça, à quatre heures... Tu sais que je suis l'homme de l'exactitude... et de la minute précise... À quatre heures elle sera au rendez-vous... Ah ! j'oubliais... L'héritage, tu sais... les deux cents millions de Mornington, eh bien ! je les empoche. Mais oui... tu penses bien que j'avais pris toutes mes précautions ?... Florence t'expliquera ça tout à l'heure... C'est très bien machiné... tu verras... tu verras... »

Il ne pouvait plus parler. Les dernières syllabes semblaient plutôt des hoquets. La sueur lui dégouttait des cheveux et du front, et il s'affaissa en gémissant, comme un moribond que torturent les affres de l'agonie.

Il resta ainsi quelques minutes, la tête entre les mains et tout grelottant. Il avait l'air de souffrir jusqu'au plus profond de lui-même, en chacun de ses muscles tordus par la maladie, en chacun de ses nerfs de déséquilibré. Puis, sous l'influence d'une pensée qui paraissait le faire agir inconsciemment, une de ses mains glissa par saccades le long de son corps, et, à tâtons, avec des râles de douleur, il réussit à tirer de sa poche et à porter vers sa bouche une fiole dont il but avidement deux ou trois gorgées.

Aussitôt il se ranima, comme s'il eût absorbé de la chaleur et de la force. Ses yeux s'apaisèrent, sa bouche esquissa un sourire affreux. Il dit en se tournant vers Florence :

« Ne te réjouis pas, petite, ce n'est pas encore pour cette fois, et j'ai sûrement le temps de m'occuper de toi. Et puis, après, plus d'embêtements, plus de ces combinaisons et de ces batailles qui m'esquintent. Le calme plat ! La vie facile !... Que diable, avec deux cents millions, on a de quoi se dorloter, n'est-ce pas, petite fille ?... Allons, allons, ça va beaucoup mieux. »

CHAPITRE IX

LE SECRET DE FLORENCE

L'heure était venue où la seconde partie du drame devait se jouer. Après le supplice de don Luis Perenna, c'était le supplice de Florence. Bourreau monstrueux, l'infirme passait de l'un à l'autre, sans plus de pitié que s'il se fût agi de bête qu'on égorge à l'abattoir.

Encore défaillant, il se traîna vers la jeune fille, et, après avoir pris dans un étui de métal bruni une cigarette qu'il alluma, il lui dit avec un raffinement de cruauté :

« Lorsque cette cigarette sera entièrement consumée, Florence, ce sera ton tour. Ne la quitte pas des yeux. Ce sont les dernières minutes de ta vie qui s'en vont en cendres. Ne la quitte pas des yeux, et réfléchis. Florence, il faut que tu comprennes bien ceci. L'amoncellement de pierres et de rocs qui surplombent ta tête a toujours été considéré par tous les propriétaires du domaine, et notamment par le vieux Langernault, comme devant s'écrouler un jour ou l'autre... Et moi, moi, depuis des années, avec une patience inlassable et dans l'hypothèse d'une occasion propice, je me suis amusé à l'effriter davantage encore, à le miner par les eaux de la pluie, bref à le travailler de telle sorte que, aujourd'hui, en toute franchise, je ne comprends pas moi-même comment tout cela peut se maintenir en équilibre. Ou plutôt si, je le comprends. Le coup de pioche que j'ai donné tout à l'heure n'était qu'un avertissement. Mais il suffit que j'en donne un autre, au bon endroit, et que je chasse une petite brique qui se trouve coincée entre deux blocs, pour que l'échafaudage s'écroule comme un château de cartes. Une petite brique, Florence, tu entends, une petite brique de rien du tout, que le hasard a fait glisser là, entre deux blocs, et qui les a retenus jusqu'ici. La brique saute, les deux blocs dégringolent, et vlan, c'est la catastrophe. »

Il reprit haleine et continua :

« Après ? Après, voici ce qui a lieu, Florence. Ou bien l'écroulement s'est effectué de telle sorte qu'on ne puisse même pas apercevoir ton cadavre — si jamais on avait l'idée de venir te chercher ici —, ou bien de telle sorte que ce cadavre soit en partie visible — auquel cas je m'empresserais de couper et de faire disparaître les liens qui l'attachent. Et alors que suppose l'enquête ? C'est que Florence Levasseur, poursuivie par la justice, s'est cachée dans une grotte qui s'est écroulée sur elle. Un point, c'est tout. Quelques *de profundis* pour l'imprudente, et il n'est plus question d'elle.

« Quant à moi... Quant à moi, mon œuvre achevée, ma bien-aimée morte, je plie bagages, j'efface soigneusement toutes les traces de mon passage ici, je relève toutes les herbes froissées, je reprends mon automobile, je fais le mort pendant quelque temps, et puis, vlan, coup de théâtre, je réclame les deux cents millions. »

Il eut un petit ricanement, tira deux ou trois bouffées de sa cigarette, et ajouta paisiblement :

« Je réclame les deux cents millions et je les obtiens. Voilà ce qui est le plus chic. Je les réclame parce que j'y ai droit et je t'ai expliqué tout à l'heure, avant l'intrusion du sieur Lupin, comment, à partir de la seconde même de ta mort, j'y avais le droit le plus légal et le plus irréfutable. Et je les obtiens parce qu'il est humainement impossible de relever contre moi la moindre espèce de preuve. Pas une charge qui m'atteigne. Des soupçons, oui, des présomptions morales, des indices, tout ce que tu voudras, mais pas une preuve matérielle. Personne ne me connaît. L'un m'a vu grand, l'autre petit. Mon nom même est ignoré. Tous mes crimes sont anonymes. Tous mes crimes sont plutôt des suicides ou peuvent s'expliquer par des suicides. Je te le dis, la justice est impuissante. Lupin mort, Florence Levasseur morte, personne au monde ne peut témoigner contre moi. Au cas même où l'on m'arrêterait, il faudrait me relâcher avec le non-lieu définitif. Je serai flétri, exécré, haï, infâme, maudit à l'égal des plus grands malfaiteurs. Mais j'aurai les deux cents millions, et avec ça, ma petite, l'amitié de bien des honnêtes gens ! Je te le répète, Lupin et toi disparus, c'est fini. Il n'y a plus rien, plus rien que quelques papiers et quelques menus objets que j'ai eu la faiblesse de garder jusqu'ici dans ce portefeuille et qui suffiraient, et au-delà, à me faire couper le cou, si je ne devais dans quelques minutes les brûler un à un et en jeter les cendres au fin fond du puits. Ainsi donc, tu le vois, Florence, toutes mes précautions sont prises. Tu n'as à espérer ni compassion d'une part, puisque ta mort représente pour moi deux cents millions, ni secours d'autre part, puisque l'on ignore où je t'ai menée, et qu'Arsène Lupin n'existe plus. Dans ces conditions, choisis, Florence. Le dénouement du drame t'appartient : ou bien ta mort, qui est certaine, inévitable — ou bien... ou bien l'acceptation de mon amour. Réponds oui ou non. Un signe de ta tête décidera de ton sort. Si c'est non, tu meurs. Si c'est oui, je te délivre, nous partons, et, plus tard, lorsque ton innocence sera reconnue, — et je m'en charge ! — tu deviens ma femme. Est-ce oui, Florence ? »

Il l'interrogeait avec une anxiété réelle et une fureur contenue qui rendaient sa voix frémissante. Ses genoux se traînaient sur la dalle. Il suppliait et il menaçait, avide d'être exaucé, et presque désireux d'un refus, tellement sa nature le poussait au crime.

« Est-ce oui, Florence ? Un signe de tête, si léger qu'il soit, et je te croirai aveuglément, car tu es celle qui ne ment jamais, et ta promesse est sacrée. Est-ce oui, Florence ? Ah ! Florence, réponds donc... C'est de la folie d'hésiter !... Ta vie dépend d'un soubresaut de ma colère... Réponds !... Tiens, regarde, ma cigarette est éteinte... Je la jette, Florence... Un signe de tête... Est-ce oui ? Est-ce non ? »

Il se pencha sur elle et la secoua par les épaules, comme s'il eût voulu la contraindre au signe qu'il exigeait d'elle, mais, soudain, pris d'une sorte de frénésie, il se leva en criant :

« Elle pleure ! Elle pleure ! Elle ose pleurer ! Mais, malheureuse, crois-tu que je ne sache pas pourquoi tu pleures ? Ton secret, je le connais, ma petite, et je sais que tes larmes ne viennent pas de ta peur de mourir. Toi ? Mais tu n'as peur de rien ! Non, c'est autre chose... Veux-tu que je te le dise, ton secret ? Mais non, je ne peux pas... je ne peux pas... les mots me brûlent les lèvres. Oh ! la maudite femme ! Ah ! tu l'auras voulu, Florence, c'est toi-même qui veux mourir puisque tu pleures !... c'est toi-même qui veux mourir... »

Tout en parlant, il se hâtait d'agir et de préparer l'horrible chose. Le portefeuille en cuir marron qui contenait les papiers, et qu'il avait montré à Florence, était par terre, il l'empocha. Puis, toujours tremblant, il ôta sa veste qu'il jeta sur un arbuste voisin, puis il saisit la pioche et escalada les pierres inférieures. Et il trépignait de rage. Et il vociférait :

« C'est toi qui as voulu mourir, Florence. Rien ne peut faire maintenant que tu ne meures pas... Je ne peux même plus voir le signe de ta tête... Trop tard !... Tu l'as voulu... Tant pis pour toi... Ah ! tu pleures !... Tu oses pleurer ! Quelle folie ! »

Il était presque au-dessus de la grotte à droite. Sa haine le dressa. Épouvantable, hideux, atroce, les yeux rouges de sang, il introduisit le fer de la pioche entre les deux blocs où la brique se trouvait coincée. Ensuite, s'étant mis de côté, bien à l'abri, il donna un coup sur la brique, puis un second. Au troisième, la brique sauta.

Ce qui se produisit fut si brusque, la pyramide de débris et de pierres s'effondra avec une telle violence dans le creux de la grotte et devant la grotte que l'infirme lui-même, malgré ses précautions, fut entraîné par l'avalanche et projeté sur l'herbe. Chute sans gravité d'ailleurs et dont il se releva aussitôt en balbutiant :

« Florence ! Florence ! »

La catastrophe, qu'il avait pourtant préparée d'une façon si minutieuse, et provoquée si férocement, semblait soudain le bouleverser par ses résultats. D'un œil effaré, il cherchait la jeune fille. Il se baissa, il rampa autour du chaos, qu'enveloppait une poussière épaisse. Il regarda dans les interstices. Il ne vit rien.

Florence était ensevelie sous les décombres, invisible comme il l'avait prévu, morte.

« Morte ! dit-il, les yeux fixes et l'air hébété !... Morte ! Florence est morte ! »

De nouveau il tomba dans une prostration absolue, qui peu à peu lui ploya les jambes, l'accroupit et le paralysa. Ses deux efforts, si proches l'un de l'autre, et aboutissant à des cataclysmes dont il avait été le témoin immédiat, paraissaient l'avoir vidé de tout ce qui lui restait d'énergie. Sans haine puisque Arsène Lupin ne vivait plus, sans amour puisque Florence n'existait plus, il avait l'aspect d'un homme qui a perdu la raison même de sa vie.

Deux fois ses lèvres articulèrent le nom de Florence. Regrettait-il son amie ? Arrivé au terme de cette effrayante série de forfaits, évoquait-il les étapes parcourues, toutes marquées d'un cadavre ? Est-ce que quelque chose comme l'éveil d'une conscience palpitait au fond de cette brute ? Ou plutôt n'était-ce pas cette sorte de torpeur physique qui engourdit la bête fauve assouvie, repue de chair, ivre de sang, torpeur qui est presque de la volupté ?

Pourtant il répéta une fois encore le nom de Florence, et des larmes roulèrent sur ses joues.

Il demeura longtemps ainsi, immobile et morne, et lorsque, après avoir avalé de nouveau quelques gorgées de sa drogue, il se remit à l'œuvre, ce fut machinalement, sans cette allégresse qui le faisait sautiller sur ses jambes molles et le menait au crime comme on se rend à une partie de plaisir.

Il commença par retourner vers le buisson d'où Lupin l'avait vu émerger. Derrière ce buisson il y avait, entre deux arbres, un abri sous lequel se trouvaient des instruments et des armes, pelles, râteaux, fusils, rouleaux de cordes et de fils de fer.

En plusieurs voyages, il les porta près du puits pour les y précipiter en s'en allant. Il examina ensuite chaque parcelle du monticule sur lequel il avait grimpé, afin d'être certain qu'il n'y laissait pas la moindre trace de son passage. Même examen aux endroits de la pelouse où il avait évolué, sauf sur le chemin du puits qu'il se réservait d'explorer en dernier lieu. Les herbes furent redressées, la terre foulée fut soigneusement aplatie.

Il semblait soucieux et, tout en pensant à autre chose, il agissait plutôt par habitude de malfaiteur qui sait ce qu'il doit faire.

Un petit incident parut le réveiller. Une hirondelle blessée tomba près de lui. D'un geste il la saisit et l'écrasa entre ses mains, la pétrissant comme un chiffon de papier que l'on roule. Et ses yeux brillaient d'une joie barbare, tandis qu'il contemplait le sang qui giclait de la pauvre bête en lui rougissant les mains.

Mais comme il jetait le petit cadavre informe dans un fourré, il aperçut aux épines de ce fourré un cheveu blond, et toute sa détresse revint, au souvenir de Florence.

Il s'agenouilla devant la grotte écroulée. Puis, cassant deux bouts de bois, il les plaça en forme de croix sous une des pierres.

Comme il était courbé, de la poche de son gilet un petit miroir glissa, et, heurtant un caillou, se brisa.

Ce signe de malheur le frappa vivement. Il jeta autour de lui un regard méfiant, et, tout frémissant d'inquiétude, comme s'il se fût senti menacé par des puissances invisibles, il murmura :

« J'ai peur... Allons-nous-en, allons-nous-en... »

Sa montre marquait alors la demie de quatre heures.

Il prit son veston sur l'arbuste où il l'avait posé, enfila les manches, et il se mit à chercher dans la poche extérieure de droite. C'est là qu'il avait mis ce portefeuille en cuir marron qui renfermait ses papiers.

« Tiens, fit-il très étonné... il me semblait pourtant bien... »

Il fouilla la poche extérieure de gauche, puis celle de côté, en haut, puis, avec une agitation fébrile, toutes les poches intérieures.

Le portefeuille n'y était pas. Et, chose stupéfiante, aucun des autres objets dont la présence dans les poches de son veston ne faisait pour lui aucune espèce de doute ne s'y trouvait, ni son étui à cigarettes, ni sa boîte d'allumettes, ni son carnet

Il fut confondu. Son visage se décomposa. Il balbutia des mots incompréhensibles, tandis que la plus redoutable des idées s'emparait de son esprit au point de lui apparaître aussitôt comme une vérité certaine : il y avait quelqu'un dans l'enceinte du Vieux-Château.

Il y avait quelqu'un dans l'enceinte du Vieux Château ! Et ce quelqu'un se cachait actuellement aux environs des ruines, dans les ruines peut-être ! Et ce quelqu'un l'avait vu ! Et ce quelqu'un avait assisté à la mort d'Arsène Lupin et à la mort de Florence Levasseur ! Et ce quelqu'un, profitant de son inattention, et connaissant par ses paroles à lui l'existence des papiers, avait fouillé le veston et vidé les poches !

Sa figure exprima cet émoi de l'homme habitué aux actes des ténèbres et qui sait tout à coup que des yeux l'ont surpris dans ses besognes détestables, et que les mêmes yeux, maintenant, épient ses gestes et voient celui qui n'a jamais été vu. D'où partait ce regard qui le troublait comme le grand jour trouble l'oiseau de nuit ? Était-ce le regard d'un intrus caché par hasard ou d'un ennemi acharné à le perdre ? Était-ce un complice d'Arsène Lupin, un ami de Florence, un affilié de la police ? Et cet adversaire se contentait-il du butin ou se préparait il à l'attaquer ?

L'infirme n'osait bouger. Il était là, exposé aux agressions, en terrain découvert, sans rien pour le protéger contre des coups qui pourraient partir avant même qu'il sût où se trouvait l'adversaire.

À la fin cependant l'imminence du péril lui rendit quelque vigueur. Immobile encore, il inspecta d'abord les alentours avec une attention si aiguë qu'il semblait qu'aucun détail n'eût pu lui échapper. Que ce fût entre les pierres du chaos ou derrière les buissons, ou que ce fût à l'abri du grand rideau de lauriers, il eût avisé la silhouette la plus indistincte.

Ne voyant personne, il avança. Sa béquille le soutenait. Il marchait sans que ses pas et sans que cette béquille, terminée probablement par un bouton de caoutchouc, fissent le moindre bruit. La main droite tendue serrait un revolver. L'index pesait sur la détente. Le plus petit effort de volonté, moins que cela même, l'ordre spontané de son instinct, et la balle supprimait l'ennemi.

Il se dirigeait vers la gauche. Il y avait, de ce côté, entre la pointe extrême des lauriers et les premières roches éboulées, un petit chemin de briques qui devait être plutôt le faîte d'un mur enseveli. Ce chemin, par lequel l'ennemi avait pu venir, sans laisser de traces, jusqu'à l'arbuste qui portait le veston, l'infirme le suivit.

Les dernières branches des lauriers le gênant, il les écarta.

Des masses de buissons s'entremêlaient. Pour les éviter il longea la base du monticule. Puis il fit encore quelques pas, contournant une roche énorme.

Et alors, subitement, il recula et perdit presque l'équilibre, tandis que sa béquille tombait et que le revolver lui échappait des mains.

Ce qu'il venait d'apercevoir, ce qu'il apercevait, était bien le spectacle le plus terrifiant qu'il lui fût possible de considérer. En face de lui, dix pas plus loin, ce n'était pas un homme qui se dressait, les mains dans les poches, les jambes croisées, l'une de ses épaules légèrement appuyée contre la paroi de la roche. Ce n'était pas et ce ne pouvait pas être un homme, puisque cet homme, l'infirme le savait, était mort, d'une mort d'où personne ne revient. C'était donc un fantôme, et cela, cette apparition d'outre-tombe, portait l'épouvante de l'infirme à ses dernières limites.

Il grelottait, repris de fièvre et de nouveau défaillant. Ses yeux agrandis contemplaient l'inconcevable phénomène. Tout son être rempli de croyances et de peurs sataniques ployait sous le fardeau d'une vision à laquelle chaque seconde ajoutait un surcroît d'horreur. Incapable de fuir, incapable de se défendre, il s'affaissa sur les genoux. Et il ne pouvait détacher son regard de ce mort, que, une heure à peine auparavant, il avait enseveli dans les profondeurs d'un puits, sous un linceul de pierres et de granit.

Le fantôme d'Arsène Lupin !

Un homme, on le vise, on tire sur lui, et on le tue. Mais un fantôme ! un être qui n'existe pas, et qui pourtant dispose de toutes les forces surnaturelles !... À quoi bon lutter contre les machinations infernales de ce qui n'est plus ? À quoi bon ramasser l'arme tombée et la braquer sur le spectre impalpable d'Arsène Lupin ?

Et il vit cette chose incompréhensible : le fantôme sortit les mains de ses poches. L'une d'elles tenait un étui à cigarettes, et l'infirme reconnut ce même étui de métal bruni qu'il avait cherché vainement ! Comment douter alors que l'être qui avait fouillé le veston ne fût justement celui-là qui ouvrait l'étui, qui choisissait une cigarette et qui faisait craquer une allumette, prise, elle aussi, dans une boîte appartenant à l'infirme !

Miracle ! une flamme réelle jaillit de l'allumette ! Prodige inouï ! des volutes de fumée montèrent de la cigarette, une fumée véritable dont l'odeur particulière, que l'infirme connaissait bien, lui parvint aussitôt.

Il se cacha la tête entre les mains. Il ne voulait plus voir. Fantôme ou hallucination, émanation de l'autre monde ou image née de ses remords et projetée par lui, il ne voulait plus que ses yeux en fussent torturés.

Mais il perçut le bruit, de plus en plus distinct, d'un pas qui s'en venait ! Il sentit une présence étrangère qui évoluait autour de lui ! Un bras se tendit ! Une main lui tenailla la chair d'une étreinte irrésistible ! Et il entendit des mots prononcés par une voix qui était, à ne s'y pas tromper, la voix humaine et vivante d'Arsène Lupin :

« Eh bien, voyons, cher monsieur, dans quel état nous mettons-nous ? Certes, je comprends tout ce que mon brusque retour a d'insolite et même d'inconvenant, mais enfin il ne faut pas se frapper outre mesure. On a vu des choses beaucoup plus extraordinaires, comme l'arrêt du soleil par Josué... ou des cataclysmes beaucoup plus sensationnels, comme le tremblement de terre de Lisbonne en 1755. Le sage doit ramener les événements à leur juste mesure, et ne pas les juger d'après leur action sur son propre destin, mais d'après leur retentissement sur la fortune du monde. Or, avouez-le, votre petite mésaventure est tout individuelle, et n'affecte en rien l'équilibre planétaire. Marc-Aurèle a dit, page 84 de l'édition Hachette... »

L'infirme avait eu le courage de relever la tête, et la réalité lui apparaissait maintenant avec une telle précision qu'il ne pouvait plus se dérober devant ce fait indiscutable : Arsène Lupin n'était pas mort ! Arsène Lupin, qu'il avait précipité dans les entrailles de la terre et qu'il avait écrasé aussi sûrement que l'on écrase un insecte avec le fer d'un marteau, Arsène Lupin n'était pas mort !

Comment s'expliquait un mystère aussi stupéfiant, l'infirme ne pensait même pas à se le demander. Cela seul importait : Arsène Lupin n'était pas mort. Les yeux d'Arsène Lupin regardaient et sa bouche articulait, comme des yeux et comme une bouche d'homme vivant. Arsène Lupin n'était pas mort. Il respirait. Il souriait. Il parlait. Il vivait !

Et c'était si bien de la vie que le bandit avait en face de lui que, poussé soudain par un ordre de sa nature et par sa haine implacable contre la vie, il s'aplatit tout de son long, atteignit son revolver, l'empoigna et tira.

Il tira, mais trop tard. D'un coup de bottine, don Luis avait fait dévier l'arme. D'un autre coup, il la fit sauter des mains de l'infirme.

Celui-ci grinça de rage, et, tout de suite, hâtivement, se mit à fouiller dans ses poches.

« C'est ça que vous désirez, monsieur ? fit don Luis en montrant une sorte de seringue, chargée d'un liquide jaunâtre. Excusez-moi, mais j'ai eu peur que, par suite d'un faux mouvement, vous ne vous piquiez vous-même. Or, ce serait là, n'est-ce pas ? une piqûre mortelle, et je ne me le pardonnerais pas. »

L'infirme était désarmé. Il hésita un moment, étonné que l'adversaire ne l'attaquât pas de façon plus violente, et cherchant à profiter de ce délai. Ses yeux, petits et clignotants, erraient autour de lui, en quête d'un projectile. Mais une idée parut l'assaillir et, peu à peu lui rendre confiance, et, dans un nouvel accès de joie, vraiment inattendu, il lâcha son éclat de rire le plus strident.

« Et Florence ! s'exclama-t-il. N'oublions pas Florence. Car je te tiens par là. Si je te rate avec mon revolver, si tu m'as volé mon poison, j'ai un autre moyen de t'atteindre, et en plein cœur ! N'est-ce pas que tu ne peux pas vivre sans Florence ? Florence morte, c'est ta condamnation, n'est-ce pas ? Florence morte, toi-même tu te passes la corde au cou ? N'est-ce pas ? n'est-ce pas ? »

Don Luis répondit :

« En effet, si Florence mourait, je ne pourrais pas lui survivre.

— Elle est morte, s'écria le bandit avec un redoublement de gaieté et en sautillant sur ses genoux. Morte ! ce qui s'appelle morte ! Que dis-je ! plus que morte ! Un mort, ça conserve quelque temps encore l'apparence d'un vivant. Mais là c'est bien mieux ! Plus de cadavre, Lupin, une bouillie de chair et d'os ! Tout l'échafaudage des blocs de pierre lui a dégringolé dessus ! Tu vois ça d'ici, hein ! Quel spectacle ! Allons, vite, à ton tour de déménager. Veux-tu un bout de corde ? Ah ! ah ! ah ! C'est à crever de rire. Mais je te l'avais dit, Lupin, rendez-vous devant la porte de l'enfer. Vite, la bien-aimée t'attend. Tu hésites ? Et la vieille politesse française ! Est-ce qu'on fait attendre une femme ? Au galop, Lupin ! Florence est morte ! »

Il disait cela avec une réelle volupté, comme si ce seul mot lui eût paru délicieux.

Don Luis n'avait pas sourcillé. Il prononça simplement, en hochant la tête :

« Quel dommage ! »

L'infirme sembla pétrifié. Toutes ses contorsions de joie, toute sa mimique triomphale furent arrêtées net. Il balbutia :

« Hein ? Quoi ? Qu'est-ce que tu dis ?

— Je dis, déclara don Luis, qui ne se départait pas de son calme et de sa courtoisie et continuait à ne pas tutoyer l'infirme, je dis, cher monsieur, que vous avez commis une mauvaise action. Je n'ai jamais rencontré une nature plus noble et plus digne d'estime que Mlle Levasseur. Sa beauté incomparable, sa grâce, l'harmonie de sa taille, sa jeunesse, méritaient un autre traitement. En vérité, il serait regrettable qu'un tel chef-d'œuvre n'existât plus. »

L'infirme restait stupide. La sérénité de don Luis le déconcertait. Il articula d'une voix blanche :

« Je te répète qu'elle n'existe plus. Tu n'as donc pas vu la grotte ? Florence n'existe plus !

— Je ne veux pas le croire, fit don Luis paisiblement. S'il en était ainsi l'aspect des choses ne serait plus le même. Il y aurait des nuages au ciel. On n'entendrait pas chanter les oiseaux, et la nature aurait un air de deuil. Or, les oiseaux chantent, le ciel est bleu, toutes les choses sont à leur place, l'honnête homme est vivant, et le bandit se traîne à ses pieds. Comment Florence ne vivrait-elle pas ? »

Un long silence suivit ces paroles. Les deux ennemis, à trois pas l'un de l'autre, se regardaient dans les yeux, don Luis toujours aussi tranquille, l'infirme en proie à l'angoisse la plus folle. Le monstre comprenait. Si obscure que fût la vérité, elle lui apparaissait avec tout l'éclat d'une certitude aveuglante ; Florence Levasseur, elle aussi, vivait ! Humainement, matériellement, cela n'était pas dans les choses possibles. Mais la résurrection de don Luis non plus n'était pas dans les choses possibles, et pourtant don Luis vivait, et son visage ne portait même pas la trace d'une égratignure, et ses vêtements ne semblaient même pas déchirés ou souillés.

Le monstre se sentit perdu. L'homme qui le tenait entre ses mains implacables était de ceux dont le pouvoir n'a pas de limites. Il était de ceux qui s'échappent des bras mêmes de la mort et qui arrachent victorieusement à la mort les êtres dont ils ont pris la garde.

Le monstre reculait, peu à peu, traînant ses genoux sur le petit sentier de briques.

Il reculait. Il passait devant le chaos qui recouvrait l'ancien emplacement de la grotte, et il ne tourna pas les yeux de ce côté, comme s'il eût eu la conviction définitive que Florence était sortie saine et sauve du formidable sépulcre.

Il reculait. Don Luis l'avait quitté du regard et, occupé à défaire un rouleau de corde qu'il avait ramassé, paraissait ne plus se soucier de lui.

Il reculait.

Et brusquement, ayant observé l'ennemi, il pivota sur lui-même, se dressa d'un effort sur ses jambes molles, et se mit à courir dans la direction du puits.

Vingt pas l'en séparaient. Il atteignit la moitié, les trois quarts de la distance. Déjà l'orifice s'ouvrait devant lui. Il étendit les bras, du geste d'un homme qui veut piquer une tête, et il s'élança.

Son élan fut brisé. Il roula sur le sol, ramené brutalement en arrière et les bras serrés si violemment autour du buste qu'il ne pouvait plus remuer.

C'était don Luis qui, ne le perdant pas de vue, avait jeté sa corde préparée à la manière d'un lasso, et lui avait, au moment même où il se précipitait dans l'abîme, enroulé autour du corps une boucle solide.

Quelques secondes l'infirme se débattit. Mais le nœud coulant lui sciait les chairs. Il ne bougea plus. C'était fini.

Alors don Luis Perenna, qui le tenait au bout de la laisse,

s'en vint vers lui et acheva de le lier avec le reste de la corde. L'opération fut minutieuse. Don Luis s'y reprit à plusieurs fois, utilisant aussi les rouleaux de cordes que le bandit avait apportés près du puits et le bâillonnant à l'aide d'un mouchoir. Et, tout en s'appliquant à son ouvrage, il expliquait d'un ton de politesse affectée :

« Voyez-vous, monsieur, les gens se perdent toujours par excès de confiance. Ils n'imaginent pas que leurs adversaires puissent avoir des ressources qu'ils n'ont pas. Ainsi, quand vous m'avez fait tomber dans votre traquenard, comment avez-vous pu supposer, cher monsieur, qu'un homme comme moi, qu'un homme comme Arsène Lupin, accroché au bord d'un puits, ayant les avant-bras posés sur le rebord et les pieds contre la paroi intérieure, se laisserait choir comme le premier venu ? Voyons, vous étiez à quinze ou vingt mètres, et je n'aurais pas eu la force de remonter d'un bond ni le courage d'affronter les balles de votre revolver, alors justement qu'il s'agissait de sauver Florence Levasseur et de me sauver moi-même ! Mais, mon pauvre monsieur, le plus minime effort eût suffi, soyez-en convaincu. Si je ne l'ai pas tenté, cet effort, c'est que j'avais mieux à faire, infiniment mieux. Et je vais vous dire pourquoi, si toutefois vous êtes curieux de le savoir. Oui ? Apprenez donc, monsieur, que, du premier coup, mes genoux et mes pieds, en s'arc-boutant contre les parois extérieures, avaient démoli, je m'en rendis compte pas la suite, une mince couche de plâtre qui fermait, à cet endroit, une ancienne excavation pratiquée dans le puits. Heureuse chance, n'est-ce pas ? et de nature à modifier la situation. Aussitôt mon plan fut établi. Tout en jouant ma petite comédie du monsieur qui va tomber dans un gouffre, tout en me composant le visage le plus effaré, les yeux les plus écarquillés et le rictus le plus hideux, j'agrandis cette excavation de manière à rejeter les carreaux de plâtre devant moi pour que leur chute ne fît aucun bruit. Le moment venu, à la seconde même où mon visage défaillant disparut à vos yeux, moi, tout simplement, et grâce à un tour de reins qui ne manquait pas d'audace, je sautais dans ma retraite. J'étais sauvé.

« J'étais sauvé, puisque précisément cette retraite se creusait du côté où vous étiez en train d'évoluer, et que, obscure elle-même, elle ne projetait dans le puits aucune lumière. Dès lors il me suffisait d'attendre. J'écoutai paisiblement vos discours et vos menaces. Je laissai passer vos projectiles. Et, vous supposant reparti vers Florence, je m'apprêtais à sortir de mon refuge, à revenir à la clarté du jour et à vous tomber sur le dos, lorsque... »

Don Luis retourna l'infirme, comme on fait d'un paquet que l'on ficelle, et il reprit :

« Avez-vous visité, sur les bords de la Seine, en Normandie, le vieux château féodal de Tancarville ? Non ? Eh bien, vous saurez qu'il y a là, hors des ruines du donjon, un ancien puits, qui offre, comme bien d'autres puits de l'époque, cette particularité d'avoir deux orifices, l'un au sommet qui s'ouvre vers le ciel, l'autre un peu en dessous, creusé latéralement dans la paroi et qui s'ouvrait sur une des salles du donjon. À Tancarville, ce second orifice est aujourd'hui fermé par une grille. Ici il fut muré par une couche de cailloux et de plâtre. Et c'est justement le souvenir de Tancarville qui me fit rester, d'autant que rien ne pressait puisque vous aviez eu la gentillesse de m'avertir que Florence ne me rejoindrait pas dans l'autre monde avant quatre heures.

« J'examinai donc mon refuge, et, comme j'en avais eu l'intuition, je constatai que c'était le sous-sol d'une construction aujourd'hui démolie et sur les ruines de laquelle le jardin avait été aménagé. Ma foi, je m'avançai à tâtons, en suivant la direction qui, au-dessus, m'eût mené vers la grotte. Mes pressentiments ne me trompèrent pas. Un peu de jour filtrait au haut d'un escalier dont j'avais heurté la marche inférieure. Je montai. En haut, je distinguai le bruit de votre voix. »

Coup sur coup, don Luis retourna l'infirme, non sans quelque brusquerie. Puis il continua :

« Je tiens à vous répéter, cher monsieur, que le dénouement eût été exactement semblable si je vous avais attaqué directement, et dès le début, par la voie de terre. Mais, cette réserve faite, j'avoue que le hasard m'a bien servi. Souvent contrarié par lui au cours de notre lutte, cette fois je n'ai pas à me plaindre, et je me sentais tellement en veine que je ne doutai pas une seconde que, après m'avoir offert l'entrée de la voie souterraine, il ne me conduisît à la sortie. De fait, je n'eus qu'à retirer doucement vers moi le frêle obstacle de quelques briques accumulées qui masquaient cet orifice, pour pénétrer librement au milieu des éboulements du donjon. Guidé par le son de votre voix, je me glissai entre les pierres, et j'arrivai ainsi au fond de la grotte où se trouvait Florence. C'est amusant, n'est-ce pas, cher monsieur ? et vous voyez tout ce qu'il y avait de comique à vous entendre tenir vos petits discours : « Réponds oui ou non, Florence. Un signe de ta tête décidera de ton sort. Si c'est oui, je te délivre. Si c'est non, tu meurs. Réponds donc, Florence. Un signe de tête... Est-ce oui ? Est-ce non ? » Et la fin surtout fut délicieuse, lorsque vous avez grimpé sur le dessus de la grotte et que vous gueuliez de là-haut : « C'est toi qui as voulu mourir, Florence ! Tu l'as voulu. Tant pis pour toi ! » Pensez donc, comme c'était drôle ! À ce moment-là, il n'y avait plus personne dans la grotte ! Personne ! D'un seul effort, j'avais attiré Florence vers moi et l'avais mise à l'abri. Et tout ce que vous avez pu écraser avec votre dégringolade de blocs, c'est peut-être une ou deux araignées et quelques mouches qui rêvassaient sur les dalles. Et voilà, le tour était joué, et la comédie s'achevait. Premier acte : Arsène Lupin sauvé. Deuxième acte : Florence Levasseur sauvée. Troisième et dernier acte : Monsieur le monstre foutu. Et combien ! »

Don Luis se releva, et contemplant son ouvrage d'un œil satisfait :

« T'as l'air d'un boudin, s'écria-t-il, repris par sa nature gouailleuse et par son habitude de tutoyer ses ennemis... un vrai boudin ! Pas très gros, le monsieur. Un saucisson de Lyon pour famille pauvre ! Mais bah ! tu n'y mets aucune coquetterie je présume ? D'ailleurs tu n'es pas plus mal comme ça qu'à l'ordinaire, et en tout cas tu es absolument approprié à la petite gymnastique de chambre que je te propose. Tu vas voir ça... une idée à moi vraiment originale. T'impatiente pas. »

Il prit un des fusils que le bandit avait apportés, et il attacha au milieu de ce fusil l'extrémité d'une corde qui avait environ douze ou quinze mètres de long, et dont il fixa l'autre bout aux cordes qui ligotaient l'infirme, à la hauteur du dos.

Ensuite il saisit le captif à bras-le-corps et le tint suspendu au-dessus du puits.

« Ferme les yeux si tu as le vertige. Et surtout ne crains rien. Je suis très prudent. Tu es prêt ? »

Il laissa glisser l'infirme dans le trou béant et saisit ensuite la corde qu'il venait d'attacher. Alors, peu à peu, pouce par pouce, avec précaution, de manière qu'il ne se cognât point, le paquet fut descendu à bout de bras. Lorsqu'il parvint à une douzaine de mètres de profondeur, le fusil posé en travers du puits l'arrêta, et il demeura là, suspendu dans les ténèbres et au centre de l'étroite circonférence.

Don Luis alluma plusieurs bouchons de papier qui dégringolèrent en tournoyant et jetèrent sur les parois des lueurs sinistres.

Puis, incapable de résister à l'attrait d'une dernière apostrophe, il se pencha comme l'avait fait le bandit et ricana :

« L'endroit est choisi pour que tu n'attrapes pas de rhume de cerveau. Que veux-tu ? Je te soigne. J'ai promis à Florence de ne pas te tuer, et au gouvernement français de te livrer autant que possible vivant. Seulement, comme je ne savais que faire de toi jusqu'à demain matin, je t'ai mis au frais. Le truc est joli, n'est-ce pas ? et, ce qui ne saurait te déplaire, vraiment conforme à tes procédés. Mais oui, réfléchis. Le fusil ne repose à ses deux bouts que sur une longueur de deux ou trois centimètres. Alors, pour peu que tu gigotes, pour peu que tu bouges, si seulement tu respires trop fort, le canon ou la crosse flanche, et c'est l'immédiat et fatal plongeon. Quant à moi, je n'y suis pour rien ! Si tu meurs, c'est un bon petit suicide. Tu n'as qu'à ne pas remuer, mon bonhomme.

« Et l'avantage de ma petite mécanique, c'est qu'elle te donne un avant-goût des quelques nuits qui précéderont l'heure suprême où on te coupera la tête. D'ores et déjà tu te trouves en face de ta conscience, nez à nez avec ce qui te sert d'âme, sans rien qui dérange votre silencieux colloque. Je suis gentil, hein ! cher ami ? Allons, je te laisse. Et, souviens-toi, pas un geste, pas un soupir, pas un clignement de paupières, pas un battement de cœur. Ne rigole pas surtout ! Si tu rigoles, tu es dans le lac. Médite, c'est ce que tu as de mieux à faire. Médite et attends. Au revoir, monsieur. »

Et don Luis, satisfait de son discours, s'éloigna en murmurant :

« Voilà qui est bien. Je n'irai pas juqu'à dire avec Eugène Sue qu'il faut crever les yeux des grands criminels. Mais, tout de même, une bonne petite punition physique, assaisonnée d'angoisse, c'est équitable, hygiénique et moral. »

Don Luis s'en alla et, reprenant le chemin de briques, contournant le chaos des ruines, il se dirigea, par un sentier qui descendait le long du mur d'enceinte, vers un bosquet de sapins où il avait mis Florence à l'abri.

Elle attendait, toute meurtrie encore de l'effroyable supplice enduré, mais déjà vaillante, maîtresse d'elle-même, et sans inquiétude, eût-on dit, sur l'issue du combat qui mettait don Luis aux prises avec l'infirme.

« C'est terminé, fit-il simplement. Demain, je le livrerai à la justice. »

Un frisson la secoua, mais elle se tut, tandis que don Luis Perenna l'observait en silence.

C'était la première fois qu'ils se retrouvaient ensemble et seuls, depuis que tant de drames les avaient séparés et projetés ensuite l'un contre l'autre comme des ennemis implacables, et don Luis en éprouva une telle émotion qu'il ne put dire à la fin que des phrases insignifiantes, sans rapport avec les pensées qui le bouleversaient :

« En suivant ce mur, et en bifurquant vers la gauche, nous allons retrouver l'automobile... Vous ne serez pas trop fatiguée pour marcher jusque-là ?... Une fois dans l'automobile, nous irons à Alençon... Il y a un hôtel très paisible près de la place principale... vous pourrez y attendre que les événements prennent pour vous une tournure favorable... et cela ne saurait tarder, puisque le coupable est pris.

— Marchons », dit-elle.

Il n'osa pas lui proposer de la soutenir. D'ailleurs elle avançait sans défaillance, et son buste harmonieux ondulait sur ses hanches du même rythme égal. Don Luis retrouvait pour elle toute son admiration et toute sa ferveur amoureuse. Pourtant jamais encore elle ne lui avait semblé plus lointaine qu'en ce moment où par des miracles d'énergie, il venait de lui sauver la vie. Elle n'avait pas eu pour lui un remerciement, ni même un de ces regards un peu adoucis qui récompensent l'effort, et elle demeurait comme au premier jour la créature mystérieuse dont il n'avait jamais compris l'âme secrète et sur qui l'orage même d'événements si formidables n'avait pas jeté la moindre lumière. Que pensait-elle ? Que voulait-elle ? Vers quoi se dirigeait-elle ? Problèmes obscurs qu'il n'espérait plus résoudre. Désormais chacun d'eux ne pourrait se souvenir de l'autre qu'avec colère et rancune.

« Eh bien, non, se dit-il, comme elle prenait place dans la limousine, eh bien, non, la séparation n'aura pas lieu de cette manière. Les mots qui doivent être prononcés entre nous le seront tous, et, qu'elle le veuille ou non, je déchirerai les voiles dont elle s'enveloppe. »

Le trajet fut rapide. À l'hôtel d'Alençon, don Luis fit inscrire Florence sous un nom quelconque, puis, l'ayant laissée seule, une heure plus tard il vint frapper à sa porte.

Cette fois encore il n'eut pas le courage d'aborder tout de

suite la question comme il l'avait décidé. Il y avait d'ailleurs d'autres points qu'il voulait éclaircir sur-le-champ.

« Florence, dit-il, avant de livrer cet homme, je voudrais savoir ce qu'il fut pour vous.

— Un ami, un ami malheureux et dont j'avais pitié, affirma-t-elle. Aujourd'hui, j'ai du mal à comprendre ma pitié pour un tel monstre. Mais il y a quelques années, quand je le connus, c'est pour sa faiblesse, pour sa misère physique, pour tous les symptômes de mort prochaine qui déjà le marquaient, c'est pour cela que je m'attachai à lui. Il eut l'occasion de me rendre quelques services, et bien qu'il vécût une vie cachée, qui me troublait par certains côtés, il prit peu à peu sur moi, et à mon insu, beaucoup d'empire. J'avais foi dans son dévouement absolu, et lorsque l'affaire Mornington éclata, ce fut lui qui, je m'en rends compte maintenant, me dirigea et, plus tard, dirigea Gaston Sauverand. Ce fut lui qui me contraignit au mensonge et à la comédie, en me persuadant qu'il travaillait pour le salut de Marie-Anne. Ce fut lui qui nous inspira contre vous tant de défiance, et qui nous habitua si bien à garder le silence sur lui et sur tous ses actes, que Gaston Sauverand, dans son entrevue avec vous, n'osa même pas parler de lui. Comment ai-je pu être aveugle à ce point, je l'ignore. Mais il en fut ainsi. Rien ne m'a éclairée. Rien n'a pu faire que je soupçonne un instant cet être inoffensif, malade, qui passait la moitié de sa vie dans les maisons de santé et dans les cliniques, qui a subi toutes les opérations possibles, et qui, s'il me parlait quelquefois de son amour, ne pouvait cependant espérer... »

Florence n'acheva pas. Ses yeux venaient de rencontrer ceux de don Luis, et elle avait l'impression profonde qu'il n'écoutait point ce qu'elle disait. Il la regardait, et c'était tout. Les phrases prononcées tombaient dans le vide. Pour don Luis les explications relatives au drame lui-même ne signifiaient rien, tant que la lumière ne serait pas faite sur le seul point qui l'intéressât, sur les pensées obscures de Florence à son égard, pensées d'aversion, pensées de mépris. En dehors de cela, toute parole était vaine et fastidieuse.

Il s'approcha de la jeune fille, et lui dit à voix basse :

« Florence, Florence, vous connaissez les sentiments que j'ai pour vous, n'est-ce pas ? »

Elle rougit, interdite, comme si cette question eût été la plus imprévue de toutes les questions. Pourtant ses yeux ne se baissèrent point, et elle répliqua franchement :

« Oui, je les connais.

— Mais peut-être, reprit-il avec plus de force, en ignorez-vous toute la profondeur ? Peut-être ne savez-vous pas que ma vie n'a pas d'autre but que vous ?

— Je sais cela aussi, dit-elle.

— Alors, si vous le savez, dit-il, je dois en conclure que c'est là précisément la cause de votre hostilité contre moi. Dès le début j'ai été votre ami et je n'ai cherché qu'à vous défendre. Et pourtant, dès le début, j'ai senti que j'étais pour vous l'objet d'une aversion à la fois instinctive et raisonnée. Jamais je n'ai vu dans vos yeux autre chose que de la froideur, de la gêne, du mépris, de la répulsion même. Aux instants de péril, lorsqu'il s'agissait de votre vie ou de votre liberté, vous risquiez toutes les imprudences plutôt que d'accepter mon secours. J'étais l'ennemi, celui dont on se défie et auquel on ne pense qu'avec une sorte d'effroi. N'est-ce pas la haine, cela ? Et n'est ce pas par la haine seulement qu'on peut expliquer une telle attitude ? »

Florence ne répondit pas sur-le-champ. Il semblait qu'elle reculât le moment de prononcer les mots qui montaient à ses lèvres. Son visage amaigri par la fatigue et par la détresse avait plus de douceur qu'à l'ordinaire.

« Non, dit-elle, il n'y a pas que la haine qui explique une pareille attitude. »

Don Luis fut stupéfait. Il ne comprenait pas bien le sens de cette réponse, mais l'intonation que Florence y avait apportée le troublait infiniment, et voilà que les yeux de Florence n'avaient plus leur expression habituelle de dédain, et qu'ils s'emplissaient de grâce et de sourire. Et c'était la première fois qu'elle souriait devant lui.

« Parlez, parlez, je vous en supplie, balbutia-t-il.

— Je veux dire, reprit-elle, qu'il y a un autre sentiment qui explique la froideur, la défiance, la crainte, l'hostilité. Ce n'est pas toujours ceux qu'on déteste que l'on fuit avec le plus d'épouvante, et, si l'on fuit, c'est bien souvent parce qu'on a peur de soi, et qu'on a honte, et qu'on se révolte, et qu'on veut résister, et qu'on veut oublier, et qu'on ne peut pas... »

Elle se tut, et comme il tendait vers elle des mains éperdues, et comme il implorait d'elle des mots et des mots encore, elle hocha la tête, signifiant ainsi qu'elle n'avait pas besoin de parler davantage pour qu'il pénétrât entièrement au fond de son âme et découvrît le secret d'amour qu'elle y dissimulait.

Don Luis chancela. Il était ivre de bonheur, et presque endolori par ce bonheur imprévu. Après les moments horribles qui venaient de s'écouler dans le décor impressionnant du Vieux-Château, il lui paraissait fou d'admettre qu'une félicité aussi extravagante pût s'épanouir soudain dans le cadre banal de cette chambre d'hôtel. Il eût voulu de l'espace autour de lui, des forêts, des montagnes, la clarté de la lune, la splendeur d'un soleil qui se couche, toute la beauté et toute la poésie du monde. Du premier coup, il atteignit à la cime la plus haute du bonheur. La vie même de Florence s'évoquait devant lui depuis l'instant de leur rencontre jusqu'à la minute tragique où l'infirme, penché sur elle, et voyant ses yeux pleins de larmes, hurlait : « Elle pleure ! Elle ose pleurer ! Quelle folie ! Mais ton secret, je le connais, Florence ! Et tu pleures ! Florence, Florence, c'est toi-même qui auras voulu mourir ! »

Secret d'amour, élan de passion qui, dès le premier jour, l'avait jetée toute frémissante vers don Luis, et qui, la déconcertant, l'emplissant de frayeur, lui semblant une trahison envers Marie-Anne et envers Sauverand, tour à tour l'éloignant et la rapprochant de celui qu'elle aimait et qu'elle admirait pour son héroïsme et pour sa loyauté, la déchirant de remords et la bouleversant comme un crime, en fin de compte la livrait, sans force et désemparée, à l'influence diabolique du bandit qui la convoitait.

Don Luis ne savait que faire, ne savait avec quels mots exprimer son délire. Ses lèvres tremblaient, ses yeux se mouillaient. Obéissant à sa nature, il eût saisi la jeune fille et l'eût embrassée comme un enfant embrasse, à pleine bouche et à plein cœur. Mais un sentiment trop respectueux le paralysait. Et, vaincu par l'émotion, il tomba aux pieds de la jeune fille en bégayant des mots d'amour et d'adoration.

CHAPITRE X

LE CLOS DES LUPINS

Le lendemain matin, un peu avant neuf heures, Valenglay causait chez lui avec le préfet de police, et demandait :

« Ainsi, vous êtes de mon avis, Desmalions ? Il va venir ?

— Je n'en doute pas, monsieur le président. Et il viendra

selon la règle d'exactitude qui domine toute cette aventure. Il viendra, par coquetterie, au dernier coup de neuf heures.

— Vous croyez ?... Vous croyez ?...

— Monsieur le président, j'ai pratiqué cet homme-là depuis plusieurs mois. Au point où les choses en sont arrivées, placé entre la mort et la vie de Florence Levasseur, s'il ne démolit pas le bandit qu'il pourchasse, et s'il ne le ramène pas pieds et poings liés, c'est que Florence Levasseur est morte, et c'est que lui, Arsène Lupin, est mort.

— Or, Lupin est immortel, dit Valenglay en riant. Vous avez raison. Et d'ailleurs, je suis entièrement de votre avis. Personne ne serait plus stupéfait que moi si à l'heure tapante notre excellent ami n'était pas ici. Vous m'avez dit qu'on vous avait téléphoné d'Angers, hier ?

— Oui, monsieur le président. Nos hommes venaient de voir don Luis Perenna. Il les avait devancés en aéroplane. Depuis, ils m'ont téléphoné une seconde fois du Mans, où ils venaient de faire une enquête dans une remise abandonnée.

— L'enquête était déjà faite par Lupin, soyons-en sûrs, et nous allons en connaître les résultats. Tenez, neuf heures sonnent. »

Au même instant, on entendit le ronflement d'une automobile. Elle s'arrêta devant la maison et, tout de suite, un coup de timbre.

Les ordres étaient donnés. On fit entrer le visiteur. La porte s'ouvrit, et don Luis Perenna apparut.

Certes pour Valenglay et le préfet de police, il n'y avait rien là qui ne fût prévu, puisque le contraire, ils le disaient, les eût justement surpris. Mais cependant leur attitude trahit, malgré tout, cette sorte d'étonnement qu'on éprouve devant les choses qui dépassent la mesure humaine.

« Et alors ? s'écria vivement le président du conseil.

— Ça y est, monsieur le président.

— Vous avez mis la main sur le bandit ?

— Oui.

— Nom d'un chien ! murmura Valenglay, vous êtes un rude homme. »

Et il reprit :

« Et ce bandit ? Un colosse évidemment, une brute malfaisante et indomptable ?

— Un infirme, monsieur le président, un dégénéré... responsable certes, mais en qui les médecins pourront constater toutes les déchéances, maladie de la moelle épinière, tuberculose, etc.

— Et c'est cet homme-là que Florence Levasseur aimait ?

— Oh ! monsieur le président, s'exclama don Luis avec force, Florence n'a jamais aimé ce misérable. Elle ressentait pour lui la pitié que l'on a pour quelqu'un qui est destiné à une mort prochaine, et c'est par pitié qu'elle lui laissa espérer que, plus tard, dans un avenir indéterminé, elle l'épouserait. Pitié de femme, monsieur le président, et fort explicable, puisque jamais, au grand jamais, Florence n'a eu le plus vague pressentiment sur le rôle que jouait cet individu. Le croyant honnête et dévoué, appréciant son intelligence aiguë et puissante, elle lui demandait conseil et se laissait diriger dans la lutte entreprise pour sauver Marie-Anne Fauville.

— Vous êtes sûr de cela ?

— Oui, monsieur le président, sûr de cela et de bien d'autres choses, puisque j'en ai les preuves en main. »

Et, tout de suite, sans autre préambule, il ajouta :

« Monsieur le président, l'homme étant pris, il sera facile à la justice de connaître sa vie jusqu'en ses moindres détails. Mais, dès maintenant, cette vie monstrueuse, on peut la résumer ainsi, en ne tenant compte que de la partie criminelle et en laissant de côté trois assassinats qui ne se relient par aucun fil à l'histoire de l'héritage Mornington.

« Originaire d'Alençon, élevé grâce aux soins de M. Langernault, Jean Vernocq fit la connaissance des époux Dedessuslamare, les dépouilla de leur argent, et, avant qu'ils eussent le temps de déposer une plainte contre inconnu, les amena dans une grange du village de Formigny, où, désespérés, inconscients, abrutis par des drogues, ils se pendirent.

« Cette grange était située dans un domaine appelé le Vieux-Château, appartenant à M. Langernault, le protecteur de Jean Vernocq. M. Langernault était malade à ce moment. Au sortir de sa convalescence, comme il nettoyait son fusil, il reçut au bas-ventre toute une décharge de gros plombs. Le fusil avait été chargé à l'insu du bonhomme. Par qui ? Par Jean Vernocq, lequel avait en outre, la nuit précédente, vidé le coffre de son protecteur.

« À Paris, où il vint jouir de la petite fortune ainsi amassée, Jean Vernocq eut l'occasion d'acheter à un coquin de ses amis des papiers qui attestaient la naissance et les droits de Florence Levasseur sur tout héritage provenant de la famille Roussel et de Victor Sauverand, papiers que cet ami avait jadis dérobés à la vieille nourrice qui avait amené Florence d'Amérique. À force de recherches, Jean Vernocq finit par retrouver d'abord une photographie de Florence, puis Florence elle-même. Il lui rendit service, affecta de se dévouer à elle et de lui consacrer sa vie. À ce moment, il ne savait pas encore quel bénéfice il tirerait des papiers dérobés à la jeune fille et de ses relations avec elle, mais subitement tout changea. Ayant appris par l'indiscrétion d'un clerc de notaire la présence dans le tiroir de maître Lepertuis d'un testament qui devait être curieux à connaître, il obtint, de ce clerc de notaire (qui depuis a disparu), il obtint, contre la remise d'un billet de mille francs, que ce testament lui fût communiqué. Or, c'était précisément le testament de Cosmo Mornington. Et précisément Cosmo Mornington léguait ses immenses richesses aux héritiers des sœurs Roussel et de Victor Sauverand.

« Jean Vernocq tenait son affaire. Deux cents millions ! Pour s'en emparer, pour conquérir la fortune, le luxe, la puissance, et le moyen d'acheter aux grands guérisseurs du monde la santé et la force physique, il suffisait, d'abord de supprimer toutes les personnes qui s'interposaient entre l'héritage et Florence, puis, quand tous les obstacles seraient abolis, d'épouser Florence.

« Et Jean Vernocq se mit à l'œuvre. Il avait fini par trouver dans les papiers du père Langernault, ancien ami d'Hippolyte Fauville, des détails sur la famille Roussel et sur le désaccord du ménage Fauville. Somme toute, cinq personnes seulement le gênaient ; en première ligne, naturellement, Cosmo Mornington, puis, dans l'ordre de leurs droits, l'ingénieur Fauville, son fils Edmond, sa femme Marie-Anne et son cousin Gaston Sauverand.

« Avec Cosmo Mornington ce fut aisé. S'étant introduit comme docteur chez l'Américain, il versa le poison dans une des ampoules que celui-ci destinait à ses piqûres.

« Mais avec Hippolyte Fauville, auprès de qui il s'était recommandé du père Langernault et sur l'esprit duquel il avait rapidement pris une influence inouïe, Jean Vernocq joua la difficulté. Connaissant d'une part la haine de l'ingénieur contre sa femme, et le sachant d'autre part atteint de maladie mortelle, ce fut lui qui, à Londres, au sortir d'une consultation de spécialiste, insinua dans l'âme épouvantée de Fauville cet incroyable projet de suicide, dont vous avez pu suivre, après coup, l'exécution machiavélique. De la sorte et d'un seul effort, anonymement comme on l'a dit, sans être mêlé à l'aventure, sans même que Fauville eût conscience de l'action exercée sur lui, Jean Vernocq supprimait Fauville et son fils, et se débarrassait de Marie-Anne et de Sauverand en rejetant diaboliquement sur eux toutes les charges de cet assassinat dont personne au monde ne pouvait l'accuser, lui, Jean Vernocq.

« Et le plan réussit.

« Dans le présent, une seule anicroche : l'intervention de l'inspecteur Vérot. L'inspecteur Vérot mourut.

« Dans l'avenir, un seul danger, mon intervention à moi, don Luis Perenna, dont Vernocq devait prévoir la conduite puisque Cosmo Mornington me désignait comme légataire universel. Ce danger, Vernocq voulut le conjurer, d'abord en me donnant comme habitation l'hôtel de la place du Palais-Bourbon, et comme secrétaire Florence Levasseur, puis en cherchant quatre fois à m'assassiner par l'intermédiaire de Gaston Sauverand.

« Ainsi il tenait dans ses mains tous les fils du drame. Maître de mon domicile, s'imposant à Florence, et plus tard à Sauverand, par la force de sa volonté et par la souplesse de son caractère, il approchait du but. Mes efforts ayant abouti à démontrer l'innocence de Marie-Anne Fauville et de Gaston Sauverand, il n'hésita pas. Marie-Anne Fauville mourut. Gaston Sauverand mourut.

« Donc, tout allait bien pour lui. On me poursuivait. On poursuivait Florence. Personne ne le soupçonnait. Et le terme fixé pour la délivrance de l'héritage arriva.

« C'était avant-hier. À ce moment, Jean Vernocq se trouvait au cœur même de l'action. Malade, il s'était fait admettre à la clinique de l'avenue des Ternes, et, de là, grâce à son influence sur Florence Levasseur, et par des lettres adressées de Versailles à la mère supérieure, il dirigeait l'affaire. Sur l'ordre de la supérieure, et sans connaître le sens de la démarche qu'elle accomplissait, Florence se rendit à la réunion de la Préfecture, et apporta les documents mêmes qui la concernaient. Pendant ce temps, Jean Vernocq quittait la maison de santé et se réfugiait près de l'île Saint-Louis, où il attendait la fin d'une entreprise qui, au pis aller, pouvait se retourner contre Florence, mais qui, en aucun cas, semblait-il, ne pouvait, lui, le compromettre.

« Vous savez le reste, monsieur le président, acheva don Luis. Florence, bouleversée par la vision subite de son rôle inconscient dans l'affaire, et surtout du rôle épouvantable qu'y jouait

Jean Vernocq, Florence s'échappa de la clinique où M. le préfet l'avait conduite sur ma demande. Elle n'avait qu'une idée : revoir Jean Vernocq, exiger de lui une explication, entendre de lui le mot qui justifie. Le soir même, sous prétexte de montrer à Florence les preuves de son innocence, il l'emportait en automobile. Voilà, monsieur le président. »

Valenglay avait écouté avec un intérêt croissant cette sombre histoire du génie le plus malfaisant qu'il fût possible d'imaginer. Et peut-être l'avait-il écoutée sans trop de malaise, tellement elle illuminait, par opposition, le génie clair, facile, heureux, et si spontané, de celui qui avait combattu pour la bonne cause.

« Et vous les avez retrouvés ? dit-il.

— Hier soir à trois heures, monsieur le président. Il était temps. Je pourrais même dire qu'il était trop tard, puisque Jean Vernocq commença par m'expédier au fond d'un puits et par écraser Florence sous un bloc de pierre.

— Oh ! oh ! ainsi vous êtes mort ?

— De nouveau, monsieur le président.

— Mais Florence Levasseur, pourquoi ce bandit voulait-il la supprimer ? Cette mort anéantissait son indispensable projet de mariage.

— Il faut être deux pour se marier, monsieur le président. Or, Florence refusait.

— Eh bien ?

— Jadis Jean Vernocq avait écrit une lettre par laquelle il laissait tout ce qui lui appartenait à Florence Levasseur. Florence, toujours émue de pitié pour lui, et ne sachant pas d'ailleurs l'importance de son acte, avait écrit la même lettre. Cette lettre constitue un véritable et inattaquable testament en faveur de Jean Vernocq. Héritière légale et définitive de Cosmo Mornington par le seul fait de sa présence à la réunion d'avant-hier et par l'apport des documents qui prouvent sa parenté avec la famille Roussel, Florence, morte, transmettait ses droits à son héritier légal et définitif. Jean Vernocq héritait sans contestation possible. Et comme, faute de preuves contre lui, on eût été obligé de le relâcher après son arrestation, il aurait vécu tranquille, avec quatorze assassinats sur la conscience (j'ai fait le compte), mais avec deux cents millions dans sa poche. Pour un monstre de son espèce, ceci compensait cela.

— Mais, toutes ces preuves, vous les avez ? s'écria vivement Valenglay.

— Les voici, fit Perenna en montrant le portefeuille de cuir marron qu'il avait pris dans le veston de l'infirme. Voici des lettres et des documents que le bandit a conservés par une aberration commune à tous les grands malfaiteurs. Voici, au hasard, sa correspondance avec M. Fauville. Voici l'original du prospectus par lequel on me signala que l'hôtel de la place du Palais-Boubon était à vendre. Voici une note concernant les voyages que Jean Vernocq fit à Alençon, pour y intercepter les lettres de Fauville au père Langernault. Voici une autre note qui prouve que l'inspecteur Vérot avait surpris une conversation entre Fauville et son complice, qu'il avait dérobé la photographie de Florence, et que Vernocq avait lancé Fauville à sa poursuite. Voici une troisième note qui n'est qu'une copie des deux notes trouvées dans le tome huit de Shakespeare, et qui montre que Jean Vernocq, à qui ces volumes de Shakespeare appartenaient, connaissait toute la machination de Fauville. Voici une quatrième note très curieuse, et d'une psychologie remarquable, où il montre le mécanisme de son emprise sur Florence. Voici sa correspondance avec le Péruvien Cacérès, et des lettres de dénonciation qu'il devait envoyer aux journaux contre moi et contre le brigadier Mazeroux. Voici... Mais est-il besoin, monsieur le président, de vous en dire davantage ? Vous avez entre les mains le dossier le plus complet. La justice constatera que toutes les accusations que j'ai portées, avant-hier, devant M. le préfet de police, étaient rigoureusement exactes. »

Valenglay s'écria :

« Et lui ! lui, où est-il, ce misérable ?

— En bas, dans une automobile, dans son automobile plutôt.

— Vous avez prévenu mes agents ? dit M. Desmalions avec inquiétude.

— Oui, monsieur le préfet. D'ailleurs, l'homme est soigneusement ligoté. Rien à craindre. Il ne s'évadera pas.

— Allons, dit Valenglay, vous avez tout prévu, et l'aventure me semble bien terminée. Un problème cependant reste obscur, celui peut-être qui a le plus passionné l'opinion. Il s'agit de la marque des dents sur la pomme, des dents du tigre, comme on a dit, et qui étaient celles de Mme Fauville, innocente pourtant. M. le préfet affirme que vous avez résolu ce problème.

— Oui, monsieur le président, et les papiers de Jean Vernocq me donnent raison. Le problème est d'ailleurs très simple.

Ce sont bien les dents de Mme Fauville qui ont marqué le fruit, mais ce n'est pas Mme Fauville qui a mordu dans le fruit.

— Oh ! oh !

— Monsieur le président, c'est à peu de chose près, la phrase par laquelle M. Fauville a fait allusion à ce mystère dans sa confession publique.

— M. Fauville était un fou.

— Oui, mais un fou lucide, et qui raisonnait avec une logique terrifiante. Il y a quelques années, à Palerme, Mme Fauville est tombée si malencontreusement que sa bouche porta contre le marbre d'une console, et que plusieurs de ses dents, en haut comme en bas, furent ébranlées. Pour réparer le mal, c'est-à-dire pour fabriquer l'attelle d'or destinée à consolider, et que Mme Fauville garda durant plusieurs mois, le dentiste prit, suivant l'habitude, le moulage exact de l'appareil dentaire. C'est ce moulage que M. Fauville avait conservé par hasard et dont il se servit la nuit de sa mort pour imprimer dans la pomme la marque même des dents de sa femme. C'est ce même moulage que l'inspecteur Vérot avait pu dérober un moment et avec lequel, désirant garder une pièce à conviction, il avait marqué la tablette de chocolat. »

L'explication de don Luis fut suivie d'un silence. La chose était si simple en effet que le président du Conseil en éprouvait un étonnement. Tout le drame, toute l'accusation, tout ce qui avait provoqué le désespoir de Marie-Anne, sa mort, la mort de Gaston Sauverand, tout cela reposait sur un infiniment petit détail auquel n'avait songé aucun des millions et des millions d'êtres qui s'étaient passionnés pour le mystère des dents du tigre. Les dents du tigre ! On avait adopté opiniâtrement un raisonnement en apparence inattaquable : puisque l'empreinte de la pomme et l'empreinte même des dents de Mme Fauville sont exactement semblables, comme deux personnes au monde ne peuvent théoriquement ni pratiquement donner la même empreinte, c'est que Mme Fauville est coupable. Bien plus, le raisonnement semblait si rigoureux que, à partir du jour où l'on avait connu l'innocence de Mme Fauville, le problème était resté en suspens, sans que surgît dans l'esprit de personne cette pauvre petite idée que l'empreinte d'une dent peut être obtenue autrement que par la morsure vivante de cette dent.

« C'est comme l'œuf de Christophe Colomb, dit Valenglay en riant. Il fallait y penser.

— Vous avez raison, monsieur le président. Ces choses-là,

on n'y pense pas. Un autre exemple : me permettez-vous de vous rappeler qu'à l'époque où Arsène Lupin se faisait appeler à la fois M. Lenormand et le prince Paul Sernine[1], personne ne remarqua que ce nom de Paul Sernine n'était que l'anagramme d'Arsène Lupin ? Eh bien ! il en est de même aujourd'hui. Luis Perenna, c'est proprement l'anagramme d'Arsène Lupin. Les même lettres composent les deux noms. Pas une de plus, pas une de moins. Et pourtant, quoique ce fût la seconde fois, personne ne s'est avisé de faire ce petit rapprochement. Toujours l'œuf de Christophe Colomb ! Il fallait y penser ! »

Valenglay fut un peu surpris de la révélation. On eût dit que ce diable d'homme avait juré de le déconcerter jusqu'à la dernière minute et de l'étourdir par les coups de théâtre les plus imprévus. Et comme ce dernier peignait bien l'individu, mélange bizarre de noblesse et d'effronterie, de malice et de naïveté, d'ironie souriante et de charme inquiétant, sorte de héros qui, tout en conquérant des royaumes au prix d'aventures inconcevables, s'amusait à mêler les lettres de son nom pour prendre le public en flagrant délit de distraction et de légèreté !

L'entretien touchait à son terme. Valenglay dit à Perenna :

« Monsieur, après avoir réalisé dans cette affaire quelques prodiges, vous avez finalement tenu votre parole et livré le bandit. Je tiendrai donc ma parole, moi aussi. Vous êtes libre.

— Je vous remercie, monsieur le président. Mais le brigadier Mazeroux ?

— Il sera relâché ce matin. M. le préfet de police s'est arrangé de telle sorte que vos deux arrestations ne soient pas connues du public. Vous êtes don Luis Perenna. Il n'y a aucune raison pour que vous ne restiez pas don Luis Perenna.

— Et Florence Levasseur, monsieur le président ?

— Qu'elle se présente d'elle-même au juge d'instruction. Le non-lieu est inévitable. Libre, à l'abri de toute accusation, et même de tout soupçon, elle sera certainement reconnue comme l'héritière légale de Cosmo Mornington et touchera les deux cents millions.

— Elle ne les gardera pas, monsieur le président.

— Comment cela ?

1. Voir *813*.

— Florence Levasseur ne veut pas de cet argent. Il a été la cause de crimes trop effroyables. Elle en a horreur.

— Et alors ?

— Les deux cents millions de Cosmo Mornington seront intégralement employés à construire des routes et à bâtir des écoles au sud du Maroc et au nord du Congo.

— Dans cet empire de Mauritanie que vous nous offrez ? dit Valenglay en riant. Fichtre, le geste est noble, et j'y souscris de tout cœur. Un empire et un budget d'empire... En vérité, don Luis s'est acquitté largement envers son pays... des dettes d'Arsène Lupin. »

Huit jours plus tard, don Luis Perenna et Mazeroux s'embarquaient sur le yacht qui avait amené don Luis en France. Florence les accompagnait.

Avant de partir, ils apprenaient la mort de Jean Vernocq, qui, malgré les précautions prises, avait réussi à s'empoisonner.

Arrivé là-bas, don Luis Perenna, sultan de Mauritanie, retrouva ses anciens compagnons, et accrédita Mazeroux auprès d'eux et auprès de ses grands dignitaires. Puis, tout en organisant l'état de choses qui devait suivre son abdication et précéder l'occupation du nouvel empire par la France, il eut, sur les confins du Maroc, plusieurs entrevues secrètes avec le général Lauty, chef des troupes françaises, entrevues au cours desquelles furent arrêtées en commun toutes ces mesures dont l'exécution progressive donne à la conquête du Maroc une aisance inexplicable autrement. Dès maintenant, l'avenir est assuré. Un jour, quand l'instant sera venu, le fragile rideau de tribus en révolte qui voile les régions pacifiées tombera, découvrant un empire ordonné, régulièrement constitué, sillonné de routes, muni d'écoles et de tribunaux, en pleine exploitation et en pleine effervescence.

Puis, son œuvre accomplie, don Luis abdiqua et revint en France.

Il est inutile de rappeler le bruit que provoqua son mariage avec Florence Levasseur. De nouveau, les polémiques recommencèrent, et plusieurs journaux réclamèrent l'arrestation d'Arsène Lupin. Mais que pouvait-on ? Bien que personne ne doutât de sa véritable personnalité, bien que le nom d'Arsène Lupin et le nom de don Luis Perenna fussent composés des mêmes lettres, et que cette coïncidence eût fini par être remarquée, légalement Arsène Lupin était mort, et légalement don

Luis Perenna existait, sans que l'on pût ni ressusciter Arsène Lupin ni supprimer don Luis Perenna.

Il habite aujourd'hui le village de Saint-Maclou, parmi les vallons gracieux qui descendent vers les rives de l'Oise. Qui ne connaît sa très modeste maison, teintée de rose, ornée de volets verts, entourée d'un jardin aux fleurs éclatantes ? Le dimanche, on s'y rend en partie de plaisir, dans l'espérance de voir à travers la haie de sureaux, ou de rencontrer sur la place du village, celui qui fut Arsène Lupin.

Il est là, la figure toujours jeune, l'allure d'un adolescent. Et Florence est là aussi avec sa taille harmonieuse, avec l'auréole de ses cheveux blonds et son visage heureux, que n'effleure même plus l'ombre d'un mauvais souvenir.

Parfois, des visiteurs viennent frapper à la petite barrière de bois. Ce sont des infortunés qui implorent le secours du maître. Ce sont des opprimés, des victimes, des faibles qui ont succombé, des exaltés que leurs passions ont perdus. À tous ceux-là don Luis est pitoyable. Il leur prête son attention clairvoyante, l'aide de ses conseils, son expérience, sa force, son temps même au besoin.

Et souvent aussi c'est un émissaire de la Préfecture, ou bien quelque subalterne de la police qui vient soumettre une affaire embarrassante. Et là encore don Luis prodigue les ressources inépuisables de son esprit. En dehors de cela, en dehors de ses vieux livres de morale et de philosophie qu'il a retrouvés avec tant de plaisir, il cultive son jardin. Ses fleurs le passionnent. Il en est fier. On n'a pas oublié le succès obtenu, à l'exposition d'horticulture, par le triple œillet alterné de rouge et de jaune qu'il présenta sous le nom d' « œillet d'Arsène ».

Mais son effort vise de grandes fleurs qui fleurissent en été. En juillet et en août, les deux tiers de son jardin, toutes les plates-bandes de son potager, en sont remplis. Superbes plantes ornementales, dressées comme des hampes de drapeaux, elles portent orgueilleusement des épis entrecroisés aux couleurs bleue, violette, mauve, rose, blanche, et justifient le nom qu'il à donné à son domaine, le « Clos des lupins ».

Toutes les variétés du lupin s'y trouvent, le lupin de Cruikshanks, le lupin bigarré, le lupin odorant, et le dernier paru, le lupin de Lupin.

Ils sont tous là, magnifiques, serrés les uns contre les autres comme les soldats d'une armée, chacun d'eux s'efforçant de dominer et d'offrir au soleil l'épi le plus abondant et le plus resplendissant. Ils sont tous là, et, au seuil de l'allée qui conduit à leur champ multicolore, une banderole porte cette devise, tirée d'un beau sonnet de José-Maria de Heredia :

Et dans mon potager foisonne le lupin.

C'est donc un aveu ? Pourquoi pas ? N'a-t-il pas dit, dans une récente interview :

« Je l'ai beaucoup connu. Ce n'était pas un méchant homme. Je n'irai pas jusqu'à l'égaler aux sept sages de la Grèce, ni même à le proposer comme exemple aux générations futures. Mais cependant il faut le juger avec une certaine indulgence. Il fut excessif dans le bien et mesuré dans le mal. Ceux qui souffrirent par lui méritaient leur peine, et le destin les eût châtiés un jour ou l'autre s'il n'avait eu la précaution de prendre les devants. Entre un Lupin qui choisissait ses victimes dans la tourbe des mauvais riches, et tel grand financier qui dévalise et jette dans la misère la foule des petites gens, tout l'avantage ne revient-il pas à Lupin ? Et, d'autre part, quelle abondance de bonnes actions ! Quelles preuves de générosité et de désintéressement ! Cambrioleur ? Je l'avoue. Escroc ? Je ne le nie pas. Il fut tout cela. Mais il fut bien autre chose que cela. Et s'il amusa la galerie par son adresse et son ingéniosité, c'est par les autres choses qu'il la passionna. On riait de ses bons tours, mais on s'enthousiasmait pour son courage, pour son audace, son esprit d'aventure, son mépris du danger, son sang-froid, sa clairvoyance, sa bonne humeur, le gaspillage prodigieux de son énergie, toutes qualités qui brillèrent à une époque où, précisément, s'exaltaient les vertus les plus actives de notre race, l'époque héroïque de l'automobile et de l'aéroplane, l'époque qui précéda la grande guerre. »

Et, comme on lui faisait remarquer :

« Vous parlez de lui au passé. Le cycle de ses aventures est donc terminé selon vous ?

— Nullement. L'aventure, c'est la vie même d'Arsène Lupin. Tant qu'il vivra, il sera le centre et le point d'aboutissement de mille et une aventures. Il l'a dit un jour : “Je voudrais qu'on inscrivît sur ma tombe : *Ci-gît Arsène Lupin, aventurier.*” Boutade qui est une vérité. Il fut un maître de l'aventure. Et, si l'aventure le conduisit jadis trop souvent à fouiller dans la poche de son voisin, elle le conduisit aussi sur des champs de bataille où elle donne, à ceux qui sont dignes de lutter et de vaincre, des titres de noblesse qui ne sont pas à la portée de tous. C'est là qu'il gagna les siens. C'est là qu'il faut le voir agir, et se dépenser, et braver la mort, et défier le destin. Et c'est à cause de cela qu'il faut lui pardonner, s'il a quelquefois rossé le commissaire et quelquefois chipé la montre du juge d'instruction... Soyons indulgents à nos professeurs d'énergie. »

Et don Luis termina, en hochant la tête :

« Et puis, voyez-vous, il eut une autre vertu qui n'est pas à dédaigner, et dont on doit lui tenir compte en ces temps moroses : il eut le sourire ! »

1924

LES HUIT COUPS DE L'HORLOGE

La publication des huit nouvelles de ce recueil commence le 17 décembre 1922 dans le quotidien Excelsior, *qui a éveillé la curiosité de ses lecteurs, les huit jours précédents, en donnant en première page l'image d'une énigmatique horloge. Le journal annonce le 16 décembre : « Sous le nom de Prince Rénine, on retrouvera, aussi subtil, aussi pittoresque, aussi attachant qu'il le fut à l'origine de ses exploits, le fameux gentleman cambrioleur. »*

Le recueil paraît en librairie en juillet 1923 et connaît un bon succès. En août 1924, il paraît dans la collection « Les Romans d'aventure et d'action », avec une couverture de Roger Broders et des illustrations de Maurice Toussaint.

Ces huit aventures me furent contées jadis par Arsène Lupin qui les attribuait à l'un de ses amis, le prince Rénine. Pour moi, étant donné la façon dont elles sont conduites, les procédés, les gestes, le caractère même du personnage, il m'est impossible de ne pas confondre les deux amis l'un avec l'autre. Arsène Lupin est un fantaisiste aussi capable de renier certaines de ses aventures que de s'en accorder quelques-unes dont il ne fut pas le héros. Le lecteur jugera.

I

AU SOMMET DE LA TOUR

Hortense Daniel entrouvrit sa fenêtre et chuchota :

« Vous êtes là, Rossigny ?

— Je suis là », fit une voix qui montait des massifs entassés au pied du château.

Se penchant un peu, elle vit un homme assez gros qui levait vers elle une figure épaisse, rouge, encadrée d'un collier de barbe trop blonde.

« Eh bien ? dit-il.

— Eh bien, hier soir, grande discussion avec mon oncle et ma tante. Ils refusent décidément de signer la transaction dont mon notaire leur avait envoyé le projet et de me rendre la dot que mon mari a dissipée avant son internement.

— Votre oncle, qui avait voulu ce mariage, est pourtant responsable, d'après les termes du contrat.

— N'importe. Je vous dis qu'il refuse...

— Alors ?

— Alors êtes-vous toujours résolu à m'enlever ? demanda-t-elle en riant.

— Plus que jamais.

— En tout bien tout honneur, ne l'oubliez pas !

— Tout ce que vous voudrez. Vous savez bien que je suis fou de vous.

— C'est que, par malheur, je ne suis pas folle de vous.

— Je ne vous demande pas d'être folle de moi, mais simplement de m'aimer un peu.

— Un peu ? Vous êtes beaucoup trop exigeant.

— En ce cas, pourquoi m'avoir choisi ?

— Le hasard. Je m'ennuyais... Ma vie manquait d'imprévu... Alors je me risque... Tenez, voici mes bagages. »

Elle laissa glisser d'énormes sacs de cuir que Rossigny reçut dans ses bras.

« Le sort en est jeté, murmura-t-elle. Allez m'attendre avec votre auto au carrefour de l'If. Moi, j'irai à cheval.

— Fichtre ! je ne peux pourtant pas enlever votre cheval.

— Il reviendra tout seul.

— Parfait !... Ah ! à propos...

— Qu'y a-t-il ?

— Qu'est-ce donc que ce prince Rénine qui est là depuis trois jours et que personne ne connaît ?

— Je ne sais pas. Mon oncle l'a rencontré à la chasse, chez des amis, et l'a invité.

— Vous lui plaisez beaucoup. Hier vous avez fait une grande promenade avec lui. C'est un homme qui ne me revient pas.

— Dans deux heures, j'aurai quitté le château en votre compagnie. C'est un scandale qui refroidira probablement Serge Rénine. Et puis assez causé. Nous n'avons pas de temps à perdre. »

Durant quelques minutes, elle regarda le gros Rossigny qui, pliant sous le poids des sacs, s'éloignait à l'abri d'une allée déserte, puis elle referma la fenêtre.

Dehors, loin dans le parc, une fanfare de cors sonnait le réveil. La meute éclatait en aboiements furieux. C'était l'ouverture, ce matin-là, au château de La Marèze, où tous les ans, vers le début de septembre, le comte d'Aigleroche, grand chasseur devant l'Éternel, et la comtesse réunissaient quelques amis et les châtelains des environs.

Hortense acheva lentement sa toilette, revêtit une amazone qui dessinait sa taille souple, se coiffa d'un feutre dont le large bord encadrait son beau visage aux cheveux roux, et s'assit devant son secrétaire, où elle écrivit à son oncle, M. d'Aigleroche, une lettre d'adieu qui devait être remise le soir. Lettre difficile qu'elle recommença plusieurs fois et à laquelle, finalement, elle renonça.

« Je lui écrirai plus tard, se disait-elle, quand sa colère aura passé. »

Et elle se rendit dans la haute salle à manger.

D'énormes bûches flambaient au creux de l'âtre. Des panoplies de fusils et de carabines ornaient les murs. De toutes parts, les invités affluaient et venaient serrer la main du comte d'Aigleroche, un de ces types de gentilshommes campagnards, lourds d'aspect, puissants d'encolure, qui ne vivent que pour la chasse. Debout devant la cheminée, un grand verre de fine champagne à la main, il trinquait.

Hortense l'embrassa distraitement.

« Comment ! mon oncle, vous, si sobre d'ordinaire...

— Bah ! dit-il, une fois l'an... on peut bien se permettre quelque excès...

— Ma tante vous grondera.

— Ta tante a sa migraine et ne descendra pas. D'ailleurs, ajouta-t-il d'un ton bourru, cela ne la regarde pas... et toi encore moins, ma petite. »

Le prince Rénine s'approcha d'Hortense. C'était un homme jeune, d'une grande élégance, le visage mince et un peu pâle, et dont les yeux avaient tour à tour l'expression la plus douce et la plus dure, la plus aimable et la plus ironique.

Il s'inclina devant la jeune femme, lui baisa la main et lui dit :

« Je vous rappelle votre bonne promesse, chère madame ?

— Ma promesse ?

— Oui, il était convenu entre nous que nous recommencerions notre belle promenade d'hier, et que nous essaierions de visiter cette vieille demeure barricadée dont l'aspect nous avait intrigués... ce qu'on appelle, paraît-il, le domaine de Halingre. »

Elle répliqua avec une certaine sécheresse :

« Tous mes regrets, monsieur, mais l'excursion serait longue et je suis un peu lasse. Je fais un tour dans le parc et je rentre. »

Il y eut un silence entre eux, et Serge Rénine prononça en souriant, les yeux fixés aux siens, et de manière qu'elle seule entendît :

« Je suis sûr que vous tiendrez votre parole et que vous m'accepterez comme compagnon. C'est préférable.

— Pour qui ? Pour vous, n'est-ce pas ?

— Pour vous aussi, je vous l'affirme. »

Elle rougit légèrement et riposta :

« Je ne comprends pas, monsieur.

— Je ne vous propose pourtant aucune énigme. La route est charmante, le domaine de Halingre intéressant. Nulle autre promenade ne vous apporterait le même agrément.

— Vous ne manquez pas de fatuité, monsieur.

— Ni d'obstination, madame. »

Elle eut un geste irrité, mais dédaigna de répondre. Lui tournant le dos, elle donna quelques poignées de main autour d'elle et sortit de la pièce.

Au bas du perron, un groom tenait son cheval. Elle se mit en selle et s'en alla vers les bois qui continuaient le parc.

Le temps était frais et calme. Entre les feuilles qui frissonnaient à peine, apparaissait un ciel de cristal bleu. Hortense suivait au pas des allées sinueuses qui la conduisirent, au bout d'une demi-heure, dans une région de ravins et d'escarpements que traversait la grand-route.

Elle s'arrêta. Aucun bruit. Rossigny avait dû éteindre son moteur et cacher sa voiture dans les fourrés qui environnent le carrefour de l'If.

Cinq cents mètres au plus la séparaient de ce rond-point. Après quelques instants d'hésitation, elle mit pied à terre, attacha négligemment son cheval afin qu'au moindre effort il pût se délivrer et revenir au château, enveloppa son visage avec un long voile marron qui flottait sur ses épaules, et s'avança.

Elle ne s'était pas trompée. Au premier tournant, elle aperçut Rossigny. Il courut à elle et l'entraîna dans le taillis.

« Vite, vite. Ah ! j'avais si peur d'un retard... ou même d'un changement de décision !... Et vous voilà ! Est-ce possible ? »

Elle souriait.

« Ce que vous êtes heureux de faire une bêtise !

— Si je suis heureux ! Et vous le serez aussi, je le jure !

— Peut-être, mais je ne ferai pas de bêtise, moi !

— Vous agirez à votre guise, Hortense. Votre vie sera un conte de fées.

— Et vous, le prince charmant !

— Vous aurez tout le luxe, toutes les richesses...

— Je ne veux ni luxe ni richesses.

— Quoi, alors ?

— Le bonheur.

— Votre bonheur, j'en réponds. »

Elle plaisanta :

« Je doute un peu de la qualité du bonheur que j'aurai par vous.

— Vous verrez... Vous verrez... »

Ils étaient arrivés près de l'automobile. Rossigny, tout en bégayant des mots de joie, mit en mouvement le moteur. Hortense monta et se couvrit d'un vaste manteau. La voiture suivit sur l'herbe l'étroit sentier qui la ramena au carrefour, et Rossigny accélérait la vitesse, lorsque subitement il dut freiner.

Un coup de feu avait claqué dans le bois voisin, sur la droite. L'auto allait de côté et d'autre.

« C'est une crevaison, un pneu d'avant, proféra Rossigny, qui sauta à terre.

— Mais pas du tout s'écria Hortense. On a tiré.

— Impossible, chère amie. Voyons, que dites-vous ! »

Au même moment, il y eut deux légers chocs et deux autres détonations retentirent, coup sur coup, assez loin, toujours dans le bois.

Rossigny grinca :

« Les pneus d'arrière... crevés... Mais, bougre de sort, quel est le bandit ?... Si je le tenais, celui-là ! »

Il escalada le talus qui bordait la route. Personne. D'ailleurs les feuilles du taillis cachaient la vue.

« Crebleu de crebleu ! jura-t-il. Vous aviez raison... on tirait sur l'auto ! Ah ! elle est raide ! Nous voilà bloqués pour des heures ! Trois pneus à réparer !... Mais que faites-vous donc, chère amie ? »

À son tour, la jeune femme descendait de voiture. Elle courut vers lui, tout agitée.

« Je m'en vais...

— Mais pourquoi ?

— Je veux savoir. On a tiré. Qui ? Je veux savoir...

« Il escalada le talus qui bordait la route. »

— Ne nous séparons pas, je vous en supplie...

— Croyez-vous que je vais vous attendre pendant des heures ?

— Mais notre départ ?... nos projets ?...

— Demain... nous en reparlerons... Rentrez au château... Rapportez les valises...

— Je vous en prie, je vous en prie... Ce n'est pourtant pas ma faute. Vous avez l'air de m'en vouloir.

— Je ne vous en veux pas. Mais, sapristi, quand on enlève une femme, on ne crève pas, mon cher. À tout à l'heure. »

En hâte elle s'en alla, eut la chance de retrouver son cheval, et partit au galop dans une direction opposée à La Marèze.

Pour elle, il n'y avait pas le moindre doute : les trois coups de feu avaient été tirés par le prince Rénine...

« C'est lui, murmura-t-elle avec colère, c'est lui... il n'y a que lui qui soit capable d'agir ainsi... »

Ne l'en avait-il pas prévenue, du reste, avec une autorité souriante ?

« Vous viendrez, j'en suis sûr... Je vous attends. »

Elle pleurait de rage et d'humiliation. À ce moment, elle se fût trouvée en face du prince Rénine qu'elle l'eût cravaché.

Devant elle s'étendait l'âpre et pittoresque contrée qui couronne, au nord, le département de la Sarthe et qu'on dénomme la petite Suisse. Des pentes rudes l'obligeaient souvent à ralentir, d'autant plus qu'il lui fallait parcourir une dizaine de kilomètres pour atteindre le but qu'elle s'était assigné. Mais, si son élan devenait moins emporté, si l'effort physique s'apaisait peu à peu, elle n'en persistait pas moins dans sa révolte contre le prince Rénine. Elle lui en voulait, non seulement de l'acte inqualifiable qu'il avait commis, mais aussi de sa conduite envers elle depuis trois jours, de ses assiduités, de son assurance, de son air d'excessive politesse.

Elle approchait. Au fond d'une vallée, un vieux mur d'enceinte, fendu de lézardes, habillé de mousse et d'herbes folles, laissait voir le clocheton d'un château et quelques fenêtres closes de leurs volets. C'était le domaine de Halingre.

Elle suivit le mur et tourna. Au centre de la demi-lune qui s'arrondissait devant la porte d'entrée, Serge Rénine attendait, debout, près de son cheval.

Elle sauta à terre et, comme il s'avançait vers elle le chapeau à la main et la remerciait d'être venue, elle s'écria :

« Avant tout, monsieur, un mot. Il s'est passé tout à l'heure un fait inexplicable. On a tiré trois coups de feu sur une automobile où je me trouvais. Ces coups de feu ont-ils été tirés par vous ?

— Oui. »

Elle parut interdite.

« Alors, vous avouez ?

— Vous me posez une question, madame, j'y réponds.

— Mais, comment avez-vous osé ?... De quel droit ?...

— Je n'ai pas exercé un droit, madame, j'ai obéi à un devoir.

— En vérité ! Et à quel devoir ?

— Le devoir de vous protéger contre un homme qui cherche à exploiter la détresse de votre vie.

— Monsieur, je vous défends de parler ainsi. Je suis responsable de mes actions, et c'est en toute liberté que j'ai pris ma décision...

— Madame, j'ai entendu ce matin la conversation que vous avez eue, de votre fenêtre, avec M. Rossigny, et il ne m'a pas semblé que vous le suiviez de gaieté de cœur. Je reconnais toute la brutalité et le mauvais goût de mon intervention et je m'en excuse humblement, mais j'ai voulu, au risque de passer pour un goujat, vous accorder quelques heures de réflexion.

— C'est tout réfléchi, monsieur. Quand j'ai résolu une chose, je ne change pas d'avis.

— Si, madame, quelquefois, puisque vous êtes ici au lieu d'être là-bas. »

La jeune femme eut un moment de gêne. Toute sa colère était tombée. Elle regardait Rénine avec cet étonnement que l'on éprouve en face de certains êtres différents des autres, plus capables d'actes inaccoutumés, plus généreux et plus désintéressés. Elle se rendait parfaitement compte qu'il agissait sans arrière-pensée ni calcul, simplement, comme il le disait, par devoir de galant homme envers une femme qui se trompe de chemin.

Très doucement, il lui dit :

« Je sais très peu de choses sur vous, madame, assez cependant pour que j'aie le désir de vous être utile. Vous avez vingt-six ans et vous êtes orpheline. Il y a sept ans, vous avez épousé le neveu par alliance du comte d'Aigleroche, lequel neveu, assez bizarre d'esprit, à moitié fou, a dû être enfermé. D'où impossibilité pour vous de divorcer, et obligation, votre dot ayant été dissipée, de vivre à la charge de votre oncle et auprès de lui. Le milieu est triste, le comte et la comtesse ne s'accordant pas. Jadis le comte a été abandonné par sa première femme, laquelle s'est enfuie avec le premier mari de la comtesse. Les deux époux délaissés ont, par dépit, uni leurs destinées, mais n'ont trouvé dans ce mariage que déceptions et rancœurs. Vous en subissez le contrecoup. Vie monotone, étriquée, solitaire pendant plus de onze mois sur douze. Un jour, vous avez rencontré M. de Rossigny qui s'est épris de vous et vous a proposé la fuite. Vous ne l'aimiez pas. Mais l'ennui, votre jeunesse qui se perd, le besoin d'imprévu, le désir de l'aventure... bref, vous avez accepté avec l'intention très nette d'éconduire votre amoureux, mais avec l'espoir un peu naïf que ce scandale forcerait votre oncle à vous rendre des comptes et à vous assurer une existence indépendante. Voilà où vous en êtes. À l'heure actuelle, il faut choisir : ou bien vous mettre entre les mains de M. Rossigny... ou bien vous confier à moi. »

Elle leva les yeux sur lui. Que voulait-il dire ? Que signifiait cette offre qu'il fit gravement, comme un ami qui ne demande qu'à se dévouer ?

Après un silence, il prit les deux chevaux par la bride, et les attacha. Puis il examina la lourde porte dont chacun des battants était renforcé par deux planches clouées en forme de croix. Une affiche électorale, datée de vingt ans, montrait que personne depuis cette époque n'avait franchi le seuil du domaine.

Rénine arracha un des poteaux de fer qui soutenaient un grillage tendu autour de la demi-lune et l'utilisa comme levier. Les planches pourries cédèrent. L'une d'elles démasqua la serrure qu'il attaqua au moyen d'un couteau épais, muni de lames nombreuses et d'outils. Une minute plus tard, la porte s'ouvrait sur un champ de fougères qui s'étendait jusqu'à une longue bâtisse délabrée que dominait, entre quatre clochetons d'angle, une sorte de belvédère construit sur une tourelle.

Le prince se retourna vers Hortense.

« Rien ne vous presse, dit-il. Ce soir, vous prendrez votre décision, et si M. Rossigny parvient une seconde fois à vous convaincre, je vous jure sur l'honneur que vous ne me trouverez pas en travers de votre chemin. Jusque-là, accordez-moi votre présence. Nous avons résolu hier de visiter le château, visitons-le, voulez-vous ? C'est une manière comme une autre de passer le temps et j'ai idée que celle-ci ne manquera pas d'intérêt. »

Il avait une manière de parler qui commandait l'obéissance. Il semblait à la fois ordonner et implorer. La jeune femme n'essaya même pas de secouer l'engourdissement où sa volonté sombrait peu à peu. Elle le suivit vers un perron à moitié démoli, au haut duquel on apercevait une porte également renforcée de planches en croix.

Rénine procéda de la même manière. Ils entrèrent dans un large vestibule, dallé de noir et de blanc, meublé de dressoirs anciens et de stalles d'église, et orné d'un écusson de bois où se voyaient des vestiges d'armoiries représentant un aigle cramponné à un bloc de pierre, tout cela sous un tissu de toiles d'araignée qui pendaient sur une porte.

« La porte du salon, évidemment », affirma Rénine.

L'ouverture en fut plus difficile, et ce n'est qu'en l'ébranlant à coups d'épaule qu'il réussit à pousser l'un des battants.

Hortense n'avait pas prononcé une parole. Elle assistait non sans étonnement à cette suite d'effractions exécutées avec une véritable maîtrise. Il devina sa pensée et, se retournant, lui dit d'un ton sérieux :

« C'est un jeu d'enfant pour moi. J'ai été serrurier. »

Elle lui saisit le bras tout en murmurant :

« Écoutez.

— Quoi ? » fit-il.

Elle accentua son étreinte, exigeant le silence. Presque aussitôt, il murmura.

« En effet, c'est étrange.

— Écoutez... écoutez... répéta Hortense stupéfaite. Oh ! est-ce possible ? »

Ils entendaient, non loin d'eux, un bruit sec, le bruit d'un petit choc revenant à intervalles réguliers, et il leur suffit de prêter l'oreille avec attention pour reconnaître le tic-tac d'une horloge. Vraiment, oui, c'était cela qui scandait le grand silence du salon obscur, c'était bien le tic-tac très lent, rythmé comme le battement d'un métronome, que produit un lourd balancier de cuivre. C'était cela. Et rien ne pouvait leur paraître plus impressionnant que la pulsation mesurée de ce petit mécanisme qui avait continué de vivre dans la mort du château... par quel miracle ? par quel phénomène inexplicable ?

« Pourtant, balbutia Hortense, qui n'osait élever la voix, pourtant personne n'est entré ?...

— Personne.

— Et il est inadmissible que cette horloge ait pu marcher pendant vingt ans sans être remontée ?

— Inadmissible.

— Alors ? »

Serge Rénine ouvrit les trois fenêtres et en força les volets.

Ils se trouvaient bien dans un salon, et ce salon n'offrait pas la moindre trace de désordre. Les sièges étaient à leur place. Aucun des meubles ne manquait. Les gens qui l'habitaient, et qui en avaient fait la pièce la plus intime de leur demeure, étaient partis sans rien emporter, ni des livres qu'ils lisaient, ni des bibelots rangés sur les tables ou sur les consoles.

Rénine examina la vieille horloge de campagne, enfermée dans sa haute gaine sculptée qui laissait voir, par une vitre ovale, le disque du balancier. Il ouvrit : les poids, pendus aux cordes, étaient au bout de leur course.

À ce moment, il y eut un déclic. L'horloge sonna huit fois, d'une voix grave que la jeune femme ne devait jamais oublier.

« Quel prodige ! murmura-t-elle.

— Un vrai prodige, en effet, déclara-t-il, car le mécanisme, très simple, ne permet guère qu'un mouvement d'une semaine.

— Et vous ne voyez rien de particulier ?

— Non, rien... ou du moins... »

Il se pencha et, du fond de la gaine, il tira un tube de métal que les poids dissimulaient, et qu'il tourna vers le jour.

« Une longue-vue, dit-il pensivement... Pourquoi l'a-t-on cachée là ?... Et on l'a laissée dans toute sa longueur... C'est bizarre... Que signifie ?... »

Une seconde fois, selon l'habitude, l'horloge se mit à sonner. Huit coups retentirent. Rénine referma la gaine, et, sans se dessaisir de la longue-vue, continua son inspection. Une large baie faisait communiquer le salon avec une pièce plus petite, sorte de fumoir, meublée elle aussi, mais où cependant il y avait une vitrine à fusils dont le râtelier était vide. Accroché au panneau voisin, un calendrier montrait une date : le 5 septembre.

« Ah ! s'écria Hortense confondue, la même date qu'aujourd'hui !... Ils ont arraché les feuilles de leur calendrier jusqu'au 5 septembre... Et c'est l'anniversaire de ce jour ! Quel hasard inouï !

— Inouï, prononça-t-il... c'est l'anniversaire de leur départ... il y a aujourd'hui vingt ans...

— Avouez, dit-elle, que tout cela est incompréhensible.

— Oui... évidemment... mais tout de même...

— Vous avez quelque idée ?... »

Il répondit au bout de quelques secondes :

« Ce qui m'intrigue, c'est cette longue-vue cachée... jetée là, au dernier moment... À quoi servait-elle ? Des fenêtres du rez-de-chaussée, on ne voit que les arbres du jardin... et sans doute aussi de toutes les fenêtres... Nous sommes dans une vallée, sans le moindre horizon... Pour se servir de cet instrument, il fallait monter tout en haut... Voulez-vous que nous montions ? »

Elle n'hésita pas. Le mystère qui se dégageait de toute l'aventure excitait si vivement sa curiosité qu'elle ne songeait qu'à suivre Rénine et à le seconder dans ses recherches.

Ils montèrent donc l'escalier principal et parvinrent au second étage, sur une plate-forme où s'amorçait l'escalier en spirale du belvédère.

Là-haut, c'était une terrasse en plein air, mais entourée d'un parapet qui s'élevait à plus de deux mètres.

« Cela devait former autrefois des créneaux que l'on a remplis depuis, remarqua le prince Rénine. Tenez, il fut un temps où il y avait des meurtrières. Elles ont été bouchées.

— En tout cas, dit-elle, ici également la longue-vue était inutile, et nous n'avons plus qu'à redescendre.

— Je ne suis pas de votre avis, dit-il. Logiquement il devait y avoir quelque échappée sur la campagne, et logiquement c'est ici que la longue-vue était utilisée. »

À la force des poignets, il se hissa jusqu'au faîte du parapet, et il put voir que, de là, on apercevait toute la vallée, le parc, dont les grands arbres limitaient l'horizon, et, assez loin, au bout d'une coupure dans une colline boisée, une autre tour en ruine, très basse, emmaillotée de lierre, et qui était peut-être à sept ou huit cents mètres de distance.

Rénine reprit son examen. On eût dit que pour lui tout le problème se résumait dans l'emploi de la longue-vue, et que ce problème serait immédiatement résolu si l'on pouvait découvrir la façon dont elle était employée.

Il étudia une à une les meurtrières. L'une d'elles, ou plutôt l'emplacement de l'une d'elles, attira surtout son attention. Il existait, au milieu de la couche de plâtre qui devait servir à la boucher, un creux rempli de terre et où des plantes avaient poussé.

Il arracha ces plantes et enleva cette terre, ce qui débarrassa l'orifice d'un trou de vingt centimètres de diamètre, qui perçait le mur de part en part. S'étant penché, Rénine constata que cette fissure, étroite et profonde, dirigeait fatalement le regard, par-dessus le sommet tassé des arbres et suivant la coupure de la colline, jusqu'à la tour de lierre.

Au fond de ce conduit, dans une sorte de rainure qui courait comme une rigole, la longue-vue trouva sa place, et si exactement qu'il eût été impossible de la bouger, si peu que ce fût, vers la droite ou vers la gauche...

Rénine, qui avait essuyé la partie extérieure des lentilles, tout en prenant soin de ne pas déranger d'une ligne le point de mire, appliqua son œil au petit bout de l'instrument.

Il resta trente ou quarante secondes attentif et silencieux. Puis il se releva, et prononça d'une voix altérée :

« C'est effroyable... En vérité, c'est effroyable...

— Qu'y a-t-il donc ? demanda-t-elle anxieusement.

— Regardez... »

Elle se courba, mais, pour elle, l'image n'étant pas nette, il fallut mettre l'instrument à sa vue. Presque aussitôt elle dit avec un frisson :

« Ce sont deux épouvantails, n'est-ce pas ? tous deux perchés là-haut ?... Mais pourquoi ?

— Regardez, répéta-t-il, regardez plus attentivement. Sous les chapeaux... les visages.

— Oh ! fit-elle, en défaillant, quelle horreur ! »

Le champ de la lunette offrait, découpé en rond comme une projection lumineuse, ce spectacle : la plate-forme d'une tour tronquée, dont le mur, plus haut dans la partie la plus éloignée, formait comme une toile de fond, d'où déferlaient des vagues de lierre. Devant, au milieu d'un fouillis d'arbustes, deux êtres, un homme et une femme appuyés, renversés contre un écroulement de pierres.

Mais pouvait-on appeler homme et femme ces deux formes, ces deux mannequins sinistres, qui portaient bien des vêtements et des vestiges de chapeaux, mais qui n'avaient plus d'yeux, plus de joues, plus de menton, plus une parcelle de chair, et qui étaient strictement et réellement deux squelettes ?...

« Deux squelettes, balbutia Hortense... deux squelettes habillés... Qui les a transportés là ?

— Personne.

— Cependant...

— Cet homme et cette femme ont dû mourir en haut de cette

tour, il y a des années et des années... et, sous les vêtements, les chairs se sont pourries, les corbeaux les ont dévorées...

— Mais c'est affreux ! c'est affreux ! » dit Hortense qui était toute pâle et dont la figure se crispait de dégoût.

Une demi-heure plus tard, Hortense Daniel et Serge Rénine quittaient le château de Halingre. Avant de partir, ils avaient poussé jusqu'à la tour de lierre, reste d'un vieux donjon aux trois quarts démoli. L'intérieur était vide. On devait y monter, à une époque relativement récente, par des échelles et des escaliers de bois dont les débris gisaient sur le sol. La tour s'adossait au mur qui marquait l'extrémité du parc.

Chose bizarre, et qui surprit Hortense, le prince Rénine avait négligé de poursuivre une enquête plus minutieuse, comme si l'affaire eût perdu pour lui tout intérêt. Il n'en parlait même plus, et dans l'auberge du village le plus proche, où on leur servit quelques aliments, ce fut elle qui interrogea l'aubergiste sur le château abandonné. Vainement d'ailleurs, car cet homme, nouveau dans la contrée, ne put fournir aucune indication. Il ignorait même le nom du propriétaire.

Ils reprirent la route de La Marèze. Plusieurs fois Hortense rappela l'ignoble vision contemplée. Mais Rénine, très gai, rempli de prévenances pour sa compagne, semblait tout à fait indifférent à ces questions.

« Enfin, quoi ! s'écria-t-elle impatientée, il est impossible d'en rester là ! Une solution s'impose.

— En effet, dit-il, une solution s'impose. Il faut que M. Rossigny sache à quoi s'en tenir et que vous preniez une décision à son égard. »

Elle haussa les épaules.

« Eh ! il s'agit bien de cela. Pour aujourd'hui...

— Pour aujourd'hui ?

— Il s'agit de savoir ce que c'est que ces deux cadavres.

— Cependant, Rossigny...

— Rossigny attendra. Mais moi, je ne peux pas attendre.

— Soit. D'autant plus qu'il n'a peut-être pas encore fini de réparer ses pneus. Mais que lui direz-vous ? C'est cela l'essentiel.

— L'essentiel, c'est ce que nous avons vu. Vous m'avez mise en face d'un mystère en dehors duquel rien ne compte plus. Voyons, quelles sont vos intentions ?

— Mes intentions ?

— Oui, voici deux cadavres... Vous allez prévenir la justice, n'est-ce pas ?

— Bonté céleste ! dit-il en riant, pour quoi faire ?

— Mais il y a là une énigme que l'on doit à tout prix éclaircir... un drame effrayant...

— Nous n'avons besoin de personne pour cela.

— Comment ! Que dites-vous ? Vous y comprenez quelque chose ?

— Mon Dieu, à peu près aussi clairement que si j'avais lu dans un livre une histoire longuement racontée avec illustrations à l'appui. Tout cela est d'une simplicité ! »

Elle l'examina du coin de l'œil, se demandant s'il se moquait d'elle. Mais il avait l'air fort sérieux.

« Et alors ? » dit-elle toute frémissante.

Le jour commençait à baisser. Ils avaient marché rapidement et lorsqu'ils approchèrent de La Marèze, les chasseurs s'en revenaient.

« Alors, dit-il, nous allons compléter nos renseignements auprès des personnes habitant le pays... Connaissez-vous quelqu'un qui soit qualifié ?...

— Mon oncle. Il n'a jamais quitté cette région.

— Parfaitement. Nous interrogerons M. d'Aigleroche, et vous verrez avec quelle logique rigoureuse tous ces faits s'enchaînent les uns aux autres. Quand on tient le premier anneau, on est obligé, qu'on le veuille ou non, d'atteindre le dernier. Je ne connais rien de plus amusant. »

Au château, ils se séparèrent. Hortense trouva ses bagages et une lettre furieuse de Rossigny par laquelle il lui faisait ses adieux et lui annonçait son départ.

« Béni soit-il, se dit Hortense, ce ridicule personnage a découvert la meilleure solution. »

Son flirt avec lui, son escapade, ses projets, elle avait tout oublié. Rossigny lui semblait beaucoup plus étranger à sa vie que ce déconcertant Rénine qui lui inspirait, quelques heures auparavant, si peu de sympathie.

Rénine vint frapper à sa porte.

« Votre oncle est dans sa bibliothèque, dit-il. Voulez-vous m'accompagner ? Je l'ai prévenu de ma visite. »

Elle le suivit.

Il ajouta :

« Un mot encore. Ce matin, en contrariant vos projets et en vous suppliant de vous confier à moi, j'ai pris par là même, à votre égard, un engagement dont je ne veux pas tarder à m'acquitter, vous allez en avoir la preuve formelle.

— Vous n'avez pris qu'un engagement, dit-elle en riant, celui de satisfaire ma curiosité.

— Elle sera satisfaite, affirma-t-il avec gravité, et bien au-delà de tout ce que vous pouvez concevoir, si M. d'Aigleroche confirme mes raisonnements. »

M. d'Aigleroche était seul, en effet. Il fumait sa pipe et buvait du sherry. Il en offrit un verre à Rénine qui refusa.

« Et toi, Hortense ? fit-il, la voix un peu pâteuse. Tu sais qu'ici on ne s'amuse guère que durant ces journées de septembre. Profites-en. Tu as fait une bonne promenade avec Rénine ?

— C'est à ce sujet précisément que je voudrais vous parler, cher monsieur, interrompit le prince.

— Vous m'excuserez, mais dans dix minutes je dois aller à la gare chercher une amie de ma femme.

— Oh ! dix minutes me suffisent amplement.

— Juste le temps de fumer une cigarette, alors ?

— Pas davantage. »

Il prit une cigarette dans la boîte que lui offrait M. d'Aigleroche, l'alluma et lui dit :

« Figurez-vous que le hasard de cette promenade nous a conduits jusqu'à un vieux domaine que vous connaissez évidemment, le domaine de Halingre ?

— Certes. Mais il est fermé, barricadé depuis un quart de siècle, je crois. Vous n'avez pas pu entrer ?

— Si.

— Allons donc ! Visite intéressante ?

— Extrêmement. Nous avons découvert les choses les plus étranges.

— Quelles choses ? » demanda le comte qui regardait sa montre.

Rénine raconta :

« Des pièces barricadées, un salon qu'on avait laissé dans son ordre de vie quotidienne, une pendule qui, par miracle, sonna notre arrivée...

— De bien petits détails, murmura M. d'Aigleroche.

— Il y a mieux, en effet. Nous sommes montés au haut du belvédère, et, de là, nous avons vu, sur une tour, assez loin du château... nous avons vu deux cadavres, deux squelettes plutôt... un homme et une femme que recouvrent encore les vêtements qu'ils portaient quand ils ont été assassinés...

— Oh ! oh ! assassinés ? simple supposition...

— Certitude ; et c'est à ce propos que nous sommes venus vous importuner. Ce drame, qui justement doit remonter à une vingtaine d'années, n'a-t-il pas été connu à cette époque ?

— Ma foi, non, déclara le comte d'Aigleroche, je n'ai jamais entendu parler d'aucun crime, d'aucune disparition.

— Ah ! fit Rénine, qui sembla un peu décontenancé, j'espérais avoir quelques renseignements...

— Je regrette.

— En ce cas, excusez-moi. »

Il consulta Hortense du regard et marcha vers la porte. Mais, se ravisant :

« Vous ne pourriez pas tout au moins, cher monsieur, me mettre en rapport avec des personnes de votre entourage, de votre famille... qui, elles, seraient au courant ?

— De ma famille ? et pourquoi ?

— Parce que le domaine de Halingre appartenait, appartient encore sans doute, aux d'Aigleroche. Les armoiries montrent un aigle sur un bloc de pierre... sur une roche. Et tout de suite le rapport s'est imposé à moi. »

Cette fois, le comte parut surpris. Il repoussa sa bouteille et son verre et dit :

« Que m'apprenez-vous ? J'ignorais ce voisinage. »

Rénine hocha la tête en souriant :

« Je serais plutôt disposé à croire, cher monsieur, que vous n'êtes pas très pressé d'admettre un degré de parenté quelconque entre vous... et ce propriétaire inconnu.

— C'est donc un homme peu recommandable ?

— C'est un homme qui a tué, tout simplement.

— Que dites-vous ? »

Le comte s'était levé. Hortense, très émue, articula :

« Êtes-vous sûr vraiment qu'il y ait eu crime et que ce crime ait été commis par quelqu'un du château ?

— Tout à fait sûr.

— Mais pourquoi cette certitude ?

— Parce que je sais qui furent les deux victimes et la cause du meurtre. »

Le prince Rénine ne procédait que par affirmations, et on eût cru, à l'entendre, qu'il s'appuyait sur les preuves les plus solides.

M. d'Aigleroche allait et venait dans la pièce, les mains au dos. Il finit par dire :

« J'ai toujours eu l'intuition qu'il s'était passé quelque chose, mais je n'ai jamais cherché à savoir... Donc, en effet, il y a vingt ans, un de mes parents, un cousin éloigné, habitait le domaine de Halingre. J'espérais, à cause du nom que je porte, que cette histoire, dont je n'ai pas eu connaissance, je le répète, mais que j'ai soupçonnée, resterait à jamais dans l'ombre.

— Ainsi donc, ce cousin a tué ?...

— Oui, il a été contraint de tuer. »

Rénine hocha la tête.

« Je suis au regret de rectifier cette phrase, cher monsieur. La vérité, c'est que votre cousin a tué, au contraire, froidement, lâchement. Je ne connais pas de crime qui ait été conçu avec plus de sang-froid et de sournoiserie.

— Qu'en savez-vous ? »

Le moment était venu pour Rénine de s'expliquer, moment grave, lourd d'angoisse, dont Hortense comprenait toute la solennité, bien qu'elle n'eût encore rien deviné du drame où le prince s'engageait pas à pas.

« L'aventure est fort simple, dit-il. Tout permet de croire que ce M. d'Aigleroche était marié, et qu'aux environs du domaine de Halingre habitait un autre couple, avec lequel les deux châtelains entretenaient des relations d'amitié. Que se passa-t-il un jour ? Laquelle de ces quatre personnes apporta, la première, le trouble dans les relations des deux ménages ? Je ne pourrais le dire. Mais il y a une version qui se présente aussitôt à l'esprit, c'est que la femme de votre cousin, Mme d'Aigleroche, donnait des rendez-vous à l'autre mari dans la tour de lierre, laquelle avait une sortie directe sur la campagne. Mis au courant de l'intrigue, votre cousin d'Aigleroche résolut de se venger, mais de telle façon qu'il n'y eût pas de scandale, et que personne ne sût même jamais que les coupables avaient été tués. Or, il avait constaté — ce que, moi, j'ai constaté tantôt — qu'il y avait un endroit du château, le belvédère, d'où l'on pouvait voir, par-dessus les arbres et les vallonnements du parc, la tour qui se trouvait à huit cents mètres de là, et qu'il n'y avait même que de cet endroit que l'on dominât le sommet de la tour. Il pratiqua donc un trou au travers du parapet, à l'emplacement d'une ancienne meurtrière condamnée, et de là, au moyen d'une longue-vue qui reposait exactement au fond du canal creusé, il assistait aux rendez-vous des deux coupables. Et c'est par là également qu'ayant bien pris toutes ses mesures, ayant calculé toutes ses distances, c'est par là qu'un dimanche, 5 septembre, le château étant vide, il tua les amants de deux coups de fusil. »

La vérité apparaissait. La lumière du jour luttait contre les ténèbres. Le comte murmura :

« Oui... c'est bien cela qui a dû se passer... C'est ainsi que mon cousin d'Aigleroche...

— L'assassin, continua Rénine, boucha soigneusement la meurtrière avec une motte de terre. Qui saurait jamais que deux cadavres pourrissaient en haut de cette tour où nul n'allait jamais, et dont il eut la précaution de démolir les escaliers de bois ? Il ne lui restait plus qu'à expliquer la disparition de sa femme et de son ami. Explication facile. Il les accusa d'avoir pris la fuite ensemble. »

Hortense tressauta. D'un coup, comme si cette dernière phrase eût été une révélation complète, et, pour elle, absolument imprévue, elle comprenait où Rénine voulait en venir.

« Que dites-vous ?

— Je dis que M. d'Aigleroche accusa sa femme et son ami d'avoir pris la fuite ensemble.

— Non, non, s'écria-t-elle, non, je ne puis admettre... Il s'agit d'un cousin de mon oncle... Alors pourquoi mêler deux histoires ?...

— Pourquoi mêler cette histoire à une autre histoire dont il fut question à cette époque ? répondit le prince. Mais je ne les mêle pas, chère madame, il n'y a qu'une histoire, et je la raconte telle qu'elle s'est passée. »

Hortense se tourna vers son oncle. Il se taisait, les bras croisés, et sa tête demeurait dans l'obscurité que formait l'abat-jour de la lampe. Pourquoi n'avait-il pas protesté ?

Rénine reprit fermement :

« Il n'y a qu'une histoire. Le soir même du 5 septembre, à huit heures, M. d'Aigleroche, donnant sans doute comme prétexte qu'il se mettait à la recherche des fugitifs, quitta son château après l'avoir barricadé. Il s'en alla, en laissant toutes les pièces telles qu'elles étaient, et n'emportant que les fusils de sa vitrine. À la dernière minute, il eut le pressentiment, justifié aujourd'hui, que la découverte de cette longue-vue qui avait joué un tel rôle dans la préparation de son crime, pourrait servir de point de départ à une enquête, et il la jeta dans la gaine de l'horloge où le hasard voulut qu'elle interrompit la course du balancier. Cet acte machinal, comme tous les criminels en commettent inévitablement, devait le trahir vingt ans plus tard. Tantôt, les coups que je donnai pour ébranler la porte du salon dégagèrent le balancier. L'horloge reprit sa course, huit heures sonnèrent, et... j'eus le fil d'Ariane qui devait me conduire dans le labyrinthe. »

Hortense balbutia :

« Des preuves... des preuves !...

— Des preuves ? répliqua fortement Rénine. Mais elles abondent et vous les connaissez comme moi. Qui aurait pu tuer à cette distance de huit cents mètres, sinon un tireur habile, un fervent de la chasse, n'est-ce pas, monsieur d'Aigleroche ? Des preuves ? Pourquoi rien ne fut-il enlevé au château, rien, sinon les fusils, ces fusils dont un fervent de la chasse ne peut se passer, n'est-ce pas, monsieur d'Aigleroche... ces fusils que nous retrouvons ici, disposés en panoplie ? Des preuves ? Et cette date du 5 septembre qui fut celle du crime, et qui a laissé dans l'âme du criminel un tel souvenir d'horreur que, chaque année, à cette époque, à cette époque seulement, il s'entoure de distractions et que, chaque année, à cette date du 5 septembre, il oublie ses habitudes de tempérance ? Or, nous sommes le 5 septembre aujourd'hui. Des preuves ? Mais, quand il n'y en aurait pas d'autres, celle-ci ne vous suffit-elle pas ? »

Et Rénine tendait le bras et désignait le comte d'Aigleroche, qui, devant l'évocation terrifiante du passé, venait de s'effondrer sur un fauteuil et cachait sa tête entre ses mains.

Hortense n'opposa pas la moindre objection. Elle n'avait jamais aimé son oncle, ou plutôt l'oncle de son mari. Elle admit aussitôt l'accusation portée contre lui.

Une minute s'écoula.

Coup sur coup M. d'Aigleroche se versa du sherry, et deux fois vida son verre. Puis il se leva et s'approcha de Rénine.

« Que l'histoire soit véridique ou non, monsieur, on ne peut pas appeler criminel le mari qui venge son honneur et supprime l'épouse infidèle.

— Non, répliqua Rénine, mais je n'ai donné que la première version de l'histoire. Il y en a une autre infiniment plus grave... et plus vraisemblable... une autre à laquelle une enquête plus minutieuse aboutirait sûrement.

— Que voulez-vous dire ?

— Ceci. Il ne s'agit peut-être pas d'un mari justicier, comme je l'ai supposé charitablement. Il s'agit peut-être d'un homme ruiné qui convoite la fortune et la femme de son ami ; et qui, pour cela, pour se libérer, pour se débarrasser de son mari et de sa propre femme, les attire dans un piège, leur conseille de visiter cette tour abandonnée, et de loin, bien à l'abri, les tue à coups de fusil.

— Non, non, protesta le comte, non, tout cela est faux.

— Je ne dis pas non. J'appuie mon accusation sur des preuves, mais aussi sur des intuitions et des raisonnements qui, jusqu'ici, sont très exacts. Tout de même, je veux bien que cette seconde version soit fausse. Mais en ce cas, pourquoi des remords ? On n'a pas de remords, quand on châtie des coupables.

— On en a quand on tue. C'est un fardeau écrasant à porter.

— Est-ce pour se donner plus de force que M. d'Aigleroche a épousé plus tard la veuve de sa victime ? Car tout est là, monsieur. Pourquoi ce mariage ? M. d'Aigleroche était-il ruiné ? Celle qu'il épousait en secondes noces était-elle riche ? Ou bien encore s'aimaient-ils tous deux, et fut-ce d'accord avec elle que M. d'Aigleroche a tué sa première femme et le mari de sa seconde femme ? Autant de problèmes que j'ignore, qui pour l'instant n'ont pas d'intérêt, mais que la justice, avec tous les moyens dont elle dispose, n'aurait pas de mal à éclaircir. »

M. d'Aigleroche chancela. Il dut s'appuyer au dossier d'une chaise et, livide, il bégaya :

« Vous allez avertir la justice ?

— Non, non, déclara Rénine. D'abord il y a prescription. Et puis vingt ans de remords et d'épouvante, un souvenir qui poursuivra le coupable jusqu'à sa dernière heure, le désaccord sans doute dans son ménage, la haine, l'enfer de chaque jour... et, pour finir, l'obligation de retourner là-bas et d'effacer les traces du double crime, l'effroyable châtiment de monter sur cette tour, de toucher à ces squelettes, de les dévêtir, de les enterrer... c'est suffisant. N'en demandons pas trop, et n'allons pas jeter tout cela en pâture au public et faire un scandale qui rejaillirait sur la nièce de M. d'Aigleroche. Non. Laissons toutes ces ignominies. »

Le comte reprit sa posture devant la table, ses mains crispées autour de son front. Il murmura :

« Alors, pourquoi ?...

— Pourquoi mon intervention ? dit Rénine. Si j'ai parlé, c'est pour atteindre un but quelconque, n'est-ce pas ? En effet. Si minime qu'elle soit, il faut bien une sanction, et il faut bien à notre entretien un dénouement pratique. Mais n'ayez aucune crainte. M. d'Aigleroche en sera quitte à bon marché. »

La lutte était finie. Le comte sentit qu'il n'y avait plus qu'une petite formalité à remplir, un sacrifice à accepter et, reprenant un peu d'assurance, il dit avec une certaine ironie :

« Combien ? »

Rénine se mit à rire.

« Parfait. Vous comprenez la situation. Seulement, vous vous trompez en me mettant en cause. Moi, je travaille pour la gloire.

— En ce cas ?...

— Il s'agit tout au plus d'une restitution.

— Une restitution ? »

Rénine se pencha sur le bureau et dit :

« Il y a là, dans un de ces tiroirs, un acte qui a été soumis à votre signature. C'est un projet de transaction entre vous et votre nièce, Hortense Daniel, relativement à sa fortune, fortune qui a été dissipée et dont vous êtes responsable. Signez cette transaction. »

M. d'Aigleroche eut un haut-le-corps.

« Vous savez quelle est la somme ?...

— Je ne veux pas le savoir.

— Et si je refuse ?

— Je demande une entrevue à la comtesse d'Aigleroche. »

Sans plus d'hésitation, le comte ouvrit son tiroir, en sortit un document sur papier timbré, et vivement signa.

« Voici, dit-il, et j'espère...

— Vous espérez comme moi qu'il n'y aura plus rien de commun entre nous ? J'en suis persuadé. Je pars ce soir, votre nièce demain, sans doute. Adieu, monsieur. »

Dans le salon, où aucun des invités n'était encore descendu, Rénine remit l'acte à Hortense. Elle paraissait stupéfaite de tout ce qu'elle avait entendu, et quelque chose la confondait plus encore que cette lumière implacable projetée sur le passé de son oncle, c'était la clairvoyance prodigieuse et l'extraordinaire lucidité de l'homme qui, depuis quelques heures, commandait aux événements et faisait surgir devant ses yeux les tableaux mêmes du drame auquel nul n'avait assisté.

« Êtes-vous contente de moi ? » demanda-t-il. Elle lui tendit les deux mains.

« Vous m'avez sauvée de Rossigny. Vous m'avez donné la liberté et l'indépendance. Je vous remercie du fond du cœur.

— Oh ! ce n'est pas cela que je vous demande, dit-il.

Ce que j'ai voulu d'abord, c'est vous distraire. Votre vie était monotone et manquait d'imprévu. En fut-il de même aujourd'hui ?

— Comment pouvez-vous poser une telle question ? J'ai vécu les minutes les plus fortes et les plus étranges.

— C'est cela, la vie, dit-il, quand on sait regarder et rechercher. L'aventure est partout, au fond de la chaumière la plus misérable, sous le masque de l'homme le plus sage. Partout, si on le veut, il y a prétexte à s'émouvoir, à faire le bien, à sauver une victime, à mettre fin à une injustice. »

Elle murmura, frappée par ce qu'il y avait en lui de puissance et d'autorité :

« Qui donc êtes-vous ?

— Un aventurier, pas autre chose. Un amateur d'aventures. La vie ne vaut d'être vécue qu'aux heures d'aventures, aventures des autres ou aventures personnelles. Celle d'aujourd'hui vous a bouleversée parce qu'elle touchait au plus profond de votre être. Mais celles des autres ne sont pas moins passionnantes. Voulez-vous en faire l'épreuve ?

— Comment ?

— Soyez ma compagne d'aventures. Si quelqu'un m'appelle au secours, secourez-le avec moi. Si le hasard ou si mon instinct me met sur la piste d'un crime ou sur la trace d'une douleur, partons tous deux de compagnie. Voulez-vous ?

— Oui, fit-elle. Mais... »

Elle hésita. Elle cherchait le projet secret de Rénine.

« Mais, acheva-t-il en souriant, vous vous défiez un peu : « Où donc cet amateur d'aventures veut-il m'entraîner ? Il est évident que je lui plais et qu'un jour ou l'autre il ne serait pas fâché de toucher ses honoraires. » Vous avez raison. Il faut entre nous un contrat précis.

— Très précis, dit Hortense, qui préférait mettre la conversation sur le ton de la plaisanterie. J'écoute vos propositions. »

Il réfléchit un instant et continua :

« Eh bien, voilà. Aujourd'hui, jour de la première aventure, l'horloge de Halingre a sonné huit coups. Voulez-vous que nous acceptions l'arrêt qu'elle a rendu, et que sept fois encore, dans un délai de trois mois, par exemple, nous poursuivions ensemble de belles entreprises ? Et voulez-vous qu'à la huitième fois vous soyez tenue de m'accorder ?...

— Quoi ? »

Il suspendit sa réponse.

« Notez que vous serez toujours libre de m'abandonner en cours de route, si je ne réussis pas à vous intéresser. Mais si vous me suivez jusqu'au bout, si vous me permettez de commencer et d'achever avec vous la huitième entreprise, dans trois mois, le 5 décembre, à l'instant même où le huitième coup de cette horloge sonnera — et il sonnera, soyez-en sûre, car le vieux balancier de cuivre ne s'arrêtera plus dans sa course — vous serez tenue de m'accorder...

— Quoi ? » répéta-t-elle, un peu crispée par l'attente.

Il se tut. Il regardait les jolies lèvres qu'il voulait demander comme récompense, et il fut tellement sûr que la jeune femme avait compris, qu'il jugea inutile de parler de façon plus claire.

« La seule joie de vous voir me suffira... Ce n'est pas à moi, mais à vous de poser des conditions. Quelles sont-elles ? Qu'exigez-vous ? »

Elle lui sut gré de son respect et répondit en riant :

« Ce que j'exige ?...

— Oui.

— Je puis exiger n'importe quoi de difficile ?

— Tout est facile à qui veut vous conquérir.

— Et si ma demande est impossible ?

— Il n'y a que l'impossible qui m'intéresse. »

Alors elle dit :

« J'exige que vous me rendiez une agrafe de corsage ancienne, composée d'une cornaline sertie dans une monture de filigrane. Elle me venait de ma mère qui la tenait de la sienne, et tout le monde savait qu'elle leur avait porté bonheur et qu'elle me portait bonheur. Depuis qu'elle a disparu du coffret où elle était enfermée, je suis malheureuse. Rendez-la-moi, monsieur le bon génie.

— Quand vous a-t-elle été volée, cette agrafe ? »

Elle eut un accès de gaieté :

« Il y a sept ans... ou huit ans... ou neuf ans, je ne sais pas trop... Je ne sais pas où... Je ne sais pas comment... Je ne sais rien...

— Je la retrouverai, affirma Rénine, et vous serez heureuse. »

II

LA CARAFE D'EAU

Quatre jours après son installation à Paris, Hortense Daniel accepta de rencontrer, au Bois, le prince Rénine. Par une matinée radieuse, ils s'assirent à la terrasse du restaurant Impérial, un peu à l'écart.

La jeune femme était heureuse de vivre, enjouée, pleine de grâce et de séduction. Par peur de l'effaroucher, Rénine se garda bien de faire allusion au pacte qu'il avait proposé. Elle raconta son départ de La Marèze et affirma qu'elle n'avait pas entendu parler de Rossigny.

« Moi, dit Rénine, j'ai entendu parler de lui.

— Ah !

— Oui, il m'a envoyé ses témoins. Duel ce matin. Piqûre à l'épaule de Rossigny. Affaire liquidée.

— Causons d'autre chose. »

Il ne fut plus question de Rossigny. Tout de suite, Rénine exposa à Hortense le plan de deux expéditions qu'il avait en vue et auxquelles il lui offrait, sans enthousiasme, de participer.

« La meilleure aventure, dit-il, c'est celle qu'on ne prévoit pas. Elle surgit à l'improviste, sans que rien l'ait annoncée et sans que personne même, sauf les initiés, remarque cette occasion d'agir et de se dépenser qui passe à la portée de la main. Il faut la saisir tout de suite. Une seconde d'hésitation et il est trop tard. Un sens spécial nous avertit, un flair de chien de chasse qui démêle la bonne odeur parmi toutes celles qui s'entrecroisent. »

Autour d'eux, la terrasse commençait à se remplir. À la table voisine, un jeune homme dont ils apercevaient le profil insignifiant et la longue moustache brune, lisait un journal. En arrière, par une des fenêtres du restaurant, il arrivait une rumeur lointaine d'orchestre ; dans un des salons, quelques personnes dansaient.

Toutes ces personnes, Hortense les observait une à une, comme si elle eût espéré découvrir en l'une d'elles le petit signe qui révèle le drame intime, la destinée malheureuse ou la vocation criminelle.

Or, comme Rénine réglait les consommations, le jeune

homme à la longue moustache étouffa un cri, et appela un des garçons d'une voix étranglée.

« Combien vous dois-je ?... Vous n'avez pas de monnaie ? Ah ! bon Dieu, hâtez-vous !... »

Sans hésiter, Rénine avait saisi le journal. Après un coup d'œil rapide, il lut à demi-voix :

« Maître Dourdens, le défenseur de Jacques Aubrieux, a été reçu à l'Élysée. Nous croyons savoir que le président de la République a refusé la grâce du condamné et que l'exécution aura lieu demain matin. »

« Combien vous dois-je ?... Vous n'avez pas de monnaie ? »

Lorsque le jeune homme eut traversé la terrasse, il se trouva sous le porche du jardin, en face d'un monsieur et d'une dame qui lui barraient le passage, et le monsieur lui dit :

« Excusez-moi, monsieur, mais j'ai surpris votre émotion. Il s'agit de Jacques Aubrieux, n'est-ce pas ?

— Oui... oui... Jacques Aubrieux..., balbutia le jeune homme. Jacques, mon ami d'enfance, je cours chez sa femme... elle doit être folle de douleur...

— Puis-je vous offrir mon assistance ? Je suis le prince

Rénine. Madame et moi, nous serions heureux de voir Mme Aubrieux et de nous mettre à sa disposition. »

Le jeune homme, bouleversé par la nouvelle qu'il avait lue, semblait ne pas comprendre. Il se présenta gauchement :

« Dutreuil... Gaston Dutreuil... »

Rénine fit signe à Clément, son chauffeur, qui attendait à quelque distance, et poussa Gaston Dutreuil dans l'automobile, en demandant :

« L'adresse ? l'adresse de Mme Aubrieux ?

— C'est avenue du Roule, 23 *bis*... »

Dès qu'Hortense fut montée, il répéta l'adresse au chauffeur, et, aussitôt en route, voulut interroger Gaston Dutreuil.

« Je connais à peine l'affaire, dit-il. Expliquez-moi en deux mots. Jacques Aubrieux a tué un de ses proches parents, n'est-ce pas ?

— Il est innocent, monsieur, répliqua le jeune homme qui paraissait incapable de donner la moindre explication. Innocent, je le jure... Voilà vingt ans que je suis l'ami de Jacques... Il est innocent... et ce serait monstrueux... »

On ne put rien tirer de lui. D'ailleurs le trajet fut rapide. Ils entrèrent dans Neuilly par la porte des Sablons et, deux minutes plus tard, s'arrêtaient devant une étroite et longue allée, bordée de murs, qui les conduisit vers un petit pavillon à un seul étage.

Gaston Dutreuil sonna.

« Madame est dans le salon avec sa mère, déclara la bonne qui ouvrit.

— Je vais voir ces dames », dit-il en emmenant Rénine et Hortense.

C'était un salon assez grand, joliment meublé, qui, en temps ordinaire, devait servir de cabinet de travail. Deux femmes y pleuraient, dont l'une assez âgée, aux cheveux grisonnants, vint au-devant de Gaston Dutreuil. Celui-ci expliqua la présence du prince Rénine et, tout de suite, elle s'écria en sanglotant :

« Le mari de ma fille est innocent, monsieur. Jacques ! mais c'est le meilleur des hommes... un cœur d'or ! Lui, assassiner son cousin !... Mais il l'adorait, son cousin ! Je vous jure qu'il est innocent, monsieur ! Et on va commettre l'infamie de le tuer ? Ah ! monsieur, c'est la mort de ma fille. »

Rénine comprit que tous ces gens vivaient, depuis des mois, dans l'obsession de cette innocence, et dans la certitude qu'un innocent ne pouvait pas être exécuté. La nouvelle de l'exécution, inévitable maintenant, les rendait fous.

Il s'avança vers une pauvre créature courbée en deux, et dont le visage, tout jeune, encadré de jolis cheveux blonds, était convulsé par le désespoir. Déjà Hortense s'était assise auprès d'elle et doucement l'avait attirée contre son épaule. Rénine lui dit :

« Madame, je ne sais pas ce que je peux faire pour vous. Mais je vous affirme sur l'honneur que, s'il y a quelqu'un au monde qui peut vous être utile, c'est moi. Je vous supplie donc de me répondre comme si la clarté et la netteté de vos réponses pouvaient changer la face des choses, et comme si vous vouliez me taire partager votre opinion sur Jacques Aubrieux. Car il est innocent, n'est-ce pas ?

— Oh ! monsieur ! fit-elle avec un élan de tout son être.

— Eh bien, cette certitude que vous n'avez pas pu communiquer à la justice, il faut me l'imposer. Je ne vous demande pas d'entrer dans les détails et de revivre l'affreux calvaire, mais simplement de répondre à un certain nombre de questions. Le voulez-vous ?

— Parlez, monsieur. »

Elle était dominée. En quelques phrases, Rénine avait réussi à la soumettre et à lui insuffler la volonté d'obéir. Et, une fois de plus, Hortense comprit tout ce qu'il y avait en Rénine de force, d'autorité et de persuasion.

« Que faisait votre mari ? demanda-t-il, après avoir prié la mère et Gaston Dutreuil de garder un silence absolu.

— Courtier d'assurances.

— Heureux en affaires ?

— Jusqu'à l'autre année, oui.

— Donc, depuis quelques mois, des embarras d'argent ?

— Oui.

— Et le crime a été commis ?

— En mars dernier, un dimanche.

— La victime ?

— Un cousin éloigné, M. Guillaume, qui habitait Suresnes.

— Le montant du vol ?

— Soixante billets de mille francs que ce cousin avait reçus la veille en paiement d'une vieille dette.

— Votre mari le savait ?

— Oui. Le dimanche, son cousin le lui a dit au cours d'une conversation téléphonique, et Jacques insista pour que son cousin ne gardât pas chez lui une telle somme et la déposât dès le lendemain dans une banque.

— C'était le matin ?

— À une heure de l'après-midi. Jacques devait justement aller chez M. Guillaume avec sa motocyclette. Mais, assez fatigué, il le prévint qu'il ne sortirait pas. Il resta donc toute la journée ici.

— Seul ?

— Oui, seul. Les deux bonnes avaient congé. Moi, je me rendis dans un cinéma des Ternes avec maman et avec notre ami Dutreuil. Le soir, nous apprenions l'assassinat de M. Guillaume. Le lendemain matin, Jacques était arrêté.

— Sur quelles charges ? »

La malheureuse hésita. Les charges devaient être écrasantes. Puis, sur un geste de Rénine, elle répliqua tout d'un trait :

« L'assassin s'est rendu à Saint-Cloud sur une motocyclette, et les traces relevées sont celles de la motocyclette de mon mari. On a retrouvé un mouchoir aux initiales de mon mari, et le revolver qui a servi lui appartenait. Enfin, un de nos voisins prétend qu'à trois heures il a vu mon mari sortir sur la motocyclette, et un autre l'a vu rentrer à quatre heures et demie. Or, le crime a eu lieu à quatre heures.

— Et comment se défend Jacques Aubrieux ?

— Il affirme qu'il a dormi tout l'après-midi. Pendant ce temps, quelqu'un est venu, a pu ouvrir la remise et a pris la motocyclette pour aller à Suresnes. Quant au mouchoir et au revolver, ils se trouvaient dans la sacoche. Rien d'étonnant à ce que l'assassin les ait utilisés.

— Cette explication est plausible...

— Oui, mais la justice fait deux objections. D'abord, personne, absolument personne, ne savait que mon mari devait rester chez lui toute la journée, puisque, au contraire, il sortait à motocyclette tous les dimanches après-midi.

— Ensuite ? »

La jeune femme rougit et murmura :

« Dans l'office de M. Guillaume, l'assassin a bu à même la moitié d'une bouteille de vin. Sur cette bouteille, on a relevé les empreintes des doigts de mon mari. »

Il sembla qu'elle avait donné tout son effort, et qu'en même temps l'espoir inconscient qu'avait suscité en elle l'intervention de Rénine s'évanouissait tout à coup devant l'accumulation des preuves. Elle retomba sur elle-même et s'absorba dans une sorte de rêverie silencieuse dont les soins affectueux d'Hortense ne purent la distraire.

La mère balbutia :

« Il est innocent, n'est-ce pas, monsieur ? Et on ne punit pas un innocent. On n'en a pas le droit. On n'a pas le droit de tuer ma fille. Oh ! mon Dieu, mon Dieu, qu'est-ce que nous avons fait pour qu'on nous persécute ainsi ? Ma pauvre petite Madeleine...

— Elle se tuera, disait Dutreuil, d'une voix épouvantée. Jamais elle ne supportera l'idée qu'on guillotine Jacques. Tantôt... cette nuit... elle se tuera. »

Rénine allait et venait dans la pièce.

« Vous ne pouvez rien faire pour elle, n'est-ce pas ? demanda Hortense.

— Il est onze heures et demie, répliqua-t-il d'un air soucieux... et c'est demain matin.

— Le croyez-vous coupable ?

— Je ne sais pas... je ne sais pas... La conviction de la malheureuse est une chose impressionnante et qu'on ne doit pas négliger. Quand deux êtres ont vécu côte à côte durant des années, ils ne peuvent guère se tromper l'un sur l'autre à ce point... Et cependant !... »

Il s'étendit sur un canapé et alluma une cigarette. Il en fuma trois de suite sans que personne interrompît sa méditation. Parfois, il regardait sa montre. Les minutes avaient tant d'importance !

À la fin, il retourna près de Madeleine Aubrieux, lui saisit les mains, et lui dit très doucement :

« Il ne faut pas vous tuer. Jusqu'à la dernière minute, rien n'est perdu, et je vous promets que, pour ma part, jusqu'à cette dernière minute je ne me découragerai pas. Mais j'ai besoin de votre calme et de votre confiance.

— Je serai calme, dit-elle, d'un air pitoyable.

— Et vous aurez confiance ?

— J'aurai confiance.

— Eh bien, attendez-moi. D'ici deux heures, je serai de retour. Vous venez avec nous, monsieur Dutreuil ? »

Au moment de monter dans l'auto, il demanda au jeune homme :

« Connaissez-vous un petit restaurant peu fréquenté, pas bien loin, dans Paris ?

— La brasserie Lutetia, au rez-de-chaussée de la maison où j'habite, place des Ternes.

— Parfait, cela nous sera très commode. »

En route, ils parlèrent à peine. Rénine, cependant, interrogea Gaston Dutreuil.

« Autant que je m'en souvienne, on les a, les numéros des billets, n'est-ce pas ?

— Oui, le cousin Guillaume avait inscrit les soixante numéros sur son carnet. »

Rénine murmura, au bout d'un instant :

« Tout le problème est là. Où sont ces billets ? Qu'on mette la main dessus, et l'on est fixé. »

À la brasserie Lutetia le téléphone se trouvait dans une salle particulière où il pria qu'on leur servît à déjeuner. Une fois seul avec Hortense et avec Dutreuil, il décrocha le récepteur, d'un geste résolu.

« Allô... La préfecture de police, s'il vous plaît, mademoiselle... Allô... Allô... la préfecture ? Je voudrais communiquer avec le service de la Sûreté. Une communication de la plus haute importance. C'est de la part du prince Rénine. »

Le récepteur à la main, il se retourna vers Gaston Dutreuil.

« Je puis convoquer quelqu'un ici, n'est-ce pas ? Nous y serons tout à fait tranquilles ?

— Certes. »

Il écouta de nouveau.

« Le secrétaire de M. le chef de la Sûreté ? Ah ! très bien, monsieur le secrétaire, j'ai eu l'occasion d'être en rapport avec M. Dudouis, et de lui fournir, sur plusieurs affaires, des renseignements qui lui ont été fort utiles. Nul doute qu'il ne se souvienne du prince Rénine. Aujourd'hui je pourrais lui indiquer l'endroit où se trouvent les soixante billets de mille francs volés par l'assassin Aubrieux à son cousin. Si ma proposition l'intéresse, qu'il veuille bien m'envoyer un inspecteur à la brasserie Lutetia, place des Ternes. J'y serai avec une dame et avec M. Dutreuil, l'ami d'Aubrieux. Je vous salue, monsieur le secrétaire. »

Lorsque Rénine raccrocha l'appareil, il aperçut auprès de lui les visages stupéfaits d'Hortense et de Gaston Dutreuil.

Hortense murmura :

« Vous savez donc ? Vous avez donc découvert ?

— Rien du tout, dit-il en riant.

— Alors ?

— Alors j'agis comme si je savais. C'est un moyen comme un autre. Déjeunons, voulez-vous ? »

La pendule marquait alors midi trois quarts.

« Dans vingt minutes au plus, dit-il, l'envoyé de la préfecture sera là.

— Et si personne ne vient ? objecta Hortense.

— Cela m'étonnerait. Ah ! si j'avais fait dire à M. Dudouis : « Aubrieux est innocent », je manquais mon effet. La veille d'une exécution, allez donc convaincre ces messieurs de la police ou de la justice qu'un condamné à mort est innocent ! Non. Jacques Aubrieux appartient d'ores et déjà au bourreau. Mais la perspective des soixante billets, voilà une aubaine qui vaut le dérangement. Pensez donc que c'est le point faible de l'accusation, ces billets qu'on n'a pas retrouvés.

— Mais puisque vous ne savez rien...

— Chère amie, vous me permettez de vous appeler ainsi ? chère amie, quand on ne peut pas expliquer tel phénomène physique, on adopte une hypothèse quelconque où toutes les manifestations de ce phénomène trouvent leur explication, et l'on dit que tout se passe comme s'il en était ainsi. C'est ce que je fais.

— Autant dire que vous supposez quelque chose ? »

Rénine ne répondit pas. Ce ne fut que longtemps après, à la fin du repas, qu'il reprit :

« Évidemment, je suppose quelque chose. Si j'avais plusieurs jours devant moi, je prendrais la peine de vérifier d'abord cette hypothèse, laquelle s'appuie autant sur mon intuition que sur l'observation de quelques faits épars. Mais je n'ai que deux heures, et je m'engage sur la route inconnue comme si j'étais certain qu'elle me conduit à la vérité.

— Et si vous vous trompiez ?

— Je n'ai pas le choix. D'ailleurs, il est trop tard. On frappe. Ah ! un mot encore. Quelles que soient mes paroles, ne me démentez pas. Vous non plus, monsieur Dutreuil. »

Il ouvrit la porte. Un homme maigre, à barbe rousse, entra.

« Le prince Rénine ?

— C'est moi, monsieur. De la part de M. Dudouis, sans doute ?

— Oui. »

Et le nouveau venu se présenta :

« Inspecteur principal Morisseau.

— Je vous remercie de votre diligence, monsieur l'inspecteur principal, dit le prince Rénine, et je suis d'autant plus heureux que M. Dudouis vous ait envoyé, que je connais vos états de service, et que j'ai suivi avec admiration certaines de vos campagnes. »

L'inspecteur s'inclina, très flatté.

« M. Dudouis m'a mis à votre entière disposition, ainsi que deux inspecteurs que j'ai laissés sur la place, et qui, tous deux, se sont occupés de l'affaire avec moi, dès le début.

— Ce ne sera pas long, déclara Rénine, et je ne vous demande même pas de vous asseoir. Il faut que ce soit réglé en quelques minutes. Vous savez de quoi il s'agit ?

— Des soixante billets de mille francs volés à M. Guillaume, et dont voici les numéros. »

Rénine examina la liste et affirma :

« C'est cela même. Nous sommes d'accord. »

L'inspecteur Morisseau parut très ému.

« Le chef attache à votre découverte la plus grande importance. Ainsi, vous pourriez m'indiquer ?... »

Rénine garda le silence un instant, puis déclara :

« Monsieur l'inspecteur principal, mon enquête personnelle, enquête rigoureuse et au courant de laquelle je vous mettrai tout à l'heure, m'a révélé qu'à son retour de Suresnes l'assassin, après avoir apporté la motocyclette dans la remise de l'avenue du Roule, est venu en courant jusqu'aux Ternes et qu'il est entré dans cette maison.

— Dans cette maison ?

— Oui.

— Mais qu'y venait-il faire ?

— Y cacher le produit de son vol, les soixante billets de mille.

— Comment ? Dans quel endroit ?

— Dans un appartement dont il avait la clef, au cinquième étage. »

Gaston Dutreuil s'écria, stupéfait :

« Mais au cinquième étage, il n'y a qu'un appartement, et c'est moi qui l'habite.

— Justement, et comme vous étiez au cinéma avec Mme Aubrieux et sa mère, on a profité de votre absence...

— Impossible, il n'y a que moi qui aie la clef.

— On entre sans clef.

— Mais je n'ai relevé aucune trace. »

Morisseau s'interposa :

« Voyons, expliquons-nous. Vous dites que les billets de banque auraient été dissimulés chez M. Dutreuil ?

— Oui.

— Mais puisque Jacques Aubrieux a été arrêté le lendemain matin, ces billets y seraient encore ?

— C'est mon avis. »

Gaston Dutreuil ne put s'empêcher de rire.

« Mais c'est absurde, je les aurais découverts.

— Les avez-vous cherchés ?

— Non. Mais je serais tombé dessus à chaque instant. Le logement est grand comme la main. Voulez-vous le voir ?

— Si petit qu'il soit, il suffit pour contenir soixante feuilles de papier.

— Évidemment, fit Dutreuil, évidemment, tout est possible. Cependant, je dois vous répéter que personne, à mon avis, n'est entré chez moi, qu'il n'y a qu'une clef, que je fais mon ménage moi-même, et que je ne comprends pas très bien... »

Hortense non plus ne comprenait pas. Ses yeux attachés aux yeux du prince Rénine, elle essayait de pénétrer jusqu'au fond de sa pensée. Quel jeu jouait-il ? Devait-elle l'appuyer dans ses affirmations ? Elle finit par dire :

« Monsieur l'inspecteur principal, puisque le prince Rénine prétend que les billets ont été déposés là-haut, le plus simple n'est-il pas de chercher ? M. Dutreuil nous conduira, n'est-ce pas ?

— Tout de suite, dit le jeune homme. C'est en effet ce qu'il y a de plus simple. »

Tous les quatre ils escaladèrent les cinq étages de l'immeuble, et, Dutreuil ayant ouvert, ils pénétrèrent dans un logement exigu composé de deux chambres et de deux cabinets, tout cela rangé avec un ordre méticuleux. On devinait que chacun des fauteuils et que chacune des chaises de la pièce qui servait de salon occupait sa place définitive. Les pipes avaient leur étagère, les allumettes la leur. Suspendues à trois clous, s'alignaient par rang de taille trois cannes. Sur un guéridon, devant la fenêtre, un carton à chapeau, rempli de papier de soie, attendait le chapeau de feutre que Dutreuil y déposa avec soin... À côté, sur le couvercle, il allongea ses gants. Il agissait posément et machinalement, en homme qui se plaît à voir les choses dans la position qu'il a choisie pour elles. Aussi, dès que Rénine eut déplacé un objet, il esquissa un geste de protestation, reprit son chapeau, le colla sur sa tête, ouvrit la fenêtre, et s'accouda au rebord, le dos tourné, comme s'il eût été incapable de supporter le spectacle de pareils sacrilèges.

« Vous affirmez, n'est-ce pas ?... demanda l'inspecteur à Rénine.

— Oui, oui, j'affirme qu'après le crime les soixante billets ont été apportés ici.

— Cherchons. »

C'était facile et ce fut rapidement exécuté. Au bout d'une demi-heure, il ne restait pas un coin qui n'eût été exploré, pas un bibelot qui n'eût été soupesé.

« Rien, fit l'inspecteur Morisseau. Devons-nous continuer ?

— Non, répliqua Rénine. Les billets n'y sont plus.

— Que voulez-vous dire ?

— Je veux dire qu'on les a enlevés.

— Qui ? Précisez votre accusation. »

Rénine ne répliqua point. Mais Gaston Dutreuil fit volte-face. Il suffoquait.

« Monsieur l'inspecteur, voulez-vous que je la précise, moi, l'accusation, telle qu'elle apparaît dans les propos de monsieur ? Tout cela signifie qu'il y a un malhonnête homme ici, que les billets cachés par l'assassin ont été découverts, volés par ce malhonnête homme, et déposés dans un autre endroit plus sûr. Voilà bien votre idée, n'est-ce pas, monsieur ? Et c'est bien moi que vous accusez de ce vol, n'est-ce pas ? »

Il avançait en se frappant la poitrine à grands coups.

« Moi ! moi ! J'aurais trouvé les billets ! et je les aurais gardés pour moi ! Vous osez prétendre... »

Rénine ne répondait toujours pas. Dutreuil s'emporta, et, prenant à partie l'inspecteur Morisseau, il s'écria :

« Monsieur l'inspecteur, je proteste énergiquement contre toute cette comédie, et contre le rôle que vous y jouez à votre insu. Avant votre arrivée, le prince Rénine nous a dit, à madame et à moi, qu'il ne savait rien, qu'il s'aventurait dans cette affaire au hasard, et qu'il suivait la première route venue, en s'en remettant à sa bonne chance. N'est-ce pas vrai, monsieur ? »

Rénine ne broncha pas.

« Mais parlez donc, monsieur ! Expliquez-vous, car, enfin, vous alléguez, sans donner aucune preuve, les faits les plus invraisemblables ! C'est trop commode de dire que j'ai volé les billets. Mais encore faudrait-il savoir s'ils étaient ici ? Qui les avait apportés ? Pourquoi l'assassin aurait-il choisi mon appartement pour les cacher ? Tout cela est absurde, illogique et stupide... Des preuves, monsieur !... une seule preuve ! »

L'inspecteur Morisseau paraissait perplexe. Il interrogeait Rénine du regard.

Celui-ci prononça, impassible :

« Puisque vous voulez des précisions, c'est Mme Aubrieux elle-même qui les donnera. Elle a le téléphone. Descendons. En une minute, nous serons fixés. »

Dutreuil haussa les épaules.

« Comme vous voudrez, mais que de temps perdu ! »

Il semblait fort irrité. Sa longue station à la fenêtre, sous un soleil brûlant, l'avait mis en sueur. Il passa dans sa chambre et revint avec une carafe d'eau dont il but quelques gorgées et qu'il reposa sur le bord de la fenêtre.

« Allons », dit-il.

Le prince Rénine ricana :

« On dirait que vous avez hâte de quitter cet appartement ?

— J'ai hâte de vous confondre », répliqua Dutreuil en claquant la porte.

Ils descendirent et gagnèrent le cabinet particulier où se trouvait le téléphone. La pièce était vide. Rénine demanda le numéro des Aubrieux à Gaston Dutreuil, décrocha, et obtint la communication.

Ce fut la bonne qui vint à l'appareil. Elle répondit que Mme Aubrieux, après une crise de désespoir, venait de s'évanouir, et que maintenant, elle dormait.

« Appelez sa mère. De la part du prince Rénine. C'est urgent. »

Il passa un récepteur à Morisseau. D'ailleurs, les voix étaient si nettes que Dutreuil et Hortense purent entendre toutes les paroles échangées.

« C'est vous, madame ?

— Oui. Le prince Rénine, n'est-ce pas ? Ah ! monsieur, qu'avez-vous à me dire ? Y a-t-il quelque espoir ? implora la vieille dame.

— L'enquête se poursuit d'une façon satisfaisante, prononça Rénine, et vous êtes en droit d'espérer. Pour l'instant, je viens vous demander un renseignement très grave. Le jour du crime, Gaston Dutreuil est-il venu chez vous ?

— Oui, après le déjeuner, il est venu nous chercher, ma fille et moi.

— A-t-il su à ce moment-là que le cousin Guillaume avait 60 000 francs chez lui ?

— Oui, je le lui ai dit.

— Et que Jacques Aubrieux, un peu souffrant, ne ferait pas sa promenade ordinaire à motocyclette et resterait à dormir ?

— Oui.

— Vous en êtes bien sûre, madame ?...

— Absolument certaine.

— Et vous avez été ensemble au cinéma tous les trois ?

— Oui.

— Et vous avez assisté à la séance l'un près de l'autre ?

— Ah ! non, il n'y avait pas de place libre. Il s'est installé plus loin.

— À un endroit d'où vous pouviez le voir ?

— Non.

— Mais pendant l'entracte, il est venu près de vous ?

— Non, nous ne l'avons revu qu'à la sortie.

— Aucun doute à ce propos ?

— Aucun.

— C'est bien, madame, dans une heure, je vous rendrai compte de mes efforts. Mais surtout ne réveillez pas Mme Aubrieux.

— Et si elle se réveillait ?

— Rassurez-la et donnez-lui confiance. Tout va de mieux en mieux, beaucoup mieux même que je ne l'espérais. »

Il raccrocha et se retourna vers Dutreuil en riant :

« Eh ! eh ! jeune homme, ça commence à prendre tournure. Qu'en dites-vous ? »

Que signifiaient ces paroles ? Et quelles conclusions Rénine avait-il tirées de sa communication ? Le silence fut lourd et pénible.

« Monsieur l'inspecteur principal, vous avez du monde sur la place, n'est-ce pas ?

— Deux brigadiers.

— Il y aurait intérêt à ce qu'ils fussent là. Veuillez aussi prier le patron qu'on ne nous dérange sous aucun prétexte. »

Et lorsque Morisseau fut de retour, Rénine ferma la porte, se planta devant Dutreuil, et scanda d'un ton de bonne humeur :

« Somme toute, jeune homme, de trois heures à cinq heures, ce dimanche-là, ces dames ne vous ont pas vu. C'est un fait assez curieux.

— Un fait tout naturel, riposta Dutreuil, et qui, du reste, ne prouve rien du tout.

— Qui prouve, jeune homme, que vous avez eu à votre disposition deux bonnes heures.

— Évidemment, deux heures que j'ai passées au cinéma.

— Ou autre part. »

Dutreuil l'observa.

« Ou autre part ?

— Oui, puisque vous étiez libre, vous avez eu tout le loisir pour aller vous promener à votre guise... Du côté de Suresnes, par exemple.

— Oh ! oh ! fit le jeune homme en plaisantant à son tour, Suresnes, c'est bien loin.

— Tout près ! N'aviez-vous pas la motocyclette de votre ami Jacques Aubrieux ? »

Un nouveau silence suivit ces paroles. Dutreuil avait froncé les sourcils comme s'il cherchait à comprendre. À la fin, on l'entendit chuchoter :

« Voilà donc où il voulait en venir... Ah ! le misérable... »

La main de Rénine s'abattit sur son épaule.

« Plus de bavardages. Des faits ! Gaston Dutreuil, vous êtes la seule personne qui savait ce jour-là deux choses essentielles : 1° que le cousin Guillaume avait 60 000 francs chez lui ; 2° que Jacques Aubrieux ne devait pas sortir. Tout de suite le coup à faire vous apparut. La motocyclette était à votre disposition. Vous vous êtes esquivé pendant la séance. Vous avez été à Suresnes. Vous avez tué le cousin Guillaume. Vous avez pris les soixante billets de banque et vous les avez portés chez vous. Et, à cinq heures, vous retrouviez ces dames. »

Dutreuil avait écouté d'un air à la fois goguenard et ahuri, en regardant de temps à autre l'inspecteur Morisseau comme pour le prendre à témoin.

« C'est un fou, il ne faut pas lui en vouloir. »

Lorsque Rénine eut fini, il se mit à rire.

« Très drôle... une bonne farce... C'est donc moi que les voisins ont vu aller et revenir à motocyclette ?

— C'est vous, caché sous les vêtements de Jacques Aubrieux.

— Et ce sont les traces de mes doigts que l'on a relevées sur la bouteille dans l'office du cousin Guillaume ?

— Cette bouteille fut débouchée par Jacques Aubrieux, au

déjeuner, chez lui, et c'est vous qui l'avez portée là-bas comme pièce à conviction.

— De plus en plus drôle, s'écria Dutreuil, qui avait l'air de s'amuser franchement. Alors j'ai combiné mon affaire pour que Jacques Aubrieux fût accusé du crime ?

— C'était le plus sûr moyen de n'être pas accusé, vous.

— Oui, mais Jacques est mon ami d'enfance.

— Vous aimez sa femme. »

Le jeune homme bondit, furieux soudain.

« Vous avez l'audace !... Quoi ! une pareille infamie ?

— J'en ai la preuve.

— Mensonge, j'ai toujours eu pour Mme Aubrieux un respect, une vénération...

— En apparence. Mais vous l'aimez. Vous la désirez. Ne dites pas non. J'ai toutes les preuves.

— Mensonge ! Vous me connaissez depuis tantôt.

— Allons donc, il y a des jours que je vous guette dans l'ombre et que j'attends le moment de vous sauter dessus. »

Il saisit le jeune homme par les épaules et le secoua violemment.

« Allons, Dutreuil, avouez. J'ai toutes les preuves. J'ai des témoins que nous retrouverons tout à l'heure devant le chef de la sûreté. Avouez donc ! Malgré tout, vous êtes bourrelé de remords. Rappelez-vous votre épouvante, au restaurant, quand vous avez lu le journal. Hein ! Jacques Aubrieux condamné à mort !... Vous n'en demandiez pas tant ! Le bagne pour lui, ça vous suffisait. Mais l'échafaud... Jacques Aubrieux exécuté demain, lui qui est innocent ! Avouez donc, pour sauver votre tête. Avouez donc ! »

Courbé sur lui, de toutes ses forces, il essayait de lui arracher l'aveu. Mais l'autre se redressa, et, froidement, avec une sorte de dédain, il prononça :

« Vous êtes fou, monsieur. Pas un mot de ce que vous dites n'a le sens commun. Toutes vos accusations sont fausses. Et les billets de banque, est-ce que vous les avez trouvés chez moi, comme vous l'affirmiez ? »

Exaspéré, Rénine lui montra le poing.

« Ah ! canaille, j'aurai ta peau, va. »

Il entraîna l'inspecteur.

« Eh bien, qu'en dites-vous ? un fieffé coquin, n'est-ce pas ? »

L'inspecteur hocha la tête.

« Peut-être... Mais tout de même... jusqu'ici... aucune charge réelle...

— Attendez, monsieur Morisseau, dit Rénine. Attendez notre entrevue avec M. Dudouis. Car nous le verrons à la préfecture, n'est-ce pas, M. Dudouis ?

— Oui, il y sera à trois heures.

— Eh bien, vous serez édifié, monsieur l'inspecteur principal ! Je vous prédis que vous serez édifié. »

Rénine ricanait en homme sûr des événements. Hortense qui était près de lui, et qui pouvait lui parler sans être entendue des autres, dit à voix basse :

« Vous le tenez, n'est-ce pas ? »

Il acquiesça de la tête.

« Si je le tiens ! c'est-à-dire que je ne suis pas plus avancé qu'à la première minute.

— Mais c'est affreux ! et vos preuves ?

— Pas l'ombre d'une preuve... J'espérais le démonter. Il s'est repris, le gredin.

— Pourtant, vous êtes certain que c'est lui ?

— Ce ne peut être que lui. J'en ai eu l'intuition dès le début, et depuis je ne le lâche pas de l'œil. J'ai vu grandir son inquiétude, au fur et à mesure que mon enquête semblait tourner autour de lui et se rapprocher. Maintenant, je sais.

— Et il aimerait Mme Aubrieux ?

— Logiquement, oui. Mais tout cela, ce sont des suppositions théoriques, ou bien des certitudes qui me sont personnelles. Ce n'est pas avec cela qu'on retient le couperet de la guillotine. Ah ! si l'on trouvait les billets de banque, M. Dudouis marcherait. Sinon, il me rira au nez.

— Alors ? » murmura Hortense, le cœur serré d'angoisse.

Il ne répondit pas. Il arpentait la pièce, affectant l'allégresse et se frottant les mains. Tout allait à merveille ! Vraiment il est agréable de s'occuper d'affaires qui s'arrangent pour ainsi dire d'elles-mêmes.

« Si on se rendait à la préfecture, monsieur Morisseau ? Le chef doit y être déjà. Et, au point où nous en sommes, autant en finir. M. Dutreuil veut bien nous accompagner ?

— Pourquoi pas ? » fit celui-ci d'un air d'arrogance.

Mais à l'instant même où Rénine ouvrait la porte, il y eut du bruit dans le couloir, et le patron accourut en gesticulant.

« M. Dutreuil est encore là ? Monsieur Dutreuil, des flammes dans votre appartement ! C'est un passant qui nous avertit... il a vu cela de la place. »

Les yeux du jeune homme brillèrent. Une demi-seconde peut-être, sa bouche grimaça un sourire que Rénine avisa.

« Ah ! bandit, s'écria-t-il, tu t'es trahi ! C'est toi qui as mis le feu là-haut, et maintenant les billets flambent. »

Il lui barra le passage.

« Laissez-moi donc, hurlait Dutreuil. Il y a le feu et personne ne peut entrer, puisque personne n'a la clef. Tenez, la voici... Laissez-moi passer, sacrebleu ! »

Rénine lui arracha la clef des mains, et le tenant au collet :

« Ne bouge pas, mon bonhomme. Maintenant la partie est gagnée. Ah ! gredin... Monsieur Morisseau, voulez-vous donner l'ordre au brigadier de ne pas le perdre de vue et de lui brûler la cervelle s'il cherchait à décamper ? N'est-ce pas, brigadier, nous comptons sur vous ? Une balle dans la tête... »

Il monta précipitamment l'escalier, suivi d'Hortense et de l'inspecteur principal, qui, d'assez mauvaise humeur, protestait :

« Voyons, quoi, ce n'est pas lui qui a mis le feu, puisqu'il ne nous a pas quittés ?

— Eh ! parbleu, *il l'aura mis d'avance.*

— Comment, je vous le répète ? Comment ?

— Est-ce que je sais ! mais un incendie ne se déclare pas comme ça, sans raison, au moment même où l'on a besoin de brûler des papiers compromettants. »

On entendait du bruit là-haut. C'étaient les garçons de la brasserie qui essayaient de démolir la porte. Une odeur âcre emplissait la cage de l'escalier.

Rénine atteignit le dernier étage.

« Place, les amis ! J'ai la clef. »

Il l'introduisit dans la serrure et ouvrit.

Une vague de fumée le heurta, si violente que l'on eût pu croire que tout l'étage brûlait. Mais Rénine vit tout de suite que l'incendie s'était éteint de lui-même, faute d'aliment, et qu'il n'y avait plus de flammes.

« Monsieur Morisseau, que personne n'entre avec nous, n'est-ce pas ? Le moindre importun pourrait tout contrarier. Fermez la porte au verrou, cela vaudra mieux. »

Il passa dans la pièce de devant, où il était visible que l'incendie avait eu son foyer principal. Les meubles, les murs et le plafond, noircis par la fumée, n'avaient pas été atteints.

En réalité, tout se réduisait à une flambée de papiers qui se consumaient encore au milieu de la pièce, devant la fenêtre.

Rénine se frappa le front.

« Triple imbécile ! Faut-il que je sois bête !

— Quoi ? fit l'inspecteur.

— Le carton à chapeau qui était sur le guéridon. C'est là qu'il avait caché les papiers. C'est là qu'ils étaient tout à l'heure encore, durant notre perquisition.

— Impossible !

— Eh oui, on l'oublie toujours, cette cachette-là, celle qui est trop en vue, à portée de la main ! Comment penser qu'un voleur laisse 60 000 francs dans un carton ouvert, où il dépose son chapeau en entrant, d'un geste distrait. On ne cherche pas là-dedans... Bien joué, monsieur Dutreuil ! »

L'inspecteur, qui demeurait incrédule, répéta :

« Non, non, impossible. Nous étions avec lui, et il n'a pas pu mettre le feu lui-même.

— Tout était préparé d'avance dans l'hypothèse d'une alerte... Le carton... les papiers de soie... les billets... tout cela devait être imprégné de quelque enduit inflammable. Il y aura jeté, au moment de partir, une allumette, une drogue, est-ce que je sais !

— Mais nous l'aurions vu, sapristi. Et puis est-il admissible qu'un homme qui a tué pour dérober 60 000 francs les anéantisse de la sorte ? Si la cachette était si bonne — et elle l'était puisque nous ne l'avons pas découverte — pourquoi cette destruction inutile ?

— Il a eu peur, monsieur Morisseau. N'oublions pas qu'il joue sa tête. Tout plutôt que la guillotine, et cela, ces billets, c'était la seule preuve que l'on pouvait avoir contre lui. Comment l'aurait-il laissée ? »

Morisseau fut stupéfait.

« Comment ! la seule preuve...

— Évidemment !

— Mais vos témoins, vos charges ? tout ce que vous deviez raconter au chef ?

— Du bluff.

— Eh bien, vrai, bougonna l'inspecteur abasourdi, vous en avez de l'aplomb !

— Est-ce que vous auriez marché sans cela ?

— Non.

— Alors, qu'est-ce que vous réclamez ? »

Rénine se baissa pour remuer les cendres. Mais il ne restait même pas de ces débris de papiers raidis qui gardent encore la forme de ce qu'ils étaient.

« Rien, dit-il. C'est tout de même drôle ! Comment diable s'y est-il pris pour allumer le feu ? »

Il se releva et réfléchit, les yeux attentifs. Hortense eut l'impression qu'il donnait son effort suprême et qu'après ce dernier combat dans les ténèbres épaisses, il aurait son plan de victoire, ou se reconnaîtrait vaincu.

Défaillante, elle demanda avec anxiété :

« Tout est perdu, n'est-ce pas ?

— Non... non... dit-il pensivement, tout n'est pas perdu. Il y a quelques secondes, tout était perdu. Mais voici une lueur qui se lève et qui me donne de l'espoir.

— Oh ! mon Dieu, si cela pouvait être vrai !

— N'allons pas trop vite, dit-il. Ce n'est qu'une tentative... mais une très belle tentative... et qui peut réussir. »

Il se tut un moment, puis il eut un sourire amusé, et dit, avec un claquement de langue :

« Rudement fort, le Dutreuil. Cette façon de brûler les billets... quelle invention !... Et quel sang-froid ! Ah ! il m'a donné du fil à retordre, l'animal ! C'est un maître ! »

Il chercha un balai et poussa une partie des cendres dans la pièce voisine. De cette pièce, il rapporta un carton à chapeau de même grandeur et de même apparence que celui qui avait été brûlé, le posa sur le guéridon après avoir remué les papiers de soie qui le remplissaient, et avec une allumette y mit le feu.

Des flammes jaillirent, qu'il éteignit quand elles eurent consumé la moitié du carton et presque tous les papiers. D'une poche intérieure de son gilet, il tira une liasse de billets de banque, en prit six qu'il brûla presque entièrement et dont il arrangea les débris et cacha le reste au fond du carton parmi les cendres et les papiers noircis.

« Monsieur Morisseau, dit-il enfin, je vous demande une dernière fois votre concours. Allez chercher Dutreuil. Dites-lui simplement ces mots : « Vous êtes démasqué, les billets n'ont pas pris feu. Suivez-moi » ; et amenez-le ici. »

Malgré ses hésitations et la crainte d'outrepasser la mission que lui avait donnée le chef de la sûreté, l'inspecteur principal ne put se soustraire à l'ascendant que Rénine avait pris sur lui. Il sortit.

Rénine se tourna vers la jeune femme.

« Vous comprenez mon plan de bataille ?

— Oui, dit-elle, mais l'épreuve est dangereuse. Croyez-vous que Dutreuil tombera dans le piège ?

— Tout dépend de l'état de ses nerfs et jusqu'à quel point il est démoralisé ; une attaque brusquée peut parfaitement le démolir.

— Cependant, s'il reconnaît, à quelque signe, le changement de carton ?

— Ah ! certes, toutes les chances ne sont pas contre lui. Le gaillard est bien plus malin que je ne le croyais, et fort capable de s'en tirer. Mais, d'autre part, comme il doit être inquiet ! Comme le sang doit lui bourdonner aux oreilles et lui brouiller les yeux ! Non, non, je ne pense pas qu'il tienne le coup... Il flanchera... »

Ils n'échangèrent plus une parole. Rénine ne bougeait pas. Hortense demeurait troublée jusqu'au plus profond d'elle-même. Il s'agissait de la vie d'un homme innocent. Une erreur de tactique, un peu de malchance et, douze heures plus tard, Jacques Aubrieux était exécuté. Et, en même temps qu'une angoisse horrible, elle éprouvait, malgré tout, une sensation de curiosité ardente. Qu'allait faire le prince Rénine ? Qu'allait-il advenir de l'expérience tentée ? Comment résisterait Gaston Dutreuil ? Elle vivait une de ces minutes de tension surhumaine où la vie s'exaspère et prend toute sa valeur.

On perçut des pas dans l'escalier. C'étaient des pas d'hommes qui se hâtent. Le bruit se rapprocha. Ils arrivaient au dernier étage.

Hortense regarda son compagnon. Il s'était levé. Il écoutait, la figure transformée déjà par l'action. Dans le couloir, des pas résonnaient. Alors, soudain, il se détendit comme un ressort, courut vers la porte et cria :

« Vite !... finissons-en ! »

Des inspecteurs et deux garçons de la brasserie entrèrent. Dans le groupe des inspecteurs, il agrippa Dutreuil et le tira par le bras en disant avec gaieté :

« Bravo ! mon vieux. Le coup du guéridon et de la carafe, admirable ! Un chef-d'œuvre ! Seulement ça a raté.

— Quoi ! qu'est-ce qu'il y a ? marmotta le jeune homme en chancelant.

— Mon Dieu, oui, le feu n'a consumé qu'à moitié les papiers de soie et le carton, et, s'il y a eu des billets brûlés, comme les papiers de soie... les autres sont là, au fond... Tu entends ?

les fameux billets... la grande preuve du crime... ils sont là, où tu les avais cachés... Par hasard, ils ne sont pas brûlés... Tiens, regarde... voici les numéros... tu peux les reconnaître... Ah ! tu es bien perdu, mon gaillard. »

Le jeune homme s'était raidi. Ses yeux papillotaient. Il ne regarda pas, comme l'y invitait Rénine, il n'examina ni le carton ni les billets. Du premier coup, sans prendre le temps de réfléchir, et sans que son instinct l'avertît, il crut, et, brutalement, il s'effondra sur une chaise en pleurant.

L'attaque brusquée, selon l'expression de Rénine, avait réussi. En voyant tous ses plans déjoués et l'ennemi maître de tous ses secrets, le misérable n'avait plus la force ni la clairvoyance nécessaires pour se défendre. Il abandonnait la partie.

Rénine ne le laissa pas respirer

« À la bonne heure ! Tu sauves ta tête, tout simplement, mon petit. Écris donc ton aveu, pour t'en débarrasser. Tiens, voilà un stylo... Ah ! ça, tu n'as pas eu de veine, je le reconnais. C'était pourtant rudement bien machiné, ton truc du dernier moment. N'est-ce pas ? vous avez des billets de banque qui vous gênent, et que vous voulez anéantir ? Rien de plus facile. Vous posez sur le bord de la fenêtre une grosse carafe à ventre rebondi. Le cristal formera lentille et enverra les rayons du soleil sur le carton et sur les chiffons de soie convenablement préparés. Dix minutes après, ça flambe. Invention merveilleuse ! Et, ainsi que toutes les grandes découvertes, celle-ci provient du hasard, n'est-ce pas ? La pomme de Newton ?... Un jour, le soleil, en passant à travers l'eau de cette carafe, aura fait flamber des brins de mousse ou le soufre d'une allumette, et, comme tu avais le soleil, tout à l'heure, à ta disposition, tu t'es dit : « Allons-y » et tu as placé la carafe au bon endroit. Mes compliments, Gaston. Tiens, voilà une feuille de papier. Écris : « C'est moi l'assassin de M. Guillaume. » Écris donc, sacrebleu ! »

Penché sur le jeune homme, de toute son implacable volonté, il le contraignait à écrire, lui dirigeait la main et lui dictait la phrase. À bout de forces, épuisé, Dutreuil écrivit.

« Monsieur l'inspecteur principal, voici l'aveu, dit Rénine. Vous voudrez bien le porter à M. Dudouis. Ces messieurs, j'en suis sûr — il s'adressait aux garçons de la brasserie — consentiront à servir de témoins. »

Et comme Dutreuil, accablé, ne bougeait pas, il le bouscula.

« Eh ! camarade, il faut se dégourdir. Maintenant que tu as été assez bête pour avouer, va jusqu'au bout de ta tâche, idiot. »

L'autre l'observa, debout devant lui.

« Évidemment, reprit Rénine. Tu n'es qu'une gourde. Le carton avait été bel et bien brûlé, les billets aussi. Ce carton-là, c'est un autre, mon vieux, et ces billets-là, c'est à moi. J'en ai même brûlé six pour mieux te faire gober la chose. Et tu n'y as vu que du feu. Faut-il que tu sois abruti ! Au dernier moment, me donner une preuve, alors que je n'en avais pas une seule ! Et quelle preuve ! Ton aveu écrit ! Ton aveu écrit devant témoins ! Écoute, mon bonhomme, si on te coupe la tête, comme je l'espère bien, vrai, tu l'auras mérité. Adieu ! Dutreuil. »

Dans la rue, le prince Rénine pria Hortense Daniel de prendre l'automobile, d'aller chez Madeleine Aubrieux et de la mettre au courant.

« Et vous ? demanda Hortense.

— J'ai beaucoup à faire... Des rendez-vous urgents.

— Comment, vous refusez la joie d'annoncer la nouvelle ?...

— C'est une joie dont on se lasse. La seule joie qui se renouvelle toujours, c'est celle du combat. Après, cela n'a plus d'intérêt. »

Elle lui saisit la main et la garda dans les siennes un instant. Elle eût voulu dire toute son admiration à cet homme étrange qui semblait faire le bien comme un sport, et qui le faisait avec une sorte de génie. Mais elle ne put parler. Tous ces événements la bouleversaient. L'émotion lui serrait la gorge et lui mouillait les yeux.

Il s'inclina en disant :

« Je vous remercie. J'ai ma récompense. »

III

THÉRÈSE ET GERMAINE

Cette arrière-saison fut si douce que, le 2 octobre, au matin, plusieurs familles attardées dans leurs villas d'Étretat étaient descendues au bord de la mer. On eût dit, entre les falaises et les nuages de l'horizon, un lac de montagne assoupi au creux des roches qui l'emprisonnent, s'il n'y avait eu dans l'air ce quelque chose de léger, et dans le ciel ces couleurs pâles, tendres et indéfinies, qui donnent à certains jours de ce pays un charme si particulier.

« C'est délicieux », murmura Hortense.

Et elle ajouta, après un moment :

« Mais tout de même, nous ne sommes pas venus pour jouir des spectacles de la nature, ou pour nous demander si cette énorme aiguille de pierre qui se dresse à notre gauche fut réellement la demeure d'Arsène Lupin

— Non, déclara le prince Rénine, et je dois reconnaître, en effet, qu'il est temps de satisfaire votre légitime curiosité... ou du moins de la satisfaire en partie, car deux jours d'observations et de recherches ne m'ont encore rien appris de ce que j'espérais trouver ici.

— Je vous écoute.

— Ce ne sera pas long. Pourtant, quelques mots de préambule... Vous admettrez, chère amie, que si je m'efforce d'être utile à mes semblables, je suis obligé d'avoir, de droite et de gauche, des amis qui me signalent les occasions d'agir. Bien souvent les avertissements qu'on me donne me semblent futiles ou peu intéressants, et je passe. Mais, la semaine dernière, j'ai reçu avis d'une communication téléphonique surprise par un de mes correspondants et dont l'importance ne vous échappera pas. De son appartement, sis à Paris, une dame communiquait avec un monsieur de passage dans un hôtel d'une grande ville des environs. Le nom de la ville, le nom du monsieur, le nom de la dame, mystères. Le monsieur et la dame causaient espagnol, mais en utilisant cet argot que nous appelons le javanais, et, même, en supprimant beaucoup de syllabes. Quoi qu'il en soit des difficultés accumulées par eux, si toute leur conversation ne fut pas notée, on réussit cependant à saisir l'essentiel des choses très graves qu'ils se disaient et qu'ils mettaient tant de soin à cacher ! Et cela peut se résumer en trois points : 1° ce monsieur et cette dame, qui sont frère et sœur, attendaient un rendez-vous avec une tierce personne, mariée, et *désireuse de recouvrer à tout prix sa liberté* ; 2° ce rendez-vous, destiné à se mettre d'accord et fixé en principe au 2 octobre, devait être confirmé par une annonce discrète dans un journal ; 3° l'entrevue du 2 octobre serait suivie, en fin de journée, d'une promenade sur les falaises, à laquelle la tierce personne amènerait celui ou celle dont on cherchait à se débarrasser. Voilà les bases de l'affaire. Inutile de vous dire avec quelle attention je surveillai et fis surveiller les petites correspondances des feuilles parisiennes Or, avant-hier matin, je lus dans l'une d'elles cette ligne :

« —Rz-vous, 2 oct. midi, 3-Mathildes. »

« Comme il était question de falaises, j'en ai déduit que le crime serait commis au bord de la mer, et comme je connais, à Étretat, un lieu dit des Trois-Mathildes, et que ce n'est pas une appellation courante, le jour même nous partions pour mettre obstacle au projet de ces vilains personnages.

— Quel projet ? demanda Hortense. Vous parlez de crime. Simple supposition, sans doute ?

— Nullement. La conversation entendue faisait allusion à un mariage, mariage du frère ou de la sœur avec la femme ou avec le mari de la tierce personne, ce qui implique l'éventualité d'un crime, c'est-à-dire, en l'occurrence, que la victime désignée, femme ou mari de la tierce personne, sera précipitée ce soir, 2 octobre, du haut de la falaise. Tout cela est parfaitement logique, et ne laisse aucune espèce de place au doute. »

Ils étaient assis sur la terrasse du casino, en face de l'escalier qui descend à la plage. Ils dominaient ainsi quelques cabines de propriétaires installées sur le galet, et devant lesquelles quatre messieurs jouaient au bridge, tandis qu'un groupe de dames causaient en travaillant à des ouvrages de broderie.

Plus loin, et plus en avant, il y avait une autre cabine, isolée et fermée.

Une demi-douzaine d'enfants, les jambes nues, jouaient dans l'eau.

« Eh bien, dit Hortense, toute cette douceur et ce charme d'automne ne me prennent pas. J'accorde malgré tout un tel crédit à toutes vos suppositions que je ne peux me distraire du problème redoutable.

— Redoutable, chère amie, le mot est juste, et croyez bien que, depuis avant-hier, je l'ai étudié sur toutes ses faces... Vainement, hélas !

— Vainement, répéta-t-elle. Alors, qu'arrivera-t-il ? »

Et, presque en elle-même, elle continua :

« Qui, parmi ceux-là, est menacé ? La mort a déjà choisi sa victime. Laquelle ? Est-ce cette jeune blonde qui se balance en riant ? Est-ce ce grand monsieur qui fume ? Et quel est celui qui cache au fond de lui-même l'idée du crime ? Tous ces gens sont paisibles et s'amusent. Pourtant la mort rôde autour d'eux.

— À la bonne heure, fit Rénine, vous vous passionnez, vous

aussi. Hein ! je vous l'avais bien dit ? Tout est aventure, et rien ne vaut que l'aventure. Au souffle de ce qui peut advenir, vous voilà toute frémissante. Vous participez à tous les drames qui palpitent autour de vous, et le sens du mystère s'éveille au fond de votre être. Tenez, avec quel regard aigu vous observez ce ménage qui arrive ! Sait-on jamais ? Peut-être est-ce ce monsieur qui veut supprimer son épouse ?... Ou cette dame qui rêve d'escamoter son mari ?

— Les d'Imbreval ? Jamais de la vie ! Un ménage excellent ! Hier, à l'hôtel, j'ai causé longtemps avec la femme et vous-même...

— Oh ! moi, j'ai joué au golf avec Jacques d'Imbreval, qui pose un peu à l'athlète, et j'ai joué à la poupée avec leurs deux petites filles qui sont charmantes. »

Les d'Imbreval s'étaient approchés, on échangea quelques mots. Mme d'Imbreval raconta que ses deux filles étaient retournées le matin à Paris avec leur gouvernante. Son mari, grand gaillard à barbe blonde, qui portait sa veste de flanelle sous le bras et faisait bomber son torse sous une chemise de cellular, se plaignit de la chaleur.

« Thérèse, tu as la clef de la cabine ? » demanda-t-il à sa femme, lorsqu'ils eurent quitté Rénine et Hortense et qu'ils se furent arrêtés au haut de l'escalier, dix pas plus loin.

« La voici, dit la femme. Tu vas lire les journaux ?

— Oui. À moins que nous ne fassions un tour ensemble ?...

— Cet après-midi, plutôt, veux-tu ? Ce matin, j'ai dix lettres à écrire.

— Entendu. Nous monterons sur la falaise. »

Hortense et Rénine se regardèrent avec surprise. L'annonce de cette promenade était-elle fortuite ? Ou bien se trouvaient-ils, contrairement à leur attente, en présence du couple même qu'ils cherchaient ?

Hortense essaya de rire.

« Mon cœur bat violemment, murmura-t-elle. Cependant, je me refuse absolument à croire une chose aussi invraisemblable. « Mon mari et moi, nous n'avons jamais eu une seule discussion », m'a-t-elle dit. Non, il est clair que ce sont des gens qui s'entendent à merveille.

— Nous verrons bien tout à l'heure, aux Trois-Mathildes, si l'un des deux vient retrouver le frère et la sœur. »

M. d'Imbreval avait descendu l'escalier, tandis que sa femme demeurait appuyée à la balustrade de la terrasse. Elle avait une jolie silhouette, fine et souple. Son profil se détachait nettement, accentué par un menton qui avançait un peu trop. Au repos, quand il ne souriait pas, le visage donnait une impression de tristesse et de souffrance.

« Jacques, tu as perdu quelque chose ? cria-t-elle à son mari, qui s'était baissé sur le galet.

— Oui, la clef, dit-il, elle m'a échappé des mains... »

Elle le rejoignit et se mit à chercher également. Durant deux ou trois minutes, ayant obliqué vers la droite et restant en contrebas du talus, ils disparurent aux yeux d'Hortense et de Rénine. Le bruit d'une querelle qui s'était élevée plus loin, entre les joueurs de bridge, couvrait leurs voix.

Ils se redressèrent presque en même temps. Mme d'Imbreval remonta lentement quelques marches de l'escalier et s'arrêta, tournée du côté de la mer. Lui, il avait jeté sa veste sur ses épaules et s'en allait vers la cabine isolée. Mais, en route, les joueurs de bridge le prirent à témoin en lui montrant leurs cartes étalées sur la table. D'un geste il refusa de donner son avis, et puis s'éloigna, franchit les quarante pas qui le séparaient de sa cabine, ouvrit et entra.

Thérèse d'Imbreval regagna la terrasse et resta durant dix minutes assise sur un banc. Ensuite, elle sortit du casino. En se penchant, Hortense la vit qui pénétrait dans un des chalets qui forment l'annexe de l'hôtel Hauville, et elle la revit un instant plus tard au balcon de ce chalet.

« Onze heures, dit Rénine. Que ce soit elle ou lui, ou l'un des joueurs, ou l'une des compagnes de ces joueurs, ou n'importe qui, il ne se passera plus beaucoup de temps avant que quelqu'un ne s'en aille au rendez-vous. »

Il se passa tout de même vingt minutes, puis vingt-cinq, et personne ne bougeait.

« Mme d'Imbreval y est peut-être partie, insinua Hortense qui devenait nerveuse. Elle n'est plus sur son balcon.

— Si elle est aux Trois-Mathildes, fit Rénine, nous allons l'y surprendre. »

Il se levait, lorsqu'une nouvelle dispute surexcita les joueurs, et l'un d'eux s'exclama :

« Consultons d'Imbreval.

— Soit, dit un autre. J'accepte... Si toutefois il veut bien nous servir d'arbitre. Il était maussade, tout à l'heure. »

On appela :

« D'Imbreval ! D'Imbreval ! »

Ils remarquèrent alors que d'Imbreval avait dû refermer sur lui le battant de la porte, ce qui le maintenait dans une demi-obscurité, ces sortes de cabines n'ayant pas de fenêtre.

« Il dort, cria-t-on. Réveillons-le.

— D'Imbreval ! D'Imbreval ! »

Tous quatre se rendirent là-bas, commencèrent par l'appeler et, ne recevant pas de réponse, cognèrent à la porte.

« Eh bien, quoi, d'Imbreval, vous dormez ? »

Sur la terrasse, Serge Rénine s'était levé soudain, d'un air si inquiet qu'Hortense en fut surprise. Il mâchonna :

« Pourvu qu'il ne soit pas trop tard ! »

Et comme Hortense l'interrogeait, il dégringola l'escalier et se mit à courir jusqu'à la cabine. Il y arriva au moment où les joueurs essayaient d'ébranler la porte.

« Halte ! commanda-t-il. Les choses doivent être faites régulièrement.

— Quelles choses ? » lui demanda-t-on.

Il examina les persiennes qui surmontaient chacun des battants et s'avisant qu'une des lamelles supérieures était à moitié brisée, il se suspendit tant bien que mal au toit de la cabine et jeta un coup d'œil à l'intérieur.

On l'interrogea vivement.

« Qu'y a-t-il ? Vous pouvez voir ? »

Il se retourna et dit aux quatre messieurs :

« Je pensais bien que si M. d'Imbreval ne répondait pas, c'est qu'un événement grave l'en empêchait.

— Un événement grave ?

— Oui, il y a tout lieu de penser que M. d'Imbreval est blessé... ou mort.

— Comment, mort ! s'écria-t-on. Il vient de nous quitter. »

Rénine sortit son couteau, fit jouer la serrure, et ouvrit les deux battants.

Il y eut des cris de terreur. M. d'Imbreval gisait sur le plancher, à plat ventre, les deux mains crispées à son veston et à son journal. Du sang coulait de son dos et rougissait sa chemise.

« Ah ! fit quelqu'un, il s'est tué.

— Comment se serait-il tué ? dit Rénine. La blessure est au plein milieu du dos, à un endroit où la main ne peut atteindre. Et puis, d'ailleurs, il n'y a pas d'armes dans la cabine. »

Les joueurs protestèrent.

« Un crime, alors ? Mais c'est impossible. Personne n'est

venu. Nous aurions bien vu... Personne ne pouvait passer sans que nous voyions... »

Les autres messieurs, toutes les dames et les enfants qui jouaient au bord de l'eau étaient accourus. Rénine défendit l'approche de la cabine. Il y avait là un docteur : lui seul entra. Mais il ne put que constater la mort de M. d'Imbreval, mort provoquée par un coup de poignard.

À ce moment, le maire et le garde champêtre arrivèrent avec des gens du pays. Les constatations d'usage furent faites et l'on emporta le cadavre.

Quelques personnes étaient déjà parties afin de prévenir Thérèse d'Imbreval, que l'on apercevait de nouveau sur son balcon.

Ainsi le drame s'était accompli sans qu'aucune indication permît de comprendre comment un homme, enfermé dans une cabine, protégé par une porte close dont la serrure était intacte, avait pu être assassiné en l'espace de quelques minutes et devant vingt témoins, autant dire vingt spectateurs. Personne n'était entré dans la cabine. Personne n'en était sorti. Quant au poignard dont M. d'Imbreval avait été frappé entre les deux épaules, on ne parvint pas à le découvrir. Et tout cela eût évoqué l'idée d'un tour de passe-passe accompli par un habile magicien, s'il ne se fût agi d'un crime effroyable, exécuté dans les conditions les plus mystérieuses.

Hortense ne put suivre, comme l'eût voulu Rénine, le petit groupe de gens qui se rendaient auprès de Mme d'Imbreval. L'émotion la paralysait. C'était la première fois que ses aventures avec Rénine la menaient au cœur même de l'action et qu'au lieu d'apercevoir les conséquences d'un crime ou d'être mêlée à la poursuite des coupables, elle se trouvait en face du crime lui-même.

Elle en demeurait toute frissonnante et balbutiait :

« Quelle horreur !... Le malheureux !... Ah ! Rénine, vous n'avez pas pu le sauver, celui-là !... Et c'est cela qui me bouleverse par-dessus tout, c'est que nous aurions pu... que nous aurions dû le sauver, puisque nous connaissions le complot... »

Rénine lui fit respirer un flacon de sels, et quand elle eut recouvré tout son sang-froid, il lui dit, en l'observant avec attention :

« Vous croyez donc qu'il y a corrélation entre cet assassinat et le complot que nous voulions déjouer ?

— Certes, fit-elle, étonnée de cette question.

— Alors, puisque ce complot était ourdi par un mari contre sa femme ou par une femme contre son mari, et puisque c'est le mari qui a été tué, vous admettez que Mme d'Imbreval... ?

— Oh ! non, impossible, dit-elle. D'abord Mme d'Imbreval n'a pas quitté son appartement... et ensuite je ne croirai jamais que cette jolie femme soit capable... non... non... il y a autre chose, évidemment...

— Quelle autre chose ?

— Je ne sais pas... On a peut-être mal entendu ce qui s'est dit entre le frère et la sœur... Vous voyez bien que le crime a été commis dans des conditions toutes différentes... à une autre heure, à un autre endroit...

— Et par conséquent, acheva Rénine, que les deux affaires n'ont aucun rapport ?

— Ah ! fit-elle, c'est à n'y rien comprendre ! Tout cela est si étrange ! »

Rénine eut un peu d'ironie.

« Mon élève ne me fait pas honneur aujourd'hui.

— En quoi donc ?

— Comment ! Voilà une histoire toute simple, qui s'est accomplie sous vos yeux, que vous avez vue se dérouler comme une scène de cinéma, et tout cela demeure pour vous aussi obscur que si vous entendiez parler d'une affaire qui se serait passée dans une cave, à trente lieues d'ici ! »

Hortense était confondue.

« Qu'est-ce que vous dites ? Quoi ! vous auriez compris ? Sur quelles indications ? »

Il regarda sa montre.

« Je n'ai pas *tout* compris, dit-il. Le crime lui-même, dans sa brutalité, oui. Mais l'essentiel, c'est-à-dire la psychologie de ce crime, là-dessus aucune indication. Seulement, il est midi. Le frère et la sœur, voyant que personne ne vient au rendez-vous des Trois-Mathildes, descendront jusqu'à la plage. Ne pensez-vous pas qu'alors nous serons renseignés sur le complice que je les accuse d'avoir, et sur le rapport qu'il y a entre les deux affaires ? »

Ils gagnèrent l'esplanade que bordent les chalets Hauville, et où les pêcheurs remontent leurs barques à l'aide de cabestans. Il y avait beaucoup de curieux à la porte d'un des chalets. Deux douaniers de faction en défendaient l'entrée.

Le maire fendit vivement la foule. Il arrivait de la poste où il avait téléphoné avec Le Havre. Au parquet, on avait répondu que le procureur de la République et un juge d'instruction se rendraient à Étretat dans le courant de l'après-midi.

« Cela nous donne tout le temps de déjeuner, dit Rénine. La tragédie ne se jouera pas avant deux ou trois heures. Et j'ai idée que ce sera corsé. »

Ils se hâtèrent cependant. Hortense, surexcitée par la fatigue et par le désir de savoir, ne cessait d'interroger Rénine qui répondait évasivement, les yeux tournés vers l'esplanade que l'on apercevait par les vitres de la salle à manger.

« C'est eux que vous épiez ? demanda-t-elle.

— Oui, le frère et la sœur.

— Vous êtes sûr qu'ils se risqueront ?...

— Attention ! les voici. »

Il sortit rapidement.

Au débouché de la rue principale, un monsieur et une dame avançaient d'un pas indécis, comme s'ils n'eussent point connu l'endroit. Le frère était un petit homme chétif, au teint olivâtre, coiffé d'une casquette d'automobiliste. La sœur, petite aussi, assez forte, vêtue d'un grand manteau, leur parut une femme d'un certain âge, mais belle encore, sous la voilette légère qui lui couvrait la figure.

Ils virent les groupes qui stationnaient et s'approchèrent. Leur marche trahissait de l'inquiétude et de l'hésitation.

La sœur aborda un matelot. Dès les premières paroles, sans doute lorsque la mort d'Imbreval lui fut annoncée, elle poussa un cri et tâcha de se frayer un passage. Le frère, à son tour, s'étant renseigné, joua des coudes et proféra en s'adressant aux douaniers :

« Je suis un ami d'Imbreval !... Voici ma carte, Frédéric Astaing... Ma sœur, Germaine Astaing, est intime avec Mme d'Imbreval !... Ils nous attendaient... Nous avions rendez-vous !... »

On les laissa passer. Sans un mot, Rénine, qui s'était engagé derrière eux, les suivit, accompagné d'Hortense.

Au deuxième étage, les d'Imbreval occupaient quatre chambres et un salon. La sœur se précipita dans l'une de ces chambres et se jeta à genoux devant le lit où l'on avait étendu le cadavre. Thérèse d'Imbreval se trouvait dans le salon et sanglotait au milieu de quelques personnes silencieuses. Le frère s'assit près d'elle, lui saisit les mains ardemment et prononça d'une voix qui tremblait :

« Ma pauvre amie... ma pauvre amie... »

Rénine et Hortense examinèrent longtemps le couple qu'ils formaient, et Hortense chuchota :

« Et c'est pour cet individu qu'elle aurait tué ? Impossible !

— Cependant, fit remarquer Rénine, ils se connaissent, et nous savons que Frédéric Astaing et sa sœur connaissent une tierce personne qui était leur complice. De sorte que...

— Impossible ! » répéta Hortense.

Et, malgré toutes les présomptions, elle éprouvait pour la jeune femme une telle sympathie que, Frédéric Astaing s'étant levé, elle alla s'asseoir auprès de Mme d'Imbreval et la consola d'une voix douce. Les larmes de la malheureuse la troublaient profondément.

Rénine, lui, s'attacha dès l'abord à la surveillance du frère et de la sœur, comme si cela eût eu de l'importance, et il ne quitta pas des yeux Frédéric Astaing qui, d'un air indifférent, commença une inspection minutieuse de l'appartement, visita le salon, entra dans toutes les chambres, se mêla aux groupes, et posa des questions sur la façon dont le crime avait été commis. Deux fois, sa sœur vint lui parler. Puis il retourna près de Mme d'Imbreval et s'assit de nouveau à son côté, plein de compassion et d'empressement. Enfin, il eut avec sa sœur, dans l'antichambre, un long conciliabule à la suite duquel ils se séparèrent, comme des gens qui se sont mis d'accord sur tous les points. Frédéric s'en alla. Le manège avait bien duré trente à quarante minutes.

C'est à ce moment que déboucha devant les chalets l'automobile qui amenait le juge d'instruction et le procureur. Rénine, qui n'attendait leur arrivée que plus tard, dit à Hortense :

« Il faut se hâter. À aucun prix ne quittez Mme d'Imbreval. »

On fit prévenir les personnes dont le témoignage pouvait avoir quelque utilité, qu'elles eussent à se réunir sur la plage où le juge d'instruction commençait une enquête préliminaire. Il devait ensuite se rendre auprès de Mme d'Imbreval. Toutes les personnes présentes sortirent donc. Il ne restait que les deux gardes et Germaine Astaing.

Celle-ci s'agenouilla une dernière fois près du mort, et, courbée devant lui, la tête entre ses mains, pria longuement. Ensuite elle se releva et elle ouvrit la porte de l'escalier, quand Rénine s'avança.

« J'aurais quelques mots à vous dire, madame. »

Elle parut surprise et répliqua :

« Dites, monsieur. J'écoute.

— Pas ici.

— Où donc, monsieur ?

— À côté, dans le salon.

— Non, fit-elle vivement.

— Pourquoi ? Bien que vous ne lui ayez même pas serré la main, je suppose que Mme d'Imbreval est votre amie ? »

Il ne lui laissa pas le temps de réfléchir, l'entraîna vers l'autre pièce dont il ferma la porte, et, tout de suite, se précipitant sur Mme d'Imbreval qui voulait sortir et regagner sa chambre, il dit :

« Non, madame, écoutez, je vous en conjure. La présence de Mme Astaing ne doit pas vous éloigner. Nous avons à causer de choses très graves, et sans perdre une minute. »

Dressées l'une devant l'autre, les deux femmes se regardèrent avec une même expression de haine implacable, où l'on devinait chez toutes deux le même bouleversement de l'être et la même rage contenue. Hortense, qui les croyait amies, qui aurait pu, jusqu'à un certain point, les croire complices, fut effrayée du choc qu'elle prévoyait et qui fatalement allait se produire. Elle força Thérèse d'Imbreval à se rasseoir, tandis que Rénine se plaçait au milieu de la pièce et articulait d'une voix ferme :

« Le hasard, en me mettant au courant de la vérité, me permettra de vous sauver toutes deux, si vous voulez m'aider par une explication franche qui me donnera les renseignements dont j'ai besoin. Le péril, chacune de vous le connaît, puisque chacune de vous, au fond d'elle, connaît le mal dont elle est responsable. Mais la haine vous emporte et c'est à moi de voir clair et d'agir. Dans une demi-heure, le juge d'instruction sera ici. À cette minute-là, il faut que l'accord soit fait. »

Elles sursautèrent toutes deux, comme heurtées par un tel mot.

« Oui, l'accord, répéta-t-il plus impérieusement. Volontaire ou non, il sera fait. Vous n'êtes pas seules en cause. Il y a vos deux petites filles, madame d'Imbreval. Puisque les circonstances m'ont placé sur leur route, c'est pour leur défense et pour leur salut que j'interviens. Une erreur, un mot de trop, et elles sont perdues. Cela ne sera point. »

À l'évocation de ses enfants, Mme d'Imbreval s'était effondrée et sanglotait. Germaine Astaing haussa les épaules, et fit, vers la porte, un mouvement auquel Rénine s'opposa de nouveau.

« Où allez-vous ?

— Je suis convoquée par le juge d'instruction.

— Non.

— Si, de même que tous ceux qui ont à témoigner.

— Vous n'étiez pas là. Vous ne savez rien de ce qui s'est passé. Personne ne sait rien de ce crime.

— Moi, je sais qui l'a commis.

— Impossible !

— Thérèse d'Imbreval. »

L'accusation fut lancée dans un éclat de colère et avec un geste de menace furieuse.

« Misérable ! s'écria Mme d'Imbreval, en s'élançant vers elle. Va-t'en ! Va-t'en ! Ah ! quelle misérable que cette femme ! »

Hortense essayait de la contenir, mais Rénine lui dit à voix basse :

« Laissez-les, c'est ce que j'ai voulu... les lancer l'une contre l'autre et provoquer ainsi la pleine lumière. »

Sous l'insulte, Mme Astaing avait fait, pour plaisanter, un effort qui convulsait ses lèvres, et elle ricana :

« Misérable ? Pourquoi ? Parce que je t'accuse ?

— Pour tout ! pour tout ! Tu es une misérable ! Tu entends, Germaine, une misérable ! »

Thérèse d'Imbreval répétait l'injure, comme si elle en avait ressenti du soulagement. Sa colère s'apaisait. Peut-être, d'ailleurs, n'avait-elle plus assez de force pour soutenir la lutte, et ce fut Mme Astaing qui reprit l'attaque, les poings tendus, la figure décomposée et vieillie de vingt années.

« Toi ! tu oses m'injurier, toi ! toi ! après ton crime ! Tu oses lever la tête quand l'homme que tu as tué est là, sur son lit de mort ! Ah ! si l'une de nous deux est une misérable, tu sais bien que c'est toi, Thérèse ! Tu as tué ton mari ! Tu as tué ton mari ! »

Elle bondit, surexcitée par les mots affreux qu'elle prononçait, et ses ongles touchaient presque au visage de son amie.

« Ah ! ne dis pas que tu ne l'as pas tué, s'écria-t-elle. Ne dis pas cela, je te le défends. Ne le dis pas ! Le poignard est là dans ton sac. Mon frère y a touché tandis qu'il te parlait, et sa main en est sortie avec des taches de sang. Le sang de ton mari, Thérèse. Et puis, même si je n'avais rien découvert, penses-tu que, dès les premières minutes, je n'aie pas deviné ? Mais tout de suite, Thérèse, j'ai su la vérité. Lorsqu'un matelot m'a répondu en bas : « M. d'Imbreval ? Il a été assassiné. », aussitôt, je me suis dit : « C'est elle, c'est Thérèse, elle l'a tué. »

Thérèse ne répondait pas. Elle n'avait plus eu un mouvement de protestation. Hortense, qui l'observait avec angoisse, crut deviner en elle l'accablement de ceux qui se savent perdus. Les joues se creusaient, et le visage avait une telle expression de désespoir, qu'Hortense, apitoyée, la conjura de se défendre.

« Expliquez-vous, je vous en prie. Durant le crime, vous étiez ici sur le balcon... Alors, ce poignard, comment avez-vous pu ?... Comment expliquer ?...

— Des explications ! ricana Germaine Astaing. Est-ce qu'il lui serait possible d'en donner ? Qu'importent les apparences du crime ! Qu'importe ce qu'on a vu ou ce qu'on n'a pas vu ! L'essentiel, c'est la preuve... C'est le fait que le poignard est là, dans ton sac, Thérèse. Oui, oui, c'est toi !... tu l'as tué ! Tu as fini par le tuer ! Ah ! que de fois, je l'ai dit à mon frère : « Elle le tuera ! » Frédéric essayait de te défendre, Frédéric a toujours eu un faible pour toi. Mais, au fond, il prévoyait l'événement... Et voilà que la chose atroce est accomplie ! Un coup de poignard dans le dos. Lâche ! Lâche !... Et je ne dirais rien ? Mais je n'ai pas hésité une seconde !... Frédéric non plus ! Tout de suite, nous avons cherché des preuves... Et c'est avec toute ma raison et avec toute ma volonté que je vais te dénoncer... Et c'est fini, Thérèse. Tu es perdue. Rien ne peut plus te sauver. Le poignard est dans ce sac autour duquel ta main se crispe. Le juge va revenir, et on l'y trouvera, taché du sang de ton mari... Et on y trouvera aussi son portefeuille. Ils y sont. On les trouvera... »

Une telle rage l'exaspérait qu'elle ne put continuer et qu'elle demeura le bras tendu et le menton agité de convulsions nerveuses.

Rénine saisit doucement le sac de Thérèse d'Imbreval. La jeune femme s'y cramponna. Mais il insista et lui dit :

« Laissez-moi faire, madame. Votre amie Germaine a raison. Le juge d'instruction va venir, et le fait que le poignard est entre vos mains provoquera votre arrestation immédiate. Il ne faut pas qu'il en soit ainsi. Laissez-moi faire. »

Sa voix insinuante amollissait la résistance de Thérèse. Un à un ses doigts se dénouèrent. Il prit le sac, l'ouvrit, en sortit un petit poignard à manche d'ébène et un portefeuille de maroquin gris, et, paisiblement, mit les deux objets dans la poche intérieure de son veston.

Germaine Astaing le regardait avec stupeur.

« Vous êtes fou, monsieur ! De quel droit ?...

— Ce sont des objets qu'il ne faut pas laisser traîner. Comme ça je suis tranquille. Le juge n'ira pas les chercher dans ma poche.

— Mais je vous dénoncerai, monsieur ! fit-elle, indignée. La justice sera avertie.

— Mais non, mais non, fit-il en riant, vous ne direz rien ! La justice n'a rien à voir là-dedans. Le conflit qui vous divise doit être réglé entre vous deux. Quelle idée de mêler la justice à tous les incidents de la vie ! »

Mme Astaing était suffoquée.

« Mais vous n'avez aucun titre pour parler ainsi, monsieur ! Qui donc êtes-vous ? Un ami de cette femme ?

— Depuis que vous l'attaquez, oui.

— Mais si je l'attaque, c'est qu'elle est coupable. Car vous ne pouvez pas le nier... elle a tué son mari...

— Je ne le nie pas, déclara Rénine, d'un air calme. Nous sommes tous d'accord sur ce point. Jacques d'Imbreval a été tué par sa femme. Mais, je le répète, la justice ne doit pas connaître la vérité.

— Elle la saura par moi, monsieur, je vous le jure. Il faut que cette femme soit punie... Elle a tué. »

Rénine s'approcha d'elle, et, lui touchant l'épaule :

« Vous me demandiez tout à l'heure à quel titre j'intervenais. Et vous, madame ?

— J'étais l'amie de Jacques d'Imbreval.

— L'amie seulement ? »

Elle fut un peu décontenancée, mais se redressa aussitôt et reprit :

« J'étais son amie, et mon devoir est de le venger.

— Vous garderez le silence, cependant, comme il l'a gardé.

— Il n'a pas su, lui, avant de mourir.

— C'est ce qui vous trompe. Il aurait pu accuser sa femme, il a eu tout le temps de l'accuser, et il n'a rien dit.

— Pourquoi ?

— À cause de ses enfants. »

Mme Astaing ne désarmait pas, et son attitude marquait la même volonté de vengeance et la même exécration. Mais, malgré tout, elle subissait l'influence de Rénine. Dans la petite pièce close où tant de haine s'entrechoquait, il devenait peu à peu le maître, et Germaine Astaing comprenait que Mme d'Imbreval sentait tout le réconfort de cet appui inattendu qui s'offrait au bord de l'abîme.

« Je vous remercie, monsieur, dit Thérèse. Puisque vous avez vu clair dans tout cela, vous savez aussi que c'est pour mes enfants que je ne me suis pas livrée à la justice. Sans quoi, je suis si lasse !... »

Ainsi la scène changeait et les choses prenaient un aspect différent. Grâce à quelques mots jetés dans le débat, il arrivait que la coupable redressait la tête et se rassurait, tandis que l'accusatrice hésitait et semblait inquiète. Et il arrivait que celle-ci n'osait plus parler, et que l'autre touchait à cet instant où l'on éprouve le besoin de sortir du silence pour prononcer tout naturellement les paroles qui avouent et qui soulagent.

« Maintenant, lui dit Rénine avec la même douceur, je crois que vous pouvez et que vous devez vous expliquer.

— Oui... oui... je le crois également, dit-elle. Je dois répondre à cette femme... La vérité toute simple, n'est-ce pas ?... »

Elle pleurait de nouveau, prostrée dans un fauteuil, montrant elle aussi un visage vieilli et ravagé par la douleur, et, tout bas, sans colère, en petites phrases hachées, elle scanda :

« Voilà quatre ans qu'elle était sa maîtresse... Ce que j'ai souffert... C'est elle-même qui m'a révélé leur liaison... par méchanceté... Elle me détestait plus encore qu'elle n'aimait Jacques... et, chaque jour, c'étaient de nouvelles blessures... des coups de téléphone où elle me parlait de ses rendez-vous... À force de me faire souffrir, elle espérait que je me tuerais... J'y ai pensé quelquefois, mais j'ai tenu bon, pour les enfants... Jacques faiblissait cependant. Elle exigeait de lui le divorce... et il s'y laissait aller peu à peu... dominé par elle et par son frère, qui est plus sournois qu'elle, mais aussi dangereux. Je sentais tout cela... Jacques devenait dur avec moi... Il n'avait pas le courage de partir, mais j'étais l'obstacle, et il m'en voulait... Mon Dieu, quelle torture !

— Il fallait lui rendre sa liberté, s'écria Germaine Astaing. On ne tue pas un homme parce qu'il veut divorcer. »

Thérèse secoua la tête et répondit :

« Ce n'est pas parce qu'il voulait divorcer que je l'ai tué. S'il l'avait voulu réellement, il serait parti et que pouvais-je faire ? Mais tes plans avaient changé, Germaine, le divorce ne te suffisait pas, et c'est une autre chose que tu avais obtenue de lui, une autre chose bien plus grave que ton frère et toi aviez exigée... et à laquelle il avait consenti... par lâcheté... malgré lui...

— Que veux-tu dire ? balbutia Germaine... Quelle autre chose ?

— Ma mort.

— Tu mens ! » s'écria Mme Astaing.

Thérèse ne haussa pas la voix. Elle ne fit aucun geste de haine ou d'indignation, et répéta simplement :

« Ma mort, Germaine. J'ai lu tes dernières lettres, six lettres de toi qu'il avait eu la folie d'oublier dans son portefeuille, six lettres où le mot terrible n'est pas écrit, mais où chaque ligne le laisse entrevoir. J'ai lu cela en tremblant ! Jacques en arriver là !... Pourtant, pas une seconde l'idée de le frapper, lui, ne m'est venue. Une femme comme moi, Germaine, ne tue pas volontairement... Si j'ai perdu la tête... c'est plus tard... par ta faute... »

Elle tourna la tête du côté de Rénine, comme pour lui demander s'il n'y avait point péril à ce qu'elle parlât et divulguât la vérité.

« Soyez sans crainte, dit-il, je réponds de tout. »

Elle passa sa main sur son front. L'horrible scène revivait en elle et la torturait... Germaine Astaing ne remuait pas, les bras croisés, les yeux troubles, tandis qu'Hortense Daniel attendait éperdument l'aveu du crime, et l'explication de l'impénétrable mystère.

« C'est plus tard, reprit-elle, et par ta faute, Germaine. J'avais remis le portefeuille dans le tiroir où il était caché, et, ce matin, je ne dis rien à Jacques... Je ne voulais pas lui dire que je savais... C'était trop affreux !... Pourtant, il fallait se hâter... tes lettres annonçaient ton arrivée secrète, pour aujourd'hui... Je pensai d'abord à m'enfuir, à sauter dans le train... Machinalement, j'avais pris ce poignard pour me défendre... Mais quand Jacques et moi nous sommes venus sur la plage, j'étais résignée... Oui, j'acceptais de mourir... Que je meure, pensais-je, et que tout ce cauchemar finisse ! Seulement, pour mes enfants, je voulais que ma mort parût accidentelle et que Jacques n'en fût pas accusé. C'est pour cela que ton plan de promenade sur la falaise me convenait... Une chute du haut d'une falaise semble toute naturelle... Jacques me quitta donc pour aller dans sa cabine, d'ou il devait plus tard te rejoindre aux Trois-

Mathildes. En route, au-dessous de la terrasse, il laissa tomber la clef de cette cabine. Je descendis et me mis à chercher avec lui. Et c'est là... par ta faute... oui, Germaine, par ta faute. Le portefeuille de Jacques avait glissé de la poche de son veston sans qu'il s'en aperçût, et, en même temps que ce portefeuille, une photographie que je reconnus aussitôt... une photographie qui date de cette année et qui me représente avec mes deux enfants. Je la ramassai... et je vis... Tu sais bien ce que je vis, Germaine. Au lieu de moi, sur l'épreuve, c'était toi... Tu m'avais effacée et remplacée par toi, Germaine ! C'était ton visage ! Un de tes bras enlaçait le cou de ma fille aînée et l'autre reposait sur ses genoux... C'était toi, Germaine, la femme de mon mari... toi, la future mère de mes enfants... toi, qui allais les élever... toi... toi !... Alors, j'ai perdu la tête. J'avais le poignard... Jacques était baissé... J'ai frappé... »

Il n'y avait pas un mot de sa confession qui ne fût rigoureusement vrai. Ceux qui l'écoutaient en avaient l'impression profonde, et, pour Hortense et Rénine, rien n'était plus poignant et plus tragique.

Elle s'était rassise, à bout de forces. Cependant, elle continuait à prononcer des mots inintelligibles, et ce n'est que peu à peu, en se penchant sur elle, que l'on put entendre :

« Je croyais qu'on allait crier autour de nous et m'arrêter... Rien. Cela s'était produit de telle façon et dans de telles conditions que personne n'avait rien vu. Bien plus, Jacques s'était redressé en même temps que moi, et voilà qu'il ne tombait pas ! Non, il ne tombait pas ! Lui que j'avais frappé, il restait debout ! De la terrasse où j'étais remontée, je l'aperçus. Il avait remis sa veste sur ses épaules, évidemment pour cacher sa blessure, et il s'éloignait sans vaciller... ou si peu que moi seule pouvais m'en rendre compte. Il causa même avec des amis qui jouaient aux cartes, puis il se dirigea vers sa cabine et disparut. Moi, au bout d'un moment, je rentrai. J'étais persuadée que tout cela n'était qu'un mauvais rêve... que je n'avais pas tué... ou que du moins la blessure était légère. Jacques allait sortir... J'en étais certaine. De mon balcon je surveillais... Si j'avais pu croire une seconde qu'il avait besoin d'assistance, j'aurais couru là-bas... Mais, vraiment, je n'ai pas su... je n'ai pas deviné... On parle de pressentiment... c'est faux. J'étais absolument calme, comme on l'est justement après un cauchemar dont le souvenir s'efface. Non, je vous le jure, je n'ai rien su... jusqu'à l'instant... »

Elle s'interrompit. Les sanglots l'étouffaient.

Rénine acheva :

« Jusqu'à l'instant où l'on vint vous avertir, n'est-ce pas ? »

Thérèse balbutia :

« Oui... C'est alors seulement que j'eus conscience de mon acte... et je sentis que je devenais folle et que j'allais crier à tous ces gens : « Mais c'est moi ! Ne cherchez pas. Voici le poignard... C'est moi la coupable. » Oui, j'allais crier cela, quand tout à coup je le vis, lui, mon pauvre Jacques... On l'apportait... Il avait une figure très paisible... très douce... Et, devant lui, je compris mon devoir... comme il avait compris le sien... Pour les enfants, il s'était tu. Je me tairais aussi. Coupables tous les deux du meurtre dont il était victime, l'un et l'autre nous devions tout faire pour que le crime ne retombât pas sur eux... Dans son agonie, il avait eu la vision claire de cela... il avait eu le courage inouï de marcher, de répondre à ceux qui l'interrogeaient, et de s'enfermer pour mourir. Il avait fait cela, effaçant d'un coup toutes ses fautes, et, par là même, m'accordant son pardon, puisqu'il ne me dénonçait pas... et qu'il m'ordonnait de me taire... et de me défendre... contre tous, contre toi surtout, Germaine. »

Elle prononça ces dernières paroles avec plus de fermeté. Bouleversée d'abord par l'acte inconscient qu'elle avait commis en tuant son mari, elle retrouvait un peu de force en pensant à ce qu'il avait fait, lui, et en s'armant elle-même d'une pareille énergie. En face de l'intrigante dont la haine les avait conduits tous deux jusqu'à la mort et jusqu'au crime, elle serrait les poings, prête à la lutte, toute frémissante de volonté.

Elle ne bronchait pas, Germaine Astaing. Elle avait écouté sans un mot, avec un visage implacable dont l'expression prenait plus de dureté à mesure que les aveux de Thérèse devenaient plus précis. Aucune émotion ne semblait l'attendrir et aucun remords la pénétrer. Tout au plus, vers la fin, ses lèvres minces eurent-elles un léger sourire, comme si elle se fût réjouie de la façon dont les événements avaient tourné. Elle tenait sa proie.

Lentement, les yeux levés vers une glace, elle rajusta son chapeau et se mit de la poudre de riz. Puis elle marcha vers la porte. Thérèse se précipita.

« Où vas-tu ?

— Où ça me plaît.

— Voir le juge d'instruction ?

— Probable.
— Tu ne passeras pas !
— Soit. Je l'attendrai ici.
— Et tu lui diras ?...
— Parbleu ! tout ce que tu as dit, tout ce que tu as eu la naïveté de me dire. Comment douterait-il ? Tu m'as donné toutes les explications. »

Thérèse la saisit aux épaules.

« Oui, mais je lui en donnerai d'autres, en même temps, Germaine, et qui te concernent, toi. Si je suis perdue, tu le seras aussi.
— Tu ne peux rien contre moi.
— Je peux te dénoncer, montrer les lettres.
— Quelles lettres ?
— Celles où ma mort est résolue.
— Mensonges ! Thérèse. Tu sais bien que ce fameux complot contre toi n'existe que dans ton imagination. Ni Jacques ni moi ne voulions ta mort.
— Tu la voulais, toi. Tes lettres te condamnent.
— Mensonges ! C'étaient des lettres d'une amie à un ami.
— Des lettres de maîtresse et de complice.
— Prouve-le.
— Elles sont là, dans le portefeuille de Jacques.
— Non.
— Qu'est-ce que tu dis ?
— Je dis que ces lettres m'appartenaient. Je les ai reprises... Ou plutôt mon frère les a reprises.
— Tu les as volées, misérable ! et tu vas me les rendre, s'écria Thérèse en la bousculant.
— Je ne les ai plus. Mon frère les a gardées. Il les a emportées.
— Il me les rendra.
— Il est parti.
— On le retrouvera.
— On le retrouvera certainement, mais pas les lettres. De telles lettres se déchirent. »

Thérèse chancela et tendit les mains du côté de Rénine d'un air désespéré.

Rénine prononça :

« Ce qu'elle dit est la vérité. J'ai suivi le manège du frère, tandis qu'il fouillait dans votre sac. Il a pris votre portefeuille, il l'a visité devant sa sœur, il est revenu le remettre en place, et il est parti avec les lettres. »

Rénine fit une pause et ajouta :

« Ou du moins avec cinq des lettres. »

La phrase fut prononcée négligemment, mais, tous, ils en saisirent l'importance considérable. Les deux femmes se rapprochèrent de lui. Que voulait-il dire ? Si Frédéric Astaing n'avait emporté que cinq lettres, où donc se trouvait la sixième ?

« Je suppose, dit Rénine, que, quand le portefeuille a glissé sur le galet, cette lettre s'est échappée en même temps que la photographie et que M. d'Imbreval a dû la ramasser.

— Qu'en savez-vous ? Qu'en savez-vous ? demanda Mme Astaing d'un ton saccadé.

— Je l'ai retrouvée dans la poche de son veston de flanelle, que l'on avait accroché près du lit. La voici. Elle est signée Germaine Astaing, et elle suffit amplement à établir les intentions de celle qui l'écrivit et les conseils de meurtre qu'elle donnait à son amant. Je suis même confondu qu'une telle imprudence ait pu être commise par une femme aussi habile. »

Mme Astaing était livide et si décontenancée qu'elle ne chercha pas à se défendre. Rénine continua, en s'adressant à elle :

« Pour moi, madame, vous êtes responsable de tout ce qui s'est passé. Ruinée sans doute, à bout de ressources, vous avez voulu profiter de la passion que vous inspiriez à M. d'Imbreval pour vous faire épouser malgré tous les obstacles et pour mettre la main sur sa fortune. Cet esprit de lucre, ces calculs abominables, j'en ai la preuve et je pourrai la fournir. Quelques minutes après moi, vous avez fouillé dans la poche de ce veston de flanelle. J'en avais enlevé la sixième lettre, mais j'y avais laissé un bout de papier, que vous cherchiez ardemment et qui, lui aussi, avait dû tomber du portefeuille. C'était un chèque au porteur de 100 000 francs, signé par M. d'Imbreval au profit de votre frère... Simple cadeau de noces... ce qu'on appelle une épingle de cravate. Selon vos instructions, votre frère a filé en auto vers Le Havre et, sans aucun doute, s'est présenté avant quatre heures à la banque où cette somme était déposée. Je dois vous avertir, en passant, qu'il ne la touchera pas, car j'ai fait téléphoner à cette banque pour annoncer l'assassinat de M. d'Imbreval, ce qui suspend tout paiement. De tout cela, il résulte que la justice aura entre les mains, si vous persistez dans vos projets de vengeance, toutes les preuves nécessaires contre vous et votre frère. Je pourrais y ajouter, comme témoignage édifiant, le récit de la conversation téléphonique que l'on a surprise entre votre frère et vous la semaine dernière, conversation où vous parliez en espagnol mitigé de javanais. Mais je suis sûr que vous ne m'obligerez pas à ces mesures extrêmes et que nous sommes bien d'accord, n'est-ce pas ? »

Rénine s'exprimait avec un calme impressionnant et la désinvolture d'un monsieur qui sait que personne n'élèvera la moindre objection contre ses paroles. Il semblait vraiment ne pas pouvoir se tromper. Il évoquait les événements tels qu'ils s'étaient produits et en tirait les conclusions inévitables qu'ils comportaient en bonne logique. Il n'y avait qu'à se soumettre.

Mme Astaing le comprit. Des natures comme la sienne, violentes, acharnées tant que le combat est possible et qu'il reste un peu d'espoir, se laissent aisément dominer dans la défaite. Germaine était trop intelligente pour ne pas sentir que la moindre tentative de révolte serait brisée par un tel adversaire. Elle était entre ses mains. En de pareils cas, on s'incline.

Elle ne joua donc aucune comédie, et ne se livra à aucune démonstration, menaces, explosion de rage, crise de nerfs, etc. Elle s'inclina.

« Nous sommes d'accord, dit-elle. Qu'exigez-vous ?

— Allez-vous-en.

— Si jamais on invoque mon témoignage ?

— On ne l'invoquera pas.

— Cependant...

— Répondez que vous ne savez rien. »

Elle s'en alla. Au seuil de la porte, elle hésita, puis entre ses dents :

« Le chèque ? » dit-elle.

Rénine regarda Mme d'Imbreval qui déclara :

« Qu'elle le garde. Je ne veux pas de cet argent. »

Lorsque Rénine eut donné à Thérèse d'Imbreval des instructions précises sur la façon dont elle devait se comporter et répondre aux questions qui lui seraient posées, il quitta le chalet, accompagné d'Hortense Daniel.

Là-bas, sur la plage, le juge et le procureur continuaient leur enquête, prenaient des mesures, interrogeaient les témoins et se concertaient entre eux.

« Quand je songe, dit Hortense, que vous avez sur vous le poignard et le portefeuille de M. d'Imbreval !

— Et cela vous semble infiniment dangereux ? dit-il en riant. Moi, cela me semble infiniment comique.

— Vous n'avez pas peur ?

— De quoi, ?

— Que l'on se doute de quelque chose ?

— Seigneur Dieu ! on ne se doutera de rien ! Nous allons raconter à ces braves gens ce que nous avons vu, témoignage qui ne fera qu'augmenter leur embarras, puisque nous n'avons rien vu du tout. Par prudence, nous resterons un jour ou deux pour veiller au grain. Mais l'affaire est réglée. Ils n'y verront jamais que du feu.

— Cependant, vous avez deviné, vous, et dès la première minute. Pourquoi ?

— Parce que, au lieu de chercher midi à quatorze heures, comme on le fait en général, je me pose toujours la question comme elle doit être posée, et la solution vient tout naturellement. Un monsieur entre dans sa cabine et s'y enferme. On l'y trouve mort, une demi-heure plus tard. Personne ne s'y est introduit. Que s'est-il passé ? Pour moi, la réponse est immédiate. Pas même besoin de réfléchir. Puisque le crime n'a pas été commis dans la cabine, c'est qu'il a été commis auparavant et que le monsieur, en entrant dans sa cabine, était déjà frappé à mort. Et tout de suite, en l'espèce, la vérité m'est apparue. Mme d'Imbreval, qui devait être tuée ce soir, a pris les devants, et, tandis que son mari se baissait, en une seconde d'égarement, elle a tué. Il n'y avait plus qu'à chercher les motifs de son acte. Quand je les ai connus, j'ai marché à fond pour elle. Voilà toute l'histoire. »

Le soir commençait à tomber. Le bleu du ciel devenait plus sombre, la mer plus paisible encore.

« À quoi pensez-vous ? demanda Rénine au bout d'un moment.

— Je pense, dit-elle, que si j'étais victime à mon tour de quelque machination, je garderais confiance en vous, quoi qu'il arrive, confiance envers et contre tous. Je sais, comme je sais que j'existe, que vous me sauveriez, quels que soient les obstacles. Il n'y a pas de limite à votre volonté. »

Il dit, très bas :

« Il n'y a pas de limites à mon désir de vous plaire. »

IV

LE FILM RÉVÉLATEUR

« Regardez donc celui qui joue le maître d'hôtel..., dit Serge Rénine.

— Qu'est-ce qu'il a de particulier ? » demanda Hortense.

Ils se trouvaient en matinée dans un cinéma des boulevards où la jeune femme avait entraîné Rénine pour y voir une interprète qui la touchait de près. Rose-Andrée, que l'affiche mettait en vedette, était sa demi-sœur, leur père s'étant marié deux fois. Depuis quelques années, fâchées l'une avec l'autre, elles ne s'écrivaient même plus. Belle créature aux gestes souples et au visage rieur, Rose-Andrée, après avoir fait du théâtre sans beaucoup de succès, venait de se révéler au cinéma comme une interprète de grand avenir. Ce soir-là elle animait de son entrain et de sa beauté ardente un film assez médiocre par lui-même : *La Princesse Heureuse.*

Sans répondre directement, Rénine reprit, pendant une pause de la représentation :

« Je me console des mauvais films en observant les personnages secondaires. Comment ces pauvres diables, à qui l'on fait répéter dix ou vingt fois certaines scènes, ne penseraient-ils pas souvent, lors de la « prise définitive », à autre chose qu'à ce qu'ils jouent ? Ce sont ces petites distractions, où perce un peu de leur âme ou de leur instinct, qui sont amusantes à noter. Ainsi, tenez, ce maître d'hôtel... »

L'écran montrait maintenant une table luxueusement servie que présidait la Princesse Heureuse entourée de tous ses amoureux. Une demi-douzaine de domestiques allaient et venaient, dirigés par le maître d'hôtel, grand gaillard au mufle épais, à la figure vulgaire, dont les sourcils énormes se rejoignaient en une seule ligne.

« Une tête de brute, dit Hortense. Que voyez-vous en lui de spécial ?

— Examinez la façon dont il regarde votre sœur, et s'il ne la regarde pas plus souvent qu'il ne devrait...

— Ma foi, jusqu'ici, il ne me semble pas, objecta Hortense...

— Mais si, affirma le prince Rénine, il est évident qu'il éprouve dans la vie pour Rose-Andrée des sentiments personnels qui n'ont aucun rapport avec son rôle de domestique anonyme. Nul ne s'en doute peut-être, dans la réalité, mais sur l'écran, quand il ne se surveille pas, ou quand il croit que ses camarades de répétition ne peuvent le voir, son secret lui échappe. Tenez... »

L'homme ne bougeait plus. C'était la fin du repas. La princesse buvait une coupe de champagne, et il la contemplait de ses deux yeux luisants que voilaient à demi ses lourdes paupières.

Deux fois encore, ils surprirent en lui de ces expressions singulières auxquelles Rénine attribuait une signification passionnée qu'Hortense mettait en doute.

« C'est sa façon de regarder, à cet homme », disait-elle.

L'épisode se termina. Il y en avait un second. La notice du programme annonçait « qu'un an s'était écoulé et que la Princesse Heureuse vivait dans une jolie chaumière normande, tout enguirlandée de plantes grimpantes, avec le musicien peu fortuné qu'elle avait choisi comme époux ».

Toujours heureuse, d'ailleurs, ainsi qu'on put le constater sur l'écran, la princesse était toujours également séduisante, et toujours assiégée par les prétendants les plus divers. Bourgeois et nobles, financiers et paysans, tous les hommes tombaient en pâmoison devant elle, et, plus que tous, une sorte de rustre solitaire, un bûcheron velu et à demi sauvage qu'elle rencontrait dans toutes ses promenades. Armé de sa hache, redoutable et sournois, il rôdait autour de la chaumière et l'on sentait avec effroi qu'un péril menaçait la Princesse Heureuse.

« Tiens, tiens, chuchota Rénine, vous savez qui c'est, l'homme des bois ?

— Non.

— Le maître d'hôtel, tout simplement. On a pris le même interprète pour les deux rôles. »

De fait, malgré la déformation de la silhouette, sous la démarche pesante, sous les épaules voûtées du bûcheron, se retrouvaient les attitudes et les gestes du maître d'hôtel, de même que sous la barbe inculte et sous les longs cheveux épais, on reconnaissait la face rasée de tout à l'heure, le mufle de bête et la ligne touffue des sourcils.

Au loin, la princesse sortit de la chaumière. L'homme se cacha derrière un massif. De temps en temps, l'écran montrait, en proportion démesurée, ses yeux féroces ou ses mains d'assassin aux pouces énormes.

« Il me fait peur, dit Hortense ; il est terrifiant de réalité.

— Parce qu'il joue pour son propre compte, fit Rénine. Vous comprenez bien que, dans l'intervalle des trois ou quatre mois qui semblent séparer les époques où les deux films furent tournés, son amour a fait des progrès, et, pour lui, ce n'est pas la princesse qui vient, mais Rose-Andrée. »

L'homme s'accroupit. La victime approchait, allègre et sans méfiance. Elle passa, entendit du bruit, s'arrêta, et regarda d'un air souriant qui devint attentif, puis inquiet, puis de plus en plus anxieux. Le bûcheron avait écarté les branches et traversait le massif.

Ils se trouvaient ainsi l'un en face de l'autre.

Il ouvrit les bras comme pour la saisir. Elle voulut crier, appeler au secours, mais elle suffoquait, et les bras se refermèrent sur elle sans qu'elle pût opposer la moindre résistance. Alors il la chargea sur son épaule et se mit à galoper.

« Êtes-vous convaincue ? murmura Rénine. Croyez-vous que cet acteur de vingtième ordre aurait eu cette puissance et cette énergie s'il s'agissait d'une autre femme que Rose-Andrée ? »

Le bûcheron, cependant, arrivait au bord d'un large fleuve, près d'une vieille barque échouée dans la vase. Il y coucha le corps inerte de Rose-Andrée, défit l'amarre et se mit à remonter le fleuve en suivant la rive.

Plus tard, on le vit atterrir, puis franchir la lisière d'une forêt et s'enfoncer parmi de grands arbres et des amoncellements de roches. Ayant déposé la princesse, il déblaya l'entrée d'une caverne, où le jour se glissait par une fente oblique.

Une série de projections montra l'affolement du mari, les recherches, la découverte de petites branches cassées par la Princesse Heureuse et qui indiquaient la route suivie.

Puis ce fut le dénouement, la lutte effroyable entre l'homme et la femme et, au moment où la femme, vaincue, à bout de forces, est renversée, l'irruption brusque du mari et le coup de feu qui abat la bête fauve...

Il était quatre heures, lorsqu'ils sortirent du cinéma. Rénine, que son automobile attendait, fit signe au chauffeur de le suivre. Ils marchèrent tous deux par les boulevards et la rue de la Paix, et Rénine, après un long silence dont la jeune femme s'inquiétait malgré elle, lui demanda :

« Vous aimez votre sœur ?

— Oui, beaucoup.

— Cependant, vous êtes fâchées ?

— Je l'étais du temps de mon mari. Rose est une femme assez coquette avec les hommes. J'ai été jalouse, et vraiment sans motif. Mais pourquoi cette question ?

— Je ne sais pas... ce film me poursuit, et l'expression de cet homme était si étrange ! »

Elle lui prit le bras et vivement :

« Enfin, quoi, parlez ! Que supposez-vous ?

— Ce que je suppose ? Tout et rien. Mais je ne puis m'empêcher de croire que votre sœur ait été en danger.

— Simple hypothèse.

— Oui, mais une hypothèse fondée sur des faits qui m'impressionnent. À mon avis, la scène de l'enlèvement représente, non pas l'agression de l'homme des bois contre la Princesse Heureuse, mais une attaque violente et forcenée d'un interprète contre la femme qu'il convoite. Certes, cela s'est passé dans les limites imposées par le rôle, et personne n'y a vu que du feu — personne, sauf peut-être Rose-Andrée. Mais moi, j'ai surpris des éclairs de passion qui ne laissent aucun doute, des regards où il y avait de l'envie, et même la volonté du meurtre, des mains contractées, toutes prêtes à étrangler, vingt détails enfin qui me prouvent qu'à cette époque-là l'instinct de cet homme le poussait à tuer cette femme qui ne pouvait lui appartenir.

— Soit, à cette époque, peut-être, dit Hortense. Mais la menace est conjurée puisque des mois se sont écoulés.

— Évidemment... évidemment... mais tout de même, je veux me renseigner.

— Près de qui ?

— Auprès de la Société mondiale qui a tourné le film. Tenez, voici les bureaux de la Société. Voulez-vous monter dans l'automobile et attendre quelques minutes ? »

Il appela Clément, son chauffeur, et s'éloigna.

Au fond, Hortense demeurait sceptique. Toutes ces manifestations d'amour, dont elle ne niait ni l'ardeur ni la sauvagerie, lui avaient semblé le jeu rationnel d'un bon interprète. Elle n'avait rien saisi de tout le drame redoutable que Rénine prétendait avoir deviné, et se demandait s'il ne péchait pas par excès d'imagination.

« Eh bien, lui dit-elle, non sans ironie, quand il revint, où en êtes-vous ? Du mystère ? Des coup de théâtre ?

— Suffisamment », fit-il d'un air soucieux.

Elle se troubla aussitôt.

« Que dites-vous ? »

Il raconta, d'un trait :

« Cet homme s'appelle Dalbrèque. C'est un être assez bizarre, renfermé, taciturne, et qui se tenait toujours à l'écart de ses camarades. On ne s'est jamais aperçu qu'il fût particulièrement empressé auprès de votre sœur. Cependant, son interprétation, à la fin du second épisode, parut si remarquable qu'on l'engagea pour un nouveau film. Il tourna donc en ces derniers temps. Il tourna aux environs de Paris. On était content de lui, lorsque soudain un événement insolite se produisit. Le vendredi 18 septembre, au matin, il crocheta le garage de la Société mondiale et fila dans une superbe limousine, après avoir raflé la somme de 25 000 francs. On porta plainte, et la limousine fut retrouvée, le dimanche, aux environs de Dreux. »

Hortense qui écoutait, un peu pâle, insinua :

« Jusqu'ici... aucun rapport...

— Si. Je me suis enquis de ce qu'était devenue Rose-Andrée. Votre sœur a voyagé cet été, puis elle est restée une quinzaine dans le département de l'Eure où elle possède une propriété, précisément la chaumière où l'on a tourné *La Princesse heureuse*. Appelée en Amérique par un engagement, elle est revenue à Paris, a fait enregistrer ses bagages à la gare Saint-Lazare et s'en est allée le *vendredi 18 septembre* avec l'intention de coucher au Havre et de prendre le bateau du samedi.

— Le vendredi 18..., balbutia Hortense, le même jour que cet homme... Il l'aura enlevée.

— Nous allons le savoir, dit Rénine. Clément, à la Compagnie Transatlantique. »

Cette fois, Hortense l'accompagna dans les bureaux et s'informa elle-même près de la direction.

Les recherches aboutirent rapidement.

Une cabine avait été retenue par Rose-Andrée sur le paquebot *La Provence*. Mais le paquebot était parti sans que la passagère se fût présentée. Le lendemain seulement, on recevait au Havre un télégramme, signé Rose-Andrée, annonçant un retard et demandant que l'on gardât les bagages en consigne. Le télégramme venait de Dreux.

Hortense sortit en chancelant. Il ne semblait pas possible que l'on pût expliquer toutes ces coïncidences autrement que par un attentat. Les événements se groupaient selon l'intuition profonde de Rénine.

Prostrée dans l'automobile, elle l'entendit qui donnait comme adresse la préfecture de police. Ils traversèrent le centre de Paris. Puis elle resta seule sur un quai quelques instants.

« Venez, dit-il en ouvrant la portière.

— Du nouveau ? On vous a reçu ? demanda-t-elle anxieusement.

— Je n'ai pas cherché à être reçu. Je voulais seulement me mettre en rapport avec l'inspecteur Morisseau, celui qui me fut envoyé l'autre jour, dans l'affaire Dutreuil. Si l'on sait quelque chose, nous le saurons par lui.

— Eh bien ?

— À cette heure-ci, il est dans un petit café, que vous voyez là-bas sur la place. »

Ils y entrèrent et s'assirent devant une table isolée où l'inspecteur principal lisait son journal. Tout de suite, il les reconnut. Rénine lui serra la main, et, sans préambule :

« Je vous apporte une affaire intéressante, brigadier, et qui peut vous mettre en relief. Peut-être d'ailleurs êtes-vous au courant ?...

— Quelle affaire ?

— Dalbrèque. »

Morisseau parut surpris. Il hésita, et d'un ton prudent :

« Oui, je sais... les journaux ont parlé de ça... vol d'automobile... 25 000 francs barbotés... Les journaux parleront aussi demain d'une découverte que nous venons de faire à la Sûreté, à savoir que Dalbrèque serait l'auteur d'un assassinat qui fit beaucoup de bruit l'an dernier, celui du bijoutier Bourguet.

— Il s'agit d'autre chose, affirma Rénine.

— De quoi donc ?

— D'un enlèvement commis par lui, dans la journée du samedi 19 septembre.

— Ah ! vous savez ?

— Je sais.

— En ce cas, déclara l'inspecteur qui se décida, allons-y. Le samedi 19 septembre, en effet, en pleine rue, en plein jour, une dame qui faisait des emplettes fut enlevée par trois bandits dont l'automobile s'enfuit à toute allure. Les journaux ont rapporté l'incident, mais sans donner le nom de la victime ni des agresseurs, et cela pour cette bonne raison, c'est qu'on ne savait rien. C'est seulement hier que, envoyé au Havre avec quelques hommes, j'ai réussi à identifier un des bandits. Le vol des 25 000 francs, le vol de l'auto, l'enlèvement de la jeune femme, même origine. Un seul coupable : Dalbrèque. Quant à la jeune femme, aucun renseignement. Toutes nos recherches ont été vaines. »

Hortense n'avait pas interrompu le récit de l'inspecteur. Elle était bouleversée. Quand il eut fini, elle soupira :

« C'est effrayant... la malheureuse est perdue... il n'y a aucun espoir... »

S'adressant à Morisseau, Rénine expliqua :

« La victime est la sœur, ou plus exactement la demi-sœur de madame... C'est une interprète de cinéma très connue, Rose-Andrée... »

Et, en quelques mots, il raconta les soupçons qu'il avait eus en voyant le film de *La Princesse Heureuse* et l'enquête qu'il poursuivait personnellement.

Il y eut un long silence autour de la petite table. L'inspecteur principal, cette fois encore, confondu par l'ingéniosité de Rénine, attendait ses paroles. Hortense l'implorait du regard, comme s'il pouvait aller du premier coup jusqu'au fond du mystère.

Il demanda à Morisseau :

« C'est bien trois hommes qu'il y avait à bord de l'auto ?

— Oui.

— Trois également à Dreux ?

— Non. À Dreux, on n'a relevé les traces que de deux hommes.

— Dont Dalbrèque ?

— Je ne crois pas. Aucun des signalements ne correspond au sien. »

Il réfléchit encore quelques instants, puis déplia sur la table une grande carte routière.

Un nouveau silence. Après quoi, il dit à l'inspecteur :

« Vous avez laissé vos camarades au Havre ?

— Oui, deux inspecteurs.

— Pouvez-vous leur téléphoner ce soir ?

— Oui.

— Et demander deux autres inspecteurs à la Sûreté ?

— Oui.

— Eh bien, rendez-vous demain à midi.

— Où ?

— Ici. »

Et du doigt, il appuya sur un point de la carte, qui était marqué : « Le chêne à la cuve », et qui se trouvait en pleine forêt de Brotonne, dans le département de l'Eure.

« Ici, répéta-t-il. C'est ici que le soir de l'enlèvement, Dalbrèque a cherché un refuge. À demain, monsieur Morisseau, soyez exact au rendez-vous. Cinq hommes, ce n'est pas de trop pour capturer une bête de cette taille. »

L'inspecteur n'avait pas bronché. Ce diable d'individu le stupéfiait. Il paya sa consommation, se leva, fit machinalement le salut militaire et sortit en marmottant :

« On y sera, monsieur. »

Le lendemain, à huit heures, Hortense et Rénine quittaient Paris dans une vaste limousine que conduisait Clément. Le voyage fut silencieux. Hortense, malgré sa foi dans le pouvoir extraordinaire de Rénine, avait passé une nuit mauvaise et songeait avec angoisse au dénouement de l'aventure.

On approchait. Elle lui dit :

« Quelle preuve avez-vous qu'il l'ait conduite dans cette forêt ? »

De nouveau il déploya la carte sur ses genoux et il fit voir à Hortense que, si l'on trace une ligne du Havre, ou plutôt de Quillebeuf (où l'on traverse la Seine) jusqu'à Dreux (où l'auto fut trouvée) cette ligne touche aux lisières occidentales de la forêt de Brotonne.

« Or, ajouta-t-il, c'est dans la forêt de Brotonne, d'après ce que l'on m'a dit à la Société mondiale, que fut tourné *La Princesse Heureuse*. Et la question qui se pose est celle-ci : maître de Rose-Andrée, Dalbrèque, en passant le samedi à proximité de la forêt, n'a-t-il pas eu l'idée d'y cacher sa proie, tandis que les deux complices continuaient sur Dreux et rentraient à Paris ? La grotte est là, toute proche. Comment ne pas y aller ? N'est-ce pas en courant vers cette grotte, quelques mois auparavant, qu'il tenait dans ses bras, contre lui, à portée de ses lèvres, la femme qu'il aimait et qu'il vient de conquérir ? Pour lui, logiquement, fatalement, l'aventure recommence. Mais cette fois, en pleine réalité... Rose-Andrée est captive. Pas de secours possible. La forêt est immense et déserte. Cette nuit-là, ou l'une des nuits suivantes, il faut que Rose-Andrée s'abandonne... »

Hortense frissonna.

« Ou qu'elle meure. Ah ! Rénine, nous arrivons trop tard.

— Pourquoi ?

— Pensez donc ! trois semaines... Vous ne supposez pas qu'il la tienne enfermée là depuis tant de temps !

— Certes non, l'endroit que l'on m'a indiqué se trouve à un croisement de routes et la retraite n'est pas sûre. Mais nous y découvrirons sûrement quelque indice. »

Ils déjeunèrent en route, un peu avant midi, et pénétrèrent dans les hautes futaies de Brotonne, antique et vaste forêt toute pleine de souvenirs romains et de vestiges du Moyen Âge. Rénine, qui l'avait souvent parcourue, dirigea l'auto vers un chêne célèbre à dix lieues à la ronde, dont les branches, en s'évasant, formaient une large cuve. L'auto s'arrêta au tournant qui précède et ils allèrent à pied jusqu'à l'arbre. Morisseau les attendait en compagnie de quatre gaillards solides.

« Venez, leur dit Rénine, la grotte est à côté, parmi les broussailles. »

Ils la trouvèrent aisément. D'énormes roches surplombaient une entrée basse où l'on se glissait par un étroit sentier entre des fourrés épais.

Il y entra et fouilla de sa lampe électrique les recoins d'une petite caverne aux parois encombrées de signatures et de dessins.

« Rien à l'intérieur, dit-il à Hortense et à Morisseau. Mais voici la preuve que je cherchais. Si le souvenir du film a vraiment ramené Dalbrèque vers la grotte de la Princesse Heureuse, nous devons penser qu'il en fut de même pour Rose-Andrée. Or, la Princesse Heureuse, dans le film, avait cassé les bouts de branches durant tout le trajet. Et voici justement, à droite de cet orifice, des branches qui ont été récemment brisées.

— Soit, dit Hortense. Je vous accorde qu'il y a là une preuve possible de leur passage, mais elle date de trois semaines, et depuis...

— Depuis, votre sœur est enfermée dans quelque trou plus isolé.

— Ou bien morte et ensevelie sous un monceau de feuilles...

— Non, non, dit Rénine, en frappant du pied, il n'est pas croyable que cet homme ait fait tout ce qu'il a fait pour arriver à un meurtre stupide. Il aura patienté. Il aura voulu prendre sa victime par les menaces, par la faim...

— Alors ?

— Cherchons.

— Comment ?

— Pour sortir de ce labyrinthe, nous avons un fil conducteur qui est l'intrigue même de *La Princesse Heureuse*. Suivons-le, en remontant de proche en proche, jusqu'au début.

Dans le drame, l'homme des bois, pour amener la Princesse ici, a traversé la forêt après avoir ramé le long du fleuve. La Seine est à un kilomètre de distance. Descendons vers la Seine. »

Il repartit. Il avançait sans hésitation, l'œil aux aguets, comme un bon chien de chasse que son flair guide sûrement. Suivis de loin par l'auto, ils gagnèrent un groupe de maisons, au bord de l'eau. Rénine alla droit à la maison du passeur et le questionna.

Dialogue rapide. Trois semaines auparavant, un lundi matin, cet homme avait constaté la disparition d'une de ses barques. Cette barque, il devait la retrouver dans la vase, une demi-lieue plus bas.

« Non loin d'une chaumière où l'on a fait du cinéma, cet été ? demanda Rénine.

— Oui.

— Et c'est là où nous sommes qu'on avait débarqué une femme enlevée ?

— Oui, la Princesse Heureuse ou plutôt Mme Rose-Andrée à qui appartient ce qu'on appelle le Clos-Joli.

— La maison est ouverte en ce moment ?

— Non. La dame en est partie, il y a un mois, après avoir tout fermé.

— Pas de gardien ?

— Personne. »

Rénine se retourna et dit à Hortense :

« Aucun doute. C'est la prison qu'il a choisie. »

La chasse recommença. Ils suivirent tout le chemin de halage, le long de la Seine. Ils marchaient sans bruit sur le gazon des bas-côtés. Le chemin rejoignait la grande route, et il y avait des bois taillis, au sortir desquels ils aperçurent du haut d'un tertre le Clos-Joli, tout entouré de haies. Hortense et Rénine reconnurent la chaumière de la Princesse Heureuse. Les fenêtres étaient barricadées de volets et les sentiers déjà tapissés d'herbe.

Ils demeurèrent là plus d'une heure, blottis dans les fourrés. Le brigadier s'impatientait ; la jeune femme avait perdu confiance et ne croyait pas que le Clos-Joli pût servir de prison à sa sœur. Mais Rénine s'obstinait.

« Elle est là, vous dis-je. C'est mathématique. Il est impossible que Dalbrèque n'ait pas choisi cet endroit pour l'y tenir captive. Il espère ainsi, dans un milieu qu'elle connaît, la rendre plus docile. »

Enfin, vis-à-vis d'eux, de l'autre côté du Clos, un pas se fit entendre, lent et assourdi. Une silhouette déboucha, sur la route. À cette distance, on ne pouvait voir le visage. Mais la marche pesante, l'allure étaient bien celles de l'homme que Rénine et Hortense avaient vu dans le film.

Ainsi, en vingt-quatre heures, sur les vagues indications que peut donner l'attitude d'un interprète, Serge Rénine aboutissait, par un simple raisonnement de psychologie, au cœur même du drame. Ce que le film avait suggéré, le film l'avait imposé à Dalbrèque. Dalbrèque avait agi dans la vie réelle comme dans la vie imaginaire du cinéma, et Rénine, remontant pas à pas le chemin que Dalbrèque remontait lui-même sous l'influence du film, arrivait au lieu même où l'homme des bois tenait emprisonnée la Princesse Heureuse.

Dalbrèque semblait vêtu comme un chemineau, de vêtements rapiécés et de loques. Il portait une besace d'où émergeaient le col d'une bouteille et l'extrémité d'une baguette de pain. Sur l'épaule, une hache de bûcheron.

Il trouva ouvert le cadenas de la barrière, pénétra dans le verger, et bientôt fut dissimulé par une ligne d'arbustes qui le conduisit vers l'autre façade de la maison.

Rénine saisit par le bras Morisseau qui voulait s'élancer.

« Mais pourquoi ? demanda Hortense. Il ne faut pas laisser entrer ce bandit... sans quoi...

— Et s'il a des complices ? Si l'éveil est donné ?

— Tant pis. Avant tout, sauvons ma sœur.

— Et si nous arrivons trop tard pour la défendre ? Dans sa rage, il peut la tuer d'un coup de hache. »

Ils attendirent. Une heure encore s'écoula. L'inaction les irritait. Hortense pleurait par moments. Mais Rénine tint bon, et personne n'osait lui désobéir.

Le jour baissa. Déjà les premières ombres du crépuscule s'étendaient sur les pommiers, lorsque, soudain, la porte de la façade qu'ils apercevaient fut ouverte, des clameurs d'épouvante et de triomphe jaillirent, et un couple bondit, couple enlacé où l'on discernait cependant les jambes de l'homme et le corps de la femme qu'il portait dans ses bras, au travers de sa poitrine.

« Lui !... lui et Rose !... balbutia Hortense bouleversée... Ah ! Rénine, sauvez-la... »

Dalbrèque se mit à courir parmi les arbres, comme un fou, riant et criant. Il faisait, malgré son fardeau, des sauts énormes, ce qui lui donnait un air de bête fantastique, ivre de joie et de carnage. L'une de ses mains, libérée, brandit la hache dont l'éclair étincela... Rose hurlait de terreur. Il traversa le verger en tous sens, galopa le long de la haie puis s'arrêta tout à coup devant un puits, raidissant les bras, le buste penché, comme s'il voulait la précipiter dans l'abîme.

La minute fut affreuse. Allait-il se résoudre à accomplir l'acte effroyable ? Mais ce n'était là, sans doute, qu'une menace dont l'horreur devait induire la jeune femme à l'obéissance, car il repartit subitement, revint en ligne droite vers la porte principale, et s'engouffra dans le vestibule. Un bruit de verrou. La porte fut close.

Chose inexplicable, Rénine n'avait pas bougé. De ses deux bras, il barrait la route aux inspecteurs, tandis qu'Hortense, cramponnée à ses vêtements, le suppliait :

« Sauvez-la... C'est un fou... Il va la tuer... je vous en prie... »

Mais à ce moment, il y eut comme une nouvelle offensive de l'homme contre sa victime. Il apparut à une lucarne qui trouait le pignon entre les ailes de chaume du grand toit, et il recommença son atroce manœuvre, suspendant Rose-Andrée dans le vide et la balançant ainsi qu'une proie qu'on va jeter dans l'espace.

Ne put-il se décider ? Ou n'était-ce vraiment qu'une menace ? Jugea-t-il Rose suffisamment domptée ? Il rentra.

Cette fois Hortense eut gain de cause. Ses mains glacées pressaient la main de Rénine, et il la sentit qui tremblait désespérément.

« Oh ! je vous en prie... je vous en prie... qu'attendez-vous ? »

Il céda :

« Oui, dit-il, allons-y. Mais pas trop de hâte. Il faut réfléchir.

— Réfléchir ! Mais Rose... Rose qu'il va tuer !... Vous avez vu la hache ?... C'est un fou... Il va la tuer.

— Nous avons le temps, affirma-t-il... je réponds de tout. »

Hortense dut s'appuyer sur lui, car elle n'avait pas la force de marcher. Ils descendirent ainsi du tertre, et choisissant un endroit que dissimulaient les frondaisons des arbres, il aida la jeune femme à franchir la haie. D'ailleurs, l'obscurité naissante n'eût pas permis qu'on les aperçût.

Sans un mot, il fit le tour du verger, et ils arrivèrent ainsi derrière la maison. C'était par là que Dalbrèque était entré la première fois. En effet, ils virent une petite porte de service qui devait être celle de la cuisine.

« Un coup d'épaule, dit-il aux inspecteurs, et vous pourrez vous introduire quand le moment sera venu.

— Le moment est venu, grogna Morisseau, qui déplorait tous ces retards.

— Pas encore. Je veux d'abord me rendre compte de ce qui se passe sur l'autre façade. Quand je sifflerai, jetez bas brusquement ces planches, et sus à l'homme, le revolver au poing. Mais pas avant, n'est-ce pas ? Sans quoi nous risquons gros...

— Et s'il se débat ? C'est une brute forcenée.

— Tirez-lui dans les jambes. Et surtout qu'on le prenne vivant. Vous êtes cinq, que diable ! »

Il entraîna Hortense qu'il ranima en quelques paroles :

« Vite !... Il n'est que temps d'agir. Ayez pleine confiance en moi. »

Elle soupira :

« Je ne comprends pas... je ne comprends pas.

— Moi non plus, dit Rénine. Il y a dans tout cela quelque chose qui me déconcerte. Mais j'en comprends assez pour craindre l'irréparable.

— L'irréparable dit-elle, c'est le meurtre de Rose.

— Non, déclara-t-il, c'est l'action de la justice. Et c'est pourquoi je veux prendre les devants. »

Ils contournèrent la maison, en se cognant dans les massifs d'arbustes. Puis Rénine s'arrêta devant une des fenêtres du rez-de-chaussée...

« Écoutez, dit-il, on parle... Cela vient de la pièce qui est là. »

Ce bruit de voix laissait supposer qu'il devait y avoir quelque lumière pour éclairer celui ou ceux qui parlaient. Il chercha, écarta les plantes dont la végétation tardive masquait les volets clos, et vit qu'une lueur filtrait entre deux de ces volets qui étaient mal joints.

Il put passer la lame de son couteau qu'il fit glisser doucement, et avec lequel il souleva un loquet intérieur. Les volets s'ouvrirent. De lourds rideaux d'étoffe s'appliquaient contre la fenêtre, mais en s'écartant dans le haut.

« Vous allez monter sur le rebord ? chuchota Hortense.

— Oui, et couper un carreau. S'il y a urgence, je braque

mon revolver sur l'individu, et vous donnez un coup de sifflet pour que l'attaque ait lieu par là-bas. Tenez, voici le sifflet. »

Il monta avec beaucoup de précaution et se dressa peu à peu contre la fenêtre jusqu'à l'endroit où les rideaux étaient écartés. D'une main il engagea son revolver dans l'échancrure de son gilet. De l'autre, il tenait une pointe de diamant.

« Vous la voyez ? » souffla Hortense.

Il colla son front à la vitre, et aussitôt il lui échappa une exclamation étouffée.

« Ah ! dit-il, est-ce croyable ?

— Tirez ! Tirez ! exigea Hortense.

— Mais non...

— Alors je dois siffler ?

— Non... non... au contraire... »

Toute tremblante, elle mit un genou sur le rebord, Rénine la hissa contre lui et s'effaça pour qu'elle pût voir également.

« Regardez. »

Elle appuya son visage.

« Ah ! fit-elle à son tour avec stupeur.

— Hein ! qu'en dites-vous ? Je soupçonnais bien quelque chose, mais pas ça ! »

Deux lampes sans abat-jour et vingt bougies peut-être illuminaient un salon luxueux, entouré de divans et orné de tapis orientaux. Sur un de ces divans, Rose-Andrée était à moitié couchée, vêtue d'une robe en tissu de métal qu'elle portait dans le film de *La Princesse Heureuse*, ses belles épaules nues, sa chevelure tressée de bijoux et de perles.

Dalbrèque était à ses pieds, à genoux sur un coussin. Habillé d'une culotte de chasse et d'un maillot, il la contemplait avec extase. Rose souriait, heureuse, et caressait les cheveux de l'homme. Deux fois elle se pencha sur lui, et lui baisa d'abord le front, puis la bouche longuement, tandis que ses yeux, éperdus de volupté, palpitaient.

Scène passionnée ! Unis par le regard, par les lèvres, par leurs mains frissonnantes, par tout leur jeune désir, ces deux êtres s'aimaient évidemment d'un amour exclusif et violent. On sentait que, dans la solitude et la paix de cette chaumière, rien ne comptait plus pour eux que leurs baisers et leurs caresses.

Hortense ne pouvait détacher ses yeux de ce spectacle imprévu. Était-ce là cet homme et cette femme dont l'un, quelques minutes auparavant, emportait l'autre dans une sorte de danse macabre qui semblait tourner autour de la mort ? Était-ce vraiment sa sœur ? Elle ne la reconnaissait pas. Elle voyait une autre femme, animée d'une beauté nouvelle et transfigurée par un sentiment dont Hortense devinait, en frémissant, toute la force et toute l'ardeur.

« Mon Dieu, murmura-t-elle, comme elle l'aime ! Et un pareil individu, est-ce possible ?

— Il faut la prévenir, dit Rénine, et se concerter avec elle...

— Oui, oui, fit Hortense, à aucun prix il ne faut qu'elle soit mêlée au scandale, à l'arrestation... Qu'elle s'en aille ! Qu'on ne sache rien de tout cela... »

Par malheur, Hortense se trouvait dans un tel état de surexcitation qu'elle agit avec trop de hâte. Au lieu de cogner doucement à la vitre, elle heurta la fenêtre en frappant sur le bois à coups de poing. Effrayés, les deux amoureux se levèrent, les yeux fixes, l'oreille tendue. Aussitôt Rénine voulut couper un carreau afin de leur jeter quelques mots d'explication. Mais il n'en eut pas le temps. Rose-Andrée qui, sans doute, savait son amant en péril et recherché par la police, le poussa vers la porte d'un effort désespéré.

Dalbrèque obéit. L'intention de Rose était certainement de le contraindre à fuir en utilisant l'issue de la cuisine. Ils disparurent.

Rénine vit clairement ce qui allait se passer. Le fugitif tomberait dans l'embuscade que lui-même, Rénine, avait préparée. Il y aurait bataille, mort d'homme peut-être...

Il sauta à terre et fit en courant le tour de la maison. Mais le trajet était long, le chemin obscur et encombré. D'autre part les événements s'enchaînèrent plus vite qu'il ne le supposait. Quand il déboucha sur l'autre façade, un coup de feu retentit, suivi d'un cri de douleur.

Au seuil de la cuisine, à la lueur de deux lampes de poche, Rénine trouva Dalbrèque étendu, maintenu par trois policiers, et gémissant. Il avait la jambe cassée.

Dans la pièce, Rose-Andrée, titubant, les mains en avant, le visage convulsé, bégayait des mots que l'on n'entendait point. Hortense l'attira contre elle et lui dit à l'oreille :

« C'est moi... ta sœur... je voulais te sauver... Tu me reconnais ? »

Rose semblait ne pas comprendre. Ses yeux étaient hagards.

Elle marcha, d'un pas saccadé, vers les inspecteurs et commença :

« C'est abominable... L'homme qui est là n'a rien fait qui... »

Rénine n'hésita pas. Agissant avec elle comme avec une malade qui n'a plus sa raison, il la saisit entre ses bras et, suivi d'Hortense, qui refermait les portes, la ramena dans le salon.

Elle se débattait furieusement et protestait d'une voix haletante :

« C'est un crime... On n'a pas le droit... Pourquoi l'arrêter ? Oui, j'ai lu... le meurtre du bijoutier Bourguet... j'ai lu cela ce matin dans le journal, mais c'est un mensonge. Il peut le prouver. »

Rénine la déposa sur le divan, et avec fermeté :

« Je vous en prie, du calme. Ne dites rien qui puisse vous compromettre... Que voulez-vous ! cet homme a tout de même volé... l'automobile... puis les 25 000 francs...

— Mon départ pour l'Amérique l'avait affolé. Mais l'auto a été retrouvée... L'argent sera rendu... il n'y a pas touché. Non, non, on n'a pas le droit... J'étais ici de mon plein gré. Je l'aime... je l'aime plus que tout... comme on n'aime qu'une fois dans sa vie... Je l'aime... je l'aime. »

La malheureuse n'avait plus de force. Elle parlait comme dans un rêve, affirmait son amour d'une voix qui s'éteignait. À la fin, épuisée, elle eut un brusque sursaut et se renversa. Elle était évanouie.

Une heure plus tard, étendu sur le lit d'une chambre, Dalbrèque, les poignets solidement attachés, roulait des yeux féroces. Un médecin des environs, ramené par l'auto de Rénine, avait bandé la jambe et prescrit le repos le plus complet jusqu'au lendemain. Morisseau et ses hommes montaient la garde.

Quant à Rénine, il allait et venait à travers la pièce, les mains au dos. Il avait l'air fort gai, et, de temps en temps, observait les deux sœurs en souriant, comme s'il eût trouvé charmant le tableau qu'elles offraient à ses yeux d'artiste.

« Qu'y a-t-il donc ? » lui demanda Hortense, lorsqu'elle s'aperçut de son allégresse insolite et qu'elle se fut à moitié tournée vers lui.

Il se frotta les mains et prononça :

« C'est drôle.

— Qu'est-ce qui vous paraît drôle ? dit Hortense d'un ton de reproche.

— Eh ! mon Dieu, la situation. Rose-Andrée libre, filant le parfait amour, et avec qui, Seigneur ? Avec l'homme des bois, un homme des bois domestiqué, pommadé, moulé dans un maillot, et qu'elle baise à bouche que veux-tu... tandis que nous la cherchions au fond d'une grotte ou d'un sépulcre.

« Ah ! certes, elle a connu les affres de la captivité, et j'affirme que, la première nuit, elle fut jetée, à moitié morte, dans la caverne. Seulement, voilà, le lendemain, elle était vivante ! Une seule nuit avait suffi pour qu'elle s'apprivoisât, la mâtine, et pour que Dalbrèque lui parût aussi beau que le Prince Charmant. Une seule nuit !... et qui leur donne à tous deux l'impression si nette qu'ils sont faits l'un pour l'autre, qu'ils décident de ne plus se quitter et que, d'un commun accord, ils cherchent un refuge à l'abri du monde. Où ? Ici, parbleu ! Qui donc irait relancer Rose-Andrée jusqu'au Clos-Joli ? Mais ce n'est pas suffisant. Il faut davantage aux deux amoureux. Une lune de miel de quelques semaines ? Allons donc ! C'est toute leur vie qu'ils se consacreront l'un à l'autre. Comment ? Mais en suivant la route charmante et pittoresque sur laquelle ils se sont déjà engagés, c'est-à-dire en « tournant » de nouvelles créations ! Dalbrèque n'a-t-il pas réussi dans *La Princesse Heureuse*, au-delà de toute espérance ! L'avenir, mais le voici ! Los Angeles ! Les États-Unis ! Fortune et liberté !... Pas une minute à perdre. Tout de suite au travail ! Et c'est ainsi que nous, spectateurs épouvantés, nous les avons surpris, tout à l'heure, en pleine répétition, jouant un drame de folie et de meurtre. Je vous avouerai, pour être franc, qu'à ce moment j'ai eu quelques soupçons de la vérité. Épisode de cinéma, me suis-je dit. Mais quant à deviner l'intrigue amoureuse du Clos-Joli, ah ! cela, j'en étais à cent lieues. Que voulez-vous ! sur l'écran, de même qu'au théâtre, les princesses heureuses résistent ou se tuent. Comment supposer que celle-ci avait préféré le déshonneur à la mort ? »

Décidément, l'aventure divertissait Rénine, et il reprit :

« Non, non, sacrebleu, ce n'est pas de cette façon que les choses se passent dans les films ! Et c'est cela qui m'a fait faire fausse route. Depuis le début, je déroulais le film de *La Princesse Heureuse*, et je marchais en mettant mes pas dans les empreintes toutes faites. La Princesse Heureuse avait agi ainsi. L'homme des bois s'était comporté de cette manière... Donc, comme tout recommence, suivons-les. Eh bien, pas du tout. Contrairement à toutes les règles, voilà que Rose-Andrée prend le mauvais chemin, et voilà qu'en l'espace de quelques heures la victime se transforme en la plus amoureuse des princesses !

Ah ! sacré Dalbrèque, tu nous as bien roulés. Car enfin quoi, quand on nous montre au cinéma une brute, une espèce de sauvage à longs poils et à face de gorille, nous avons le droit d'imaginer que, dans la vie, c'est quelque brute formidable. Allons donc ! C'est un don Juan. Farceur, va ! »

De nouveau Rénine se frotta les mains. Mais il ne continua pas, car il s'aperçut qu'Hortense ne l'écoutait pas. Rose s'éveillait de sa torpeur. La jeune femme l'entoura de ses bras en murmurant :

« Rose... Rose... c'est moi... Ne crains plus rien. »

Elle se mit à lui parler tout bas et à la bercer affectueusement contre elle. Mais Rose peu à peu, et tout en écoutant sa sœur, reprenait sa figure de souffrance et demeurait immobile et lointaine, assise sur le divan, le buste rigide et les lèvres serrées.

Rénine eut l'impression qu'il ne fallait pas heurter cette douleur et qu'aucun raisonnement ne pourrait prévaloir contre la décision réfléchie de Rose-Andrée.

Il s'approcha et lui dit doucement :

« Je vous approuve, madame. Votre devoir, quoi qu'il puisse advenir, est de défendre celui que vous aimez et de prouver son innocence. Mais rien ne presse, et j'estime que, dans son intérêt, il vaut mieux différer de quelques heures et laisser croire encore que vous étiez sa victime. Demain matin, si vous n'avez pas changé d'avis, c'est moi-même qui vous conseillerai d'agir. Jusque-là, montez dans votre chambre avec votre sœur, préparez-vous au départ, rangez vos papiers pour que l'enquête ne puisse rien révéler contre vous. Croyez-moi... Ayez confiance. »

Rénine insista longtemps encore et réussit à persuader la jeune femme. Elle promit d'attendre.

On s'installa donc pour passer la nuit au Clos-Joli. Il y avait des provisions suffisantes. Un des inspecteurs prépara le dîner.

Le soir, Hortense partagea la chambre de Rose. Rénine, Morisseau et deux inspecteurs couchèrent sur les divans du salon, tandis que les deux autres inspecteurs gardaient le blessé.

La nuit s'écoula sans incident.

Au matin, les gendarmes, prévenus la veille par Clément, arrivèrent de bonne heure. Il fut décidé que Dalbrèque serait transféré à l'infirmerie de la prison départementale. Rénine proposa son automobile que Clément amena devant la chaumière.

Les deux sœurs, ayant perçu des allées et venues, descendirent. Rose-Andrée avait l'expression dure de ceux qui veulent agir. Hortense la regardait anxieusement et observait l'air placide de Rénine.

Tout était prêt, il n'y avait plus qu'à réveiller Dalbrèque et ses gardiens.

Morisseau s'y rendit lui-même. Mais il constata que les deux hommes étaient profondément endormis et qu'il n'y avait personne dans le lit. Dalbrèque s'était évadé.

Le coup de théâtre ne causa pas, sur le moment, une grande perturbation parmi les policiers et les gendarmes, tellement ils étaient sûrs que le fugitif, avec sa jambe cassée, serait vite repris. L'énigme de cette fuite, effectuée sans que les gardiens entendissent le moindre bruit, n'intrigua personne. Dalbrèque se cachait inévitablement dans le verger.

Tout de suite la battue s'organisa. Et le résultat faisait si peu de doute que Rose-Andrée, de nouveau bouleversée, se dirigea vers l'inspecteur principal.

« Taisez-vous », murmura Serge Rénine qui la surveillait.

Elle balbutia :

« On va le retrouver... l'abattre à coups de revolver.

— On ne le retrouvera pas, affirma Rénine.

— Qu'en savez-vous ?

— C'est moi, avec l'aide de mon chauffeur, qui l'ai fait évader cette nuit. Un peu de poudre dans le café des inspecteurs, ils n'ont rien entendu. »

Elle fut stupéfaite et objecta :

« Mais il est blessé, il agonise dans quelque coin.

— Non. »

Hortense écoutait, sans comprendre davantage, mais rassurée et confiante en Rénine.

Il reprit à voix basse :

« Jurez-moi, madame, que dans deux mois, quand il sera guéri et que vous aurez éclairé la justice à son endroit, jurez-moi que vous partirez avec lui pour l'Amérique.

— Je vous le jure.

— Et que vous l'épouserez ?

— Je vous le jure.

— Alors, venez, et pas un mot, pas un geste d'étonnement. Une seconde d'oubli et vous pouvez tout perdre. »

Il appela Morisseau, qui commençait à se désespérer, et lui dit :

« Monsieur l'inspecteur principal, nous devons conduire madame à Paris et lui donner les soins nécessaires. En tout cas, quel que soit le résultat de vos recherches — et je ne doute pas qu'elles aboutissent — soyez certain que vous n'aurez pas d'ennuis à cause de cette affaire. Ce soir même, j'irai à la préfecture où j'ai de bonnes relations. »

Il offrit son bras à Rose-Andrée et la conduisit vers l'auto. En marchant, il sentit qu'elle chancelait et qu'elle s'accrochait à lui.

« Ah ! mon Dieu, il est sauvé... Je le vois », murmura-t-elle.

Sur le siège, à la place de Clément, elle avait reconnu, très digne dans sa tenue de chauffeur, la visière basse, les yeux dissimulés par de grosses lunettes, elle avait reconnu son amant.

« Montez », dit Rénine.

Elle s'assit près de Dalbrèque. Rénine et Hortense prirent place dans le fond. L'inspecteur principal, le chapeau à la main, s'empressait autour de la voiture.

On partit. Mais deux kilomètres plus loin, en pleine forêt, il fallut s'arrêter. Dalbrèque, qui, au prix d'un effort surhumain, avait pu surmonter sa douleur, eut une défaillance. On l'étendit dans la voiture. Rénine se mit au volant, Hortense à son côté. Avant Louviers, nouvel arrêt : on cueillait au passage le chauffeur Clément, qui cheminait vêtu de la défroque de Dalbrèque.

Puis il y eut des heures de silence. L'auto filait rapidement. Hortense ne disait rien et n'avait même pas l'idée d'interroger Rénine sur les événements de la nuit précédente. Qu'importaient les détails de l'expédition et l'exacte façon dont il avait procédé pour escamoter Dalbrèque ! Cela n'intriguait pas Hortense. Elle ne songeait qu'à sa sœur, et elle était toute remuée par tant d'amour et tant d'ardeur passionnée !

Rénine dit simplement, en approchant de Paris :

« J'ai parlé cette nuit avec Dalbrèque. Il est certainement innocent de l'assassinat du bijoutier. C'est un brave et honnête homme tout différent de ce qu'il paraît ; un tendre, un dévoué, et qui est prêt à tout pour Rose-Andrée. »

Et Rénine ajouta :

« Il a raison. Il faut tout faire pour celle que l'on aime. Il faut se sacrifier à elle, lui offrir tout ce qu'il y a de beau dans le monde, de la joie, du bonheur... et, si elle s'ennuie, de belles aventures qui la distraient, qui l'émeuvent et qui la font sourire... ou même pleurer. »

Hortense frémit, les yeux un peu mouillés. Pour la première fois, il faisait allusion à l'aventure sentimentale qui les unissait par un lien, fragile jusqu'ici, mais auquel chacune des entreprises qu'ils poursuivaient ensemble dans l'angoisse et dans la fièvre, donnait plus de force et plus de résistance. Déjà, près de cet homme extraordinaire, qui soumettait les événements à sa volonté et semblait jouer avec le destin de ceux qu'il combattait ou qu'il protégeait, elle se sentait faible et inquiète. Il lui faisait peur à la fois et l'attirait. Elle pensait à lui comme à son maître, quelquefois comme à un ennemi contre qui elle devait se défendre, mais le plus souvent comme à un ami troublant, plein de charme et de séduction...

V

LE CAS DE JEAN-LOUIS

Cela se passa comme le plus banal des faits divers, et avec une rapidité telle qu'Hortense en demeura confondue. Comme ils traversaient tous deux la Seine en se promenant, une silhouette de femme avait franchi le parapet du pont, et s'était précipitée dans le vide. De tous côtés, des cris, des clameurs, et puis, soudain, Hortense avait empoigné le bras de Rénine.

« Quoi ? Vous n'allez pas vous jeter !... Je vous défends... »

La veste de son compagnon lui restait dans les mains. Rénine sautait d'un bond, et puis... et puis elle n'avait plus rien vu. Trois minutes plus tard, entraînée par le flot de gens qui couraient, elle se trouvait au bord même du fleuve. Rénine montait les marches de l'escalier, portant une jeune femme dont les cheveux noirs se collaient autour d'une face livide.

« Elle n'est pas morte, affirmait-il... Vite, chez le pharmacien... des tractions de langue... aucun danger à craindre... »

Il remettait la jeune femme à deux agents, écartait les badauds et les soi-disant journalistes qui lui demandaient son nom, et poussait dans un taxi Hortense toute secouée d'émotion.

« Ouf ! s'écriait-il, au bout d'un moment, encore une baignade ! Que voulez-vous, chère amie, c'est plus fort que moi.

Quand je vois un de mes semblables qui plonge, il faut que je plonge. Nul doute, j'ai parmi mes ancêtres un terre-neuve. »

Il rentra chez lui et se déshabilla. Hortense l'attendait dans l'auto. Il ordonna au chauffeur :

« Rue de Tilsitt.

— Où allons-nous ? demanda Hortense.

— Prendre des nouvelles de la jeune personne.

— Vous avez son adresse ?

— Oui, j'ai eu le temps de la lire sur son bracelet, ainsi que son nom. Geneviève Aymard. Alors, j'y vais. Oh ! pas pour recevoir la récompense due au terre-neuve ! Non. Simple curiosité. Curiosité absurde, d'ailleurs. J'ai sauvé une douzaine de jeunes noyées. Toujours le même motif : chagrins d'amour, et chaque fois l'amour le plus vulgaire. Vous allez voir ça, chère amie. »

Lorsqu'ils arrivèrent dans la maison de la rue de Tilsitt, le docteur sortait de l'appartement où Mlle Aymard demeurait avec son père. La jeune fille, leur dit le domestique, se portait aussi bien que possible et dormait. Rénine se présenta comme le sauveur de Geneviève Aymard et fit passer sa carte au père, qui accourut les mains tendues et les larmes aux yeux.

C'était un homme âgé, faible d'aspect, et qui, tout de suite, sans attendre qu'on l'interrogeât, se mit à parler d'un ton de détresse pitoyable :

« C'est la seconde fois, monsieur ! La semaine dernière, elle a voulu s'empoisonner, la malheureuse enfant ! Moi, qui donnerais mon sang pour elle ! « Je ne veux plus vivre ! Je ne veux plus vivre ! » Voilà tout ce qu'elle trouve à répondre... Ah ! j'ai très peur qu'elle recommence. Quelle horreur ! Se tuer. elle, ma pauvre Geneviève ! Et pourquoi, mon Dieu !...

— Oui, pourquoi ? insinua Rénine. Un mariage rompu, sans doute ?

— Un mariage rompu, en effet !... La chère enfant est tellement sensible !... »

Rénine l'interrompit. Du moment que le bonhomme s'engageait dans la voie des confidences, il ne fallait pas perdre son temps en paroles inutiles. Et, nettement, avec toute son autorité, il exigea :

« Procédons avec méthode, monsieur, voulez-vous ? Mlle Geneviève était fiancée ?... »

M. Aymard ne se déroba point et répondit :

« Oui.

— Depuis quand ?

— Depuis le printemps. Nous avons connu Jean-Louis d'Ormival à Nice où nous passions les vacances de Pâques. Dès notre retour à Paris, ce jeune homme, qui habite ordinairement la campagne avec sa mère et avec sa tante, vint s'installer dans notre quartier, et les deux fiancés se virent chaque jour. Pour ma part, je vous l'avoue, Jean-Louis Vaubois ne m'était pas très sympathique.

— Pardon, fit remarquer Rénine, vous l'appeliez tout à l'heure Jean-Louis d'Ormival.

— C'est également son nom.

— Il en a donc deux ?

— Je ne sais pas. Il y a là une énigme.

— Sous quel nom s'est-il présenté à vous ?

— Jean-Louis d'Ormival.

— Mais Jean-Louis Vaubois ?

— C'est ainsi qu'il fut présenté à ma fille par un monsieur qui le connaissait. Vaubois ou d'Ormival, d'ailleurs, n'importe. Ma fille l'adorait, et il semblait l'aimer passionnément. Cet été, au bord de la mer, il ne la quitta pas. Et puis voilà que le mois dernier, alors que Jean-Louis était retourné chez lui pour s'entendre avec sa mère et sa tante, voilà que ma fille reçut cette lettre :

« Geneviève, trop d'obstacles s'opposent à notre bonheur.

« J'y renonce avec un désespoir fou. Je vous aime plus que jamais. Adieu ! Pardonnez-moi. »

« Quelques jours plus tard, ma fille tentait une première fois de se suicider.

— Et pourquoi cette rupture ? Un autre amour ? Une ancienne liaison ?

— Non, monsieur, je ne crois pas. Mais il y a dans la vie de Jean-Louis — c'est la conviction profonde de Geneviève — un mystère, ou plutôt une série de mystères qui l'entravent et le persécutent. Son visage est le plus tourmenté que j'aie jamais vu, et, dès la première heure, j'ai senti en lui un chagrin et une tristesse qui ont toujours persisté, même aux moments où il s'abandonnait à son amour avec le plus de confiance.

— Votre impression néanmoins a été confirmée par de petits détails, par des choses dont l'anomalie, précisément, vous a frappé ? Ainsi ce double nom... vous ne l'avez pas questionné à ce propos ?

— Si, deux fois. La première, il m'a répondu que c'était sa tante qui s'appelait Vaubois, et sa mère d'Ormival.

— Et la seconde ?

— Le contraire. Il a parlé de sa mère Vaubois et de sa tante d'Ormival. Je le lui ai fait remarquer. Il a rougi. Je n'ai pas insisté.

— Il demeure loin de Paris ?

— Au fond de la Bretagne... Le manoir d'Elseven, à huit kilomètres de Carhaix. »

Rénine médita durant quelques minutes. Puis, se décidant, il dit au vieillard :

« Je ne veux pas déranger Mlle Geneviève, mais répétez-lui exactement ceci : « Geneviève, le monsieur qui t'a sauvée s'engage sur l'honneur à te ramener ton fiancé d'ici trois jours. Écris à Jean-Louis un mot que ce monsieur lui remettra. »

Le vieillard semblait stupéfait. Il balbutia :

« Vous pourriez ?... Ma pauvre fille échapperait à la mort ?... Elle serait heureuse ?... »

Et il ajouta d'une voix à peine perceptible, et avec une attitude où il y avait comme de la honte :

« Oh ! Monsieur, faites vite, car la conduite de ma fille me laisse supposer qu'elle a oublié tous ses devoirs, et qu'elle ne veut pas survivre à un déshonneur... qui bientôt serait public.

— Silence, monsieur, ordonna Rénine. Il est des paroles qu'on ne doit pas prononcer. »

... Le soir même, Rénine prenait avec Hortense le train de Bretagne.

À dix heures du matin, ils arrivaient à Carhaix, et, à midi et demi, après avoir déjeuné, ils montaient dans une automobile empruntée à un notable de l'endroit.

« Vous êtes un peu pâle, chère amie, dit Rénine en riant, lorsqu'ils descendirent devant le jardin d'Elseven.

— J'avoue, dit-elle, que cette histoire m'émeut beaucoup. Une jeune fille qui deux fois affronte la mort... Quel courage il lui faut !... Alors, j'ai peur...

— Peur de quoi ?

— Que vous ne puissiez réussir. Vous n'êtes pas inquiet ?

— Chère amie, répondit-il, je vous étonnerais sans doute infiniment si je disais que j'éprouve plutôt une certaine gaieté.

— Pourquoi donc ?

— Je ne sais pas. L'histoire qui vous émeut, à juste titre, me semble, à moi, contenir un certain fond comique. D'Ormival... Vaubois... cela vous a un parfum vieillot et un peu moisi... Croyez-m'en, chère amie, et reprenez votre sang-froid. Vous venez ? »

Il passa la barrière centrale. Elle était flanquée de deux portillons marqués, l'un au nom de Mme d'Ormival, l'autre à celui de Mme Vaubois. Chacun de ces portillons ouvrait sur des sentiers qui, parmi des massifs d'aucubas et de buis, s'en allaient à droite et à gauche de la principale avenue.

Celle-ci conduisait à un vieux manoir long et bas, pittoresque, mais pourvu de deux ailes disgracieuses, lourdes, différentes l'une de l'autre, sur le côté desquelles aboutissait chacun des sentiers latéraux. À gauche, demeurait évidemment Mme d'Ormival, à droite Mme Vaubois.

Un bruit de voix arrêta Hortense et Rénine. Ils écoutèrent. C'étaient des voix aiguës et précipitées qui se querellaient, et tout cela jaillissait par une des fenêtres du rez-de-chaussée, lequel était de plain-pied, et vêtu tout son long de vigne rouge et de roses blanches.

« Nous ne pouvons plus avancer, dit Hortense. C'est indiscret.

— Raison de plus, murmura Rénine. L'indiscrétion, en ce cas, est un devoir, puisque nous venons pour nous renseigner. Tenez, en marchant tout droit, nous ne serons pas aperçus des gens qui se disputent. »

De fait, le bruit de la querelle ne se calma point, et, lorsqu'ils arrivèrent près de la fenêtre ouverte qui était voisine de la porte d'entrée, il leur suffit de regarder et d'écouter pour voir et entendre, à travers les roses et les feuilles, deux vieilles dames qui criaient à tue-tête et se menaçaient du poing.

Elles se trouvaient au premier plan d'une vaste salle à manger, dont la table était encore mise, et, derrière cette table, un jeune homme, Jean-Louis certainement, fumait sa pipe et lisait un journal sans paraître se soucier des deux mégères.

L'une, maigre et haute, était habillée de soie prune, et portait une chevelure à boucles trop blondes pour le visage flétri autour duquel elles tourbillonnaient. L'autre, plus maigre encore, mais toute petite, se trémoussait dans une robe de chambre en percale et montrait une figure rousse et fardée que la colère enflammait.

« Une teigne, que vous êtes ! glapissait-elle. Méchante comme pas une, et voleuse par-dessus le marché.

— Moi, voleuse ! hurlait l'autre.

— Et le coup des canards à dix francs pièce, c'est pas du vol, ça !

— Taisez-vous donc, gredine ! Le billet de cinquante sur ma toilette, qui est-ce qui l'avait chipé ? Ah ! Seigneur Dieu, vivre avec une pareille saleté ! »

« Une teigne, que vous êtes ! glapissait-elle. »

L'autre bondit sous l'outrage et, apostrophant le jeune homme :

« Eh bien, quoi, Jean, tu la laisses donc m'insulter, ta rosse de d'Ormival ? »

Et la grande repartit, furieuse :

« Rosse ! tu l'entends, Louis ? La voilà ta Vaubois avec ses airs de vieille cocotte ! Mais fais-la donc taire ! »

Brusquement Jean-Louis frappa la table du poing, ce qui fit sauter les assiettes, et proféra :

« Fichez-moi la paix toutes deux, vieilles folles ! »

Du coup elles se retournèrent contre lui et l'accablèrent d'injures.

« Lâche !... Hypocrite !... Menteur !... Mauvais fils !... Fils de coquine et coquin toi-même... »

Les insultes pleuvaient sur lui. Il se boucha les oreilles et se démena devant la table comme un homme à bout de patience et qui se retient pour ne pas tomber sur l'adversaire à bras raccourcis.

Rénine dit tout bas :

« Qu'est-ce que je vous avais annoncé ? À Paris, le drame. Ici, la comédie. Entrons.

— Au milieu de ces gens déchaînés ? protesta la jeune femme.

— Justement.

— Cependant...

— Chère amie, nous ne sommes pas venus ici pour espionner, mais pour agir ! Sans masques, on les verra mieux. »

Et, d'un pas résolu, il marcha vers la porte, l'ouvrit et entra dans la salle, suivi d'Hortense.

Son apparition provoqua de la stupeur. Les deux femmes s'interrompirent, toutes rouges et frémissantes de colère. Jean-Louis se leva, très pâle.

Profitant du désarroi général, Rénine prit vivement la parole.

« Permettez-moi de me présenter : le prince Rénine... Mme Daniel... Nous sommes des amis de Mlle Geneviève Aymard, et c'est en son nom que nous venons... Voici une lettre écrite par elle et qui vous est adressée, monsieur. »

Jean-Louis, déjà déconcerté par l'irruption de ces nouveaux venus, perdit contenance en entendant le nom de Geneviève. Sans trop savoir ce qu'il disait, et pour répondre au procédé courtois de Rénine, il voulut à son tour faire la présentation et laissa tomber cette phrase ahurissante :

« Mme d'Ormival, ma mère... Mme Vaubois, ma mère... »

Il y eut un silence assez long. Rénine salua. Hortense ne savait pas à qui tendre d'abord la main, à la mère Mme d'Ormival, ou à la mère Mme Vaubois. Mais il se passa ceci, que Mme d'Ormival et que Mme Vaubois, toutes deux en même temps, essayèrent de saisir la lettre que Rénine tendait à Jean-Louis, et que toutes deux à la fois marmottaient :

« Mlle Aymard !... elle a de l'aplomb !... elle a de l'audace !... »

Alors Jean-Louis, recouvrant quelque sang-froid, empoigna sa mère d'Ormival et la fit sortir par la gauche, puis sa mère

Vaubois et la fit sortir par la droite. Et, revenant vers les deux visiteurs, il décacheta l'enveloppe et lut à demi-voix :

« Jean-Louis, je vous prie de recevoir le porteur de cette lettre. Ayez confiance en lui. Je vous aime. Geneviève. »

C'était un homme un peu lourd d'aspect, dont le visage très brun, maigre et osseux, avait bien cette expression de mélancolie et de détresse que le père de Geneviève avait signalée. Vraiment la souffrance était visible en chacun des traits tourmentés, comme dans ces yeux douloureux et inquiets.

Il répéta plusieurs fois le nom de Geneviève, tout en regardant autour de lui distraitement. Il semblait chercher une ligne de conduite. Il semblait sur le point de donner des explications. Mais il ne trouvait rien. Cette intervention l'avait désemparé, comme une attaque imprévue à laquelle il ne savait par quelle riposte répondre.

Rénine sentit qu'à la première sommation l'adversaire capitulerait. Il avait tellement lutté depuis quelques mois, et tellement souffert dans la retraite et dans le silence opiniâtre où il s'était réfugié, qu'il ne songeait pas à se défendre. Le pouvait-il, d'ailleurs, maintenant qu'on avait pénétré dans l'intimité de son abominable existence ?

Rénine l'attaqua brusquement.

« Monsieur, dit-il, deux fois déjà, depuis la rupture, Geneviève Aymard a voulu se tuer. Je viens vous demander si sa mort inévitable et prochaine doit être le dénouement de votre amour ? »

Jean-Louis s'écroula sur une chaise, et enfouit sa figure entre ses deux mains.

« Oh ! dit-il, elle a voulu se tuer... Oh ! est-ce possible !... »

Rénine ne lui laissa point de répit. Il lui frappa l'épaule, et, se penchant :

« Soyez persuadé, monsieur, que vous avez intérêt à vous confier à nous. Nous sommes les amis de Geneviève Aymard. Nous lui avons promis notre assistance. N'hésitez pas, je vous en supplie... »

Le jeune homme releva la tête.

« Puis-je hésiter, dit-il avec lassitude, après ce que vous m'avez révélé ? Le puis-je après ce que vous venez d'entendre ici tout à l'heure ? Mon existence, vous la devinez. Que me reste-t-il à vous dire pour que vous la connaissiez tout entière et pour que vous en rapportiez le secret à Geneviève... ce secret ridicule et redoutable qui lui fera comprendre pourquoi je ne suis pas retourné près d'elle... et pourquoi je n'ai pas le droit d'y retourner. »

Rénine jeta un coup d'œil à Hortense. Vingt-quatre heures après les aveux du père de Geneviève, il obtenait, par les mêmes procédés, les confidences de Jean-Louis. Toute l'aventure apparaissait, confessée par les deux hommes.

Jean-Louis avança un fauteuil pour Hortense. Rénine et lui s'assirent, et il prononça, sans qu'il fût besoin de le prier davantage, et comme s'il éprouvait même quelque soulagement à se confesser :

« Ne soyez pas trop étonné, monsieur, si je raconte mon histoire avec quelque ironie, car, en vérité, c'est une histoire franchement comique et qui ne peut manquer de vous faire rire. Le destin s'amuse souvent à jouer de ces tours imbéciles, de ces farces énormes que l'on dirait imaginées par un cerveau de fou ou par un ivrogne. Jugez-en.

« Il y a vingt-sept ans, le manoir d'Elseven, composé à cette époque du seul corps de logis principal, était habité par un vieux médecin qui, pour augmenter ses modiques ressources, recevait parfois un ou deux pensionnaires. C'est ainsi qu'une année Mme d'Ormival passa ici l'été, et Mme Vaubois l'été suivant. Or, ces deux dames qui ne se connaissaient pas d'ailleurs, dont l'une était mariée à un capitaine au long cours breton, et l'autre à un voyageur de commerce vendéen, perdirent en même temps leurs maris, et cela à une époque où toutes deux étaient enceintes. Et comme elles demeuraient à la campagne, dans des endroits éloignés de tout centre, elles écrivirent au docteur qu'elles viendraient chez lui pour y faire leurs couches.

« Il accepta. Elles arrivèrent presque en même temps, à l'automne. Deux petites chambres, situées derrière cette salle, les attendaient. Le docteur avait engagé une garde qui couchait ici même. Tout allait pour le mieux. Ces dames achevaient les layettes et s'entendaient parfaitement. Résolues à n'avoir que des fils, elles leur avaient choisi ces noms : Jean et Louis.

« Or, un soir, le docteur, appelé en consultation, partit dans son cabriolet avec le domestique, en annonçant qu'il ne pourrait revenir que le lendemain. Le maître absent, une fillette, qui servait de bonne, s'en alla rejoindre son amoureux. Autant de hasards dont le destin profita avec une méchanceté diabolique.

Vers minuit, Mme d'Ormival ressentit les premières douleurs. La garde, Mlle Boussignol, laquelle était un peu sage-femme, ne perdit pas la tête. Mais une heure après, ce fut le tour de Mme Vaubois et le drame, disons plutôt la tragi-comédie, se déroula parmi les cris et les gémissements des deux patientes, dans l'agitation effarée de la garde qui courait de l'une à l'autre, se lamentait, ouvrait la fenêtre pour appeler le docteur, ou se jetait à genoux pour implorer la Providence.

« La première, Mme Vaubois mit au monde un garçon que Mlle Boussignol apporta en hâte dans cette salle, qu'elle soigna, lava et déposa au creux du berceau qui lui était réservé.

« Mais Mme d'Ormival poussait des hurlements de douleur, et la garde dut s'employer aussi auprès d'elle, tandis que le nouveau-né s'épuisait en cris de bête qu'on égorge, et que la mère, terrifiée, clouée au lit de sa chambre, s'évanouissait.

« Ajoutez à cela toutes les misères du désordre et de l'obscurité, l'unique lampe où il n'y a plus de pétrole, les bougies qui s'éteignent, le bruit du vent, le piaulement des chouettes, et vous comprendrez que Mlle Boussignol était folle d'épouvante. Enfin, à cinq heures, après des incidents tragiques, elle apportait ici le petit d'Ormival, un garçon également, le soignait, le lavait, l'étendait dans son berceau et repartait au secours de Mme Vaubois qui, revenue à elle, vociférait, puis de Mme d'Ormival qui, à son tour, perdait connaissance.

« Et lorsque Mlle Boussignol, débarrassée des deux mères, mais ivre de fatigue, le cerveau tumultueux, retourna près des nouveau-nés, elle s'aperçut avec horreur qu'elle les avait enveloppés avec des langes semblables, chaussés avec des chaussons de laine identiques et couchés tous deux côte à côte, *dans le même berceau !* De sorte qu'on ne pouvait savoir qui était Louis d'Ormival et qui était Jean Vaubois.

« En outre, comme elle soulevait l'un d'eux, elle constata qu'il avait les mains glacées et qu'il ne respirait plus. Il était mort. Comment s'appelait celui-là ? et comment celui qui survivait ?

« Trois heures plus tard, le docteur trouvait les deux femmes éperdues et délirantes, et la garde se traînant devant leurs lits et implorant son pardon. Tour à tour elle m'offrait à leurs caresses, moi, le survivant. Et tour à tour elles m'embrassaient et me repoussaient. Car enfin, qui étais-je ? le fils de la veuve d'Ormival et de feu le capitaine au long cours ? ou le fils de

Mme Vaubois et de feu le voyageur de commerce ? Aucun indice ne permettait de se prononcer.

« Le docteur supplia chacune de mes deux mères de sacrifier ses droits, du moins au point de vue légal, afin que je puisse m'appeler Louis d'Ormival, ou Jean Vaubois. Elles s'y refusèrent énergiquement.

« —Pourquoi Jean Vaubois, si c'est un d'Ormival ? » protesta l'une.

« —Pourquoi Louis d'Ormival, si c'est un Jean Vaubois ? » riposta l'autre.

« Je fus déclaré sous le nom de Jean-Louis, fils de père et de mère inconnus. »

Le prince Rénine avait écouté silencieusement. Mais Hortense, à mesure que le dénouement approchait, s'était laissé gagner par une hilarité qu'elle contenait avec peine et dont le jeune homme ne pouvait manquer de s'apercevoir.

« Excusez-moi, bégayait-elle, les larmes aux yeux, excusez-moi, c'est nerveux. »

Il répondit doucement, sans amertume :

« Ne vous excusez pas, madame, je vous ai avertie que mon histoire est de celles qui font rire, et que j'en connaissais mieux que personne la niaiserie et l'absurdité. Oui, tout cela est burlesque. Mais, croyez-moi si je vous dis que, dans la réalité, ce ne fut pas drôle. Situation comique en apparence, et qui, par la force des choses, demeure comique, mais situation affreuse. Vous voyez cela d'ici, n'est-ce pas ? Les deux mères, dont aucune des deux n'était sûre d'être la mère, mais dont aucune n'était sûre de ne point l'être, se cramponnant à Jean-Louis. C'était peut-être un étranger, mais c'était peut-être l'enfant de leur chair et de leur sang. Elles l'aimèrent à l'excès et se le disputèrent avec rage. Et surtout elles en arrivèrent toutes deux à se haïr d'une haine mortelle. Différentes de caractère et d'éducation, obligées de vivre l'une près de l'autre puisque aucune ne voulait renoncer au bénéfice de sa maternité possible, elles vécurent en ennemies que rien ne désarme.

« C'est au milieu de cette haine que je grandis, c'est cette haine que l'une et l'autre m'apprirent. Si mon cœur d'enfant, avide de tendresse, me portait vers l'une d'elles, l'autre m'insinuait le mépris et l'exécration. Dans ce manoir qu'elles achetèrent à la mort du vieux médecin et qu'elles flanquèrent de deux pavillons, je fus leur bourreau involontaire et leur victime de chaque jour. Enfance torturée, adolescence effroyable, je ne crois pas qu'un être ait souffert plus que moi.

— Il fallait les quitter ! s'écria Hortense, qui ne riait plus.

— On ne quitte pas sa mère, dit-il, et l'une de ces femmes est ma mère. Et l'on n'abandonne pas son fils, et chacune d'elles peut croire que je suis son fils. Nous étions rivés tous les trois les uns aux autres, comme des forçats, rivés par la douleur, par la compassion, par le doute, par l'espoir aussi que la vérité éclaterait peut-être un jour. Et nous sommes encore là, tous les trois, à nous injurier et à nous reprocher notre vie perdue. Ah ! quel enfer ! Comment s'évader ? Plusieurs fois je l'ai tenté... Vainement. Les liens rompus se renouaient. Cet été encore, dans l'élan de mon amour pour Geneviève, j'ai voulu m'affranchir et j'ai tâché de convaincre les deux femmes que j'appelle maman. Et puis... et puis je me suis heurté à leurs plaintes... à leur haine immédiate contre l'épouse... contre l'étrangère que je leur imposais... J'ai cédé... Qu'aurait fait Geneviève ici, entre Mme d'Ormival et Mme Vaubois ? Avais-je le droit de la sacrifier ? »

Jean-Louis, qui s'était animé peu à peu, prononça ces dernières paroles d'une voix ferme, comme s'il eût voulu qu'on attribuât sa conduite à des raisons de conscience, et au sentiment de ses devoirs. En réalité — et Rénine et Hortense ne s'y trompèrent point —, c'était un faible, incapable de réagir contre une situation absurde, dont il avait souffert depuis son enfance, et qui s'était imposée à lui comme irrémédiable et définitive. Il la supportait ainsi qu'une lourde croix qu'on n'a pas le droit de rejeter, et en même temps il en avait honte. En face de Geneviève, il s'était tu par crainte du ridicule, et, depuis, retourné dans sa prison, il y demeurait par habitude et par veulerie.

Il s'assit devant un secrétaire et, rapidement, écrivit une lettre qu'il tendit à Rénine.

« Vous voudrez bien vous charger de ces quelques mots pour Mlle Aymard, dit-il, et la supplier encore de me pardonner. »

Rénine ne bougea pas, et, comme l'autre insistait, il prit la lettre et la déchira.

« Que signifie ?... questionna le jeune homme.

— Cela signifie que je ne me charge d'aucune missive.

— Pourquoi donc ?

— Parce que vous allez venir avec nous...

— Moi ?

— Que vous serez demain près de Mlle Aymard, et que vous ferez votre demande en mariage. »

Jean-Louis regarda Rénine d'un air où il y avait quelque dédain, et comme s'il eût pensé : « Voilà un monsieur qui n'a rien compris aux événements que je lui ai exposés. »

Hortense s'approcha de Rénine.

« Dites-lui que Geneviève a voulu se tuer, qu'elle se tuera fatalement...

— Inutile. Les choses se passeront comme je l'annonce. Nous partirons tous les trois dans une heure ou deux. La demande en mariage aura lieu demain. »

Le jeune homme haussa les épaules et ricana.

« Vous parlez avec une assurance !...

— J'ai des motifs pour parler ainsi. On prendra un motif.

— Quel motif ?

— Je vous en dirai un, un seul, mais qui suffira si vous voulez bien m'aider dans mes recherches.

— Des recherches... Dans quel but ? fit Jean-Louis.

— Dans le but d'établir que votre histoire n'est pas entièrement exacte. »

Jean-Louis se rebiffa.

« Je vous prie de croire, monsieur, que je n'ai pas dit un mot qui ne soit l'exacte vérité.

— Je m'explique mal, reprit Rénine, avec beaucoup de douceur. Vous n'avez certes pas dit un mot qui ne soit conforme à ce que vous croyez être l'exacte vérité. Mais cette vérité n'est pas, ne peut pas être ce que vous la croyez. »

Le jeune homme se croisa les bras.

« Il y a des chances, en tout cas, monsieur, pour que je la connaisse mieux que vous.

— Pourquoi mieux ? Ce qui s'est passé au cours de cette nuit tragique ne vous est forcément connu que de seconde main. Vous n'avez aucune preuve. Mme d'Ormival et Mme Vaubois, non plus.

— Aucune preuve de quoi ? s'écria Jean impatienté.

— Aucune preuve de la confusion qui s'est produite.

— Comment ! Mais c'est une certitude absolue ! Les deux enfants ont été déposés dans le même berceau, sans qu'aucun signe les distinguât l'un de l'autre. La garde n'a pas pu savoir...

— C'est du moins, interrompit Rénine, la version qu'elle donne.

— Que dites-vous ? La version qu'elle donne ? Mais c'est accuser cette femme.

— Je ne l'accuse pas.

— Mais si, vous l'accusez de mentir. Mentir ? Et pourquoi ? Elle n'y avait aucun intérêt, et ses larmes, son désespoir... autant de témoignages qui confirment sa bonne foi. Car, enfin, les deux mères étaient là... elles ont vu pleurer cette femme... elles l'ont interrogée... Et puis, je le répète, quel intérêt ?... »

Jean-Louis était fort surexcité. Près de lui, Mme d'Ormival et Mme Vaubois, qui, sans doute, écoutaient aux portes et qui étaient entrées sournoisement, balbutiaient, stupéfaites :

« Non... non... c'est impossible... Cent fois nous l'avons questionnée depuis. Pourquoi aurait-elle menti ?

— Parlez, parlez, monsieur, ordonna Jean-Louis, expliquez-vous. Dites-nous les raisons pour lesquelles vous essayez de mettre en doute la vérité certaine ?

— Parce que cette vérité n'est pas admissible, déclara Rénine, qui haussa la voix et, à son tour, s'anima jusqu'à ponctuer ses phrases de coups sur la table. Non, les choses ne s'accomplissent pas ainsi. Non, le destin n'a pas de ces raffinements de cruauté, et les hasards ne s'ajoutent pas les uns aux autres avec tant d'extravagance ! Hasard inouï déjà que, la nuit même où le docteur, son domestique et sa servante ont quitté la maison, les deux dames justement soient prises aux mêmes heures des douleurs de l'accouchement et mettent au monde en même temps deux fils. N'ajoutons pas à cela un événement plus exceptionnel encore ! Assez de maléfices ! Assez de lampes qui s'éteignent et de bougies qui ne brûlent pas ! Non, mille fois non, il n'est pas admissible qu'une sage-femme s'embrouille dans ce qui est l'essentiel de son métier. Si affolée qu'elle soit par l'imprévu des circonstances, il y a en elle un reste d'instinct qui veille, et qui fait que chacun des deux enfants a sa place désignée et se distingue de l'autre. Alors même qu'ils sont couchés côte à côte, l'un est à droite, l'autre est à gauche. Alors même qu'ils sont enveloppés de langes semblables, il y a un petit détail qui diffère, un rien que la mémoire enregistre et qui se retrouve fatalement sans qu'il soit besoin de réfléchir. Une confusion ? Je la nie. L'impossibilité de savoir ? Mensonge. Dans le domaine de la fiction, oui, on peut imaginer toutes les fantaisies et accumuler toutes les contradictions. Mais dans la réalité, au centre même de la réalité, il y a toujours un point fixe, un noyau solide autour duquel les faits viennent se grouper d'eux-mêmes suivant un ordre logique. J'affirme donc de la façon la plus formelle que la garde Boussignol n'a pas pu confondre les deux enfants. »

Il disait cela avec autant de netteté que s'il eût assisté aux événements de cette nuit, et sa puissance de persuasion était telle que, du premier coup, il ébranlait la certitude de ceux qui n'avaient jamais douté depuis un quart de siècle.

Les deux femmes et leur fils se pressaient autour de lui, et l'interrogeaient avec une angoisse haletante :

« En ce cas, selon vous, elle saurait... elle pourrait révéler... ? »

Il rectifia :

« Je ne me prononce pas. Je dis seulement qu'il y a eu dans sa conduite, durant ces heures-là, quelque chose qui n'est d'accord ni avec ses paroles ni avec la réalité. Tout l'énorme et intolérable mystère qui a pesé sur vous trois provient, non d'une minute d'inattention, mais bien de ce quelque chose que nous ne discernons pas et qu'elle connaît, elle. Voilà ce que je prétends. »

Jean-Louis eut un sursaut de révolte. Il voulait échapper à l'étreinte de cet homme.

« Oui, ce que vous prétendez, dit-il.

— Voilà ce qui fut ! accentua violemment Rénine. Il n'est nul besoin d'assister à un spectacle pour le voir, ni d'écouter des paroles pour les entendre. La raison et l'intuition nous donnent des preuves aussi rigoureuses que les faits eux-mêmes. La garde Boussignol détient, dans le secret de sa conscience, un élément de vérité qui nous est inconnu. »

D'une voix sourde, Jean-Louis articula :

« Elle vit !... Elle habite Carhaix !... On peut la faire venir ! »

Aussitôt, l'une des deux mères s'écria :

« J'y vais. Je la ramène.

— Non, dit Rénine. Pas vous, aucun de vous trois. »

Hortense proposa :

« Voulez-vous que j'y aille ? Je prends l'automobile et je décide cette femme à m'accompagner. Où demeure-t-elle ?

— Au centre de Carhaix, dit Jean-Louis, une petite boutique de mercerie. Le chauffeur vous indiquera... Mlle Boussignol... tout le monde la connaît...

— Et surtout, chère amie, ajouta Rénine, ne la prévenez de rien. Si elle s'inquiète, tant mieux. Mais qu'elle ne sache pas ce qu'on veut d'elle, c'est là une précaution indispensable si vous voulez réussir. »

Trente minutes s'écoulèrent dans le silence le plus profond. Rénine se promenait à travers la pièce où de beaux meubles anciens, de belles tapisseries, des reliures et de jolis bibelots dénotaient chez Jean-Louis une recherche d'art et de style. Cette pièce était réellement la sienne. À côté, par les portes entrouvertes sur les logements contigus, on pouvait constater le mauvais goût des deux mères. Rénine se rapprocha du jeune homme et murmura :

« Elles sont riches ?

— Oui.

— Et vous ?

— Elles ont voulu que ce manoir avec toutes les terres environnantes m'appartînt, ce qui assure largement mon indépendance.

— Elles ont de la famille ?

— Des sœurs, l'une et l'autre.

— Auprès de qui elles pourraient se retirer ?

— Oui, et elles y ont pensé quelquefois. Mais... monsieur... il ne saurait être question de cela, et je crains bien que votre intervention n'aboutisse qu'à un échec. Encore une fois, je vous affirme... »

L'automobile arrivait cependant. Les deux femmes se levèrent précipitamment, déjà prêtes à parler.

« Laissez-moi faire, dit Rénine, et ne vous étonnez pas de ma façon de procéder. Il ne s'agit pas de lui poser des questions, mais de lui faire peur, de l'étourdir. Dans son désarroi, elle parlera. »

L'auto contourna la pelouse et s'arrêta devant les fenêtres. Hortense sauta et tendit la main à une vieille femme, coiffée d'un bonnet de linge tuyauté, vêtue d'un corsage de velours noir et d'une lourde jupe froncée.

Elle entra avec effarement. Elle avait un visage de belette, tout pointu, et qui se terminait en un museau armé de petites dents qui sortaient.

« Qu'est-ce qu'il y a, madame d'Ormival ? fit-elle en pénétrant avec crainte dans cette pièce d'où le docteur l'avait chassée jadis. Bien le bonjour, madame Vaubois. »

Ces dames ne répondirent pas. Rénine s'avança et dit d'un ton sévère :

« Ce qu'il y a, mademoiselle Boussignol ? Je vais vous le communiquer. Et j'insiste vivement auprès de vous pour que vous pesiez bien chacune de mes paroles. »

Il avait l'air d'un juge d'instruction pour qui la culpabilité de la personne interrogée n'est point contestable.

Il formula :

« Mademoiselle Boussignol, je suis délégué par la police de Paris pour faire la lumière sur un drame qui a eu lieu ici il y a vingt-sept ans. Or, dans ce drame, où vous avez tenu un rôle considérable, je viens d'acquérir la preuve que vous avez altéré la vérité et que, par suite de vos fausses déclarations, l'état civil d'un des enfants nés au cours de cette nuit-là n'est pas exact. En matière d'état civil, les fausses déclarations constituent des crimes punis par la loi. Je suis donc forcé de vous conduire à Paris pour y subir, en présence de votre avocat, l'interrogatoire de rigueur.

— À Paris ?... mon avocat ?... gémit Mlle Boussignol.

— Il le faut bien, mademoiselle, puisque vous êtes sous le coup d'un mandat d'arrestation. À moins que..., insinua Rénine, à moins que vous ne soyez prête, dès maintenant, à faire tous aveux susceptibles de réparer les conséquences de votre faute. »

La vieille fille tremblait de tous ses membres. Ses dents s'entrechoquaient. Elle était manifestement incapable d'opposer à Rénine la plus petite résistance.

« Êtes-vous décidée à tout avouer ? » demanda-t-il.

Elle risqua :

« Je n'ai rien à avouer, puisque je n'ai rien fait.

— Alors, nous partons, dit-il.

— Non, non, implora-t-elle... Ah ! mon bon monsieur, je vous en supplie...

— Êtes-vous décidée ?

— Oui, fit-elle dans un souffle.

— Immédiatement, n'est-ce pas ? L'heure du train me presse. Il faut que cette affaire soit réglée séance tenante. À la moindre hésitation de votre part, je vous emmène. Nous sommes d'accord ?

— Oui.

— Allons-y carrément. Pas de subterfuge. Pas de faux-fuyants. »

Il désigna Jean-Louis.

« De qui monsieur est-il le fils ? De Mme d'Ormival ?

— Non.

— De Mme Vaubois, par conséquent ?

— Non. »

Un silence de stupeur accueillit cette double réponse.

« Expliquez-vous », ordonna Rénine, en regardant sa montre.

Alors Mlle Boussignol tomba à genoux et raconta, d'un ton si bas et d'une voix si altérée qu'ils durent tous se pencher sur elle pour percevoir à peu près le sens de son bredouillement :

« Quelqu'un est venu le soir... un monsieur qui apportait dans des couvertures un enfant nouveau-né qu'il voulait confier au docteur... Comme le docteur n'était pas là, il est resté toute la nuit à l'attendre, et c'est lui qui a tout fait.

— Quoi ? Qu'a-t-il donc fait ? exigea Rénine. Que s'est-il passé ? »

Il avait saisi la vieille par les deux mains, et la tenait sous son regard impérieux. Jean-Louis et les deux mères étaient penchés sur elle, haletants et anxieux. Leur vie dépendait des quelques mots qui allaient être prononcés.

Elle les articula, ces mots, en joignant les mains, comme on fait la confession d'un crime :

« Eh bien, il s'est passé que ce n'est pas un enfant qui est mort, mais tous les deux, celui de Mme d'Ormival et celui de Mme Vaubois, tous les deux dans des convulsions. Alors le monsieur, voyant cela, m'a dit... Je me rappelle toutes ses phrases, le son de sa voix, tout... Il m'a dit :

« — Les circonstances m'indiquent mon devoir. Je dois saisir cette occasion pour que mon garçon, à moi, soit heureux et bien soigné. Mettez-le à la place de ceux qui sont morts. »

« Il m'offrit une grosse somme en disant que ça le débarrasserait d'un coup des frais à payer chaque mois pour son gosse, et j'acceptai. Seulement, à la place duquel le mettre ? Fallait-il que le garçon devienne Louis d'Ormival ou Jean Vaubois ? Il réfléchit un instant et répondit : « Ni l'un ni l'autre. » Et alors il m'expliqua comment je devais m'y prendre et ce que je devais raconter quand il serait parti. Et, pendant que j'habillais son garçon avec des langes et des tricots pareils à ceux de l'un des petits morts, lui, il enveloppa l'autre petit avec des couvertures qu'il avait apportées, et il s'en alla dans la nuit. »

Mlle Boussignol baissa la tête et pleura. Après un moment, Rénine lui dit, l'intonation plus bienveillante :

« Je ne vous cacherai pas que votre déposition s'accorde avec l'enquête que j'ai poursuivie de mon côté. On vous en tiendra compte.

— Je n'irai pas à Paris ?

— Non.

— Vous ne m'emmenez pas ? Je peux me retirer ?

— Vous pouvez vous retirer. C'est fini pour l'instant.

— Et on ne causera pas de tout ça dans le pays ?

— Non. Ah ! un mot encore. Vous connaissez le nom de cet homme ?

— Il ne me l'a pas dit.

— Vous l'avez revu ?

— Jamais.

— Vous n'avez pas autre chose à déclarer ?

— Rien.

— Vous êtes prête à signer le texte écrit de votre confession ?

— Oui.

— C'est bien. Dans une semaine ou deux, vous serez convoquée. D'ici là, pas un mot à personne. »

Elle se releva et fit un signe de croix. Mais ses forces la trahirent, et elle dut s'appuyer sur Rénine. Il la conduisit dehors et referma la porte derrière elle.

Quand il revint, Jean-Louis était entre les deux vieilles dames, et tous les trois se tenaient par la main. Le lien de haine et de misère qui les unissait était brisé tout à coup, et cela mettait entre eux aussitôt, sans qu'ils eussent besoin de réfléchir, une douceur et un apaisement dont ils n'avaient pas conscience, mais qui les rendaient graves et recueillis.

« Brusquons les choses, dit Rénine à Hortense. C'est l'instant décisif de la bataille. Il faut embarquer Jean-Louis. »

Hortense paraissait distraite. Elle murmura :

« Pourquoi avez-vous laissé partir cette femme ? Vous êtes satisfait de sa déposition ?

— Je n'ai pas été satisfait. Elle a dit ce qui s'est passé. Que voulez-vous de plus ?

— Rien... Je ne sais pas.

— Nous en reparlerons, chère amie. Pour l'instant, je le répète, il faut embarquer Jean-Louis. Et tout de suite. Sinon... »

Et, s'adressant au jeune homme, il dit :

« Vous estimez comme moi, n'est-ce pas, que les événements vous imposent, ainsi qu'à Mme Vaubois et à Mme d'Ormival, une séparation qui vous permettra à tous trois de voir clair et de vous résoudre en toute liberté d'esprit ? Venez avec nous, monsieur. Ce qu'il y a de plus urgent, c'est de sauver Geneviève Aymard, votre fiancée. »

Jean-Louis demeurait perplexe. Rénine se retourna vers les deux femmes.

« C'est votre avis, je n'en doute pas, n'est-ce pas, mesdames ? »

Elles firent un signe de tête.

« Vous voyez, monsieur, dit-il à Jean-Louis, nous sommes tous d'accord. Dans les grandes crises, il faut le recul de la séparation... Oh ! pas bien longtemps, peut-être... quelques jours de répit, après lesquels il vous sera loisible d'abandonner Geneviève Aymard et de reprendre votre existence. Mais ces quelques jours sont indispensables. Vite, monsieur. »

Et sans lui laisser le temps de réfléchir, l'étourdissant de paroles, persuasif et obstiné, il le poussa vers son appartement.

Une demi-heure après, Jean-Louis quittait le manoir.

« Et il n'y retournera que marié, dit Rénine à Hortense, alors qu'ils traversaient la station de Guingamp où l'automobile les avait menés, et que Jean-Louis s'occupait de sa malle. Tout est pour le mieux. Vous êtes contente ?

— Oui, la pauvre Geneviève sera heureuse », répondit-elle distraitement.

Une fois installés dans le train, ils allèrent tous deux au wagon-restaurant. À la fin du dîner, Rénine, qui avait adressé à Hortense plusieurs questions auxquelles la jeune femme n'avait répliqué que par des monosyllabes, protesta :

« Ah çà ! mais qu'est-ce qu'il y a, chère amie ? Vous avez l'air soucieux.

— Moi ? Mais non.

— Si, si, je vous connais. Allons, pas de réticences. »

Elle sourit.

« Eh bien, puisque vous insistez tellement pour savoir si je suis satisfaite, je dois vous dire que... évidemment... je le suis pour Geneviève Aymard... mais que, sous un autre rapport... au point de vue même de l'aventure... je conserve comme une sorte de malaise...

— Pour parler franc, je ne vous ai pas « épatée » cette fois-ci ?

— Pas trop.

— Mon rôle vous semble secondaire ?... Car, enfin, en quoi consiste-t-il ? Nous sommes venus. Nous avons écouté les doléances de Jean-Louis. On a fait comparaître une ancienne sage-femme. Et voilà, c'est fini.

— Justement, je me demande si c'est fini et je n'en suis pas certaine. En vérité, nos autres aventures m'avaient laissé une impression plus... comment m'expliquer ? Plus franche, plus claire.

— Et celle-ci vous paraît obscure ?

— Obscure, oui, inachevée.

— Mais en quoi ?

— Je ne sais pas. Cela tient peut-être aux aveux de cette femme... Oui, très probablement. Ce fut si imprévu et si bref !

— Parbleu ! fit Rénine en riant, vous pensez bien que j'y ai coupé court. Il ne fallait pas trop d'explications.

— Comment ?

— Oui, si elle avait donné des explications trop détaillées, on aurait fini par se défier de ce qu'elle racontait.

— Se défier ?

— Dame, l'histoire est un peu tirée par les cheveux. Ce monsieur qui arrive, la nuit, avec un enfant dans sa poche, et qui s'en va avec un cadavre, ça ne tient guère debout. Que voulez-vous, chère amie, je n'avais pas eu beaucoup de temps pour lui souffler son rôle, à la malheureuse. »

Hortense le regardait, abasourdie.

« Que voulez-vous dire ?

— Oui, n'est-ce pas, ces femmes de la campagne, ça a la tête dure. Nous étions pressés, elle et moi. Alors nous avons bâti à la va-vite un scénario... qu'elle n'a pas trop mal récité d'ailleurs. Le ton y était... Effarement... Trémolo... Larmes...

— Est-ce possible ! Est-ce possible ! murmura Hortense. Vous l'aviez donc vue auparavant ?

— Il a bien fallu.

— Mais quand ?

— Mais le matin, à l'arrivée. Tandis que vous refaisiez un brin de toilette à l'hôtel de Carhaix, moi, je courais aux renseignements. Vous pensez bien que le drame d'Ormival-Vaubois est connu dans la région. Tout de suite on m'a indiqué l'ancienne sage-femme, Mlle Boussignol. Avec Mlle Boussignol ça n'a pas traîné. Trois minutes pour établir la nouvelle version de ce qui s'était passé, et 10 000 francs pour qu'elle consente à répéter devant les gens du manoir cette version... plus ou moins invraisemblable.

— Tout à fait invraisemblable !

— Pas tant que cela, chère amie, puisque vous y avez cru et les autres également. Et c'était l'essentiel. Il fallait, d'un coup d'épaule, démolir une vérité de vingt-sept ans, une vérité d'autant plus solide qu'elle était bâtie sur les faits eux-mêmes. C'est pourquoi j'ai foncé dessus de toutes mes forces, et je l'ai attaquée à coups d'éloquence. L'impossibilité d'identifier les deux enfants ? je la nie ! La confusion ? mensonge ! Vous êtes tous les trois victimes de quelque chose que j'ignore, mais que votre devoir est d'éclaircir. « Facile, s'écrie Jean-Louis, tout de suite ébranlé, faisons venir Mlle Boussignol. » « Faisons-la venir. » Sur quoi Mlle Boussignol arrive et débite en sourdine le petit discours que je lui ai seriné. Coup de théâtre. Stupeur. J'en profite pour enlever le jeune homme. »

Hortense hocha la tête.

« Mais ils se reprendront tous les trois ! Ils réfléchiront !

— Jamais de la vie ! Qu'ils aient des doutes, peut-être. Mais jamais ils ne consentiront à avoir des certitudes ! Jamais ils n'accepteront de réfléchir ! Comment ! voilà des gens que je tire de l'enfer où ils se débattent depuis un quart de siècle, et ils voudraient s'y replonger ? Voilà des gens qui, par veulerie, par un faux sentiment du devoir, n'avaient pas le courage de s'évader, et ils ne se cramponneraient pas à la liberté que je leur donne ? Allons donc ! Mais ils auraient avalé des bourdes encore plus indigestes que celles qui leur furent servies par Mlle Boussignol. Après tout, quoi, ma version n'est pas plus bête que la vérité. Au contraire, et ils l'ont avalée toute crue ! Tenez, avant notre départ, j'ai entendu Mme d'Ormival et Mme Vaubois parler de leur déménagement immédiat. Elles étaient déjà tout affectueuses l'une avec l'autre à l'idée de ne plus se voir.

— Mais Jean-Louis ?

— Jean-Louis ! Mais il en avait par-dessus la tête de ses deux mères ! Sapristi, on n'a pas deux mères dans la vie ! En voilà une situation pour un homme ! Quand on a la chance de pouvoir choisir entre avoir deux mères ou n'en pas avoir du tout, fichtre on n'hésite pas. Et puis Jean-Louis aime Geneviève. Et il l'aime assez, je veux le croire, pour ne pas lui infliger deux belles-mères ! Allez, vous pouvez être tranquille. Le bonheur de cette jeune personne est assuré, et n'est-ce pas cela que vous désiriez ? L'important, c'est le but que l'on atteint, et non pas la nature plus ou moins étrange des moyens que l'on emploie. Et s'il y a des aventures qui se dénouent et des mystères que l'on élucide, grâce à la recherche et à la découverte de bouts de cigarettes, de carafes incendiaires et de cartons à chapeaux qui s'enflamment, il en est d'autres qui exigent de la psychologie et dont la solution est purement psychologique. »

Hortense se tut et reprit au bout d'un instant :

« Alors, vraiment, vous êtes persuadé que Jean-Louis... »

Rénine parut très étonné.

« Comment, vous pensez encore à cette vieille histoire. Mais c'est fini tout cela ! Ah ! bien ! je vous avoue qu'il ne m'intéresse plus du tout, l'homme à la double mère. »

Et ce fut dit d'un ton si cocasse, avec une sincérité si amusante, qu'Hortense fut prise de rire.

« À la bonne heure, dit-il, riez, chère amie. On voit les choses bien plus clairement à travers le rire qu'à travers les larmes. Et puis, il est une autre raison pour laquelle votre devoir est de rire chaque fois que l'occasion s'en présente.

— Laquelle ?

— Vous avez de jolies dents. »

VI

LA DAME À LA HACHE

L'un des événements les plus incompréhensibles de l'époque qui précéda la guerre fut certainement ce qu'on appela l'affaire de la Dame à la Hache. La solution n'en fut pas connue, et elle ne l'eût jamais été si les circonstances n'avaient pas, de la façon la plus cruelle, obligé le prince Rénine — devons-nous dire Arsène Lupin ? — à s'en occuper, et si nous n'en pouvions donner aujourd'hui, d'après ses confidences, le récit authentique.

Rappelons les faits. En l'espace de dix-huit mois, cinq femmes disparurent, cinq femmes de conditions diverses, âgées de vingt à trente ans, habitant Paris ou la région parisienne.

Voici leurs noms : *Mme Ladoue*, femme d'un docteur ; *Mlle Ardant*, fille d'un banquier ; *Mlle Covereau*, blanchisseuse à Courbevoie ; *Mlle Honorine Vernisset*, couturière, et *Mme Grollinger*, artiste peintre. Ces cinq femmes disparurent sans qu'il fût possible de recueillir un seul détail qui expliquât pourquoi elles sortirent de chez elles, pourquoi elles n'y rentrèrent pas, qui les attira dehors, où et comment elles furent retenues.

Huit jours après leur départ, on retrouvait chacune d'elles en un endroit quelconque de la banlieue ouest de Paris, et chaque fois, ce fut un cadavre qu'on retrouva, le cadavre d'une femme frappée à la tête d'un coup de hache. Et chaque fois, près de cette femme attachée solidement, la figure inondée de sang, le corps amaigri par le manque de nourriture, des traces de roues prouvaient que le cadavre avait été apporté là par une voiture.

L'analogie des cinq crimes était telle qu'il n'y eut qu'une seule instruction, laquelle engloba les cinq enquêtes, et d'ailleurs n'aboutit à aucun résultat. Disparition d'une femme, découverte de son cadavre huit jours après, exactement. Voilà tout.

Les liens étaient identiques. Identiques aussi les marques laissées par les roues de la voiture ; identiques les coups de hache, tous donnés au haut du front, au plein milieu de la tête et verticalement.

Le mobile ? Les cinq femmes avaient été entièrement dépouillées de leurs bijoux, porte-monnaie et objets de valeur. Mais on pouvait aussi bien attribuer le vol à des maraudeurs et à des passants, puisque les cadavres gisaient dans des endroits déserts. Devait-on supposer l'exécution d'un plan de vengeance, ou bien d'un plan destiné à détruire un série d'individus reliés les uns aux autres, bénéficiaires, par exemple, d'un héritage futur ? Là encore, même obscurité. On bâtissait des hypothèses, que démentait sur-le-champ l'examen des faits. On suivait des pistes aussitôt abandonnées.

Et, brusquement, un coup de théâtre. Une balayeuse des rues ramassa sur un trottoir un petit carnet qu'elle remit au commissariat voisin.

Toutes les feuilles de ce petit carnet étaient blanches, sauf une, où il y avait la liste des femmes assassinées, liste établie selon l'ordre chronologique et dont les noms étaient accompagnés de trois chiffres. *Ladoue*, 132 ; *Vernisset*, 118, etc.

On n'aurait certes attaché aucune importance à ces lignes que le premier venu avait pu écrire puisque tout le monde connaissait la liste funèbre. Mais, au lieu de cinq noms, voilà qu'elle en comportait six ! Oui, au-dessous du mot *Grollinger*, 128, on lisait : *Williamson*, 114. Se trouvait-on en présence d'un sixième assassinat ?

La provenance évidemment anglaise du nom restreignait le champ des investigations qui, de fait, furent rapides. On établit que, quinze jours auparavant, une demoiselle Herbette Williamson, nurse dans une famille d'Auteuil, avait quitté sa place pour retourner en Angleterre, et que, depuis ce temps, ses sœurs, bien qu'averties par lettre de sa prochaine arrivée, n'avaient pas entendu parler d'elle.

Nouvelle enquête. Un agent des Postes retrouva le cadavre dans les bois de Meudon. Miss Williamson avait le crâne fendu par le milieu.

Inutile de rappeler l'émotion du public à ce moment, et quel frisson d'horreur, à la lecture de cette liste, écrite sans aucun doute de la main même du meurtrier, secoua les foules. Quoi de plus épouvantable qu'une telle comptabilité, tenue à jour comme le livre d'un bon commerçant « À telle date, j'ai tué celle-ci... à telle autre, celle-là... » Et, comme résultat de l'addition, six cadavres.

Contre toute attente, les experts et les graphologues n'eurent aucun mal à s'accorder et déclarèrent unanimement que l'écriture était celle d'une femme « cultivée, ayant des goûts artistes, de l'imagination et une extrême sensibilité ». La Dame à la Hache, ainsi que les journaux la désignèrent, n'était décidément pas la première venue, et des milliers d'articles étudièrent son cas, exposèrent sa psychologie et se perdirent en explications baroques.

C'est cependant l'auteur d'un de ces articles, un jeune journaliste que sa trouvaille tira de pair, qui apporta le seul élément de vérité, et jeta dans ces ténèbres la seule lueur qui devait les traverser. En cherchant à donner un sens aux chiffres placés à la droite des six noms, il avait été conduit à se demander si ces chiffres ne représentaient pas tout simplement le nombre de jours qui séparaient les crimes les uns des autres. Il suffisait de vérifier les dates. Tout de suite, il avait constaté l'exactitude et la justesse de son hypothèse. L'enlèvement de Mlle Vernisset avait eu lieu 132 jours après celui de Mme Ladoue ; celui d'Hermine Covereau 118 jours après celui de Mlle Vernisset, etc.

Donc, aucune hésitation possible et la justice ne put qu'enregistrer une solution qui s'adaptait si exactement aux circonstances : les chiffres correspondaient aux intervalles. La comptabilité de la Dame à la Hache n'offrait aucune défaillance.

Mais alors une remarque s'imposait. Miss Williamson, la dernière victime, ayant été enlevée le 26 juin précédent, et son nom étant accompagné du chiffre 114, ne devait-on pas admettre qu'une autre agression se produirait 114 jours après, c'est-à-dire le 18 octobre ? Ne devait-on pas croire que l'horrible besogne se répéterait selon la volonté secrète de l'assassin ? Ne devait-on pas aller jusqu'au bout de l'argumentation qui attribuait aux chiffres, à tous les chiffres, aux derniers comme aux autres, leur valeur de dates éventuelles ?

Or, précisément, cette polémique se poursuivait et se discutait, durant les jours qui précédèrent ce 18 octobre où la logique voulait que s'accomplît un nouvel acte du drame abominable. Et c'est pourquoi il était naturel que le matin de ce jour-là le prince Rénine et Hortense, en prenant rendez-vous par téléphone pour le soir, fissent allusion aux journaux que chacun d'eux venait de lire.

« Attention ! dit Rénine en riant, si vous rencontrez la Dame à la Hache, prenez l'autre trottoir.

— Et si cette bonne dame m'enlève, que faire ? demanda Hortense.

— Semez votre chemin de petits cailloux blancs, et répétez jusqu'à la seconde même où luira l'éclair de la hache : « Je n'ai rien à craindre ; *il* me délivrera. » *Il*, c'est moi... et je vous baise les mains. À ce soir, chère amie. »

L'après-midi, Rénine s'occupa de ses affaires. De quatre à sept, il acheta les différentes éditions des journaux. Aucune d'elles ne parlait d'enlèvement.

À neuf heures, il alla au Gymnase où il avait retenu une baignoire.

À neuf heures et demie, Hortense n'étant pas arrivée, il téléphona chez elle, sans arrière-pensée d'inquiétude d'ailleurs. La femme de chambre répondit que madame n'était pas encore rentrée.

Saisi d'un effroi soudain, Rénine courut à l'appartement meublé qu'Hortense occupait provisoirement près du parc Monceau, et il interrogea la femme de chambre, qu'il avait placée près d'elle, et qui lui était toute dévouée. Cette femme raconta que sa maîtresse était sortie à deux heures, une lettre timbrée à la main, en disant qu'elle allait à la poste et qu'elle rentrerait pour s'habiller. Depuis, aucune nouvelle.

« Cette lettre était adressée à qui ?

— À monsieur. J'ai vu la suscription : Prince Rénine. »

Il attendit jusqu'à minuit. Vainement. Hortense ne revint pas, et elle ne revint pas non plus le lendemain.

« Pas un mot là-dessus, ordonna Rénine à la femme de chambre. Vous direz que votre maîtresse est à la campagne et que vous allez la rejoindre. »

Pour lui, il ne doutait pas. La disparition d'Hortense s'expliquait par la date même du 18 octobre. Hortense était la septième victime de la Dame à la Hache.

« L'enlèvement, se dit Rénine, précède le coup de hache de huit jours. J'ai donc, à l'heure actuelle, sept jours pleins devant moi. Mettons six, pour éviter toute surprise. Nous sommes aujourd'hui un samedi : il faut que vendredi prochain, à midi, Hortense soit libre, et pour cela que je connaisse sa retraite, au plus tard, jeudi soir, neuf heures. »

Rénine inscrivit en gros caractères : JEUDI SOIR NEUF HEURES sur une pancarte qu'il cloua au-dessus de la cheminée de son cabinet de travail. Puis le samedi, à midi, lendemain de la disparition, il s'enferma dans cette pièce après avoir donné l'ordre à son domestique de ne le déranger qu'aux heures des repas ou des courriers.

Il resta là quatre jours, sans bouger presque. Tout de suite, il avait fait venir une collection de tous les journaux importants qui avaient parlé avec détails des six premiers crimes. Quand il les eut lus et relus, il ferma les volets et les rideaux, et, sans lumière, le verrou tiré, étendu sur un divan, il réfléchit.

Le mardi soir, il n'était pas plus avancé qu'à la première heure. Les ténèbres demeuraient aussi épaisses. Il n'avait pas trouvé le moindre fil susceptible de le conduire ni entrevu la moindre raison qui lui permît d'espérer.

Parfois, malgré son immense pouvoir de contrôle sur lui-même, et malgré sa confiance illimitée dans les ressources dont il disposait, parfois il tressaillait d'angoisse. Arriverait-il à temps ? Il n'y avait pas de motif pour que, dans les derniers jours, il vît plus clair que durant les jours qui venaient de s'écouler. Et alors c'était le meurtre inévitable de la jeune femme.

Cette idée le torturait. Il était attaché à Hortense par un sentiment beaucoup plus violent et plus profond que l'apparence de leurs relations ne le laissait croire. La curiosité du début, le désir initial, le besoin de protéger la jeune femme, de la distraire et de lui donner le goût de l'existence étaient devenus tout simplement de l'amour. Ni l'un ni l'autre ne s'en rendait compte, parce qu'ils ne se voyaient guère qu'en des heures de crise où c'était l'aventure des autres et non la leur qui les préoccupait. Mais, au premier choc du danger, Rénine s'aperçut de la place qu'Hortense avait prise dans sa vie, et il désespérait de la savoir captive et martyrisée et d'être impuissant à la sauver.

Il passa une nuit d'agitation et de fièvre, tournant et retournant l'affaire en tous sens. La matinée du mercredi fut également affreuse pour lui. Il perdait pied. Renonçant à la claustration, il avait ouvert les fenêtres, allait et venait dans son appartement, sortait sur le boulevard et rentrait comme s'il eût fui devant l'idée qui l'obsédait !

« Hortense souffre... Hortense est au fond de l'abîme... Elle voit la hache... Elle m'appelle... Elle me supplie... Et je ne peux rien... »

C'est à cinq heures de l'après-midi qu'en examinant la liste des six noms il eut ce petit choc intérieur qui est comme le signal de la vérité que l'on cherche. Une lueur jaillit dans son esprit. Ce n'était certes pas la grande lueur où tous les points apparaissent, mais cela lui suffisait pour savoir dans quel sens il fallait se diriger.

Tout de suite son plan de campagne fut fait. Par son chauffeur Clément, il envoya aux principaux journaux une petite note qui devait passer en gros caractères dans les annonces du lendemain. Clément eut en outre comme mission d'aller à la blanchisserie de Courbevoie où jadis était employée Mlle Covereau, la deuxième des six victimes.

Le jeudi, Rénine ne bougea pas. L'après-midi, plusieurs lettres provoquées par son annonce lui arrivèrent. Puis, il y eut deux télégrammes. Mais il ne sembla point que ces lettres et télégrammes répondissent à ce qu'il attendait. Enfin, à trois heures, il reçut, timbré du Trocadéro, un petit bleu qui parut le satisfaire. Il le tourna et retourna, étudia l'écriture, feuilleta sa collection de journaux et conclut à mi-voix :

« Je crois qu'on peut marcher dans cette direction. »

Il consulta un Tout-Paris, nota cette adresse : M. de Lourtier-Vaneau, ancien gouverneur des colonies, avenue Kléber, 47 *bis*, et courut jusqu'à son automobile.

« Clément, avenue Kléber, 47 *bis*. »

Il fut introduit dans un grand cabinet de travail que garnissaient de magnifiques bibliothèques de vieux livres aux reliures précieuses. M. de Lourtier-Vaneau était un homme encore jeune, qui portait une barbe un peu grisonnante, et qui, par ses manières affables, sa distinction réelle, sa gravité souriante, commandait la confiance et la sympathie.

« Monsieur le gouverneur, lui dit Rénine, je m'adresse à vous parce que j'ai lu dans les journaux de l'année dernière que vous aviez connu l'une des victimes de la Dame à la Hache, Honorine Vernisset.

— Si nous l'avons connue ! s'écria M. de Lourtier, ma femme l'employait comme couturière à la journée ! Pauvre fille !

— Monsieur le gouverneur, une dame de mes amies vient de disparaître, comme les six autres victimes ont disparu.

— Comment ! fit M. de Lourtier, avec un haut-le-corps. Mais j'ai suivi les journaux attentivement. Il n'y a rien eu le 18 octobre.

— Si, une jeune femme que j'aime, Mme Daniel, a été enlevée le 18 octobre.

— Et nous sommes aujourd'hui le 24 !...

— En effet, et c'est après-demain que le crime sera commis.

— C'est horrible ! Il faut à tout prix empêcher...

— Peut-être y arriverai-je avec votre concours, monsieur le gouverneur.

— Mais vous avez porté plainte ?

— Non. Nous nous trouvons en face de mystères pour ainsi dire absolus, compacts, qui n'offrent aucun vide par où puisse s'introduire le regard le plus aigu, et dont il est inutile de demander la révélation aux moyens ordinaires, étude des lieux, enquêtes, recherches d'empreintes, etc. Si aucun de ces procédés n'a servi dans les cas précédents, ce serait perdre son temps que d'en user pour un septième cas analogue. Un ennemi qui montre tant d'adresse et de subtilité ne laisse derrière lui aucune de ces traces grossières où s'accroche le premier effort d'un détective professionnel.

— Alors, qu'avez-vous fait ?

— Avant d'agir, j'ai réfléchi durant quatre jours. »

M. de Lourtier-Vaneau observa son interlocuteur, et, avec une nuance d'ironie :

« Le résultat de cette méditation ?...

— C'est, d'abord, répondit Rénine sans se démonter, que j'ai pris de toutes ces affaires une vue d'ensemble que personne n'avait eue jusqu'ici, ce qui m'a permis d'en découvrir la signification générale, d'écarter toute la broussaille des hypothèses gênantes, et, puisque l'on n'avait pas pu s'accorder sur les mobiles de toute cette besogne, de l'attribuer à la seule catégorie d'individus capables de l'exécuter.

— C'est-à-dire ?

— À la catégorie des fous, monsieur le gouverneur. »

M. de Lourtier-Vaneau sursauta.

« Des fous ? Quelle idée !

— Monsieur le gouverneur, la femme que l'on appelle la Dame à la Hache est une folle.

— Mais elle serait enfermée !

— Savons-nous si elle ne l'est pas ? Savons-nous si elle ne compte pas au nombre de ces demi-fous, inoffensifs en apparence et qu'on surveille si peu qu'ils ont toute latitude pour s'abandonner à leurs petites manies et à leurs petits instincts de bêtes féroces ? Rien de plus faux que ces êtres-là. Rien de plus sournois, de plus patient, de plus opiniâtre, de plus dangereux, de plus absurde à la fois et de plus logique, de plus désordonné et de plus méthodique. Toutes ces épithètes, monsieur le gouverneur, peuvent s'appliquer à l'œuvre de la Dame à la Hache. L'obsession d'une idée et la répétition d'un acte, voilà la caractéristique du fou. Je ne connais pas encore l'idée qui obsède la Dame à la Hache, mais je connais l'acte qui en résulte, et c'est toujours le même. La victime est attachée par des cordes identiques. Elle est tuée après un même nombre de jours. Elle est frappée par le même coup, avec le même instrument, à la même place, au milieu du front, et d'une blessure exactement perpendiculaire. Un assassin quelconque varie. Sa main, qui tremble, dévie et se trompe. La Dame à la Hache ne tremble pas. On dirait qu'elle a pris des mesures et le tranchant de son arme ne dévie pas d'une ligne. Ai-je besoin de vous soumettre d'autres preuves, et d'examiner avec vous tous les autres faits ? Non, n'est-ce pas ? Le mot de l'énigme vous est maintenant connu, et vous pensez comme moi que seul un fou a pu agir de la sorte, stupidement, sauvagement, mécaniquement, à la manière d'une horloge qui sonne ou d'un couperet qui tombe... »

M. de Lourtier-Vaneau hocha la tête.

« En effet... en effet... toute l'affaire peut être vue sous cet angle... et je commence à croire qu'on doit la voir ainsi. Mais si nous admettons chez cette folle l'espèce de logique mathématique, je n'aperçois aucune corrélation entre les victimes. Elle a frappé au petit bonheur. Pourquoi celle-ci plutôt que celle-là ?

— Ah ! monsieur le gouverneur, s'écria Rénine, vous me posez la question que je me suis posée dès la première minute, la question qui résume tout le problème et que j'ai eu tant de mal à résoudre ! Pourquoi Hortense Daniel plutôt que cette autre ? Entre deux millions de femmes qui s'offraient, pourquoi Hortense ? Pourquoi la jeune Vernisset ? Pourquoi Miss Williamson ? Si l'affaire est telle que je l'imaginais dans son ensemble, c'est-à-dire fondée sur la logique aveugle et baroque d'une folle, fatalement il y avait un choix. Or, en quoi consistait-il, ce choix ? Quelle était la qualité, ou le défaut, ou le signe nécessaire pour que la Dame à la Hache frappât ? Bref, si elle choisissait — et elle ne pouvait pas ne pas choisir — qu'est-ce qui dirigeait son choix ?

— Vous avez trouvé ?... »

Rénine fit une pause et repartit :

« Oui, monsieur le gouverneur, j'ai trouvé, et j'aurais pu trouver dès la première minute, puisqu'il suffisait d'examiner attentivement la liste des victimes. Mais ces éclairs de vérité ne s'allument jamais que dans un cerveau surchauffé par l'effort et par la réflexion. Vingt fois j'avais regardé la liste sans que ce petit détail prît forme à mes yeux.

— Je ne comprends pas, fit M. de Lourtier-Vaneau.

— Monsieur le gouverneur, il est à remarquer que, si plusieurs personnes sont réunies dans une affaire, crime, scandale public, etc., la façon de les désigner demeure à peu près immuable. En l'occurrence, les journaux n'ont jamais employé à l'égard de Mme Ladoue, de Mlle Ardant, ou de Mlle Covereau, que leurs noms de famille. Par contre, Mlle Vernisset et Miss Williamson ont toujours été désignées, en même temps, par les prénoms Honorine et Herbette. S'il en avait été ainsi pour les six victimes, il n'y aurait pas eu de mystère.

— Pourquoi ?

— Parce qu'on aurait su, du premier coup, la corrélation qui existait entre les six malheureuses, comme je l'ai su, moi, soudain, par le rapprochement de ces deux prénoms-là avec celui d'Hortense Daniel. Cette fois, vous comprenez, n'est-ce pas ? Vous avez, comme moi, devant les yeux, trois prénoms... »

M. de Lourtier-Vaneau parut troublé. Un peu pâle, il prononça :

« Que dites-vous ?... Que dites-vous ?

— Je dis, continua Rénine d'une voix nette, en détachant les syllabes les unes des autres, je dis que vous avez devant les yeux trois prénoms qui, tous trois, commencent par la même initiale, et qui, tous trois, coïncidence remarquable, sont composés d'un même nombre de lettres, ainsi que vous pouvez le vérifier. Si, d'autre part, vous vous informez auprès de la blanchisseuse de Courbevoie, où était employée Mlle Covereau, vous saurez qu'elle s'appelait Hilairie. Là encore même initiale et même nombre de lettres. Inutile de chercher davantage. Nous sommes sûrs, n'est-ce pas ? que les prénoms de toutes les victimes présentent les mêmes particularités. Et cette constatation nous donne d'une façon absolument certaine le mot du problème qui se posait à nous. Le choix de la folle est expliqué. Nous connaissons la parenté qui reliait entre elles les malheureuses. Pas d'erreur possible. C'est cela et ce n'est pas autre chose. Et quelle confirmation de mon hypothèse que cette manière de choisir ! Quelle preuve de folie ! Pourquoi tuer ces femmes-ci plutôt que celles-là ? Parce que leurs noms commencent par un H et qu'ils sont composés de huit lettres ! Vous m'entendez bien, monsieur le gouverneur ? Le nombre des lettres est de huit. La lettre initiale est la huitième lettre de l'alphabet, et le mot huit commence par une H. Toujours la lettre H. *Et c'est une hache qui fut l'instrument de supplice.* Me direz-vous que la Dame à la Hache n'est pas une folle ? »

Rénine s'interrompit et s'approcha de M. de Lourtier-Vaneau.

« Qu'avez-vous donc, monsieur le gouverneur ? Vous semblez souffrant ?

— Non, non, fit M. de Lourtier, dont le front ruisselait de sueur... Non... mais toute cette histoire est tellement troublante ! Pensez donc, j'ai connu l'une des victimes... Et alors... »

Rénine alla chercher sur un guéridon une carafe et un verre qu'il remplit d'eau et tendit à M. de Lourtier. Celui-ci but quelques gorgées, puis, se redressant, il poursuivit, d'une voix qu'il cherchait à raffermir :

« Soit. Admettons votre supposition. Encore faut-il qu'elle aboutisse à des résultats tangibles. Qu'avez-vous fait ?

— J'ai publié ce matin dans tous les journaux une annonce ainsi conçue : « Excellente cuisinière demande place. Écrire avant cinq heures soir à Herminie, boulevard Haussmann... », etc. Vous comprenez toujours, n'est-ce pas, monsieur le gouverneur ? Les prénoms commençant par un H et composés de huit lettres sont extrêmement rares et tous un peu démodés. Herminie, Hilairie, Herbette... Or, ces prénoms-là, pour des motifs que j'ignore, sont indispensables à la folle. Elle ne peut s'en passer. Pour trouver des femmes qui portent un de ces prénoms, et seulement pour cela, elle ramasse tout ce qui lui reste de raison, de discernement, de réflexion, d'intelligence. Elle cherche, elle interroge. Elle est à l'affût. Elle lit les journaux qu'elle ne comprend guère, mais où ses yeux s'accrochent à certains détails, à certaines majuscules. Et, par conséquent, je n'ai pas douté une seconde que ce nom d'Herminie, imprimé en gros caractères, n'attirât son regard et que, dès aujourd'hui, elle ne se prît au piège de mon annonce...

— Elle a écrit ? demanda M. de Lourtier-Vanneau, anxieusement.

— Pour faire leurs propositions à la soi-disant Herminie, continua Rénine, plusieurs dames ont écrit les lettres habituelles en pareil cas. Mais j'ai reçu un pneumatique qui m'a semblé de quelque intérêt.

— De qui ?

— Lisez, monsieur le gouverneur. »

M. de Lourtier-Vaneau arracha la feuille des mains de Rénine et jeta un coup d'œil sur la signature. Il eut d'abord un geste d'étonnement, comme s'il se fût attendu à autre chose. Puis il partit d'un long éclat de rire, où il y avait comme de la joie et de la délivrance.

« Pourquoi riez-vous, monsieur le gouverneur ? Vous avez l'air content.

— Content, non. Mais cette lettre est signée de ma femme.

— Et vous aviez craint autre chose ?

— Oh ! non, mais du moment que c'est ma femme... »

Il n'acheva pas sa phrase et dit à Rénine :

« Pardon, monsieur, mais vous m'avez dit avoir reçu plusieurs réponses. Pourquoi, entre toutes ces réponses, avez-vous pensé que, précisément, celle-ci pouvait vous fournir quelque indice ?

— Parce qu'elle porte comme signature : Mme de Lourtier-Vaneau, et que Mme de Lourtier-Vaneau avait employé comme couturière l'une des victimes, Honorine Vernisset.

— Qui vous a dit cela ?

— Les journaux de l'époque.

— Et votre choix ne fut déterminé par aucune autre cause ?

— Aucune. Mais j'ai l'impression, depuis que je suis ici,

monsieur le gouverneur, que je ne me suis pas trompé de chemin.

— Pourquoi cette impression ?

— Je ne sais pas trop... Certains signes... Certains détails... Puis-je voir Mme de Lourtier, monsieur ?

— J'allais vous le proposer, monsieur, fit M. de Lourtier. Veuillez me suivre. »

Il le conduisit, par un couloir, jusqu'à un petit salon où une dame à cheveux blonds et au beau visage heureux et doux était assise entre trois enfants qu'elle faisait travailler.

Elle se leva. M. de Lourtier fit brièvement les présentations et dit à sa femme :

« Suzanne, c'est de toi, ce pneumatique ?

— Adressé à Mlle Herminie, boulevard Haussmann ? dit-elle. Oui, c'est de moi. Tu sais bien que notre femme de chambre s'en va et que je m'occupe de chercher quelqu'un. »

Rénine l'interrompit :

« Excusez-moi, madame, un mot seulement. D'où vous venait l'adresse de cette femme ? »

Elle rougit. Son mari insista :

« Réponds, Suzanne. Qui t'a donné cette adresse ?

— On m'a téléphoné.

— Qui ? »

Après une hésitation, elle prononça :

« Ta vieille nourrice...

— Félicienne ?...

— Oui. »

M. de Lourtier coupa court à la conversation et, sans permettre à Rénine de poser d'autres questions, il le reconduisit dans son bureau.

« Vous voyez, monsieur, ce pneumatique a une provenance toute naturelle. Félicienne, ma vieille nourrice, à qui je fais une pension, et qui habite dans les environs de Paris, a lu votre annonce ; et c'est elle qui a prévenu Mme de Lourtier. Car enfin, ajouta-t-il, en s'efforçant de rire, je ne suppose pas que vous soupçonniez ma femme d'être la Dame à la Hache ?

— Non.

— Alors, l'incident est clos... du moins de mon côté... J'ai fait ce que j'ai pu... J'ai suivi vos raisonnements, et je regrette vivement de ne pouvoir vous être utile... »

Il avait hâte d'éconduire ce visiteur indiscret, et il fit le geste de lui montrer la porte, mais il eut comme un étourdissement, but un second verre d'eau et se rassit. Son visage était décomposé.

Rénine le regarda quelques secondes, comme on regarde un adversaire défaillant, qu'il n'est plus besoin que d'achever, et, s'asseyant près de lui, il le saisit brusquement par le bras.

« Monsieur le gouverneur, si vous ne parlez pas, Hortense Daniel sera la septième victime.

— Je n'ai rien à dire, monsieur ! Que voulez-vous que je sache ?

— La vérité. Mes explications vous l'ont fait connaître. Votre détresse, votre épouvante m'en sont des preuves certaines. Je venais à vous comme à un collaborateur. Or, par une chance inespérée, c'est un guide que je découvre. Ne perdons pas de temps.

— Mais, enfin, monsieur, si je savais, pourquoi me tairais-je ?

— Par peur du scandale. Il y a dans votre vie, j'en ai l'intuition profonde, quelque chose que vous êtes contraint de cacher. La vérité qui vous est apparue brusquement sur le drame monstrueux, cette vérité, si elle est connue, pour vous, c'est le déshonneur, la honte... et vous reculez devant votre devoir. »

M. de Lourtier ne répondait plus. Rénine se pencha sur lui et, les yeux dans les yeux, murmura :

« Il n'y aura pas de scandale. Moi seul au monde saurai ce qui s'est passé. Et j'ai autant d'intérêt que vous à ne pas attirer l'attention, puisque j'aime Hortense Daniel et que je ne veux pas que son nom soit mêlé à cette histoire affreuse. »

Ils restèrent une ou deux minutes l'un en face de l'autre. Rénine avait pris un visage dur. M. de Lourtier sentit que rien ne le fléchirait si les paroles nécessaires n'étaient pas prononcées, mais il ne pouvait pas.

« Vous vous trompez... Vous avez cru voir des choses qui ne sont pas. »

Rénine eut la conviction soudaine et terrifiante que si cet homme se renfermait stupidement dans son silence, c'en était fini d'Hortense Daniel, et sa rage fut telle de penser que le mot de l'énigme était là, comme un objet à la portée de sa main, qu'il empoigna M. de Lourtier à la gorge et le renversa.

« Assez de mensonges ! La vie d'une femme est en jeu ! Parlez, et parlez tout de suite... Sinon... »

M. de Lourtier était à bout de forces. Toute résistance était impossible. Non pas que l'agression de Rénine lui fît peur et qu'il cédât à cet acte de violence, mais il se sentait écrasé par cette volonté indomptable qui semblait n'admettre aucun obstacle, et il balbutia :

« Vous avez raison. Mon devoir est de tout dire, quoi qu'il puisse arriver.

— Il n'arrivera rien, j'en prends l'engagement, mais à condition que vous sauviez Hortense Daniel. Une seconde d'hésitation peut tout perdre. Parlez. Pas de détails. Des faits. »

Alors, les deux coudes appuyés à son bureau, les mains autour de son front, M. de Lourtier prononça, sur le ton d'une confidence qu'il essayait de faire aussi brièvement que possible :

« Mme de Lourtier n'est pas ma femme. Celle qui seule a le droit de porter mon nom, celle-là, je l'ai épousée quand j'étais jeune fonctionnaire aux colonies. C'était une femme assez bizarre, de cerveau un peu faible, soumise jusqu'à l'invraisemblance à ses manies et à ses impulsions. Nous eûmes deux enfants, deux jumeaux qu'elle adora, et auprès de qui elle eût trouvé sans doute l'équilibre et la santé morale, lorsque, par un accident stupide — une voiture qui passait — ils furent écrasés sous ses yeux. La malheureuse devint folle... de cette folie silencieuse et discrète que vous évoquiez. Quelque temps après, nommé dans une ville d'Algérie, je l'amenai en France et la confiai à une brave créature qui m'avait élevé. Deux ans plus tard, je faisais connaissance de celle qui fait la joie de ma vie. Vous l'avez vue tout à l'heure. Elle est la mère de mes enfants et elle passe pour ma femme. Vais-je la sacrifier ? Toute notre existence va-t-elle sombrer dans l'horreur, et faut-il que notre nom soit associé à ce drame de folie et de sang ? »

Rénine réfléchit et demanda :

« Comment s'appelle-t-elle, l'autre ?

— Hermance.

— Hermance... Toujours les initiales... toujours les huit lettres.

— C'est cela qui m'a éclairé tout à l'heure, fit M. de Lourtier. Quand vous avez rapproché les noms les uns des autres, aussitôt j'ai pensé que la malheureuse s'appelait Hermance, qu'elle était folle... et toutes les preuves me sont venues à l'esprit.

— Mais si nous comprenons le choix des victimes, comment expliquer le meurtre ? En quoi donc consiste sa folie ? Souffre-t-elle ?

— Elle ne souffre pas trop actuellement. Mais elle a souffert de la plus effroyable souffrance qui soit : depuis l'instant où ses deux enfants ont été écrasés sous ses yeux, l'image affreuse de cette mort était devant elle, nuit et jour, sans une seconde d'interruption, puisqu'elle ne dormait pas une seule seconde. Songez à ce supplice ! voir ses enfants mourir durant toutes les heures des longues journées et toutes les heures des nuits interminables ! »

Rénine objecta :

« Cependant, ce n'est pas pour chasser cette image qu'elle tue ?

— Si... peut-être... articula M. de Lourtier pensivement, pour la chasser par le sommeil.

— Je ne comprends pas.

— Vous ne comprenez pas parce qu'il s'agit d'une folle... et que tout ce qui se passe dans ce cerveau détraqué est forcément incohérent et anormal.

— Évidemment... mais, tout de même, votre supposition se rattache à des faits qui la justifient ?

— Oui... des faits que je n'avais pour ainsi dire pas remarqués et qui prennent leur valeur aujourd'hui. Le premier de ces faits remonte à quelques années, au matin où ma vieille nourrice trouva, pour la première fois, Hermance endormie. Or, elle tenait ses deux mains crispées autour d'un chien qu'elle avait étranglé. Et trois autres fois, depuis, la scène se reproduisit.

— Et elle dormait ?

— Oui, elle dormait, d'un sommeil qui, chaque fois, durait plusieurs nuits.

— Et vous en avez conclu ?

— J'en ai conclu que la détente nerveuse provoquée par le meurtre l'épuisait et la prédisposait au sommeil. »

Rénine frissonna.

« C'est cela ! Il n'y a aucun doute ! Le meurtre, l'effort du meurtre la fait dormir. Alors, ce qui lui a réussi avec des bêtes, elle l'a recommencé avec des femmes. Toute sa folie s'est ramassée autour de ce point : elle les tue pour s'emparer de leur sommeil ! Le sommeil lui manquait : elle vole celui des autres ! C'est bien cela, n'est-ce pas ? Depuis deux années, elle dort ?

— Depuis deux années, elle dort », balbutia M. de Lourtier.

Rénine l'étreignit à l'épaule.

« Et vous n'avez pas pensé que sa folie pourrait s'étendre,

et que rien ne l'arrêterait de conquérir le bienfait de dormir ? Hâtons-nous, monsieur, tout cela est effroyable ! »

Tous deux se dirigeaient vers la porte, quand M. de Lourtier hésita. La sonnerie du téléphone retentissait.

« C'est de là-bas, dit-il.

— De là-bas ?

— Oui, chaque jour, à cette même heure, ma vieille nourrice me donne des nouvelles. »

Il décrocha les récepteurs et tendit l'un d'eux à Rénine qui lui souffla les questions qu'il devait poser.

« C'est toi, Félicienne ? Comment va-t-elle ?

— Pas mal, monsieur.

— Dort-elle bien ?

— Moins bien depuis quelques jours. La nuit dernière, même, elle n'a pas fermé l'œil. Aussi elle est toute sombre.

— Que fait-elle en ce moment ?

— Elle est dans sa chambre.

— Vas-y, Félicienne. Ne la quitte pas.

— Pas possible. Elle s'est enfermée.

— Il le faut, Félicienne. Démolis la porte. J'arrive. Allô... Allô... Ah ! crebleu, nous sommes coupés ! »

Sans un mot, les deux hommes sortirent de l'appartement et coururent jusqu'à l'avenue. Rénine poussa M. de Lourtier dans l'automobile.

« L'adresse ?

— Ville-d'Avray.

— Parbleu ! au centre de ses opérations... comme l'araignée au milieu de sa toile. Ah ! l'ignominie ! »

Il était bouleversé. Toute l'aventure lui apparaissait, enfin, dans sa réalité monstrueuse.

« Oui, elle les tue pour s'emparer de leur sommeil, comme elle faisait avec les bêtes. C'est la même idée obsédante, mais qui s'est compliquée de tout un attirail de pratiques et de superstitions absolument incompréhensibles. Il lui semble évidemment que l'analogie des prénoms avec le sien est indispensable et qu'elle ne se reposera que si sa victime est une Hortense ou une Honorine. Raisonnement de folle, dont la logique nous échappe et dont nous ignorons l'origine, mais auquel il lui est impossible de se soustraire. Il faut qu'elle cherche et il faut qu'elle trouve. Et elle trouve, et elle emporte sa proie, la veille et la contemple pendant un nombre de jours fatidique, jusqu'au moment où, stupidement, par ce trou qu'elle creuse d'un coup de hache en plein crâne, elle absorbe le sommeil qui la grise et lui donne l'oubli pendant une période déterminée. Et là encore, absurdité et folie ! Pourquoi fixe-t-elle cette période à tant de jours ? Pourquoi telle victime doit-elle lui assurer 120 jours de sommeil et telle autre 125 ! Démence ! Calcul mystérieux et certainement imbécile ! Toujours est-il qu'au bout de 120 ou de 125 jours, une nouvelle victime est sacrifiée ; et il y en a eu six déjà, et la septième attend son tour. Ah ! Monsieur, quelle responsabilité est la vôtre ! Un pareil monstre ! On ne le perd pas de vue ! »

M. de Lourtier-Vaneau ne protesta point. Son accablement, sa pâleur, ses mains qui tremblaient, tout prouvait ses remords et son désespoir.

« Elle m'a trompé..., murmura-t-il. Elle était si calme en apparence, si docile ! Et puis, somme toute, elle vit dans une maison de santé.

— Alors, comment se peut-il ?...

— Cette maison, expliqua M. de Lourtier, est composée de pavillons éparpillés au milieu d'un grand jardin. Le pavillon qu'habite Hermance est tout à fait à l'écart. Il y a d'abord une pièce occupée par Félicienne, puis la chambre d'Hermance, et deux pièces isolées, dont la dernière a ses fenêtres sur la campagne. Je suppose que c'est là qu'elle enferme ses victimes.

— Mais cette voiture qui porte les cadavres ?...

— Les écuries de la maison de santé sont près du pavillon. Il y a un cheval et une voiture pour les courses. Hermance se relève sans doute la nuit, attelle et fait glisser la morte par la fenêtre.

— Et cette nourrice qui la surveille ?

— Félicienne est un peu sourde, très vieille.

— Mais le jour, elle voit sa maîtresse aller et venir, agir. Ne devons-nous pas admettre une certaine complicité ?

— Ah ! jamais. Félicienne, elle aussi, a été trompée par l'hypocrisie d'Hermance.

— Cependant, c'est elle qui, une première fois, a téléphoné tantôt à Mme de Lourtier pour cette annonce...

— Tout naturellement. Hermance, qui parle à l'occasion, qui raisonne, qui se plonge dans la lecture des journaux qu'elle ne comprend pas, comme vous disiez, mais qu'elle parcourt attentivement, aura vu cette annonce et, ayant entendu dire que je cherchais une femme de chambre, aura prié Félicienne de téléphoner...

— Oui... oui, c'est bien ce que j'avais pressenti, prononça lentement Rénine, elle se prépare des victimes... Hortense morte, elle savait, une fois la quantité de sommeil épuisée, elle savait où trouver une huitième victime... Mais comment les attirait-elle, ces malheureuses femmes ? Par quel procédé a-t-elle attiré Hortense Daniel ? »

L'auto filait, pas assez vite cependant au gré de Rénine qui gourmandait le chauffeur.

« Marche donc, Clément... nous reculons, mon ami. »

Tout à coup, la peur d'arriver trop tard le mettait au supplice. La logique des fous dépend d'une saute d'humeur, de quelque idée dangereuse et saugrenue qui leur traverse l'esprit. La folle pouvait se tromper de jour et avancer le dénouement, comme une pendule détraquée qui sonne une heure trop tôt.

D'autre part, son sommeil étant de nouveau dérangé, ne serait-elle pas tentée d'agir sans attendre le moment fixé ? N'était-ce point pour cette raison qu'elle demeurait enfermée dans sa chambre ? Mon Dieu, par quelle agonie devait passer la captive ? Quels frissons de terreur au moindre geste du bourreau !

« Plus vite, Clément, ou je prends le volant ! Plus vite, sacrebleu ! »

Enfin ce fut Ville-d'Avray. Une route sur la droite, en pente abrupte... Des murs qu'interrompait une longue grille...

« Contourne la propriété, Clément. N'est-ce pas, monsieur le gouverneur, il ne faut pas donner l'éveil ? Où se trouve le pavillon ?

— Juste à l'opposé », déclara M. de Lourtier-Vaneau.

Ils descendirent un peu plus loin.

Rénine se mit à courir sur le talus qui bordait un chemin creux et mal entretenu. Il faisait presque nuit. M. de Lourtier désigna :

« Ici... ce bâtiment en retrait... Tenez, cette fenêtre, au rez-de-chaussée. C'est celle d'une des deux chambres isolées... et c'est par là évidemment qu'elle sort.

— Mais on dirait, observa Rénine, qu'il y a des barreaux.

— Oui, il y en a, et c'est pourquoi personne ne se méfiait, mais elle a dû s'ouvrir un passage. »

Le rez-de-chaussée était construit au-dessus de hautes caves. Rénine grimpa vivement et mit le pied sur un rebord de pierre.

Un des barreaux manquait en effet.

Il avança la tête contre la vitre et regarda.

L'intérieur de la pièce était sombre. Cependant il put distinguer, dans le fond, une femme qui était assise auprès d'une autre femme étendue sur un matelas. La femme qui était assise se tenait le front dans les mains et contemplait la femme étendue.

« C'est elle, chuchota M. de Lourtier qui avait escaladé le mur. L'autre est attachée. »

Rénine tira de sa poche un diamant de vitrier et découpa l'un des carreaux, sans que le bruit éveillât l'attention de la folle.

Il glissa ensuite la main droite jusqu'à l'espagnolette et tourna doucement, tandis que, de la main gauche, il braquait un revolver.

« Vous n'allez pas tirer ! supplia M. de Lourtier-Vaneau.

— S'il le faut, oui. »

La fenêtre fut poussée doucement. Mais il y eut un obstacle dont Rénine ne se rendit pas compte, une chaise qui bascula et qui tomba.

D'un bond, il sauta à l'intérieur et jeta son arme pour saisir la folle. Mais elle ne l'attendit point. Précipitamment, elle ouvrit la porte et s'enfuit, en jetant un cri rauque.

M. de Lourtier voulait la poursuivre.

« À quoi bon ? dit Rénine en s'agenouillant. Sauvons la victime d'abord. »

Il fut aussitôt rassuré. Hortense vivait.

Son premier soin fut de couper les cordes et d'ôter le bâillon qui l'étouffait. Attirée par le bruit, la vieille nourrice était accourue avec une lampe que Rénine saisit et dont il projeta la lumière sur Hortense.

Il fut stupéfait : livide, exténuée, le visage amaigri, les yeux brillants de fièvre, Hortense Daniel essayait cependant de sourire.

« Je vous attendais, murmura-t-elle. Je n'ai pas désespéré une minute... j'étais sûre de vous... »

Elle s'évanouit.

Une heure plus tard, après d'inutiles recherches autour du pavillon, on trouva la folle enfermée dans un grand placard du grenier. Elle s'était pendue.

Hortense ne voulut pas rester une heure de plus. D'ailleurs, il était préférable que le pavillon fût vide au moment où la vieille nourrice annoncerait le suicide de la folle. Rénine expliqua minutieusement à Félicienne la conduite qu'elle devait tenir, puis, aidé par le chauffeur et par M. de Lourtier, il porta la jeune femme jusqu'à l'automobile et la ramena chez elle.

La convalescence fut rapide. Le surlendemain même, Rénine interrogeait Hortense avec beaucoup de précaution et lui demandait comment elle avait connu la folle.

« Tout simplement, dit-elle. Mon mari, qui n'a pas toute sa raison, comme je vous l'ai raconté, est soigné à Ville-d'Avray, et quelquefois je vais lui rendre visite, à l'insu de tout le monde, je l'avoue. C'est ainsi que j'ai parlé à cette malheureuse folle, et que l'autre jour elle m'a fait signe de venir la voir. Nous étions seules. Je suis entrée dans le pavillon. Elle s'est jetée sur moi et m'a réduite à l'impuissance sans même que je puisse crier au secours. J'ai cru à une plaisanterie... et de fait, n'est-ce pas, c'en était une... une plaisanterie de démente. Elle était très douce avec moi... Tout de même, elle me laissait mourir de faim.

— Et vous n'aviez pas peur ?

— De mourir de faim ? Non, d'ailleurs, elle me donnait à manger de temps en temps, par lubies... Et puis j'étais tellement sûre de vous !

— Oui, mais il y avait autre chose... cette autre menace...

— Cette menace, laquelle ? » dit-elle ingénument.

Rénine tressaillit. Il comprenait tout à coup qu'Hortense — chose bizarre au premier abord, mais fort naturelle — n'avait pas soupçonné un instant, et qu'elle ne soupçonnait pas encore, l'épouvantable danger qu'elle avait couru. Aucun rapprochement ne s'était fait dans son esprit entre les crimes de la Dame à la Hache et sa propre aventure.

Il pensa qu'il serait toujours temps de la détromper. Quelques jours plus tard, du reste, Hortense, à qui son médecin recommanda un peu de repos et d'isolement, s'en allait chez une de ses parentes qui habitait aux environs du village de Bassicourt, dans le centre de la France.

VII

DES PAS SUR LA NEIGE

La Roncière, par Bassicourt,
le 14 novembre.

Prince Rénine, boulevard Haussmann, Paris.

Mon cher ami,

Vous devez me trouver bien ingrate. Depuis trois semaines que je suis ici, pas une lettre de moi ! Pas un remerciement ! Et pourtant j'ai fini par comprendre à quelle affreuse mort vous m'aviez arrachée et le secret de cette histoire effrayante ! Mais, que voulez-vous ? Je suis sortie de tout cela dans un tel état d'accablement ! J'avais un tel besoin de repos et de solitude ! Rester à Paris ? Continuer avec vous nos expéditions ? Non, mille fois non ! Assez d'aventures ! Celles du prochain sont fort intéressantes. Mais celles dont on est victime et dont on manque mourir... Ah ! cher ami, quelle horreur ! Comment oublierai-je jamais ?...

Alors ici, à La Roncière, c'est le grand calme. Ma vieille cousine Ermelin me choie et me dorlote comme une malade. Je reprends des couleurs, et tout va bien de la sorte. Tout va si bien que je ne pense plus du tout à m'intéresser aux affaires des autres, mais plus du tout. Ainsi figurez-vous... (je vous raconte cela parce que, vous, vous êtes incorrigible, curieux comme une vieille portière, et toujours disposé à vous occuper de ce qui ne vous regarde pas), figurez-vous donc qu'hier j'ai assisté à une rencontre assez curieuse. Antoinette m'avait menée à l'auberge de Bassicourt, où nous prenions le thé dans la grande salle, parmi les paysans — c'était jour de marché — lorsque l'arrivée de trois personnes, deux hommes et une femme, mit brusquement fin aux conversations.

L'un des hommes était un gros fermier vêtu d'une longue blouse, avec une face rubiconde et joyeuse, qu'encadraient des favoris blancs. L'autre, plus jeune, habillé de velours à côtes, avait une figure jaune, sèche et hargneuse. Chacun d'eux portait en bandoulière un fusil de chasse. Entre eux, il y avait une jeune femme mince, petite, enveloppée dans une mante brune, coiffée d'une toque de fourrure, et dont le visage un peu maigre, excessivement pâle, surprenait par sa distinction et sa délicatesse.

« Le père, le fils et la bru, murmura ma cousine Ermelin.

— Comment ? cette charmante créature est la femme de ce rustaud ?

— Et la belle-fille du baron de Gorne.

— Un baron, le vieux bonhomme qui est là ?

— Le descendant d'une très noble famille qui habitait le château autrefois. Il a toujours vécu en paysan... grand chasseur, grand buveur, grand chicanier, toujours en procès, à peu près ruiné. Le fils, Mathias, plus ambitieux, moins attaché à la terre, a fait son droit, puis s'est embarqué pour l'Amérique, puis, ramené au village par le manque d'argent, s'est épris d'une jeune fille de la ville voisine. La malheureuse, on ne sait pas trop pourquoi, a consenti au mariage... et voilà cinq ans qu'elle vit comme une recluse, ou plutôt comme une prisonnière, dans un petit manoir tout proche, le Manoir-au-Puits.

— Entre le père et le fils ? demandai-je.

— Non, le père habite au bout du village, une ferme isolée.

— Et le sieur Mathias est jaloux ?

— Un tigre.

— Sans raison ?

— Sans raison, car ce n'est pas la faute de Natalie de Gorne, qui est la femme la plus honnête, si, depuis quelques mois, un beau cavalier rôde autour du manoir. Cependant les de Gorne ne déragent pas.

— Comment, le père aussi ?

— Le beau cavalier est le dernier descendant de ceux qui ont acheté le château jadis. D'où la haine du vieux de Gorne. Jérôme Vignal, que je connais et que j'aime beaucoup, est joli garçon, très riche, et il a juré — c'est le vieux qui raconte cela quand il est pris de boisson — d'enlever Natalie de Gorne. D'ailleurs, écoutez... »

Au milieu d'un groupe qui s'amusait à le faire boire et le pressait de questions, le bonhomme, déjà éméché, s'exclamait avec un accent d'indignation et un sourire goguenard dont le contraste était vraiment comique :

« Il en sera pour ses frais, que j'vous dis, ce bellâtre-là ! Il a beau faire la maraude de not' côté et reluquer la petite... Chasse gardée ! S'il approche de trop près, un coup de fusil, n'est-ce pas, Mathias ? »

Il empoigna la main de sa belle-fille.

« C'était un grand gars solide, vêtu d'un costume de cheval. »

« Et puis, la petite sait se défendre aussi, ricana-t-il. Hein ! Natalie, les galants, t'en veux point ? »

Toute confuse d'être ainsi apostrophée, la jeune femme rougit, tandis que son mari bougonnait :

« Vous feriez mieux de tenir votre langue, mon père. Il y a des choses qu'on ne dit pas tout haut.

— Les choses qui tiennent à l'honneur ça se règle en public, riposta le vieux. Pour moi, l'honneur des de Gorne, ça passe avant tout, et c'est pas ce godelureau-là avec ses airs de Parisien... »

Il s'arrêta net. En face de lui, quelqu'un qui venait d'entrer paraissait attendre la fin de la phrase. C'était un grand gars solide, en costume de cheval, la cravache à la main, et dont la physionomie énergique, un peu dure, était animée par de beaux yeux qui souriaient ironiquement.

« Jérôme Vignal », souffla ma cousine.

Le jeune homme ne semblait nullement embarrassé. Apercevant Natalie, il la salua profondément, et, comme Mathias de Gorne avançait d'un pas vers lui, il le dévisagea, ayant l'air de dire :

« Eh bien, et puis après ? »

Et l'attitude était si insolente que les de Gorne détachèrent leurs fusils et les empoignèrent à deux mains comme des chasseurs à l'affût. Le fils avait un regard féroce.

Jérôme demeura impassible sous la menace. Puis au bout de quelques secondes, s'adressant à l'aubergiste :

« Dites donc, j'étais venu pour voir le père Vasseur. Mais son échoppe est fermée. Vous voudrez bien lui donner la gaine de mon revolver qui est décousue, n'est-ce pas ? »

Il tendit la gaine à l'aubergiste et ajouta en riant :

« Je garde le revolver au cas où j'en aurais besoin. Sait-on jamais ? »

Puis, toujours impassible, il choisit une cigarette dans un étui d'argent, l'alluma au feu de son briquet, et sortit. Par la fenêtre, on le vit qui sautait sur son cheval et qui s'éloignait au petit trot.

« C'rebleu de bon sang ! » jura le vieux de Gorne, en avalant un verre de cognac.

Son fils lui colla la main sur la bouche et le contraignit à s'asseoir. Près d'eux, Natalie de Gorne pleurait...

Voilà, cher ami, mon histoire. Comme vous le voyez, elle n'est pas palpitante, et ne mérite pas votre attention. Rien de mystérieux là-dedans. Aucun rôle à jouer pour vous. Et j'insiste même, particulièrement, pour que vous ne cherchiez pas là le prétexte d'une intervention qui serait tout à fait inopportune. Évidemment, j'aurais grand plaisir à ce que cette malheureuse femme qui, paraît-il, est une vraie martyre, soit protégée. Mais, je vous le répète, laissons les autres se débrouiller, et restons-en là de nos petites expériences... »

Rénine acheva la lettre, la relut, et conclut :

« Allons, tout est prêt pour le mieux. On ne veut plus continuer nos petites expériences parce que nous en sommes à la septième, et qu'on a peur de la huitième qui, d'après notre pacte, a une signification toute spéciale. On ne veut plus... tout en voulant... sans avoir l'air de vouloir. »

Il se frotta les mains. Cette lettre lui apportait un témoignage précieux de l'influence que, peu à peu, doucement et patiemment, il avait prise sur la jeune femme. C'était un sentiment assez complexe, où il y avait de l'admiration, une confiance sans bornes, de l'inquiétude parfois, de la crainte et presque de l'effroi, mais de l'amour aussi, il en avait la conviction. Compagne d'aventures auxquelles elle participait avec une camaraderie qui excluait toute gêne entre eux, voilà qu'elle avait peur soudain, et qu'une sorte de pudeur mêlée de coquetterie la poussait à se dérober.

Le soir même, qui était un soir de dimanche, Rénine prenait le train.

Et, au petit matin, après avoir parcouru en diligence, sur un chemin tout blanc de neige, les deux lieues qui séparaient la petite ville de Pompignat, où il descendit, du village de Bassicourt, il apprit que son voyage pourrait avoir quelque utilité : la nuit, on avait entendu trois coups de feu dans la direction du Manoir-au-Puits.

« Le dieu de l'amour et du hasard me favorise, se dit-il. S'il y a eu conflit entre le mari et l'amour, j'arrive à temps. »

« Trois coups de feu, brigadier. Je les ai entendus, comme je vous vois, déclarait un paysan que les gendarmes interrogeaient dans la salle de l'auberge, où Rénine était entré.

— Moi aussi, dit le garçon d'auberge. Trois coups de feu... Il était peut-être minuit. La neige, qui tombait depuis neuf heures, avait cessé... et ça a retenti dans la plaine tout à la suite... pan, pan, pan. »

Cinq autres paysans encore témoignèrent. Le brigadier et ses hommes, eux, n'avaient rien entendu, la gendarmerie tournant le dos à la plaine. Mais il survint un valet de ferme et une femme, qui se dirent au service de Mathias de Gorne, et qui, en congé depuis l'avant-veille, à cause du dimanche, arrivaient du Manoir où ils n'avaient pu pénétrer.

« La porte de l'enclos est fermée, monsieur le gendarme, fit l'un d'eux. C'est la première fois. Tous les matins, M. Mathias va l'ouvrir lui-même sur le coup d'six heures, en hiver comme en été. Or, voilà qu'il est plus de huit heures. J'ai appelé. Personne. Alors on est venu vous voir.

— Vous auriez pu vous renseigner chez M. de Gorne père, leur dit le brigadier. Il habite sur le chemin.

— Dame, ma foi oui, mais on n'y a pas pensé.

— Allons-y », décida le brigadier.

Deux de ses hommes l'accompagnèrent, ainsi que les paysans et un serrurier que l'on réquisitionna. Rénine se joignit au groupe.

Tout de suite, à l'extrémité du village, on passa devant la cour du vieux de Gorne, et Rénine le reconnut à la description qu'Hortense lui en avait faite.

Le bonhomme attelait sa voiture. Mis au courant de l'affaire, il s'esclaffa.

« Trois coups de feu ? Pan, pan, pan ? Mais, mon cher brigadier, le fusil de Mathias n'a que deux coups.

— Et cette porte close ?

— C'est qu'il dort, le fiston, voilà tout. Hier soir il est venu vider une bouteille avec moi, peut-être bien deux... ou même trois... et ce matin il fait la grasse matinée avec Natalie. »

Il grimpa sur le siège de son véhicule, une vieille charrette à bâche toute rapiécée, et fit claquer son fouet.

« Au revoir la compagnie. C'est pas vos trois coups de feu qui m'empêcheront d'aller au marché de Pompignat, comme lundi. J'ai deux veaux sous la bâche qui peuvent pus attendre l'abattoir. Bien le bonjour, camarades. »

On se remit en route.

Rénine s'approcha du brigadier et déclina son nom.

« Je suis un ami de Mlle Ermelin, du hameau de La Roncière, et, comme il est trop tôt pour me présenter chez elle, je vous demanderai la permission de faire avec vous le détour du Manoir. Mlle Ermelin est en relation avec Mme de Gorne, et je serais heureux de la tranquilliser, car j'espère bien qu'il n'y a rien eu au Manoir, n'est-ce pas ?

— S'il y a eu quelque chose, répondit le brigadier, nous lirons ça comme sur une carte, rapport à la neige. »

C'était un homme jeune, sympathique, qui paraissait intelligent et débrouillard. Dès le début, il avait relevé avec beaucoup de clairvoyance des traces de pas que Mathias avait laissées, la veille au soir, en retournant chez lui, traces qui se mêlèrent bientôt aux empreintes formées dans les deux sens par le domestique et par la fille de ferme. Ils arrivèrent ainsi devant les murs d'un domaine dont le serrurier ouvrit aisément la porte.

Désormais, une seule piste s'offrait sur la neige immaculée, celle de Mathias, et il fut facile de noter que le fils avait dû largement participer aux libations du père, la ligne des pas présentant des courbes brusques qui la faisaient dévier jusqu'aux arbres de l'avenue.

Deux cents mètres plus loin se dressaient les bâtiments lézardés et délabrés du Manoir-au-Puits. La porte principale en était ouverte.

« Entrons », dit le brigadier.

Et, dès le seuil franchi, il murmura :

« Oh ! oh ! Le vieux de Gorne a eu tort de ne pas venir. On s'est battu ici. »

La grande salle était en désordre. Deux chaises cassées, la table renversée, des éclats de porcelaine et de verre attestaient la violence de la lutte. La grande horloge qui gisait à terre marquait onze heures et demie.

Sous la conduite de la fille de ferme, on monta vivement au premier étage. Ni Mathias ni sa femme n'étaient là. Mais la porte de leur chambre avait été défoncée avec un marteau que l'on trouva sous le lit.

Rénine et le brigadier redescendirent. La salle communiquait par un couloir avec la cuisine, située en arrière, et qui avait une sortie directe sur un petit enclos pris dans le verger. Au bout de cet enclos, un puits près duquel il fallait nécessairement passer.

Or, du seuil de la cuisine jusqu'au puits, la neige, qui n'était pas bien épaisse, avait été balayée de façon irrégulière, comme si l'on avait traîné un corps. Et autour du puits, des traces de piétinements s'enchevêtraient, montrant que la lutte avait dû recommencer à cet endroit. Le brigadier retrouva les empreintes de Mathias, et d'autres, des nouvelles, plus élégantes et plus fines.

Elles s'en allaient, celles-là, droit dans le verger, toutes seules. Et trente mètres plus loin, près d'elles, on ramassa un browning, qu'un des paysans reconnut pour être semblable à celui que, l'avant-veille, Jérôme Vignal avait sorti dans l'auberge.

Le brigadier examina le chargeur : trois des sept balles avaient été tirées.

Ainsi le drame se reconstituait peu à peu dans ses grandes lignes, et le brigadier, qui avait ordonné que l'on se tînt à l'écart et que tout l'emplacement des vestiges fût respecté, revint vers le puits, se pencha, posa quelques questions à la fille de ferme, et murmura, tout en se rapprochant de Rénine :

« Cela me paraît assez clair. »

Rénine lui prit le bras.

« Parlons sans détours, brigadier. Je connais suffisamment l'affaire, étant, comme je vous l'ai dit, en relation avec Mlle Ermelin, laquelle est une amie de Jérôme Vignal et connaît aussi Mme de Gorne. Est-ce que vous supposez ?...

— Je ne veux rien supposer. Je constate simplement que quelqu'un est venu hier soir...

— Par où ? Les seules traces d'une personne venant vers le Manoir sont celles de M. de Gorne.

— C'est que l'autre personne, celle dont les empreintes révèlent des bottines plus élégantes, est arrivée avant la tombée de la neige, c'est-à-dire avant neuf heures.

— Elle se serait donc cachée dans un coin de la salle, d'où elle aurait guetté le retour de M. de Gorne, lequel est venu après la neige ?

— Précisément. Dès l'entrée de Mathias, l'individu a sauté sur lui. Il y a eu combat. Mathias s'est sauvé par la cuisine. L'individu l'a poursuivi jusqu'auprès du puits et a tiré trois coups de revolver.

— Et le cadavre ?

— Dans le puits. »

Rénine protesta.

« Oh ! oh ! comme vous y allez !

— Dame, monsieur, la neige est là, qui nous raconte l'histoire ; et la neige nous dit très nettement : après la lutte, après les trois coups de feu, un seul homme s'est éloigné et a quitté la ferme, un seul, et les traces de ses pas ne sont pas celles de Mathias de Gorne. Alors où se trouve Mathias de Gorne ?

— Mais ce puits... on pourra faire des recherches ?

— Non, c'est un puits sans fond accessible. Il est connu dans la région, et c'est par lui que l'on désigne ce manoir.

— Ainsi vous croyez vraiment... ?

— Je le répète. Après la tombée de neige, une seule arrivée : Mathias. Un départ : l'étranger.

— Et Mme de Gorne ? Tuée aussi, et précipitée comme son mari ?

— Non, enlevée.

— Enlevée ?

— Rappelez-vous la porte de sa chambre, démolie à coups de marteau...

— Voyons, voyons, brigadier, vous affirmez vous-même qu'il n'y a eu qu'un départ, celui de l'étranger.

— Penchez-vous. Examinez les pas de cet homme. Regardez comme ils sont enfoncés dans la neige, enfoncés au point qu'ils percent jusqu'au sol. Ce sont les pas d'un homme chargé d'un lourd fardeau. L'étranger emportait Mme de Gorne sur son épaule.

— Il y a donc une sortie dans cette direction ?

— Oui, une petite porte dont la clef ne quittait pas Mathias de Gorne. On lui aura pris cette clef.

— C'est une sortie vers la campagne ?

— Oui, un chemin qui rejoint à douze cents mètres la route départementale... Et savez-vous où ?

— Non.

— Au coin même du château.

— Le château de Jérôme Vignal ! »

Rénine fit entre ses dents :

« Bigre ! ça devient grave. Si la piste continue jusqu'au château, nous sommes fixés. »

La piste continuait jusqu'au château ; ils purent s'en rendre compte après l'avoir suivie à travers des champs onduleux où la neige s'était amoncelée par endroits. Les abords de la grande grille avaient été balayés, mais ils constatèrent qu'une autre piste, formée, celle-ci, par les deux roues d'une voiture, s'en allait dans un sens opposé au village.

Le brigadier sonna. Le concierge, qui avait déblayé également l'allée principale, arriva, un balai à la main. Interrogé, cet homme répondit que Jérôme Vignal était parti ce matin avant que personne ne fût levé, et après avoir attelé lui-même sa voiture.

« En ce cas, dit Rénine, lorsqu'ils se furent éloignés, il n'y a qu'à suivre les traces de roues.

— Inutile, déclara le brigadier. Ils ont pris le chemin de fer.

— À la station de Pompignat, d'où je viens ? Mais alors ils auraient passé le village...

— Justement, ils ont choisi l'autre direction, parce qu'elle conduit au chef-lieu où s'arrêtent les rapides. C'est là où réside le parquet. Je vais téléphoner, et comme aucun train ne quitte le chef-lieu avant onze heures, on n'aura qu'à surveiller la station.

— Je crois que vous êtes dans la bonne voie, brigadier, dit Rénine, et je vous félicite de la façon dont vous avez mené votre enquête. »

Ils se séparèrent.

Rénine fut sur le point de rejoindre Hortense Daniel au hameau de La Roncière, mais, tout bien réfléchi, il préféra ne pas la voir avant que les choses ne prissent une tournure plus favorable, et, regagnant l'auberge du village, il lui fit porter ces quelques lignes :

Très chère amie,

J'ai cru comprendre en lisant votre lettre que, toujours émue par les choses du cœur, vous désiriez protéger les amours de Jérôme et de Natalie. Or, tout permet de supposer que ce monsieur et cette dame, sans demander conseil à leur protectrice, se sont sauvés après avoir jeté Mathias de Gorne au fond d'un puits.

Excusez-moi de ne pas vous rendre visite. Cette affaire est diablement obscure, et près de vous je n'aurais pas la liberté d'esprit nécessaire pour y réfléchir...

Il était dix heures et demie. Rénine alla se promener dans la campagne, les mains au dos, et sans regarder le beau spectacle des plaines blanches. Il rentra déjeuner, toujours pensif, indifférent au bavardage des clients de l'auberge, qui, tout autour de lui, commentaient les événements.

Il monta ensuite dans sa chambre, et s'y était endormi depuis un temps assez long, lorsque des coups, à la porte, le réveillèrent. Il ouvrit.

« Vous !... vous... », murmura-t-il.

Hortense et lui se contemplèrent quelques secondes, silencieusement, les mains dans les mains, comme si rien, aucune pensée étrangère et aucune parole ne pouvaient se mêler à la joie de leur rencontre. À la fin il prononça :

« Ai-je eu raison de venir ?

— Oui, dit-elle avec douceur... Oui... Je vous attendais...

— Peut-être eût-il été préférable que vous me fissiez venir plus tôt au lieu d'attendre... Les événements n'ont pas attendu, eux, et je ne sais trop ce qui va advenir de Jérôme Vignal et de Natalie de Gorne.

— Comment ! vous n'êtes pas au courant ? dit-elle vivement.

— Au courant de quoi ?

— On les a arrêtés. Ils prenaient le rapide. »

Rénine objecta :

« Arrêtés... non. On n'arrête pas ainsi. Il faut les interroger d'abord.

— C'est ce qu'on fait à l'heure actuelle. La justice perquisitionne.

— Où ?

— Au château. Et comme ils sont innocents... Car ils sont innocents, n'est-ce pas ? vous n'admettez pas plus que moi qu'ils soient coupables ? »

Il répondit :

« Je n'admets rien et ne veux rien admettre, chère amie. Cependant, je dois vous dire que tout est contre eux... Sauf un fait, c'est que tout est *trop* contre eux. Il n'est pas normal que tant de preuves soient accumulées, et que celui qui tue raconte son histoire avec une pareille candeur. En dehors de cela, rien que ténèbres et contradictions.

— Alors ?

— Alors, je suis très embarrassé.

— Mais vous avez un plan ?

— Aucun jusqu'ici. Ah ! si je pouvais le voir, lui, Jérôme Vignal... la voir, elle, Natalie de Gorne, et les entendre, et connaître ce qu'ils disent pour leur défense ! Mais vous comprenez bien que l'on ne me permettra ni de les questionner ni d'assister à leur interrogatoire. Du reste, ce doit être fini.

— Fini au château, dit-elle, mais cela va se continuer au Manoir.

— On les emmène au Manoir ? fit-il vivement.

— Oui... du moins d'après ce que dit l'un des deux chauffeurs qui ont amené les automobiles du parquet.

— Oh ! en ce cas, s'écria Rénine, tout s'arrange. Le Manoir ! Mais nous y serons aux premières loges. Nous verrons et nous entendrons tout, et, comme il me suffit d'un mot, d'une intonation, d'un clignement d'œil, pour découvrir le petit indice qui me manque, nous pouvons avoir quelque espoir. Venez, chère amie. »

Il la conduisit par la route directe qu'il avait suivie le matin et qui aboutissait à la porte que le serrurier avait ouverte. Les gendarmes laissés en faction au Manoir avaient pratiqué un passage dans la neige, le long de la ligne des empreintes et autour de la maison. Le hasard permit à Hortense et à Rénine d'approcher sans être vus et de pénétrer par une fenêtre latérale dans un couloir où s'accrochait un escalier de service. Quelques marches plus haut se trouvait une petite pièce qui ne prenait jour, par une sorte d'œil-de-bœuf, que sur une grande salle du rez-de-chaussée. Lors de sa visite du matin, Rénine avait remarqué cet œil-de-bœuf que recouvrait à l'intérieur un morceau d'étoffe. Il écarta l'étoffe et découpa l'un des carreaux.

Quelques minutes plus tard, un bruit de voix s'élevait de l'autre côté de la maison, aux abords du puits sans doute. Le bruit devint plus distinct. Plusieurs personnes envahirent la maison. Quelques-unes montèrent au premier étage, tandis que le brigadier arrivait avec un jeune homme dont ils ne virent que la haute silhouette.

« Jérôme Vignal ! fit Hortense.

— Oui, dit Rénine. On interroge d'abord Mme de Gorne, là-haut, dans sa chambre. »

Un quart d'heure passa. Puis les personnes du premier étage redescendirent et entrèrent. C'était le substitut du procureur, son greffier, un commissaire de police et deux agents.

Mme de Gorne fut introduite et le substitut pria Jérôme Vignal d'avancer.

Le visage de Jérôme était bien celui de l'homme énergique qu'Hortense avait dépeint dans sa lettre. Il ne montrait aucune inquiétude, mais bien plutôt de la décision et une volonté ferme. Natalie, petite et toute menue d'apparence, les yeux pleins de fièvre, donnait cependant une même impression de calme et de sécurité.

Le substitut, qui examinait les meubles en désordre et les traces du combat, la fit asseoir, et dit à Jérôme :

« Monsieur, je vous ai posé jusqu'ici peu de questions, voulant avant tout, au cours de l'enquête sommaire que j'ai menée en votre présence et que reprendra le juge d'instruction, vous montrer les raisons très graves pour lesquelles je vous ai prié d'interrompre votre voyage et de revenir ainsi que Mme de Gorne. Vous êtes maintenant à même de réfuter les charges vraiment troublantes qui pèsent sur vous. Je vous demande donc de me dire l'exacte vérité.

— Monsieur le substitut, répondit Jérôme, les charges qui m'accablent ne m'émeuvent guère. La vérité que vous réclamez sera plus forte que tous les mensonges accumulés contre moi par le hasard.

— Nous sommes ici pour la mettre en lumière, monsieur.

— La voici. »

Il se recueillit un instant et raconta, d'une voix claire et franche :

« J'aime profondément Mme de Gorne. Dès la première heure où je l'ai rencontrée, j'ai conçu pour elle un amour qui n'a pas de limites, mais qui, si grand qu'il soit, et si violent, a toujours été dominé par l'unique souci de son honneur. Je l'aime, mais je la respecte encore plus. Elle a dû vous le dire et je vous le redis : Mme de Gorne et moi, nous nous sommes adressé la parole, cette nuit, pour la première fois. »

Il continua, d'une voix sourde :

« Je la respecte d'autant plus qu'elle est plus malheureuse. Au vu et au su de tout le monde, sa vie est un supplice de chaque minute. Son mari la persécutait avec une haine féroce et une jalousie exaspérée. Interrogez les domestiques. Ils vous diront le calvaire de Natalie de Gorne, les coups qu'elle recevait, et les outrages qu'elle devait supporter. C'est à ce calvaire que j'ai voulu mettre un terme en usant du droit de secours que possède le premier venu quand il y a un excès de malheur et d'injustice. Trois fois, j'ai averti le vieux de Gorne, le priant d'intervenir, mais j'ai trouvé en lui, à l'endroit de sa belle-fille, une haine presque égale, la haine que beaucoup d'êtres éprouvent pour ce qui est beau et noble. C'est alors que j'ai résolu d'agir directement, et que j'ai tenté hier soir, auprès de Mathias de Gorne, une démarche... un peu insolite, mais qui pouvait, qui devait réussir étant donné le personnage. Je vous jure, monsieur le substitut, que je n'avais point d'autre intention que de causer avec Mathias de Gorne. Connaissant certains détails de sa vie qui me permettaient de peser sur lui d'une manière efficace, je voulais profiter de cet avantage pour atteindre mon but. Si les choses ont tourné autrement, je n'en suis pas entièrement responsable. Je vins donc un peu avant neuf heures. Les domestiques, je le savais, étaient absents. Il m'ouvrit lui-même, il était seul.

— Monsieur, interrompit le substitut, vous affirmez là, comme Mme de Gorne du reste l'a fait tout à l'heure, une chose qui est manifestement contraire à la vérité. Mathias de Gorne n'est rentré hier qu'à onze heures du soir. De cela deux preuves précises : le témoignage de son père, et la marque de ses pas sur la neige, qui tomba de neuf heures quinze à onze heures.

— Monsieur le substitut, déclara Jérôme Vignal, sans remarquer le mauvais effet produit par son obstination, je raconte les choses telles qu'elles furent et non pas telles qu'on peut les interpréter. Je reprends. Cette horloge marquait neuf heures moins dix exactement, quand j'entrai dans cette salle. Croyant à une attaque, M. de Gorne avait décroché son fusil. Je mis mon revolver sur la table, hors de ma portée, et je m'assis.

« —J'ai à vous parler, monsieur, lui dis-je. Veuillez m'écouter. »

« Il ne bougea pas et n'articula pas une seule syllabe. Je parlai donc. Et, tout de suite, crûment, sans aucune de ces explications préalables qui auraient pu atténuer la brutalité de ma proposition, je prononçai les quelques phrases que j'avais préparées :

« — Depuis plusieurs mois, monsieur, j'ai fait une enquête minutieuse sur votre situation financière. Toutes vos terres sont hypothéquées. Vous avez signé des traites dont l'échéance approche et auxquelles il est matériellement impossible que vous fassiez honneur. Du côté de votre père, rien à espérer, lui-même étant fort mal en point. Donc vous êtes perdu. Je viens vous sauver. »

« Il m'observa, puis toujours taciturne, s'assit, ce qui signifiait, n'est-ce pas, que ma démarche ne lui déplaisait pas trop. Alors, je tirai de ma poche une liasse de billets de banque que je déposai en face de lui, et je poursuivis :

« —Voilà soixante mille francs, monsieur. Je vous achète le Manoir-au-Puits et les terres qui en dépendent, hypothèques à ma charge. C'est exactement le double de ce que ça vaut. »

« Je vis ses yeux briller.

« Il murmura :

« — Les conditions ?

« Une seule, votre départ pour l'Amérique. »

« Monsieur le substitut, nous avons discuté pendant deux

heures. Non pas que mon offre l'indignât, je ne l'aurais pas risquée si je n'avais connu mon adversaire, mais il voulait davantage, et il discuta âprement, tout en évitant de prononcer le nom de Mme de Gorne, à qui, moi-même, je n'avais pas fait une seule allusion. Nous avions l'air de deux individus qui, à propos d'un litige quelconque, cherchent une transaction, un terrain où ils puissent s'entendre, alors qu'il s'agissait de la destinée même et du bonheur d'une femme. Enfin, de guerre lasse, j'acceptai un compromis, et nous arrivâmes à un accord que je voulus aussitôt rendre définitif. Deux lettres furent échangées entre nous, l'une par laquelle il me cédait le Manoir-au-Puits contre la somme versée ; l'autre, qu'il empocha aussitôt, et par laquelle je devais lui envoyer en Amérique une somme égale le jour où le divorce serait prononcé.

« L'affaire était donc conclue. Je suis sûr qu'à ce moment il acceptait de bonne foi. Il me considérait moins comme un ennemi et comme un rival que comme un monsieur qui vous rend service. Il alla même, afin que je puisse rentrer chez moi directement, jusqu'à me donner la clef qui ouvre la petite porte de la campagne. Par malheur, tandis que je prenais ma casquette et mon manteau, j'eus le tort de laisser sur la table la lettre de vente signée par lui. En une seconde, Mathias de Gorne vit le parti qu'il pourrait tirer de mon oubli. Garder sa propriété, garder sa femme... et garder l'argent. Prestement il escamota la feuille, m'assena sur la tête un coup de crosse, jeta son fusil et m'étreignit à la gorge de ses deux mains. Mauvais calcul... Plus fort que lui, après une lutte assez vive qui dura peu, je le maîtrisai et l'attachai avec une corde qui traînait dans un coin.

« Monsieur le substitut, si la décision de mon adversaire avait été brusque, la mienne ne fut pas moins rapide. Puisque, somme toute, il avait accepté le marché, je l'obligerais à tenir ses engagements, du moins dans la mesure où j'y étais intéressé. En quelques bonds, je montai jusqu'au premier étage.

« Je ne doutais point que Mme de Gorne ne fût là et qu'elle n'eût entendu le bruit de nos discussions. Éclairé par une lampe de poche, je visitai trois chambres. La quatrième était fermée à clef. Je frappai. Aucune réponse. Mais je me trouvais à l'un de ces moments où nul obstacle ne vous arrête. Dans l'une des chambres, j'avais aperçu un marteau. Je le ramassai et démolis la porte.

« Natalie de Gorne était là, en effet, couchée à terre, évanouie. Je la pris dans mes bras, redescendis et passai par la cuisine. Dehors, en voyant la neige, je songeais bien que mes traces seraient faciles à suivre, mais qu'importait ? Avais-je à dépister Mathias de Gorne ? Nullement. Maître des 60 000 francs, maître du papier où je m'engageais à lui verser une somme égale le jour du divorce, maître de son domaine, il s'en irait, me laissant Natalie de Gorne. Rien n'était changé entre nous, sauf une chose : au lieu d'attendre son bon plaisir, j'avais saisi tout de suite le gage précieux que je convoitais. Ce n'était donc pas un retour offensif de Mathias de Gorne que je redoutais, mais bien plutôt les reproches et l'indignation de Natalie de Gorne. Que dirait-elle une fois captive ?

« Les raisons pour lesquelles je n'eus point de reproche, monsieur le substitut, Mme de Gorne, je crois, a eu la franchise de vous les dire. L'amour appelle l'amour. Chez moi, cette nuit, brisée par l'émotion, elle m'a fait l'aveu de ses sentiments. Elle m'aimait comme je l'aimais. Nos destinées se confondaient. Elle et moi, nous partîmes ce matin à cinq heures, sans prévoir un instant que la justice pouvait nous demander des comptes. »

Le récit de Jérôme Vignal était fini. Il l'avait débité tout d'un trait, comme un récit appris par cœur et auquel rien ne peut être changé.

Il y eut un instant de répit.

Dans le réduit où ils se cachaient, Hortense et Rénine n'avaient pas perdu une seule des paroles prononcées. La jeune femme murmura :

« Tout cela est fort possible, et, en tout cas, très logique.

— Restent les objections, fit Rénine. Écoutez-les. Elles sont redoutables. Il y en a une surtout... »

Celle-ci, le substitut du procureur la formula dès l'abord :

« Et M. de Gorne, dans tout cela ?...

— Mathias de Gorne ? demanda Jérôme.

— Oui, vous m'avez raconté, avec un grand accent de sincérité, une suite de faits que je suis tout disposé à admettre. Malheureusement, vous oubliez un point d'une importance capitale : qu'est devenu Mathias de Gorne ? Vous l'avez attaché dans cette pièce. Or, ce matin, il n'y était pas, dans cette pièce.

— Naturellement, monsieur le substitut, Mathias de Gorne, acceptant en fin de compte le marché, s'en est allé.

— Par où ?

— Sans doute par le chemin qui conduit chez son père.

— Où sont les empreintes de ses pas ? Cette nappe de neige qui nous entoure est un témoin impartial. Après votre duel avec lui, on vous voit, sur la neige, vous éloigner. Pourquoi ne le voit-on pas, lui ? Il est venu, et il n'est pas reparti : où se trouve-t-il ? Aucune trace. Ou plutôt... »

Le substitut baissa la voix :

« Ou plutôt, si, quelques traces sur le chemin du puits, et autour du puits... quelques traces qui prouvent que la lutte suprême a eu lieu là... Et après, rien... plus rien... »

Jérôme haussa les épaules.

« Vous m'avez déjà parlé de cela, monsieur le substitut, et, cela, c'est une accusation de meurtre contre moi. Je n'y répondrai point.

— Me répondrez-vous sur le fait qu'on a ramassé votre revolver à vingt mètres du puits ?

— Pas davantage.

— Et sur l'étrange coïncidence de ces trois coups de feu entendus dans la nuit, et de ces trois balles qui manquent à votre revolver ?

— Non, monsieur le substitut. Il n'y a pas eu, comme vous le croyez, de lutte suprême auprès du puits, puisque j'ai laissé M. de Gorne attaché dans cette pièce et que j'ai laissé également mon revolver. Et, d'autre part, si l'on a entendu des coups de feu, ils ne furent pas tirés par moi.

— Coïncidences fortuites, alors ?

— C'est à la justice de les expliquer. Mon unique devoir est de dire la vérité, et vous n'avez pas le droit de m'en demander davantage.

— Si cette vérité est contraire aux faits observés ?

— C'est que les faits ont tort, monsieur le substitut.

— Soit. Mais jusqu'au jour où la justice pourra les mettre d'accord avec vos assertions, vous comprendrez l'obligation où je suis de vous garder à la disposition du parquet.

— Et Mme de Gorne ? » demanda Jérôme anxieusement.

Le substitut ne répondit pas. Il s'entretint avec le commissaire, puis avec un des agents auquel il donna l'ordre de faire avancer une des deux automobiles. Ensuite, il se tourna vers Natalie.

« Madame, vous avez entendu la déposition de M. Vignal. Elle concorde absolument avec la vôtre. En particulier, M. Vignal affirme que vous étiez évanouie quand il vous a emportée. Mais cet évanouissement a-t-il persisté durant le trajet ? »

On eût dit que le sang-froid de Jérôme avait encore affermi l'assurance de la jeune femme. Elle répliqua :

« Je ne me suis réveillée qu'au château, monsieur.

— C'est bien extraordinaire. Vous n'avez pas entendu les trois détonations que presque tout le village a entendues ?

— Je ne les ai pas entendues.

— Et vous n'avez rien vu de ce qui s'est passé près du puits ?

— Il ne s'est rien passé, puisque Jérôme Vignal l'affirme.

— Alors qu'est devenu votre mari ?

— Je l'ignore.

— Voyons, madame, vous devriez pourtant aider la justice et nous faire part tout au moins de vos suppositions. Croyez-vous qu'il y ait eu accident, et que M. de Gorne, qui avait vu son père et qui avait bu plus que de coutume, ait pu perdre l'équilibre et tomber dans le puits ?

— Quand mon mari est rentré de chez son père, il n'était nullement en état d'ivresse.

— Son père l'a déclaré cependant. Son père et lui avaient bu deux ou trois bouteilles de vin.

— Son père se trompe.

— Mais la neige ne se trompe pas, madame, fit le substitut avec irritation. Or, les traces de pas sont toutes sinueuses.

— Mon mari est rentré à huit heures et demie, avant la chute de la neige. »

Le substitut frappa du poing.

« Mais enfin, madame, vous parlez contre l'évidence même !... Cette nappe de neige est impartiale !... Que vous soyez en contradiction avec ce qui ne peut pas être contrôlé, je l'admets ! Mais cela, des pas dans la neige... dans la neige... »

Il se contint.

L'automobile arrivait devant les fenêtres. Prenant une décision brusque, il dit à Natalie :

« Vous voudrez bien vous tenir à la disposition de la justice, madame, et attendre dans ce Manoir... »

Et il fit signe au brigadier d'emmener Jérôme Vignal dans l'automobile.

La partie était perdue pour les deux amants. À peine réunis, ils devaient se séparer et se débattre, loin l'un de l'autre, contre les accusations les plus troublantes.

Jérôme s'avança d'un pas vers Natalie. Ils échangèrent un long regard douloureux. Puis il s'inclina devant elle et se dirigea vers la sortie, à la suite du brigadier de gendarmerie.

« Halte ! cria une voix... Demi-tour, brigadier ! Jérôme Vignal, pas un mouvement ! »

Interloqué, le substitut leva la tête, ainsi que les autres personnages. La voix venait du haut de la salle. L'œil-de-bœuf s'était ouvert, et Rénine, penché par là, gesticulait :

« Je désire que l'on m'entende !... J'ai plusieurs remarques à faire... une surtout à propos de la sinuosité des traces... Tout est là !... Mathias n'avait pas bu... » Il s'était retourné et avait passé les deux jambes par l'ouverture, tout en disant à Hortense, qui, stupéfaite, essayait de le retenir :

« Ne bougez pas, chère amie... Il n'y a aucune raison pour qu'on vienne vous déranger. »

Et, lâchant les mains, il se laissa tomber dans la salle.

Le substitut semblait ahuri :

« Mais enfin, monsieur, d'où venez-vous ? Qui êtes-vous ? »

Rénine brossa ses vêtements maculés de poussière et répondit :

« Excusez-moi, monsieur le substitut, j'aurais dû prendre le chemin de tout le monde. Mais j'étais pressé. En outre, si j'étais entré par la porte au lieu de tomber du plafond, mes paroles auraient produit moins d'effet. »

Le substitut s'approcha, furieux.

« Qui êtes-vous ?

— Le prince Rénine. J'ai suivi l'enquête du brigadier, ce matin. N'est-ce pas, brigadier ? Depuis, je cherche, je me renseigne. Et c'est ainsi que, désireux d'assister à l'interrogatoire, je me suis réfugié dans une petite pièce isolée...

— Vous étiez là ! Vous avez eu l'audace !...

— Il faut avoir toutes les audaces, quand il s'agit de la vérité. Si je n'avais pas été là, je n'aurais pas recueilli précisément la petite indication qui me manquait. Je n'aurais pas su que Mathias de Gorne n'était pas ivre le moins du monde. Or, voilà le mot de l'énigme. Quand on sait cela, on connaît la vérité. »

Le substitut se trouvait dans une situation assez ridicule. N'ayant point pris les précautions nécessaires pour que le secret de son enquête fût observé, il lui était difficile d'agir contre cet intrus. Il bougonna :

« Finissons-en. Que demandez-vous ?

— Quelques minutes d'attention.

— Et pourquoi ?

— Pour établir l'innocence de M. Vignal et de Mme de Gorne. »

Il avait cet air calme, cette sorte de nonchalance qui lui était particulière aux minutes d'action, et lorsque le dénouement du drame ne dépendait plus que de lui. Hortense frissonna, pleine d'une foi immédiate.

« Ils sont sauvés, pensa-t-elle avec émotion. Je l'avais prié de protéger cette jeune femme et il la sauve de la prison, du désespoir. »

Jérôme et Natalie devaient éprouver cette même impression d'espoir soudain, car ils s'étaient avancés l'un vers l'autre, comme si cet inconnu, descendu du ciel, leur avait donné le droit de joindre leurs mains.

Le substitut haussa les épaules.

« Cette innocence, l'instruction aura tous les moyens de l'établir elle-même, quand le moment sera venu. Vous serez convoqué.

— Il serait préférable de l'établir tout de suite. Un retard pourrait avoir des conséquences fâcheuses.

— C'est que je suis pressé...

— Deux à trois minutes suffiront.

— Deux à trois minutes pour expliquer une pareille affaire !...

— Pas davantage.

— Vous la connaissez donc si bien ?

— Maintenant, oui. Depuis ce matin, j'ai beaucoup réfléchi. »

Le substitut comprit que ce monsieur était de ceux qui ne nous lâchent pas et qu'il n'y avait qu'à se résigner. D'un ton un peu goguenard, il lui dit :

« Vos réflexions vous permettent-elles de nous fixer l'endroit où se trouve M. Mathias de Gorne actuellement ? »

Rénine tira sa montre et répliqua :

« À Paris, monsieur le substitut.

— À Paris ? Donc vivant ?

— Donc vivant, et, de plus, en excellente santé.

— Je m'en réjouis. Mais alors, que signifient les pas autour du puits, et la présence de ce revolver, et ces trois coups de feu ?

— Mise en scène, tout simplement.

— Ah ! ah ! Mise en scène imaginée par qui ?

— Par Mathias de Gorne lui-même.

— Bizarre ! Et dans quel but ?

— Dans le but de se faire passer pour mort et de combiner les choses de telle façon que, fatalement, M. Vignal soit accusé de cette mort, de cet assassinat.

— L'hypothèse est ingénieuse, approuva le substitut, toujours ironique. Qu'en pensez-vous, monsieur Vignal ? »

Jérôme répondit :

« C'est une hypothèse que j'avais entrevue moi-même, monsieur le substitut. Il est très admissible qu'après notre lutte et après mon départ Mathias de Gorne ait formé un nouveau plan où, cette fois, la haine trouvait son compte. Il aimait et détestait sa femme. Il m'exécrait. Il se sera vengé.

— Vengeance qui lui coûterait cher, puisque, selon vos assertions, Mathias de Gorne devait recevoir de vous une nouvelle somme de 60 000 francs.

— Cette somme, monsieur le substitut, il la récupérait d'un autre côté. L'examen de la situation financière de la famille de Gorne m'avait, en effet, révélé que le père et le fils avaient contracté une assurance sur la vie l'un de l'autre. Le fils mort, ou passant pour mort, le père touchait cette assurance et dédommageait son fils.

— De sorte, dit le substitut en souriant, que, dans toute cette mise en scène, M. de Gorne père serait complice de son fils. »

Ce fut Rénine qui riposta :

« Précisément, monsieur le substitut. Le père et le fils sont d'accord.

— On retrouvera donc le fils chez le père ?

— On l'y aurait retrouvé cette nuit.

— Qu'est-il devenu ?

— Il a pris le train à Pompignat.

— Suppositions que tout cela !

— Certitude.

— Certitude morale, mais pas la moindre preuve, avouez-le... »

Le substitut n'attendit pas la réponse à la question posée. Jugeant qu'il avait témoigné d'une bonne volonté excessive et que la patience a des bornes, il mit fin à la déposition.

« Pas la moindre preuve, répéta-t-il en prenant son chapeau. Et surtout... surtout, rien dans vos paroles qui puisse contredire, si peu que ce soit, les affirmations de cet implacable témoin, la neige. Pour aller chez son père, il a fallu que Mathias de Gorne sortît d'ici. Par où ?

— Mon Dieu, M. Vignal vous l'a dit, par le chemin qui va d'ici chez son père.

— Pas de traces sur la neige.

— Si.

— Mais celles-là le montrent venant ici, et non pas s'en allant d'ici.

— C'est la même chose.

— Comment cela ?

— Certes. Il n'y a pas qu'une façon de marcher. On n'avance pas toujours en marchant devant soi.

— De quelle autre manière peut-on avancer ?

— *En reculant*, monsieur le substitut. »

Ces quelques mots, prononcés simplement, mais d'un ton net qui détachait les syllabes les unes des autres, provoquèrent un grand silence. Du premier coup, chacun en comprenait la signification profonde et, l'adaptant à la réalité, apercevait dans un éclair cette vérité impénétrable qui semblait soudain la chose la plus naturelle du monde.

Rénine insista, et marchant à reculons vers la fenêtre, il disait :

« Si je veux m'approcher de cette fenêtre, je puis évidemment marcher droit sur elle, mais je puis aussi bien lui tourner le dos et marcher en arrière. Dans les deux cas, le but est atteint. »

Et, tout de suite, il reprit avec force :

« Je résume. À huit heures et demie, avant la tombée de la nuit, M. de Gorne venait de chez son père. Donc aucune trace, puisque la neige n'avait pas encore tombé. À neuf heures moins dix, M. Vignal se présente, sans laisser non plus la moindre trace de son arrivée. Explication entre les deux hommes. Conclusion du marché. Ils se battent. Mathias de Gorne est vaincu. Trois heures se sont passées ainsi. Et c'est alors, M. Vignal ayant enlevé Mme de Gorne et s'étant enfui, que Mathias de Gorne, ulcéré, furieux, mais entrevoyant tout à coup la plus terrible des vengeances, conçoit l'idée ingénieuse d'exploiter contre son ennemi cette neige dont on invoque maintenant le témoignage et qui a couvert le sol pendant un intervalle de trois heures. Il organise donc son propre assassinat, ou plutôt l'apparence de son assassinat et de sa chute au fond du puits, et il s'éloigne à reculons, pas à pas, inscrivant sur la page blanche son arrivée au lieu de son départ. Je m'explique clairement, n'est-ce pas, monsieur le substitut ? *inscrivant sur la page blanche son arrivée au lieu de son départ.* »

Le substitut avait cessé de ricaner. Cet importun, cet original, lui paraissait subitement un personnage digne d'attention et de qui il ne convenait point de se moquer.

Il lui demanda :

« Et comment serait-il parti de chez son père ?

— En voiture, tout simplement.

— Qui le conduisait ?

— Son père.

— Comment le savez-vous ?

— Ce matin, le brigadier et moi, nous avons vu la voiture et nous avons parlé au père alors que celui-ci se rendait, comme de coutume, au marché. Le fils était couché sous la bâche. Il a pris le train à Pompignat. Il est à Paris. »

Les explications de Rénine, selon sa promesse, avaient à peine duré cinq minutes. Il ne les avait appuyées que sur la logique et la vraisemblance. Et cependant il ne restait plus rien du mystère angoissant où l'on se débattait. Les ténèbres étaient dissipées. Toute la vérité apparaissait. Mme de Gorne pleurait de joie. Jérôme Vignal remerciait avec effusion le bon génie, qui, d'un coup de baguette, changeait le cours des événements.

« Regardons ensemble ces traces, voulez-vous, monsieur le substitut ? reprit Rénine. Le tort que nous avons eu, ce matin, le brigadier et moi, c'est de ne nous occuper que des empreintes laissées par le soi-disant assassin et de négliger celles de Mathias de Gorne. Pourquoi eussent-elles attiré notre attention ? Or, justement, le nœud de toute l'affaire est là. »

Ils sortirent dans le verger et s'approchèrent de la piste. Il ne fut pas besoin d'un long examen pour constater que beaucoup de ces empreintes étaient gauches, hésitantes, trop enfoncées du talon ou de la pointe, différentes les unes des autres par l'ouverture des pieds.

« Gaucherie inévitable, dit Rénine. Il eût fallu à Mathias de Gorne un véritable apprentissage pour conformer sa marche arrière à sa marche avant, et son père et lui ont dû le sentir, tout au moins en ce qui concerne les zigzags que l'on peut voir, puisque le père de Gorne a eu soin d'avertir le brigadier que son fils avait bu un coup de trop. »

Et Rénine ajouta :

« C'est même la révélation de ce mensonge qui m'a éclairé

subitement. Lorsque Mme de Gorne a certifié que son mari n'était pas ivre, j'ai pensé aux empreintes et j'ai deviné. »

Le substitut prit franchement son parti de l'aventure et se mit à rire.

« Il n'y a plus qu'à mettre des agents aux trousses du pseudo-mort.

— En vertu de quoi, monsieur le substitut ? fit Rénine. Mathias de Gorne n'a commis aucun délit. Piétiner les alentours d'un puits, placer plus loin un revolver qui ne lui appartient pas, tirer trois coups de feu, s'en aller chez son père à reculons, il n'y a rien de répréhensible. Que pourrait-on lui réclamer ? Les 60 000 francs ? Je suppose que ce n'est pas l'intention de M. Vignal et qu'il ne déposera aucune plainte ?

— Certes non, déclara Jérôme.

— Alors quoi, l'assurance au profit du survivant ? Mais il n'y aurait délit que si le père en réclamait le paiement. Et cela m'étonnerait fort. Tenez, d'ailleurs, le voici, le bonhomme. Nous allons être fixés sans plus tarder. »

Le vieux de Gorne arrivait en effet en gesticulant. Sa figure bonasse se plissait pour exprimer le chagrin et la colère :

« Mon fils ? Paraît qu'il l'a tué... Mon pauvre Mathias mort ! Ah ! ce bandit de Vignal ! »

Et il montrait le poing à Jérôme.

Le substitut lui dit brusquement :

« Un mot, monsieur de Gorne. Est-ce que vous avez l'intention de faire valoir vos droits sur une certaine assurance ?

— Dame, fit le vieux, malgré lui...

— C'est que votre fils n'est pas mort. On dit même que, complice de ses petites manigances, vous l'avez fourré sous votre bâche et conduit à la gare. »

Le bonhomme cracha par terre, étendit la main comme s'il allait prononcer un serment solennel, demeura un instant immobile, et puis, soudain, se ravisant, faisant volte-face avec un cynisme ingénu, le visage détendu, l'attitude conciliante, il éclata de rire :

« Gredin de Mathias ! alors il voulait se faire passer pour mort ? Quel sacripant ! Et il comptait sur moi peut-être pour toucher l'assurance et la lui envoyer ? Comme si j'étais capable d'une pareille saloperie !... Tu ne me connais pas, mon petit... »

Et, sans demander son reste, secoué d'une hilarité de bon vivant que divertit une histoire amusante, il s'éloigna, en ayant soin cependant de poser ses grosses bottes à clous sur chacune des empreintes accusatrices laissées par son fils.

Plus tard, lorsque Rénine retourna au Manoir afin de délivrer Hortense, la jeune femme avait disparu.

Il se présenta chez la cousine Ermelin. Hortense lui fit répondre qu'elle s'excusait, mais que, un peu lasse, elle prenait un repos nécessaire.

« Parfait, tout va bien, pensa Rénine. Elle me fuit. Donc, elle m'aime. Le dénouement approche. »

VIII

« AU DIEU MERCURE »

À Madame Daniel,
à La Roncière, par Bassicourt,
le 30 novembre.

Amie très chère,

Deux semaines encore sans lettre de vous. Je n'espère plus en recevoir avant cette date fâcheuse du 5 décembre à laquelle nous avons fixé le terme de notre association et j'ai hâte d'y arriver, puisque vous serez alors affranchie d'un contrat qui paraît ne plus avoir votre agrément. Pour moi, les sept batailles que nous avons livrées ensemble, et gagnées, furent un temps de joie infinie et d'exaltation. Je vivais près de vous. Je sentais tout le bien que vous faisait cette existence plus active et plus émouvante. Mon bonheur était tel que je n'osais pas vous en parler et vous laisser voir de mes sentiments secrets autre chose que mon désir de vous plaire et mon dévouement passionné. Aujourd'hui, chère amie, vous ne voulez plus de votre compagnon d'armes. Que votre volonté soit faite !

Mais si je m'incline devant cet arrêt, me permettez-vous de vous rappeler en quoi j'ai toujours pensé que consisterait notre dernière aventure, et quel but se proposerait notre effort suprême ? Me permettez-vous de répéter vos paroles, dont pas une, depuis, ne s'est effacée de ma mémoire ?

« J'exige, avez-vous dit, que vous me rendiez une agrafe de corsage ancienne, composée d'une cornaline sertie dans une

monture de filigrane. Je la tenais de ma mère, et personne n'ignorait qu'elle lui avait porté bonheur et qu'elle me portait bonheur. Depuis qu'elle a disparu du coffret où elle était enfermée, je suis malheureuse. Rendez-la-moi, monsieur le bon génie. »

Et, comme je vous interrogeais sur l'époque où cette agrafe avait disparu, vous avez répliqué en riant :

« Il y a six ou sept ans, ou huit... je ne sais trop... je ne sais pas comment... je ne sais rien... »

C'était plutôt, n'est-ce pas, un défi que vous me jetiez et vous me posiez cette condition afin qu'il me fût impossible d'y satisfaire. Cependant, j'ai promis et je voudrais tenir ma promesse. Ce que j'ai tenté pour vous montrer la vie sous un jour plus favorable me semblerait inutile, s'il manquait à votre sécurité ce talisman auquel vous attachez du prix. Ne rions pas de ces petites superstitions. Elles sont bien souvent le principe de nos actes les meilleurs.

Chère amie, si vous m'aviez aidé, une fois de plus c'était la victoire. Seul et pressé par l'approche de la date, j'ai échoué, non toutefois sans mettre les choses en un tel état que l'entreprise, si vous voulez la poursuivre, de votre côté, a les plus grandes chances de réussir.

Et vous la poursuivrez, n'est-ce pas ? Nous avons pris vis-à-vis de nous-mêmes un engagement auquel nous devons faire honneur. Dans un temps déterminé, il faut que nous inscrivions au livre de notre existence huit belles histoires, où nous aurons mis de l'énergie, de la logique, de la persévérance, quelque subtilité, et parfois un peu d'héroïsme. Voici la huitième. À vous d'agir pour qu'elle prenne sa place le 5 décembre avant que sonne la huitième heure du soir au cadran de l'horloge.

Et ce jour-là, vous agirez de la façon que je vais vous dire.

Tout d'abord — et surtout, mon amie, ne taxez pas mes instructions de fantaisistes, chacune d'elles est une condition indispensable du succès — tout d'abord, vous couperez dans le jardin de votre cousine, où j'ai vu qu'il y en avait, trois brins de jonc bien minces, que vous tresserez ensemble, et que vous lierez aux deux bouts de manière à former une cravache rustique, comme un fouet d'enfant.

À Paris vous achèterez un collier de boules de jais, taillées à facettes, et vous le raccourcirez de telle sorte qu'il se compose de soixante-quinze boules, à peu près égales.

Sous votre manteau d'hiver, vous aurez une robe de laine

bleue. Comme chapeau, une toque ornée de feuillage roux. Au cou, un boa de plumes de coq. Pas de gants. Pas de bagues.

L'après-midi, vous vous ferez conduire, par la rive gauche, jusqu'à l'église Saint-Étienne-du-Mont. À quatre heures, exactement, il y aura, devant le bénitier de cette église, une vieille femme vêtue de noir, en train d'égrener un chapelet d'argent. Elle vous offrira de l'eau bénite. Vous lui donnerez votre collier, dont elle comptera les boules et qu'elle vous rendra. En suite de quoi, vous marcherez derrière elle, vous traverserez un bras de la Seine, elle vous conduira dans une rue déserte de l'île Saint-Louis devant une maison où vous entrerez seule.

Au rez-de-chaussée de cette maison, vous trouverez un homme encore jeune, de teint très mat, à qui vous direz, après avoir enlevé votre manteau :

« Je viens chercher mon agrafe de corsage. »

Ne vous étonnez pas de son trouble ni de son effroi. Restez calme en sa présence. S'il vous interroge, s'il veut savoir pour quelle raison vous vous adressez à lui, ce qui vous pousse à faire cette demande, ne donnez aucune explication. Toutes vos réponses doivent se résumer dans ces courtes formules : « Je viens chercher ce qui m'appartient. Je ne vous connais pas, j'ignore votre nom, mais il m'est impossible de ne pas faire cette démarche auprès de vous. Il faut que je rentre en possession de mon agrafe de corsage. Il le faut. »

Je crois sincèrement que, si vous avez la fermeté nécessaire pour ne pas vous départir de cette attitude, quelle que soit la comédie que cet homme puisse jouer, je crois sincèrement à votre entière réussite. Mais la lutte doit être brève, et l'issue dépend uniquement de votre confiance en vous-même et de votre certitude du succès. C'est une sorte de match où vous devez abattre l'adversaire au premier round. Impassible, vous l'emporterez. Hésitante, inquiète, vous ne pouvez rien contre lui. Il vous échappe, reprend le dessus après un premier moment de détresse, et la partie est perdue en l'espace de quelques minutes. Pas de moyen terme : la victoire immédiate ou la défaite.

Dans ce dernier cas, il vous faudrait, et je m'en excuse, accepter de nouveau ma collaboration. Je vous l'offre d'avance, mon amie, sans condition aucune, et en spécifiant bien que tout ce que j'ai pu faire pour vous, et tout ce que je ferai, ne me donne d'autre droit que de vous remercier et de me dévouer encore davantage à celle qui est toute ma joie et toute ma vie.

Cette lettre, Hortense, après l'avoir lue, la jeta au fond d'un tiroir, en disant avec résolution :

« Je n'irai pas. »

D'abord, si elle avait attaché jadis quelque importance à ce bijou, qui lui semblait avoir la valeur d'un porte-bonheur, elle ne s'y intéressait guère aujourd'hui que la période des épreuves paraissait terminée. Ensuite, elle ne pouvait oublier ce chiffre de huit qui était le numéro d'ordre de l'aventure nouvelle. S'y lancer, c'était reprendre la chaîne interrompue, se rapprocher de Rénine et lui donner un gage qu'avec son adresse insinuante il saurait bien exploiter.

L'avant-veille du jour fixé la trouva dans les mêmes dispositions. La veille au matin également. Mais tout à coup, sans même qu'elle eût à lutter contre des tergiversations préalables, elle courut au jardin, coupa trois brins de jonc qu'elle tressa comme elle en avait l'habitude, au temps de son enfance, et à midi elle se faisait conduire au train. Une ardente curiosité la soulevait. Elle ne pouvait résister à tout ce que l'aventure offerte par Rénine promettait de sensations amusantes et neuves. C'était vraiment trop tentant. Le collier de jais, la toque au feuillage d'automne, la vieille femme au chapelet d'argent... comment résister à ces appels du mystère, et comment repousser cette occasion de montrer à Rénine ce dont elle était capable ?

« Et puis, quoi ? se disait-elle en riant, c'est à Paris qu'il me convoque. Or, la huitième heure n'est dangereuse pour moi qu'à cent lieues de Paris, au fond du vieux château abandonné de Halingre. La seule horloge qui puisse sonner l'heure menaçante, elle est là-bas, enfermée, captive ! »

Le soir, elle débarquait à Paris. Le matin du 5 décembre, elle achetait un collier de jais qu'elle réduisait à soixante-quinze boules ; elle se parait d'une robe bleue et d'une toque en feuillage roux, et, à quatre heures précises, elle entrait dans l'église de Saint-Étienne-du-Mont.

Son cœur battait violemment. Cette fois elle était seule, et comme elle sentait maintenant la force de cet appui auquel, par crainte irréfléchie plutôt que par raison, elle avait renoncé ! Elle cherchait autour d'elle, espérant presque le voir. Mais il n'y avait personne... personne qu'une vieille dame en noir, debout près du bénitier.

Hortense marcha vers elle. La vieille dame, qui pressait entre ses doigts un chapelet aux grains d'argent, lui offrit de l'eau bénite, puis se mit à compter une par une les boules du collier qu'Hortense lui tendit.

Elle murmura :

« Soixante-quinze. C'est bien. Venez. »

Sans un mot de plus, elle trottina sous la lueur des réverbères, franchit le pont des Tournelles, s'engagea dans l'île Saint-Louis et suivit une rue déserte qui la conduisit à un carrefour où elle s'arrêta devant une ancienne maison à balcons de fer forgé.

« Entrez », dit-elle.

Et la vieille dame s'en alla.

Hortense vit alors un magasin de belle apparence qui occupait presque tout le rez-de-chaussée, et dont les vitres étincelantes de lumière électrique laissaient apercevoir un amoncellement désordonné d'objets et de meubles anciens. Elle demeura là quelques secondes, regardant d'un œil distrait. L'enseigne portait ces mots : « Au Dieu Mercure » et le nom du marchand : « Pancardi. » Plus haut, sur une avancée qui bordait la base du premier étage, une petite niche abritait un Mercure en terre cuite posé sur une jambe, des ailes aux pieds, le caducée à la main, et qui, remarqua Hortense, un peu trop penché en avant, entraîné par sa course, aurait dû logiquement perdre l'équilibre et piquer une tête dans la rue.

« Allons », dit-elle, à demi-voix.

Elle saisit la poignée et entra.

Malgré le bruit de sonnettes et de grelots que fit la porte, personne ne vint à sa rencontre. Le magasin semblait vide. Mais, tout au bout, il y avait une arrière-boutique, et une autre à la suite, toutes deux remplies de bibelots et de meubles dont beaucoup devaient avoir une grande valeur. Hortense suivit un passage étroit qui serpentait entre deux parois d'armoires, de consoles et de commodes, monta deux marches et se trouva dans la dernière pièce.

Un homme était assis devant un secrétaire et compulsait des registres. Sans tourner la tête, il dit :

« Je suis à vous... Madame peut visiter... »

Cette pièce-là ne contenait que des objets d'un genre spécial qui la rendaient pareille à quelque laboratoire d'alchimiste du Moyen Âge, chouettes empaillées, squelettes, crânes, alambics de cuivre, astrolabes, et partout, suspendues aux murs, des amulettes de toutes provenances où dominaient des mains d'ivoire et des mains de corail, avec les deux doigts dressés qui conjurent les mauvais sorts.

« Est-ce que vous désirez particulièrement quelque chose, madame ? » dit enfin le sieur Pancardi qui ferma son bureau et se leva.

« C'est bien lui », pensa Hortense.

Il avait, en effet, un teint extraordinairement mat. Une barbiche grisonnante à deux pointes allongeait son visage, que surmontait un front chauve et terne, en bas duquel luisaient, à fleur de peau, deux petits yeux inquiets et fuyants.

Hortense, qui n'avait point enlevé sa voilette ni son manteau, répondit :

« Je cherche une agrafe de corsage.

— Voici la vitrine », dit-il en la ramenant vers la boutique intermédiaire.

Après un coup d'œil sur la vitrine, elle prononça :

« Non... non... il n'y a pas ce que je veux. Ce que je veux, ce n'est pas telle ou telle agrafe, mais une agrafe qui a disparu autrefois d'une boîte à bijoux et que je viens chercher ici. »

Elle fut stupéfaite de voir le bouleversement de ses traits. Ses yeux devenaient hagards.

« Ici ? Je ne pense pas que vous ayez aucune chance... Comment est-elle ?...

— En cornaline, sertie dans du filigrane d'or... et de l'époque 1830...

— Je ne comprends pas..., balbutia-t-il. Pourquoi me demandez-vous cela ?... »

Elle ôta sa voilette et retira son manteau.

Il recula, comme devant un spectacle qui l'eût épouvanté et murmura :

« La robe bleue... la toque... Ah ! est-ce possible ? le collier de jais !... »

Ce fut peut-être la vue de la cravache aux trois baguettes de jonc qui lui donna la plus violente commotion. Il tendit le doigt vers elle, se mit à vaciller sur lui-même, et, à la fin, battant l'air de ses bras comme un nageur qui se noie, il tomba sur une chaise, évanoui.

Hortense ne bougea pas. « Quelle que soit la comédie qu'il puisse jouer, avait écrit Rénine, ayez le courage de rester impassible. » Bien qu'il ne jouât peut-être pas la comédie, cependant elle se contraignit au calme et à l'indifférence.

Cela dura une ou deux minutes, après quoi le sieur Pancardi

sortit de sa torpeur, essuya la sueur qui lui baignait le front et, cherchant à se maîtriser, reprit d'une voix tremblante :

« Pourquoi vous êtes-vous adressé à moi ?

— Parce que cette agrafe est en votre possession.

— Qui vous l'a dit ? fit-il sans protester contre l'accusation. Comment le savez-vous ?

— Je le sais parce que cela est. Personne ne m'a rien dit. Je suis venue avec la certitude de trouver mon agrafe ici, et avec la volonté implacable de l'emporter.

— Mais vous me connaissez ? vous savez mon nom ?

— Je ne vous connais pas. J'ignorais votre nom avant de le voir sur votre magasin. Pour moi, vous êtes simplement celui qui me rendra ce qui m'appartient. »

Il était très agité. Il allait et venait dans un petit espace laissé par un cercle de meubles empilés, sur lesquels il frappait stupidement au risque d'en démolir l'équilibre.

Hortense sentit qu'elle le dominait, et, profitant de son désarroi, elle lui ordonna brusquement, avec un ton de menace :

« Où se trouve cet objet ? Il faut me le rendre. Je l'exige. »

Pancardi eut un moment de désespoir. Il joignit les mains et marmotta des mots de supplication. Puis, vaincu, soudain résigné, il articula :

« Vous l'exigez ?...

— Je le veux... cela doit être...

— Oui, oui... cela doit être... j'y consens.

— Parlez ! commanda-t-elle, plus durement encore.

— Parler, non, mais écrire... Je vais écrire mon secret... et tout sera fini pour moi. »

Il retourna devant son bureau et traça fiévreusement quelques lignes sur une feuille qu'il cacheta.

« Tenez, dit-il, voici mon secret... C'était toute ma vie... »

Et en même temps, il porta vivement contre sa tempe un revolver qu'il avait sous un monceau de papiers et il tira.

D'un geste rapide, Hortense lui heurta le bras. La balle troua la glace d'une psyché. Mais Pancardi s'affaissa et se mit à gémir comme s'il eût été blessé.

Hortense fit un grand effort sur elle-même pour ne pas perdre son sang-froid.

« Rénine m'a prévenue, songeait-elle. C'est un comédien. Il a gardé l'enveloppe. Il a gardé son revolver. Je ne serai pas sa dupe. »

Cependant elle se rendait compte que, si elle restait calme

en apparence, cette tentative de suicide et cette détonation l'avaient complètement désemparée. Toutes ses forces étaient désunies comme un faisceau dont on a coupé les liens, et elle avait l'impression pénible que l'homme, qui se traînait à ses pieds, en réalité reprenait peu à peu l'avantage sur elle.

Elle s'assit, épuisée. Ainsi que Rénine l'avait prédit, le duel n'avait pas duré plus de quelques minutes, mais c'était elle qui avait succombé, par la faute de ses nerfs de femme, et à l'instant même où elle pouvait croire à son triomphe.

Le sieur Pancardi ne s'y trompa point, et, sans prendre la peine de chercher une transition, il cessa ses jérémiades, se releva d'un bond, esquissa devant Hortense une manière d'entrechat qui montra toute sa souplesse, et s'écria d'un ton goguenard :

« Pour la petite conversation que nous allons avoir, je crois gênant d'être à la merci du premier client qui passe, n'est-ce pas ? »

Il courut jusqu'à la porte d'entrée et, l'ayant ouverte, il abattit le tablier de fer qui clôturait la boutique. Puis, toujours sautillant, il rejoignit Hortense.

« Ouf ! j'ai bien cru que j'y étais. Un effort de plus, madame, et vous gagniez la partie. Mais aussi, je suis un naïf, moi ! Il m'a semblé vous voir arriver du fond du passé, comme un émissaire de la Providence, pour me réclamer des comptes, et bêtement j'allais restituer... Ah ! mademoiselle Hortense — laissez-moi vous appeler ainsi, c'est sous ce nom que je vous connaissais —, mademoiselle Hortense, vous manquez d'estomac, comme on dit. »

Il s'assit auprès d'elle et, la figure méchante, brutalement, il lui lança :

« Maintenant, il s'agit d'être sincère. Qui est-ce qui a machiné cette histoire ? Pas vous, hein ? Ce n'est pas votre genre. Alors, qui ? Dans ma vie, j'ai toujours été honnête, scrupuleusement honnête... sauf une fois... cette agrafe. Et tandis que je croyais l'affaire finie, enterrée, voilà que ça remonte à la surface. Comment ? Je veux savoir. »

Hortense n'essayait même plus de combattre. Il pesait sur elle de toute sa force d'homme, de toute sa rancune, de toute sa peur, de toute la menace qu'il exprimait par ses gestes furieux et par sa physionomie à la fois ridicule et mauvaise.

« Parlez ! Je veux savoir. Si j'ai un ennemi secret, que je puisse me défendre ! Quel est cet ennemi ? Qui vous a poussée ? Qui vous a fait agir ? Est-ce un rival que ma chance exaspère et qui veut à son tour profiter de l'agrafe ? Mais parlez donc, nom d'un chien... ou je vous jure Dieu... »

Elle s'imagina qu'il faisait un mouvement pour reprendre son revolver et recula en tendant les bras avec l'espoir de s'échapper.

Ils se débattirent ainsi l'un contre l'autre, et Hortense qui avait de plus en plus peur, non pas tant de l'attaque probable que de la figure convulsée de son agresseur, commençait à crier, lorsque le sieur Pancardi resta subitement immobile, les bras en avant, les doigts écartés et les yeux dirigés par-dessus la tête d'Hortense.

« Qu'est-ce qui est là ? Comment êtes-vous entré ? » fit-il d'une voix étranglée.

Hortense n'eut même pas besoin de se retourner pour être sûre que Rénine venait à son secours, et que c'était l'apparition inexplicable de cet intrus qui effarait ainsi l'antiquaire. De fait, une silhouette mince glissa hors d'un amas de fauteuils et de canapés, et Rénine avança d'un pas tranquille.

« Qui êtes-vous ? répéta Pancardi. D'où venez-vous ?

— De là-haut, dit-il, très aimable et en montrant le plafond.

— De là-haut ?

— Oui, du premier étage. Je suis locataire, depuis trois mois, de l'étage ci-dessus. Tout à l'heure, j'ai entendu du bruit. On appelait au secours. Alors je suis venu.

— Mais comment êtes-vous entré ici ?

— Par l'escalier.

— Quel escalier ?

— L'escalier de fer qui est au fond de la boutique. Votre prédécesseur était aussi locataire de mon étage, et communiquait directement par cet escalier intérieur. Vous avez fait condamner la porte. Je l'ai ouverte.

— Mais de quel droit, monsieur ? C'est une effraction.

— L'effraction est permise quand il s'agit de secourir un de ses semblables.

— Encore une fois, qui êtes-vous ?

— Le prince Rénine..., un ami de madame », fit Rénine en se penchant sur Hortense et en lui baisant la main.

Pancardi parut suffoqué et marmotta :

« Ah ! je comprends... C'est vous l'instigateur du complot... vous qui avez envoyé madame...

— Moi-même, monsieur Pancardi, moi-même.

— Et quelles sont vos intentions ?

— Très pures, mes intentions. Pas de violence. Simplement un petit entretien après lequel vous me remettrez ce que je viens chercher à mon tour.

— Quoi ?

— L'agrafe du corsage.

— Cela, jamais, fit l'antiquaire avec force.

— Ne dites pas non. C'est couru d'avance.

— Il n'y a pas de force au monde, monsieur, qui puisse me contraindre à un pareil acte.

— Voulez-vous que nous convoquions votre femme ? Mme Pancardi se rendra peut-être mieux compte que vous de la situation. »

L'idée de n'être plus seul en présence de cet adversaire imprévu parut plaire à Pancardi. Il y avait tout près de lui un timbre. Il appuya trois fois sur la sonnerie.

« Parfait ! s'écria Rénine. Vous voyez, chère amie, M. Pancardi est tout à fait aimable. Plus rien du diable déchaîné qui vous terrorisait tout à l'heure. Non... il suffit que M. Pancardi soit en face d'un homme pour retrouver ses qualités de courtoisie et d'obligeance. Un vrai mouton ! Ce qui ne veut pas dire que les choses vont aller toutes seules. Loin de là ! Rien d'entêté comme un mouton... »

Tout au bout du magasin, entre le bureau de l'antiquaire et l'escalier tournant, une tapisserie fut soulevée, livrant passage à une femme qui tenait le battant d'une porte. Elle avait peut-être une trentaine d'années. Vêtue fort simplement, elle semblait, avec son tablier, plutôt une cuisinière qu'une patronne. Mais le visage était sympathique et la tournure avenante.

Hortense, qui avait suivi Rénine, fut très étonnée de reconnaître en elle une femme de chambre qu'elle avait eue à son service, étant jeune fille :

« Comment ! C'est vous, Lucienne ? Vous êtes Mme Pancardi ? »

La nouvelle venue la regarda, la reconnut aussi et parut embarrassée. Rénine lui dit :

« Votre mari et moi, nous avons besoin de vous, madame Pancardi, pour terminer une affaire assez compliquée... une affaire où vous avez joué un rôle important... »

Elle avança, sans un mot, visiblement inquiète, et elle dit à son mari qui ne la quittait pas des yeux :

« Qu'est-ce qu'il y a ? Que me veut-on ? Quelle est cette affaire ? »

À voix basse, Pancardi articula ces quelques mots :

« L'agrafe... l'agrafe de corsage... »

Il n'en fallut pas davantage pour que Mme Pancardi entrevît la situation dans toute sa gravité. Aussi n'essaya-t-elle pas de faire bonne contenance ou d'opposer d'inutiles protestations. Elle s'affaissa sur une chaise, en soupirant :

« Ah ! voilà... je m'explique... Mlle Hortense a retrouvé la piste... Ah ! nous sommes perdus !... »

Il y eut un moment de répit. À peine la lutte avait-elle commencé entre les adversaires que le mari et la femme prenaient l'attitude de vaincus qui n'espèrent plus qu'en la clémence du vainqueur. Immobile et les yeux fixes, elle se mit à pleurer. Penché sur elle, Rénine prononça :

« Mettons les choses au point, voulez-vous, madame ? Nous y verrons plus clair et je suis sûr que notre entrevue trouvera sa solution toute naturelle. Voici. Il y a neuf ans, alors que vous serviez en province chez Mlle Hortense, vous avez connu le sieur Pancardi, lequel bientôt devint votre amant. Vous étiez Corses tous les deux, c'est-à-dire d'un pays où les superstitions sont violentes, où la question de chance et de malchance, la jettatura, le mauvais sort, influent profondément sur la vie de chacun. Or, il était avéré que l'agrafe de corsage de votre patronne avait toujours porté chance à ceux qui la possédaient. C'est la raison pour laquelle, dans un moment de défaillance, stimulée par le sieur Pancardi, vous avez dérobé ce bijou. Six mois après, vous quittiez votre place et vous deveniez Mme Pancardi. Voilà, résumée en quelques phrases, toute votre aventure, n'est-ce pas ? toute l'aventure de deux personnages qui seraient restés d'honnêtes gens s'ils avaient pu résister à cette tentation passagère.

« Inutile de vous dire à quel point vous avez réussi tous les deux, et comment, maîtres du talisman, croyant à sa vertu et confiants en vous-mêmes, vous vous êtes poussés au premier rang de marchands de bric-à-brac. Aujourd'hui, riches, propriétaires du magasin *Au Dieu Mercure*, vous attribuez le succès de vos entreprises à cette agrafe de corsage. La perdre, pour vous, ce serait la ruine et la misère. Toute votre vie est concentrée en elle. C'est le fétiche. C'est le petit dieu domestique qui protège et qui conseille. Il est là, quelque part, caché sous le fouillis, et personne évidemment n'aurait rien soupçonné (car je le répète, sauf cette erreur, vous êtes de braves gens), si le hasard ne m'avait conduit à m'occuper de vos affaires. »

Rénine fit une pause et reprit :

« Il y a deux mois de cela. Deux mois d'investigations minutieuses, qui m'étaient faciles puisque, ayant retrouvé votre piste, j'avais loué l'entresol et que je pouvais utiliser cet escalier... mais tout de même, deux mois perdus jusqu'à un certain point, puisque je n'ai pas encore réussi. Et Dieu sait si je l'ai bouleversé votre magasin ! Pas un meuble qui n'ait été visité. Pas une lame de parquet qui n'ait été interrogée. Résultat nul. Si, pourtant, quelque chose, une découverte accessoire. Dans un casier secret de votre bureau, Pancardi, j'ai déniché un petit registre où vous avez conté vos remords, vos inquiétudes, votre peur du châtiment, votre crainte de la colère divine.

« Grosse imprudence, Pancardi. Est-ce qu'on écrit de tels aveux ? Et surtout est-ce qu'on les laisse traîner ? Quoi qu'il en soit, je les ai lus, et j'y ai relevé cette phrase, dont l'importance ne m'a pas échappé, et qui m'a servi à préparer mon plan d'attaque :

« — Qu'elle vienne à moi celle que j'ai dépossédée, qu'elle vienne à moi telle que je la voyais dans son jardin, tandis que Lucienne prenait le bijou. Qu'elle m'apparaisse, vêtue de la robe bleue, coiffée de la toque de feuillage roux, avec le collier de jais et la cravache aux trois baguettes de jonc tressées qu'elle portait ce jour-là ! Qu'elle m'apparaisse ainsi et qu'elle me dise : « Je viens vous réclamer ce qui m'appartient. » Alors je comprendrai que c'est Dieu qui lui inspire cette démarche et que je dois obéir aux ordres de la Providence. »

« Voilà ce qui est écrit dans votre registre, Pancardi, et ce qui explique la démarche de celle que vous appelez Mlle Hortense. Celle-ci, suivant mes instructions, et conformément à la petite mise en scène que vous avez vous-même imaginée, est venue vers vous, du fond du passé — c'est votre propre expression. Un peu plus de sang-froid et vous savez qu'elle eût gagné la partie. Malheureusement, vous jouez la comédie à merveille, votre tentative de suicide l'a désorientée, et vous avez compris qu'il n'y avait point là un ordre de la Providence, mais simplement une offensive de votre ancienne victime. Je n'avais donc plus qu'à intervenir. Me voici, et maintenant, concluons :

« Pancardi, l'agrafe ?

— Non, fit l'antiquaire, à qui l'idée de restituer l'agrafe rendait toute son énergie.

— Et vous, madame Pancardi ?

— Je ne sais pas où elle est, affirma la femme.

— Bien. Alors, passons aux actes. Madame Pancardi, vous avez un fils âgé de sept ans, que vous aimez de tout votre cœur. Aujourd'hui jeudi, comme chaque jeudi d'ailleurs, ce fils doit revenir tout seul de chez sa tante. Deux de mes amis sont postés sur son chemin, et, sauf contrordre, l'enlèveront au passage. »

Tout de suite, Mme Pancardi s'affola.

« Mon fils ! oh ! je vous en prie... non, pas cela... je vous jure que je ne sais rien. Mon mari n'a jamais voulu se confier à moi. »

Rénine continua :

« Deuxième point : dès ce soir, une plainte sera déposée au parquet. Comme preuve, les aveux du registre. Conséquences : action judiciaire, perquisition, etc. »

Pancardi se taisait. On avait l'impression que toutes ces menaces ne l'atteignaient pas et que, protégé par son fétiche, il se croyait invulnérable. Mais sa femme se jeta aux pieds de Rénine en bégayant :

« Non... non... je vous en supplie, ce serait la prison, je ne veux pas... Et puis, mon fils... oh ! je vous en supplie... »

Hortense, apitoyée, prit Rénine à part.

« La pauvre femme ! j'intercède pour elle.

— Tranquillisez-vous, dit-il en riant, il n'arrivera rien à son fils.

— Mais vos amis sont postés ?...

— Pure invention.

— Cette plainte au parquet ?

— Simple menace.

— Que cherchez-vous donc ?...

— À les effarer, à les faire sortir d'eux-mêmes, dans l'espoir qu'un mot leur échappera, un mot qui me renseignera. Nous avons essayé tous les moyens. Celui-là seul nous reste, et c'est un moyen qui me réussit presque toujours, rappelez-vous nos aventures.

— Mais si le mot que vous attendez n'est pas prononcé ?

— Il faut qu'il le soit, dit Rénine d'une voix sourde. Il faut en finir. L'heure approche. »

Ses yeux rencontrèrent ceux de la jeune femme et elle rougit en pensant que l'heure à laquelle il faisait allusion c'était la huitième, et qu'il n'avait d'autre but que d'en finir avant que cette huitième heure ne sonnât.

« Voilà donc, d'une part, ce que vous risquez, dit-il au couple Pancardi. La disparition de votre enfant, et la prison... la prison certaine puisqu'il y a le registre des aveux. Et maintenant, d'autre part, voici mon offre. Contre la restitution immédiate, instantanée de l'agrafe, vingt mille francs. Elle ne vaut pas trois louis. »

Aucune réponse. Mme Pancardi pleurait.

Rénine reprit, en espaçant ses propositions :

« Je double... Je triple... Fichtre, vous êtes exigeant, Pancardi... Alors quoi, il faut mettre le chiffre rond ? Soit. Cent mille. »

Il allongea la main comme s'il n'y avait point de doute qu'on ne lui donnât le bijou.

Ce fut Mme Pancardi qui fléchit la première et elle le fit avec une rage soudaine contre son mari :

« Mais avoue donc !... Parle !... où l'as-tu cachée ? Enfin, quoi, tu ne vas pas t'obstiner ? Sinon, c'est la ruine... la misère... Et puis, notre fils !... Voyons, parle... »

Hortense murmura :

« Rénine, c'est de la folie, le bijou n'a aucune valeur.

— Rien à craindre, dit Rénine, il n'acceptera pas... Mais regardez-le... Dans quel état d'agitation il se trouve ! Exactement ce que je voulais... Ah ! cela, voyez-vous, c'est passionnant... Faire sortir les gens d'eux-mêmes !... Leur enlever tout contrôle sur ce qu'ils pensent et sur ce qu'ils disent !... Et, dans ce désordre, dans la tempête qui les secoue, apercevoir la petite étincelle qui jaillira quelque part !... Regardez-le ! Regardez-le ! Cent mille francs pour un caillou sans valeur... sinon la prison... Il y a de quoi vous tourner la tête !... »

De fait, l'homme était livide, ses lèvres tremblaient et laissaient couler un peu de salive. On devinait le bouillonnement et le tumulte de tout son être, secoué par des sentiments contradictoires, par des peurs et des convoitises qui se heurtaient. Il éclata soudain, et vraiment il était facile de se rendre compte que ses paroles jaillissaient au hasard, et sans qu'il eût aucunement conscience de ce qu'il disait :

« Cent mille ! Deux cent mille ! Cinq cent mille ! Un million ! Je m'en moque ! Des millions ? à quoi ça sert, des millions ? On les perd. Ça disparaît... Ça s'envole... Il n'y a qu'une chose qui compte, le sort qui est pour vous ou contre vous. Et le sort est pour moi depuis neuf ans. Jamais il ne m'a trahi, et vous voudriez que je le trahisse ? Pourquoi ? Par peur ? La prison ? Mon fils ?... Des bêtises !... Rien de mauvais ne m'arrivera tant que j'obligerai le sort à travailler pour moi. C'est mon serviteur, mon ami... Il est attaché à l'agrafe. Comment ? Est-ce que je sais, moi ? C'est la cornaline, sans doute... Il y a des pierres miraculeuses qui contiennent le bonheur, comme d'autres contiennent du feu, ou du soufre, ou de l'or... »

Rénine ne le quittait pas des yeux, attentif aux moindres mots et aux moindres intonations. L'antiquaire riait maintenant d'un rire nerveux, tout en reprenant l'aplomb de l'homme qui se sent sûr de lui, et il marchait devant Rénine avec des gestes saccadés, où l'on sentait une résolution croissante.

« Des millions ? Mais je n'en voudrais pas, cher monsieur. Le petit morceau de pierre que je possède vaut beaucoup plus que cela. Et la preuve, c'est tout le mal que vous vous donnez pour me l'enlever. Ah ! ah ! des mois de recherches, vous l'avouez vous-même. Des mois où vous avez tout bouleversé, tandis que moi, qui ne soupçonnais rien, je ne me défendais même pas ! Pourquoi me défendre ? La petite chose se défendait toute seule... Elle ne veut pas être découverte et elle ne le sera pas... Elle se trouve bien ici. Elle préside à de bonnes et loyales affaires qui la satisfont... La chance de Pancardi ? Mais c'est connu dans tout le quartier, chez tous les antiquaires. Je le crie sur les toits : « J'ai la chance. » J'ai même eu le toupet de prendre comme patron le dieu de la chance... Mercure ! Lui aussi me protège. Tenez, j'en ai mis partout dans ma boutique, des Mercures ! Regardez là-haut, sur cette planche, toute une série de statuettes, comme celle de l'enseigne, des épreuves signées d'un grand sculpteur, qui s'est ruiné et qui me les a vendues. En voulez-vous une, cher monsieur ? ça vous portera bonheur aussi. Choisissez ! Un cadeau de Pancardi pour vous dédommager de votre échec ! Ça vous va ? »

Il dressa un escabeau contre la muraille, en dessous de la planche, saisit une statuette qu'il descendit et qu'il coucha dans les bras de Rénine. Et, riant de plus belle, d'autant plus surexcité que l'ennemi semblait lâcher pied et reculer devant son attaque fougueuse, il s'exclama :

« Bravo ! il accepte ! Et s'il accepte, c'est que tout le monde est d'accord ! Madame Pancardi, ne vous faites pas de bile. Votre fils va revenir, et il n'y aura pas de prison ! Au revoir, mademoiselle Hortense ! Au revoir, monsieur. Quand vous voudrez me dire un petit bonjour, trois coups au plafond. Au revoir... emportez votre cadeau... et que Mercure vous favorise ! Au revoir, mon cher prince... Au revoir, mademoiselle Hortense... »

Il les poussait vers l'escalier de fer, les prenait tour à tour par le bras et les dirigeait jusqu'à la porte basse qui se dissimulait au haut de cet escalier.

Et ce qu'il y a de plus étrange, c'est que Rénine ne protesta pas. Il n'eut pas un mouvement de résistance. Il se laissa conduire, comme un enfant que l'on punit et que l'on met à la porte.

Entre l'instant où il avait fait son offre à Pancardi et l'instant où Pancardi, triomphant, le jetait à la porte avec une statuette dans les bras, il ne s'était pas écoulé cinq minutes.

La salle à manger et le salon de l'entresol que Rénine avait loués donnaient sur la rue. Dans la salle à manger, deux couverts étaient mis.

« Excusez ces préparatifs, dit Rénine à Hortense, en lui ouvrant le salon. J'ai pensé que, en tout état de cause, les événements me permettraient de vous recevoir en cette fin de journée, et que nous pourrions dîner ensemble. Ne me refusez pas cette faveur, qui sera la dernière de notre dernière aventure. »

Hortense ne refusa pas ; la façon dont se terminait la bataille, qui était si contraire à tout ce qu'elle avait vu jusqu'ici, la déconcertait. Pourquoi, d'ailleurs, eût-elle refusé puisque les conditions du pacte n'étaient pas remplies ?

Rénine se retira pour donner des ordres à son domestique, puis, deux minutes plus tard, vint rechercher Hortense et la conduisit dans la salle. Il était, à ce moment, un peu plus de sept heures.

Il y avait des fleurs sur la table. Au milieu se dressait la statuette de Mercure, cadeau du sieur Pancardi.

« Que le dieu de la chance préside à notre repas ! » dit Rénine.

Il se montra fort gai, et dit toute la joie qu'il avait à se trouver en face d'elle.

« Ah ! s'écria-t-il, c'est que vous mettiez de la mauvaise volonté ! Madame me condamnait sa porte... Madame n'écrivait plus... Vraiment, chère amie, vous avez été cruelle, et j'en souffrais profondément. Aussi ai-je dû employer les grands moyens et vous attirer par l'appât des plus fabuleuses entreprises. Avouez que ma lettre était joliment habile ! Les trois baguettes... la robe bleue... Comment résister à tout cela ! Par surcroît, j'ai ajouté de mon cru quelques énigmes de plus, les soixante-quinze boules du collier, la vieille au chapelet d'argent... bref, de quoi rendre la tentation irrésistible. Ne m'en veuillez pas. Je voulais vous voir, et que ce fût aujourd'hui. Vous êtes venue. Merci. »

Il raconta ensuite comment il avait retrouvé la piste du bijou volé.

« Vous espériez bien, n'est-ce pas, en m'imposant cette condition, qu'il ne me serait pas possible de la remplir ? Erreur, chère amie. L'épreuve, du moins au début, était facile, puisqu'elle s'appuyait sur une donnée certaine : le caractère du talisman qui s'attachait à l'agrafe. Il suffisait de rechercher si, dans votre entourage, parmi vos domestiques, il y avait eu quelqu'un sur qui ce caractère ait pu exercer une attraction quelconque. Or, tout de suite, sur la liste des personnes que je parvins à établir, je notai le nom de Mlle Lucienne, originaire de Corse. Ce fut mon point de départ. Après cela, tout s'enchaînait. »

Hortense le considérait avec surprise. Comment se faisait-il qu'il acceptât sa défaite d'un air si nonchalant et qu'il parlât même en triomphateur, alors que, dans la réalité, il avait été nettement vaincu par l'antiquaire, et quelque peu tourné en ridicule ?

Elle ne put s'empêcher de le lui faire sentir, et le ton qu'elle y mit revêtait un certain désappointement, une certaine humiliation.

« Tout s'enchaînait, soit. Mais la chaîne est rompue, puisque, en fin de compte, si vous connaissez le voleur, vous n'avez pas réussi à mettre la main sur l'objet volé. »

Le reproche était manifeste. Rénine ne l'avait pas accoutumée à l'insuccès. Et plus encore, elle s'irritait de constater avec quelle insouciance il se résignait à un échec qui, somme toute, entraînait la ruine des espérances qu'il avait pu concevoir.

Il ne répondit pas. Il avait rempli deux coupes de champagne, et il en vidait une lentement, les yeux attachés sur la statuette du dieu Mercure. Il la fit pivoter sur son piédestal, comme un voyageur qui se réjouit.

« Quelle admirable chose qu'une ligne harmonieuse ! La couleur m'exalte moins que la ligne, la proportion, la symétrie, et tout ce qu'il y a de merveilleux dans la forme. Ainsi, chère amie, la couleur de vos yeux bleus, la couleur de vos cheveux fauves, je les aime. Mais ce qui m'émeut, c'est l'ovale de votre visage, c'est la courbe de votre nuque et de vos épaules. Regardez cette statuette. Pancardi a raison : c'est l'œuvre d'un grand artiste. Les jambes sont à la fois fines et solidement musclées, toute la silhouette donne l'impression de l'élan et de la rapidité. C'est très bien... Une seule faute, cependant, très légère, et que vous n'avez peut-être pas remarquée.

— Si, si, affirma Hortense. Elle m'a frappée dès que j'ai vu l'enseigne, dehors. Vous voulez parler, n'est-ce pas, de cette espèce de déséquilibre ? Le dieu est trop penché sur la jambe qui le porte. On croirait qu'il va tomber en avant.

— Tous mes compliments, dit Rénine. La faute est imperceptible, et il faut un œil exercé pour s'en apercevoir. Mais, en effet, logiquement, le poids du corps devrait l'emporter, et logiquement, selon les lois de la matière, le petit dieu devrait piquer une tête. »

Après un silence, il reprit :

« J'ai remarqué ce défaut depuis le premier jour. Comment n'en ai-je pas, alors, tiré de conclusions ? J'ai été choqué parce qu'on avait péché contre une loi esthétique, alors que j'aurais dû l'être parce qu'on avait manqué à une loi physique. Comme si l'art et la nature ne se confondaient pas ! Et comme si les lois de la pesanteur pouvaient être dérangées, sans qu'il y ait là une raison primordiale...

— Que voulez-vous dire ? demanda Hortense, intriguée par ces considérations qui semblaient si étrangères à leurs pensées secrètes. Que voulez-vous dire ?

— Oh ! rien, fit-il. Je m'étonne seulement de n'avoir point compris plus tôt pourquoi ce Mercure ne piquait pas une tête, comme ce serait son devoir.

— Et le motif ?

— Le motif ? J'imagine que Pancardi, en tripotant la statuette pour la faire servir à ses desseins, en aura dérangé l'équilibre, mais que cet équilibre s'est retrouvé grâce à quelque chose qui retient le petit dieu en arrière, et qui compense son attitude vraiment trop risquée.

— Quelque chose ?

— Oui. En l'occurrence, la statuette aurait pu être scellée. Mais elle ne l'était pas, et je le savais, ayant remarqué que Pancardi, du haut d'une échelle, la soulevait et la nettoyait tous les deux ou trois jours. Reste donc une seule hypothèse : le contrepoids. »

Hortense tressaillit. Un peu de lumière l'éclairait à son tour. Elle murmura :

« Un contrepoids !... Est-ce que vous supposeriez que ce serait... dans le piédestal ?...

— Pourquoi pas ?

— Est-ce possible ? Mais, dans ce cas, comment Pancardi vous aurait-il donné cette statuette...

— Il ne m'a pas donné *celle-ci*, déclara Rénine. Celle-ci, c'est moi qui l'ai prise.

— Mais où ? Quand ?

— Tout à l'heure, quand vous étiez au salon. J'ai enjambé cette fenêtre, laquelle est située au-dessus de l'enseigne, et à côté de la niche du petit dieu. Et j'ai fait l'échange. C'est-à-dire que j'ai pris la statue qui était dehors et qui avait de l'intérêt pour moi, et que j'ai mis celle que m'avait donnée Pancardi et qui n'avait aucun intérêt.

— Mais celle-là n'était pas penchée en avant ?

— Non, pas plus que celles qui sont sur la planche de son magasin. Mais Pancardi n'est pas un artiste. Un défaut d'aplomb ne le frappe pas, il n'y verra que du feu, et il continuera à se croire favorisé par la chance, ce qui revient à dire que la chance continuera à le favoriser. En attendant, voici la statuette, celle de l'enseigne. Dois-je en démolir le piédestal et en sortir votre agrafe de la gaine de plomb soudée à l'arrière de ce piédestal, et qui assure l'équilibre du dieu Mercure ?

— Non !... non !... inutile... », répondit vivement Hortense à voix basse.

L'intuition, la subtilité de Rénine, l'adresse avec laquelle il avait mené toute cette affaire, pour elle, tout cela restait dans l'ombre à cette minute précise. Mais elle songeait soudain que la huitième aventure était achevée, que les épreuves avaient tourné à son avantage, et que l'extrême délai fixé pour la dernière de ces épreuves n'était pas encore atteint.

Il eut, d'ailleurs, la cruauté de le remarquer :

« Huit heures moins le quart », dit-il.

Un lourd silence s'établit entre eux, dont l'un et l'autre subissaient la gêne, au point qu'ils hésitaient à faire le moindre mouvement. Pour le rompre, Rénine plaisanta :

« Ce brave M. Pancardi, comme il a été bon de me renseigner ! Je savais bien, du reste, qu'en l'exaspérant je finirais par recueillir dans ses phrases la petite indication qui me manquait. C'est exactement comme si l'on mettait un briquet dans les mains de quelqu'un et qu'on lui intimât l'ordre de s'en servir. À la fin une étincelle se produit. L'étincelle chez moi, ce qui l'a produite, c'est le rapprochement inconscient, mais inévitable, qu'il a fait entre l'agrafe de cornaline, principe de chance, et Mercure, dieu de la chance. Cela suffisait. Je compris que cette association d'idées provenait de ce que, dans la réalité, il avait associé les deux chances en les incorporant l'une à l'autre, c'est-à-dire, pour être clair, en dissimulant le bijou dans le bloc même de la statuette. Et instantanément je me souvins du Mercure placé à l'extérieur et du défaut d'équilibre... »

Rénine s'interrompit brusquement ; il lui semblait que toutes ses paroles tombaient dans le vide. La jeune femme avait appuyé sa main contre son front, et voilant ainsi ses yeux, elle demeurait immobile, très lointaine.

En vérité, elle n'écoutait point. Le dénouement de cette aventure particulière et la façon dont Rénine s'était comporté en cette occasion ne l'intéressaient plus. Ce à quoi elle songeait, c'était à l'ensemble des aventures qu'elle avait vécues depuis trois mois, et à la conduite prodigieuse de l'homme qui lui avait offert son dévouement. Elle apercevait, comme sur un tableau magique, les actes fabuleux accomplis par lui, tout le bien qu'il avait fait, les existences sauvées, les douleurs apaisées, les crimes punis, l'ordre rétabli partout où s'était exercée sa volonté de maître. Rien ne lui était impossible. Ce qu'il entreprenait, il l'exécutait. Chacun des buts vers lesquels il marchait, d'avance, était atteint. Et tout cela sans effort excessif, avec le calme de celui qui connaît sa puissance, et qui sait que rien ne lui résistera.

Alors que pouvait-elle contre lui ? Pourquoi et comment se défendre ? S'il exigeait qu'elle se soumît, ne saurait-il pas l'y contraindre, et cette aventure suprême serait-elle pour lui plus difficile que les autres ? En admettant qu'elle se sauvât, y avait-il dans l'immense univers une retraite où elle fût à l'abri de sa poursuite ? Dès le premier instant de leur première rencontre, le dénouement était certain, puisque Rénine avait décrété qu'il en serait ainsi.

Cependant, elle cherchait encore des armes, une protection, et elle se disait que, s'il avait rempli les huit conditions, et s'il lui avait rendu l'agrafe de cornaline avant que la huitième heure ne fût sonnée, toutefois elle était protégée par ce fait que la huitième heure devait sonner à l'horloge du château de Halingre, et non pas ailleurs. Le pacte était formel. Rénine avait dit, ce jour-là, en regardant les lèvres qu'il convoitait : « Le vieux balancier de cuivre reprendra son mouvement, et lorsque, à la date fixée, il frappera de nouveau huit coups, alors... »

Elle releva la tête. Lui non plus ne bougeait pas, grave, paisible dans son attente.

Elle fut sur le point de lui dire, et même elle prépara ses phrases :

« Vous savez... notre accord veut que ce soit l'horloge de Halingre. Toutes les conditions sont remplies. Mais pas celle-ci. Alors je suis libre, n'est-ce pas ? J'ai le droit de ne pas tenir une promesse, que je n'avais pas faite d'ailleurs, mais qui tombe, en tout cas, d'elle-même... Et je suis libre... affranchie de tout scrupule ?... »

Elle n'eut pas le temps de parler. À cette seconde exacte, derrière elle, un déclenchement se produisit, pareil à celui d'une horloge qui va sonner.

Un premier coup de timbre retentit, puis un second, puis un troisième.

Hortense eut un gémissement. Elle avait reconnu le timbre même de la vieille horloge de Halingre, qui, trois mois auparavant, en rompant d'une façon surnaturelle le silence du château abandonné, les avait jetés l'un et l'autre sur le chemin des aventures.

Elle compta. L'horloge sonna les huit coups.

« Ah ! murmura-t-elle toute défaillante, et se cachant la figure entre les mains... l'horloge... l'horloge qui est ici... celle de là-bas... je reconnais sa voix... »

Elle n'en dit pas davantage. Elle devinait que Rénine avait les yeux sur elle, et ce regard lui enlevait toutes ses forces. Elle aurait pu d'ailleurs les recouvrer qu'elle n'en eût pas été plus vaillante, et qu'elle n'eût point cherché à lui opposer la moindre résistance, pour cette raison qu'elle ne voulait pas résister. Toutes les aventures étaient finies, mais il en restait une à courir, dont l'attente effaçait le souvenir de toutes les autres. C'était l'aventure d'amour, la plus délicieuse, la plus troublante, la plus adorable des aventures. Elle acceptait l'ordre du destin, heureuse de tout ce qui pourrait advenir, puisqu'elle aimait. Elle sourit, malgré elle, en pensant que la joie revenait dans sa vie à l'instant même où son bien-aimé lui apportait l'agrafe de cornaline.

Une seconde fois, le timbre de l'horloge retentit.

Hortense leva les yeux sur Rénine. Quelques secondes encore elle se débattit. Mais elle était, ainsi qu'un oiseau fasciné, incapable d'un geste de révolte, et, comme le huitième coup sonnait, elle s'abandonna contre lui, en tendant ses lèvres...

1929

LA COMTESSE DE CAGLIOSTRO

Ce roman, l'un des plus réussis de Maurice Leblanc, parut en feuilleton dans Le Journal, *du 10 décembre 1923 au 30 janvier 1924. Il présentait une faute d'inattention dont Maurice Leblanc fut le premier à sourire : « Me reprochera-t-on d'avoir, dans* La Comtesse de Cagliostro, *lorsque Beaumagnan se frappa la poitrine d'un grand coup de poignard, fait accourir les paysans au bruit de la détonation ? » Évidemment, l'erreur est supprimée de l'édition que donne Pierre Lafitte en juillet 1924. En 1929, la collection « Les Romans d'aventure et d'action » ne reprend pas le dessin de la Grande Ourse, au chapitre XII, et l'épilogue est modifié. Cette édition est illustrée de dessins de Roger Broders, qui donne au jeune Arsène Lupin les traits de Maurice Chevalier, un chanteur alors célèbre.*

L'édition de 1924 a été tirée à 6 000 exemplaires, vite épuisés, et Maurice se plaindra que l'on ait tardé à faire de nouveaux tirages : « Le succès fut coupé en plein élan. »

C’est ici la première aventure d’*Arsène Lupin,* et sans doute eût-elle été publiée avant les autres s’il ne s’y était maintes fois et résolument opposé.

« Non, disait-il. Entre la comtesse de Cagliostro et moi, tout n’est pas réglé. Attendons. »

L’attente dura plus qu’il ne le prévoyait. Un quart de siècle se passa avant LE RÈGLEMENT DÉFINITIF. Et c’est aujourd’hui seulement qu’il est permis de raconter ce que fut l’effroyable duel d’amour qui mit aux prises un enfant de vingt ans et LA FILLE DE CAGLIOSTRO.

I

ARSÈNE LUPIN A VINGT ANS

Raoul d'Andrésy jeta sa bicyclette, après en avoir éteint la lanterne, derrière un talus rehaussé de broussailles. À ce moment, trois heures sonnaient au clocher de Bénouville.

Dans l'ombre épaisse de la nuit, il suivit le chemin de campagne qui desservait le domaine de la Haie d'Étigues, et parvint ainsi aux murs de l'enceinte. Il attendit un peu. Des chevaux qui piaffent, des roues qui résonnent sur le pavé d'une cour, un bruit de grelots, les deux battants de la porte ouverts d'un coup... et un break passa. À peine Raoul eut-il le temps de percevoir des voix d'hommes et de distinguer le canon d'un fusil. Déjà la voiture gagnait la grand-route et filait vers Étretat.

« Allons, se dit-il, la chasse aux guillemots est captivante, la roche où on les massacre est lointaine... je vais enfin savoir ce que signifient cette partie de chasse improvisée et toutes ces allées et venues. »

Il longea par la gauche les murs du domaine, les contourna, et, après le deuxième angle, s'arrêta au quarantième pas. Il tenait deux clefs dans sa main. La première ouvrit une petite porte basse, après laquelle il monta un escalier taillé au creux d'un vieux rempart, à moitié démoli, qui flanquait une des ailes du château. La deuxième lui livra une entrée secrète, au niveau du premier étage.

Il alluma sa lampe de poche, et, sans trop de précaution, car il savait que le personnel habitait de l'autre côté, et que Clarisse d'Étigues, la fille unique du baron, demeurait au second, il suivit un couloir qui le conduisit dans un vaste cabinet de travail : c'était là que, quelques semaines auparavant, Raoul avait demandé au baron la main de sa fille, et là qu'il avait été accueilli par une explosion de colère indignée dont il gardait un souvenir désagréable.

Une glace lui renvoya sa pâle figure d'adolescent, plus pâle que d'habitude. Cependant, entraîné aux émotions, il restait maître de lui, et, froidement, il se mit à l'œuvre.

Ce ne fut pas long. Lors de son entretien avec le baron, il

« *Il longea par la gauche les murs du domaine...* »

avait remarqué que son interlocuteur jetait parfois un coup d'œil sur un grand bureau d'acajou dont le cylindre n'était pas rabattu. Raoul connaissait tous les emplacements où il est possible de pratiquer une cachette, et tous les mécanismes que l'on fait jouer en pareil cas. Une minute après, il découvrait dans une fente une lettre écrite sur du papier très fin et roulé comme une cigarette. Aucune signature, aucune adresse.

Il étudia cette missive dont le texte lui parut d'abord trop banal pour qu'on la dissimulât avec tant de soin, et il put ainsi, grâce à un travail minutieux, en s'accrochant à certains mots plus significatifs, et en supprimant certaines phrases évidemment destinées à remplir les vides, il put ainsi reconstituer ce qui suit :

« J'ai retrouvé à Rouen les traces de notre ennemie, et j'ai fait insérer dans les journaux de la localité qu'un paysan des environs d'Étretat avait déterré dans sa prairie un vieux chandelier de cuivre à sept branches. Elle a aussitôt télégraphié au voiturier d'Étretat qu'on lui envoie le douze, à trois heures de l'après-midi, un coupé en gare de Fécamp. Le matin de ce jour, le voiturier recevra, par mes soins, une autre dépêche contremandant cet ordre. Ce sera donc votre coupé à vous qu'elle trouvera en gare de Fécamp et qui l'amènera sous bonne escorte, parmi nous, au moment où nous tiendrons notre assemblée.

« Nous pourrons alors nous ériger en tribunal et prononcer contre elle un verdict impitoyable. Aux époques où la grandeur du but justifiait les moyens, le châtiment eût été immédiat. Morte la bête, mort le venin. Choisissez la solution qui vous plaira, mais en vous rappelant les termes de notre dernier entretien, et en vous disant bien que la réussite de nos entreprises, et que notre existence elle-même, dépendent de cette créature infernale. Soyez prudent. Organisez une partie de chasse qui détourne les soupçons. J'arriverai par Le Havre, à quatre heures exactement, avec deux de nos amis. Ne détruisez pas cette lettre. Vous me la rendrez. »

« L'excès de précaution est un défaut, pensa Raoul. Si le correspondant du baron ne s'était pas défié, le baron aurait brûlé ces lignes, et j'ignorerais qu'il y a projet d'enlèvement, projet de jugement illégal, et même, Dieu me pardonne ! projet d'assassinat. Fichtre ! mon futur beau-père, si dévot qu'il soit, me semble empêtré dans des combinaisons peu catholiques. Irat-il jusqu'au meurtre ? Tout cela est rudement grave et pourrait me donner barre sur lui. »

Raoul se frotta les mains. L'affaire lui plaisait et ne l'étonnait pas outre mesure, quelques détails ayant éveillé son attention depuis plusieurs jours. Il résolut donc de retourner à son auberge, d'y dormir, puis de s'en revenir à temps pour apprendre ce que complotaient le baron et ses invités, et quelle était cette « créature infernale » dont on souhaitait la suppression.

Il remit tout en ordre, mais, au lieu de partir, il s'assit devant un guéridon où se trouvait une photographie de Clarisse, et, la mettant bien en face de lui, la contempla avec une tendresse profonde. Clarisse d'Étigues, à peine plus jeune que lui !... Dix-huit ans ! Des lèvres voluptueuses... les yeux pleins de rêve... un frais visage de blonde, rose et délicat, avec des cheveux pâles comme en ont les petites filles qui courent sur les routes du pays de Caux, et un air si doux, et tant de charme !...

Le regard de Raoul se faisait plus dur. Une pensée mauvaise qu'il ne parvenait pas à dominer, envahissait le jeune homme. Clarisse était seule, là-haut, dans son appartement isolé, et deux fois déjà, se servant des clefs qu'elle-même lui avait confiées, deux fois déjà, à l'heure du thé, il l'y avait rejointe. Alors qui le retenait aujourd'hui ? Aucun bruit ne pouvait parvenir jusqu'aux domestiques. Le baron ne devait rentrer qu'au cours de l'après-midi. Pourquoi s'en aller ?

Raoul n'était pas un Lovelace. Bien des sentiments de probité et de délicatesse s'opposaient en lui au déchaînement d'instincts et d'appétits dont il connaissait la violence excessive. Mais comment résister à une pareille tentation ? L'orgueil, le désir, l'amour, le besoin impérieux de conquérir, le poussaient à l'action. Sans plus s'attarder à de vains scrupules, il monta vivement les marches de l'escalier.

Devant la porte close, il hésita. S'il l'avait franchie déjà, c'était en plein jour, comme un ami respectueux. Quelle signification, au contraire, prenait un pareil acte à cette heure de la nuit !

Débat de conscience qui dura peu. À petits coups, il frappa, tout en chuchotant :

« Clarisse... Clarisse... c'est moi. »

Au bout d'une minute, n'entendant rien, il allait frapper de nouveau et plus fort, quand la porte du boudoir fut entrebâillée, et la jeune fille apparut, une lampe à la main.

Il remarqua sa pâleur et son épouvante, et cela le bouleversa au point qu'il recula, prêt à partir.

« Ne m'en veux pas, Clarisse... Je suis venu malgré moi... Tu n'as qu'à dire un mot et je m'en vais... »

Clarisse eût entendu ces paroles qu'elle eût été sauvée. Elle aurait aisément dominé un adversaire qui acceptait d'avance la défaite. Mais elle ne pouvait ni entendre ni voir. Elle voulait s'indigner et ne faisait que balbutier des reproches indistincts. Elle voulait le chasser et son bras n'avait pas la force de faire un seul geste. Sa main qui tremblait dut poser la lampe. Elle tourna sur elle-même et tomba, évanouie...

Ils s'aimaient depuis trois mois, depuis le jour de leur rencontre dans le Midi où Clarisse passait quelque temps chez une amie de pension.

Tout de suite, ils se sentirent unis par un lien qui fut, pour lui, la chose du monde la plus délicieuse, pour elle, le signe d'un esclavage qu'elle chérissait de plus en plus. Dès le début, Raoul lui sembla un être insaisissable, mystérieux, auquel, jamais, elle ne comprendrait rien. Il la désolait par certains accès de légèreté, d'ironie méchante et d'humeur soucieuse. Mais à côté de cela, quelle séduction ! Quelle gaieté ! Quels soubresauts d'enthousiasme et d'exaltation juvénile. Tous ses défauts prenaient l'apparence de qualités excessives et ses vices avaient un air de vertus qui s'ignorent et qui vont s'épanouir.

Dès son retour en Normandie, elle eut la surprise d'apercevoir, un matin, la fine silhouette du jeune homme, perchée sur un mur, en face de ses fenêtres. Il avait choisi une auberge, à quelques kilomètres de distance, et ainsi, presque chaque jour, s'en vint sur sa bicyclette la retrouver aux environs de la Haie d'Étigues.

Orpheline de mère, Clarisse n'était pas heureuse auprès de son père, homme dur, sombre de caractère, dévot à l'excès, entiché de son titre, âpre au gain, et que ses fermiers redoutaient comme un ennemi. Lorsque Raoul, qui n'avait même pas été présenté, eut l'audace de lui demander la main de sa fille, le baron entra dans une telle fureur contre ce prétendant imberbe, sans situation et sans relations, qu'il l'eût cravaché si le jeune homme ne l'avait regardé d'un petit air de dompteur qui maîtrise une bête féroce.

« Ils s'aimaient depuis trois mois. »

C'est à la suite de cette entrevue, et pour en effacer le souvenir dans l'esprit de Raoul, que Clarisse commit la faute de lui ouvrir, à deux reprises, la porte de son boudoir. Imprudence dangereuse et dont Raoul s'était prévalu avec toute la logique d'un amoureux.

Ce matin-là, simulant une indisposition, elle se fit apporter le déjeuner de midi tandis que Raoul se cachait dans une pièce voisine, et après le repas, ils restèrent longtemps serrés l'un contre l'autre devant la fenêtre ouverte, unis par le souvenir de leurs baisers et par tout ce qu'il y avait en eux de tendresse et, malgré la faute commise, d'ingénuité.

Cependant Clarisse pleurait...

Des heures s'écoulèrent. Un souffle frais qui montait de la mer et flottait sur le plateau leur caressait le visage. En face d'eux, au-delà d'un grand verger clos de murs, et parmi des plaines tout ensoleillées de colza, une dépression leur permettait de voir, à droite, la ligne blanche des hautes falaises jusqu'à Fécamp ; à gauche, la baie d'Étretat, la porte d'Aval et la pointe de l'énorme Aiguille.

Il lui dit doucement :

« Ne soyez pas triste, ma chère bien-aimée. La vie est si belle à notre âge, et elle le sera plus encore pour nous lorsque nous aurons aboli tous les obstacles. Ne pleurez pas. »

Elle essuya ses larmes et tenta de sourire en le regardant. Il était mince comme elle, mais large d'épaules, à la fois élégant et solide d'aspect. Sa figure énergique offrait une bouche malicieuse et des yeux brillants de gaieté. Vêtu d'une culotte courte et d'un veston qui s'ouvrait sur un maillot de laine blanc, il avait un air de souplesse incroyable.

« Raoul, Raoul, dit-elle avec détresse, en ce moment même où vous me regardez vous ne pensez pas à moi ! Vous n'y pensez pas après ce qui vient de se passer entre nous ! Est-ce possible ! À quoi songez-vous, mon Raoul ? »

Il dit en riant :

« À votre père.

— À mon père ?

— Oui, au baron d'Étigues et à ses invités. Comment des messieurs de leur âge peuvent-ils perdre leur temps à massacrer sur une roche de pauvres oiseaux innocents ?

— C'est leur plaisir.

— En êtes-vous certaine ? Pour moi, je suis assez intrigué. Tenez, nous ne serions pas en l'an de grâce 1894 que je croirais plutôt... Vous n'allez pas vous froisser ?

— Parlez, mon chéri.

— Eh bien, ils ont l'air de jouer aux conspirateurs ! Oui, c'est comme je vous le dis, Clarisse... Marquis de Rolleville, Mathieu de la Vaupalière, comte Oscar de Bennetot, Roux d'Estiers, etc., tous ces nobles seigneurs du pays de Caux sont en pleine conjuration. »

Elle fit la moue.

« Vous dites des bêtises, mon chéri.

— Mais vous m'écoutez si joliment, répondit Raoul, convaincu qu'elle n'était au courant de rien. Vous avez une façon si drôle d'attendre que je vous dise des choses graves !...

— Des choses d'amour, Raoul. » Il lui saisit la tête ardemment.

« Toute ma vie n'est qu'amour pour toi, ma bien-aimée. Si j'ai d'autres soucis et d'autres ambitions, c'est pour faire ta conquête ; Clarisse, suppose ceci : ton père, conspirateur, est arrêté et condamné à mort, et tout à coup, moi, je le sauve. Après cela, comment ne me donnerait-il pas la main de sa fille ?

— Il cédera un jour ou l'autre, mon chéri.

— Jamais ! aucune fortune... aucun appui...

— Vous avez votre nom... Raoul d'Andrésy.

— Même pas !

— Comment cela ?

— D'Andrésy, c'était le nom de ma mère, qu'elle a repris quand elle fut veuve, et sur l'ordre de sa famille que son mariage avait indignée.

— Pourquoi ? dit Clarisse, quelque peu étourdie par ces aveux inattendus.

— Pourquoi ? Parce que mon père n'était qu'un roturier, pauvre comme Job... un simple professeur... et professeur de quoi ? De gymnastique, d'escrime et de boxe !

— Alors comment vous appelez-vous ?

— Oh ! d'un nom bien vulgaire, ma pauvre Clarisse.

— Quel nom ?

— Arsène Lupin.

— Arsène Lupin ?...

— Oui, ce n'est guère reluisant, et mieux valait changer, n'est-ce pas ? »

Clarisse semblait atterrée. Qu'il s'appelât d'une façon ou de l'autre, cela ne signifiait rien. Mais la particule, aux yeux du baron, c'était la première qualité d'un gendre...

Elle balbutia cependant :

« Vous n'auriez pas dû renier votre père. Il n'y a aucune honte à être professeur.

— Aucune honte, dit-il, en riant de plus belle, d'un rire qui faisait mal à Clarisse, et je jure que j'ai rudement profité des leçons de boxe et de gymnastique qu'il m'a données quand j'étais encore au biberon ! Mais, n'est-ce pas ? ma mère a peut-être eu d'autres raisons de le renier, l'excellent homme, et ceci ne regarde personne. »

Il l'embrassa avec une violence soudaine, puis se mit à danser et à pirouetter sur lui-même. Et, revenant vers elle :

« Mais ris donc, petite fille, s'écria-t-il. Tout cela est très drôle. Ris donc. Arsène Lupin ou Raoul d'Andrésy, qu'importe ! L'essentiel, c'est de réussir. Et je réussirai. Là-dessus, vois-tu, aucun doute. Pas une somnambule qui ne m'ait prédit un grand avenir et une réputation universelle. Raoul d'Andrésy sera général, ou ministre, ou ambassadeur... à moins que ce ne soit Arsène Lupin. C'est une chose réglée devant le destin, convenue, signée de part et d'autre. Je suis prêt. Muscles d'acier et cerveau numéro un ! Tiens, veux-tu que je marche sur les mains ? ou que je te porte à bout de bras ? Aimes-tu mieux que je prenne ta montre sans que tu t'en aperçoives ? ou bien que je te récite par cœur Homère en grec et Milton en anglais ? Mon Dieu, que la vie est belle ! Raoul d'Andrésy... Arsène Lupin... les deux faces de la statue ! Quelle est celle qu'illuminera la gloire, soleil des vivants ? »

Il s'arrêta net. Son allégresse semblait tout à coup le gêner. Il contempla silencieusement la petite pièce tranquille dont il troublait la sérénité, comme il avait troublé la paix et la pure conscience de la jeune fille, et, par un de ces revirements imprévus qui étaient le charme de sa nature, il s'agenouilla devant Clarisse et lui dit gravement :

« Pardonnez-moi. En venant ici, j'ai mal agi... Ce n'est pas de ma faute... J'ai de la peine à trouver mon équilibre... Le bien, le mal, l'un et l'autre m'attirent. Il faut m'aider, Clarisse, à choisir ma route, et il faut me pardonner si je me trompe. »

Elle lui saisit la tête entre ses mains et, d'un ton de passion :

« Je n'ai rien à te pardonner, mon chéri. Je suis heureuse. Tu me feras beaucoup souffrir, j'en suis sûre, et j'accepte d'avance et avec joie toutes ces douleurs qui me viendront de toi. Tiens, prends ma photographie. Et fais en sorte de n'avoir jamais à rougir quand tu la regarderas. Pour moi, je serai toujours telle que je suis aujourd'hui, ton amante et ton épouse. Je t'aime, Raoul ! »

Elle lui baisa le front. Déjà il riait et il dit, en se relevant :

« Tu m'as armé chevalier. Me voici désormais invincible et prêt à foudroyer mes ennemis. Paraissez, Navarrois !... J'entre en scène ! »

Le plan de Raoul — laissons dans l'ombre le nom d'Arsène Lupin puisque, à cette époque, ignorant sa destinée, lui-même le tenait en quelque mépris —, le plan de Raoul était fort simple. Parmi les arbres du verger, à gauche du château, et s'appuyant contre le mur d'enceinte dont elle formait jadis l'un des bastions, il y avait une tour tronquée, très basse, recouverte d'un toit et qui disparaissait sous des vagues de lierre. Or, Raoul ne doutait point que la réunion de quatre heures n'eût lieu dans la grande salle intérieure où le baron recevait ses fermiers. Et Raoul avait remarqué qu'une ouverture, ancienne fenêtre ou prise d'air, donnait sur la campagne.

Escalade facile pour un garçon aussi adroit ! Sortant du château et rampant sous le lierre, il se hissa, grâce aux énormes racines, jusqu'à l'ouverture pratiquée dans l'épaisse muraille, et qui était assez profonde pour qu'il pût s'y étendre tout de son long. Ainsi, placé à cinq mètres du sol, la tête masquée par du feuillage, il ne pouvait être vu, et voyait toute la salle, grande pièce meublée d'une vingtaine de chaises, d'une table et d'un large banc d'église.

Quarante minutes plus tard, le baron y pénétrait avec un de ses amis, Raoul ne s'était pas trompé dans ses prévisions.

Le baron Godefroy d'Étigues avait la musculature d'un lutteur de foire et un visage couleur de brique, qu'entourait un collier de barbe rousse, et où le regard avait de l'acuité et de l'énergie. Son compagnon, qui était un cousin et que Raoul connaissait de vue, Oscar de Bennetot, donnait cette même impression de hobereau normand, mais avec plus de vulgarité et de lourdeur. À ce moment tous deux semblaient très agités.

« Vite, prononça le baron. La Vaupalière, Rolleville et d'Auppegard vont nous rejoindre. À quatre heures, ce sera Beaumagnan qui viendra avec le prince d'Arcole et de Brie par le verger dont j'ai ouvert la grand-porte... et puis... et puis... ce sera *elle*... si par bonheur, elle tombe dans le piège.

— Douteux, murmura Bennetot.

— Pourquoi ? Elle a commandé un coupé ; le coupé sera là, et elle y montera. D'Ormont qui conduit nous l'amène. Dans la côte des Quatre-Chemins, Roux d'Estiers saute sur le marchepied, ouvre et maîtrise la dame qu'ils ficellent à eux deux. Tout cela est fatal. »

Ils s'étaient rapprochés de l'endroit au-dessus duquel écoutait Raoul. Bennetot chuchota :

« Et après ?

— Après, j'explique la situation à nos amis, le rôle de cette femme...

— Et tu t'imagines obtenir d'eux qu'on la condamne ?...

— Que je l'obtienne ou non, le résultat sera le même. Beaumagnan l'exige. Pouvons-nous refuser ?

— Ah ! fit Bennetot, cet homme nous perdra tous. »

Le baron d'Étigues haussa les épaules.

« Il faut un homme comme lui pour lutter contre une femme comme elle. As-tu tout préparé ?

— Oui, les deux barques sont sur la plage, au bas de l'Escalier du Curé. La plus petite est défoncée et coulera dix minutes après qu'on l'aura mise à l'eau.

— Tu l'as chargée d'une pierre ?

— Oui, un gros galet troué qu'on attachera à l'anneau d'une corde. »

Ils se turent.

Pas un des mots prononcés n'avait échappé à Raoul d'Andrésy, et pas un qui n'eût accru jusqu'à l'excès son ardente curiosité.

« Sacrebleu ! pensait-il, je ne donnerais pas ma loge de balcon pour un empire. Quels gaillards ! Ça parle de tuer comme d'autres de changer de faux col ! »

Godefroy d'Étigues surtout l'étonnait. Comment la tendre Clarisse pouvait-elle être la fille de ce sombre personnage ? Quel but poursuivait-il ? Quels motifs obscurs le dirigeaient ? Haine, cupidité, désir de vengeance, instincts de cruauté ? Il évoquait un bourreau d'autrefois, prêt à quelque sinistre besogne. Des flammes illuminaient sa face empourprée et sa barbe rousse.

Les trois autres invités arrivèrent d'un coup. Raoul les avait souvent remarqués comme des familiers de la Haie d'Étigues. Une fois assis, ils tournèrent le dos aux deux fenêtres qui éclairaient la salle, de sorte que leur visage demeurait dans une sorte de pénombre.

À quatre heures seulement, deux nouveaux venus entrèrent. L'un, âgé, de silhouette militaire, sanglé dans sa redingote, et qui portait au menton la barbiche que l'on appelait l'impériale sous Napoléon III, s'arrêta sur le seuil.

Tout le monde se leva pour aller au-devant de l'autre, que Raoul n'hésita pas à considérer comme l'auteur de la lettre non signée, celui qu'on attendait et que le baron avait désigné sous le nom de Beaumagnan.

Bien qu'il fût le seul à n'avoir ni titre ni particule, on le reçut ainsi qu'un chef, avec un empressement qui convenait à son attitude de domination et à son regard autoritaire. La figure rasée, les joues creuses, de magnifiques yeux noirs tout animés de passion, quelque chose de sévère et même d'ascétique dans ses manières comme dans son habillement, il avait l'air d'un personnage d'église.

Il pria que l'on voulût bien se rasseoir, excusa celui de ses amis qu'il n'avait pu amener, le comte de Brie, et fit avancer son compagnon qu'il présenta :

« Le prince d'Arcole... Vous saviez, n'est-ce pas ? que le prince d'Arcole était des nôtres, mais le hasard avait voulu qu'il fût absent lors de nos réunions et que son action s'exerçât de loin, et de la façon la plus heureuse d'ailleurs. Aujourd'hui, son témoignage nous est nécessaire, puisque deux fois déjà, en 1870, le prince d'Arcole a rencontré la créature infernale qui nous menace. »

Raoul, faisant aussitôt le calcul, éprouva quelque déception : « la créature infernale » devait avoir dépassé la cinquantaine, puisque ses rencontres avec le prince d'Arcole avaient eu lieu vingt-quatre ans plus tôt.

Cependant le prince prenait place parmi les invités, tandis que Beaumagnan emmenait à part Godefroy d'Étigues. Le baron lui remit une enveloppe, contenant sans doute la lettre compromettante. Puis ils eurent, à voix basse, un colloque assez vif, auquel Beaumagnan coupa court d'un geste de commandement énergique.

« Pas commode, le monsieur, se dit Raoul. Le verdict est formel. Morte la bête, mort le venin. La noyade aura lieu, car il semble bien que ce soit le dénouement imposé. »

Beaumagnan passa au dernier rang. Mais, avant de s'asseoir, il s'exprima ainsi :

« Mes amis, vous savez à quel point l'heure actuelle est grave pour nous. Tous bien unis et d'accord sur le but magnifique que nous voulons atteindre, nous avons entrepris une œuvre commune d'une importance considérable. Il nous semble, avec raison, que les intérêts du pays, ceux de notre parti, ceux de notre religion — et je ne sépare pas les uns des autres — sont liés à la réussite de nos projets. Or ces projets, depuis quelque temps, se heurtent à l'audace et à l'hostilité implacable d'une femme qui, disposant de certaines indications, s'est mise à la recherche du secret que nous sommes près de découvrir. Si elle y parvient avant nous, c'est l'effondrement de tous nos efforts. Elle ou nous, il n'y a pas de place pour deux. Souhaitons ardemment que la bataille engagée se décide en notre faveur. »

Beaumagnan s'assit et, s'appuyant des deux bras sur un dossier, courba sa haute taille comme s'il voulait n'être point vu.

Et les minutes s'écoulèrent.

Entre ces hommes, réunis là pour une cause qui aurait dû susciter les conversations, le silence fut absolu, tellement l'attention de tous était portée vers les bruits lointains qui pouvaient survenir de la campagne. La capture de cette femme obsédait leur esprit. Ils avaient hâte de tenir et de voir leur adversaire.

Le baron d'Étigues leva le doigt. On commençait à entendre le rythme sourd des pas d'un cheval.

« C'est mon coupé », dit-il.

Oui, mais l'ennemie s'y trouvait-elle ?

Le baron se dirigea vers la porte. Comme d'habitude, le verger était vide, le personnel n'ayant jamais à faire que dans la cour d'honneur située sur la façade principale.

Le bruit se rapprochait. La voiture quitta la route et traversa les champs. Puis soudain elle apparut entre les deux piliers d'entrée. Le conducteur fit un geste et le baron déclara :

« Victoire ! On la tient. »

Le coupé s'arrêta. D'Ormont, qui était sur le siège, sauta vivement. Roux d'Estiers s'élança hors de la voiture. Aidés par le baron, ils saisirent à l'intérieur une femme dont les jambes et les mains étaient attachées, et dont une écharpe de gaze enveloppait la tête, ct ils la transportèrent jusqu'au banc d'église qui marquait le milieu de la salle.

« Pas la moindre difficulté, raconta d'Ormont. Au sortir du train elle s'est engouffrée dans la voiture. Aux Quatre-Chemins, on l'a saisie, sans qu'elle ait le temps de dire ouf.

— Otez l'écharpe, ordonna le baron. D'ailleurs, on peut aussi bien lui laisser la liberté de ses mouvements. »

Lui-même dénoua les liens.

D'Ormont enleva le voile et découvrit la tête.

Il y eut, parmi les assistants, une exclamation de stupeur, et Raoul, du haut de son poste, d'où il apercevait la captive en pleine lumière, eut la même commotion de surprise en voyant apparaître une femme dans toute la splendeur de la jeunesse et de la beauté.

Mais un cri domina les murmures. Le prince d'Arcole s'était avancé au premier rang, et, le visage contracté, les yeux agrandis, il balbutiait :

« C'est elle... c'est elle... je la reconnais... Ah ! quelle chose terrifiante !

— Qu'y a-t-il ? dcmanda le baron. Qu'y a-t-il de terrifiant ? Expliquez-vous ? »

Et le prince d'Arcole prononça cette phrase incompréhensible :

« *Elle a le même âge qu'il y a vingt-quatre ans !* »

La femme était assise et gardait le buste droit, les poings serrés sur les genoux. Son chapeau avait dû tomber au cours de l'agression, et sa chevelure à moitié défaite tombait derrière en masse épaisse retenue par un peigne d'or, tandis que deux bandeaux aux reflets fauves se divisaient également au-dessus du front, un peu ondulés sur les tempes.

Le visage était admirablement beau, formé par des lignes très pures et animé d'une expression qui, même dans l'impassibilité, même dans la peur semblait un sourire. Avec un menton plutôt mince, ses pommettes légèrement saillantes, ses yeux très fendus, et ses paupières lourdes, elle rappelait ces femmes de Vinci ou plutôt de Bernardino Luini dont toute la grâce est dans un sourire qu'on ne voit pas, mais qu'on devine, et qui vous émeut et vous inquiète à la fois. Sa mise était simple : sous un vêtement de voyage qu'elle laissa tomber, une robe de laine grise dessinait sa taille et ses épaules.

« Bigre ! pensa Raoul qui ne la quittait pas du regard, elle paraît bien inoffensive, l'infernale et magnifique créature ! Et ils se mettent à neuf ou dix pour la combattre ? »

Elle observait attentivement ceux qui l'entouraient, d'Étigues et ses amis, tâchant de distinguer les autres, dans la pénombre.

À la fin, elle dit :

« Que me voulez-vous ? Je ne connais aucun de ceux qui sont là. Pourquoi m'avez-vous amenée ici ?

— Vous êtes notre ennemie », déclara Godefroy d'Étigues.

Elle secoua la tête doucement :

« Votre ennemie ? Il doit y avoir une confusion. Êtes-vous bien sûrs de ne pas vous tromper ? Je suis Mme Pellegrini.

— Vous n'êtes pas Mme Pellegrini.

— Je vous affirme...

— Non », répéta le baron Godefroy d'une voix forte.

Et il ajouta ces mots aussi déconcertants que les mots prononcés par le prince d'Arcole :

« *Pellegrini, c'était un des noms sous lequel se dissimulait, au* XVIII*e siècle, l'homme dont vous prétendez être la fille.* »

Elle ne répondit point sur le moment, comme si elle n'avait pas saisi l'absurdité de la phrase. Puis elle demanda :

« Comment donc m'appellerais-je, selon vous ?

— *Joséphine Balsamo, comtesse de Cagliostro.* »

II

JOSÉPHINE BALSAMO, NÉE EN 1788...

Cagliostro ! l'extraordinaire personnage qui intrigua si vivement l'Europe et agita si profondément la cour de France sous le règne de Louis XVI ! Le collier de la reine... le cardinal de Rohan... Marie-Antoinette... quels épisodes troublants de l'existence la plus mystérieuse.

Un homme bizarre, énigmatique, ayant le génie de l'intrigue, qui disposait d'une réelle puissance de domination, et sur lequel toute la lumière n'a pas été faite.

Imposteur ? Qui sait ! A-t-on le droit de nier que certains êtres de sens plus affinés puissent jeter sur le monde des vivants et des morts des regards qui nous sont défendus ? Doit-on traiter de charlatan et de fou celui chez qui renaissent des souvenirs de ses existences passées, et qui, se rappelant ce qu'il a vu, bénéficiant d'acquisitions antérieures, de secrets perdus et de certitudes oubliées, exploite un pouvoir que nous appelons surnaturel, alors qu'il n'est que la mise en valeur, hésitante et balbutiante, des forces que nous sommes peut-être sur le point de réduire en esclavage ?

Si Raoul d'Andrésy, au fond de son observatoire, demeurait sceptique, et s'il riait en lui-même — peut-être pas sans quelque réticence — de la tournure que prenaient les événements, il sembla que les assistants acceptaient d'avance comme réalités indiscutables les allégations les plus extravagantes. Possédaient-ils donc sur cette affaire des preuves et des notions particulières ? Avaient-ils retrouvé chez celle qui, suivant eux, se prétendait la fille de Cagliostro, les dons de clairvoyance et de divination que l'on attribuait jadis au célèbre thaumaturge, et pour lesquels on le traitait de magicien et de sorcier ?

Godefroy d'Étigues, qui, seul parmi tous, restait debout, se pencha vers la jeune femme et lui dit :

« Ce nom de Cagliostro est bien le vôtre, n'est-ce pas ? »

Elle réfléchit. On eût dit que, pour le soin de sa défense, elle cherchait la meilleure riposte, et qu'elle voulait, avant de s'engager à fond, connaître les armes dont l'ennemi disposait. Elle répliqua donc, paisiblement :

« Rien ne m'oblige à vous répondre, pas plus que vous n'avez le droit de m'interroger. Cependant, pourquoi nierais-je que, mon acte de naissance portant le nom de Joséphine Pellegrini, par fantaisie je me fais appeler Joséphine Balsamo, comtesse de Cagliostro, les deux noms de Cagliostro et de Pellegrini complétant la personnalité qui m'a toujours intéressée de Joseph Balsamo.

— De qui, selon vous, par conséquent, et contrairement à certaines de vos déclarations, précisa le baron, vous ne seriez pas la descendante directe ? »

Elle haussa les épaules et se tut. Était-ce prudence ? dédain ? protestation contre une telle absurdité ?

« Je ne veux considérer ce silence ni comme un aveu ni comme une dénégation, reprit Godefroy d'Étigues, en se tournant vers ses amis. Les paroles de cette femme n'ont aucune importance et ce serait du temps perdu que de les réfuter. Nous sommes ici pour prendre des décisions redoutables sur une affaire que nous connaissons tous dans son ensemble, mais dont la plupart d'entre nous ignorent certains détails. Il est donc indispensable de rappeler les faits. Ils sont résumés aussi brièvement que possible dans le mémoire que je vais vous lire et que je vous prie d'écouter avec attention. »

Et, posément, il lut ces quelques pages, qui, Raoul n'en douta pas, avaient dû être rédigées par Beaumagnan.

« Au début de mars 1870, c'est-à-dire quatre mois avant la guerre entre la France et la Prusse, parmi la foule des étrangers qui s'abattirent sur Paris, aucun n'attira plus soudainement l'attention que la comtesse de Cagliostro. Belle, élégante, jetant l'argent à pleines mains, presque toujours seule, ou accompagnée d'un jeune homme qu'elle présentait comme son frère, partout où elle passa, dans tous les salons qui l'accueillirent, elle fut l'objet de la plus vive curiosité. Son nom d'abord intriguait, et puis la façon vraiment impressionnante qu'elle avait de s'apparenter au fameux Cagliostro par ses allures mystérieuses, certaines guérisons miraculeuses qu'elle opéra, les réponses qu'elle donnait aux gens qui la consultaient sur leur passé ou sur leur avenir. Le roman d'Alexandre Dumas avait mis à la mode Joseph Balsamo, soi-disant comte de Cagliostro. Usant des mêmes procédés, et plus audacieuse encore, elle se targuait d'être la fille de Cagliostro, affirmait connaître le secret de l'éternelle jeunesse et, en souriant, parlait de telles rencontres qu'elle avait faites ou de tels événements qui lui étaient advenus sous le règne de Napoléon Ier.

« Son prestige fut tel qu'elle força les portes des Tuileries et parut à la cour de Napoléon III. On parlait même de séances privées où l'impératrice Eugénie réunissait autour de la belle comtesse les plus intimes de ses fidèles. Un numéro clandestin du journal satirique, *Le Charivari*, qui fut d'ailleurs saisi sur-le-champ, nous raconte une séance à laquelle assistait un de ses collaborateurs occasionnels. J'en détache ce passage :

« Quelque chose de la Joconde. *Une expression qui ne change pas beaucoup, mais qu'on ne peut guère définir, qui est aussi bien câline et ingénue que cruelle et perverse. Tant d'expérience dans le regard et d'amertume dans son invariable sourire, qu'on lui accorderait alors les quatre-vingts ans qu'elle s'octroie. À ces moments-là, elle sort de sa poche un petit miroir en or, y verse deux gouttes d'un flacon imperceptible, l'essuie et se contemple. Et, de nouveau, c'est la jeunesse adorable.*

« Comme nous l'interrogions, elle nous répondit :

« — Ce miroir appartint à Cagliostro. Pour ceux qui s'y regardent avec confiance, le temps s'arrête. Tenez, la date est inscrite sur la monture, 1783, et elle est suivie de quatre lignes qui sont l'énumération de quatre grandes énigmes. Ces énigmes qu'il se proposait de déchiffrer, il les tenait de la bouche même de la reine Marie-Antoinette, et il disait, m'a-t-on rapporté, que celui qui en trouverait la clef serait roi des rois.

« — Peut-on les connaître ? demanda quelqu'un.

« — Pourquoi pas ? Les connaître, ce n'est pas les déchiffrer et Cagliostro lui-même n'en eut pas le temps. Je ne puis donc vous transmettre que des appellations, des titres. En voici la liste [1] *:*

In robore fortuna.
La dalle des rois de Bohême.
La fortune des rois de France.
Le chandelier à sept branches.

1. La première énigme a été expliquée par une jeune fille. (Voir *Dorothée, danseuse de corde.*) Les deux suivantes, par Arsène Lupin (voir *L'Île aux trente cercueils* et *L'Aiguille creuse*). La quatrième fait l'objet de ce livre.

« Elle parla ensuite à chacun de nous et nous fit des révélations qui nous frappèrent d'étonnement.

« Mais ce n'était là qu'un prélude, et l'impératrice, bien que se refusant à poser la moindre question qui la concernât personnellement, voulut bien demander quelques éclaircissements touchant l'avenir.

« — Que Sa Majesté ait la bonne grâce de souffler légèrement », dit la comtesse en tendant le miroir.

« Et tout de suite, ayant examiné la buée que le souffle étalait à la surface, elle murmura :

« — Je vois de bien belles choses... une grande guerre pour cet été... la victoire... le retour des troupes sous l'Arc de Triomphe... On acclame l'Empereur... le Prince impérial. »

« Tel est, reprit Godefroy d'Étigues, le document qui nous a été communiqué. Document déconcertant puisqu'il fut publié plusieurs semaines avant la guerre annoncée. Quelle était cette femme ? Qui était cette aventurière dont les prédictions dangereuses, agissant sur l'esprit assez faible de la malheureuse souveraine, n'ont pas été sans provoquer la catastrophe de 1870 ? Quelqu'un (lire le même numéro du *Charivari*) lui ayant dit un jour :

« — Fille de Cagliostro, soit, mais votre mère ?

« — Ma mère, répondit-elle, cherchez très haut parmi les contemporains de Cagliostro... Plus haut encore... Oui, c'est cela... Joséphine de Beauharnais, future femme de Bonaparte, future impératrice... »

« La police de Napoléon III ne pouvait rester inactive. À la fin de juin, elle remettait un rapport succinct, établi par un de ses meilleurs agents, à la suite d'une enquête difficile. J'en donne lecture :

« Les passeports italiens de la signorina, tout en faisant des réserves sur la date de la naissance, écrivait l'agent, sont établis au nom de Joséphine Pellegrini-Balsamo, comtesse de Cagliostro, née à Palerme, le 29 juillet 1788. M'étant rendu à Palerme, j'ai réussi à découvrir les anciens registres de la paroisse Mortarana et, sur l'un d'eux, en date du 29 juillet 1788, j'ai relevé la déclaration de naissance de Joséphine Balsamo, fille de Joseph Balsamo et de Joséphine de la P., sujette du roi de France.

Était-ce là Joséphine Tascher de La Pagerie, nom de jeune fille de l'épouse séparée du vicomte de Beauharnais, et la future épouse du général Bonaparte ? J'ai cherché dans ce sens et, à la suite d'investigations patientes, j'ai appris, par des lettres manuscrites d'un lieutenant de la Prévôté de Paris, que l'on avait été près d'arrêter, en 1788, le sieur Cagliostro qui, bien qu'expulsé de France, après l'affaire du Collier, habitait sous le nom de Pellegrini un petit hôtel de Fontainebleau où il recevait chaque jour une dame grande et mince. Or Joséphine de Beauharnais, à cette époque, habite également Fontainebleau. Elle est grande et mince. La veille du jour fixé pour l'arrestation, Cagliostro disparaît. Le lendemain, brusque départ de Joséphine de Beauharnais [1]. Un mois plus tard, à Palerme, naissance de l'enfant.

« Ces coïncidences ne laissent pas d'être impressionnantes. Mais comme elles prennent de la valeur lorsqu'on les rapproche de ces deux faits ! Dix-huit ans après, l'impératrice Joséphine introduit à la Malmaison une jeune fille qu'elle fait passer pour sa filleule, et qui gagne l'affection de l'empereur au point que Napoléon joue avec elle comme avec un enfant. Quel est son nom ? Joséphine ou plutôt Josine.

« Chute de l'Empire. Le tsar Alexandre Ier recueille Josine et l'envoie en Russie. Quel titre prend-elle ? Comtesse de Cagliostro. »

Le baron d'Étigues laissa se prolonger ses dernières paroles dans le silence. On l'avait écouté avec une attention profonde. Raoul, dérouté par cette histoire incroyable, essayait de saisir sur le visage de la comtesse le reflet de l'émotion ou d'un sentiment quelconque. Mais elle demeurait impassible, ses beaux yeux toujours un peu souriants.

Et le baron poursuivit :

« Ce rapport, et probablement aussi l'influence dangereuse que prenait la comtesse aux Tuileries, devait couper court à sa fortune. Un arrêté d'expulsion fut signé contre elle et contre son frère. Le frère s'en alla par l'Allemagne, elle par l'Italie. Un matin elle descendit à Modane, où l'avait conduite un jeune officier. Il s'inclina devant elle et la salua. Cet officier s'appelait le prince d'Arcole. C'est lui qui a pu se procurer les deux documents, le numéro du *Charivari* et le rapport secret dont

1. Jusqu'ici aucun des biographes de Joséphine n'avait pu expliquer pourquoi elle s'était évadée en quelque sorte de Fontainebleau. Seul M. Frédéric Masson, pressentant la vérité, écrit : « Peut-être trouvera-t-on un jour quelque lettre précisant et affirmant la nécessité *physique* d'un départ. »

l'original est entre ses mains avec ses timbres et signatures. C'est enfin lui qui, tout à l'heure, certifiait devant vous l'identité indubitable de celle qu'il a vue ce matin-là et de celle qu'il voit aujourd'hui. »

Le prince d'Arcole se leva et gravement articula :

« Je ne crois pas au miracle, et ce que je dis est cependant l'affirmation d'un miracle. Mais la vérité m'oblige à déclarer sur mon honneur de soldat que cette femme est la femme que j'ai saluée en gare de Modane il y a vingt-quatre ans.

— Que vous avez saluée tout court, sans un mot de politesse ? » insinua Joséphine Balsamo.

Elle s'était tournée vers le prince et l'interrogeait d'une voix enjouée où il y avait quelque ironie.

« Que voulez-vous dire ?

— Je veux dire qu'un officier français a trop de courtoisie pour prendre congé d'une jolie femme par un simple salut protocolaire.

— Ce qui signifie ?

— Ce qui signifie que vous avez bien dû prononcer quelques paroles.

— Peut-être. Je ne m'en souviens plus..., dit le prince d'Arcole avec un peu d'embarras.

— Vous vous êtes penché vers l'exilée, monsieur. Vous lui avez baisé la main un peu plus longtemps qu'il n'eût fallu, et vous lui avez dit : « J'espère, madame, que les instants que j'ai eu le plaisir de passer près de vous ne seront pas sans lendemain. Pour moi, je ne les oublierai jamais. » Et vous avez répété, soulignant d'un accent particulier votre intention de galanterie : « Jamais, vous entendez, madame ? jamais... »

Le prince d'Arcole semblait un homme fort bien élevé. Pourtant, à l'évocation exacte de la minute écoulée un quart de siècle plus tôt, il fut si troublé qu'il marmotta :

« Nom de Dieu ! »

Mais, se redressant aussitôt, il prit l'offensive, d'un ton saccadé :

« J'ai oublié, madame. Si le souvenir de cette rencontre fut agréable, le souvenir de la seconde fois où je vous vis l'a effacé.

— Et cette seconde fois, monsieur ?

— C'est au début de l'année suivante, à Versailles où j'accompagnais les plénipotentiaires français chargés de négocier la paix de la défaite. Je vous ai aperçue dans un café, assise devant une table, buvant et riant avec des officiers allemands dont l'un était officier d'ordonnance de Bismarck. Ce jour-là, j'ai compris votre rôle aux Tuileries et de qui vous étiez l'émissaire. »

Toutes ces divulgations, toutes ces péripéties d'une vie aux apparences fabuleuses, se développèrent en moins de dix minutes. Aucune argumentation. Aucune tentative de logique et d'éloquence pour imposer une thèse inconcevable. Rien que des faits. Rien que des preuves en raccourci, violentes, assenées comme des coups de poing, et d'autant plus effarantes qu'elles évoquaient, contre une toute jeune femme, des souvenirs dont quelques-uns remontaient à plus d'un siècle !

Raoul d'Andrésy n'en revenait pas. La scène lui semblait tenir du roman, ou plutôt de quelque mélodrame fantastique et ténébreux, et les conjurés lui semblaient également en dehors de toute réalité, eux qui écoutaient toutes ces histoires comme si elles avaient eu la valeur de faits indiscutables. Certes Raoul n'ignorait pas la médiocrité intellectuelle de ces hobereaux, derniers vestiges d'une autre époque. Mais, tout de même, comment pouvaient-ils faire abstraction des données mêmes du problème qui leur était posé par l'âge que l'on attribuait à cette femme ? Si crédules qu'ils fussent, n'avaient-ils pas des yeux pour voir ?

En face d'eux, d'ailleurs, l'attitude de la Cagliostro paraissait encore plus étrange. Pourquoi ce silence, qui somme toute était une acceptation, et parfois un aveu ? Se refusait-elle à démolir une légende d'éternelle jeunesse qui lui agréait et favorisait l'exécution de ses desseins ? Ou bien, inconsciente de l'effroyable danger suspendu sur sa tête, ne considérait-elle toute cette mise en scène que comme une simple plaisanterie ?

« Tel est le passé, conclut le baron d'Étigues. Je n'insisterai pas sur les épisodes intermédiaires qui le relient au présent d'aujourd'hui. Tout en demeurant dans la coulisse, Joséphine Balsamo, comtesse de Cagliostro, a été mêlée à la tragi-comédie du boulangisme, au drame du Panama (car on la retrouve dans tous les événements funestes à notre pays). Mais nous n'avons là-dessus que des indications touchant le rôle secret qu'elle y joua. Aucune preuve. Passons, et arrivons à l'époque actuelle. Un mot encore cependant. Sur tous ces points, madame, vous n'avez pas d'observations à présenter ?

— Si, dit-elle.

— Parlez donc. »

La jeune femme prononça, avec sa même intonation un peu moqueuse :

« Je voudrais savoir, puisque vous semblez faire mon procès, et le faire à la façon d'un tribunal du Moyen Âge, si vous comptez pour quelque chose les charges accumulées jusqu'ici contre moi ? En ce cas, autant me condamner sur-le-champ à être brûlée vive, comme sorcière, espionne, relapse, tous crimes que la Sainte Inquisition ne pardonnait pas.

— Non, répondit Godefroy d'Étigues. Ces diverses aventures n'ont été rapportées que pour donner de vous, en quelques traits, une image aussi claire que possible.

— Vous croyez avoir donné de moi une image aussi claire que possible ?

— Au point de vue qui nous occupe, oui.

— Vous vous contentez de peu. Et quels liens voyez-vous entre ces différentes aventures ?

— J'en vois de trois sortes. D'abord le témoignage de toutes les personnes qui vous ont reconnue, et grâce auxquelles on remonte, de proche en proche, aux jours les plus reculés. Ensuite l'aveu de vos prétentions.

— Quel aveu ?

— Vous avez redit au prince d'Arcole les termes mêmes de la conversation qui eut lieu entre vous et lui dans la gare de Modane.

— En effet, dit-elle. Et puis ?...

— Et puis voici trois portraits qui vous présentent bien tous les trois, n'est-ce pas ? »

Elle les regarda et déclara :

« Ces trois portraits me représentent.

— Eh bien ! fit Godefroy d'Étigues, le premier est une miniature peinte en 1816 à Moscou, d'après Josine, comtesse de Cagliostro. Le second, qui est cette photographie, date de 1870. Celle-ci est la dernière, prise récemment à Paris. Les trois portraits sont signés par vous. Même signature. Même écriture. Même paraphe.

— Qu'est-ce que cela prouve ?

— Cela prouve que la même femme...

— Que la même femme, interrompit-elle, a conservé en 1894 son visage de 1816 et de 1870. Donc au bûcher !

— Ne riez pas, madame. Vous savez qu'entre nous le rire est un blasphème abominable. »

Elle eut un geste d'impatience, et frappa l'accoudoir du banc.

« Mais enfin, monsieur, finissons-en avec cette parodie ! Qu'y a-t-il ? Que me reprochez-vous ? Pourquoi suis-je ici ?

— Vous êtes ici, madame, pour nous rendre compte des crimes que vous avez commis.

— Quels crimes ?

— Mes amis et moi nous étions douze, douze qui poursuivions le même but. Nous ne sommes plus que neuf. Les autres sont morts, assassinés par vous. »

Une ombre peut-être, du moins Raoul d'Andrésy crut l'y discerner, voila comme un nuage le sourire de la Joconde. Tout de suite, d'ailleurs, le beau visage reprit son expression coutumière, comme si rien ne pouvait altérer la paix de cette femme, pas même l'effroyable accusation lancée contre elle avec tant de virulence. On eût dit vraiment que les sentiments habituels lui étaient inconnus, ou bien alors qu'ils ne se trahissaient point par ces signes d'indignation, de révolte et d'horreur qui bouleversent tous les êtres. Quelle anomalie ! Coupable ou non, une autre se fût insurgée, elle se taisait, elle, et nul indice ne permettait de savoir si c'était par cynisme ou par innocence.

Les amis du baron demeuraient immobiles, la figure âpre et contractée. Derrière ceux qui le cachaient presque entièrement aux regards de Joséphine Balsamo, Raoul apercevait Beaumagnan. Ses bras accoudés au dossier de la chaise, il tenait son visage dans ses mains. Mais les yeux étincelaient entre les doigts disjoints, et s'attachaient à la face même de l'ennemie.

Dans le grand silence, Godefroy d'Étigues énonça l'acte d'accusation, ou plutôt les trois actes de la formidable accusation. Il le fit sèchement, comme il l'avait fait jusque-là, sans détails inutiles, sans éclats de voix, plutôt comme on lit un procès-verbal.

« Il y a dix-huit mois, Denis Saint-Hébert, le plus jeune d'entre nous, chassait sur ses terres aux environs du Havre. En fin d'après-midi, il quitta son fermier et son garde, jeta son fusil sur l'épaule et s'en alla, dit-il, voir du haut de la falaise le soleil se coucher dans la mer. Il ne reparut pas de la nuit. Le lendemain, on trouva son cadavre sur les rochers que la mer découvrait.

« Suicide ? Denis Saint-Hébert était riche, bien portant, d'humeur heureuse. Pourquoi se serait-il tué ? Crime ? On n'y songea même pas. Donc, accident.

« Au mois de juin qui suivit, autre deuil pour nous, dans des conditions analogues. Georges d'Isneauval qui chassait les mouettes de très grand matin, au pied des falaises de Dieppe, glissa sur les algues d'une façon si malencontreuse que sa tête

« Dans le grand silence, Godefroy d'Étigues énonça l'acte d'accusation. »

frappa contre un rocher et qu'il tomba inanimé. Quelques heures plus tard, deux pêcheurs l'apercurent. Il était mort. Il laissait une veuve et deux petites filles.

« Là encore accident, n'est-ce pas ? Oui, accident pour la veuve, pour les deux orphelines, pour la famille... Mais pour nous ? Était-il possible qu'une deuxième fois le hasard se fût attaqué au petit groupe que nous formions. Douze amis s'associent pour découvrir un grand secret et atteindre un but d'une portée considérable. Deux d'entre eux sont frappés. Ne doit-on pas supposer une machination criminelle qui, en s'attaquant à eux, s'attaque en même temps à leurs entreprises ?

« C'est le prince d'Arcole qui nous ouvrit les yeux et nous engagea dans la bonne voie. Le prince d'Arcole savait, lui, que nous n'étions pas seuls à connaître l'existence de ce grand secret. Il savait que, au cours d'une séance chez l'impératrice Eugénie, on avait évoqué une liste de quatre énigmes transmise par Cagliostro à ses descendants, et que l'une d'elles s'appelait précisément, comme celle qui nous intéresse, l'énigme du chandelier à sept branches. En conséquence, ne fallait-il pas chercher parmi ceux à qui la légende avait pu être transmise ?

« Grâce aux puissants moyens d'investigation dont nous disposons, en quinze jours, notre enquête aboutissait. Dans un hôtel particulier d'une rue solitaire de Paris, habitait une dame Pellegrini, qui vivait assez retirée, et disparaissait souvent des mois entiers. D'une grande beauté, mais fort discrète d'allures, et comme désireuse de passer inaperçue, elle fréquentait, sous le nom de comtesse de Cagliostro, certains milieux où l'on s'occupait de magie, d'occultisme et de messe noire.

« On put se procurer sa photographie, celle-ci, et l'envoyer au prince d'Arcole qui voyageait alors en Espagne ; il reconnut avec stupeur la femme même qu'il avait vue jadis.

« On s'enquit de ses déplacements. Le jour de la mort de Saint-Hébert, aux environs du Havre, elle était de passage au Havre. De passage à Dieppe, lorsque Georges d'Isneauval agonisait au pied des falaises de Dieppe !

« J'interrogeai les familles. La veuve de Georges d'Isneauval me confia que son mari, en ces derniers temps, avait eu une liaison avec une femme qui, suivant elle, l'avait fait infiniment souffrir. D'autre part, une confession manuscrite de Saint-Hébert, trouvée dans ses papiers, et gardée jusqu'ici par sa mère, nous révéla que notre ami, ayant eu l'imprudence de noter nos douze noms et quelques indications concernant le chandelier à sept branches, le carnet lui avait été dérobé par une femme.

« Dès lors, tout s'expliquait. Maîtresse d'une partie de nos secrets, et désireuse d'en connaître davantage, la même femme, qu'avait aimée Saint-Hébert, s'était fait aimer de Georges d'Isneauval. Puis, ayant reçu leurs confidences, et dans la crainte d'être dénoncée par eux à leurs amis, elle les avait tués. Cette femme est ici, devant nous. »

Godefroy d'Étigues fit une nouvelle pause. Le silence redevint accablant, si lourd que les juges semblaient immobilisés dans cette atmosphère pesante et chargée d'angoisse. Seule, la comtesse de Cagliostro gardait un air distrait, comme si aucune parole ne l'eût atteinte.

Toujours étendu dans son poste, Raoul d'Andrésy admirait la beauté charmante et voluptueuse de la jeune femme, et, en même temps, il éprouvait un malaise à voir tant de preuves s'amasser contre elle. L'acte d'accusation la serrait de plus en plus près. De toutes parts, les faits venaient à l'assaut, et Raoul ne doutait point qu'une attaque plus directe encore ne la menaçât.

« Dois-je vous parler du troisième crime ? » demanda le baron.

Elle répliqua d'un ton de lassitude :

« Si cela vous plaît. Tout ce que vous me dites est inintelligible. Vous me parlez de personnes dont j'ignorais même le nom. Alors, n'est-ce pas, un crime de plus ou de moins...

— Vous ne connaissiez pas Saint-Hébert et d'Isneauval ? »

Elle haussa les épaules sans répondre.

Godefroy d'Étigues se pencha, puis d'une voix plus basse :

« Et Beaumagnan ? »

Elle leva sur le baron Godefroy des yeux ingénus :

« Beaumagnan ?

— Oui, le troisième de nos amis que vous avez tué ? Il n'y a pas bien longtemps, lui... quelques semaines... Il est mort empoisonné... Vous ne l'avez pas connu ? »

III

UN TRIBUNAL D'INQUISITION

Que signifiait cette accusation ? Raoul regarda Beaumagnan. Il s'était levé, sans redresser sa haute taille, et, de proche en proche, s'abritant derrière ses amis, il venait s'asseoir à côté même de Joséphine Balsamo. Celle-ci tournée vers le baron n'y fit pas attention.

Alors Raoul comprit pourquoi Beaumagnan s'était dissimulé et quel piège redoutable on tendait à la jeune femme. Si réellement elle avait voulu empoisonner Beaumagnan, si réellement elle le croyait mort, de quelle épouvante allait-elle tressaillir en face de Beaumagnan lui-même, vivant et prêt à l'accuser ! Si, au contraire, elle ne tremblait point et que cet homme lui parût aussi étranger que les autres, quelle preuve en sa faveur !

Raoul se sentit anxieux, et il désirait tellement qu'elle réussît à déjouer le complot qu'il cherchait les moyens de l'en avertir. Mais le baron d'Étigues ne lâchait pas sa proie, et déjà reprenait :

« Vous ne vous souvenez pas de ce crime-là, non plus, n'est-ce pas ? »

Elle fronça les sourcils, marquant pour la seconde fois un peu d'impatience, et se tut.

« Peut-être même n'avez-vous pas connu Beaumagnan ? demanda le baron, incliné sur elle comme un juge d'instruction qui épie la phrase maladroite. Parlez donc ! Vous ne l'avez pas connu ? »

Elle ne répondit pas. Précisément, à cause de cette insistance opiniâtre, elle devait se défier, car son sourire se mêlait d'une certaine inquiétude. Comme une bête traquée, elle flairait l'embûche et fouillait les ténèbres de son regard.

Elle observa Godefroy d'Étigues, puis se tourna du côté de La Vaupalière et de Bennetot, puis de l'autre côté, qui était celui où se tenait Beaumagnan...

Tout de suite, elle eut un geste éperdu, le haut-le-corps de quelqu'un qui aperçoit un fantôme, et ses yeux se fermèrent. Elle tendit les mains pour repousser la terrible vision qui la heurtait et on l'entendit balbutier :

« Beaumagnan... Beaumagnan... »

Était-ce l'aveu ? Allait-elle défaillir et confesser ses crimes ? Beaumagnan attendait. De toutes ses forces pour ainsi dire visibles, de ses poings crispés, des veines gonflées de son front, de son âpre visage convulsé par un effort surhumain de volonté, il exigeait la crise de faiblesse où toute résistance se désagrège.

Un moment il crut réussir. La jeune femme fléchissait et s'abandonnait au dominateur. Une joie cruelle le transfigura. Vain espoir ! Échappant au vertige, elle se redressa. Chaque seconde écoulée lui rendit un peu de sérénité et délivra son sourire, et elle prononça, avec cette logique qui semble l'expression même d'une vérité que l'on ne peut contredire :

« Vous m'avez fait peur, Beaumagnan, car j'avais lu dans les journaux la nouvelle de votre mort. Mais pourquoi vos amis ont-ils voulu me tromper ? »

Raoul se rendit compte aussitôt que tout ce qui s'était passé jusque-là n'avait point d'importance. Les deux vrais adversaires se trouvaient l'un en face de l'autre. Si bref qu'il dût être, étant donné les armes de Beaumagnan et l'isolement de la jeune femme, le combat réel ne faisait que commencer.

Et ce ne fut plus l'attaque sournoise et contenue du baron Godefroy, mais l'agression désordonnée d'un ennemi qu'exaspéraient la colère et la haine.

« Mensonge ! mensonge ! s'écria-t-il, tout est mensonge en vous. Vous êtes l'hypocrisie, la bassesse, la trahison, le vice ! Tout ce qu'il y a d'ignoble et de répugnant dans le monde se cache derrière votre sourire. Ah ! ce sourire ! Quel masque abominable ! On voudrait vous l'arracher avec des tenailles rougies au feu.

« C'est la mort que votre sourire, c'est la damnation éternelle pour celui qui s'y laisse prendre... Ah ! quelle misérable que cette femme !... »

L'impression que Raoul avait eue, dès le début, d'assister à cette scène d'inquisition, il l'éprouva plus nettement encore devant la fureur de cet homme qui jetait l'anathème avec toute la force d'un moine du Moyen Âge. Sa voix frémissait d'indignation. Ses gestes menaçaient, comme s'il allait saisir à la gorge l'impie dont le divin sourire faisait perdre la tête et vouait aux supplices de l'enfer.

« Calmez-vous, Beaumagnan », lui dit-elle, avec un excès de douceur dont il s'irrita comme d'un outrage.

Malgré tout, il essaya de se contenir et de contrôler les paroles qui se pressaient en lui. Mais elles sortaient de sa bouche haletantes, précipitées ou murmurées, au point que ses amis, à qui il s'adressait maintenant, eurent quelquefois peine à comprendre l'étrange confession qu'il leur fit, en se frappant la poitrine, pareil aux croyants d'autrefois qui prenaient le public à témoin de leurs fautes.

« C'est moi qui ai cherché la bataille aussitôt après la mort d'Isneauval. Oui, j'ai pensé que l'ensorceleuse s'acharnerait encore après nous... et que je serais plus fort que les autres... mieux assuré contre la tentation... N'est-ce pas, vous connaissiez toute ma décision à cette époque ? Déjà consacré au service de l'Église, je voulais revêtir la robe du prêtre. J'étais donc à l'abri du mal, protégé par des engagements formels, et plus encore par toute l'ardeur de ma foi. Et je me rendis là-bas, à l'une de ces réunions spirites où je savais la trouver.

« Elle y était en effet. Je n'eus pas besoin que l'ami qui m'avait amené me la désignât, et j'avoue que, sur le seuil, une appréhension obscure me fit hésiter. Je la surveillai. Elle parlait à peu de gens et se tenait sur la réserve, écoutant plutôt en fumant des cigarettes.

« Selon mes instructions, mon ami vint s'asseoir près d'elle et engagea la conversation avec les personnes de son groupe. Puis, de loin, il m'appela par mon nom. Et je vis à l'émoi de son regard, et sans contestation possible, qu'elle le connaissait, ce nom, pour l'avoir lu sur le carnet dérobé à Denis Saint-Hébert. Beaumagnan, c'était un des douze affiliés... un des dix survivants. Et cette femme, qui semblait vivre dans une sorte de rêve, subitement s'éveilla. Une minute plus tard, elle m'adressait la parole. Durant deux heures elle déploya toute la grâce de son esprit et de sa beauté, et elle obtenait de moi la promesse que je viendrais la voir le lendemain.

« Dès cet instant, à la seconde même où je la quittai, la nuit, à la porte de sa demeure, j'aurais dû m'enfuir au bout du monde. Il était déjà trop tard. Il n'y avait plus en moi ni courage, ni volonté, ni clairvoyance, plus rien que le désir fou de la revoir. Certes, je masquais ce désir sous de grands mots ; j'accomplissais un devoir... il fallait connaître le jeu de l'ennemie, la convaincre de ses crimes et l'en punir, etc. Autant de prétextes ! En réalité, du premier coup j'étais persuadé de son innocence. Un tel sourire était l'indice de l'âme la plus pure.

« Ni le souvenir sacré de Saint-Hébert, ni celui de mon pauvre d'Isneauval ne m'éclairaient. Je ne voulais pas voir. J'ai vécu quelques mois dans l'obscurité, goûtant les pires joies, et ne rougissant même pas d'être un objet de honte et de scandale, de renoncer à mes vœux et de renier ma foi.

« Forfaits inconcevables de la part d'un homme comme moi, je vous le jure, mes amis. Cependant j'en ai commis un qui les dépasse peut-être tous. J'ai trahi notre cause. Le serment de silence que nous avons fait en nous associant pour une œuvre commune, je l'ai rompu. *Cette femme connaît du grand secret ce que nous en connaissons nous-mêmes.* »

Un murmure d'indignation accueillit ces paroles. Beaumagnan courba la tête.

Maintenant Raoul comprenait mieux le drame qui se jouait devant lui, et les personnages qui en étaient les acteurs acquéraient leur véritable relief. Hobereaux, campagnards, rustres, oui, certes, mais Beaumagnan était là, Beaumagnan qui les animait de son souffle et leur communiquait son exaltation. Au milieu de ces existences vulgaires et de ces silhouettes falotes, celui-là prenait figure de prophète et d'illuminé. Il leur avait montré comme un devoir quelque besogne de conjuration à laquelle lui-même s'était dévoué corps et âme, comme on se dévouait jadis à Dieu en abandonnant son donjon pour partir en croisade.

Ces sortes de passions mystiques transforment ceux qu'elles brûlent en héros ou en bourreaux. Il y avait vraiment de l'inquisiteur en Beaumagnan. Au XVe siècle, il eût persécuté et martyrisé pour arracher à l'impie la parole de foi.

Il avait l'instinct de la domination et l'attitude de l'homme pour qui l'obstacle n'existe pas. Entre le but et lui une femme se dressait ? Qu'elle meure ! S'il aimait cette femme, une confession publique l'absolvait. Et ceux qui l'entendaient subissaient d'autant plus l'ascendant de ce maître dur que sa dureté semblait s'exercer aussi bien contre lui-même.

Humilié par l'aveu de sa déchéance, il n'avait plus de colère, et c'est d'une voix sourde qu'il acheva :

« Pourquoi ai-je failli ? Je l'ignore. Un homme comme moi ne doit pas faillir. Je n'ai même pas l'excuse de dire qu'elle m'ait interrogé. Non. Elle faisait souvent allusion aux quatre énigmes signalées par Cagliostro, et c'est un jour, presque à mon insu, que j'ai prononcé les mots irréparables... lâchement... pour lui être agréable... pour prendre à ses yeux plus de valeur... pour que son sourire fût plus tendre. Je me disais en moi-même : « Elle sera notre alliée... elle nous aidera de ses conseils, de toute sa clairvoyance affinée par les pratiques de la divination... » J'étais fou. L'ivresse du péché faisait vaciller ma raison.

« Le réveil fut terrible. Un jour — il y a de cela trois semaines — je devais partir en mission pour l'Espagne. Je lui avais dit adieu, le matin. L'après-midi, vers trois heures, ayant rendez-vous dans le centre de Paris, je quittai le petit logement que j'occupe au Luxembourg. Or, il se trouva qu'ayant oublié de donner certaines instructions à mon domestique, je rentrai chez moi par la cour et par l'escalier de service. Mon domestique était sorti et avait laissé ouverte la porte de la cuisine. De loin, j'entendis du bruit. J'avançai lentement. Il y avait quelqu'un dans ma chambre, il y avait cette femme, dont la glace me renvoyait l'image.

« Que faisait-elle donc penchée sur ma valise ? J'observai.

« Elle ouvrit une petite boîte en carton qui contenait des cachets que je prends en voyage pour combattre mes insomnies. Elle enleva l'un de ces cachets et, à la place, elle en mit un autre, un autre qu'elle tira de son porte-monnaie.

« Mon émoi fut si grand que je ne songeai pas à me jeter sur elle. Quand j'arrivai dans ma chambre, elle était partie. Je ne pus la rattraper.

« Je courus chez un pharmacien et fis analyser les cachets. L'un d'eux contenait du poison, de quoi me foudroyer.

« Ainsi, j'avais la preuve irréfutable. Ayant eu l'imprudence de parler et de dire ce que je savais du secret, j'étais condamné. Autant, n'est-ce pas ? se débarrasser d'un témoin inutile et d'un concurrent qui pouvait, un jour ou l'autre, prendre sa part du butin, ou bien découvrir la vérité, attaquer l'ennemie, l'accuser et la vaincre. Donc, la mort. La mort comme pour Denis Saint-Hébert et Georges d'Isneauval. La mort stupide, sans cause suffisante.

« J'écrivis à l'un de mes correspondants d'Espagne. Quelques jours après, certains journaux annonçaient la mort à Madrid d'un nommé Beaumagnan.

« Dès lors, je vécus dans son ombre, et la suivis pas à pas. Elle se rendit à Rouen d'abord, puis au Havre, puis à Dieppe, c'est-à-dire aux lieux mêmes qui circonscrivent le terrain de nos recherches. D'après mes confidences, elle savait que nous sommes sur le point de bouleverser un ancien prieuré des environs de Dieppe. Elle y alla tout un jour, et, profitant de ce que le domaine est abandonné, chercha. Puis, je perdis ses traces. Je la retrouvai à Rouen. Vous savez le reste par notre ami d'Étigues, comment le piège fut préparé, et comment elle s'y jeta, attirée par l'appât de ce chandelier à sept branches que, soi-disant, un cultivateur aurait trouvé dans sa prairie.

« Telle est cette femme. Vous vous rendez compte des motifs qui nous empêchent de la livrer à la justice. Le scandale des débats rejaillirait sur nous, et, en jetant la pleine clarté sur nos entreprises, les rendrait impossibles. Notre devoir, si redoutable qu'il soit, est donc de la juger nous-mêmes, sans haine, mais avec toute la rigueur qu'elle mérite. »

Beaumagnan se tut. Il avait fini son réquisitoire avec une gravité plus dangereuse pour l'accusée que sa colère. Elle apparaissait réellement coupable, et presque monstrueuse dans cette série de meurtres inutiles. Raoul d'Andrésy, lui, ne savait plus que penser, et il exécrait cet homme qui avait aimé la jeune femme et qui venait de rappeler en frissonnant les joies de cet amour sacrilège...

La comtesse de Cagliostro s'était levée et regardait son adversaire bien en face, toujours un peu narquoise.

« Je ne m'étais pas trompée, dit-elle, c'est le bûcher ?...

— Ce sera, déclara-t-il, ce que nous déciderons, sans que rien ne puisse empêcher l'exécution de notre juste verdict.

— Un verdict ? De quel droit ? fit-elle. Il y a des juges pour cela. Vous n'êtes pas des juges. La peur du scandale, dites-vous ? En quoi cela m'importe-t-il que vous ayez besoin d'ombre et de silence pour vos projets ? Laissez-moi libre. »

Il proféra :

« Libre ! Libre de continuer votre œuvre de mort ? Nous sommes maîtres de vous. Vous subirez notre jugement.

— Votre jugement sur quoi ? S'il y avait parmi vous un seul juge véritable, un seul homme qui sût ce que c'est que la raison et que la vraisemblance, il rirait de vos accusations stupides et de vos preuves incohérentes.

— Des mots ! Des phrases ! s'écria-t-il. Ce sont des preuves contraires qu'il nous faudrait... quelque chose qui détruise le témoignage de mes yeux.

— À quoi bon me défendre ? Votre résolution est prise.

— Elle est prise parce que vous êtes coupable.

— Coupable de poursuivre le même but que vous, oui, cela, je l'avoue, et c'est la raison pour laquelle vous avez commis cette infamie de venir m'espionner et de jouer la comédie de l'amour. Si vous vous êtes pris au piège, tant pis pour vous ! Si vous m'avez fait des confidences à propos de l'énigme dont je connaissais déjà l'existence par le document de Cagliostro... tant pis pour vous ! Maintenant j'en suis obsédée, et j'ai juré d'atteindre le but, quoi qu'il arrive, et malgré vous. Voilà mon seul crime, à vos yeux.

— Votre crime, c'est d'avoir tué, proféra Beaumagnan qui s'emportait de nouveau.

— Je n'ai pas tué, dit-elle fermement.

— Vous avez poussé Saint-Hébert dans l'abîme et vous avez frappé d'Isneauval à la tête.

— Saint-Hébert ? d'Isneauval ? Je ne les ai pas connus. J'entends leurs noms aujourd'hui pour la première fois.

— Et moi ! et moi ! fit-il avec véhémence. Et moi, vous ne m'avez pas connu ? Vous n'avez pas voulu m'empoisonner ?

— Non. »

Il s'exaspéra et, la tutoyant dans un accès de rage :

« Mais je t'ai vue, Joséphine Balsamo. Je t'ai vue comme je te vois ! Tandis que tu rangeais le poison, j'ai vu ton sourire qui devenait féroce et le coin de ta lèvre qui remontait davantage... comme un rictus de damnée. »

Elle hocha la tête et prononça :

« Ce n'était pas moi. »

Il parut suffoqué. Comment avait-elle l'audace ?... Mais, tranquillement, elle lui posa la main sur l'épaule, et reprit :

« La haine vous fait perdre la tête, Beaumagnan, votre âme

fanatique se révolte contre le péché d'amour. Cependant, malgré cela, vous me permettez de me défendre, n'est-ce pas ?

— C'est votre droit. Mais hâtez-vous.

— Ce sera bref. Demandez à vos amis la miniature faite à Moscou en 1816, d'après la comtesse de Cagliostro... (Beaumagnan obéit et prit la miniature des mains du baron.) Bien... Examinez-la attentivement. C'est mon portrait, n'est-ce pas ?

— Où voulez-vous en venir ? dit-il.

— Répondez, c'est mon portrait ?

— Oui, fit-il nettement.

— Alors, si c'est là mon portrait, c'est que je vivais à cette époque ? Il y a quatre-vingts ans, j'en avais vingt-cinq ou trente ? Réfléchissez bien avant de répondre. Hein, vous hésitez, n'est-ce pas, devant un tel miracle ! Et vous n'osez pas affirmer ?... Pourtant, il y a mieux encore... Ouvrez, par-derrière, le cadre de cette miniature, et vous verrez à l'envers de la porcelaine, un autre portrait, le portrait d'une femme souriante, dont la tête est enveloppée d'un voile impalpable qui descend jusqu'aux sourcils, et à travers lequel on voit ses cheveux partagés en deux bandeaux ondulés. C'est encore moi, n'est-ce pas ? »

Tandis que Beaumagnan exécutait ses instructions, elle avait mis également sur sa tête un léger voile de tulle dont le rebord frôlait la ligne de ses sourcils, et elle baissait ses paupières avec une expression charmante. Beaumagnan balbutia, tout en comparant :

« C'est vous... c'est vous...

— Aucun doute, n'est-ce pas ?

— Aucun. C'est vous...

— Eh bien ! lisez la date, sur le côté droit. »

Beaumagnan épela :

« Fait à Milan, en l'an 1498. »

Elle répéta :

« En 1498 ! Il y a quatre cents ans. »

Elle rit franchement, et son rire sonnait avec clarté.

« Ne prenez pas cet air confondu, dit-elle. D'abord je connaissais l'existence de ce double portrait, et je le cherchais depuis longtemps. Mais soyez certain qu'il n'y a là aucun miracle. Je n'essaierai pas de vous persuader que j'ai servi de modèle au peintre et que j'ai quatre cents ans. Non, ceci est tout simplememt le visage de la Vierge Marie, et c'est une copie d'un fragment de la *Sainte Famille* de Bernardino Luini, peintre milanais, disciple de Léonard de Vinci. »

Puis, soudain sérieuse, et sans laisser à l'adversaire le temps de souffler, elle lui dit :

« Vous comprenez maintenant où je veux en venir, n'est-ce pas, Beaumagnan ? Entre la Vierge de Luini, la jeune fille de Moscou et moi, il y a cette chose insaisissable, merveilleuse, et pourtant indéniable, la ressemblance absolue. Trois visages en un seul. Trois visages qui ne sont pas ceux de trois femmes différentes, mais qui sont *celui de la même femme*. Alors pourquoi ne voulez-vous pas admettre qu'un même phénomène, tout naturel après tout, se reproduise en d'autres circonstances, et que la femme que vous avez vue dans votre chambre ne soit pas moi, mais une autre femme qui me ressemble assez pour vous faire illusion ?... une autre qui aurait connu et qui aurait tué vos amis Saint-Hébert et d'Isneauval ?

— J'ai vu... j'ai vu... protesta Beaumagnan, qui la touchait presque, debout contre elle tout pâle et frémissant d'indignation. J'ai vu. Mes yeux ont vu.

— Vos yeux voient aussi le portrait d'il y a vingt-cinq ans, et la miniature d'il y a quatre-vingts ans, et le tableau, d'il y a quatre cents ans. C'était donc moi ? »

Elle offrait aux regards de Beaumagnan sa jeune figure, sa beauté fraîche, ses dents éclatantes, ses joues tendres et pleines comme un fruit. Défaillant, il s'écria :

« Ah ! sorcière, il y a des moments où j'y crois, à cette absurdité. Sait-on jamais avec toi ! Tiens, la femme de la miniature montre tout en bas de son épaule nue, sous la peau blanche de la poitrine, un signe noir. Ce signe, il est là au bas de ton épaule... Je l'y ai vu... Tiens... montre-le donc aux autres pour qu'ils le voient aussi, pour qu'ils soient édifiés. »

Il était livide et la sueur coulait de son front. Il porta la main vers le corsage clos. Mais elle le repoussa et, s'exprimant avec beaucoup de dignité :

« Assez, Beaumagnan, vous ne savez pas ce que vous faites, et vous ne le savez plus depuis des mois. Je vous écoutais tout à l'heure et j'étais interdite, car vous parliez de moi comme si j'avais été votre maîtresse, et je n'ai pas été votre maîtresse. C'est une noble chose que de se frapper la poitrine en public, mais encore faut-il que la confession soit sincère. Vous n'en avez pas eu le courage. Le démon de l'orgueil ne vous a pas permis l'aveu humiliant de votre échec, et lâchement vous avez laissé croire ce qui n'a pas été. Durant des mois vous vous êtes traîné à mes pieds, vous m'avez implorée et menacée, sans que jamais, une seule fois, vos lèvres aient effleuré mes mains. Voilà tout le secret de votre conduite et de votre haine.

« Ne pouvant me fléchir, vous avez voulu me perdre, et, devant nos amis, vous dressez de moi une image effrayante de criminelle, d'espionne et de sorcière. Oui, de sorcière ! Un homme comme vous ne peut pas faillir, selon votre expression, et si vous avez failli ce ne peut être que par l'action de sortilèges diaboliques. Non, Beaumagnan, vous ne savez plus ce que vous faites, ni ce que vous dites. Vous m'avez vue dans votre chambre, préparant la poudre qui devait vous empoisonner ? Allons donc ! De quel droit invoquez-vous le témoignage de vos yeux ? Vos yeux ? Mais ils étaient obsédés par mon image, et l'autre femme vous offrit un visage qui n'était pas le sien, mais le mien, que vous ne pouviez pas ne pas voir.

« Oui, Beaumagnan, je le répète, l'autre femme... Il y a une autre femme sur le chemin que nous suivons tous. Il y a une autre femme qui a hérité de certains documents issus de Cagliostro et qui se pare, elle aussi, des noms qu'il prenait. Marquise de Belmonte, comtesse de Fenix... cherchez-la, Beaumagnan. Car c'est elle que vous avez vue, et c'est en vérité sur la plus grossière hallucination d'un cerveau détraqué que vous échafaudez contre moi tant d'accusations mensongères.

« Allons, tout cela n'est qu'une comédie puérile, et j'avais bien raison de rester paisible au milieu de vous tous, comme une femme innocente, d'abord, et comme une femme qui ne risque rien. Avec vos façons de juges et de tortionnaires, et malgré l'intérêt que chacun de vous peut avoir dans la réussite de l'entreprise commune, vous êtes au fond des braves gens qui n'oseriez jamais me faire mourir. Vous, peut-être, Beaumagnan, qui êtes un fanatique et qui avez peur de moi, mais il vous faudrait ici des bourreaux capables de vous obéir, et il n'y en a pas. Alors quoi... m'enfermer ? me jeter dans quelque coin obscur ? Si cela vous amuse, soit ! Mais, sachez-le, il n'y a pas de cachot d'où je ne puisse sortir aussi aisément que vous de cette salle. Ainsi, jugez, condamnez. Pour ma part, je ne dirai plus un mot. »

Elle se rassit, ôta son voile, et, de nouveau, s'accouda. Son rôle était terminé. Elle avait parlé sans emportement, mais avec une conviction profonde et une logique vraiment irréfutable, associant les charges relevées contre elle à cette légende d'inexplicable longévité qui dominait l'aventure.

« Tout se tient, disait-elle, et vous avez dû vous-même appuyer votre réquisitoire sur le récit de mes aventures passées. Vous avez dû commencer votre réquisitoire par le récit d'événements qui remontent à cent ans pour aboutir aux événements criminels d'aujourd'hui. Si je suis mêlée à ceux-ci, c'est que je fus l'héroïne de ceux-là. Si je suis la femme que vous avez vue, je suis aussi celle que vous montrent mes différents portraits. »

Que répondre ? Beaumagnan se tut. Le duel s'achevait par sa défaite et il n'essaya pas de la masquer. D'ailleurs, ses amis n'avaient plus cette face implacable et convulsée des gens qui se trouvent acculés à l'effroyable décision de mort. Le doute était en eux, Raoul d'Andrésy le sentit nettement, et il en eût conçu quelque espoir si le souvenir des préparatifs effectués par Godefroy d'Étigues et Bennetot n'eût atténué son contentement.

Beaumagnan et le baron d'Étigues s'entretinrent à voix basse, puis Beaumagnan reprit, comme un homme pour qui la discussion est close :

« Vous avez toutes les pièces du procès devant vous, mes amis. L'accusation et la défense ont dit leur dernier mot. Vous avez vu avec quelle certitude Godefroy d'Étigues et moi avons accusé cette femme, avec quelle subtilité elle s'est défendue, se retranchant derrière une ressemblance inadmissible, et donnant ainsi, en dernier ressort, un exemple frappant de son adresse et de sa ruse infernales. La situation est donc très simple : un adversaire de cette puissance et qui dispose de telles ressources ne nous laissera jamais de repos. Notre œuvre est compromise. Les uns après les autres, elle nous détruira. Son existence entraîne fatalement notre ruine et notre perte.

« Est-ce à dire pour cela qu'il n'est d'autre solution que la mort, et que le châtiment mérité soit le seul que nous devions envisager ? Non. Qu'elle disparaisse, qu'elle ne puisse rien tenter, nous n'avons pas le droit de demander davantage et, si notre conscience se révolte devant une solution aussi indulgente, nous devons nous y tenir parce que, somme toute, nous ne sommes pas là pour châtier, mais pour nous défendre.

« Voici donc les dispositions que nous avons prises, sous réserve de votre approbation. Cette nuit, un bateau anglais viendra croiser à quelque distance des côtes. Une barque s'en détachera, au-devant de laquelle nous irons, et que nous rencontrerons à dix heures, au pied de l'aiguille de Belval. Cette femme sera livrée, emmenée à Londres, débarquée la nuit, et enfermée dans une maison de fous, jusqu'à ce que notre œuvre soit achevée. Je ne pense pas qu'aucun de vous s'oppose à notre façon d'agir, qui est humaine et généreuse, mais qui sauvegarde notre œuvre et nous met à l'abri des périls inévitables ? »

Raoul aperçut aussitôt le jeu de Beaumagnan, et il pensa :

« C'est la mort. Il n'y a pas de bateau anglais. Il y a deux barques, dont l'une, percée, sera conduite au large et coulera. La comtesse de Cagliostro disparaîtra sans que personne sache jamais ce qu'elle est devenue. »

La duplicité de ce plan et la manière insidieuse dont il était exposé l'effrayaient. Comment les amis de Beaumagnan ne l'eussent-ils pas soutenu alors qu'on ne leur demandait point de réponse affirmative ? Leur silence suffisait. Qu'aucun d'eux ne protestât, et Beaumagnan était libre d'agir par l'intermédiaire de Godefroy d'Étigues.

Or, aucun d'eux ne protesta. À leur insu, ils avaient condamné à mort.

Ils se levèrent tous pour le départ, heureux évidemment d'en être quittes à si bon marché. Nulle observation ne fut faite. Ils avaient l'air de s'en aller d'une petite réunion d'intimes où l'on a discuté de choses insignifiantes. Quelques-uns d'entre eux devaient d'ailleurs prendre le train du soir à la station voisine. Au bout d'un instant, ils étaient tous sortis, à l'exception de Beaumagnan et des deux cousins.

Et ainsi, il arrivait ceci, qui déconcertait Raoul, c'est que cette séance dramatique, où la vie d'une femme avait été exposée d'une façon si arbitraire, et sa mort obtenue par un subterfuge si odieux, finissait tout à coup, brusquement, comme une pièce dont le dénouement se produit avant l'heure logique, comme un procès dont le jugement serait proclamé au milieu des débats.

Dans cette sorte d'escamotage, le caractère insidieux et tortueux de Beaumagnan apparaissait de plus en plus net à Raoul d'Andrésy. Implacable et fanatique, rongé par l'amour et par l'orgueil, l'homme avait décidé la mort. Mais il y avait en lui des scrupules, des lâchetés, des hypocrisies, des peurs confuses, qui l'obligeaient, pour ainsi dire, à se couvrir devant sa conscience, et peut-être aussi devant la justice. D'où cette solution ténébreuse, le blanc-seing obtenu grâce à cet abominable tour de passe-passe.

Maintenant, debout sur le seuil, il observait la femme qui devait mourir. Livide, les sourcils froncés, les muscles et la mâchoire agités d'un tic nerveux, les bras croisés, il avait comme à l'ordinaire l'attitude un peu théâtrale d'un personnage romantique. Son cerveau devait rouler des pensées tumultueuses. Hésitait-il, au dernier moment ?

En tout cas, sa méditation ne fut pas longue. Il empoigna Godefroy d'Étigues par l'épaule et se retira, tout en jetant cet ordre :

« Gardez-la ! Et, pas de bêtises, hein ? Sans quoi... »

Durant toutes ces allées et venues, la comtesse de Cagliostro n'avait pas bougé, et son visage conservait cette expression pensive et pleine de quiétude qui était si peu en rapport avec la situation.

« Certainement, se disait Raoul, elle ne soupçonne pas le danger. La claustration dans une maison de fous, voilà tout ce qu'elle envisage, et c'est une perspective dont elle ne se tourmente aucunement. »

Une heure passa. L'ombre du soir commençait à envahir la salle. Deux fois, la jeune femme consulta la montre qu'elle portait à son corsage.

Puis, elle essaya de lier conversation avec Bennetot, et tout de suite sa figure s'imprégna d'une séduction incroyable, et sa voix prit des inflexions qui vous émouvaient comme une caresse.

Bennetot grogna, d'un air bourru, et ne répondit pas.

Une demi-heure encore... Elle regarda de droite et de gauche, et s'aperçut que la porte était entrouverte. À cette minute-là, elle eut, indubitablement, l'idée de la fuite possible, et tout son être se replia sur lui-même comme pour bondir.

De son côté Raoul cherchait les moyens de l'aider dans son projet. S'il avait eu un revolver il eût abattu Bennetot. Il pensa également à sauter dans la salle, mais l'orifice n'était pas assez large.

D'ailleurs Bennetot qui était armé, lui, sentit le péril et posa son revolver sur la table en maugréant :

« Un geste, un seul, et je tire. J'en jure Dieu ! »

Il était homme à tenir son serment. Elle ne remua plus. La gorge serrée par l'angoisse, Raoul la contemplait sans se lasser.

Vers sept heures, Godefroy d'Étigues revint.

Il alluma une lampe, et dit à Oscar de Bennetot :

« Préparons tout. Va chercher la civière sous la remise. Ensuite tu iras dîner. »

Lorsqu'il fut seul avec la jeune femme, le baron sembla hésiter. Raoul vit que ses yeux étaient hagards et qu'il avait l'intention de parler ou d'agir. Mais les mots et les actes devaient être de ceux devant lesquels on se dérobe. Aussi l'attaque futelle brutale.

« Priez Dieu, madame », dit-il subitement.

Elle répéta d'une voix qui ne comprenait pas :

« Prier Dieu ? Pourquoi ce conseil ? »

Alors il dit très bas :

« Faites à votre guise... seulement je devais vous prévenir...

— Me prévenir de quoi ? demanda-t-elle de plus en plus anxieuse.

— Il y a des moments, murmura-t-il, où il faut prier Dieu comme si l'on devait mourir la nuit même... »

Elle fut secouée d'une épouvante soudaine. Du coup elle voyait toute la situation. Ses bras s'agitèrent dans une sorte de convulsion fébrile.

« Mourir... Mourir ?... mais il ne s'agit pas de cela, n'est-ce pas ? Beaumagnan n'a pas parlé de cela... il a parlé d'une maison de fous... »

Il ne répondit pas. Et, on entendit la malheureuse qui bégayait :

« Ah ! mon Dieu, il m'a trompée. La maison de fous, ce n'est pas vrai... C'est autre chose... Ils vont me jeter à l'eau... en pleine nuit... Oh ! l'horreur ! Mais ce n'est pas possible... Moi, mourir !... Au secours !... »

Godefroy d'Étigues avait apporté, plié sous son épaule, un long plaid. Avec une brutalité rageuse, il en couvrit la tête de la jeune femme et lui plaqua la main contre la bouche pour étouffer ses cris.

Bennetot revenait. À eux deux ils la couchèrent sur le brancard et la ficelèrent solidement, de façon que passât, entre les planches à claire-voie, l'anneau de fer auquel devait être attaché un lourd galet...

IV

LA BARQUE QUI COULE

Les ténèbres s'accumulaient, Godefroy d'Étigues alluma une lampe, et les deux cousins s'installèrent pour la veillée funèbre. Sous la lueur, ils avaient un visage sinistre, que l'idée du crime faisait grimacer.

« Tu aurais dû apporter un flacon de rhum, bougonna Oscar de Bennetot. Il y a des moments où il ne faut pas savoir ce que l'on fait.

— Nous ne sommes pas à l'un de ces moments, répliqua le baron. Au contraire ! Il nous faut toute notre attention.

— C'est gai.

— Il fallait raisonner avec Beaumagnan et lui refuser ton concours.

— Pas possible.

— Alors, obéis. »

Du temps encore s'écoula. Aucun bruit ne venait du château, ni de la campagne assoupie.

Bennetot s'approcha de la captive, écouta, puis se retournant :

« Elle ne gémit même pas. C'est une rude femme. »

Et il ajouta d'une voix où il y avait une certaine peur :

« Crois-tu à tout ce qu'on dit sur elle ?

— À quoi ?

— Son âge ?... toutes ces histoires d'autrefois ?

— Des bêtises !

— Beaumagnan y croit, lui.

— Est-ce qu'on sait ce que pense Beaumagnan !

— Avoue tout de même, Godefroy, qu'il y a des choses vraiment curieuses... et que tout laisse supposer qu'elle n'est pas née d'hier. »

Godefroy d'Étigues murmura :

« Oui, évidemment... Moi-même, en lisant, c'est à elle que je m'adressais, comme si elle vivait réellement à cette époque-là.

— Alors, tu y crois ?

— Assez. Ne parlons pas de tout ça ! c'est déjà trop d'y être mêlé. Ah ! je te jure Dieu (et il haussa le ton) que si j'avais pu refuser, et sans prendre de gants !... Seulement... »

Godefroy n'était pas en humeur de causer, et il n'en dit pas davantage sur un chapitre qui semblait lui être infiniment désagréable.

Mais Bennetot reprit :

« Moi aussi, je te jure Dieu que pour un rien je filerais. D'autant que j'ai comme une idée, vois-tu, que nous sommes refaits sur toute la ligne. Oui, je te l'ai déjà dit, Beaumagnan en connaît beaucoup plus que nous, et nous ne sommes que des polichinelles entre ses mains. Un jour ou l'autre, quand il n'aura plus besoin de nous, il nous tirera sa révérence, et l'on s'apercevra qu'il a escamoté l'affaire à son profit.

— Ça, jamais.

— Cependant... », objecta Bennetot.

Godefroy lui mit la main sur la bouche et chuchota :

« Tais-toi. Elle entend.

— Qu'importe, dit l'autre, puisque tout à l'heure... »

Ils n'osèrent plus rompre le silence. De temps à autre l'horloge de l'église sonnait des coups qu'ils comptaient des lèvres en se regardant.

Quand ils en comptèrent dix, Godefroy d'Étigues donna sur la table un formidable coup de poing qui fit sauter la lampe.

« Crebleu de crebleu ! il faut marcher.

— Ah ! fit Bennetot, quelle ignominie ! Nous y allons seuls ?

— Les autres veulent nous accompagner. Mais je les arrête au haut de la falaise puisqu'ils croient au bateau anglais.

— Moi j'aimerais mieux qu'on y aille tous.

— Tais-toi, l'ordre ne concerne que nous. Et puis les autres pourraient bavarder... Et ce serait du propre. Tiens, les voici. »

Les autres, c'étaient ceux qui n'avaient pas pris le train, c'est-à-dire d'Ormont, Roux d'Estiers et Rolleville. Ils arrivèrent avec un falot d'écurie que le baron leur fit éteindre.

« Pas de lumière, dit-il. On verrait ça se promener sur la falaise, et on jaserait par la suite. Tous les domestiques sont couchés ?

— Oui.

— Et Clarisse ?

Elle n'a pas quitté sa chambre.

— En effet, dit le baron, elle est un peu souffrante aujourd'hui. En route ! »

D'Ormont et Rolleville saisirent les bras de la civière. On traversa le verger et l'on s'engagea dans une pièce de terre pour rejoindre le chemin de campagne qui conduisait du village à l'Escalier du Curé. Le ciel était noir, sans étoiles, et le cortège, à tâtons, trébuchait et se heurtait aux ornières et aux talus. Des jurons fusaient, vite étouffés par la colère de Godefroy.

« Pas de bruit, bon sang ! On pourrait reconnaître nos voix.

— Qui, Godefroy ? Il n'y a personne absolument, et tu as dû prendre tes précautions pour les douaniers ?

— Oui. Ils sont au cabaret, invités par un homme dont je suis sûr. Tout de même une ronde est possible. »

Le plateau se creusa en une dépression que le chemin suivait. Tant bien que mal, ils parvinrent à l'endroit où s'amorce l'escalier. Il fut taillé jadis en pleine falaise, sur l'initiative d'un curé de Bénouville, et pour que les gens du pays puissent descendre directement jusqu'à la plage. Le jour, des orifices pratiqués dans la craie l'éclairent et ouvrent des vues magnifiques sur la mer, dont les flots viennent battre les rochers et vers laquelle il semble que l'on s'enfonce.

« Ça va être dur, fit Rolleville. Nous pourrions vous aider. On vous éclairerait.

— Non, déclara le baron. Il est prudent de se séparer. »

Les autres obéirent et s'éloignèrent. Les deux cousins, sans perdre de temps, commencèrent l'opération difficile de la descente.

Ce fut long. Les marches étaient fort élevées, et le tournant parfois si brusque que la place manquait pour le brancard et qu'il fallait le dresser dans toute sa hauteur. La lumière d'une lampe de poche ne les éclairait que par à-coups. Oscar de Bennetot ne dérageait pas, à tel point que, dans son instinct de hobereau mal dégrossi, il proposait simplement de jeter « tout cela » par-dessus bord, c'est-à-dire par l'un des orifices.

Enfin ils atteignirent une plage de galets fins où ils purent reprendre haleine. À quelque distance, on apercevait les deux barques allongées l'une près de l'autre. La mer très calme, sans la moindre vague, en baignait les quilles. Bennetot montra le trou qu'il avait creusé dans la plus petite des deux et qui, provisoirement, demeurait obstrué par un bouchon de paille, et ils couchèrent le brancard sur les trois bancs qui la garnissaient.

« Ficelons le tout ensemble », ordonna Godefroy d'Étigues.

Bennetot fit observer :

« Et si jamais il y a une enquête et que l'on découvre la chose au fond de la mer, quelle preuve contre nous, ce brancard !

— C'est à nous d'aller assez loin pour qu'on ne découvre jamais rien. Et d'ailleurs, c'est un vieux brancard hors d'usage depuis vingt ans, et que j'ai sorti d'une grange abandonnée. Rien à craindre. »

Il parlait en tremblant, et d'une voix effarée que Bennetot ne lui connaissait point.

« Qu'est-ce que tu as, Godefroy ?

— Moi ? Que veux-tu que j'aie ?

— Alors ?

— Alors, poussons la barque... Mais il faut d'abord, selon les instructions de Beaumagnan, qu'on *lui* enlève son bâillon et qu'on *lui* demande si elle a quelque volonté à exprimer. Tu veux faire cela, toi ? »

Bennetot balbutia :

« La toucher ? La voir ? J'aimerais mieux crever... et toi ?

— Je ne pourrais pas non plus... je ne pourrais pas...

— Elle est coupable cependant... elle a tué...

— Oui... oui... Du moins c'est probable... Seulement, elle a l'air si doux !...

— Oui, fit Bennetot... et elle est si belle... belle comme la Vierge... »

En même temps ils tombèrent à genoux sur le galet et se mirent à prier tout haut pour celle qui allait mourir et sur qui ils appelaient « l'intervention de la Vierge Marie ».

Godefroy entremêlait les versets et les supplications que Bennetot scandait, au hasard, avec des amen fervents. Cela parut leur rendre un peu de courage, car ils se relevèrent brusquement, avides d'en finir. Bennetot apporta l'énorme galet qu'il avait préparé, le lia vivement à l'anneau de fer, et poussa la barque qui flotta aussitôt sur l'eau tranquille. Ensuite, d'un commun effort, ils firent glisser l'autre barque et sautèrent dedans. Godefroy saisit les deux rames, tandis que Bennetot, à l'aide d'une corde, remorquait le bateau de la condamnée.

Ainsi s'en allèrent-ils au large, à petits coups d'aviron qui laissaient tomber un bruit frais de gouttelettes. Des ombres plus noires que la nuit leur permettaient de se guider à peu près entre les roches et de glisser vers la pleine mer. Mais, au bout de vingt minutes, l'allure devint plus lente et l'embarcation s'arrêta.

« Je ne peux plus... murmura le baron tout défaillant... mes bras refusent. À ton tour...

— Je n'aurais pas la force », avoua Bennetot.

Godefroy fit une nouvelle tentative, puis renonçant, il dit :

« À quoi bon ? Nous avons sûrement dépassé de beaucoup la ligne où la mer s'en va. C'est ton avis ? »

L'autre approuva.

« D'autant, dit-il, qu'il y a comme une brise qui portera le bateau encore plus loin que la ligne.

— Alors enlève le bouchon de paille.

— C'est toi qui devrais faire ça, protesta Bennetot, à qui le geste commandé semblait le geste même du meurtre.

— Assez de bêtises ! Finissons-en. »

Bennetot tira la corde. La quille vint se balancer tout contre lui. Il n'avait plus qu'à se pencher et à plonger la main.

« J'ai peur, Godefroy, bégaya-t-il. Sur mon salut éternel, ce n'est pas moi qui agis, mais bien toi, tu entends ? »

Godefroy bondit jusqu'à lui, l'écarta, se courba par-dessus bord, et plongeant sa main arracha d'un coup le bouchon. Il y eut un glouglou d'eau qui bouillonne, et cela le bouleversa au point que, dans un revirement subit, il voulut combler le trou. Trop tard. Bennetot avait pris les rames, et, retrouvant toute son énergie, effrayé lui aussi du bruit qu'il avait perçu, donnait un effort violent qui mettait un intervalle de plusieurs brasses entre les deux embarcations.

« Halte ! commanda Godefroy. Halte ! Je veux la sauver. Arrête, mordieu !... Ah ! c'est bien toi qui la tues... Assassin, assassin... je l'aurais sauvée, moi. »

Mais Bennetot, ivre de terreur, sans rien comprendre, ramait à faire craquer les avirons.

Le cadavre demeura donc seul — car pouvait-on appeler autrement l'être inerte, impuissant et voué à la mort que portait la barque blessée ? L'eau devait fatalement monter à l'intérieur en quelques minutes. Le frêle bateau s'engloutirait.

Cela Godefroy d'Étigues le savait. Aussi, résolu à son tour, il saisit une rame et, sans se soucier d'être entendus, les deux complices se courbèrent avec des efforts désespérés pour fuir au plus vite le lieu du crime commis. Ils avaient peur de percevoir quelque cri d'angoisse, ou le chuchotement effroyable d'une chose qui coule et sur laquelle l'eau se referme pour toujours.

Le canot se balançait au ras de l'onde presque immobile, où l'air, chargé de nuages très bas, semblait peser de tout son poids.

D'Étigues et Oscar de Bennetot devaient être à demi-chemin du retour. Tout bruit cessa.

À ce moment, la barque s'inclina sur tribord, et, dans la sorte de torpeur épouvantée où elle agonisait, la jeune femme eut la sensation que le dénouement se produisait. Elle n'eut aucun soubresaut, aucune révolte. L'acceptation de la mort provoque un état d'esprit où il semble que l'on soit déjà de l'autre côté de la vie.

Cependant, elle s'étonnait de ne pas frissonner au contact de l'eau glacée, ce qui était la chose que craignait surtout sa chair de femme. Non, la barque ne s'enfonçait pas. Elle paraissait plutôt prête à chavirer comme si quelqu'un en eût enjambé le rebord.

Quelqu'un ? Le baron ? Son complice ? Elle pensa que ce n'était ni l'un ni l'autre, car une voix qu'elle ne connaissait pas murmura :

« Rassurez-vous, c'est un ami qui vient à votre secours... »

Cet ami se pencha sur elle, et sans même savoir si elle entendait ou non, expliqua aussitôt :

« Vous ne m'avez jamais vu... Je m'appelle Raoul... Raoul d'Andrésy... Tout va bien... J'ai bouché le trou avec un morceau de bois coiffé d'un chiffon. Réparation de fortune, mais qui peut suffire... D'autant que nous allons nous débarrasser de cet énorme galet. »

À l'aide d'un couteau, il trancha les cordes qui attachaient la jeune femme ; puis saisit le gros galet, et réussit à le jeter. Enfin écartant la couverture dont elle était enveloppée, il s'inclina et lui dit :

« Comme je suis content ! Les événements ont tourné beaucoup mieux encore que je ne l'espérais, et vous voilà sauvée ! L'eau n'a pas eu le temps de monter jusqu'à vous, n'est-ce pas ? Quelle chance ! Vous ne souffrez pas ? »

Elle chuchota, la voix à peine intelligible :

« Oui... la cheville... leurs liens me tordaient le pied.

— Ce ne sera rien, dit-il. L'essentiel, maintenant, c'est de gagner le rivage. Vos deux bourreaux ont sûrement atterri et doivent grimper l'escalier en hâte. Nous n'avons donc rien à redouter. »

Il fit rapidement ses préparatifs, ramassa un aviron qu'il avait caché d'avance dans le fond, le fit glisser à l'arrière et se mit à « godiller » tout en continuant ses explications d'un ton joyeux, et comme s'il ne s'était rien passé de plus extraordinaire que ce qui se passe au cours d'une partie de plaisir.

« Que je me présente, d'abord, un peu plus régulièrement,

quoique je ne sois guère présentable : pour tout costume, quelque chose comme un caleçon de bain que je me suis confectionné et auquel j'avais attaché un couteau... — donc Raoul d'Andrésy, pour vous servir, puisque le hasard me le permet. Oh ! un hasard bien simple... Une conversation surprise... J'ai su qu'on machinait un complot contre une certaine dame... Alors j'ai pris les devants. Je suis descendu sur la plage et quand les deux cousins ont débouché du tunnel, je suis entré dans l'eau. Il ne me restait plus qu'à m'accrocher à votre barque dès que celle-ci fut à la remorque. C'est ce que j'ai fait. Et ni l'un ni l'autre ne s'avisa qu'ils emmenaient avec leur victime un champion de natation bien résolu à la sauver. J'ai dit. Je vous raconterai cela par le détail plus tard et lorsque vous m'entendrez. Pour l'instant, j'ai idée que je bavarde dans le vide. »

Il s'arrêta une minute.

« Je souffre, dit-elle... Je suis épuisée... »

Il répondit :

« Un conseil : perdez connaissance. Rien ne repose comme de perdre connaissance. »

Elle dut lui obéir, car, après quelques gémissements, elle respira d'un souffle calme et régulier. Raoul lui couvrit le visage et repartit en concluant :

« C'est préférable. J'ai toute latitude pour agir, et je ne dois de compte à personne. »

Ce qui ne l'empêcha pas d'ailleurs de monologuer avec toute la satisfaction de quelqu'un qui est enchanté de soi-même et de ses moindres actes. Le canot filait prestement sous son impulsion. La masse des falaises se devinait.

Lorsque le fer de la quille grinça sur les galets, il sauta, puis enleva la jeune femme avec une aisance qui prouvait la valeur de ses muscles, et la déposa contre le pied de la falaise.

« Champion de boxe aussi, dit-il, et de lutte romaine également. Je vous avouerai, puisque vous ne pouvez m'entendre, que j'ai trouvé ces mérites dans l'héritage de papa... et combien d'autres ! mais assez de balivernes... Reposez-vous ici, sous cette roche où vous êtes à l'abri des flots perfides... Quant à moi, je repars. Je suppose qu'il est dans vos projets de prendre votre revanche sur les deux cousins ? Pour cela, il est nécessaire que l'on ne retrouve pas la barque, et que l'on vous croie bel et bien noyée. Donc, un peu de patience. »

Sans plus tarder, Raoul d'Andrésy exécuta ce qu'il avait

« Il enleva la jeune fille et la déposa contre le pied de la falaise. »

annoncé. De nouveau il conduisit la barque en pleine mer, enleva le bouchon de linge et, certain qu'elle disparaîtrait, se mit à l'eau. De retour sur le rivage il chercha ses vêtements qu'il avait dissimulés dans une anfractuosité, se débarrassa de son espèce de caleçon de bain, et se rhabilla.

« Allons, dit-il en rejoignant la jeune femme, il s'agit de remonter là-haut, et ce n'est pas le plus commode. »

Elle sortait peu à peu de son évanouissement et, au clair de sa lanterne, il vit qu'elle ouvrait les yeux.

Aidée par lui, elle essaya de se mettre debout, mais la douleur lui arracha un cri, et elle retomba sans forces. Il dénoua le soulier et vit aussitôt que le bas était couvert de sang. Blessure peu dangereuse, mais qui la faisait souffrir. Avec son mouchoir, Raoul banda la cheville provisoirement et décida le départ immédiat.

Il la chargea donc sur son épaule et commença l'escalade. Trois cent cinquante marches ! Si Godefroy d'Étigues et Bennetot avaient eu du mal dans la descente, combien l'effort contraire était plus rude, effectué par un adolescent ! Quatre fois il dut s'arrêter, couvert de sueur, avec la sensation qu'il lui serait impossible de continuer.

Il continuait cependant, toujours de bonne humeur. À la troisième halte, s'étant assis, il la coucha sur ses genoux, et il lui sembla qu'elle riait de ses plaisanteries et de sa verve intarissable. Alors il acheva l'ascension en serrant ainsi contre sa poitrine le corps charmant dont ses mains sentaient les formes souples.

Arrivé au sommet, il ne prit aucun repos, un vent frais s'étant levé qui balayait la plaine. Il avait hâte de mettre la jeune femme à l'abri, et, d'un élan, il traversa les champs et la porta jusqu'à une grange isolée que, dès le début, il s'était proposé d'atteindre. En prévision des événements, il y avait placé deux bouteilles d'eau fraîche, du cognac et quelques aliments.

Il appuya une échelle contre le pignon, reprit son fardeau, poussa le panneau de bois qui servait à clore, et fit retomber l'échelle.

« Douze heures de sécurité et de sommeil. Personne ne nous dérangera. Demain, vers midi, je me procurerai une voiture et vous mènerai où vous voudrez. »

Voici donc qu'ils étaient enfermés l'un près de l'autre, à la suite de la plus tragique et de la plus merveilleuse aventure que l'on pût rêver. Comme tout était loin maintenant des scènes affreuses de la journée ! Tribunal d'inquisition, juges implacables, bourreaux sinistres, Beaumagnan, Godefroy d'Étigues, la condamnation, la descente vers la mer, la barque qui coule au fond des ténèbres, quels cauchemars, effacés déjà, et qui s'achevaient dans l'intimité de la victime et du sauveur !

À la lueur de la lampe accrochée à une poutre, il étendit la jeune femme parmi les bottes de foin qui garnissaient le grenier, la soigna, la fit boire, et pansa doucement sa blessure. Protégée par lui, loin des embûches, n'ayant plus rien à redouter de ses ennemis, Joséphine Balsamo s'abandonna en toute confiance. Elle ferma les yeux et s'assoupit.

La lampe illuminait en plein son beau visage auquel la fièvre de tant d'émotions donnait de la couleur. Raoul s'agenouilla devant elle et la contempla longuement. Alourdie par la chaleur de la grange, elle avait ouvert le haut de son corsage et Raoul apercevait les épaules harmonieuses dont la ligne parfaite se reliait au cou le plus pur.

Il se souvint de ce signe noir auquel Beaumagnan avait fait allusion et qui se voyait sur la miniature. Comment eût-il pu résister à la tentation de voir, à son tour, et de se rendre compte si réellement, le même signe se trouvait là, sur la poitrine de la femme qu'il avait sauvée de la mort ? Lentement il écarta l'étoffe. À droite, un grain de beauté, noir comme une de ces mouches que les coquettes se posaient autrefois, marquait la peau blanche et soyeuse et suivait le rythme égal de la respiration.

« Qui êtes-vous ? qui êtes-vous ? murmura-t-il tout troublé. De quel monde venez-vous ? »

Lui aussi, comme les autres, il éprouvait un malaise inexplicable et subissait l'impression mystérieuse qui se dégageait de cette créature et de certains détails de sa vie et de son apparence physique. Et il l'interrogeait, malgré lui, comme si la jeune femme pouvait répondre au nom de celle qui jadis avait servi de modèle à la miniature.

Les lèvres épelèrent des mots qu'il ne comprit pas, et il était si près d'elles, et l'haleine qu'elles exhalaient était si douce, qu'il les effleura de ses lèvres en tremblant.

Elle soupira. Ses yeux s'entrouvrirent. En voyant Raoul agenouillé, elle rougit, et elle souriait en même temps, et ce sourire demeura, tandis que les lourdes paupières se baissaient de nouveau et qu'elle retombait au sommeil.

Raoul fut éperdu, et, palpitant de désir et d'admiration, il chuchotait des phrases exaltées et joignait les mains comme devant une idole à laquelle il eût adressé l'hymne d'adoration le plus ardent et le plus fou.

« Ce que vous êtes belle !... Je ne croyais pas à tant de beauté dans la vie. Ne souriez plus !... Je comprends qu'on ait envie de vous faire pleurer. Votre sourire bouleverse... On voudrait l'effacer pour que personne ne le voie plus jamais... Ah ! ne souriez plus qu'à moi, je vous en supplie... »

Et plus bas, passionnément :

« Joséphine Balsamo... Que votre nom est doux ! Et combien il vous a faite plus mystérieuse encore ! Sorcière ? a dit Beaumagnan... Non : ensorceleuse ! Vous surgissez des ténèbres, et vous êtes comme de la lumière, du soleil... Joséphine Balsamo... enchanteresse... magicienne... Ah ! tout ce qui s'ouvre devant moi !... tout ce que je vois de bonheur !... Ma vie commence à la minute même où je vous ai prise dans mes bras... Je n'ai plus d'autres souvenirs que vous... Je n'espère qu'en vous... Mon Dieu ! mon Dieu ! que vous êtes belle ! C'est à pleurer de désespoir... »

Il lui disait cela tout contre elle, et sa bouche près de sa bouche, mais le baiser dérobé fut l'unique caresse qu'il se permit. Il n'y avait pas que de la volupté dans le sourire de Joséphine Balsamo, mais aussi une telle pudeur que Raoul était pénétré de respect et que son exaltation s'acheva en paroles graves et pleines d'un dévouement juvénile.

« Je vous aiderai... Les autres ne pourront rien contre vous... Si vous voulez atteindre, malgré eux, le but qu'ils poursuivent, je vous promets que vous réussirez. Loin de vous ou près de vous, je serai toujours celui qui défend et qui sauve... Ayez foi dans mon dévouement... »

Il s'endormit à la fin, en balbutiant des promesses et des serments qui n'avaient pas beaucoup de sens, et ce fut un sommeil profond, immense, sans rêves, comme le sommeil des enfants qui ont besoin de refaire leur jeune organisme surmené...

Onze coups sonnèrent à l'horloge de l'église. Il les compta avec une surprise croissante.

« Onze heures du matin, est-ce possible ? »

Par les fentes du volet et par les fissures ménagées sous le vieux toit de chaume, le jour filtrait. D'un côté même, un peu de soleil passa.

« Où donc êtes-vous ? dit-il. Je ne vous vois pas. »

La lampe s'était éteinte. Il courut jusqu'au volet et l'attira vers lui, emplissant ainsi le grenier de lumière. Il n'aperçut point Joséphine Balsamo.

Il s'élança contre les bottes de foin, les déplaça, les jeta furieusement par la trappe qui s'ouvrait sur le rez-de-chaussée. Personne. Joséphine Balsamo avait disparu.

Il descendit, chercha dans le verger, fouilla la plaine voisine et le chemin. Vainement. Bien que blessée, incapable de poser le pied à terre, elle avait quitté le refuge, sauté sur le sol, traversé le verger, la plaine voisine...

Raoul d'Andrésy regagna la grange pour en faire l'inspection minutieuse. Il n'eut pas besoin de chercher longtemps. Sur le plancher même il aperçut un carton rectangulaire.

Il le ramassa. C'était la photographie de la comtesse de Cagliostro.

Derrière, écrites au crayon, ces deux lignes :

« *Que mon sauveur soit remercié, mais qu'il n'essaie pas de me revoir.* »

V

UNE DES SEPT BRANCHES

Il y a certains contes dont le héros est en proie aux aventures les plus extravagantes et s'avise, lors du dénouement, qu'il fut tout simplement le jouet d'un rêve. Raoul, quand il eut retrouvé sa bicyclette derrière le talus où il l'avait enfouie la veille, se demanda subitement s'il n'avait pas été ballotté par une suite de songes tour à tour divertissants, pittoresques, redoutables et, en définitive, fort décevants.

L'hypothèse ne l'arrêta guère. La vérité s'attachait à lui par la photographie qu'il avait entre les mains, et plus encore peut-être par le souvenir enivrant du baiser pris aux lèvres de Joséphinc Balsamo. Cela, c'était une certitude à laquelle il ne pouvait se soustraire.

Pour la première fois, à ce moment — il le constata avec un remords aussitôt chassé —, il pensa d'une façon nette à Clarisse d'Étigues, et aux heures délicieuses de la matinée précédente. Mais, à l'âge de Raoul, ces ingratitudes et ces contradictions de cœur s'arrangent aisément, il semble qu'on se dédouble en deux êtres, dont l'un continuera d'aimer dans une sorte d'inconscience où la part de l'avenir est réservée, et dont l'autre se livre avec frénésie à tous les emportements de la passion nouvelle. L'image de Clarisse se dressa, confuse et douloureuse, comme au fond d'une petite chapelle ornée de cierges vacillants près desquels il irait prier de temps en temps. Mais la comtesse de Cagliostro devenait tout à coup l'unique divinité que l'on adore, une divinité despotique et jalouse qui ne permettrait pas qu'on lui dérobât la moindre pensée ni le moindre secret.

Raoul d'Andrésy — continuons d'appeler ainsi celui qui devait illustrer le nom d'Arsène Lupin —, Raoul d'Andrésy n'avait jamais aimé. En fait, le temps lui avait manqué plus encore que l'occasion. Brûlé d'ambition, mais ne sachant pas dans quel domaine et par quels moyens se réaliseraient ses rêves de gloire, de fortune et de puissance, il se dépensait de tous côtés pour être prêt à répondre à l'appel du destin. Intelligence, esprit, volonté, adresse physique, force musculaire, souplesse, endurance, il cultiva tous ses dons jusqu'à l'extrême limite, étonné lui-même de voir que cette limite reculait toujours devant la puissance de ses efforts.

Avec cela il fallait vivre, et il n'avait aucune ressource. Orphelin, seul dans l'existence, sans amis, sans relations, sans métier, il vécut cependant. Comment ? C'était un point sur lequel il n'aurait su donner que des explications insuffisantes, et que lui-même il n'examinait pas de trop près. On vit comme on peut. On fait face à ses besoins et à ses appétits selon les circonstances.

« La chance est pour moi, se disait-il. Allons de l'avant. Ce qui doit être sera, et j'ai idée que ce sera magnifique. »

C'est alors qu'il croisa sur son chemin Joséphine Balsamo. Tout de suite il sentit que, pour la conquérir, il mettrait en œuvre tout ce qu'il avait accumulé d'énergie.

Et Joséphine Balsamo, pour lui, n'avait rien de commun avec la « créature infernale » que Beaumagnan avait essayé de dresser devant l'imagination inquiète de ses amis. Toute cette vision sanguinaire, tout cet attirail de crime et de perfidie, tous ces oripeaux de sorcière, s'évanouissaient comme un cauchemar en face de la jolie photographie où il contemplait les yeux limpides et les lèvres pures de la jeune femme.

« Je te retrouverai, jurait-il en la couvrant de baisers, et tu m'aimeras comme je t'aime, et tu seras à moi comme la maîtresse la plus soumise, et la plus chérie. Je lirai dans ta vie mystérieuse ainsi que dans un livre ouvert. Ton pouvoir de divination, tes miracles, ton incroyable jeunesse, tout ce qui déconcerte les autres et les effare, autant de procédés ingénieux dont nous rirons ensemble. Tu seras à moi, Joséphine Balsamo. »

Serment dont Raoul sentait lui-même pour l'instant la prétention de la témérité. Au fond Joséphine Balsamo l'intimidait encore, et il n'était pas loin d'éprouver contre elle une certaine irritation, comme un enfant qui voudrait être l'égal et qui doit se soumettre à plus fort que lui.

Deux jours durant, il se confina dans la petite chambre qu'il occupait au rez-de-chaussée de son auberge, et dont la fenêtre donnait sur une cour plantée de pommiers. Journées de méditation et d'attente, et qu'il fit suivre d'un après-midi de promenade à travers la campagne normande, c'est-à-dire aux lieux mêmes où il était possible qu'il rencontrât Joséphine Balsamo.

Il supposait bien, en effet, que la jeune femme, toute meurtrie encore par l'horrible épreuve, ne retournerait pas à son logement de Paris. Vivante, il fallait que ceux qui l'avaient tuée, la crussent morte. Et, d'autre part, aussi bien pour se venger d'eux que pour atteindre avant eux l'objectif qu'ils s'étaient proposé, il ne fallait pas qu'elle s'éloignât du champ de bataille.

Le soir de ce troisième jour il trouva sur la table de sa chambre un bouquet de fleurs d'avril : pervenches, narcisses, primevères, coucous. Il questionna l'aubergiste. On n'avait vu personne.

« C'est elle », pensa-t-il en embrassant les fleurs qu'elle venait de cueillir.

Quatre jours consécutifs il se posta au fond de la cour, derrière une remise. Lorsqu'un pas résonnait à l'entour, son cœur battait. Déçu chaque fois, il en éprouvait une réelle douleur.

Mais le quatrième jour, à cinq heures, entre les arbres et les fourrés qui garnissaient le talus de la cour, il se produisit un froissement d'étoffe. Une robe passa. Raoul fit un mouvement pour s'élancer et, aussitôt, se contint et domina sa colère.

Il reconnaissait Clarisse d'Étigues.

Elle avait à la main un bouquet de fleurs exactement pareil à l'autre. Elle franchit légèrement l'intervalle qui la séparait du rez-de-chaussée, et, tendant le bras par la fenêtre, elle déposa la gerbe.

Lorsqu'elle revint sur ses pas, Raoul la vit de face et fut frappé de sa pâleur. Ses joues avaient perdu leurs teintes fraîches, et ses yeux cernés révélaient son chagrin et les longues heures de l'insomnie.

« Je souffrirai beaucoup pour toi », avait-elle dit, sans prévoir cependant que sa souffrance commencerait si tôt, et que le jour même où elle se donnait à Raoul serait un jour d'adieu et d'inexplicable abandon.

Il se souvint de la prédiction et, s'irritant contre elle du mal qu'il lui faisait, furieux d'être trompé dans son espoir et que la porteuse de fleurs fût Clarisse et non point celle qu'il attendait, il la laissa partir.

Pourtant, c'est à Clarisse — à Clarisse qui détruisait ainsi elle-même sa dernière chance de bonheur — qu'il dut la précieuse indication dont il avait besoin pour s'orienter dans la nuit. Une heure plus tard, il constatait qu'une lettre était attachée à la barre et, l'ayant décachetée, il lut :

« Mon chéri, est-ce fini déjà ? Non, n'est-ce pas ? Je pleure sans raison ?... Il n'est pas possible que tu en aies déjà assez de ta Clarisse ?

« Mon chéri, ce soir, ils prennent tous le train et ne seront de retour que demain très tard. Tu viendras, n'est-ce pas ? Tu ne me laisseras pas pleurer encore ?... Viens, mon chéri... »

Pauvres lignes désolées... Raoul n'en fut pas attendri. Il pensait au voyage annoncé et se rappelait cette accusation de Beaumagnan : « Sachant par moi que nous devions bientôt visiter de fond en comble une propriété voisine de Dieppe, elle s'y est rendue en hâte... »

N'était-ce pas cela le but de l'expédition ? Et n'y aurait-il pas là, pour Raoul, une occasion de se mêler à la lutte et de tirer des événements tout le parti qu'ils comportaient ?

Le soir même, à sept heures, habillé comme un pêcheur de la côte, méconnaissable sous la couche d'ocre qui rougissait son visage, il montait dans le même train que le baron d'Étigues et Oscar de Bennetot, changeant comme eux deux fois, et descendant à une petite station où il coucha.

Le lendemain matin, d'Ormont, Rolleville et Roux d'Estiers venaient chercher leurs deux amis en voiture, Raoul s'élança derrière eux.

À une distance de dix kilomètres, la voiture s'arrêta en vue d'un long manoir délabré qu'on appelle le château de Gueures. S'approchant de la grille ouverte, Raoul constata que, dans le parc, grouillait tout un peuple d'ouvriers qui retournaient la terre des allées et des pelouses.

Il était dix heures. Sur le perron, les entrepreneurs reçurent les cinq associés. Raoul entra sans être remarqué, se mêla aux ouvriers, et les interrogea. Il apprit ainsi que le château de Gueures venait d'être acheté par le marquis de Rolleville et que les travaux d'aménagement avaient commencé le matin.

Raoul entendit un des entrepreneurs qui répondait au baron :

« Oui, monsieur, les instructions sont données. Ceux de mes hommes qui trouveront, en fouillant le sol, des pièces de monnaie, des objets de métal, fer, cuivre, etc., ont ordre de les apporter contre récompense. »

Il était évident que tous ces bouleversements n'avaient point d'autre raison que la découverte de quelque chose. Mais la découverte de quoi ? se demandait Raoul.

Il se promena dans le parc, fit le tour du manoir, pénétra dans les caves.

À onze heures et demie, il n'avait encore abouti à aucun résultat, et la nécessité d'agir s'imposait cependant à son esprit avec une force croissante. Tout retard laissait aux autres des chances d'autant plus grandes, et il risquait de se heurter à un fait accompli.

À ce moment, le groupe des cinq amis se tenait derrière le manoir, sur une longue esplanade qui dominait le parc. Un petit mur à balustrade la bordait, marqué de place en place par douze piliers de briques qui servaient de socles à d'anciens vases de pierre, presque tous cassés.

Une équipe d'ouvriers armés de pics, se mit à démolir le mur. Raoul les regardait faire, pensivement, les mains dans ses poches, la cigarette aux lèvres, et sans se soucier que sa présence pût paraître anormale en ces lieux.

Godefroy d'Étigues roulait du tabac dans une feuille de papier. N'ayant pas d'allumettes, il s'approcha de Raoul et lui demanda du feu.

Raoul tendit sa cigarette, et, pendant que l'autre allumait la sienne, tout un plan s'échafauda en son esprit, un plan spontané, très simple, dont les moindres détails lui apparaissaient dans leur succession logique. Mais il fallait se hâter.

Raoul ôta son béret, ce qui laissa échapper les mèches d'une chevelure soignée qui n'était certes pas celle d'un matelot.

Le baron d'Étigues le regarda avec attention et, subitement éclairé, fut saisi de colère.

« Encore vous ! Et déguisé ! Qu'est-ce que c'est que cette nouvelle manigance, et comment avez-vous l'audace de me relancer jusqu'ici ? Je vous ai répondu de la façon la plus catégorique, un mariage entre ma fille et vous est impossible. »

Raoul lui happa le bras et, impérieusement :

« Pas de scandale ! Nous y perdrions tous les deux. Amenez-moi vos amis. »

Godefroy voulut se rebiffer.

« Amenez-moi vos amis, répéta Raoul. Je viens vous rendre service. Que cherchez-vous ? Un chandelier, n'est-ce pas ?

— Oui, fit le baron, malgré lui.

— Un chandelier à sept branches, c'est bien cela. Je connais la cachette. Plus tard je vous donnerai d'autres indications qui vous seront utiles pour l'œuvre que vous poursuivez. Alors nous parlerons de Mlle d'Étigues. Qu'il ne soit pas question d'elle aujourd'hui... Appelez vos amis. Vite. »

Godefroy hésitait, mais les promesses et les assurances de Raoul faisaient impression sur lui. Il appela ses amis qui le rejoignirent aussitôt.

« Je connais ce garçon, dit-il, et, d'après lui, on arriverait peut-être à trouver... »

Raoul lui coupa la parole.

« Il n'y a pas de peut-être, monsieur. Je suis du pays. Tout gamin, je jouais dans ce château avec les enfants d'un vieux jardinier qui en était le gardien, et qui souvent nous a montré un anneau scellé au mur d'une des caves. « Il y a une cachette, là, disait-il, j'y ai vu mettre des antiquailles, flambeaux, pendules... »

Ces révélations surexcitèrent les amis de Godefroy.

Bennetot objecta rapidement :

« Les caves ? Nous les avons visitées.

— Pas bien, affirma Raoul. Je vais vous conduire. »

On y arrivait par un escalier qui descendait de l'extérieur au sous-sol. Deux grandes portes ouvraient sur quelques marches, après lesquelles commençait une série de salles voûtées.

« La troisième à gauche, dit Raoul qui, au cours de ses recherches, avait étudié l'emplacement. Tenez... celle-ci... »

Il les fit entrer tous les cinq dans un caveau obscur où il fallait se baisser.

« On n'y voit goutte, se plaignit Roux d'Estiers.

— En effet, dit Raoul. Mais voilà des allumettes et j'ai aperçu un bout de bougie sur les marches de l'escalier. Un instant... J'y cours. »

Il referma la porte du caveau, fit tourner la clef, l'enleva, et s'éloigna en criant aux captifs :

« Allumez toujours les sept branches du chandelier. Vous le trouverez sous la dernière dalle, enveloppé soigneusement dans des toiles d'araignée... »

Il n'était pas dehors qu'il entendit le bruit des coups que les cinq amis frappaient furieusement contre la porte, et il pensa que cette porte, branlante et vermoulue, ne résisterait guère plus que quelques minutes. Mais ce répit lui suffisait.

D'un bond il sauta sur l'esplanade, prit une pioche des mains d'un ouvrier, et courut au neuvième pilier dont il fit sauter le vase. Ensuite il attaqua un chapiteau de ciment, tout fendillé, qui recouvrait les briques, et qui tomba aussitôt en morceaux. Dans l'espace que l'agencement des briques laissait inoccupé, il y avait un mélange de terre et de cailloux d'où Raoul put extraire sans peine une tige de métal rongé, qui était bien une branche de ces grands chandeliers liturgiques que l'on voit sur certains autels.

Un groupe d'ouvriers faisait cercle autour de lui, et ils s'exclamèrent en voyant l'objet que brandissait Raoul. Pour la première fois depuis le matin, une découverte était effectuée.

Peut-être Raoul eût-il gardé son sang-froid et, emportant la tige du métal, eût-il feint de rejoindre les cinq amis afin de la leur remettre. Mais, précisément à cette même minute, des cris s'élevèrent à l'angle du manoir, et Rolleville, suivi des autres, surgit en vociférant :

« Au voleur ! Arrêtez-le ! Au voleur ! »

Raoul piqua une tête dans le groupe des ouvriers et s'enfuit. C'était absurde, comme toute sa conduite depuis un moment d'ailleurs, car enfin, s'il avait voulu gagner la confiance du baron et de ses amis, il n'aurait pas dû les emprisonner dans une cave ni leur dérober ce qu'ils cherchaient. Mais Raoul, en réalité, combattait pour Joséphine Balsamo, et n'avait d'autre but que de lui offrir un jour ou l'autre le trophée qu'il venait de conquérir. Il se sauva donc à toutes jambes.

Le chemin de la grille principale étant défendu, il longea une pièce d'eau, se débarrassa de deux hommes qui voulaient le saisir et, suivi à vingt mètres de toute une horde d'agresseurs qui hurlaient comme des forcenés, déboucha dans un potager que ceignaient de toutes parts des murailles d'une hauteur désespérante.

« Zut, pensa-t-il, je suis bloqué. Ça va être l'hallali, la curée... Quelle chute ! »

Le potager, sur la gauche, était dominé par l'église du village, et le cimetière de l'église se continuait, à l'intérieur du potager, par un tout petit espace clos qui servait jadis de sépulture aux châtelains de Gueures. De fortes grilles l'entouraient. Des ifs s'y pressaient. Or, à la seconde même où Raoul dévalait le long de cet enclos, une porte fut entrebâillée, un bras se tendit et barra la route, une main saisit la main du jeune homme, et Raoul, stupéfait, se vit attiré dans le massif obscur par une femme qui referma aussitôt la porte au nez des assaillants.

Il devina, plutôt qu'il ne reconnut, Joséphine Balsamo.

« Venez », dit-elle, en s'enfonçant au milieu des ifs.

Une autre porte était ouverte dans le mur et donnait la communication avec le cimetière du village.

Au chevet de l'église, une vieille berline démodée, comme on n'en rencontrait déjà plus à cette époque que dans les campagnes, stationnait attelée de deux petits chevaux maigres et peu soignés. Sur le siège, un cocher à barbe grisonnante, dont le dos très voûté bombait sous une blouse bleue.

Raoul et la comtesse s'y engouffrèrent. Personne ne les avait vus.

Elle dit au cocher :

« Léonard, route de Luneray et de Doudeville. Vivement ! »

L'église était à l'extrémité du village. En prenant la route de Luneray, on évitait ainsi l'agglomération des maisons. Une longue côte s'offrait qui montait sur le plateau. Les deux bidets efflanqués l'enlevèrent à une allure de grands trotteurs qui grimpent la montée d'un hippodrome.

Quant à l'intérieur de cette berline, d'une si mauvaise apparence, il était spacieux, confortable, protégé contre les regards indiscrets par des grillages de bois, et si intime que Raoul tomba à genoux et donna libre cours à son exaltation amoureuse.

Il suffoquait de joie. Que la comtesse fût offensée ou non, il estimait que cette seconde rencontre, se produisant dans des conditions si particulières, et après la nuit du sauvetage, établissait entre eux des relations qui lui permettaient de brûler quelques étapes et de commencer l'entretien par une déclaration en règle.

Il la fit d'un trait, et d'une façon allègre qui eût désarmé la plus farouche des femmes.

« Vous ? C'est vous ? Quel coup de théâtre ! À l'instant où la meute allait me déchirer, voilà que Joséphine Balsamo jaillit de l'ombre et me sauve à mon tour. Ah ! que je suis heureux, et combien je vous aime ! Je vous aime depuis des années... depuis un siècle ! Mais oui, j'ai cent ans d'amour en moi... un vieil amour jeune comme vous... et beau comme vous êtes belle !... Vous êtes si belle !... On ne peut pas vous regarder sans être ému... C'est une joie et, en même temps, on éprouve du désespoir à penser que, quoi qu'il arrive, on ne pourra jamais étreindre tout ce qu'il y a de beauté en vous. L'expression de votre regard, de votre sourire, tout cela restera toujours insaisissable... »

Il frissonna et murmura :

« Oh ! vos yeux se sont tournés vers moi ! Vous ne m'en voulez donc pas ? Vous acceptez que je vous dise mon amour ? »

Elle entrouvrit la portière :

« Si je vous priais de descendre ?

— Je refuserais.

— Et si j'appelais le cocher à mon secours ?

— Je le tuerais.

— Et si je descendais moi-même ?

— Je continuerais ma déclaration sur la route. »

Elle se mit à rire.

« Allons, vous avez réponse à tout. Restez. Mais assez de folies ! Racontez-moi plutôt ce qui vient de vous arriver et pourquoi ces hommes vous poursuivaient. »

Il triompha :

« Oui, je vous raconterai tout, puisque vous ne me repoussez pas... puisque vous acceptez mon amour.

— Mais je n'accepte rien, dit-elle en riant. Vous m'accablez de déclarations, et vous ne me connaissez même pas.

— Je ne vous connais pas !

— Vous m'avez à peine vue, la nuit, à la clarté d'une lanterne.

— Et le jour qui précéda cette nuit, je ne vous ai pas vue ? Je n'ai pas eu le temps de vous admirer, durant cette abominable séance de la Haie d'Étigues ? »

Elle l'observa soudain sérieuse.

« Ah ! vous avez assisté ?...

— J'étais là, dit-il, avec une ardeur pleine d'enjouement. J'étais là, et je sais qui vous êtes ! Fille de Cagliostro, je vous connais. Bas les masques ! Napoléon Ier vous tutoyait... Vous avez trahi Napoléon III, servi Bismarck, et suicidé le brave général Boulanger ! Vous prenez des bains dans la fontaine de Jouvence. Vous avez cent ans... et je vous aime. »

Elle gardait un pli soucieux qui marquait légèrement son front pur, et elle répéta :

« Ah ! vous étiez là... je le supposais bien. Les misérables, comme ils m'ont fait souffrir !... Et vous avez entendu leurs accusations odieuses ?...

— J'ai entendu des choses stupides, s'écria-t-il, et j'ai vu une bande d'énergumènes qui vous haïssent comme on hait tout ce qui est beau. Mais tout cela n'est que démence et absurdité. N'y pensons pas aujourd'hui. Pour moi, je ne veux me souvenir que des miracles charmants qui naissent sous vos pas comme des fleurs. Je veux croire à votre jeunesse éternelle. Je veux croire que vous ne seriez pas morte si je ne vous avais pas sauvée. Je veux croire que mon amour est surnaturel, et que c'est par enchantement que vous êtes sortie tout à l'heure du tronc d'un if. »

Elle hocha la tête, rassérénée.

« Pour visiter le jardin de Gueures j'avais déjà passé par cette ancienne porte dont la clef était sur la serrure, et, sachant qu'on devait le fouiller ce matin, j'étais à l'affût.

— Miracle, vous dis-je ! Et n'en est-ce pas un que ceci ? Depuis des semaines et des mois, peut-être davantage, on cherche dans ce parc un chandelier à sept branches, et, pour le découvrir en quelques minutes, au milieu de cette foule et malgré la surveillance de nos adversaires, il m'a suffi de vouloir et de penser au plaisir que vous auriez. »

Elle parut stupéfaite :

« Quoi ? Que dites-vous ?... Vous auriez découvert ?...

— L'objet lui-même, non, mais une des sept branches du chandelier. La voici. »

Joséphine Balsamo s'empara de la tige de métal et l'examina fiévreusement. C'était une tige ronde, assez forte, légèrement ondulée et dont le métal disparaissait sous une couche épaisse de vert-de-gris. L'une des extrémités, un peu aplatie, portait sur une de ses faces une grosse pierre violette, arrondie en cabochon.

« Oui, oui, murmura-t-elle... Aucun doute possible. La branche a été sciée au ras du socle. Oh ! vous ne sauriez croire combien je vous suis reconnaissante !... »

Raoul fit en quelques phrases pittoresques le récit de la bataille. La jeune femme n'en revenait pas.

« Quelle idée avez-vous eue ? Pourquoi cette inspiration de démolir le neuvième pilier plutôt qu'un autre ? Le hasard ?

— Nullement, affirma-t-il. Une certitude. Onze piliers sur douze étaient construits avant la fin du XVIIe siècle. Le neuvième, depuis.

— Comment le saviez-vous ?

— Parce que les briques des onze autres sont de dimensions abandonnées depuis deux cents ans, et que les briques du numéro neuf sont celles que l'on emploie encore aujourd'hui. Donc, le numéro neuf a été démoli, puis refait. Pourquoi, sinon pour y cacher cet objet ? »

Joséphine Balsamo garda un long silence. Puis elle prononça lentement :

« C'est extraordinaire... Je n'aurais jamais cru que l'on pût réussir de la sorte... et si vite !... là où nous avions tous échoué... Oui, en effet, ajouta-t-elle, voilà un miracle...

— Un miracle d'amour », répéta Raoul.

La voiture filait avec une rapidité inconcevable, souvent par des chemins détournés qui évitaient les traversées de villages. Ni les montées ni les descentes ne rebutaient l'ardeur endiablée des deux petits chevaux maigres. À droite et à gauche, des plaines glissaient et passaient comme des images.

« Beaumagnan était là ? demanda la comtesse.

— Non, dit-il, heureusement pour lui.

— Heureusement ?

— Sans quoi, je l'étranglais. Je déteste ce sombre personnage.

— Moins que moi, fit-elle d'une voix dure.

— Mais vous ne l'avez pas toujours détesté, dit-il, incapable de contenir sa jalousie.

— Mensonges, calomnies, affirma Joséphine Balsamo, sans hausser le ton. Beaumagnan est un imposteur et un déséquilibré, d'un orgueil maladif, et c'est parce que j'ai repoussé son amour qu'il a voulu ma mort. Tout cela, je l'ai dit l'autre jour, et il n'a pas protesté... il ne pouvait pas protester... »

Raoul tomba de nouveau à genoux, dans un transport d'enthousiasme.

« Ah ! les douces paroles, s'écria-t-il. Alors vous ne l'avez jamais aimé ? Quelle délivrance ! Mais aussi bien, était-ce admissible ? Joséphine Balsamo s'éprendre d'un Beaumagnan... »

Il riait et battait des mains.

« Écoutez, je ne veux plus vous appeler ainsi. Joséphine, ce n'est pas un joli nom. Josine, voulez-vous ? C'est cela, je vous appellerai Josine comme vous appelaient Napoléon et votre maman Beauharnais. Convenu, n'est-ce pas ? Vous êtes Josine... ma Josine...

— Du respect, d'abord, dit-elle, en souriant de son enfantillage, je ne suis pas votre Josine.

— Du respect ! Mais j'en suis débordant. Comment ! Nous sommes enfermés l'un près de l'autre... vous êtes sans défense, et je reste prosterné devant vous comme devant une idole. Et j'ai peur ! Et je tremble ! Si vous me donniez votre main à baiser, je n'oserais pas !... »

VI

POLICIERS ET GENDARMES

Tout le trajet ne fut qu'une longue adoration. Peut-être bien la comtesse Cagliostro eut-elle raison de ne pas mettre Raoul à l'épreuve en lui tendant sa main à baiser. Mais, en vérité, s'il avait fait le serment de conquérir la jeune femme, et s'il était résolu à le tenir, il gardait à ses côtés une attitude et des pensées de vénération qui lui laissaient tout juste assez de hardiesse pour l'accabler de discours amoureux.

Écoutait-elle ? Parfois oui, comme on écoute un enfant qui vous raconte joliment son affection. Mais, parfois, elle s'enfermait dans un silence lointain qui décontenançait Raoul.

À la fin, il s'écria :

« Ah ! parlez-moi, je vous en prie. J'essaie de plaisanter pour vous dire des choses que je n'oserais pas vous dire avec trop de sérieux. Mais, au fond, j'ai peur de vous, et je ne sais pas ce que je dis. Je vous en prie, répondez-moi. Quelques mots seulement, qui me rappellent à la réalité.

— Quelques mots seulement ?

— Oui, pas davantage.

— Eh bien, voici. La station de Doudeville est toute proche et le chemin de fer vous attend. »

Il croisa les bras d'un air indigné.

« Et vous ?

— Moi ?

— Oui, qu'allez-vous devenir toute seule ?

— Mon Dieu, dit-elle, je tâcherai de m'arranger comme je l'ai fait jusqu'ici.

— Impossible ! Vous ne pouvez plus vous passer de moi. Vous êtes entrée dans une bataille où mon aide vous est indispensable. Beaumagnan, Godefroy d'Étigues, le prince d'Arcole, autant de bandits qui vous écraseront.

— Ils me croient morte.

— Raison de plus. Si vous êtes morte, comment voulez-vous agir ?

— Ne craignez rien. J'agirai sans qu'ils me voient.

— Mais combien plus facilement par mon intermédiaire ! Non, je vous en prie, et cette fois je parle gravement, ne repoussez pas mon aide. Il est des choses qu'une femme ne peut pas accomplir seule. Par le simple fait que vous poursuivez le même but que ces hommes, et que vous êtes en guerre avec eux, ils ont réussi à monter contre vous le complot le plus ignoble. Ils vous ont accusée de telle sorte, et avec des arguments si solides en apparence, qu'un moment j'ai vu en vous la sorcière et la criminelle que Beaumagnan accablait de sa haine et de son mépris.

« Ne m'en veuillez pas. Dès que vous leur avez tenu tête, j'ai compris mon erreur. Beaumagnan et ses complices ne furent plus en face de vous que des bourreaux odieux et lâches. Vous les dominiez de toute votre dignité et, aujourd'hui, il ne reste plus trace dans mon souvenir de toutes leurs calomnies. Mais il faut accepter que je vous aide. Si je vous ai froissée en vous disant mon amour, il n'en sera plus question. Je ne demande rien que de me dévouer à vous, comme on se consacre à ce qui est très beau et très pur. »

Elle céda. Le bourg de Doudeville fut dépassé. Un peu plus loin, sur la route d'Yvetot, la voiture s'engagea dans une cour de ferme bordée de hêtres et plantée de pommiers, et s'y arrêta.

« Descendons, dit la comtesse. Cette cour appartient à une brave femme, la mère Vasseur, dont l'auberge est à quelque distance et que j'ai eue comme cuisinière. Je viens parfois me reposer chez elle deux ou trois jours. Nous y déjeunerons... Léonard, on part dans une heure. »

Ils reprirent la grand-route. Elle avançait d'un pas léger, semblable au pas d'une toute jeune fille. Elle portait une robe grise qui lui serrait la taille, et un chapeau mauve à brides de velours et à bouquets de violettes. Raoul d'Andrésy marchait un peu en arrière pour ne pas la quitter des yeux.

Après le premier tournant s'élevait une petite bâtisse blanche coiffée d'un toit de chaume, et précédée d'un jardin de curé où les fleurs foisonnaient. On entrait de plain-pied dans une salle de café qui occupait toute la façade.

« Une voix d'homme, observa Raoul, en montrant une des portes qui marquaient le mur du fond.

— C'est précisément la pièce où elle me sert à déjeuner. Elle s'y trouve sans doute avec quelques paysans. »

Elle n'avait pas achevé que cette porte s'ouvrit et qu'une femme assez âgée, ceinte d'un tablier de cotonnade et chaussée de sabots, apparut.

À la vue de Joséphine Balsamo, elle sembla bouleversée, et

ferma la porte derrière elle, en bégayant de façon incompréhensible.

« Qu'y a-t-il ? » demanda Joséphine Balsamo d'une voix inquiète.

La mère Vasseur tomba assise et balbutia :

« Allez-vous-en... sauvez-vous... vite...

— Mais pourquoi ? parlez donc ! expliquez-vous... »

On entendit ces quelques mots :

« La police... on vous cherche... On a fouillé la chambre où j'ai mis vos malles... On attend les gendarmes... Sauvez-vous, ou vous êtes perdue. »

À son tour, la comtesse chancela et fut prise d'une défaillance qui la contraignit à s'appuyer contre un buffet. Ses yeux rencontrèrent ceux de Raoul et le supplièrent, comme si elle se sentait perdue, en effet, et qu'elle implorât son secours.

Il était confondu. Il prononça :

« Que vous importent les gendarmes ? Ce n'est pas vous qu'ils cherchent... Alors ?

— Si, si, c'est elle, répéta la mère Vasseur... on la cherche... sauvez-la. »

Très pâle, sans apercevoir encore la signification exacte d'une scène dont il devinait la gravité tragique, il saisit le bras de la comtesse, l'entraîna vers la sortie, et la poussa dehors.

Mais, ayant franchi le seuil la première, elle recula avec effroi et murmura :

« Les gendarmes !... ils m'ont vue !... »

Tous deux rentrèrent en hâte. La mère Vasseur tremblait de tous ses membres et chuchotait stupidement :

« Les gendarmes... la police...

— Silence, fit à voix basse Raoul qui demeurait fort calme. Silence ! je réponds de tout. Combien sont-ils de la police ?

— Deux.

— Et deux gendarmes. Donc rien à faire par la force, on est cerné. Où se trouvent les malles qu'ils ont visitées ?

— Au-dessus.

— Et l'escalier qui conduit au-dessus ?

— Ici.

— Bien. Restez là, vous, et tâchez de ne pas vous trahir. Encore une fois, je réponds de tout ! »

Il reprit la main de la comtesse et se dirigea vers la porte désignée. L'escalier était une sorte d'échelle de perroquet qui conduisait à une chambre mansardée où l'on avait répandu toutes les robes et tout le linge que pouvaient contenir des malles. Quand ils y parvinrent, les deux policiers rentraient dans le café, et lorsque Raoul, à pas sourds, se fut approché de la fenêtre pratiquée au milieu du chaume, il avisa les deux gendarmes qui descendaient de cheval et attachaient leurs montures aux piliers du jardin.

Joséphine Balsamo ne bougeait pas. Raoul remarqua sa figure décomposée que l'angoisse contractait et vieillissait.

Il lui dit :

« Vite ! il faut que vous changiez de vêtements. Mettez une de vos autres robes... une noire de préférence. »

Il retourna vers la fenêtre, d'où il vit au-dessous de lui les policiers et les gendarmes qui s'entretenaient dans le jardin. Quand elle eut fini de s'habiller, il saisit la robe grise qu'elle venait de quitter et s'en revêtit. Il était mince, de taille svelte : la robe dont il baissa la jupe afin de recouvrir ses pieds lui allait à merveille, et il semblait si ravi de ce déguisement et si tranquille, que la jeune femme parut se rassurer.

« Écoutez-les », dit-il.

On distinguait nettement la conversation que tenaient les quatre hommes au seuil de la salle, et ils entendirent l'un d'eux — un des gendarmes sans doute — qui demandait d'une grosse voix traînante :

« Vous êtes bien certains qu'elle habitait là, à l'occasion ?

— Sûrs et certains. La preuve... deux de ses malles qu'elle y a laissées en dépôt, et dont l'une porte son nom : Mme Pellegrini. Et puis, la mère Vasseur est une brave femme, n'est-ce pas ?

— Plus brave que la mère Vasseur, il n'y en a pas ; on la connaît dans toute la région !

— Eh bien ! la mère Vasseur déclare que cette dame Pellegrini venait de temps à autre passer quelques jours chez elle.

— Parbleu ! entre deux coups de cambriole.

— Tout juste.

— Alors ce serait une bonne capture que la dame Pellegrini ?

— Excellente. Vols qualifiés. Escroqueries. Recel. Bref tout le diable et son train... sans compter des tas de complices.

— On a son signalement ?

— Oui et non.

— On a deux portraits qui sont tout différents. L'un d'eux est jeune, l'autre vieux. Quant à l'âge, c'est marqué entre trente et soixante. »

Ils éclatèrent de rire, puis la grosse voix reprit :

« Mais vous êtes sur la piste ?

— Oui et non. Il y a quinze jours elle opérait à Rouen et à Dieppe. Là on perd sa trace. On la retrouve sur la grande ligne du chemin de fer, et on la perd de nouveau. A-t-elle continué vers Le Havre ou bifurqué vers Fécamp ? Impossible de le savoir. Disparition totale. Nous pataugeons.

— Et ici, pourquoi êtes-vous venus ?

— Le hasard. Un employé de la gare, qui avait roulotté les malles jusque-là, s'est souvenu de ce nom de Pellegrini, inscrit sur l'une d'elles à un endroit caché par une étiquette qui s'était décollée.

— Vous avez interrogé d'autres voyageurs, des clients de l'auberge ?

— Oh ! les clients sont rares ici.

— Il y a toujours bien une dame que nous avons avisée tout à l'heure en arrivant.

— Une dame ?

— Pas d'erreur. Nous étions encore à cheval quand elle est sortie de la maison, par cette porte. Même qu'elle y est rentrée d'un coup, comme si elle ne voulait pas être vue.

— Impossible !... une dame dans l'auberge ?...

— Une particulière en gris. Pour ce qui serait de la reconnaître, non. Mais la couleur de la robe, oui... Et le chapeau aussi... un chapeau avec des fleurs violettes... »

Les quatre hommes se turent.

Toute cette conversation, Raoul et la jeune femme l'avaient écoutée sans un mot, les yeux dans les yeux. À chaque preuve nouvelle, le visage de Raoul devenait plus dur. Elle, pas une fois, ne protesta.

« Ils viennent... ils viennent... prononça-t-elle sourdement.

— Oui, dit-il. C'est le moment d'agir... Sinon, ils montent et vous trouvent dans cette chambre. »

Elle avait gardé son chapeau. Il le lui enleva et s'en coiffa, rabattant un peu les ailes pour bien dégager les fleurs violettes, et nouant les brides autour de son cou, ce qui lui masquait le visage. Puis il donna ses dernières instructions.

« Je vais vous ouvrir le chemin. Dès qu'il sera libre, vous vous en irez tranquillement par la route jusqu'à la cour de ferme où votre voiture est garée. Prenez-y place, et que Léonard ait les guides en main...

— Et vous ? dit-elle.

— Je vous rejoins dans vingt minutes.

— S'ils vous arrêtent ?

— Ils ne m'arrêteront pas, et vous non plus. Mais pas de précipitation. Ne courez pas. Du sang-froid. »

Il s'était approché de la fenêtre. Il se pencha. Les hommes entraient. Il enjamba le rebord, sauta dans le jardin, poussa un cri comme s'il apercevait des gens qui l'effrayaient et s'enfuit à toutes jambes.

Aussitôt, derrière lui, des clameurs.

« C'est elle !... Une robe grise !... Du violet au chapeau ! Halte, ou je fais feu... »

D'un bond il franchit la route et s'engagea dans les terres labourées, au sortir desquelles il escalada le talus d'une ferme qu'il traversa en biais. De nouveau, un talus. Puis des champs. Puis un sentier qui longeait une autre ferme entre deux haies de ronces.

Il se retourna : les assaillants, un peu distancés, ne pouvaient le voir. En une seconde il se débarrassa de la robe et du chapeau, et les jeta au milieu des fourrés. Ensuite il mit sa casquette de matelot, alluma une cigarette, et s'en revint, les mains dans ses poches.

Au coin de la ferme, les deux policiers surgirent et se heurtèrent à lui, tout essoufflés.

« Hé ! le matelot ?... Vous avez rencontré une femme, hein ? une femme en gris ? »

Il affirma :

« Bien sûr... une femme qui courait, n'est-ce pas ?... une vraie folle...

— C'est ça... Et alors ?

— Elle est entrée dans la ferme.

— Comment ?

— La barrière...

— Il y a longtemps ?

— Pas vingt secondes. »

Les hommes s'en allèrent en hâte, Raoul continua son chemin, salua d'un petit bonjour amical les gendarmes qui arrivaient, et, d'un pas nonchalant, gagna la route un peu au-delà de l'auberge et tout près du tournant.

Cent mètres plus loin c'étaient des hêtres et les pommiers de la cour où la voiture attendait.

Léonard était sur son siège, le fouet en main. Joséphine Balsamo, à l'intérieur, tenait la portière ouverte.

Il ordonna :

« Vers Yvetot, Léonard.

— Comment, objecta la comtesse, mais nous allons passer devant l'auberge !

— L'essentiel, c'est que l'on ne nous voie pas sortir d'ici. Or, la route est déserte. Profitons-en... Au petit trot, Léonard... Une allure de corbillard qui retourne à vide. »

Ils passèrent en effet devant l'auberge. À ce moment les policiers et les gendarmes revenaient à travers champs. L'un d'eux agitait la robe grise et le chapeau. Les autres gesticulaient.

« Ils ont trouvé vos affaires, dit-il, et savent à quoi s'en tenir. Ce n'est plus vous qu'ils cherchent, c'est moi, le matelot rencontré. Quant à la voiture, ils n'y font même pas attention. Et si on leur disait que nous sommes dans cette berline, vous la dame Pellegrini, et moi le matelot complice, ils éclateraient de rire.

— Ils vont interroger la mère Vasseur.

— Qu'elle se débrouille ! »

Quand ils eurent perdu le groupe de vue, Raoul pressa l'allure de l'attelage...

« Oh ! oh ! dit-il, comme les deux chevaux s'élançaient au premier coup de fouet, les pauvres bêtes n'iront pas loin. Depuis le temps qu'elles trottent !

— Depuis ce matin, dit-elle, depuis Dieppe, où j'ai couché cette nuit.

— Et nous allons ?

— Jusqu'aux bords de la Seine.

— Fichtre ! Seize ou dix-sept lieues dans une journée à ce train-là ! C'est fabuleux. »

Elle ne répondit pas.

Entre les deux vitres d'avant il y avait un mince filet de glace dans lequel il pouvait la voir. Elle avait mis une robe plus foncée et une toque légère d'où tombait un voile assez épais qui lui enveloppait toute la tête. Elle le dénoua et tira d'un vide-poches placé au-dessous du filet de glace un petit sac en cuir qui contenait un vieux miroir à manche et à monture d'or, et des objets de toilette, bâton de rouge, brosses...

Ayant pris le miroir, elle y contempla longuement son visage fatigué et vieilli.

Puis elle y versa quelques gouttes d'une mince fiole et frotta la surface mouillée avec un chiffon de soie. Et de nouveau elle se regarda.

Raoul ne comprit pas d'abord et ne remarqua que l'expression sévère des yeux et cette mélancolie de la femme devant son image abîmée.

Dix minutes, quinze minutes se passèrent ainsi dans le silence et dans l'effort visible d'un regard où toute la pensée et toute la volonté se concentraient. Ce fut le sourire qui le premier apparut, hésitant, timide comme un rayon de soleil hivernal. Au bout d'un instant, il devint plus hardi et révéla son action par de petits détails qui surgissaient aux yeux étonnés de Raoul. Le coin de la bouche remonta davantage. La peau s'imprégna de couleur. La chair sembla se raffermir. Les joues et le menton retrouvèrent leur pur dessin, et toute la grâce illumina la belle et tendre figure de Joséphine Balsamo.

Le miracle était accompli.

« Miracle ? se dit Raoul. Non. Ou, tout au plus, miracle de volonté. Influence d'une pensée claire et tenace qui n'accepte pas la déchéance, et qui rétablit la discipline là où il y avait désordre et fléchissement. Pour le reste, flacon, élixir merveilleux, simple comédie. »

Il prit le miroir qu'elle avait reposé et l'examina. C'était évidemment l'objet décrit au cours de la réunion d'Étigues, celui dont la comtesse de Cagliostro se servait devant l'impératrice Eugénie. Les bords en étaient guillochés, la plaque d'or parderrière toute meurtrie de coups.

Sur la poignée, une couronne de comte, une date (1783), et la liste des quatre énigmes.

Raoul, qui éprouvait le besoin de la blesser, ricana :

« Votre père vous a légué un miroir précieux. Grâce à ce talisman on se remet des émotions les plus désagréables.

— Il est de fait, dit-elle, que j'ai perdu la tête. Cela m'arrive rarement, et j'ai tenu bon dans des circonstances plus graves que celle-ci.

— Oh ! oh ! plus graves... », dit-il avec un doute ironique.

Ils n'échangèrent plus une seule parole. Les chevaux continuaient à trotter d'un même rythme égal. Les grandes plaines de Caux, toujours semblables et toujours diverses, déroulaient de vastes horizons plantés de fermes et de bosquets.

La comtesse de Cagliostro avait baissé son voile. Raoul sentit que cette femme, qui était si proche de lui deux heures plus tôt, et à laquelle il offrait si joyeusement son amour, s'éloignait tout à coup, jusqu'à devenir une étrangère. Plus de contact entre eux. L'âme mystérieuse s'entourait de ténèbres épaisses et ce qu'il en pouvait apercevoir était si différent de ce qu'il avait imaginé !

Ame de voleuse... âme furtive et inquiète, ennemie du grand jour... était-ce possible ! Comment admettre que ce visage naïf comme celui d'une vierge ignorante, que ce regard aussi limpide que l'eau d'une source, ne fussent qu'une apparence mensongère ?

Il était déçu au point que, en traversant la petite ville d'Yvetot, il ne songeait qu'à s'enfuir. Il manqua de décision, ce qui redoubla sa colère. Le souvenir de Clarisse d'Étigues lui vint à l'esprit, et, par revanche, il évoqua un moment la douce et tendre jeune fille qui s'était abandonnée si noblement.

Mais Joséphine Balsamo ne lâchait pas sa proie. Si flétrie qu'elle lui parût, si déformée que fût l'idole, elle était là ! Une odeur enivrante se dégageait d'elle. Il frôlait ses vêtements. D'un geste il pouvait prendre sa main et baiser cette chair parfumée. Elle était toute la passion, tout le désir, toute la volupté, tout le mystère troublant de la femme. Et de nouveau le souvenir de Clarisse d'Étigues s'évanouit.

« Josine ! Josine ! » murmura-t-il, si bas qu'elle ne l'entendit point.

À quoi bon d'ailleurs crier son amour et sa peine ? Pouvait-elle lui rendre la confiance perdue et retrouver à ses yeux le prestige qu'elle n'avait plus ?

On approchait de la Seine. Au haut de la côte qui descend à Caudebec, ils tournèrent à gauche, parmi les collines boisées qui dominent la vallée de Saint-Wandrille. Ils longèrent les ruines de la célèbre abbaye, suivirent le cours d'eau qui la baigne, parvinrent en vue du fleuve, et prirent la route de Rouen.

Un instant plus tard, la voiture stoppait, et Léonard repartait aussitôt, après avoir déposé les deux voyageurs sur la lisière d'un petit bois d'où l'on découvrait la Seine. Une prairie toute frissonnante de roseaux les en séparait.

Joséphine Balsamo offrit la main à son compagnon et lui dit :

« Adieu, Raoul. Un peu plus loin, vous trouverez la station de La Mailleraie.

— Et vous ? demanda-t-il.

— Oh ! moi, mon domicile est tout proche.

— Je ne vois pas...

— Si. Cette péniche que l'on devine là-bas, entre les branches.

— Je vous conduis. »

Une digue étroite coupait la prairie au milieu des roseaux. La comtesse s'y engagea, suivie de Raoul.

Ils arrivèrent ainsi sur un terre-plein, et tout près de la péniche que masquait encore un rideau de saules. Personne ne pouvait les voir ni les entendre. Ils étaient seuls sous le grand ciel bleu. Là s'écoulèrent entre eux quelques-unes de ces minutes dont on garde toujours le souvenir et qui influent sur toute la destinée.

« Adieu, dit encore Joséphine Balsamo. Adieu... »

Il hésitait devant cette main tendue pour l'adieu suprême.

« Vous ne voulez pas me serrer la main ? demanda-t-elle.

— Oui... oui... murmura-t-il. Mais pourquoi se quitter ?

— Parce que nous n'avons plus rien à nous dire.

— Plus rien, en effet, et cependant nous n'avons rien dit. »

Il finit par prendre entre ses mains la main tiède et souple, et il prononça :

« Les paroles de ces hommes... leurs accusations dans l'auberge, est-ce donc la vérité ? »

Il souhaitait une explication, même mensongère, qui lui eût permis de conserver un doute, mais elle parut surprise et riposta :

« Qu'est-ce que cela peut vous faire ?

— Comment ?

— Oui, on croirait vraiment que ces révélations peuvent influer sur votre conduite.

— Que voulez-vous dire ?

— Mon Dieu, rien que de très simple. Je veux dire que j'aurais compris votre émoi devant la confirmation des crimes monstrueux dont Beaumagnan et le baron d'Étigues m'ont accusée faussement et bêtement, mais il n'en est pas question aujourd'hui.

— Tout de même, je me souviens de leurs accusations.

— De leurs accusations contre celle dont je leur ai donné le nom, contre la marquise de Belmonte. Mais il ne s'agit pas de crimes, et, ce que le hasard vous a divulgué tantôt, que vous importe ? »

Il fut interloqué par cette demande inattendue. Elle souriait en face de lui, très à l'aise, et elle reprit, un peu ironique à son tour :

« Sans doute est-ce le vicomte Raoul d'Andrésy qui est choqué dans ses idées ? Le vicomte Raoul d'Andrésy doit avoir évidemment des conceptions morales, la délicatesse d'un gentilhomme...

— Et quand cela serait ? dit-il, quand j'éprouverais quelque désillusion...

— À la bonne heure ! fit-elle. Voilà le grand mot lâché ! Vous êtes déçu. Vous couriez après un beau rêve et tout s'évanouit. La femme vous apparaît telle qu'elle est. Répondez franchement puisque nous en sommes aux explications loyales. Vous êtes déçu, hein ? »

Il dit le mot, d'un ton sec.

« Oui. »

Il y eut un silence. Elle le regardait profondément, et elle chuchota :

« Je suis une voleuse, n'est-ce pas ? Voilà ce que vous voulez dire. Une voleuse ?

— Oui. »

Elle sourit et prononça :

« Et vous ? »

Et, comme il se rebiffait, elle le saisit rudement à l'épaule, et lui jeta avec un tutoiement impérieux :

« Et toi, mon petit ? Qu'est-ce que tu es ? Car enfin, il faudrait bien étaler ton jeu aussi. Qui es-tu ?

— Je m'appelle Raoul d'Andrésy.

— Des blagues ! Tu t'appelles Arsène Lupin. Ton père, Théophraste Lupin, qui cumulait le métier de professeur de boxe et de savate avec la profession plus lucrative d'escroc, fut condamné et emprisonné aux États-Unis où il mourut. Ta mère reprit son nom de jeune fille et vécut en parente pauvre chez un cousin éloigné, le duc de Dreux-Soubise. Un jour, la duchesse constata la disparition d'un joyau de la plus grande valeur historique, qui n'était autre que le fameux collier de la reine Marie-Antoinette. Malgré toutes les recherches on ne sut jamais qui était l'auteur de ce vol, exécuté avec une hardiesse et une habileté diaboliques. Moi, je le sais. C'était toi. Tu avais six ans. »

Raoul écoutait, pâle de fureur et la mâchoire contractée. Il murmura :

« Ma mère était malheureuse, humiliée, j'ai voulu l'affranchir.

— En volant ?

— J'avais six ans.

— Aujourd'hui, tu en as vingt, ta mère est morte, tu es solide, intelligent, plein d'énergie. Comment vis-tu ?

— Je travaille.

— Oui, dans la poche des autres. »

Elle ne lui laissa pas le temps de protester.

« Ne dis rien, Raoul. Je connais ta vie jusqu'en ses moindres détails et je pourrais te raconter sur toi des choses de cette année, et d'autres plus anciennes, car je te suis depuis bien longtemps, et tout ce que je te dirais ne serait certainement pas plus beau que ce que tu as entendu tout à l'heure, dans l'auberge. Policiers ? Gendarmes ? Perquisitions ? Poursuites ?... tu as passé par tout cela, toi aussi, et n'as pas vingt ans ! Alors est-ce bien la peine de se le reprocher ? Non, Raoul. Puisque je connais ta vie, et puisque le hasard te montre un coin de la mienne, jetons tous deux un voile là-dessus. L'acte de voler n'est pas beau : détournons les yeux et taisons-nous. »

Il demeura silencieux. Une grande lassitude l'envahissait. Il voyait tout à coup l'existence sous un jour de brume et de détresse où plus rien n'avait de couleur, plus rien de beauté ni de grâce. Il avait envie de pleurer.

« Pour la dernière fois, Raoul, adieu, dit-elle.

— Non... non... balbutia-t-il.

— Il le faut, mon petit. Je ne te ferais que du mal. Ne cherche pas à mêler ta vie à la mienne. Tu as de l'ambition, de l'énergie, et de telles qualités que tu peux choisir ta route. »

Elle dit plus bas :

« Celle que je suis n'est pas la bonne, Raoul.

— Pourquoi la suivez-vous, Josine ? Voilà justement ce qui m'effraie.

— Il est trop tard.

— Pour moi aussi, alors !

— Non, tu es jeune. Sauve-toi. Échappe au destin qui te menace.

— Mais vous, vous, Josine ?...

— Moi, c'est ma vie.

— Vie affreuse, dont vous souffrez.

— Si tu le crois, pourquoi veux-tu la partager ?

— Parce que je vous aime.

— Raison de plus pour me fuir, mon petit. Tout amour est condamné d'avance entre nous. Tu rougirais de moi, et je me défierais de toi.

— Je vous aime.

— Aujourd'hui. Mais demain ? Raoul, obéis à l'ordre que je t'ai donné sur ma photographie, dès la première nuit de notre rencontre : « Ne cherchez pas à me revoir. » Va-t'en.

— Oui, oui, dit Raoul d'Andrésy, d'une voix lente. Vous avez raison. Mais c'est terrible de penser que tout sera fini entre nous avant même que j'aie eu le temps d'espérer... et que vous ne vous souviendrez pas de moi.

— On n'oublie pas celui qui vous a sauvé deux fois.

— Non, mais vous oublierez que je vous aime. »

Elle hocha la tête.

« Je ne l'oublierai pas », dit-elle. Et, cessant de le tutoyer, elle ajouta avec émotion :

« Votre enthousiasme, votre élan... tout ce qu'il y a en vous de sincère et de spontané... et d'autres choses que je ne démêle pas encore... tout cela me touche infiniment. »

Ils gardaient leurs deux mains l'une dans l'autre, et leurs yeux ne se quittaient pas. Raoul frémissait de tendresse. Elle lui dit doucement : « Quand on se sépare pour toujours, on doit se rendre ce que l'on s'est donné. Rendez-moi mon portrait, Raoul ?

— Non, non, jamais, fit-il.

— Alors, moi, dit-elle avec un sourire qui le grisa, je serai plus honnête et je vous rendrai loyalement ce que vous m'avez donné.

— Quelle chose, Josine ?

— La première nuit... dans la grange... tandis que je dormais, Raoul, vous vous êtes penché sur moi et j'ai senti vos lèvres sur les miennes. »

De ses mains croisées derrière le cou de Raoul, elle attirait la tête du jeune homme, et leurs bouches s'unirent.

« Ah ! Josine, dit-il éperdu... faites de moi ce que vous voulez, je vous aime... je vous aime... »

Ils marchèrent du côté de la Seine. Les roseaux se balançaient au-dessus d'eux. Leurs vêtements froissaient les longues feuilles minces que la bise agitait. Ils allaient vers le bonheur, sans autres pensées que celles qui font tressaillir les amants dont les mains se croisent.

« Un mot encore, Raoul, lui dit-elle en l'arrêtant. Un mot. Je sens qu'avec vous je serai violente, exclusive. Il n'y a pas d'autre femme dans votre vie ?

— Aucune.

— Ah ! dit-elle, amèrement, un mensonge déjà !

— Un mensonge ?

— Et Clarisse d'Étigues ? Oui, vous aviez des rendez-vous dans la campagne. On vous a vus. »

Il s'irrita : « Vieille histoire... un flirt sans importance.

— Vous le jurez ?

— Je le jure.

— Tant mieux, dit-elle d'une voix sombre. Tant mieux pour elle. Et que jamais elle ne se glisse entre nous ! Sans quoi... »

Il l'entraîna.

« Je n'aime que vous, Josine, je n'ai jamais aimé que vous. Ma vie commence aujourd'hui. »

VII

LES DÉLICES DE CAPOUE

La *Nonchalante* était une péniche semblable à toutes les autres, assez vieille, de peinture défraîchie, mais bien astiquée et bien entretenue par un ménage de mariniers qu'on appelait M. et Mme Delâtre. À l'extérieur, on ne voyait pas grand-chose de ce que pouvait transporter la *Nonchalante*, quelques caisses, de vieux paniers, des barriques, voilà tout. Mais si l'on se glissait sous le pont à l'aide de l'échelle, il était facile de constater qu'elle ne transportait absolument rien.

Tout l'intérieur était distribué en trois menues pièces confortables et reluisantes, deux cabines séparées par un salon. C'est là que Raoul et Joséphine Balsamo vécurent pendant un mois. Les époux Delâtre, personnages muets et hargneux, avec qui, plusieurs fois, Raoul essaya vainement de lier conversation, s'occupaient du ménage et de la cuisine. De temps à autre un petit remorqueur venait chercher la *Nonchalante* et lui faisait remonter une boucle de la Seine.

Toute l'histoire du joli fleuve se déroulait ainsi en paysages charmants où ils allaient se promener en se tenant par la taille... La forêt de Brotonne, les ruines de Jumièges, l'abbaye de Saint-Georges, les collines de la Bouille, Rouen, Pont-de-l'Arche...

Semaines de bonheur intense ! Raoul y dépensa des trésors de gaieté et d'enthousiasme. Les spectacles merveilleux, les belles églises gothiques, les couchers de soleil et les clairs de lune, tout lui était prétexte à déclarations enflammées.

« La Nonchalante *était une péniche comme toutes les autres.* »

Josine, plus silencieuse, souriait comme dans un rêve heureux. Chaque jour la rapprochait davantage de son amant. Si elle avait obéi d'abord à un caprice, elle subissait maintenant la loi d'un amour qui lui faisait battre le cœur et lui apprenait la souffrance de trop aimer.

Du passé, de sa vie secrète, jamais un mot. Une fois cependant, il y eut, à ce sujet, quelques propos échangés. Comme Raoul la plaisantait sur ce qu'il appelait le miracle de son éternelle jeunesse, elle répondit :

« Un miracle, c'est ce qu'on ne comprend pas. Exemple : Nous parcourons vingt lieues en un jour... tu cries au miracle. Mais, avec un peu d'attention, tu te serais rendu compte que la distance a été couverte, non par deux, mais par quatre chevaux, Léonard ayant dételé et changé de bêtes à Doudeville dans la cour de la ferme, où un relais était préparé.

— Bien joué, s'écria le jeune homme ravi.

— Autre exemple. Personne au monde ne sait que tu te

nommes Lupin. Or te dirai-je que, la nuit même où tu m'as sauvée de la mort, je te connaissais sous ton vrai nom ?... Miracle ? Nullement. Tu comprends bien que tout ce qui touche au comte de Cagliostro m'intéresse, et qu'il y a quatorze ans, quand j'ai entendu parler de la disparition du collier de la Reine, chez la duchesse de Dreux-Soubise, j'ai fait une enquête minutieuse, qui me permit d'abord, de remonter jusqu'au jeune Raoul d'Andrésy, ensuite jusqu'au jeune Lupin, fils de Théophraste Lupin. Plus tard, je retrouvai ta trace dans plusieurs affaires. J'étais fixée. »

Raoul réfléchit quelques secondes, puis prononça très sérieusement :

« À cette époque, ma Josine, ou bien tu avais une dizaine d'années, et il est prodigieux qu'une enfant de cet âge réussisse une enquête où tout le monde échoua ; ou bien tu avais le même âge qu'aujourd'hui, ce qui est encore plus prodigieux, ô fille de Cagliostro ! »

Elle fronça le sourcil. La plaisanterie semblait lui être désagréable.

« Ne parlons jamais de cela, veux-tu, Raoul ?

— Regrettable ! dit Raoul un peu vexé d'avoir été découvert en tant qu'Arsène Lupin, et qui désirait une revanche. Rien au monde ne me passionne plus que le problème de ton âge et de tes divers exploits depuis un siècle. J'ai là-dessus quelques idées personnelles qui ne manquent pas d'intérêt. »

Elle l'observa, curieuse malgré tout. Raoul profita de son hésitation, et il reprit aussitôt d'un ton légèrement gouailleur :

« Mon argumentation s'appuie sur deux axiomes : 1° comme tu l'as dit, il n'y a pas de miracle ; 2° tu es la fille de ta mère. »

Elle sourit :

« Cela débute bien.

— Tu es la fille de ta mère, répéta Raoul, ce qui signifie qu'il y a d'abord eu une comtesse de Cagliostro. À vingt-cinq ou trente ans, celle-là éblouit de sa beauté le Paris de la fin du Second Empire, et intrigua la cour de Napoléon III. Avec l'aide de son soi-disant frère qui l'accompagnait (frère, ami ou amant, n'importe !), elle avait machiné toute l'histoire de la filiation Cagliostro, et préparé les faux documents dont la police se servit pour renseigner Napoléon III sur la fille de Joséphine de Beauharnais et de Cagliostro. Expulsée, elle passa en Italie, en Allemagne, puis disparut... pour ressusciter vingt-quatre ans plus tard, sous les traits identiques de son adorable fille, deuxième comtesse de Cagliostro, ici présente. Nous sommes bien d'accord ? »

Josine ne répondit point, impassible. Il continua :

« Entre la mère et la fille, ressemblance parfaite... si parfaite que l'aventure recommence tout naturellement. Pourquoi deux comtesses ? Il n'y en aura qu'une, une seule, l'unique, la vraie, celle qui a hérité des secrets de son père Joseph Balsamo, comte de Cagliostro. Et lorsque Beaumagnan fait son enquête, il en arrive inévitablement à retrouver les documents qui ont déjà égaré la police de Napoléon, et la série des portraits et miniatures, qui attestent l'unité de la toujours jeune femme, et qui font remonter son origine jusqu'à la vierge de Bernardino Luini à qui le hasard l'a si étrangement assimilée.

« D'ailleurs, il y a un témoin : le prince d'Arcole. Le prince d'Arcole a vu jadis la comtesse de Cagliostro. Il l'a conduite à Modane. Il la revoit à Versailles. Quand il l'aperçoit, un cri lui échappe : « C'est elle ! Et elle a le même âge ! »

« Sur quoi tu l'accables sous un monde de preuves : le récit des quelques mots échangés à Modane entre ta mère et lui, récit que tu as lu dans le journal très minutieux que ta mère tenait de ses moindres actions. Ouf ! Voilà le fonds et le tréfonds de l'aventure. Et c'est très simple. Une mère et une fille qui se ressemblent, et dont la beauté évoque une image de Luini. Un point, c'est tout. Il y a bien la marquise de Belmonte. Mais je suppose que la ressemblance de cette dame avec toi est assez vague, et qu'il a fallu la bonne volonté et le cerveau détraqué du sieur Beaumagnan pour vous confondre toutes deux. En résumé, rien de dramatique, une intrigue amusante et bien menée. J'ai dit. »

Raoul se tut. Il lui sembla que Joséphine Balsamo avait un peu pâli et que sa figure se contractait. À son tour, elle devait être vexée, et cela le fit rire.

« J'ai touché juste, hein ? » dit-il.

Elle se déroba.

« Mon passé m'appartient, dit-elle, et mon âge n'importe à personne. Tu peux croire ce qui te plaît à ce propos. »

Il se jeta sur elle et l'embrassa furieusement.

« Je crois que tu as cent quatre ans, Joséphine Balsamo, et rien n'est plus délicieux que le baiser d'une centenaire. Quand je pense que tu as peut-être connu Robespierre, et peut-être Louis XVI. »

L'incident ne se renouvela pas. Raoul d'Andrésy sentait si nettement l'irritation de Joséphine Balsamo à la moindre tentative indiscrète qu'il n'osa plus la questionner. D'ailleurs ne savait-il pas la vérité exacte ?

Certes, il la savait, et aucun doute ne demeurait en son esprit. Néanmoins, la jeune femme conservait tout un prestige mystérieux qu'il subissait malgré lui et dont il éprouvait quelque rancune.

À la fin de la troisième semaine, Léonard refit son apparition. Un matin, Raoul avisa la berline aux deux petits chevaux efflanqués de la comtesse qui s'en allait.

Elle ne revint que le soir. Léonard transporta sur la *Nonchalante* des ballots ficelés dans des serviettes, qu'il laissa glisser par une trappe dont Raoul ignorait l'existence.

La nuit, Raoul, ayant réussi à ouvrir la trappe, visita les ballots. Ils contenaient d'admirables dentelles et des chasubles précieuses.

Le surlendemain, nouvelle expédition. Résultat : une magnifique tapisserie du XVIe siècle.

Ces jours-là Raoul s'ennuyait fort. Aussi, à Mantes, se trouvant encore seul, il loua une bicyclette et roula quelque temps à travers la campagne. Après avoir déjeuné, il aperçut, au sortir d'une petite ville, une vaste maison dont le jardin était rempli de gens. Il s'approcha. On vendait aux enchères de beaux meubles et des pièces d'argenterie.

Désœuvré, il fit le tour de la maison. Un des pignons se dressait dans une partie déserte du jardin, et au-dessus d'un bosquet feuillu. Sans trop savoir à quelle impulsion il obéissait, Raoul, avisant une échelle la dressa, monta et enjamba le rebord d'une fenêtre ouverte.

Il y eut un léger cri à l'intérieur. Raoul aperçut Joséphine Balsamo, qui se reprit aussitôt et lui dit d'un ton très naturel :

« Tiens, c'est vous, Raoul ? Je suis en train d'admirer une collection de petits livres reliés... Des merveilles ! Et d'une rareté ! »

Ce fut tout. Raoul examina les livres et empocha trois elzévirs, tandis que la comtesse, à l'insu de Raoul, faisait main basse sur les médailles d'une vitrine.

Ils redescendirent l'escalier. Dans le tumulte de la foule, personne ne remarqua leur départ.

À trois cents mètres de distance la voiture attendait.

Dès lors, à Pontoise, à Saint-Germain, à Paris, où la *Non-*

chalante, amarrée en face même de la préfecture de police, continuait à leur servir de logis, ils « opérèrent » ensemble.

Si le caractère renfermé et l'âme énigmatique de la Cagliostro ne se démentaient pas dans l'accomplissement de ces besognes, la nature primesautière de Raoul reprenait peu à peu le dessus, et chaque fois l'opération finissait en éclats de rire.

« Tant qu'à faire, disait-il, puisque j'ai tourné le dos au sentier de la vertu, prenons les choses allégrement, et non pas sur le mode funèbre... comme toi, ma Josine. »

À chaque épreuve, il se découvrait des talents imprévus et des ressources qu'il ignorait. Parfois, dans un magasin, aux courses, au théâtre, sa compagne entendait un petit claquement de langue joyeux, et elle voyait alors aux mains de son amant une montre, à sa cravate une épingle nouvelle. Et toujours le même sang-froid, toujours la sérénité de l'innocent que nul danger ne menace.

Ce qui ne l'empêchait pas d'obéir aux multiples précautions exigées par Joséphine Balsamo. Ils ne sortaient de la péniche qu'habillés en gens du peuple. Dans une rue proche, la vieille berline, attelée d'un seul cheval, les recueillait. Ils y changeaient de vêtements. La Cagliostro ne quittait jamais une dentelle à larges fleurs brodées qui lui servait de voilette.

Tous ces détails, et combien d'autres ! renseignaient Raoul sur la vie réelle de sa maîtresse. Il ne doutait pas maintenant qu'elle ne fût à la tête d'une bande organisée de complices avec qui elle correspondait par l'intermédiaire de Léonard, et il ne doutait pas non plus qu'elle ne poursuivît l'affaire du chandelier aux sept branches, et qu'elle ne surveillât les manœuvres de Beaumagnan et de ses amis.

Existence double, qui, très souvent, indisposait Raoul contre Joséphine Balsamo, ainsi qu'elle-même l'avait prévu. Oubliant ses propres actes, il lui en voulait d'en accomplir qui n'étaient pas conformes aux idées qu'il gardait, malgré tout, sur l'honnêteté. Une maîtresse voleuse et chef de bande, cela l'offusquait. Il y eut des chocs entre eux, à propos de questions insignifiantes. Leurs deux personnalités, si fortes et si marquées, se heurtaient.

Aussi, lorsqu'un incident les jeta tout à coup en pleine bataille, bien que dressés contre des ennemis communs, ils apprirent tout ce qu'un amour comme le leur, peut, à certaines minutes, contenir de rancune, d'orgueil et d'hostilité.

Cet incident, qui mit fin à ce que Raoul appelait les délices de Capoue, ce fut la rencontre inopinée qu'ils firent un soir de Beaumagnan, du baron d'Étigues et de Bennetot. Les trois amis entraient au théâtre des Variétés.

« Suivons-les », dit Raoul.

La comtesse hésitait. Il insista.

« Comment ! une pareille occasion s'offre à nous, et nous n'en profiterions pas ! »

Ils entrèrent tous deux et s'installèrent dans une baignoire obscure. À ce moment, au fond d'une autre baignoire située près de la scène, ils eurent le temps d'apercevoir, avant que l'ouvreuse relevât le grillage, la silhouette de Beaumagnan et de ses deux acolytes.

Un problème s'offrait. Pourquoi Beaumagnan, homme d'église et d'habitudes en apparence rigides, se fourvoyait-il dans un théâtre des boulevards, où, précisément, on jouait une revue très décolletée et sans le moindre intérêt pour lui ?

Raoul posa la question à Joséphine Balsamo qui ne répondit point, et cette indifférence affectée montra bien à Raoul que la jeune femme se séparait de lui en l'occurrence, et qu'elle ne voulait décidément pas de sa collaboration pour tout ce qui concernait l'inexplicable affaire.

« Soit, lui dit-il, d'un ton net, où il y avait du défi ; soit, chacun de son côté et chacun pour soi. On verra qui s'adjugera le gros lot. »

Sur la scène, des théories de femmes levaient la jambe en cadence, tandis que défilaient les actualités. La commère, une belle fille peu habillée, qui représentait « La Cascadeuse », justifiait son sobriquet par des cascades de faux bijoux, qui ruisselaient tout autour d'elle. Un bandeau de pierres multicolores lui ceignait le front. Des lampes électriques s'allumaient dans ses cheveux.

Deux actes furent joués. La baignoire d'avant-scène gardait son treillage hermétiquement clos, sans qu'on pût même deviner la présence des trois amis. Mais, au dernier entracte, Raoul, se promenant du côté de cette baignoire, constata que la porte en était légèrement entrouverte. Il regarda. Personne. S'étant informé, il apprit que les trois messieurs avaient quitté le théâtre au bout d'une demi-heure !

« Plus rien à faire ici, dit-il en rejoignant la comtesse, ils ont filé. »

À ce moment, le rideau se relevait. La commère parut de nouveau sur la scène. Sa coiffure plus dégagée permit de mieux voir le bandeau qu'elle portait au front depuis le début. C'était un ruban de tissu d'or où de gros cabochons, tous différents de couleur, se trouvaient fixés. Il y en avait sept.

« Sept ! pensa Raoul. Voilà qui explique la venue de Beaumagnan. »

Tandis que Joséphine Balsamo s'apprêtait, il apprit par une ouvreuse que la commère de la revue, Brigitte Rousselin, habitait une ancienne maison de Montmartre, d'où chaque jour, avec une vieille femme de chambre très dévouée, du nom de Valentine, elle descendait pour assister aux répétitions de la prochaine pièce.

Le lendemain matin, à onze heures, Raoul émergeait de la *Nonchalante*. Il déjeunait dans un restaurant de Montmartre et, à midi, enfilant une rue escarpée et tortueuse, il passait devant une petite maison étroite, précédée d'une cour que clôturait un mur, et appuyée à un immeuble de rapport dont le dernier étage — les fenêtres sans rideaux suffisaient à l'indiquer — n'avait pas de locataire.

Raoul bâtit aussitôt, avec son habituelle rapidité de conception, un de ces plans qu'il exécutait ensuite presque mécaniquement.

Il flâna de long en large, comme un homme qui a un rendez-vous. Soudain, voyant que la concierge de l'immeuble balayait le trottoir, il se glissa derrière cette femme, grimpa les étages, fractura la porte de l'appartement vide, ouvrit sur le côté une des fenêtres qui dominait le toit de la maison voisine, s'assura que personne ne pouvait l'apercevoir, et sauta.

Tout près, une lucarne bâillait. Il se laissa tomber dans un grenier encombré d'objets hors d'usage, et d'où l'on ne descendait que par une trappe, qui fonctionnait mal et qu'il put tout juste soulever pour passer la tête. De là il dominait le palier du second étage et, en partie, la cage de l'escalier. Il n'y avait pas d'échelle.

Au-dessous, c'est-à-dire au premier étage, deux voix de femmes échangeaient des paroles. Se penchant le plus possible, Raoul écouta, et se rendit compte, d'après certains propos, que la jeune commère de la revue était en train de déjeuner dans son boudoir, et que sa compagne, seule domestique de la maison, rangeait, tout en la servant, la chambre et le cabinet de toilette.

« Fini, s'écria Brigitte Rousselin, en regagnant sa chambre.

Ah ! ma bonne Valentine, quelle joie ! Pas de répétition aujourd'hui ! Je me recouche jusqu'au moment de sortir... »

Cette journée de repos gênait un peu les calculs de Raoul, qui espérait, en l'absence de Brigitte Rousselin, effectuer tranquillement une visite domiciliaire. Il patienta néanmoins, comptant sur le hasard.

Quelques minutes s'écoulèrent. Brigitte fredonnait des airs de la revue lorsqu'un coup de timbre retentit dans la cour.

« Bizarre, dit-elle. Je n'attends pourtant personne aujourd'hui. Cours donc voir, Valentine. »

La servante descendit. On perçut le claquement de la porte refermée, et elle remonta en disant :

« C'est du théâtre... un secrétaire du directeur qui apporte cette lettre.

— Donne. Tu as fait entrer dans le salon ?

— Oui. »

Raoul apercevait au premier étage la jupe de la jeune actrice. La servante tendit l'enveloppe qui fut aussitôt déchirée, et Brigitte lut à demi-voix :

« Ma petite Rousselin, confiez donc à mon secrétaire le bandeau de pierres que vous vous mettez sur le front. J'en ai besoin pour en faire prendre le modèle. C'est urgent. Vous le retrouverez ce soir au théâtre. »

En entendant ces quelques phrases, Raoul avait tressailli :

« Tiens ! tiens ! pensait-il, le bandeau de pierres ! les sept cabochons. Est-ce que le directeur est aussi sur la piste ? Et Brigitte Rousselin va-t-elle obéir ? »

Il fut rassuré. La jeune femme murmurait :

« Pas possible. J'ai promis déjà ces pierres.

— C'est ennuyeux, objecta la servante, le directeur ne sera pas content.

— Que veux-tu ? J'ai promis, et l'on doit me les payer fort cher.

— Alors que répondre ?

— Je vais lui écrire », décida Brigitte Rousselin.

Elle retourna dans son boudoir et, un instant après, remettait une enveloppe à la servante.

« Tu le connais, ce secrétaire ? Tu l'as vu au théâtre ?

— Ma foi non, c'est un nouveau.

— Qu'il dise bien au directeur que je suis au regret, et que je lui expliquerai la chose ce soir à lui-même. »

Valentine repartit. De nouveau, il se passa un temps assez

long. Brigitte s'était mise au piano et faisait des exercices de chant, qui couvrirent sans doute le bruit de la porte principale, car Raoul ne l'entendit point.

Il éprouvait, de son côté, une certaine gêne, troublé par l'incident qui ne lui semblait pas très clair. Ce secrétaire qu'on ne connaissait pas, cette demande de bijoux, tout cela sentait le piège et la combinaison louche.

Cependant il se rassura. Une ombre avait franchi la portière, se dirigeant vers le boudoir.

« Valentine qui remonte, se dit Raoul. Mon impression était fausse. L'homme a filé. »

Mais tout à coup, au milieu d'une ritournelle, le piano s'arrêta net, le tabouret sur lequel la chanteuse était assise fut repoussé brusquement et tomba, et elle articula avec une certaine inquiétude :

« Qui êtes-vous ?... Ah ! le secrétaire, n'est-ce pas ? Le nouveau secrétaire... Mais que voulez-vous donc, monsieur ?...

— M. le directeur, fit la voix de l'homme, m'a ordonné de rapporter les bijoux. Il faut que j'insiste...

— Mais je lui ai répondu... balbutia Brigitte de plus en plus anxieuse... La femme de chambre a dû vous remettre la lettre... Pourquoi n'est-elle pas remontée avec vous ? Valentine ! »

Elle appela plusieurs fois, d'un ton de détresse.

« Valentine !... Ah ! vous me faites peur, monsieur... Vos yeux... »

La porte fut fermée brutalement. Raoul perçut un bruit de chaises, le fracas d'une lutte, puis un grand cri :

« Au secours ! »

Ce fut tout. D'ailleurs, à la seconde précise où il avait eu l'intuition du danger que courait Brigitte Rousselin, il s'était efforcé de soulever la trappe un peu plus et de se frayer un passage. Il lui fallut pour cela perdre un temps précieux. Après quoi il se laissa tomber, dégringola le second étage et se trouva en face de trois portes closes.

Au hasard, il se rua sur l'une d'elles, et pénétra dans une pièce où il y avait le plus grand désordre. N'y voyant personne, il courut à travers la pièce jusqu'au cabinet de toilette, puis jusqu'à la chambre où il pensait bien que la lutte s'était poursuivie.

Aussitôt, en effet, il avisa dans la demi-obscurité, car les rideaux de la fenêtre étaient presque fermés, un homme à genoux, et, gisant sur le tapis, une femme que cet homme tenait à la gorge des deux mains. Des râles de douleur se mêlaient à d'abominables jurons.

« Dieu de Dieu, te tairas-tu. Ah ! cré bon sang, tu refuses les bijoux ! Eh bien, ma petite... »

L'attaque de Raoul qui se jeta sûr lui avec une violence irrésistible, lui fit lâcher prise. Tous deux ils roulèrent contre la cheminée, où Raoul se heurta le front assez fort pour en éprouver quelques secondes de défaillance.

L'assassin du reste était plus lourd que lui, et le duel ne pouvait pas être long entre ce mince adolescent et cet homme, que l'on devinait massif et de musculature puissante. De fait, au bout d'un instant, l'un des deux se dégagea, tandis que l'autre demeurait étendu et poussait de faibles soupirs. Mais celui qui se relevait n'était autre que Raoul.

« Un joli coup, hein, monsieur ? ricana-t-il. Il me vient des instructions posthumes d'un sieur Théophraste Lupin, chapitre des méthodes japonaises. Ça vous expédie une bonne minute dans un monde meilleur et rend inoffensif comme un petit mouton. »

Il se pencha sur la jeune actrice, et, l'ayant saisie dans ses bras, la coucha sur le lit. Il vit tout de suite que l'effroyable étreinte du meurtrier n'avait pas eu les conséquences que l'on pouvait craindre. Brigitte Rousselin respirait à son aise. Aucune blessure n'était visible. Mais elle tremblait de tous ses membres et regardait avec des yeux de folle.

« Vous ne souffrez pas, mademoiselle ? fit-il doucement. Non, n'est-ce pas ? Ce ne sera rien. Et surtout n'ayez pas peur. Vous n'avez plus rien à redouter de lui et, pour plus de sûreté... »

Vivement, il écarta les rideaux, arracha les cordons de tirage et lia les poignets inertes de l'homme. Mais, un peu de jour ayant pénétré dans la pièce, il tourna l'assassin vers la fenêtre afin d'examiner son visage.

Un cri lui échappa. Il était confondu. Et il murmura avec stupeur :

« Léonard... Léonard... »

Jamais il n'avait eu l'occasion de voir bien en face cet homme, en général courbé sur le siège de la voiture, enfouissant sa tête entre les épaules, et dissimulant sa taille au point que Raoul le croyait presque bossu et malingre. Mais il connaissait son profil osseux qu'allongeait une barbe grisonnante, et il n'eut pas le moindre doute : c'était Léonard, le factotum et le bras droit de Joséphine Balsamo.

Il acheva de le ligoter, le bâillonna solidement, lui enveloppa la tête d'une serviette, et le traîna ensuite dans le boudoir, où il l'attacha aux pieds d'un lourd divan. Puis il s'en revint vers la jeune femme qui continuait à gémir.

« C'est fini, dit-il. Vous ne le verrez plus. Reposez-vous. Moi, je vais m'occuper de votre servante et savoir ce qu'elle est devenue. »

De ce côté, il n'était pas inquiet, et, comme il le supposait, il découvrit Valentine au rez-de-chaussée, en un coin du salon, exactement dans le même état où il venait de laisser Léonard, c'est-à-dire réduite à l'impuissance et au silence. C'était une femme de tête. Une fois délivrée, et sachant son agresseur incapable de nuire, elle ne s'affola pas, et se conforma aux ordres de Raoul qui lui disait :

« Je suis un agent de la police secrète. J'ai sauvé votre maîtresse. Allez la rejoindre et soignez-la. Pour moi, je vais interroger cet homme et me rendre compte s'il n'a pas de complices. »

Raoul la poussa dans l'escalier, avec la hâte de demeurer seul et de réfléchir aux idées confuses qui le harcelaient. Idées si pénibles que, par moments, il essayait presque de s'y soustraire et que, s'il avait écouté son instinct, laissant au hasard le soin de débrouiller la situation, il eût abandonné le champ de bataille et se serait enfui par la maison voisine.

Mais une vision trop nette des choses qu'il fallait faire s'établissait en lui pour qu'il n'y dût pas obéir. Toute sa volonté croissante de chef, qui sait se résoudre et garder son sang-froid dans les circonstances les plus tragiques, l'obligeait à l'action. Il traversa la cour, et d'un geste très lent manœuvra la serrure de la porte principale qu'il put ainsi entrebâiller légèrement.

Par la fente, il risqua un coup d'œil : de l'autre côté de la rue, un peu plus bas, la vieille berline stationnait.

Sur le siège, un domestique tout jeune, qu'il avait vu plusieurs fois avec Léonard et qui s'appelait Dominique, gardait le cheval.

Mais, à l'intérieur de la voiture, n'y avait-il pas un autre complice ? Et quel était ce complice ?

Raoul ne referma pas la porte. Ses soupçons se confirmaient, et maintenant rien au monde ne l'eût empêché d'aller jusqu'au bout. Il remonta donc au premier étage et s'inclina sur le prisonnier.

Un détail l'avait frappé, durant la lutte : un gros sifflet de bois retenu par une chaînette s'était échappé de l'une des poches de Léonard, et celui-ci, malgré le péril, l'avait rattrapé d'un mouvement machinal comme s'il eût craint de perdre cet instrument. Et la question se posait ainsi dans l'esprit de Raoul : le sifflet devait-il servir en cas de péril pour éloigner le complice ? ou bien, au contraire, était-ce un signal pour appeler le complice lorsque toute la besogne serait faite ?

Raoul adopta cette hypothèse, plus peut-être par intuition que par raisonnement. Il ouvrit donc la fenêtre, juste le temps nécessaire pour donner un coup de sifflet.

Et, posté derrière les rideaux de tulle, il attendit.

Son cœur sautait dans sa poitrine. Jamais encore il n'avait souffert de cette âpre et mauvaise souffrance. Au fond, il ne doutait pas de ce qui était sur le point d'advenir, et il connaissait la silhouette qui allait apparaître au cadre de la porte. Mais il voulait espérer quand même, contre toute évidence. Il n'admettait pas, il ne consentait pas à admettre que dans cette affaire ténébreuse, l'assassin Léonard eût comme complice...

Le lourd battant fut poussé.

« Ah ! » fit Raoul avec désespoir.

Joséphine Balsamo entrait.

Elle entra paisiblement, avec autant de désinvolture que si elle rendait visite à une amie. Dès l'instant où Léonard avait sifflé, la voie était libre, et elle n'avait qu'à se présenter. Enveloppée de sa voilette, elle traversa légèrement la cour et pénétra dans la maison.

Du coup Raoul avait reconquis toute sa tranquillité. Son cœur se calma. Il était prêt à combattre ce deuxième adversaire, comme il avait combattu le premier, avec des armes différentes, mais tout aussi efficaces. Il appela Valentine à mi-voix et lui dit :

« Quoi qu'il arrive, pas un mot. Il y a contre Brigitte Rousselin un complot que je veux déjouer. Voici l'un des complices. Le silence absolu, n'est-ce pas ? »

La servante proposa :

« Je peux aider, monsieur... courir chez le commissaire...

— À aucun prix. L'affaire, si elle était connue, risquerait de tourner mal pour votre maîtresse. Je réponds de tout, mais à condition qu'aucun bruit ne vienne de cette chambre, aucun !

— Bien, monsieur. »

Raoul ferma les deux portes de communication. Ainsi la pièce où se trouvait Brigitte Rousselin et celle où la partie allait se jouer entre Josine et lui étaient nettement séparées. Comme il le désirait, aucun bruit ne pouvait passer de l'une à l'autre.

À ce moment, Joséphine Balsamo débouchait du palier. Elle le vit.

Et elle reconnut aux vêtements le corps ficelé de Léonard.

Raoul immédiatement eut la notion exacte de ce que Joséphine Balsamo pouvait, à certaines minutes graves, avoir d'empire sur elle-même. Loin de s'effarer en constatant la présence inattendue de Raoul et le désordre d'une pièce où Léonard était captif, elle commença par réfléchir, dominant ses nerfs de femme et l'agitation qui la secouait, et il était facile de comprendre qu'elle se demandait :

« Qu'est-ce que cela veut dire ? Que fait Raoul ici ? Qui donc a ligoté Léonard ? »

À la fin, retirant sa voilette, elle demanda simplement, car c'était là, en toute certitude, ce qui la tourmentait le plus :

« Pourquoi me regardes-tu ainsi, Raoul ? »

Il mit un certain temps à lui répondre. Les mots qu'il allait prononcer étaient effrayants et il la dévisageait pour ne pas perdre un seul tressaillement de ses muscles ni un seul clignotement de ses yeux. Il murmura :

« Brigitte Rousselin a été assassinée.

— Brigitte Rousselin ?

— Oui, l'actrice d'hier soir, celle au bandeau de pierreries, et tu n'oseras pas dire que tu ne sais pas qui est cette femme, *puisque tu es ici, chez elle,* et puisque tu as chargé Léonard de t'avertir, aussitôt la besogne faite. »

Elle parut bouleversée.

« Léonard ? Ce serait Léonard ?

— Oui, affirma-t-il. C'est lui qui a tué Brigitte. Je l'ai surpris qui la tenait au cou de ses deux mains. »

Il la vit qui tremblait, et elle tomba assise en balbutiant :

« Ah ! le misérable !... le misérable... est-il possible qu'il ait fait cela ? »

Et, plus bas encore, avec une épouvante qui croissait à chaque mot :

« Il a tué... il a tué... Est-ce possible ! Il m'avait pourtant juré que jamais il ne tuerait !... il me l'avait juré... Oh ! je ne veux pas croire... »

Était-elle sincère, ou jouait-elle la comédie ? Léonard avait-il agi sous le coup d'une folie subite, ou d'après les instructions qui lui ordonnaient le crime quand la ruse échouait ?

Questions redoutables que Raoul se posait sans pouvoir y répondre.

Joséphine Balsamo releva la tête, observa Raoul de ses yeux pleins de larmes, puis brusquement se jeta vers lui, les mains jointes.

« Raoul... Raoul... pourquoi me regardes-tu ainsi ? Non... non... n'est-ce pas ? tu ne m'accuses pas ? Ah ! ce serait terrible... Tu pourrais croire que je savais ?... que j'ai commandé ou permis ce crime abominable ?... Non... Jure-moi que tu ne crois pas. Oh ! Raoul... mon Raoul... »

Un peu brutalement, il la contraignit à s'asseoir. Ensuite il repoussa Léonard dans l'ombre. Et, après avoir fait quelques pas de long en large, il revint vers la Cagliostro et la saisit à l'épaule :

« Écoute-moi, Josine, prononça-t-il lentement, d'une voix qui était celle d'un accusateur, et même d'un adversaire beaucoup plus que d'un amant, écoute-moi. Si, d'ici une demi-heure, tu n'as pas fait la pleine clarté sur toute cette affaire, et sur les machinations secrètes qui la compliquent, j'agis envers toi comme envers une ennemie mortelle, de gré ou de force je t'éloigne de cette maison, et sans la moindre hésitation je vais dénoncer au plus proche commissariat de police le crime que ton complice Léonard vient de commettre sur la personne de Brigitte Rousselin... Après quoi, tu te débrouilleras. Veux-tu parler ? »

VIII

DEUX VOLONTÉS

La guerre était déclarée, et elle l'était au moment choisi par Raoul, alors qu'il avait toutes les chances pour lui, et que Joséphine Balsamo, prise au dépourvu, faiblissait sous une attaque qu'elle n'aurait jamais supposée aussi violente et aussi implacable.

Bien entendu une femme de sa trempe ne pouvait consentir à la défaite. Elle voulut résister. Elle n'admit pas que le tendre et délicieux amant qu'était Raoul d'Andrésy pût ainsi du premier coup s'ériger en maître et lui imposer la rude étreinte de sa volonté. Elle recourut aux câlineries, aux pleurs, aux promesses, à tous les artifices de la femme. Raoul se montra sans pitié.

« Tu parleras ! J'en ai assez, des ténèbres. Tu peux t'y complaire, moi pas. Il me faut la grande clarté.

— Mais sur quoi ? s'écria-t-elle, exaspérée. Sur ma vie ?

— Ta vie t'appartient, dit Raoul, cache ton passé si tu as peur de l'étaler sous mes yeux. Je sais bien que tu resteras toujours une énigme pour moi et pour tout le monde, et que jamais ton pur visage ne me renseignera sur ce qui s'agite au fond de ton âme. Mais ce que je veux connaître c'est le côté de ta vie qui touche à la mienne. Nous avons un but commun. Montre-moi le chemin que tu suis. Sinon, je risque de me heurter au crime, et je ne veux pas ! »

Il frappa du poing.

« Tu entends, Josine. Je ne veux pas tuer ! Voler, oui. Cambrioler, soit ! Mais tuer, non, mille fois non !

— Je ne le veux pas non plus, dit-elle.

— Peut-être, mais tu fais tuer.

— Mensonge !

— Alors parle. Explique-toi. »

Elle se tordait les mains. Elle protestait et gémissait :

« Je ne peux pas... je ne peux pas...

— Pourquoi ? Qui t'empêche de m'apprendre ce que tu sais de l'affaire, ce que t'a révélé Beaumagnan ?

— J'aimerais mieux ne pas te mêler à tout cela, murmura-t-elle, ne pas t'opposer à cet homme. »

Il éclata de rire.

« Tu as peur pour moi, peut-être ? Ah ! le bon prétexte ! Rassure-toi, Josine. Je ne crains pas Beaumagnan. Il y a un autre adversaire que je redoute bien plus que lui.

— Qui ?

— Toi, Josine. »

Il répéta durement :

« Toi, Josine. Et c'est pour cette raison que je veux la lumière. Quand je te verrai bien en face, je n'aurai plus peur. Es-tu décidée ? »

Elle secoua la tête.

« Non, dit-elle, non. »

Raoul s'emporta.

« C'est-à-dire que tu te défies de moi. L'affaire est belle : tu veux la garder tout entière. Soit. Partons. Dehors tu jugeras mieux la situation. »

Il la prit dans ses bras et la jeta sur son épaule, comme il l'avait fait, le premier soir, au pied de la falaise. Et, ainsi chargé, il se dirigea vers la porte.

« Arrête », dit-elle.

Ce coup de force, accompli avec une aisance incroyable, acheva de la dompter. Elle sentit qu'il ne fallait pas le provoquer davantage.

« Que veux-tu savoir ? dit-elle, une fois qu'il l'eut assise de nouveau.

— Tout, répliqua-t-il, et d'abord le motif de ta présence ici, et la raison pour laquelle ce misérable a tué Brigitte Rousselin. »

Elle déclara :

« Le bandeau de pierreries...

— Elles n'ont pas de valeur ! Ce sont des pierres quelconques, faux grenats, fausses topazes, béryls, opales...

— Oui, mais il y en a sept.

— Et après ? devait-il la tuer ? C'était si simple d'attendre et de fouiller les chambres à la première occasion.

— Évidemment, mais il paraît que d'autres étaient sur la piste.

— D'autres ?

— Oui, ce matin, à la première heure, sur mes ordres, Léonard s'est enquis de cette Brigitte Rousselin dont j'avais remarqué le diadème hier soir, et il est venu me dire que des gens rôdaient autour de cette maison.

— Des gens ? Qui serait-ce ?

— Des émissaires de la Belmonte.

— Cette femme qui est mêlée à l'affaire ?

— Oui, on la retrouve partout.

— Et après ? répéta Raoul, était-ce une raison pour tuer ?

— Il aura perdu la tête. J'avais eu tort de lui dire : « Il me faut ce bandeau à tout prix. »

— Tu vois, tu vois, s'écria Raoul, nous sommes à la merci d'une brute qui perd la tête et qui tue bêtement, stupidement. Allons, il faut en finir. Je pense plutôt que les gens qui rôdaient ce matin avaient été envoyés par Beaumagnan. Or, tu n'es pas de taille à te mesurer avec Beaumagnan. Laisse-moi prendre la direction. Si tu veux réussir, c'est par moi, par moi seul que tu réussiras. »

Josine faiblit. Raoul affirmait sa supériorité d'un ton de telle conviction qu'elle en eut, pour ainsi dire, l'impression physique.

Elle le vit plus grand qu'il n'était et plus puissant, mieux doué que tous les hommes qu'elle avait connus, armé d'un esprit plus subtil, d'un regard plus aigu, de moyens d'action plus divers. Elle s'inclina devant cette volonté implacable et devant cette énergie qu'aucune considération ne pouvait fléchir.

« Soit, prononça-t-elle. Je parlerai. Mais pourquoi parler ici ?

— Ici, et pas ailleurs, articula Raoul, sachant bien que si la Cagliostro se ressaisissait, il n'obtiendrait rien.

— Soit, dit-elle encore, accablée, soit, je cède, puisque notre amour est en jeu, et que tu sembles en faire si peu de cas. »

Raoul éprouva un sentiment profond d'orgueil. Pour la première fois, il prit conscience de l'ascendant qu'il exerçait sur les autres, et de la puissance vraiment extraordinaire avec laquelle il imposait ses décisions.

Certes la Cagliostro n'était pas en possession de toutes ses ressources. Le meurtre supposé de Brigitte Rousselin avait en quelque sorte désagrégé son pouvoir de résistance, et le spectacle de Léonard enchaîné ajoutait à sa détresse nerveuse. Mais, comme il avait, lui, saisi rapidement l'occasion qui se présentait, et profité de tous ses avantages pour établir, par la menace et par la peur, par la force et par la ruse, sa victoire définitive !

Maintenant, il était le maître. Il avait contraint Joséphine Balsamo à se rendre, et discipliné en même temps son propre amour. Baisers, caresses, manœuvres de séduction, ensorcellement de la passion, envoûtement du désir, il ne craignait plus rien, puisqu'il avait été jusqu'à la limite même de la rupture.

Il enleva le tapis qui recouvrait le guéridon et le jeta sur Léonard, puis il revint et prit place auprès de Josine.

« J'écoute. »

Elle lui jeta un coup d'œil où se révélaient de la rancune et de la colère impuissante et elle murmura :

« Tu as tort. Tu profites d'une défaillance passagère pour exiger de moi un récit que je t'aurais fait un jour ou l'autre de plein gré. C'est une humiliation inutile, Raoul. »

Il répéta durement :

« J'écoute. »

Alors elle dit :

« Tu l'auras voulu. Finissons-en, et le plus vite possible. Je te fais grâce de tous les détails pour aller droit au but. Ce ne sera ni long ni compliqué. Un simple rapport. Donc, il y a vingt-quatre ans, durant les mois qui ont précédé la guerre de 1870

« *Elle s'inclina devant cette volonté implacable...* »

entre la France et la Prusse, le cardinal de Bonnechose, archevêque de Rouen et sénateur, en tournée de confirmation dans le pays de Caux, fut surpris par un orage effroyable et dut se réfugier au château de Gueures, qu'habitait alors son dernier propriétaire, le chevalier des Aubes. Il y dîna. Le soir, comme il se retirait dans la chambre qu'on lui avait préparée, le chevalier des Aubes, un vieillard de près de quatre-vingt-dix ans, tout cassé, mais ayant encore bien sa tête, sollicita de lui une audience particulière qui fut immédiatement accordée, et qui dura fort longtemps. Voici le résumé des étranges révélations qu'entendit alors le cardinal de Bonnechose, résumé qu'il écrivit plus tard, et auquel je ne changerai pas un seul mot.

« Le voici. Je le sais par cœur :

« Monseigneur, expliqua le vieux chevalier, je ne vous étonnerai point si je vous dis que mes premières années s'écoulèrent au milieu de la grande tourmente révolutionnaire. À l'époque de la Terreur, j'avais douze ans, j'étais orphelin, et j'accompagnais chaque jour ma tante des Aubes à la prison voisine, où elle distribuait des menus secours et soignait les malades. On y avait enfermé toutes sortes de pauvres gens que l'on jugeait et condamnait au petit bonheur, et c'est ainsi, pour ma part, que j'eus l'occasion de fréquenter un brave homme dont personne ne connaissait le nom, et dont personne ne savait pourquoi ni sur quelle dénonciation il avait été arrêté. Les politesses que je lui rendis et ma piété lui inspiraient confiance. Je gagnai son affection, et, le soir du jour où il avait été jugé à son tour, et condamné, il me dit :

« — Mon enfant, demain, dès l'aurore, les gendarmes me conduiront à l'échafaud, et je mourrai sans qu'on sache qui je suis. Ainsi l'ai-je voulu. À toi-même, je ne le dirai pas. Mais les événements exigent que je te fasse certaines confidences, et que je te demande de les écouter comme un homme et, plus tard, d'en tenir compte avec la loyauté et le sang-froid d'un homme. La mission dont je te charge est d'une importance considérable. Je suis convaincu, mon enfant, que tu sauras te mettre à la hauteur d'une pareille tâche, et garder, quoi qu'il arrive, un secret d'où dépendent les intérêts les plus graves. »

« Il m'apprit ensuite, continua le chevalier des Aubes, qu'il était prêtre, et, comme tel, dépositaire de richesses incalculables transformées en pierres précieuses d'une si grande pureté que la plus haute valeur se trouvait atteinte, pour chacune d'elles, sous le volume le plus réduit. Au fur et à mesure de leur acquisition, ces pierres avaient été mises de côté au fond de la cachette la plus originale qui soit. En un coin du pays de Caux, dans un espace libre, où tout le monde pouvait se promener, émergeait un de ces énormes cailloux qui servaient et qui servent encore à marquer la limite de certains domaines, champs, vergers, prairies, bois, etc. Cette borne de granit enfoncée presque entièrement dans le sol, et environnée de broussailles, était percée à son extrémité supérieure de deux ou trois ouvertures naturelles, bouchées par de la terre, où poussaient de menues plantes et des fleurs sauvages.

« C'est là, par une quelconque de ces ouvertures dont on enlevait chaque fois la motte de terre pour la remettre soigneusement en place, c'est là, dans cette tirelire en plein air, que l'on glissait les magnifiques pierres précieuses. Actuellement les cavités étant remplies et aucune cachette n'ayant été choisie, on enfermait depuis quelques années les pierres nouvellement acquises dans un coffret en bois des Îles, que le prêtre avait lui-même enterré au pied de la borne, quelques jours avant son arrestation.

« Il m'indiqua fort exactement l'endroit et me communiqua une formule composée d'un mot unique, lequel en cas d'oubli, désignait l'emplacement d'une façon rigoureuse.

« Je dus alors promettre que, aussitôt le retour de temps plus paisibles, c'est-à-dire à une date qu'il estima très justement éloignée de vingt ans, j'irais d'abord m'assurer que tout était bien en place, et qu'à partir de cette date j'assisterais chaque année à la grand-messe célébrée le dimanche de Pâques dans l'église du village de Gueures.

« Un dimanche de Pâques, en effet, j'apercevrais à côté du bénitier un homme vêtu de noir. Dès que j'aurais dit mon nom à cet homme, il devait me conduire non loin d'un chandelier en cuivre à sept branches qu'on n'allumait qu'aux jours de fête. Je devais, moi, répondre aussitôt à son geste en lui confiant la formule d'emplacement.

« C'étaient là entre nous les deux signes de reconnaissance. Après quoi je le guidais jusqu'à la borne de granit.

« Je promis sur mon salut éternel que je me conformerais aveuglément aux instructions données ! Le lendemain, le digne prêtre montait sur l'échafaud.

« Monseigneur, bien que très jeune, je tins religieusement mon serment de discrétion. Ma tante des Aubes étant morte, je fus enrôlé comme enfant de troupe et fis, par la suite, toutes les guerres du Directoire et de l'Empire. À la chute de Napoléon, âgé de trente-trois ans, cassé de mon grade de colonel, je me rendis d'abord à la cachette où j'aperçus facilement la borne de granit, puis, le dimanche de Pâques 1816, à l'église de Gueures où je vis, sur l'autel, le chandelier de cuivre. Ce dimanche-là l'homme vêtu de noir n'était pas devant le bénitier.

« Je m'y rendis le dimanche de Pâques suivant, et chaque dimanche du reste, car, entre-temps, j'avais acheté le château de Gueures qui se trouvait en vente et, de la sorte, comme un soldat scrupuleux, je montais la garde auprès du poste que l'on m'avait assigné. Et j'attendais.

« Monseigneur, voilà cinquante-cinq ans que j'attends. Personne n'est venu, et jamais je n'ai entendu parler de quoi que ce fût qui ait le moindre rapport avec cette histoire. La borne n'a pas bougé. Le chandelier est allumé aux jours prescrits par le sacristain de Gueures. Mais l'homme vêtu de noir n'est pas venu au rendez-vous.

« Que devais-je faire ? À qui m'adresser ? Tenter une démarche auprès de l'autorité ecclésiastique ? Demander une audience au roi de France ? Non, ma mission était strictement définie. Je n'avais pas le droit de l'interpréter à ma façon.

« Je me tus. Mais quels débats de conscience ! Quels scrupules douloureux ! Quelle angoisse à l'idée que je pouvais mourir et emporter dans la tombe un secret aussi formidable !

« Monseigneur, depuis ce soir, tous mes doutes et tous mes scrupules se sont dissipés. Votre venue fortuite dans ce château me semble une manifestation indéniable de la volonté divine. Vous êtes à la fois, le pouvoir religieux et le pouvoir temporel. Comme archevêque, vous représentez l'Église. Comme sénateur, vous représentez la France. Je ne risque pas de me tromper en vous faisant des révélations qui intéressent l'une et l'autre. Désormais, c'est à vous de choisir, Monseigneur ! Agissez. Négociez. Et lorsque vous m'aurez dit entre les mains de qui doit être remis le dépôt sacré, je vous donnerai toutes les indications nécessaires. »

« Le cardinal de Bonnechose avait écouté sans interrompre. Il ne put se retenir d'avouer au chevalier des Aubes que l'histoire le laissait un peu incrédule. Sur quoi, le chevalier sortit et revint au bout d'un instant avec un petit coffret en bois des Îles.

« — Voici le coffret dont il me fut parlé, et que j'ai trouvé là-bas. Il m'a paru plus sage de le prendre chez moi. Emportez-le, Monseigneur, et faites estimer les quelque cent pierres précieuses qu'il renferme. Vous croirez alors que mon histoire est véridique et que le digne prêtre n'a pas eu tort de faire allusion à des richesses incalculables puisque la borne de granit contient, selon son affirmation, dix mille pierres aussi belles que celles-ci. »

« L'insistance du chevalier et les preuves qu'il avançait décidèrent le cardinal, qui s'engagea dès lors à poursuivre l'affaire et à mander le vieillard auprès de lui aussitôt qu'une solution pourrait intervenir.

« L'entretien prit fin sur cette promesse, que l'archevêque avait le ferme propos de tenir, mais dont les événements retardèrent l'exécution. Ces événements, tu les connais, ce fut d'abord la déclaration de guerre entre la France et la Prusse et les désastres qui s'ensuivirent. Les lourdes charges de son poste l'absorbèrent. L'Empire s'écroula. La France fut envahie. Et les mois passèrent.

« Lorsque Rouen fut menacé, le cardinal, désireux d'expédier en Angleterre certains documents auxquels il attachait de l'importance eut l'idée de joindre à l'envoi le coffret du chevalier. Le 4 décembre, veille du jour où les Allemands allaient entrer dans la ville, un domestique de confiance, le sieur Jaubert, conduisit lui-même un cabriolet qui fila par la route du Havre où Jaubert devait s'embarquer.

« Deux jours plus tard, le cardinal apprenait que le cadavre de Jaubert avait été trouvé dans un ravin de la forêt de Rouvray, à dix kilomètres de Rouen. On rapportait au cardinal la valise des documents. Quant au cabriolet et au cheval, disparus, ainsi que le coffret en bois des Îles. Les renseignements recueillis établissaient que l'infortuné domestique avait dû tomber dans une reconnaissance de cavalerie allemande, qui s'était aventurée au-delà de Rouen pour piller les voitures des riches bourgeois en fuite vers Le Havre.

« La malchance continua. Au début de janvier, le cardinal reçut un émissaire du chevalier des Aubes. Le vieillard n'avait pu survivre à la défaite de son pays. Avant de mourir, il avait griffonné ces deux phrases, presque illisibles :

« Le mot de la formule qui désigne l'emplacement est gravé au fond du coffret... J'ai caché le chandelier de cuivre dans mon jardin. »

« Ainsi, il ne restait plus rien de l'aventure. Le coffret étant volé, aucune preuve ne permettrait d'affirmer que le récit du chevalier des Aubes contenait la moindre parcelle de vérité. Personne n'avait même vu les pierres. Étaient-elles vraies ? Mieux que cela : existaient-elles autrement que dans l'imagination du chevalier ? Et le coffret ne servait-il pas simplement d'écrin à quelques bijoux de théâtre et à quelques cailloux de couleur ?

« Le doute envahit peu à peu l'esprit du cardinal, un doute assez tenace pour qu'il se résolût, en fin de compte, à garder le silence. Le récit du chevalier des Aubes devait être considéré comme une divagation de vieillard. Il eût été dangereux de répandre de telles billevesées. Donc il se tut. Mais...

— Mais, répéta Raoul d'Andrésy que de telles billevesées semblaient intéresser prodigieusement...

— Mais, répondit Joséphine Balsamo, avant de prendre une résolution définitive il avait écrit ces quelques pages, ce mémoire relatif à son entretien du château de Gueures et aux incidents qui suivirent, mémoire qu'il oublia de brûler ou qu'on égara, et qui, quelques années après sa mort, fut trouvé dans un de ses livres de théologie, quand on vendit sa bibliothèque aux enchères.

— Trouvé par qui ?

— Par Beaumagnan. »

Joséphine Balsamo avait raconté cette histoire en tenant la tête baissée, et d'une voix un peu monotone, comme une leçon qu'on récite. En relevant les yeux, elle fut frappée par l'expression de Raoul.

« Qu'est-ce que tu as ? dit-elle.

— Cela me passionne. Pense donc, Josine, pense donc que, de proche en proche, par les confidences de trois vieillards qui se sont transmis le flambeau, nous remontons à plus d'un siècle, et que, de là, nous nous rattachons à une légende, que dis-je, à un secret formidable qui date du Moyen Âge. La chaîne ne s'est pas rompue. Tous les maillons sont en place. Et, dernier anneau de cette chaîne, voilà que Beaumagnan apparaît. Qu'a-t-il fait, Beaumagnan ? Faut-il le déclarer digne de son rôle, ou l'en déposséder ? Dois-je m'associer à lui ou lui arracher le flambeau ? »

L'exaltation de Raoul convainquit la Cagliostro qu'il ne lui permettrait pas de s'interrompre. Elle hésitait cependant, car les paroles les plus importantes peut-être, en tout cas les plus graves, puisqu'il s'agissait de son rôle, n'avaient pas été prononcées. Mais il lui dit :

« Continue, Josine. Nous sommes sur une route magnifique. Marchons ensemble, et nous toucherons ensemble la récompense qui est à portée de nos mains. »

Elle continua :

« Beaumagnan s'explique d'un mot : c'est un ambiticux. Dès le début, il a mis sa vocation religieuse, qui est réelle, au service de son ambition, qui est démesurée, et l'une et l'autre l'ont conduit à se glisser dans la Compagnie de Jésus où il occupe un poste considérable. La découverte du mémoire le grisa. Les vastes horizons s'ouvraient devant lui. Il parvint à convaincre certains de ses supérieurs, les enflamma pour la conquête des richesses, et il obtint qu'on fît jouer en faveur de son entreprise toutes les influences dont les jésuites disposent.

« Aussitôt il groupa autour de lui une douzaine de hobereaux plus ou moins honorables et plus ou moins endettés, auxquels il ne dévoila qu'une partie de l'affaire, et qu'il organisa en une véritable association de conspirateurs prêts a toutes les besognes. Chacun eut son champ d'action, chacun sa sphère d'investigations. Beaumagnan les tenait par l'argent dont il est prodigue.

« Deux années de recherches minutieuses aboutirent à ces résultats qui ne sont pas négligeables. Tout d'abord on sut que le prêtre décapité s'appelait le frère Nicolas, trésorier de l'abbaye de Fécamp. Ensuite à force de fouiller les archives secrètes et les vieux cartulaires, on découvrit des correspondances curieuses échangées jadis entre tous les monastères de France, et il parut établi que, depuis un temps très reculé, il y avait une circulation d'argent qui était comme une dîme payée bénévolement par toutes les institutions religieuses, et recueillie par les seuls monastères du pays de Caux. Cela semblait constituer un trésor commun, une réserve inépuisable en vue d'assauts possibles à soutenir ou de croisades à entreprendre. Un conseil de trésorerie, composé de sept membres, gérait ces richesses, mais seul l'un d'eux en connaissait l'emplacement.

« La Révolution avait détruit tous ces monastères. Mais les richesses existaient. Le frère Nicolas en avait été le dernier gardien. »

Un grand silence prolongea les paroles de Joséphine Balsamo. La curiosité de Raoul n'avait pas été déçue, et il éprouvait une vive émotion.

Il murmura avec un enthousiasme contenu :

« Que tout cela est beau ! Quelle magnifique aventure ! J'ai toujours eu la certitude que le passé avait légué au présent de ces trésors fabuleux dont la recherche prend inévitablement la forme d'un insoluble problème. Comment en serait-il autrement ? Nos ancêtres ne disposaient pas comme nous des coffres-forts et des caves de la Banque de France. Ils étaient obligés de choisir des cachettes naturelles où ils entassaient l'or et les bijoux, et dont ils transmettaient le secret par quelque formule mnémotechnique qui était comme le chiffre de la serrure. Qu'un cataclysme survînt, le secret était perdu, et perdu le trésor si péniblement accumulé. »

Son effervescence croissait et il scanda joyeusement :

« Celui-là ne le sera pas, Joséphine Balsamo, et c'est l'un des plus fantastiques. Si le frère Nicolas a dit vrai, et tout l'atteste, si les dix mille pierres précieuses ont été glissées dans l'étrange tirelire, c'est à quelque chose comme un milliard de francs qu'il faudrait évaluer ces biens de mainmorte légués par le Moyen Âge[1], tout cet effort de millions et de millions de moines, cette gigantesque offrande de tout le peuple chrétien et des grandes époques de fanatisme, tout cela qui est dans les flancs de la borne de granit, au milieu d'un verger normand ! Est-ce admirable ? »

Il se rassit brusquement aux côtés de la jeune femme comme s'il voulait couper court à ses propres déclamations, et il l'interrogea d'une voix impérieuse :

« Et ton rôle dans l'aventure, Joséphine Balsamo ? Qu'as-tu donc apporté ? Tiens-tu de Cagliostro quelque indication spéciale ?

— Quelques mots seulement, dit-elle. Sur la liste que je possède des quatre énigmes révélées par lui, il a écrit, en face de celle-ci et de « La Fortune des Rois de France[2] » cette note : *« Entre Rouen, Le Havre et Dieppe. (Aveux de Marie-Antoinette.) »*

— Oui, oui, reprit Raoul sourdement, le pays de Caux... l'estuaire du vieux fleuve au bord duquel ont prospéré les rois de France et les moines... C'est bien là que sont cachées les économies de dix siècles de religion... Les deux coffres sont là, non loin l'un de l'autre, naturellement, et c'est là que je les trouverai. »

1. Il est hors de doute que la fameuse légende du Milliard des Congrégations trouve ici son origine.
2. Voir *L'Aiguille creuse* (Aventures d'Arsène Lupin).

Puis, se tournant vers Josine :

« Alors tu cherchais aussi ?

— Oui, mais sans données précises...

— Et une autre femme cherchait comme toi ? dit-il en la regardant au fond des yeux, celle qui a tué les deux amis de Beaumagnan ?

— Oui, dit-elle, la marquise de Belmonte qui est, je le suppose, une descendante de Cagliostro.

— Et tu n'as rien découvert ?

— Rien, jusqu'au jour où j'ai rencontré Beaumagnan.

— Lequel voulait venger le meurtre de ses amis ?

— Oui, dit-elle.

— Et Beaumagnan, peu à peu, t'a confié ce qu'il savait ?

— Oui.

— De lui-même ?

— De lui-même...

— C'est-à-dire que tu as deviné qu'il poursuivait le même but que toi, et tu as profité de l'amour que tu lui inspirais pour l'amener aux confidences.

— Oui, dit-elle franchement.

— C'était jouer gros jeu.

— C'était jouer ma vie. En décidant de me tuer, il a voulu certes s'affranchir de l'amour dont il souffrait, puisque je n'y répondais pas, mais aussi et surtout il a eu peur des révélations qu'il m'avait faites. Je suis devenue soudain pour lui, l'ennemie qui pouvait atteindre le but avant lui.

« Le jour où il s'est aperçu de la faute commise, j'étais condamnée.

— Cependant ses découvertes se réduisaient à quelques données historiques, assez vagues somme toute ?

— À cela seulement.

— Et la branche du chandelier que j'ai sortie du pilastre fut le premier élément de vérité positive.

— Le premier.

— Du moins je le suppose. Car, depuis votre rupture, rien ne prouve qu'il n'ait avancé, lui, de quelques pas.

— De quelques pas ?

— Oui, d'un pas tout au moins. Hier soir Beaumagnan est venu au théâtre. Pourquoi ? Sinon pour cette raison que Brigitte Rousselin portait sur son front un bandeau composé de *sept pierres*. Il a voulu se rendre compte de ce que cela signifiait, et sans doute est-ce lui, ce matin, qui a fait surveiller la maison de Brigitte.

— En admettant qu'il en soit ainsi, nous ne pouvons rien savoir.

— Nous pouvons le savoir, Josine.

— Comment ? Par qui ?

— Par Brigitte Rousselin. »

Elle tressaillit.

« Brigitte Rousselin...

— Certes, dit-il tranquillement, il suffit de l'interroger.

— Interroger cette femme ?

— Je parle d'elle et non d'une autre.

— Mais alors... mais alors... elle vit donc ?

— Parbleu ! » dit-il.

Il se leva de nouveau et pivota deux ou trois fois sur ses talons, petit tournoiement qu'il fit suivre d'une esquisse de danse qui tenait du cancan et de la gigue.

« Je t'en supplie, comtesse de Cagliostro, ne me lance pas des regards furieux. Si je n'avais pas provoqué en toi une secousse nerveuse assez forte pour démolir ta résistance, tu ne soufflais pas mot de l'aventure, et où en serions-nous ? Un jour ou l'autre Beaumagnan étouffait le milliard, et Joséphine se mordait les pouces. Allons, un joli sourire au lieu de cet œil chargé de haine. »

Elle chuchota :

« Tu as eu l'audace !... tu as osé !... Et toutes ces menaces, tout ce chantage pour me contraindre à parler, c'était de la comédie ? Ah ! Raoul, je ne te pardonnerai jamais.

— Mais si, mais si, dit-il d'un ton badin, tu pardonneras. Simple petite blessure d'amour-propre, qui n'a rien à voir avec notre amour, ma chérie ! Entre gens qui s'aiment comme nous, cela n'existe pas. Un jour c'est l'un qui égratigne, le lendemain c'est l'autre... jusqu'à l'instant où l'accord est parfait sur tous les points.

— À moins qu'on ne rompe auparavant, fit-elle entre ses dents.

— Rompre ? parce que je t'ai soulagée de quelques confidences ? Rompre ?... »

Mais Joséphine gardait un air si déconcerté que soudain, Raoul, pris d'un fou rire, dut interrompre ses explications. Il sautait d'un pied sur l'autre, et tout en gambadant, gémissait :

« Dieu ! que c'est drôle ! Madame est fâchée !... Alors, quoi ?

plus moyen de se jouer des petits tours ?... Pour un rien, la moutarde vous monte au nez !... Ah ! ma bonne Joséphine, ce que tu m'auras fait rire ! »

Elle ne l'écoutait plus. Sans s'occuper de lui, elle enleva la serviette qui encapuchonnait Léonard et coupa les liens.

Léonard bondit vers Raoul, avec une allure de bête déchaînée.

« N'y touche pas ! » ordonna-t-elle.

Il s'arrêta net, les poings tendus contre le visage de Raoul, qui murmura les larmes aux yeux :

« Allons bon, voilà le sbire... un diable qui sort de sa boîte... »

Hors de lui, l'homme frémissait :

« On se retrouvera, mon petit monsieur... On se retrouvera... mon petit monsieur... fût-ce dans cent ans...

— Tu comptes donc par siècles aussi, toi !... ricana Raoul, comme ta patronne...

— Va-t'en, exigea la Cagliostro en poussant Léonard jusqu'à la porte... Va-t'en... Tu emmèneras la voiture... »

Ils échangèrent quelques mots rapides en une langue que Raoul ne comprenait pas. Puis, quand elle fut seule avec le jeune homme, elle se rapprocha et lui dit d'une voix âpre :

« Et maintenant ?

— Maintenant ?

— Oui, tes intentions ?

— Mais tout à fait pures, Joséphine, des intentions angéliques.

— Assez de blagues. Que veux-tu faire ? Comment comptes-tu agir ? »

Devenu sérieux, il répondit :

« J'agirai différemment de toi, Josine, qui t'es toujours défiée. Je serai ce que tu n'as pas été, un ami loyal qui rougirait de te porter préjudice.

— C'est-à-dire ?

— C'est-à-dire que je vais poser à Brigitte Rousselin les quelques questions indispensables, et les poser de manière que tu entendes. Cela te convient ?

— Oui, dit-elle, toujours irritée.

— En ce cas, reste ici. Ce ne sera pas long. Le temps presse.

— Le temps presse ?

— Oui, tu vas comprendre, Josine. Ne bouge pas. »

Aussitôt Raoul ouvrit les deux portes de communication et

les laissa entrebâillées afin que le moindre mot pût être perçu par elle, et se dirigea vers le lit où Brigitte Rousselin reposait sous la garde de Valentine.

La jeune actrice lui sourit. Malgré tout son effroi, et bien qu'elle ne saisît rien de ce qui se passait, elle avait, en voyant son sauveur, une impression de sécurité et de confiance qui la détendait.

« Je ne vous fatiguerai pas, dit-il... Une minute ou deux seulement. Vous êtes en état de répondre ?

— Oh ! certes.

— Eh bien ! voilà. Vous avez été victime d'une sorte de fou que la police surveillait et que l'on va interner. Donc, plus le moindre péril. Mais je voudrais éclaircir un point.

— Interrogez.

— Qu'est-ce que c'est que ce bandeau de pierreries ? De qui le tenez-vous ? »

Il sentit qu'elle hésitait. Cependant, elle avoua :

« Ce sont des pierres... que j'ai trouvées dans un vieux coffret.

— Un vieux coffret de bois ?

— Oui, tout fendu et qui n'était pas même fermé. Il était caché sous de la paille, dans le grenier de la petite maison que ma mère habite en province.

— Où ?

— À Lillebonne, entre Rouen et Le Havre.

— Je sais. Et ce coffret provenait ?...

— Je l'ignore. Je ne l'ai pas demandé à maman.

— Vous avez trouvé les pierres comme elles sont maintenant ?

— Non, elles étaient montées en bagues sur de gros anneaux d'argent.

— Et ces anneaux ?

— Je les avais encore hier dans ma boîte de maquillage au théâtre.

— Vous ne les avez donc plus ?

— Non, je les ai cédés à un monsieur qui est venu me féliciter dans ma loge et qui les a vus par hasard.

— Il était seul ?

— Avec deux messieurs. C'est un collectionneur. Je lui ai promis de lui rapporter les sept pierres aujourd'hui à trois heures afin qu'il reconstitue les bagues. Il doit me les racheter un bon prix.

— Ces anneaux portent des inscriptions à l'intérieur ?

— Oui... des mots en caractères anciens, auxquels je n'ai pas fait attention. »

Raoul réfléchit et conclut d'une voix un peu grave :

« Je vous conseille de garder le secret le plus absolu sur tous ces événements... Sinon, l'affaire pourrait avoir des conséquences fâcheuses, non pas pour vous, mais pour votre mère. Il est assez étonnant qu'elle dissimule chez elle des bagues, sans valeur évidemment, mais d'un grand intérêt historique. »

Brigitte Rousselin s'effara :

« Je suis toute prête à les rendre.

— Inutile. Conservez les pierres. Moi, je vais exiger en votre nom la restitution des anneaux. Où demeure ce monsieur ?

— Rue de Vaugirard.

— Son nom ?

— Beaumagnan.

— Bien. Un dernier conseil, mademoiselle. Quittez cette maison. Elle est trop isolée. Et pendant quelque temps (mettons un mois) allez vivre à l'hôtel avec votre femme de chambre. Vous n'y recevrez personne. C'est convenu ?

— Oui, monsieur. »

Dehors, Joséphine Balsamo s'accrocha au bras de Raoul d'Andrésy. Elle semblait très agitée et bien loin de toute idée de vengeance et de rancune. À la fin, elle lui dit :

« J'ai compris, n'est-ce pas ? Tu vas chez lui ?

— Chez Beaumagnan.

— C'est de la démence.

— Pourquoi ?

— Chez Beaumagnan ! Et à une heure où tu sais qu'il est chez lui, avec les deux autres.

— Deux plus un égale trois.

— N'y va pas, je t'en prie.

— Et après ? Crois-tu qu'ils me mangeront ?

— Beaumagnan est capable de tout.

— C'est donc un anthropophage ?

— Oh ! ne ris pas, Raoul !

— Ne pleure pas, Josine. »

Il sentit qu'elle était sincère et que, par un retour de tendresse féminine, elle oubliait leur désaccord, et tremblait pour lui.

« N'y va pas, Raoul, répéta-t-elle. Je connais le logis de

Beaumagnan. Les trois bandits se jetteraient sur toi, que personne ne pourrait te secourir.

— Tant mieux, dit-il, car personne ne pourrait les secourir non plus, eux.

— Raoul, Raoul, tu plaisantes, et cependant... »

Il la pressa contre lui.

« Écoute, Josine, j'arrive bon dernier au milieu d'une affaire colossale où je me trouve en présence de deux organisations puissantes, la tienne et celle de Beaumagnan qui, toutes les deux, naturellement, se refusent à m'accueillir, moi, troisième larron... de sorte que si je n'emploie pas les grands moyens, je risque de demeurer Gros-Jean comme devant. Laisse-moi donc m'arranger avec notre ennemi, Beaumagnan, de la même manière que je me suis arrangé avec mon amie Joséphine Balsamo. Je ne me suis pas trop mal pris, n'est-ce pas, et tu ne peux pas nier que j'aie quelques cordes à mon arc ?... »

C'était la blesser de nouveau. Elle dégagea son bras, et ils marchèrent l'un près de l'autre, en silence.

Au fond de lui, Raoul se demandait si son adversaire le plus implacable n'était pas cette femme au doux visage qu'il aimait si ardemment et de qui il était si ardemment aimé.

IX

LA ROCHE TARPÉIENNE

« Monsieur Beaumagnan, c'est ici ? »

À l'intérieur, le battant d'un judas avait été tiré, et le visage d'un vieux domestique se collait à la grille.

« C'est ici. Mais monsieur ne reçoit pas.

— Allez lui dire que c'est de la part de Mlle Brigitte Rousselin. »

Le logis de Beaumagnan, qui occupait le rez-de-chaussée, formait hôtel avec le premier étage. Pas de concierge. Pas de sonnette. Un marteau de fer qu'on heurtait contre une porte massive munie d'un guichet de prison.

Raoul attendit plus de cinq minutes. La visite d'un jeune homme, alors qu'on prévoyait celle de la jeune actrice, devait intriguer les trois personnages.

« On demande à monsieur de donner sa carte », revint dire le domestique.

Raoul donna sa carte.

Nouvelle attente. Puis un bruit de verrous tirés et de chaîne décrochée, et Raoul fut conduit à travers un large vestibule bien ciré, semblable à un parloir de couvent, et dont les murs suintaient.

On passa devant plusieurs portes. La dernière était doublée d'un vantail capitonné de cuir.

Le vieux serviteur ouvrit et referma derrière le jeune homme, qui se trouva seul en face de ses trois ennemis, car pouvait-il appeler autrement ces trois hommes dont deux, tout au moins, guettaient son entrée, debout, dans des postures de boxeurs qui vont déclencher leur attaque ?

« C'est lui ! c'est bien lui ! cria Godefroy d'Étigues, soulevé de rage. Beaumagnan, c'est lui, notre homme de Gueures, celui qui a volé la branche du chandelier. Ah ! il en a de l'aplomb ! Que venez-vous faire aujourd'hui ? Si c'est pour la main de ma fille... »

Raoul répondit en riant :

« Mais enfin, monsieur, vous ne pensez donc qu'à cela ? J'éprouve pour Mlle Clarisse les mêmes sentiments profonds, je garde au fond de moi le même espoir respectueux. Mais, pas plus aujourd'hui que le jour de Gueures, le but de ma visite n'est matrimonial.

— Alors, votre but ?... mâchonna le baron.

— Le jour de Gueures, c'était de vous enfermer dans une cave. Aujourd'hui... »

Beaumagnan dut intervenir, sans quoi Godefroy d'Étigues s'élançait sur l'intrus.

« Restons-en là, Godefroy. Asseyez-vous, et que monsieur veuille bien nous dire la raison de sa visite. »

Lui-même, il s'assit devant son bureau. Raoul s'installa.

Avant de parler, il prit le temps d'examiner ses interlocuteurs dont les visages lui semblaient changés depuis la réunion de la Haie d'Étigues. En particulier, le baron avait vieilli. Ses joues s'étaient creusées et l'expression de ses yeux avait, à certaines minutes, quelque chose de hagard qui frappa le jeune homme. L'idée fixe, le remords donnent cette fièvre et cette inquiétude que Raoul crut discerner également sur le visage tourmenté de Beaumagnan.

Cependant celui-ci restait plus maître de lui. Si le souvenir de Josine morte le hantait, cela devait être plutôt à la manière d'un débat de conscience où l'on juge ses actes et où l'on se confirme dans son droit. Drame tout intérieur qui n'affectait pas l'apparence même de l'homme et ne pouvait compromettre son équilibre que par saccades et aux minutes de crise.

« Ces minutes-là, se dit Raoul, c'est à moi de les créer si je veux réussir. Lui ou moi, il faut que l'un des deux flanche. »

Et, comme Beaumagnan reprenait :

« Que désirez-vous ? Le nom de Mlle Rousselin vous a servi pour pénétrer chez moi. Dans quelle intention ?... »

Il répondit hardiment :

« Dans l'intention, monsieur, de poursuivre l'entretien que vous avez commencé hier soir, avec elle, au théâtre des Variétés. »

L'attaque était directe. Mais Beaumagnan ne se déroba pas.

« J'estime, dit-il, que cet entretien ne pouvait se continuer qu'avec elle, et c'est elle seule que j'attendais.

— Une raison sérieuse a retenu Mlle Rousselin, dit Raoul.

— Une raison très sérieuse ?

— Oui. Elle a été victime d'une tentative de meurtre.

— Hein ? Que dites-vous ? On a essayé de la tuer ? Et pourquoi ?

— Pour lui prendre les sept pierres, de même que vous et ces messieurs lui aviez pris les sept anneaux. »

Godefroy et Oscar de Bennetot s'agitèrent sur leurs chaises. Beaumagnan se contint, mais il observait avec étonnement ce tout jeune homme, dont l'intervention inexplicable prenait cette allure de défi et d'arrogance. En tout cas, l'adversaire lui semblait d'étoffe un peu mince, et on le sentit au ton négligent de sa riposte :

« Voilà deux fois, monsieur, que vous vous mêlez de ce qui ne vous regarde pas, et d'une manière qui nous obligera sans doute à vous donner la leçon que vous méritez. Une première fois, à Gueures, après avoir attiré mes amis dans un guet-apens, vous vous êtes emparé d'un objet qui nous appartenait, ce qui, en langage ordinaire, s'appelle tout uniment un vol qualifié. Aujourd'hui, votre agression est encore plus choquante, puisque vous venez nous insulter en face, sans le moindre prétexte, et tout en sachant fort bien que nous n'avons pas volé ces bagues, mais qu'elles nous ont été cédées. Pouvez-vous nous dire les motifs de votre conduite ?

— Vous savez fort bien également, répondit Raoul, qu'il n'y

a eu de mon côté, ni vol ni agression, mais simplement l'effort de quelqu'un qui poursuit le même but que vous.

— Ah ! vous poursuivez le même but que nous ? interrogea Beaumagnan avec quelque moquerie. Et quel est ce but, s'il vous plaît ?

— La découverte des dix mille pierres précieuses cachées au creux d'une borne de granit. »

Du coup, Beaumagnan fut démonté, et, par son attitude et son silence gêné, il le laissa voir assez maladroitement. Sur quoi, Raoul renforça son attaque :

« Alors, n'est-ce pas, comme nous cherchons tous deux le trésor fabuleux des anciens monastères, il arrive que nos chemins se croisent, ce qui produit un choc entre nous. Toute l'affaire est là. »

Le trésor des monastères ! La borne de granit ! Les dix mille pierres précieuses ! Chacun de ces mots frappait Beaumagnan comme une massue. Ainsi donc on devait encore compter avec ce rival ! La Cagliostro disparue, il surgissait un autre compétiteur dans la course aux millions !

Godefroy d'Étigues et Bennetot roulaient des regards féroces et bombaient leurs bustes d'athlètes prêts à la lutte. Beaumagnan, lui, se raidissait pour recouvrer un sang-froid dont il sentait l'impérieuse nécessité.

« Légendes ! dit-il, tout en essayant d'assurer sa voix et de retrouver le fil de ses idées. Commérages de bonne femme ! Contes à dormir debout ! Et c'est à cela que vous perdez votre temps ?

— Je ne le perds pas plus que vous, répliqua Raoul, qui ne voulait point que Beaumagnan se remît d'aplomb et qui ne manquait pas une occasion de l'étourdir. Pas plus que vous dont tous les actes tournent autour de ce trésor... pas plus que ne le perdait le cardinal de Bonnechose dont la relation n'était pourtant pas un commérage de bonne femme. Pas plus que la douzaine d'amis dont vous êtes le chef et l'inspirateur.

— Seigneur Dieu, fit Beaumagnan qui affecta l'ironie, ce que vous êtes bien renseigné !

— Beaucoup mieux que vous ne pouvez le croire !

— Et de qui tenez-vous ces renseignements ?

— D'une femme !

— Une femme ?

— Joséphine Balsamo, comtesse de Cagliostro.

— La comtesse de Cagliostro ! s'écria Beaumagnan, bouleversé. Vous l'avez donc connue ! »

Le plan de Raoul se réalisait soudain. Il lui avait suffi de jeter dans le débat le nom de Cagliostro pour mettre l'adversaire en désarroi, et ce désarroi était tel que Beaumagnan, imprudence inexplicable, parlait de la Cagliostro comme d'une personne qui n'était plus vivante.

« Vous l'avez connue ? Où ? Quand ? Que vous a-t-elle dit ?

— Je l'ai connue au début de l'hiver dernier, comme vous, monsieur, répondit Raoul, aggravant son offensive. Et, tout cet hiver, jusqu'au moment où j'ai eu la joie de rencontrer la fille du baron d'Étigues, je l'ai vue à peu près chaque jour.

— Vous mentez, monsieur, proféra Beaumagnan. Elle n'a pu vous voir chaque jour. Elle aurait prononcé votre nom devant moi ! J'étais assez de ses amis pour qu'elle ne gardât pas un secret de ce genre !

— Elle gardait celui-là.

— Infamie ! Vous voulez faire croire qu'il y a eu entre elle et vous une intimité impossible ! C'est faux, monsieur. On peut reprocher à Joséphine Balsamo bien des choses : sa coquetterie, sa fourberie, mais pas cela, pas un acte de débauche.

— L'amour n'est pas la débauche, fit Raoul, tranquillement.

— Que dites-vous ? de l'amour ? Joséphine Balsamo vous aimait ?

— Oui, monsieur. »

Beaumagnan était hors de lui. Il brandissait son poing devant le visage de Raoul. À son tour on dut le calmer, mais il tremblait de fureur et la sueur lui coulait du front.

« Je le tiens, pensa Raoul tout joyeux. Sur la question du crime et des remords, il ne bronche pas. Mais il est encore rongé par l'amour et je le conduirai où je voudrai. »

Une ou deux minutes s'écoulèrent. Beaumagnan s'épongeait la figure. Il avala un verre d'eau, et, se rendant compte que l'ennemi, si mince qu'il fût, n'était pas de ceux dont on se débarrasse en un tournemain, il reprit :

« Nous nous égarons, monsieur. Vos sentiments personnels pour la comtesse de Cagliostro n'ont rien à voir avec ce qui nous occupe aujourd'hui. Je reviens donc à ma première question : que venez-vous faire ici ?

— Rien que de très simple, répondit Raoul, et une brève explication suffira. À l'égard des richesses religieuses du Moyen Âge, richesses que, personnellement, vous voulez faire entrer dans les caisses de la Société de Jésus — voici où nous en sommes : ces offrandes, canalisées à travers toutes les provinces, étaient envoyées aux sept principales abbayes de Caux et constituaient une masse commune gérée par ce qu'on pourrait appeler sept administrateurs délégués, dont un seul connaissait l'emplacement du coffre-fort et le chiffre de la serrure. Chaque abbaye possédait une bague épiscopale ou pastorale qu'elle transmettait, de génération en génération, à son propre délégué. Comme symbole de sa mission, le comité des sept était représenté par un chandelier à sept branches, dont chaque branche portait, souvenir de la liturgie hébraïque et du temple de Moïse, une pierre de la même couleur et de la même matière que la bague à laquelle elle correspondait. Ainsi la branche que j'ai trouvée à Gueures porte une pierre rouge, un faux grenat, qui était la pierre représentative de telle abbaye, et d'autre part nous savons que le frère Nicolas, dernier administrateur en chef des monastères cauchois, était un moine de l'abbaye de Fécamp. Nous sommes d'accord ?

— Oui.

— Donc, il suffit de connaître le nom des sept abbayes pour connaître sept emplacements où des recherches aient des chances d'aboutir. Or, sept noms sont inscrits à l'intérieur des sept anneaux que Brigitte Rousselin vous a cédés hier soir au théâtre. Ce sont ces sept anneaux que je vous demande d'examiner.

— C'est-à-dire, scanda Beaumagnan, que nous avons cherché pendant des années et des années, et que vous, du premier coup, vous prétendez parvenir au même but que nous ?

— C'est exactement cela.

— Et si je refuse ?

— Pardon, refusez-vous ? Je ne répondrai qu'à une réponse formelle.

— Évidemment, je refuse. Votre demande est absolument insensée, et, de la façon la plus catégorique, je refuse.

— Alors je vous dénonce. »

Beaumagnan parut abasourdi. Il observa Raoul comme s'il eût affaire à un fou.

« Vous me dénoncez... Qu'est-ce que c'est que cette nouvelle histoire ?

— Je vous dénonce tous les trois.

— Tous les trois ? ricana-t-il. Mais à quel propos, mon petit monsieur ?

— Je vous dénonce tous les trois comme les assassins de Joséphine Balsamo, comtesse de Cagliostro. »

Il n'y eut pas la moindre protestation. Pas un geste de révolte. Godefroy d'Étigues et son cousin Bennetot s'effondrèrent un peu plus sur leurs chaises. Beaumagnan était livide et son ricanement s'achevait en une grimace affreuse.

Il se leva, donna un tour de clef à la serrure et mit la clef dans sa poche, ce qui eut pour effet de rendre quelque ressort à ses deux acolytes. Le coup de force que semblait annoncer l'acte de leur chef les ranimait.

Raoul eut l'audace de plaisanter :

« Monsieur, dit-il, quand un conscrit arrive au régiment, on le plante à cheval sans étriers, jusqu'à ce qu'il tienne d'aplomb.

— Ce qui signifie ?...

— Ceci : je me suis juré de ne jamais porter de revolver sur moi, jusqu'au jour où je saurais faire face à toutes les situations avec le seul secours de mon cerveau. Donc, vous êtes avertis : je n'ai pas d'étriers... ou plutôt, je n'ai pas de revolver. Vous êtes trois, tous trois armés, et je suis seul. Donc...

— Donc, assez de mots, déclara Beaumagnan, d'une voix menaçante. Des faits. Vous nous accusez d'avoir assassiné la Cagliostro ?

— Oui.

— Vous avez des preuves pour soutenir cette accusation ahurissante ?

— J'en ai.

— J'écoute.

— Voici. Il y a quelques semaines, j'errais autour du domaine de la Haie d'Étigues, espérant que le hasard me permettrait de voir Mlle d'Étigues, quand j'ai aperçu une voiture conduite par un de vos amis. Cette voiture est entrée dans le domaine. Moi également. Une femme, Joséphine Balsamo, a été transportée dans la salle de l'ancienne tour, où vous étiez tous réunis en soi-disant tribunal. Son procès a été instruit de la façon la plus déloyale et la plus perfide. Vous étiez l'accusateur public, monsieur, et vous avez poussé la fourberie et la vanité jusqu'à laisser croire que cette femme avait été votre maîtresse. Quant à ces deux messieurs, ils ont joué le rôle de bourreaux.

— La preuve ! La preuve ! grinça Beaumagnan, dont la figure devenait méconnaissable.

— J'étais là, couché dans l'embrasure d'une ancienne fenêtre, au-dessus de votre tête, monsieur.

— Impossible ! balbutia Beaumagnan. Si c'était vrai, vous auriez tenté d'intervenir et de la sauver.

— La sauver de quoi ? demanda Raoul qui ne voulait justement rien révéler du sauvetage de la Cagliostro. J'ai cru, comme vos autres amis, que vous la condamniez à la claustration dans une maison de fous anglaise. Je suis donc parti en même temps que les autres. J'ai couru jusqu'à Étretat. J'ai loué une barque, et, le soir, j'ai ramé au-devant de ce yacht anglais que vous aviez annoncé et dont j'avais l'intention d'effrayer le capitaine.

« Fausse manœuvre, et qui a coûté la vie à la malheureuse. Ce n'est que plus tard que j'ai compris votre ruse ignoble et que j'ai pu reconstituer votre crime dans toute son horreur, la descente de vos deux complices par l'Escalier du Curé, la barque trouée et la noyade. »

Tout en écoutant avec une frayeur visible, les trois hommes avaient rapproché leurs chaises peu à peu. Bennetot écarta la table qui faisait comme un rempart au jeune homme. Raoul avisa la face atroce de Godefroy d'Étigues et le rictus qui lui tordait la bouche.

Un signe de Beaumagnan, et le baron braquait un revolver et brûlait la cervelle de l'imprudent...

Et peut-être fut-ce précisément cette imprudence inexplicable qui retardait l'ordre de Beaumagnan. Il chuchota, l'air redoutable :

« Je vous répéterai, monsieur, que vous n'aviez pas le droit d'agir comme vous l'avez fait et de vous mêler de ce qui ne vous concerne pas. Mais je me refuse à mentir et à nier ce qui fut. Seulement... seulement je me demande, puisque vous avez surpris un tel secret, comment vous osez être là et nous provoquer ? C'est de la démence !

— Pourquoi donc, monsieur ? fit Raoul avec candeur.

— Parce que votre existence est entre nos mains. »

Il haussa les épaules.

« Mon existence est à l'abri de tout danger.

— Nous sommes trois cependant et d'humeur peu accommodante sur un point qui touche d'aussi près notre sécurité.

— Je ne cours pas plus de risques entre vous trois, affirma Raoul, que si vous étiez mes défenseurs.

— En êtes-vous absolument certain ?

— Oui, puisque vous ne m'avez pas encore tué après tout ce que j'ai dit.

— Et si je m'y décidais ?

— Une heure plus tard, vous seriez arrêtés tous les trois.

— Allons donc !

— Comme j'ai l'honneur de vous le dire. Il est quatre heures cinq. Un de mes amis se promène aux environs de la Préfecture de police. Si, à quatre heures trois quarts, je ne l'ai pas rejoint, il avertit le chef de la Sûreté.

— Des blagues ! Des balivernes ! s'écria Beaumagnan qui semblait reprendre espoir. Je suis connu. Dès qu'il aura prononcé mon nom, on lui rira au nez, à votre ami.

— On l'écoutera.

— En attendant... », murmura Beaumagnan qui se tourna vers Godefroy d'Étigues.

L'ordre de mort allait être donné. Raoul éprouva la volupté du péril. Quelques secondes encore, et le geste dont il avait retardé l'exécution par son extraordinaire sang-froid, serait accompli.

« Un mot encore, dit-il.

— Parlez, gronda Beaumagnan, mais à la condition que ce mot soit une preuve contre nous. Je ne veux plus d'accusations. De cela et de ce que la justice peut penser, je m'en charge. Mais je veux une preuve, qui me montre que je ne perds pas mon temps en discutant avec vous. Une preuve immédiate, sinon... »

Il s'était levé de nouveau. Raoul se dressa devant lui, et, les yeux dans les yeux, tenace, autoritaire, il articula :

« Une preuve... Sinon, c'est la mort, n'est-ce pas ?

— Oui.

— Voici ma réponse. Les sept anneaux, tout de suite. Sans quoi...

— Sans quoi ?

— Mon ami remet à la police la lettre que vous avez écrite au baron d'Étigues pour lui indiquer le moyen de s'emparer de Joséphine Balsamo, et pour le contraindre à l'assassinat. »

Beaumagnan joua la surprise.

« Une lettre ? Des conseils d'assassinat ?

— Oui, précisa Raoul... une lettre en quelque sorte déguisée, et dont il suffisait de négliger les phrases inutiles. »

Beaumagnan éclata de rire.

« Ah ! oui, je sais... je me rappelle... un griffonnage...

— Un griffonnage qui constitue contre vous la preuve irrécusable que vous réclamiez.

— En effet..., en effet, je l'avoue, dit Beaumagnan, toujours ironique. Seulement je ne suis pas un collégien, et je prends mes précautions. Or cette lettre me fut rendue par le baron d'Étigues dès le début de la réunion.

— La copie vous fut rendue, mais j'ai gardé l'original que j'ai trouvé dans une rainure du bureau à cylindre dont se sert le baron. C'est cet original que mon ami remettra à la police. »

Le cercle formé autour de Raoul se desserra. Les visages féroces des deux cousins n'avaient plus d'autre expression que celle de la peur et de l'angoisse. Raoul pensa que le duel était fini, et fini sans qu'il y eût réellement combat. Quelques froissements d'épée, quelques feintes. Pas de corps à corps. L'affaire avait été si bien menée, il avait par des manœuvres adroites si bien acculé Beaumagnan à une situation si tragique que, dans l'état d'esprit où il se trouvait, Beaumagnan ne pouvait plus juger sainement les choses et discerner les points faibles de l'adversaire.

Car enfin, cette lettre, Raoul affirmait bien qu'il en possédait l'original. Mais sur quoi s'appuyait-il pour l'affirmer ? Sur rien. De sorte que Beaumagnan qui exigeait une preuve irréfutable et palpable avant de céder, tout à coup, par une anomalie singulière, mais à quoi les manœuvres de Raoul avaient abouti, se contentait de l'unique affirmation de Raoul.

De fait, il lâcha pied brusquement, sans marchandage et sans tergiversation. Il ouvrit le tiroir, prit les sept anneaux, et dit simplement :

« Qui m'assure que vous ne vous servirez plus de cette lettre contre nous ?

— Vous avez ma parole, monsieur, et d'ailleurs, entre nous, les circonstances ne se représentent jamais de la même façon. La prochaine fois, vous saurez prendre l'avantage.

— N'en doutez pas, monsieur », dit Beaumagnan avec une rage contenue.

Raoul saisit les anneaux d'une main fébrile. Chacun d'eux, en effet, portait à l'intérieur, un nom. Sur un bout de papier, rapidement, il inscrivit les sept noms d'abbayes :

Fécamp,
Saint-Wandrille,
Jumièges,
Valmont,
Cruchet-le-Valasse,
Montivilliers,
Saint-Georges-de-Boscherville.

Beaumagnan avait sonné, mais il retint le domestique dans le couloir, et s'approchant de Raoul :

« À tout hasard, une proposition... Vous connaissez nos efforts. Vous savez exactement où nous en sommes et que le but, en définitive, n'est pas éloigné.

— C'est mon avis, dit Raoul.

— Eh bien ! seriez-vous disposé — je parle sans ambages — à prendre place au milieu de nous ?

— Au même titre que vos amis ?

— Non. Au même titre que moi. »

L'offre était loyale, Raoul le sentit et fut flatté de l'hommage qu'on lui rendait. Peut-être eût-il accepté s'il n'y avait pas eu Joséphine Balsamo. Mais tout accord était impossible entre elle et Beaumagnan.

« Je vous remercie, dit Raoul, mais pour des raisons particulières, je dois refuser.

— Donc ennemi ?

— Non, monsieur, concurrent.

— Ennemi, insista Beaumagnan, et comme tel, exposé à...

— À être traité comme la comtesse de Cagliostro, interrompit Raoul.

— Vous l'avez dit, monsieur. Vous savez que la grandeur de notre but excuse les moyens que nous sommes parfois contraints d'adopter. Si ces moyens se retournent un jour ou l'autre contre vous, vous l'aurez voulu.

— Je l'aurai voulu. »

Beaumagnan rappela le domestique.

« Reconduisez monsieur. »

Raoul fit trois salutations profondes, et s'en alla le long du couloir, jusqu'à la porte au judas qui fut ouverte. Là il dit au vieux serviteur :

« Une seconde, mon ami, veuillez m'attendre. »

Il revint alors vivement vers le bureau où les trois hommes conféraient, et, se plantant sur le seuil, le bouton de la serrure dans la main, sa retraite assurée, il leur jeta d'une voix aimable :

« À propos de cette fameuse lettre si compromettante je dois vous faire un aveu qui vous donnera toute tranquillité, c'est que je n'en ai jamais pris copie, et, par conséquent, que mon ami n'en peut pas posséder l'original. Du reste ne croyez-vous pas que toute cette histoire d'ami qui se promène aux environs de la Préfecture, et qui guette les trois quarts de quatre heures est bien invraisemblable ? Dormez en paix, messieurs, et au plaisir de vous revoir. »

Il ferma la porte au nez de Beaumagnan et gagna la sortie avant que celui-ci eût le temps d'avertir son domestique.

La seconde bataille était gagnée.

Au bout de la rue, Joséphine Balsamo qui l'avait conduit chez Beaumagnan attendait, la tête penchée hors de la portière d'un fiacre.

« Cocher, dit Raoul, gare Saint-Lazare, au départ des grandes lignes. »

Il sauta dans la voiture et s'écria aussitôt, tout frissonnant de joie, l'intonation conquérante :

« Tiens, chérie, voilà les sept noms indispensables. Voici la liste ! Prends-la.

— Alors ? dit-elle.

— Alors, ça y est. Deuxième victoire en un jour, et quelle victoire, celle-là ! Mon Dieu ! que c'est facile de rouler les gens ! Un peu d'audace, des idées claires, de la logique, la volonté absolue de filer comme une flèche vers le but. Et les obstacles s'abolissent d'eux-mêmes. Beaumagnan est un malin, n'est-ce pas ? Eh bien ! il a flanché comme toi, ma bonne Josine. Hein ? ton élève te fait-il honneur ? Deux maîtres de première classe, Beaumagnan et la fille de Cagliostro, écrasés, pulvérisés par un collégien ! Qu'en dis-tu, Joséphine ?

Il s'interrompit :

« Tu ne m'en veux pas, chérie, de parler ainsi ?

— Mais non, mais non, dit-elle en souriant.

— Tu n'es plus vexée pour l'histoire de tout à l'heure ?

— Ah ! fit-elle, ne m'en demande pas trop ! Vois-tu, il ne faut pas me blesser dans mon orgueil. J'en ai beaucoup et je suis rancunière. Mais, avec toi, on ne peut pas t'en vouloir bien longtemps. Tu as quelque chose de spécial qui désarme.

— Beaumagnan n'est pas désarmé, lui, fichtre, non !

— Beaumagnan est un homme.

— Eh bien ! je ferai la guerre aux hommes ! Et je crois vraiment que je suis fait pour cela, Josine ! oui, pour l'aventure, pour la conquête, pour l'extraordinaire et le fabuleux. Je sens qu'il n'est point de situation d'où je ne puisse sortir à mon avantage. Alors, n'est-ce pas, Josine, c'est tentant de lutter quand on est sûr de vaincre ? »

Par les rues étroites de la rive gauche, la voiture courait bon train. On franchit la Seine.

« Cocher, dit Raoul, gare Saint-Lazare, au départ des grandes lignes. »

« Et je vaincrai, Josine, dès aujourd'hui. J'ai tous les atouts en main. Dans quelques heures, je débarque à Lillebonne. Je déniche la veuve Rousselin, et, qu'elle veuille ou non, j'examine le coffret en bois des Îles, sur lequel est gravé le mot de l'énigme. Et ça y est ! Avec ce mot-là, et avec le nom des sept abbayes, c'est bien le diable si je ne décroche pas la timbale ! »

Josine riait de son enthousiasme. Il exultait. Il racontait son duel avec Beaumagnan. Il embrassait la jeune femme, faisait des pieds de nez aux passants, ouvrait la glace, insultait le cocher dont le cheval trottait « comme une limace ».

« Au galop donc, vieux bougre ! Comment ! tu as l'honneur de traîner dans ton char le dieu de la Fortune et la reine de la Beauté, et ton coursier ne galope pas ! »

La voiture suivait l'avenue de l'Opéra. Elle coupa par la rue des Petits-Champs et la rue des Capucines. Dans la rue Caumartin le cheval prit le galop.

« Parfait ! cria Raoul. Cinq heures moins douze. Nous arriverons. Bien entendu, tu m'accompagnes à Lillebonne ?

— Pourquoi ? C'est inutile. Que l'un de nous deux y aille, c'est suffisant.

— À la bonne heure, dit Raoul, tu as confiance en moi, et tu sais que je ne trahirai pas, et que la partie est liée entre nous. La victoire de l'un est la victoire de l'autre. »

Mais comme on approchait de la rue Auber, une porte cochère s'ouvrit brusquement sur la gauche, la voiture tourna sans que le train fût ralenti, et pénétra dans une cour.

Trois hommes se présentèrent de chaque côté, Raoul fut happé brutalement et enlevé avant même d'esquisser un geste de résistance.

Il eut juste le temps de distinguer la voix de Joséphine Balsamo qui, restée dans la voiture, commandait :

« Gare Saint-Lazare, et vivement ! »

Déjà les hommes se précipitaient à l'intérieur d'une maison et le jetaient dans une pièce à moitié obscure dont la porte massive fut barricadée derrière lui.

L'allégresse qui bouillonnait en Raoul était si forte qu'elle ne retomba pas aussitôt. Il continua de rire et de plaisanter, mais avec une rage croissante qui altérait le timbre de sa voix.

« À mon tour !... Bravo Joséphine... Ah ! quel coup de maître ! Voilà qui est envoyé ! En pleine cible !... Et, vrai, je ne m'y attendais pas. Non, mais ce que ça devait t'amuser, mes chants de triomphe : « Je suis fait pour la conquête ! pour l'extraordinaire et le fabuleux ! » Idiot, va ! Quand on est capable de pareilles boulettes, on ferme la bouche. Quelle dégringolade ! »

Il se rua sur la porte. À quoi bon ! une porte de prison. Il essaya de grimper vers un petit vasistas qui laissait filtrer une lumière jaunâtre. Mais comment l'atteindre ? D'ailleurs, un léger bruit attira son attention, et, dans la pénombre, il s'aperçut qu'un des murs, à l'angle même du plafond, était percé d'une sorte de meurtrière par où jaillissait le canon d'un fusil braqué en plein sur lui, se déplaçant et s'immobilisant dès que lui-même se déplaçait ou restait immobile.

Toute sa colère se tourna vers le tireur invisible qu'il accabla généreusement d'invectives :

« Canaille ! Misérable ! Descends donc de ton trou pour voir comment je m'appelle. Quel métier tu fais ! Et puis, va dire à ta maîtresse qu'elle ne l'emportera pas en paradis et qu'avant peu... »

Il s'arrêta soudain. Tout ce verbiage lui semblait stupide et, passant de la colère à une résignation subite, il s'étendit sur un lit de fer dressé dans une alcôve qui formait aussi cabinet de toilette.

« Après tout, dit-il, tue-moi si ça te plaît, mais laisse-moi dormir... »

Dormir, Raoul n'y songeait pas. Il s'agissait d'abord d'envisager la situation et d'en tirer les conclusions désagréables qu'elle comportait. Et c'était là chose facile qui se résumait en une phrase : Joséphine Balsamo se substituait à lui pour recueillir les fruits de la victoire qu'il avait préparée.

Mais quels moyens d'action fallait-il qu'elle eût à sa disposition pour avoir réussi en si peu de temps ! Raoul ne doutait pas que Léonard, accompagné d'un autre complice et d'une autre voiture, ne les eût suivis jusque chez Beaumagnan et ne se fût aussitôt concerté avec elle. Sur quoi, Léonard allait tendre le piège de la rue Caumartin, dans un logis spécialement affecté à cet usage, tandis que Joséphine Balsamo attendait.

Que pouvait-il faire, lui, à son âge, et seul, contre de tels ennemis ? D'une part Beaumagnan avec tout un monde de correspondants et d'affidés derrière lui. D'autre part Joséphine Balsamo et toute sa bande si puissamment organisée !

Raoul prit une résolution :

« Que je rentre plus tard dans le bon chemin, comme je l'espère, se dit-il, ou que je m'engage définitivement sur la route des aventures, ce qui est plus probable, je jure que, moi aussi, je disposerai des moyens d'action indispensables. Malheur aux solitaires ! Il n'y a que les chefs qui atteignent le but. J'ai dominé Joséphine, et cependant, c'est elle qui, ce soir, mettra la main sur le coffret précieux, tandis que Raoul gémit sur la paille humide. »

Il en était là de ses réflexions lorsqu'il se sentit envahi d'une torpeur inexplicable qui s'accompagnait d'un malaise général. Il lutta contre ce sommeil insolite. Mais, très rapidement, son cerveau s'emplissait de brume. En même temps il avait des nausées et une impression de pesanteur à l'estomac.

Secouant sa faiblesse, il réussit à marcher. Cela dura peu, l'engourdissement croissant, et tout à coup, il se rejeta sur son matelas, étreint par une pensée effroyable : il se souvenait que, dans la voiture, Joséphine Balsamo avait tiré de sa poche une petite bonbonnière en or dont elle se servait habituellement, et, tout en prenant deux ou trois dragées qu'elle avalait aussitôt, lui en avait offert une, d'un geste machinal.

« Ah ! murmura-t-il, tout couvert de sueur, elle m'a empoisonné... les dragées qui restaient contenaient du poison... »

Ce fut une pensée dont il n'eut pas le loisir de vérifier la justesse. Saisi de vertige, il lui semblait tournoyer au-dessus d'un grand trou dans lequel il finit par tomber en sanglotant.

L'idée de la mort envahit Raoul assez profondément pour qu'il ne fût pas très sûr d'être vivant quand il rouvrit les yeux. Il fit péniblement quelques exercices de respiration, se pinça, parla tout haut. Il vivait ! Les bruits lointains de la rue achevèrent de le renseigner.

« Décidément, se dit-il, je ne suis pas mort. Mais quelle haute opinion j'ai de la femme que j'aime ! Pour un pauvre narcotique qu'elle m'a administré, comme c'était son droit, je l'accuse aussitôt d'être une empoisonneuse. »

Il n'aurait pu dire exactement combien de temps il avait dormi. Un jour ? Deux jours ? Davantage ? Sa tête était lourde, sa raison vacillait et une courbature infinie lui liait les membres. Le long du mur, il avisa un panier de provisions que l'on avait dû descendre par la meurtrière. Aucun fusil ne paraissait là-haut.

Il avait faim et soif. Il mangea et but. Sa lassitude était telle qu'il ne réagissait plus à l'idée des conséquences que ce repas pouvait entraîner. Narcotique ? Poison ? Qu'importait ! Sommeil passager, sommeil éternel, tout lui était indifférent. Il se coucha de nouveau et, de nouveau, s'endormit pour des heures, pour des nuits et des jours...

À la fin, si accablant que fût son sommeil, Raoul d'Andrésy parvint à prendre conscience de certaines sensations, de même qu'on devine le terme d'un tunnel aux bouffées de lumière qui blanchissent les parois ténébreuses. Sensations plutôt agréables. C'était, sans aucun doute, des rêves, rêves de balancement très doux, que rythmait un bruit égal et continu. Il lui arriva de soulever ses paupières, et alors il apercevait le cadre rectangulaire d'un tableau dont la toile peinte bougeait et se déroulait en paysages constamment renouvelés, éclatants ou sombres, inondés de soleil ou flottant dans un crépuscule doré.

Maintenant il n'avait plus qu'à étendre le bras pour saisir les aliments. Il en goûtait peu à peu et davantage la saveur. Un vin parfumé les accompagnait. Il lui semblait, en le buvant, que de l'énergie coulait en lui. Ses yeux s'emplissaient de clarté. Le cadre du tableau devenait le châssis d'une fenêtre ouverte qui laissait voir une succession de collines, de prairies et de clochers de villages.

Il se trouvait dans une autre pièce, toute petite, qu'il reconnut pour l'avoir habitée déjà. À quelle époque ? Il y avait ses vêtements, son linge, et des livres à lui.

Un escalier en échelle s'y dressait. Pourquoi ne monterait-il pas, puisqu'il en avait la force ? Il lui suffisait de vouloir. Il voulut et il monta. Sa tête souleva une trappe et surgit dans l'espace infini. Un fleuve à droite et à gauche. Il chuchota : « Le pont de la *Nonchalante*... La Seine... La côte des Deux-Amants... »

Il avança de quelques pas.

Josine était là, assise dans un fauteuil d'osier.

Il n'y eut réellement point de transition entre les sentiments de rancune combative et de révolte qu'il éprouvait contre elle, et le sursaut d'amour et de désir qui le secoua des pieds à la tête. Et, même, avait-il jamais ressenti la moindre rancune et la moindre révolte ? Tout se confondit en un immense besoin de la presser dans ses bras.

Ennemie ? Voleuse ? Criminelle, peut-être ? Non. Femme seulement, femme avant tout. Et quelle femme !

Habillée très simplement comme à l'ordinaire, elle portait ce voile impalpable qui tamisait les reflets de ses cheveux et lui donnait une telle ressemblance avec la Vierge de Bernardino Luini. Le cou était nu, d'une teinte chaude et tiède. Ses mains fines s'allongeaient l'une près de l'autre sur ses genoux. Elle contemplait la pente abrupte des Deux-Amants. Et rien ne pouvait paraître plus doux et plus pur que ce visage empreint de l'immobile sourire qui en était l'expression profonde et mystérieuse.

Raoul la touchait presque, au moment où elle l'aperçut. Elle rougit un peu et baissa les paupières, laissant filtrer entre ses longs cils bruns un regard qui n'osait pas se fixer. Jamais adolescente ne montra plus de pudeur et de crainte ingénue, jamais moins d'apprêt et de coquetterie.

Il en fut tout ému. Elle redoutait ce premier contact entre eux. N'allait-il pas l'outrager ? Se jeter sur elle, la frapper, lui dire d'abominables choses ? Ou bien s'enfuir avec ce mépris qui est pire que tout ? Raoul tremblait comme un enfant. Rien ne comptait pour lui, à la minute actuelle, que ce qui compte éternellement pour les amants, le baiser, l'union des mains et des souffles, la folie des regards qui s'étreignent et des lèvres qui défaillent de volupté.

Il tomba à genoux devant elle.

X

LA MAIN MUTILÉE

La rançon de telles amours, c'est le silence auquel elles sont condamnées. Alors même que les bouches parlent, le bruit des mots échangés n'anime pas le morne silence des pensées solitaires. Chacun poursuit sa propre méditation, sans jamais pénétrer dans la vie même de l'autre. Dialogue désespérant dont Raoul, toujours prêt à s'épancher, souffrait de plus en plus.

Elle aussi, Josine, devait en souffrir, à en juger par certains moments de lassitude extrême où elle semblait sur le bord même de ces confidences qui rapprochent les amants plus encore que les caresses. Une fois elle se mit à pleurer entre les bras de Raoul, avec tant de détresse qu'il attendit la crise d'abandon. Mais elle se reprit aussitôt, et il la sentit plus lointaine que jamais.

« Elle ne peut pas se confier, pensa-t-il. Elle est de ces êtres qui vivent à part, dans une solitude sans fin. Elle est captive de la sorte d'image qu'elle veut donner d'elle-même, captive de l'énigme qu'elle a élaborée et qui la tient dans ses mailles invisibles. Comme fille de Cagliostro, elle s'est habituée aux ténèbres, aux complications, aux trames, aux intrigues, aux travaux souterrains. Raconter à quelqu'un l'une de ces machinations, c'est lui donner le fil qui le guiderait dans le labyrinthe. Et elle a peur et elle se replie sur elle-même. »

Par contrecoup il se taisait également et se gardait de faire allusion à l'aventure où ils s'étaient engagés et au problème dont ils cherchaient la solution. S'était-elle emparée du coffret ? Connaissait-elle les lettres qui ouvraient la serrure ? Avait-elle plongé sa main au creux de la borne légendaire et puisé à même les mille et mille pierres précieuses ?

Sur cela, sur tout, le silence.

D'ailleurs, dès qu'ils eurent dépassé Rouen, leur intimité se relâcha. Léonard, bien qu'évitant Raoul, reparut. Les conciliabules recommencèrent. La berline et les petits chevaux infatigables, chaque jour, emmenèrent Joséphine Balsamo. Où ? Pour quelles entreprises ? Raoul nota que trois des abbayes se trouvaient à proximité du fleuve : Saint-Georges-de-Boscherville, Jumièges, Saint-Wandrille. Mais alors, si elle s'enquérait de ce côté, c'est que rien n'était encore résolu, et qu'elle avait tout simplement échoué ?

Cette idée le rejeta brusquement vers l'action. De l'auberge où il l'avait laissée près de la Haie d'Étigues, il fit venir sa bicyclette et poussa jusqu'aux environs de Lillebonne qu'habitait la mère de Brigitte. Là il apprit que douze jours auparavant — ce qui correspondait au voyage de Joséphine Balsamo — la veuve Rousselin avait fermé sa maison pour rejoindre, disait-elle, sa fille à Paris. Le soir précédent, selon l'affirmation des voisines, une dame était entrée chez elle.

À dix heures du soir seulement, Raoul revint vers la péniche qui stationnait au sud-ouest de la première boucle après Rouen. Or, un peu avant d'arriver, il dépassa la berline de Josine que traînaient péniblement, comme des bêtes exténuées, les petits chevaux de Léonard. Au bord du fleuve, Léonard sauta, ouvrit la portière, se pencha et reparut avec le corps inerte de Josine, chargé sur son épaule. Raoul accourut. À eux deux ils installèrent la jeune femme dans sa cabine où le ménage des mariniers les rejoignit.

« Soignez-la, fit l'homme rudement. Elle n'est qu'évanouie. Mais « le torchon brûle ». Que personne ne bouge d'ici ! »

Il regagna la voiture et partit.

Toute la nuit Joséphine Balsamo eut le délire, sans que Raoul pût saisir aucun des mots incohérents qui lui échappaient. Le lendemain, l'indisposition était finie. Mais, le soir, Raoul ayant gagné le village voisin, se procura un journal de Rouen. Il lut, parmi les faits divers de la région :

« Hier après-midi, la gendarmerie de Caudebec, avertie qu'un bûcheron avait entendu des cris de femme appelant au secours et qui sortaient d'un ancien four à chaux situé sur la lisière de la forêt de Maulévrier, mit en campagne un brigadier et un gendarme. Comme ces deux représentants de l'autorité approchaient du verger où se trouve le four à chaux, ils aperçurent, par-dessus le talus, deux hommes qui traînaient une femme vers une voiture fermée près de laquelle il y avait, debout, une autre femme.

« Obligés de contourner le talus, les gendarmes n'arrivèrent à l'entrée du verger qu'après le départ de la voiture. Aussitôt la poursuite commença, poursuite qui aurait dû se terminer par la victoire facile de la maréchaussée. Mais la voiture était attelée de deux chevaux si rapides, et le conducteur devait si bien connaître le pays, qu'il réussit à s'échapper par le lacis de routes encaissées qui montent vers le nord, entre Caudebec et Motteville. D'ailleurs la nuit tombait, et l'on n'a pas encore réussi à établir par où tout ce joli monde s'est sauvé. »

« Et on ne le saura pas, se dit Raoul en toute certitude. Personne autre que moi ne pourra reconstituer les faits, puisque moi seul connais le point de départ et le point d'arrivée. »

Et Raoul, ayant réfléchi, formula ses conclusions.

« Dans l'ancien four à chaux, un fait indéniable : la veuve Rousselin est là, sous la surveillance d'un complice. Joséphine Balsamo et Léonard, qui l'ont attirée hors de Lillebonne et enfermée, viennent la voir chaque jour et tentent de lui arracher le renseignement définitif. Hier, sans doute, l'interrogatoire fut un peu violent. La veuve Rousselin crie. Les gendarmes arrivent. Fuite éperdue. On s'échappe. Le long de la route on dépose la captive dans une autre prison préparée d'avance, et c'est une fois de plus le salut. Mais toutes ces émotions ont provoqué chez Joséphine Balsamo une de ces crises nerveuses dont elle est coutumière. Elle s'évanouit. »

Raoul déplia une carte d'état-major. De la forêt de Maulévrier à la *Nonchalante*, le chemin direct mesure une trentaine de kilomètres. C'est aux environs de ce chemin, plus ou moins à droite, plus ou moins à gauche, que la veuve Rousselin est emprisonnée.

« Allons, se dit Raoul, le terrain de la lutte est circonscrit, et l'heure d'entrer en scène ne tardera pas pour moi. »

Dès le lendemain il se mettait à l'ouvrage, flânant sur les routes normandes, interrogeant, et tâchant de relever les points de passage et les points d'arrêt « d'une vieille berline attelée de deux petits chevaux ». Logiquement, fatalement, l'enquête devait aboutir.

Ces journées-là furent peut-être celles où l'amour de Joséphine Balsamo et de Raoul prit son caractère le plus âpre et le plus passionné. La jeune femme qui se savait recherchée par la police, et qui n'avait pas oublié les incidents de l'auberge Vasseur, à Doudeville, n'osait quitter la *Nonchalante* et sillonner le pays de Caux. Aussi Raoul la retrouvait-il entre chacune de ses expéditions, et ils se jetaient aux bras l'un de l'autre avec le désir exaspéré de goûter les joies dont ils pressentaient la fin prochaine.

Joies douloureuses, comme en pourraient avoir deux amants que le destin a séparés. Joies suspectes que le doute empoisonnait. L'un et l'autre ils devinaient leurs desseins secrets, et, quand leurs lèvres étaient unies, chacun savait que l'autre, tout en l'aimant, se conduisait comme s'il l'eût détesté.

« Je t'aime, je t'aime », répétait Raoul éperdument, tandis qu'au fond de lui il cherchait les moyens d'arracher la mère de Brigitte Rousselin aux griffes de la Cagliostro.

Ils se serraient parfois l'un contre l'autre avec la violence de deux adversaires qui se battent. Il y avait de la brutalité dans leurs caresses, de la menace dans leurs yeux, de la haine dans leurs pensées, du désespoir dans leur tendresse. On eût dit qu'ils se guettaient comme pour trouver le point faible où la blessure serait le plus décisive.

Une nuit Raoul se réveilla, avec une sensation de gêne, Josine était venue jusqu'à son lit et le regardait à la lueur d'une lampe. Il frissonna. Non pas que le visage charmant de Josine eût une autre expression que son sourire ordinaire. Mais pourquoi ce sourire sembla-t-il à Raoul si méchant et si cruel ?

« Qu'est-ce que tu as ? dit-il, et que me veux-tu ?

— Rien... rien... », fit-elle d'un ton distrait et en s'éloignant.

Mais elle revint à Raoul et lui montra une photographie.

« J'ai trouvé ça dans ton portefeuille. Il est incroyable que tu gardes sur toi le portrait d'une femme. Qui est-ce ? »

Il avait reconnu Clarisse d'Étigues, et il répondait en hésitant :

« Je ne sais pas... un hasard...

— Allons, dit-elle brusquement, ne mens pas. C'est Clarisse d'Étigues. Penses-tu que je ne l'aie jamais vue et que j'ignore votre liaison ? Elle a été ta maîtresse, n'est-ce pas ?

— Non, non, jamais, fit-il vivement.

— Elle a été ta maîtresse, répéta-t-elle, j'en ai la conviction, et elle t'aime, et rien n'est rompu entre vous. »

Il haussa les épaules, mais, comme il voulait défendre la jeune fille, Josine l'interrompit.

« Assez là-dessus, Raoul. Tu es prévenu, ça vaut mieux. Je ne tenterai rien pour la rencontrer, mais si jamais les circonstances la mettent sur mon chemin, tant pis pour elle.

— Et tant pis pour toi, Josine, si tu touches à un seul de ses cheveux ! » s'écria Raoul imprudemment.

Elle pâlit. Son menton trembla légèrement, et, posant sa main sur le cou de Raoul, elle balbutia :

« Ainsi tu oses prendre son parti contre moi !... contre moi !... »

Sa main, toute froide, se crispait. Raoul eut l'impression qu'elle allait l'étrangler, et il se leva, d'un bond, hors du lit. À son tour elle s'effara, croyant à une attaque, et elle tira de son corsage un stylet dont la lame brilla.

Ils se contemplèrent ainsi, l'un en face de l'autre, dans cette posture agressive, et c'était si pénible que Raoul murmura :

« Oh ! Josine, quelle tristesse ! est-il croyable que nous en soyons arrivés à ce point ? »

Tout émue également, elle tomba assise, tandis qu'il se précipitait à ses pieds.

« Embrasse-moi, Raoul... embrasse-moi... et ne pensons plus à rien. »

Ils s'étreignirent passionnément, mais il remarqua qu'elle n'avait pas lâché le poignard, et qu'un simple geste eût suffi pour qu'elle le lui plantât dans la nuque.

Le jour même, à huit heures du matin, Raoul quittait la *Nonchalante.*

« Je ne dois rien espérer d'elle, se disait-il. De l'amour, oui elle m'aime, et sincèrement, et elle voudrait comme moi que cet amour fût sans réserve. Mais cela ne peut pas être. Elle a une âme d'ennemie. Elle se défie de tout et de tous, et de moi tout le premier. »

Au fond, elle demeurait impénétrable pour lui. En dépit de tous les soupçons et de toutes les preuves, et bien que l'esprit du mal fût en elle, il se refusait à admettre qu'elle pût aller jusqu'au crime. L'idée du meurtre ne pouvait s'allier à ce doux visage que la haine ou la colère ne parvenait pas à rendre moins doux. Non, les mains de Josine étaient pures de sang.

Mais il songeait à Léonard, et il ne doutait pas que celui-là ne fût capable de soumettre la mère Rousselin aux plus affreuses tortures.

De Rouen à Duclair, et en avant cette localité, la route court entre les vergers qui bordent la Seine et la blanche falaise qui domine le fleuve. Des trous sont creusés à même la craie et servent à des paysans ou à des ouvriers pour y abriter leurs instruments, quelquefois pour y loger eux-mêmes. C'est ainsi que Raoul avait enfin noté qu'une de ces grottes était occupée par trois hommes qui tressaient des paniers avec le jonc des rives voisines. Un bout de jardin potager sans clôture la précédait.

Une surveillance attentive et quelques détails suspects permirent à Raoul de supposer que le père Corbut et ses deux fils, tous trois braconniers, maraudeurs et de réputation détestable, étaient au nombre de ces affiliés que Joséphine Balsamo employait un peu partout, et de supposer également que leur grotte comptait parmi ces refuges, auberges, hangars, fours à chaux, etc., dont Joséphine Basalmo avait jalonné le pays.

Présomptions qu'il fallait changer en certitudes, et sans éveiller l'attention. Il chercha donc à tourner la position de l'ennemi, et, montant sur la falaise, s'en revint vers la Seine par un chemin forestier qui aboutissait à une légère dépression. Là, il se laissa glisser, au milieu des fourrés et des ronces, jusqu'au bas de la dépression, à un endroit qui surplombait la grotte de quatre ou cinq mètres.

Il y passa deux jours et deux nuits, se nourrissant de provisions qu'il avait apportées, et dormant à la belle étoile. Invisible parmi la végétation touffue des hautes herbes, il assistait à la vie des trois hommes. Le deuxième jour, une conversation entendue le renseigna : les Corbut avaient bien la garde de la veuve Rousselin que depuis l'alerte de Maulévrier ils tenaient captive au fond de leur repaire.

Comment la délivrer ? Ou comment, tout au moins, arriver près d'elle et obtenir de la malheureuse les indications qu'elle avait sans doute refusées à Joséphine Balsamo ? Se conformant aux habitudes des Corbut, Raoul échafauda et abandonna plusieurs plans. Mais, le matin du troisième jour, il aperçut, de son observatoire, la *Nonchalante* qui descendait la Seine et venait s'amarrer un kilomètre en amont des grottes.

Le soir, à cinq heures, deux personnes franchirent la passerelle et s'acheminèrent le long du fleuve. À sa marche, et malgré son habillement de femme du peuple, il reconnut Joséphine Balsamo. Léonard l'accompagnait.

Ils s'arrêtèrent devant la grotte des Corbut et s'entretinrent avec eux comme avec des gens qu'on rencontre par hasard. Puis, la route étant déserte, ils entrèrent vivement dans le potager. Léonard disparut, sans doute à l'intérieur de la grotte. Joséphine Balsamo resta dehors, assise sur une vieille chaise branlante et à l'abri d'un rideau d'arbustes.

Le vieux Corbut sarclait son jardin. Les fils tressaient leurs joncs, au pied d'un arbre.

« L'interrogatoire recommence, pensa Raoul d'Andrésy. Quel dommage de n'y pas assister ! »

Il observait Josine, dont la figure était presque entièrement cachée sous les ailes rabattues d'un grand chapeau de paille vulgaire, comme en portent les paysannes aux jours de chaleur. Elle ne bougeait pas, un peu courbée, les coudes sur les genoux.

Du temps s'écoula, et Raoul se demandait ce qu'il pourrait bien faire, quand il lui sembla entendre à côté de lui un gémissement, auquel succédèrent des cris étouffés. Oui, cela provenait bien *d'à côté de lui*. Cela frémissait au milieu des touffes d'herbe qui l'entouraient. Comment était-ce possible ?

Il rampa jusqu'au point exact ou le bruit paraissait plus fort, et il n'eut pas besoin de longues recherches pour comprendre. Le ressaut de falaise qui terminait la dépression était encombré de pierres éboulées, et, parmi ces pierres, il y avait un petit tas de briques qui s'en distinguait à peine sous la couche uniforme d'humus et de racines. C'étaient les débris d'une cheminée.

Dès lors, le phénomène s'expliquait. La grotte des Corbut devait finir en un cul-de-sac assez enfoncé dans le roc et creusé d'un conduit qui servait jadis de cheminée. Par le conduit et à travers les éboulements, le son filtrait jusqu'en haut.

Il y eut deux cris plus déchirants. Raoul pensa à Joséphine Balsamo. Se retournant, il put l'apercevoir au bout du petit potager. Toujours assise, penchée, le buste immobile, elle arrachait distraitement les pétales d'une capucine. Raoul supposa, voulut supposer qu'elle n'avait pas entendu. Peut-être même ne savait-elle pas ?...

Malgré tout, Raoul frissonnait d'indignation. Qu'elle assistât ou non à l'effroyable interrogatoire que subissait la malheureuse, n'était-elle pas aussi criminelle ? Et les doutes opiniâtres dont elle bénéficiait jusqu'ici dans l'esprit de Raoul ne devaient-ils pas céder devant l'implacable réalité ? Tout ce qu'il pressentait contre elle, tout ce qu'il ne voulait pas savoir, était vrai, puisqu'elle commandait, en définitive, la besogne dont se chargeait Léonard et dont elle n'aurait pas pu supporter l'affreux spectacle.

Avec précaution, Raoul écarta les briques et démolit la motte de terre. Quand il eut terminé, les plaintes avaient cessé, mais des bruits de paroles montaient, guère plus distincts que des chuchotements. Il lui fallut donc reprendre son travail et débarrasser l'orifice supérieur du conduit. Alors, s'étant penché, la tête en bas, accroché comme il pouvait, aux rugosités des parois, il entendit.

Deux voix se mêlaient : celle de Léonard, et une voix de femme, celle de la veuve Rousselin, sans aucun doute. La malheureuse semblait exténuée, en proie à une épouvante indicible.

« Oui... oui... murmurait-elle... je continue, puisque j'ai promis, mais je suis si lasse !... il faut m'excuser, mon bon monsieur... Et puis ce sont des événements si vieux... vingt-quatre ans ont passé depuis...

— Assez bavardé, bougonna Léonard.

— Oui, reprit-elle... Voilà... C'était donc au moment de la guerre avec la Prusse, il y a vingt-quatre ans... Et comme les Prussiens approchaient de Rouen, où nous habitions, mon pauvre mari, qui était camionneur, reçut la visite de deux messieurs... des messieurs que nous n'avions jamais vus. Ils voulaient filer à la campagne, avec leurs malles, comme beaucoup d'autres, à cette époque, n'est-ce pas ? Alors on fit le prix, et sans plus tarder, car ils étaient pressés, mon mari partit avec eux sur un camion. Par malheur, à cause de la réquisition, on n'avait plus qu'un cheval, et pas bien solide. En outre, il neigeait par paquets... À dix kilomètres de Rouen, il tomba pour ne plus se relever...

« Les messieurs grelottaient de peur, car les Prussiens pouvaient survenir... C'est alors qu'un type de Rouen que mon mari connaissait bien, le domestique de confiance du cardinal de Bonnechose, un nommé M. Jaubert, passa avec sa voiture... Vous voyez ça d'ici... On cause... Les deux messieurs offrent une grosse somme pour lui acheter son cheval. Jaubert refuse. Ils le supplient, ils menacent... et puis voilà qu'ils se jettent sur lui, comme des fous, et qu'ils l'assomment, malgré les supplications de mon mari... Après quoi, ils visitent le cabriolet, y trouvent un coffret qu'ils prennent, attellent au camion le cheval de Jaubert, et l'on s'en va, laissant celui-ci à moitié mort.

— Mort tout à fait, précisa Léonard.

— Oui, mon mari l'a su des mois plus tard, quand il a pu rentrer à Rouen.

— Et, à ce moment, il ne les a pas dénoncés ?

— Oui... sans doute... il aurait peut-être dû, fit la veuve Rousselin avec embarras... seulement...

— Seulement, ricana Léonard, ils avaient acheté son silence, n'est-ce pas ? Le coffret, ouvert devant lui, contenait des bijoux... ils ont donné à votre mari sa part de butin...

— Oui.. oui... dit-elle... les bagues... les sept bagues... Mais ce n'est pas pour cela qu'il a gardé le silence... Le pauvre homme était malade... Il est mort presque aussitôt son retour.

— Et ce coffret ?

— Il était resté dans le camion vide. De sorte que mon mari l'avait rapporté avec les bagues. Moi j'ai gardé le silence, comme lui. C'était déjà une vieille histoire, et puis j'ai craint le scandale... On aurait pu accuser mon mari. Autant se taire. Je me suis retirée à Lillebonne avec ma fille, et c'est seulement lorsque Brigitte m'a quittée pour le théâtre qu'elle a pris les bagues... auxquelles, moi, je n'avais jamais voulu toucher... Voilà toute l'affaire, mon bon monsieur, ne m'en demandez pas plus. »

Léonard ricana de nouveau :

« Comment ! toute l'affaire...

— Je n'en sais pas davantage, dit la veuve Rousselin, craintivement...

— Mais ça n'a pas d'intérêt, votre histoire. Si nous bataillons tous deux, c'est pour autre chose... vous le savez bien, morbleu !...

— Quoi ?

— Les lettres gravées à l'intérieur du coffret, sous le couvercle, tout est là...

— Des lettres à moitié effacées, je vous le jure, mon bon monsieur, et que je n'ai jamais songé à lire.

— Soit, je veux bien le croire. Mais alors nous en revenons toujours au même point : ce coffret, qu'est-il devenu ?

— Je vous l'ai dit : on l'a pris chez moi, la veille même du soir où vous êtes venu à Lillebonne, avec une dame... cette dame qui a une grosse voilette.

— On l'a pris... qui ?

— Une personne...

— Une personne qui le cherchait ?

— Non, elle l'a vu par hasard dans un coin du grenier. Ça lui a plu, comme antiquité.

— Le nom de cette personne, voilà cent fois que je vous le demande.

— Je ne peux pas le dire. C'est quelqu'un qui m'a fait beaucoup de bien dans la vie, et ce serait lui faire du mal, beaucoup de mal, je ne parlerai pas...

— Ce quelqu'un serait le premier à vous dire de parler...

— Peut-être... peut-être... mais comment le savoir ? Je ne peux pas le savoir. Je ne peux pas lui écrire... On se voit de temps en temps... Tenez, on doit se voir jeudi prochain... à trois heures...

— Où ?

— Pas possible... je n'ai pas le droit...

— Quoi ! faut-il recommencer ? » marmotta Léonard, impatienté.

La veuve Rousselin s'effara.

« Non ! non ! Ah ! mon bon monsieur, non ! Je vous en supplie. »

Elle poussa un cri de douleur.

« Ah ! le bandit !... qu'est-ce qu'il me fait ?... Ah ! ma pauvre main...

— Parle donc, sacrebleu !

— Oui, oui... je vous promets... »

Mais la voix de la malheureuse s'éteignait. Elle était à bout de forces. Léonard insista cependant, et Raoul perçut quelques mots bégayés dans l'angoisse... « Oui... voilà... on doit se retrouver jeudi... au vieux phare... Et puis non... je n'ai pas le droit... j'aime mieux mourir... faites ce que vous voudrez... vrai... j'aime mieux mourir... »

Elle se tut. Léonard grogna :

« Eh bien ! quoi ? qu'est-ce qu'elle a, cette vieille entêtée ? Pas morte, j'espère ?... Ah ! bourrique, tu parleras !... Je te donne dix minutes pour en finir !... »

La porte fut ouverte, puis refermée. Sans doute allait-il mettre la Cagliostro au courant des aveux obtenus, et prendre des instructions sur la suite que l'on devait donner à l'interrogatoire. De fait Raoul s'étant relevé, les vit tous deux au-dessous de lui, assis l'un près de l'autre. Léonard s'exprimait avec agitation. Josine écoutait.

Les misérables ! Raoul les exécrait tous deux, l'un autant que l'autre. Les gémissements de la veuve Rousselin l'avaient bouleversé, et il était tout frémissant de colère et de volonté agressive. Rien au monde ne pourrait l'empêcher de sauver cette femme.

Selon son habitude, il entra en action au même moment où la vision des choses qu'il fallait accomplir se déroulait devant lui dans leur ordre logique. En de pareils cas, l'hésitation risque de tout compromettre. La réussite dépend de l'audace avec laquelle on se précipite à travers des obstacles qu'on ne connaît même point.

Il jeta un coup d'œil sur ses adversaires. Tous les cinq se trouvaient éloignés de la grotte. Vivement il pénétra dans la cheminée, en se tenant debout cette fois. Son intention était de pratiquer aussi doucement que possible un passage au milieu des décombres : mais, presque aussitôt, il fut entraîné par une avalanche, subitement provoquée, de tous les débris en équilibre, et d'un seul coup tomba du haut en bas, dans un fracas de pierres et de briques.

« Fichtre, se dit-il, pourvu qu'ils n'aient rien entendu, dehors ! »

Il prêta l'oreille. Personne ne venait.

L'obscurité était si grande qu'il se croyait encore dans l'âtre de la cheminée. Mais, en étendant les bras, il constata que le conduit aboutissait directement à la grotte, ou plutôt à une sorte de boyau creusé à l'arrière de la grotte, et si exigu que, tout de suite, sa main rencontra une autre main qui lui parut brûlante. Ses yeux s'accoutumant aux ténèbres, Raoul vit des prunelles étincelantes qui se fixaient sur lui, une figure blême et creuse que la peur convulsait.

Ni liens, ni bâillon. À quoi bon ? La faiblesse et l'effroi de la captive rendaient toute évasion impossible.

Il se pencha et lui dit :

« N'ayez aucune crainte. J'ai sauvé de la mort votre fille Brigitte, victime également de ceux qui vous persécutent à cause de ce coffret et des bagues. Je suis sur vos traces depuis votre départ de Lillebonne, et je viens vous sauver aussi, mais à condition que vous ne direz jamais rien de tout ce qui s'est passé. »

Mais pourquoi des explications que la malheureuse était incapable de comprendre ? Sans plus s'attarder, il la prit dans ses bras et la chargea sur son épaule. Puis, traversant la grotte, il poussa doucement la porte qui n'était que fermée, comme il le supposait.

Un peu plus loin, Léonard et Josine continuaient à s'entretenir. Derrière eux, en bas du potager, la route blanche s'allongeait jusqu'au gros bourg de Duclair, et, sur cette route, il y avait des charrettes de paysans qui s'en venaient ou qui s'éloignaient.

Alors, quand il jugea l'instant propice, il ouvrit la porte d'un coup, dégringola la pente du potager, et coucha la veuve Rousselin au revers du talus.

Tout de suite, autour de lui, des clameurs. Les Corbut se ruaient en avant ainsi que Léonard, tous les quatre dans un élan irréfléchi qui les poussait à la bataille. Mais que pouvaient-ils ? Une voiture approchait, dans un sens. Une autre en sens inverse. Attaquer Raoul en présence de tous ces témoins et reprendre de haute lutte la veuve Rousselin, c'était se livrer et attirer contre soi l'inévitable enquête et les représailles de la justice. Ils ne bougèrent pas. C'est ce que Raoul avait prévu.

Le plus tranquillement du monde, il interpella deux religieuses aux larges cornettes, dont l'une conduisait un petit break attelé d'un vieux cheval et il leur demanda de secourir une pauvre femme qu'il avait trouvée au bord de la route, évanouie, les doigts écrasés par une voiture.

Les bonnes sœurs, qui dirigeaient à Duclair un asile et une infirmerie, s'empressèrent. On installa la veuve Rousselin dans le break et on l'enveloppa de châles. Elle n'avait pas repris connaissance et délirait, agitant sa main mutilée dont le pouce et l'index étaient tuméfiés et sanguinolents.

Et le break partit au petit trot.

Raoul demeura immobile, tout à l'atroce vision de cette main torturée, et son émoi était tel qu'il ne remarqua pas le manège de Léonard et des trois Corbut qui commençaient un mouvement tournant, et se rabattaient sur lui. Quand il s'en aperçut les quatre hommes l'environnaient et cherchaient à l'acculer vers le potager... Aucun paysan n'était en vue, la situation semblait si favorable à Léonard qu'il sortit son couteau.

« Rentre cela, et laisse-nous, dit Josine. Vous aussi les Corbut. Pas de bêtises, hein ? »

Elle n'avait pas quitté sa chaise durant toute la scène, et maintenant elle surgissait d'entre les arbustes.

Léonard protesta :

« Pas de bêtises ? La bêtise, c'est de le laisser. Pour une fois qu'on le tient !

— Va-t'en ! exigea-t-elle.

— Mais cette femme... cette femme nous dénoncera !...

— Non. La veuve Rousselin n'a pas d'intérêt à parler. Au contraire. »

Léonard s'éloignant, elle vint tout à côté de Raoul.

Il la regarda longuement, et d'un regard mauvais qui parut

la gêner, au point qu'elle plaisanta aussitôt pour interrompre le silence.

« Chacun son tour, n'est-ce pas, Raoul ? Entre toi et moi, le succès passe de l'un à l'autre. Aujourd'hui, tu as le dessus. Demain... Mais qu'y a-t-il donc ? Tu as un air si drôle ! et des yeux si durs... »

Il dit nettement :

« Adieu, Josine. »

Elle pâlit un peu.

« Adieu ? fit-elle. Tu veux dire « au revoir ».

— Non, adieu.

— Alors... alors... cela signifie que tu ne veux plus me revoir ?

— Je ne veux plus te revoir. »

Elle baissa les yeux. Un frisson saccadé agitait ses paupières. Ses lèvres étaient souriantes et, à la fois, infiniment douloureuses.

À la fin elle chuchota :

« Pourquoi, Raoul ?

— Parce que j'ai vu une chose, dit-il, que je ne peux pas... que je ne pourrai jamais te pardonner.

— Quelle chose ?

— La main de cette femme. »

Elle sembla défaillir et murmura.

« Ah ! je comprends... Léonard lui a fait du mal... Je lui avais pourtant défendu... et je croyais qu'elle avait cédé sur de simples menaces.

— Tu mens, Josine. Tu entendais les cris de cette femme comme tu les entendais dans la forêt de Maulévrier. Léonard exécute, mais la volonté du mal, l'intention du meurtre, est en toi, Josine. C'est toi qui as dirigé ton complice vers la petite maison de Montmartre, avec l'ordre de tuer Brigitte Rousselin si elle résistait. C'est toi qui naguère mêlais du poison aux poudres que devait avaler Beaumagnan. C'est toi qui, les années précédentes, toi qui supprimais les deux amis de Beaumagnan, Denis Saint-Hébert et Georges d'Isneauval. »

Elle se révolta.

« Non, non, je ne te permets pas... ce n'est pas vrai, et tu le sais, Raoul. »

Il haussa les épaules.

« Oui, la légende de l'autre femme, créée pour les besoins

de la cause... une autre femme qui te ressemble et qui commet des crimes, tandis que toi, Joséphine Balsamo, tu te contentes d'aventures moins brutales ! J'y ai cru, à cette légende. Je me suis laissé embrouiller dans toutes ces histoires de femmes identiques, fille, petite-fille, arrière petite-fille des Cagliostro. Mais c'est fini, Josine. Si mes yeux se fermaient volontairement pour ne pas voir ce qui m'épouvantait, le spectacle de cette main torturée les a ouverts définitivement sur la vérité.

— Sur des mensonges, Raoul ! sur des interprétations fausses. Je n'ai pas connu les deux hommes dont tu parles. »

Il dit avec lassitude :

« Cela se peut. Il n'est pas tout à fait impossible que je me trompe, mais il est tout à fait impossible que je te voie désormais à travers ce brouillard de mystère qui te cachait. Tu m'apparais telle que tu es, c'est-à-dire comme une criminelle. »

Il ajouta plus bas :

« Comme une malade même. S'il y a un mensonge quelque part, c'est celui de ta beauté. »

Elle se taisait. L'ombre de son chapeau de paille adoucissait encore son doux visage. Les injures de son amant ne l'effleuraient point. Elle était toute séduction et tout enchantement.

Il fut troublé jusqu'au fond de son être. Jamais elle ne lui avait paru si belle et si désirable, et il se demanda si ce n'était pas une folie que de reprendre une liberté qu'il maudirait dès le lendemain. Elle affirma :

« Ma beauté n'est pas un mensonge, Raoul, et tu reviendras parce que c'est pour toi que je suis belle.

— Je ne reviendrai pas.

— Si, tu ne peux plus vivre sans moi, la *Nonchalante* est proche. Je t'y attends demain...

— Je n'y reviendrai pas, dit-il, prêt, une fois de plus, à plier le genou.

— En ce cas, pourquoi trembles-tu ? pourquoi es-tu si pâle ? »

Il comprit que son salut dépendait de son silence, qu'il fallait fuir sans répondre et sans tourner la tête.

Il repoussa les deux mains de Josine, qui s'accrochaient à lui, et s'en alla...

XI

LE VIEUX PHARE

Toute la nuit, prenant les chemins qui se présentaient à lui, Raoul pédala, autant pour dépister les recherches que pour s'infliger une fatigue salutaire. Le matin, exténué, il échouait dans un hôtel de Lillebonne.

Il défendit qu'on l'éveillât, ferma sa porte à double tour, et jeta la clef par la fenêtre. Il dormit plus de vingt-quatre heures.

Quand il fut habillé et restauré, il ne pensa plus qu'à se remettre sur sa machine et à retourner vers la *Nonchalante*. La lutte contre l'amour commençait.

Il était très malheureux, et, n'ayant jamais souffert, ayant toujours obéi à ses moindres caprices, il s'irritait contre un désespoir auquel il lui eût été si facile de mettre fin.

« Pourquoi ne pas céder ? se disait-il. En deux heures je suis là-bas. Et qui m'empêche alors de repartir quelques jours plus tard, quand je serai mieux préparé à la rupture ? »

Mais il ne pouvait pas. Vraiment la vision de cette main mutilée l'obsédait et commandait toute sa conduite, en l'obligeant à évoquer toutes les autres actions barbares et odieuses que laissait supposer cette action inconcevable.

Josine avait fait *cela* ; donc Josine avait tué, donc Josine ne reculait pas devant l'œuvre de mort et trouvait simple et naturel de tuer encore, lorsque le crime favorisait ses entreprises. Or Raoul avait peur du crime. C'était une répulsion physique, un soulèvement de tout son instinct. L'idée qu'il pouvait être entraîné, dans un accès d'aberration, à verser le sang lui faisait horreur. Et voilà que, à cette horreur, la plus tragique des réalités associait indissolublement l'image même de la femme qu'il aimait.

Il resta donc, mais au prix de quels efforts ! Que de sanglots il refoula ! Par quels gémissements s'exhala sa révolte impuissante ! Josine lui tendait ses beaux bras et lui offrait le baiser de sa bouche. Comment résister à l'appel de la voluptueuse créature ?

Touché au plus profond de son égoïsme, pour la première fois il eut conscience de la peine infinie qu'il avait dû faire à Clarisse d'Étigues. Il devina ses pleurs. Il imagina la détresse navrante de cette vie déçue. Secoué de remords il lui adressait des discours pleins de tendresse et où il rappelait les heures touchantes de leur amour.

Il fit plus. Sachant que la jeune fille recevait directement les lettres, il osa lui écrire.

« *Pardonnez-moi, chère Clarisse. J'ai agi avec vous comme un misérable. Espérons en un avenir meilleur et pensez à moi avec toute l'indulgence de votre cœur généreux. Encore pardon, chère Clarisse, et pardon. — Raoul.* »

« Ah ! se disait-il, auprès d'elle comme j'oublierais vite toutes ces vilaines choses ! L'essentiel n'est pas d'avoir des yeux purs et des lèvres douces, mais une âme loyale et grave comme celle de Clarisse ! »

Seulement c'étaient les yeux et le sourire ambigu de Josine qu'il adorait, et, quand il songeait aux caresses de la jeune femme, il se souciait peu qu'elle eût une âme qui ne fût ni loyale ni grave.

Entre-temps, il s'occupait de chercher ce vieux phare auquel la veuve Rousselin avait fait allusion. Étant donné qu'elle habitait Lillebonne, il n'avait pas douté que l'endroit ne fût situé aux environs, et c'était la cause de la direction prise par lui dès le premier soir.

Il ne se trompait pas. Il lui suffit de s'informer pour savoir, d'abord, qu'il y avait un ancien phare désaffecté dans les bois qui ceignent le château de Tancarville, et, ensuite, que le propriétaire de ce phare en avait confié les clefs à la veuve Rousselin qui, chaque semaine et justement le jeudi, allait y mettre un peu d'ordre. Ces clefs, une simple expédition nocturne les lui procura.

Deux jours le séparaient maintenant de la date à laquelle, en toute certitude, la personne qui possédait le coffret devait se rencontrer avec la veuve Rousselin, et, comme celle-ci, captive ou malade, n'avait pu contremander le rendez-vous fixé, tout s'arrangeait pour que Raoul profitât d'une entrevue qu'il jugeait si importante.

Cette perspective l'apaisa. Il fut repris par le problème qui, depuis des semaines, s'imposait à lui, et dont il semblait que la solution devenait toute proche.

Pour ne rien laisser au hasard, la veille il visita le lieu du rendez-vous, et, le jeudi, lorsque, une heure auparavant, il traversa d'un pas alerte les bois de Tancarville, la réussite lui paraissait inévitable, et il en goûtait fortement la joie et l'orgueil.

Une partie de ces bois, indépendante du parc, s'étend jusqu'à la Seine et couvre les falaises. Des chemins rayonnent d'un carrefour central, et l'un d'eux mène par des gorges et des pentes brusques vers un promontoire abrupt, où se dresse, à moitié visible, le phare abandonné. Dans la semaine, l'endroit est absolument désert. Le dimanche, parfois, des promeneurs passent.

Si l'on monte au belvédère, c'est la vue la plus grandiose sur le canal de Tancarville et sur l'estuaire du fleuve. Mais, en bas, on était, à cette époque, enfoui dans la verdure.

Une seule pièce, assez grande, trouée de deux fenêtres, et meublée de deux chaises, composait le rez-de-chaussée, et ouvrait, du côté de la terre, sur un enclos d'orties et de plantes sauvages.

Aux approches, l'allure de Raoul se ralentit. Il avait l'impression, d'ailleurs tout à fait justifiée, que des événements importants se préparaient, qui n'étaient pas seulement la rencontre d'une personne et la conquête définitive d'un secret formidable, mais qui, somme toute, continuaient la bataille suprême où l'ennemi serait vaincu définitivement.

Et cet ennemi, c'était la Cagliostro — la Cagliostro qui connaissait comme lui les aveux arrachés à la veuve Rousselin, et qui, incapable de se résigner à la défaite, disposant de moyens d'investigation illimités, avait dû retrouver aisément ce vieux phare où il semblait que dût se jouer le dernier acte du drame.

« Et non seulement, dit-il à mi-voix, en se moquant de lui, je me demande si elle n'assistera pas au rendez-vous, mais, en réalité, j'espère bien qu'elle y sera, et que je la reverrai, et que, tous deux vainqueurs nous tomberons dans les bras l'un de l'autre. »

Par une barrière, scellée tant bien que mal aux pierres d'un petit mur bas que hérissaient des tessons de bouteilles, Raoul pénétra dans le clos. Au milieu des plantes sauvages, aucune trace. Mais on avait pu franchir le mur à un autre endroit et enjamber une des fenêtres latérales.

Son cœur battait. Il serra les poings, prêt à la riposte si on l'avait attiré dans un piège.

« Que je suis bête ! pensa-t-il. Pourquoi un piège ? »

Il fit jouer la serrure d'une porte vermoulue et entra.

La sensation fut immédiate. Quelqu'un se dissimulait dans

un renfoncement, aussitôt après la porte. Il n'eut pas le temps de se retourner contre l'assaillant. À peine averti, par son instinct plutôt que par ses yeux, il avait eu le cou sanglé d'une corde qui le tirait en arrière, tandis qu'un genou s'enfonçait brutalement dans ses reins.

Suffoqué, cassé en deux, il dut se soumettre à la volonté adverse, perdit l'équilibre, et fut renversé.

« Bien joué, Léonard ! balbutia-t-il. Jolie revanche ! »

Il se trompait. Ce n'était pas Léonard. L'homme lui apparaissant de profil, il reconnut Beaumagnan. Alors, tandis que Beaumagnan lui attachait les mains, il rectifia son erreur et avoua sa surprise par ces simples mots :

« Tiens, tiens, le défroqué ! »

La corde qui l'agrippait se trouvait reliée à un anneau rivé dans le mur opposé et juste au-dessus d'une fenêtre. Beaumagnan, qui agissait avec des gestes saccadés et une sorte d'égarement, ouvrit cette fenêtre et entrebâilla des persiennes pourries. Puis, l'anneau servant de poulie, il tira sur la corde et contraignit Raoul à marcher. Raoul aperçut dans l'entrebâillement l'espace vide qui, du haut de la roche verticale où le phare était juché, tombait parmi les éboulements de pierres et des grands fûts d'arbres dont les têtes feuillues bouchaient l'horizon.

Beaumagnan le retourna, lui appliqua le dos contre les persiennes, et lui ficela les poignets et les chevilles.

Les choses se présentaient donc ainsi : au cas où Raoul essaierait de se porter en avant, la corde serrée en nœud coulant l'étranglait. Si, d'autre part, il prenait fantaisie à Beaumagnan de se débarrasser de sa victime, il lui suffisait de la pousser brusquement, les persiennes s'effondraient, et Raoul, basculant dans l'abîme, se trouvait pendu.

« Excellente position pour un entretien sérieux », ricana-t-il.

D'ailleurs il était résolu. Si l'intention de Beaumagnan consistait à lui donner le choix entre la mort et la divulgation des succès que lui, Raoul, avait pu obtenir dans la poursuite du grand secret, pas la moindre hésitation, il parlerait.

« À vos ordres, dit-il. Interrogez.

— Tais-toi », commanda l'autre, toujours furieux.

Et Beaumagnan lui colla contre la bouche un paquet d'ouate qu'il fixa par un foulard passé derrière la nuque.

« Un seul grognement, dit-il, un seul geste, et, d'un coup de poing, je t'envoie dans le vide. »

Il le regarda une seconde, comme un homme qui se demande s'il ne doit pas sur-le-champ accomplir l'acte projeté. Mais il s'éloigna soudain, la démarche lourde et sinueuse, traversa la pièce en frappant du pied le carrelage, et s'accroupit au seuil de la porte, de manière qu'il lui fût possible de voir au dehors par l'entrebâillement.

« Ça va mal, pensa Raoul, fort inquiet. Ça va d'autant plus mal que je n'y comprends rien. Comment est-il ici ? Dois-je supposer que c'est lui le bienfaiteur de la veuve Rousselin, celui qu'elle n'a pas voulu compromettre ? »

Mais cette hypothèse ne le satisfaisait pas.

« Non, ce n'est pas cela. J'ai donné dans le panneau, mais d'une autre façon, par imprudence et naïveté. Il est évident qu'un type comme Beaumagnan connaît toute cette affaire Rousselin, qu'il connaît les rendez-vous, et l'heure de ces rendez-vous, et alors, sachant que la veuve a été enlevée, il surveille et fait surveiller les environs de Lillebonne et de Tancarville... Et alors, on remarque ma présence, mes allées et venues... et alors, piège... et alors... »

Cette fois la conviction de Raoul était entière. Vainqueur de Beaumagnan à Paris il venait de perdre la seconde manche. Victorieux à son tour, Beaumagnan l'étalait sur une persienne ainsi qu'une chauve-souris que l'on cloue au mur, et il guettait maintenant l'autre personne, afin de s'emparer d'elle et de lui arracher son secret.

Un point cependant demeurait obscur. Pourquoi cette attitude de bête fauve, prête à bondir sur une proie ? Cela ne s'accordait pas avec la rencontre probablement toute pacifique qui s'annonçait entre lui et cette personne. Beaumagnan n'avait qu'à sortir, à l'attendre tout simplement dehors, et à lui dire :

« Mme Rousselin est souffrante et m'envoie à sa place. Elle voudrait connaître l'inscription gravée au couvercle du coffret. »

« À moins que, pensa Raoul, à moins que Beaumagnan n'ait des raisons pour prévoir l'arrivée d'une troisième personne... et qu'il ne se défie... et qu'il ne prépare une attaque... »

Il suffisait qu'une telle question se posât à Raoul, pour qu'il en aperçût aussitôt l'exacte solution. Supposer que Beaumagnan lui avait tendu un piège, à lui, Raoul, ce n'était là que la moitié de la réalité. L'embûche était double, et qui donc Beaumagnan pouvait-il épier avec cette fièvre exaspérée ? Qui, sinon Joséphine Balsamo ?

« C'est cela ! c'est cela ! se dit Raoul illuminé par un éclair de vérité. C'est cela ! Il a deviné qu'elle était vivante. Oui, l'autre jour, à Paris en face de moi, il a dû sentir cette chose effroyable, et c'est encore une boulette que j'ai commise... une faute d'expérience. Voyons ! aurais-je ainsi parlé, aurais-je agi de la sorte, si Joséphine Balsamo n'avait pas vécu ? Comment ! je viens dire à cet homme que j'avais lu entre les lignes de sa lettre au baron Godefroy, et que j'assistai à la fameuse séance de la Haie d'Étigues, et je n'aurais pas compris de quoi il retournait pour la Cagliostro ! Et un garçon comme moi, qui n'a pas froid aux yeux, aurait abandonné cette femme ! Allons donc ! Si j'étais à la réunion, j'étais aussi à l'escalier de la falaise ! Et j'étais sur la plage lors de l'embarquement ! Et j'ai sauvé Joséphine Balsamo ! Et nous nous sommes aimés... non pas d'un amour datant de l'hiver dernier, comme je le prétendais, mais d'un amour postérieur à la soi-disant mort de Josine !... Voilà ce qu'il s'est dit, le Beaumagnan. »

Les preuves s'ajoutaient aux preuves. Les événements se reliaient les uns aux autres comme les mailles d'une chaîne.

Empêtrée dans l'affaire Rousselin, et, par conséquent, recherchée par Beaumagnan, Josine n'avait pas manqué, elle aussi, de rôder aux environs du vieux phare. Aussitôt averti, Beaumagnan tentait son embuscade. Raoul y tombait. Au tour de Josine maintenant...

On eût dit que le destin voulait donner une confirmation à la suite des idées qui se succédaient dans l'esprit de Raoul. À la seconde même où il concluait, le bruit d'une voiture monta de la route qui longe le canal, au-dessous des falaises, et, instantanément, Raoul reconnut le pas précipité des petits chevaux de Léonard.

Beaumagnan, de son côté, devait savoir à quoi s'en tenir, car il se releva d'un mouvement et prêta l'oreille.

Le bruit des sabots cessa, puis reprit, moins rapide. La voiture escaladait un raidillon rocailleux qui grimpe vers le plateau, et d'où se détache la sente forestière, impraticable aux voitures, qui franchit les escarpements du vieux phare.

Dans cinq minutes, tout au plus, Joséphine Balsamo apparaîtrait.

Chaque seconde de chacune des minutes solennelles accrut l'agitation et le délire de Beaumagnan. Il bégayait des syllabes incohérentes. Son masque d'acteur romantique se déformait jusqu'à donner une impression de laideur bestiale. L'instinct, la volonté du meurtre tordait ses traits, et, tout à coup, il fut visible que cette volonté, que cet instinct de sauvage se portait contre Raoul, contre l'amant de Joséphine Balsamo.

De nouveau les jambes se levaient mécaniquement pour frapper le carrelage. Il marchait à son insu, et il allait tuer à son insu, comme un homme ivre. Ses bras se raidissaient. Ses poings crispés avançaient ainsi que deux béliers qu'une force lente, continue, irrésistible, eût poussés jusqu'à la poitrine du jeune homme.

Encore quelques pas, et Raoul basculait dans le vide.

Raoul ferma les yeux. Pourtant il ne se résignait point et cherchait à conserver quelque espoir.

« La corde cassera, pensait-il, et il y aura de la mousse sur les pierres qui me recevront. En vérité, la destinée du sieur Arsène Lupin d'Andrésy n'est pas d'être pendu. Si, à mon âge, je n'ai pas la chance de me tirer d'aventures de ce genre, c'est que les dieux, jusqu'ici favorables, n'ont plus l'intention de s'occuper de moi ! En ce cas, aucun regret ! »

Il songea à son père et à l'enseignement de gymnastique et de voltige qu'il tenait de Théophraste Lupin... Il murmura le nom de Clarisse...

Cependant le choc ne se produisait pas. Bien qu'il sentît contre lui la présence même de Beaumagnan, il semblait que l'élan de l'adversaire fût arrêté.

Raoul releva les paupières. Beaumagnan, tout droit, le dominait de sa haute taille. Mais il ne bougeait point, ses bras étaient repliés, et, sur son visage, où l'idée de meurtre imprimait une grimace abominable, la décision semblait comme suspendue.

Raoul écouta et n'entendit rien. Mais peut-être Beaumagnan, dont les sens étaient surexcités, entendait-il l'approche de Joséphine Balsamo ? De fait, il reculait pas à pas, et soudain, se précipitant, il reprit son poste dans le renfoncement, à droite de la porte.

Raoul le voyait en pleine face. Il était hideux. Un chasseur à l'affût épaule son fusil et recommence plusieurs fois ce geste pour être à même de l'exécuter à l'instant voulu. Ainsi, chez Beaumagnan, les mains s'apprêtaient convulsivement au crime. Elles s'ouvraient pour l'étranglement, se mettaient à distance convenable l'une de l'autre, crispaient leurs doigts recourbés comme des griffes.

Raoul fut épouvanté. Son impuissance était une chose terrible, dont il souffrait jusqu'au martyre.

Bien qu'il sût la vanité de tout effort, il se débattait pour rompre ses liens. Ah ! s'il avait pu crier ! Mais le bâillon étouffait ses cris, et les liens lui coupaient la chair.

« Raoul le voyait en pleine face. Il était hideux. »

Dehors, dans le grand silence, un bruit de pas. La barrière grinça. Une jupe froissa les feuilles. Des cailloux remuèrent.

Beaumagnan, aplati contre le mur, leva les coudes. Ses mains, qui tremblaient comme des mains de squelette qu'agite le vent, avaient l'air, déjà, de se fermer autour d'un cou et de le tenir, tout vivant, tout palpitant.

Raoul hurla derrière son bâillon.

Et puis la porte fut poussée, et le drame eut lieu.

Il eut lieu exactement de la façon que Beaumagnan l'avait conçu et que Raoul se l'était imaginé. Une silhouette de femme, qui était celle de Joséphine Balsamo, apparut et s'écrasa aussitôt sous la ruée de Beaumagnan. Une faible plainte, tout au plus, fut exhalée, que couvrit une sorte d'aboiement furieux qui haletait dans la gorge de l'assassin.

Raoul trépignait : jamais il n'avait autant aimé Josine qu'à la minute où il se la représentait agonisante. Ses fautes, ses crimes ? Qu'importait ! elle était la plus belle créature qui fût au monde, et toute cette beauté, ce sourire adorable, ce corps charmant fait pour les caresses, allaient être anéantis. Aucun secours possible. Aucune force contre la force irrésistible de cette brute.

Ce qui sauva Joséphine Balsamo, ce fut l'excès même d'un amour que la mort seule pouvait assouvir et qui, à la dernière seconde, ne put achever la sinistre besogne. À bout d'énergie, terrassé par un désespoir qui prenait tout à coup des allures de folie, Beaumagnan se roula sur le sol en s'arrachant les cheveux et en se cognant la tête au carrelage.

Raoul enfin respira. Quelles que fussent les apparences, et quoique Joséphine Balsamo ne remuât pas, il était certain qu'elle vivait. En effet, lentement, sortant de l'horrible cauchemar, elle se releva, avec des intermittences de détresse qui semblaient la briser, et enfin se dressa, bien d'aplomb et paisible.

Elle était vêtue d'un manteau à pèlerine qui l'enveloppait, et coiffée d'une toque d'où pendait un voile à grosses fleurs brodées. Elle laissa tomber son manteau, découvrant ainsi ses épaules dans l'échancrure du corsage que la lutte avait déchiré.

Quant à la toque et au voile, froissés, également, elle les rejeta, et la chevelure, délivrée, s'épanouit de chaque côté du front en boucles lourdes et régulières où s'allumaient des reflets fauves. Ses joues étaient plus roses, ses yeux plus brillants.

Un long moment de silence s'ensuivit. Les deux hommes la contemplaient éperdument, non plus comme si elle était une ennemie, ou une maîtresse, ou une victime, mais simplement une femme radieuse dont ils subissaient la fascination et l'enchantement. Raoul tout ému, Beaumagnan immobile et prosterné, admiraient tous deux avec la même ferveur.

Elle porta d'abord à sa bouche un petit sifflet de métal que Raoul connaissait bien, Léonard devait veiller à quelque distance et accourrait aussitôt à son appel. Mais elle se ravisa. Pourquoi le faire venir alors qu'elle demeurait maîtresse absolue des événements ?

Elle se dirigea vers Raoul, dénoua le foulard qui le bâillonnait, et lui dit :

« Tu n'es pas revenu, Raoul, comme je le croyais. Tu reviendras ? »

S'il avait été libre, il l'eût serrée ardemment contre lui. Mais pourquoi ne coupait-elle pas ses liens ? Quelle pensée secrète l'en empêchait ?

Il affirma :

« Non... C'est fini. »

Elle se haussa un peu sur la pointe des pieds et colla ses lèvres aux siennes en murmurant :

« Fini entre nous deux ? Tu es fou, mon Raoul ! »

Beaumagnan avait tressauté et s'avançait, mis hors de lui par cette caresse imprévue. Comme il essayait de lui saisir le bras, elle se retourna, et soudain le calme qu'elle avait conservé jusqu'ici fit place aux sentiments réels qui la secouaient, sentiments d'exécration et de rancune farouche contre Beaumagnan.

Elle éclata d'un coup, avec une véhémence dont Raoul ne la jugeait pas capable.

« Ne me touche pas, misérable. Et ne crois pas que j'aie peur de toi. Tu es seul aujourd'hui, et j'ai bien vu tout à l'heure que tu n'oserais jamais me tuer. Tu n'es qu'un lâche. Tes mains tremblaient. Mes mains ne trembleront pas, Beaumagnan, lorsque l'heure sera venue. »

Il reculait devant ses imprécations et ses menaces, et Joséphine Balsamo continuait, dans une crise de haine :

« Mais ton heure n'est pas venue. Tu n'as pas assez souffert... Tu ne souffrais même pas, puisque tu me croyais morte. Ton supplice maintenant, ce sera de savoir que je vis et que j'aime.

« Oui, tu entends, j'aime Raoul. Je l'ai aimé d'abord pour me venger de toi et te le dire plus tard, et je l'aime aujourd'hui sans raison, parce que c'est lui, et que je ne peux plus l'oublier. À peine, s'il le sait, à peine si je le savais, moi. Mais depuis quelques jours, comme il me fuyait, j'ai senti qu'il était toute ma vie. J'ignorais l'amour, et l'amour c'est cela, c'est cette frénésie qui m'agite. »

Elle était la proie du délire, comme celui qu'elle torturait. Ses cris d'amoureuse semblaient lui faire autant de mal qu'à Beaumagnan. Raoul éprouvait, à la regarder ainsi, de l'éloignement plutôt que de la joie. La flamme de désir, d'admiration et d'amour, qui l'avait repris lors du danger, s'éteignit définitivement. La beauté et la séduction de Josine s'évanouissaient comme des mirages, et, sur sa figure, qui pourtant n'avait pas changé, il ne pouvait plus discerner que le vilain reflet d'une âme cruelle et malade.

Elle continuait son attaque furieuse contre Beaumagnan, lequel ripostait par soubresauts de colère jalouse. Et c'était vraiment une chose déconcertante de voir ces deux êtres, qui, au moment même où les circonstances allaient leur fournir le mot de la formidable énigme qu'ils cherchaient depuis si longtemps, oubliaient tout dans l'emportement de leur passion. Le grand secret des siècles précédents, la découverte des pierres précieuses, la borne légendaire, le coffret et l'inscription, la veuve Rousselin, la personne qui cheminait vers eux et leur donnerait la vérité... autant de balivernes dont ils se souciaient aussi peu l'un que l'autre. L'amour entraînait tout comme un torrent tumultueux. Haine et passion se livraient l'éternel combat qui déchire les amants.

De nouveau les doigts de Beaumagnan se pliaient comme des griffes, et ses mains frémissantes se postaient pour étrangler. Elle s'acharnait cependant, aveugle et désordonnée, et lui jetait en pleine face l'injure de son amour !

« Je l'aime, Beaumagnan. Le feu qui te brûle et me dévore aussi, c'est un amour comme le tien où se mêle l'idée de meurtre et de la mort. Oui, je le tuerais plutôt que de le savoir à une autre, ou de savoir qu'il ne m'aime plus. Mais il m'aime, Beaumagnan, il m'aime, tu entends, il m'aime ! »

Un rire inattendu sortit de la bouche convulsée de Beaumagnan. Sa colère s'achevait en un accès d'hilarité sardonique.

« Il t'aime, Joséphine Balsamo ? Tu as raison, il t'aime ! il t'aime comme toutes les femmes. Tu es belle, et il te désire. Une autre passe, et il la veut aussi. Et toi également, Joséphine Balsamo, tu souffres l'enfer. Avoue-le donc !

— L'enfer, oui, dit-elle, l'enfer si je croyais à sa trahison. Mais cela n'est pas, et tu essaies stupidement de... »

Elle s'arrêta. Beaumagnan ricanait avec tant de joie et de méchanceté qu'elle avait peur. Très bas, d'un ton d'angoisse, elle reprit :

« Une preuve ?... Donne-moi une seule preuve... Même pas... une indication... quelque chose qui m'oblige à douter... Et je l'abats comme un chien. »

Elle avait tiré de son corsage un petit casse-tête fait d'un manche de baleine et d'une boule de plomb. Son regard se durcit.

Beaumagnan répliqua :

« Je ne t'apporte pas de quoi douter, mais de quoi être sûre.

— Parle... Cite un nom.

— Clarisse d'Étigues », dit-il.

Elle haussa les épaules.

« Je sais... une amourette sans importance.

— Assez importante pour lui, puisqu'il l'a demandée en mariage au père.

— Il l'a demandée ! Mais non, voyons c'est impossible... Je me suis renseignée... Ils se sont rencontrés deux ou trois fois dans la campagne, pas davantage.

— Mieux que cela, dans la chambre de la petite.

— Tu mens ! tu mens ! s'écria-t-elle.

— Dis plutôt que c'est son père qui ment, car la chose m'a été confiée, avant-hier soir, par Godefroy d'Étigues.

— Et de qui la tenait-il ?

— De Clarisse elle-même.

— Mais c'est absurde ! Une fille ne fait pas un tel aveu. »

Beaumagnan plaisanta :

« Il y a des cas où elle est bien obligée de le faire.

— Hein ? Quoi ? Qu'est-ce que tu oses dire ?

— Je dis ce qui est... Ce n'est pas l'amante qui s'est confessée, c'est la mère... la mère qui veut assurer un nom à l'enfant qu'elle porte en elle, la mère qui réclame le mariage. »

Joséphine Balsamo semblait suffoquée, désemparée.

« Le mariage ! Le mariage avec Raoul ! Le baron d'Étigues accepterait ?...

— Dame !

— Mensonges ! s'exclama-t-elle. Commérages de bonne femme ! Ou plutôt non, invention de ta part. Il n'y a pas un mot de vrai dans tout cela. Ils ne se sont jamais revus.

— Ils s'écrivent.

— La preuve, Beaumagnan ! la preuve immédiate !

— Une lettre te suffirait-elle ?

— Une lettre ?

— Écrite par lui à Clarisse.

— Écrite il y a quatre mois ?

— Il y a quatre jours.

— Tu l'as ?

— La voici. »

Raoul, qui écoutait anxieusement, tressaillit. Il reconnaissait l'enveloppe et le papier de la lettre qu'il avait envoyée de Lillebonne à Clarisse d'Étigues.

Josine prit le document et lut tout bas, en articulant chaque syllabe :

« Pardonnez-moi, chère Clarisse. J'ai agi avec vous comme un misérable. Espérons en un avenir meilleur, et pensez à moi avec toute l'indulgence de votre cœur généreux. Encore pardon, Clarisse, et pardon. — *Raoul.* »

Elle eut à peine la force d'achever la lecture de cette lettre qui la reniait et qui la blessait au plus sensible de son amour-propre. Elle chancelait. Ses yeux cherchèrent ceux de Raoul. Il comprit que Clarisse était condamnée à mort, et, au fond de lui, il sut qu'il n'aurait plus que de la haine contre Joséphine Balsamo.

Beaumagnan expliquait :

« C'est Godefroy qui a intercepté cette lettre et qui me l'a remise en me demandant conseil. L'enveloppe étant timbrée de Lillebonne, c'est ainsi que j'ai retrouvé vos traces à tous deux. »

La Cagliostro se taisait. Son visage marquait une souffrance si profonde que l'on eût pu s'en émouvoir, et prendre aussi pitié des larmes lentes qui coulaient sur ses joues, si sa douleur n'avait été visiblement dominée par un âpre souci de vengeance. Elle combinait des plans. Elle établissait des embûches.

Hochant la tête, elle dit à Raoul :

« Je t'avais averti, Raoul.

— Un homme averti en vaut deux, fit-il d'un ton gouailleur.

— Ne plaisante pas ! s'écria-t-elle impatientée. Tu sais ce que je t'ai dit, et qu'il était préférable de ne jamais la mettre en travers de notre amour.

— Et tu sais également ce que je t'ai dit, moi, riposta Raoul, de son même air agaçant. Si jamais tu touches un seul de ses cheveux... »

Elle tressaillit.

« Ah ! comment peux-tu te moquer ainsi de ma souffrance et prendre le parti d'une autre femme contre moi ?... Contre moi ! Ah ! Raoul, tant pis pour elle !

— T'effraie pas, dit-il. Elle est en sûreté, puisque je la protège. »

Beaumagnan les observait, heureux de leur discorde et de toute cette haine qui bouillonnait en eux. Mais Joséphine Balsamo se contint, jugeant sans doute que c'était perdre du temps que de parler d'une vengeance qui viendrait à son heure. Pour le moment d'autres soucis l'occupaient, et elle murmura, avouant sa pensée intime et prêtant l'oreille :

« On a sifflé, n'est-ce pas, Beaumagnan ? C'est un de mes hommes qui surveillent les allées par où l'on peut arriver, qui me prévient... La personne que nous attendons doit être en vue... Car je suppose que, toi aussi, tu es là pour elle ? »

De fait la présence de Beaumagnan et ses desseins secrets n'étaient pas très clairs. Comment avait-il pu savoir le jour et l'heure du rendez-vous ? Quelles données spéciales possédait-il relativement à l'affaire Rousselin ?

Elle jeta un coup d'œil sur Raoul. Celui-là, bien attaché, ne pouvait la gêner dans ses combinaisons et ne participerait pas à la dernière bataille. Mais Beaumagnan paraissait l'inquiéter, et elle l'entraînait vers la porte comme si elle avait voulu aller au-devant de la personne attendue, lorsque, à l'instant même où elle sortait, des pas se firent entendre. Elle revint donc en arrière, avec un geste qui repoussa Beaumagnan et livra passage à Léonard.

Celui-ci examina vivement les deux hommes, puis prit à part la Cagliostro, et lui dit quelques mots à l'oreille.

Elle sembla stupéfaite et marmotta :

« Qu'est-ce que tu dis ?... qu'est-ce que tu dis ?... »

Elle détourna la tête pour qu'on ne pût connaître le sentiment qu'elle éprouvait, mais Raoul eut l'impression d'une grande joie.

« Ne bougeons pas, fit-elle... On vient... Léonard, prends ton revolver. Quand on aura franchi le seuil, ajuste. »

Elle apostropha Beaumagnan qui essayait d'ouvrir la porte.

« Mais vous êtes fou ? Qu'y a-t-il ? Restez donc là. »

Comme Beaumagnan insistait, elle s'irrita.

« Pourquoi voulez-vous sortir ? Quelles raisons ? Vous connaissez donc cette personne, et vous voulez l'empêcher... ou bien l'emmener avec vous ?... Quoi ?... Répondez donc ?... »

Beaumagnan ne lâchait pas la poignée, tandis que Josine essayait de le retenir. Voyant qu'elle n'y parvenait pas, elle se tourna vers Léonard et, de sa main libre, lui montra l'épaule gauche de Beaumagnan avec un geste qui ordonnait à la fois de frapper et de frapper sans brusquerie. En une seconde Léonard tira de sa poche un stylet qu'il enfonça légèrement dans l'épaule de l'adversaire.

Celui-ci grogna : « Ah ! la gueuse... » et s'affaissa sur le dallage.

Elle dit tranquillement à Léonard :

« Aide-moi, et dépêchons-nous. »

À eux deux, coupant la corde trop longue qui attachait Raoul, ils lièrent les bras et les jambes de Beaumagnan. Puis, après l'avoir assis et appuyé contre le mur, elle examina la plaie, la recouvrit d'un mouchoir, et dit :

« Ce n'est rien... à peine deux ou trois heures d'engourdissement... Prenons notre poste. »

Ils se mirent à l'affût.

Tout cela elle l'exécuta sans hâte, la figure paisible, par gestes aussi mesurés que s'ils avaient été réglés d'avance. Quelques syllabes simplement pour donner des ordres. Mais sa voix, même assourdie, prenait un tel accent de triomphe que Raoul concevait une inquiétude croissante, et qu'il fut sur le point de crier et d'avertir celui ou celle qui, à son tour, allait tomber dans le guet-apens.

À quoi bon ? Rien ne pouvait s'opposer aux décisions redoutables de la Cagliostro. D'ailleurs il ne savait plus que faire. Son cerveau s'épuisait en idées absurdes. Et puis... et puis... il était trop tard. Un gémissement lui échappa : Clarisse d'Étigues entrait.

XII

DÉMENCE ET GÉNIE

Jusqu'ici Raoul n'avait ressenti qu'une peur plutôt morale, le danger ne menaçant que lui et la Cagliostro ; pour lui, il se confiait à son adresse et à sa bonne étoile ; pour la Cagliostro, il la savait de taille à se défendre contre Beaumagnan.

Mais Clarisse ! En présence de Joséphine Balsamo, Clarisse était comme une proie livrée aux ruses et à la cruauté de l'ennemi. Et, dès lors, la peur de Raoul se compliqua d'une sorte d'horreur physique qui, *réellement*, dressait ses cheveux sur sa tête et lui donnait ce qu'on appelle vulgairement la chair de poule. La face implacable de Léonard ajoutait à cette épouvante. Il se souvenait de la veuve Rousselin et de ses doigts tuméfiés.

En vérité, il avait vu juste lorsque, une heure plus tôt, venant au rendez-vous, il devinait que la grande bataille se préparait et qu'elle le mettrait aux prises avec Joséphine Balsamo. Jusqu'ici, simples escarmouches, engagements d'avant-garde. Maintenant, c'était la lutte à mort entre toutes les forces qui s'étaient affrontées, et Raoul s'y présentait, lui, les mains liées, la corde au cou, et avec ce surcroît d'affaiblissement que lui causait l'arrivée de Clarisse d'Étigues.

« Allons, se dit-il, j'ai encore beaucoup à apprendre. Cette situation affreuse, j'en suis à peu près responsable, et ma chère Clarisse une fois de plus est ma victime. »

La jeune fille demeurait interdite sous la menace du revolver que Léonard tenait braqué. Elle était venue allégrement, comme on vient, un jour de vacances, à la rencontre de quelqu'un que l'on a plaisir à retrouver, et elle tombait au milieu de cette scène de violence et de crime, tandis que celui qu'elle aimait demeurait en face d'elle, immobile et captif.

Elle balbutia :

« Qu'y a-t-il, Raoul ? Pourquoi êtes-vous attaché ? »

Elle tendait ses mains vers lui, autant pour implorer son aide que pour lui offrir la sienne. Mais que pouvaient-ils l'un et l'autre !

Il remarqua ses traits tirés et l'extrême lassitude de tout son être, et il dut se retenir de pleurer en pensant à la douloureuse confession qu'elle avait faite à son père et aux conséquences de la faute commise. Malgré tout, il lui dit, avec une assurance imperturbable :

« Je n'ai rien à craindre, Clarisse, et vous non plus, absolument rien. Je réponds de tout. »

Elle jeta les yeux sur ceux qui l'entouraient, eut la stupeur de reconnaître Beaumagnan sous le masque qui l'étouffait, et interrogea timidement Léonard :

« Que me voulez-vous ? Tout cela est effrayant... Qui m'a fait venir ici ?

— Moi, mademoiselle », dit Joséphine Balsamo.

La beauté de Josine avait déjà frappé Clarisse. Un peu d'espoir la réconforta, comme s'il ne pouvait lui venir de cette femme admirable que de l'aide et de la protection.

« Qui êtes-vous, madame ? Je ne vous connais pas...

— Je vous connais, moi, affirma Joséphine Balsamo, que la grâce et la douceur de la jeune fille semblaient irriter, mais qui dominait sa colère. Vous êtes la fille du baron d'Étigues... et je sais aussi que vous aimez Raoul d'Andrésy. »

Clarisse rougit et ne protesta pas. Joséphine Balsamo dit à Léonard :

« Va fermer la barrière. Mets-y la chaîne et le cadenas que

tu as apportés, et redresse le vieux poteau tombé, où il y a une pancarte : « Propriété privée. »

— Dois-je rester dehors ? demanda Léonard.

— Oui, je n'ai pas besoin de toi pour l'instant, dit Josine d'un air qui terrifia Raoul. Reste dehors. Il ne faut pas que nous soyons dérangés... À aucun prix, n'est-ce pas ? »

Léonard contraignit Clarisse à s'asseoir sur une des deux chaises, lui ramena les deux bras en arrière et voulut lier les poignets aux barreaux.

« Inutile, dit Joséphine Balsamo, laisse-nous. »

Il obéit.

Tour à tour, elle regarda ses trois victimes, toutes trois désarmées et réduites à l'impuissance. Elle était maîtresse du champ de bataille et, sous peine de mort, pouvait imposer ses arrêts inflexibles.

Raoul ne la quittait pas des yeux, tâchant de discerner son plan et ses intentions. Le calme de Josine l'impressionnait plus que tout. Elle n'avait point cette fièvre et cette agitation qui eussent, pour ainsi dire, désarticulé la conduite de toute autre femme à sa place. Aucune attitude de triomphe. Plutôt même un certain ennui, comme si elle eût agi sous l'impulsion de forces intérieures qu'elle n'était pas maîtresse de discipliner.

Pour la première fois, il devinait en elle cette sorte de fatalisme nonchalant que dissimulait d'ordinaire sa beauté souriante, et qui était peut-être l'essentiel même et l'explication de sa nature énigmatique.

Elle prit place à côté de Clarisse, sur l'autre chaise, et, les yeux fixes, la voix lente, avec de la sécheresse et de la monotonie dans l'accent, elle commença :

« Il y a trois mois, mademoiselle, une jeune femme était enlevée furtivement à sa descente du train, et transportée au château de la Haie d'Étigues, où se trouvaient réunis, dans une grande salle isolée, une dizaine de gentilshommes du pays de Caux, dont Beaumagnan, que vous voyez ici, et votre père. Je ne vous raconterai pas tout ce qui fut dit à cette réunion, et toutes les ignominies que cette femme eut à subir de la part de gens qui se prétendaient ses juges. Toujours est-il que, après un simulacre de débats, le soir, ses invités étant partis, votre père et son cousin Bennetot emmenèrent cette femme au bas des falaises, l'attachèrent au fond d'une barque trouée qu'alourdissait un énorme galet, et la conduisirent au large où ils l'abandonnèrent. »

Clarisse, suffoquée, balbutia :

« Ce n'est pas vrai ! Ce n'est pas vrai !... mon père n'aurait jamais fait cela... ce n'est pas vrai ! »

Sans se soucier de la protestation indignée de Clarisse, Joséphine Balsamo continua :

« Quelqu'un avait assisté, sans qu'aucun des conjurés s'en doutât, à la séance du château, quelqu'un qui épia les deux assassins — il n'y a pas d'autre terme, n'est-ce pas ? — s'accrocha à la barque et sauva la victime dès qu'ils se furent éloignés. D'où venait-il, celui-là ? Tout porte à croire qu'il avait passé la nuit précédente et la matinée dans votre chambre, accueilli par vous non pas comme un fiancé, puisque votre père lui avait refusé ce titre, mais comme un amant. »

Les accusations et les injures heurtaient Clarisse comme des coups de massue. Dès la première minute, elle avait été hors de combat, incapable de résister ni même de se défendre.

Toute pâle, défaillante, elle se courba sur sa chaise, en gémissant :

« Oh ! madame, que dites-vous ?

— Ce que vous avez dit vous-même à votre père, repartit la Cagliostro, les conséquences de votre faute rendant nécessaire l'aveu que vous lui avez fait avant-hier soir. Ai-je besoin de préciser davantage et de vous dire ce qu'il est advenu de votre amant ? Le jour même où il vous déshonorait, Raoul d'Andrésy vous abandonnait pour suivre la femme qu'il avait sauvée de la mort la plus affreuse, se dévouait à elle corps et âme, se faisait aimer d'elle, vivait de sa vie, et lui jurait de ne jamais vous revoir. Le serment fut fait de la façon la plus catégorique : « *Je ne l'aimais pas*, a-t-il dit. *C'était une amourette. C'est fini.* »

« Or, à la suite d'un malentendu passager... qui s'est élevé entre sa maîtresse et lui, cette femme vient de découvrir que Raoul correspondait avec vous et vous écrivait une lettre que voici, où il vous demandait pardon et vous donnait confiance en l'avenir. Comprenez-vous maintenant que j'ai quelque droit de vous traiter en ennemie... et même en ennemie mortelle ? » ajouta sourdement la Cagliostro.

Clarisse se taisait. La peur montait en elle, et elle considérait avec une appréhension croissante le doux et terrifiant visage de celle qui lui avait pris Raoul et qui se proclamait son ennemie.

Frissonnant de pitié, et sans redouter la colère de Joséphine Balsamo, Raoul répéta gravement :

« S'il y a eu de ma part un serment solennel, et que je suis résolu à tenir envers et contre tous, Clarisse, c'est celui par lequel j'ai juré que pas un cheveu de votre tête ne serait touché. Soyez sans crainte. Avant dix minutes, vous sortirez d'ici, saine et sauve. Dix minutes, Clarisse, pas davantage. »

Joséphine Balsamo ne releva pas l'apostrophe. Posément, elle reprit :

« Voilà donc notre situation réciproque bien établie. Passons aux faits, et là, de même je serai très brève. Votre père, mademoiselle, son ami Beaumagnan et leurs complices, poursuivent une entreprise commune, que je poursuis de mon côté, et après laquelle Raoul s'acharne également. D'où, entre nous, une guerre incessante. Or, les uns comme les autres, nous sommes entrés en relation avec une dame Rousselin, laquelle possédait un coffret ancien dont nous avons besoin pour réussir, et dont elle s'était dessaisie en faveur d'une autre personne.

« Nous l'avons interrogée de la manière la plus pressante, sans toutefois obtenir d'elle le nom de cette personne qui, paraît-il, l'avait comblée de bienfaits et qu'elle ne voulait pas compromettre par une indiscrétion. Tout ce qu'il nous fut possible d'apprendre, c'est une vieille histoire que je vais vous résumer, et dont vous suivrez tout l'intérêt à notre point de vue... et au vôtre, mademoiselle. »

Raoul commençait à discerner le chemin suivi par la Cagliostro et le but où elle devait inévitablement aboutir. C'était si effroyable qu'il lui dit avec un accent de colère :

« Non, non, pas cela, n'est-ce pas ? pas cela ! il y a des choses qui doivent rester cachées... »

Elle ne parut pas entendre et continua, inexorable :

« Voici. Il y a vingt-quatre ans, pendant la guerre entre la France et la Prusse, deux hommes qui fuyaient les envahisseurs et qui s'en allaient sous la conduite du sieur Rousselin, tuèrent aux environs de Rouen, pour lui voler son cheval, un domestique du nom de Jaubert. Avec le cheval, ils purent se sauver, emportant en plus un coffret qu'ils avaient dérobé à leur victime et qui contenait les bijoux les plus précieux.

« Plus tard, le sieur Rousselin qu'ils avaient emmené de force, et à qui ils avaient donné pour sa part quelques bagues sans valeur, revint à Rouen près de sa femme et y mourut presque aussitôt tellement ce meurtre et sa complicité involontaire l'avaient déprimé. Or, des relations s'établirent entre la veuve et les assassins, ceux-ci redoutant quelque bavardage et il arriva... Mais je suppose, mademoiselle, que vous comprenez exactement de qui il s'agit, n'est-ce pas ? »

Clarisse écoutait avec un effarement si douloureux que Raoul s'écria :

« Tais-toi, Josine, pas un mot de plus ! C'est l'action la plus vile et la plus absurde. À quoi bon ? »

Elle lui imposa silence.

« À quoi bon ? fit-elle. Parce que toute la vérité doit être dite. Tu nous as jetées, elle et moi, l'une contre l'autre. Qu'il y ait donc égalité entre elle et moi dans la souffrance.

— Ah ! sauvage », murmura-t-il avec désespoir.

Et Joséphine Balsamo se retournant vers Clarisse, précisa :

« Votre père et votre cousin Bennetot suivirent donc de près la veuve Rousselin, et c'est évidemment au baron d'Étigues qu'elle dut son installation à Lillebonne, où il lui fut plus facile de la surveiller. Du reste, avec les années, il se trouva quelqu'un pour accomplir plus ou moins consciemment cette besogne : ce fut vous, mademoiselle. La veuve Rousselin vous prit en affection, à un tel point qu'il n'y avait plus à craindre de sa part le moindre acte d'hostilité. Pour rien au monde, elle n'eût trahi le père de la petite fille qui, de temps à autre, venait jouer chez elle. Visites clandestines évidemment, afin qu'aucun fil ne pût relier le présent au passé, visites qu'on remplaçait même quelquefois par des rendez-vous aux environs, au vieux phare ou ailleurs.

« C'est au cours d'une de ces visites que vous avez aperçu par hasard dans le grenier de Lillebonne le coffret que Raoul et moi nous cherchions, et par fantaisie que vous l'avez emporté chez vous, à la Haie d'Étigues. Aussi, lorsque Raoul et moi nous avons su, de la veuve Rousselin, que le coffret était en possession d'une personne qu'elle ne voulait pas nommer, que cette personne l'avait comblée de bienfaits, et qu'elles se rencontraient toutes deux à date fixe, nous en avons conclu sans hésitation qu'il nous suffisait de venir au vieux phare, à la place de la veuve Rousselin, pour découvrir une partie de la vérité.

« Et, en vous voyant apparaître, nous avons acquis la certitude immédiate que les deux assassins n'étaient autres que Bennetot et le baron d'Étigues, c'est-à-dire les deux hommes qui, depuis, m'ont jetée à la mer. »

Clarisse pleurait, les épaules secouées par ses sanglots. Raoul ne doutait pas que les crimes de son père ne lui fussent inconnus, mais il ne doutait pas non plus que l'accusation de l'ennemie ne lui montrât subitement sous leur véritable jour bien des choses dont elle ne s'était pas rendu compte jusqu'ici et ne l'obligeât aussi à considérer son père comme un assassin. Quel déchirement pour elle ! et comme Joséphine Balsamo avait frappé juste ! Avec quelle science effroyable du mal le bourreau torturait sa victime ! Avec quel raffinement, mille fois plus cruel que les tourments physiques infligés à la veuve Rousselin par Léonard, Joséphine Balsamo se vengeait de l'innocente Clarisse !

« Oui, disait-elle à voix basse, un assassin... Ses richesses, son château, ses chevaux, tout cela provient du crime. N'est-ce pas, Beaumagnan ? Tu pourrais, toi aussi, apporter ton témoignage, toi qui avais justement, et par cela même, pris sur lui une telle influence ? Maître d'un secret que tu avais dérobé, peu importe comment, tu le faisais marcher au doigt et à l'œil, et profitais du premier crime commis et des preuves que tu en avais pour l'obliger à te servir et à tuer encore ceux qui te gênaient, Beaumagnan... j'en sais quelque chose ! Ah ! bandits que vous êtes ! »

Ses yeux cherchaient les yeux de Raoul. Il eut l'impression qu'elle essayait d'excuser ses propres crimes en évoquant ceux de Beaumagnan et de ses complices. Mais il lui dit durement :

« Et après ? Est-ce fini ? Vas-tu t'acharner encore sur cette enfant ? Que veux-tu de plus ?

— Qu'elle parle, déclara Josine.

— Si elle parle, la laisseras-tu libre ?

— Oui.

— Alors, interroge-la. Que demandes-tu ? Le coffret ? La formule inscrite à l'intérieur du couvercle ? Est-ce cela ? »

Mais que Clarisse voulût répondre ou non, qu'elle sût la vérité ou l'ignorât, elle semblait incapable de prononcer une parole et même de comprendre la question posée.

Raoul insista.

« Surmontez votre douleur, Clarisse. C'est la dernière épreuve, et tout sera terminé. Je vous en prie, répondez... Il n'y a là, dans ce qu'on vous demande, rien qui doive blesser votre conscience. Vous n'avez fait aucun serment de discrétion. Vous ne trahissez personne... En ce cas... »

La voix insinuante de Raoul détendait la jeune fille. Il le sentit et interrogea :

« Qu'est devenu ce coffret ? Vous l'avez rapporté à la Haie d'Étigues ?

— Oui, souffla-t-elle, épuisée.

— Pourquoi ?

— Il me plaisait... un caprice...

— Votre père l'a vu ?

— Oui.

— Le jour même ?

— Non, il ne l'a vu que quelques jours plus tard.

— Il vous l'a repris ?

— Oui.

— Sous quel prétexte ?

— Aucun.

— Mais vous aviez eu le temps d'examiner l'objet ?

— Oui.

— Et vous avez vu une inscription à l'intérieur du couvercle, n'est-ce pas ?

— Oui.

— De vieux caractères, n'est-ce pas ? gravés grossièrement ?

— Oui.

— Vous avez pu les déchiffrer ?

— Oui.

— Facilement ?

— Non, mais j'y suis arrivée.

— Et vous vous rappelez cette inscription ?

— Peut-être... je ne sais pas... c'étaient des mots latins...

— Des mots latins ? Cherchez bien...

— Ai-je le droit ?... Si c'est un secret si grave, dois-je le révéler ?... »

Clarisse hésitait.

« Vous le pouvez, Clarisse, je vous l'assure... Vous le pouvez parce que ce secret n'appartient à personne. Nul au monde n'a aucun titre à le connaître plus spécialement que votre père, ou ses amis, ou moi. Il est à celui qui le découvrira, au premier passant venu qui saura en tirer parti. »

Elle céda. Ce que Raoul affirmait devait être juste.

« Oui... oui... sans doute avez-vous raison... Mais, n'est-ce pas ? j'y attachais si peu d'importance, à cette inscription, que je dois rassembler mes souvenirs... et en quelque sorte traduire ce que j'ai lu... Il était question d'une pierre... et d'une reine...

— Il faut vous rappeler, Clarisse, il le faut, supplia Raoul, que l'expression plus sombre de la Cagliostro inquiétait.

Lentement, la figure contractée par l'effort de mémoire qu'elle accomplissait, se reprenant et se contredisant, la jeune fille réussit à prononcer :

« Voilà... je me souviens... voilà exactement la phrase que j'ai déchiffrée... cinq mots latins... dans cet ordre...

« Ad lapidem currebat olim regina... »

C'est tout au plus si elle eut le loisir d'articuler la dernière syllabe. Joséphine Balsamo qui semblait plus agressive et s'était rapprochée de la jeune fille, lui criait :

« Mensonge ! Cette formule, nous la connaissons depuis longtemps ! Beaumagnan peut le certifier. N'est-ce pas, Beaumagnan, nous la connaissons ?... Elle ment, Raoul, elle ment. Ces cinq mots-là, le cardinal de Bonnechose y fait allusion dans son résumé, et il leur accorde si peu d'attention, et leur refuse si nettement le moindre sens que je ne t'en ai même pas parlé !... *Vers la pierre jadis courait la reine.* Mais où se trouve-t-elle, cette pierre et de quelle reine s'agit-il ? Voilà vingt ans qu'on cherche. Non, non, il y a autre chose. »

De nouveau elle était reprise de cette colère terrible qui ne se manifestait ni par éclats de voix ni par mouvements désordonnés, mais par une agitation tout intérieure, que l'on devinait à certains signes, et surtout à la cruauté anormale et inusitée des paroles.

Penchée contre la jeune fille, et la tutoyant, elle scandait :

« Tu mens !... tu mens !... Il y a un mot qui résume ces cinq-là... Lequel ? Il y a une formule... une seule... laquelle ? Réponds. »

Terrorisée, Clarisse se taisait. Raoul implora :

« Réfléchissez, Clarisse... Rappelez-vous... En dehors de ces cinq mots, vous n'avez pas vu ?...

— Je ne sais pas... je ne crois pas... gémit la jeune fille.

— Souvenez-vous... Il faut vous souvenir... Votre salut est à ce prix... »

Mais le ton même que Raoul employait, et son affection frémissante pour Clarisse exaspéraient Joséphine Balsamo.

Elle empoigna le bras de la jeune fille et ordonna :

« Parle, sinon... »

Clarisse balbutia, mais sans répondre. La Cagliostro donna un coup de sifflet strident.

Presque aussitôt Léonard surgit dans l'embrasure de la porte.

Elle commanda entre ses dents, d'une voix dont le timbre ne résonnait pas :

« Emmène-la, Léonard... et commence à l'interroger. »

Raoul bondit dans ses liens.

« Ah ! lâche ! misérable ! cria-t-il. Qu'est-ce qu'on va lui faire ? Mais tu es donc la dernière des femmes ? Léonard, si tu touches à cette enfant, je te jure Dieu qu'un jour ou l'autre...

— Ce que tu as peur pour elle ! ricana Joséphine Balsamo. Hein ! l'idée qu'elle puisse souffrir te bouleverse ! Parbleu ! vous êtes faits pour vous entendre, tous les deux. La fille d'un assassin, et un voleur !

« Hé oui, un voleur, grinça-t-elle, en revenant à Clarisse. Un voleur, ton amant, pas autre chose ! Il n'a jamais vécu que de vols. Tout enfant il volait. Pour te donner des fleurs, pour te donner la petite bague de fiançailles que tu portes au doigt, il a volé. C'est un cambrioleur, un escroc. Tiens, son nom même, son joli nom d'Andrésy, une escroquerie tout simplement. Raoul d'Andrésy ? Allons donc ! Arsène Lupin, le voilà son nom véritable. Retiens-le, Clarisse, il sera célèbre.

« Ah ! c'est que je l'ai vu à l'œuvre, ton amant ! Un maître ! Un prodige d'adresse ! Quel joli couple vous feriez si je n'y mettais bon ordre, et quel enfant prédestiné sera le vôtre, fils d'Arsène Lupin et petit-fils du baron Godefroy. »

Cette idée de l'enfant donna de nouveau un coup de fouet à sa fureur. La folie du mal se déchaînait.

« Léonard...

— Ah ! sauvage, lui jeta Raoul éperdu. Quelle ignominie !... Hein ! tu te démasques, Joséphine Balsamo ? Plus la peine de jouer la comédie, n'est-ce pas ? C'est bien toi, le bourreau ?... »

Mais elle était intraitable, butée dans son désir barbare de faire le mal et de martyriser la jeune fille. Elle-même poussa Clarisse que Léonard entraînait vers la porte.

« Lâche ! monstre ! hurlait Raoul. Un seul de ses cheveux, tu entends... un seul ! et c'est la mort pour vous deux. Ah ! les monstres ! Mais laissez-la donc ! »

Il s'était tendu si violemment contre ses liens que tout le mécanisme imaginé par Beaumagnan pour le retenir se démolit, et que la persienne vermoulue fut arrachée de ses gonds et tomba dans la pièce, derrière lui.

Il y eut un instant d'inquiétude dans le camp adverse. Mais les cordes, quoique relâchées, étaient solides et entravaient suffisamment le captif pour qu'il ne fût pas à craindre. Léonard sortit son revolver et l'appliqua sur la tempe de Clarisse.

« S'il fait un pas de plus, un seul mouvement, tire », commanda la Cagliostro.

Raoul ne bougea pas. Il ne doutait pas que Léonard n'exécutât l'ordre à la seconde même, et que le moindre geste ne fût la condamnation immédiate de Clarisse. Alors ?... Alors devait-il se résigner ? N'y avait-il aucun moyen de la sauver ?

Joséphine Balsamo ne le perdait pas de vue.

« Allons, dit-elle, tu comprends la situation, et te voilà plus sage.

— Non, répondit-il, très maître de lui... non, mais je réfléchis.

— À quoi ?

— Je lui ai promis qu'elle serait libre et qu'elle n'avait rien à redouter. Je veux tenir ma promesse.

— Un peu plus tard, peut-être, dit-elle.

— Non, Josine, tu vas la délivrer. »

Elle se retourna vers son complice.

« Tu es prêt, Léonard ? Va, et que ce soit rapide.

— Arrête, exigea Raoul, d'un ton où il y avait une telle certitude d'être obéi qu'elle eut une hésitation.

— Arrête, répéta-t-il, et délivre-la... Tu entends, Josine, je veux que tu la délivres... Il ne s'agit pas de différer l'ignoble chose qui allait se faire ou d'y renoncer. Il s'agit de délivrer sur-le-champ Clarisse d'Étigues et de lui ouvrir cette porte toute grande. »

Il fallait qu'il fût bien sûr de lui, et que sa volonté fût soutenue par des motifs bien extraordinaires pour qu'il la formulât avec tant d'impérieuse solennité.

Lui-même impressionné, Léonard demeurait indécis ; Clarisse, qui n'avait pas saisi cependant toute l'horreur de la scène, parut réconfortée.

La Cagliostro, interdite, murmura :

« Des mots, n'est-ce pas ? Quelque ruse nouvelle...

— Des faits, affirma t-il... ou plutôt un fait qui domine tout et devant lequel tu t'inclineras.

— Qu'est-ce que cela signifie ? demanda la Cagliostro, de plus en plus troublée. Que désires-tu ?

— Je ne désire pas... J'exige.

— Quoi ?

— La liberté immédiate de Clarisse, la liberté de partir d'ici, sans que Léonard ni toi ne remuez d'un seul pas. »

Elle se mit à rire et demanda :

« Rien que cela ?

— Rien que cela.

— Et en échange, tu m'offres ?...

— Le mot de l'énigme. »

Elle tressaillit.

« Tu le connais donc ?

— Oui. »

Le drame changeait soudain. De tout l'antagonisme furieux qui les jetait les uns contre les autres dans la haine et dans l'exécration de l'amour et de la jalousie il semblait que se dégageât le seul souci de la grande entreprise. L'obsession de la vengeance chez la Cagliostro passait au second plan. Les mille et mille pierres précieuses des moines avaient scintillé devant ses yeux, selon la volonté de Raoul.

Beaumagnan à demi dressé écoutait avidement.

Laissant Clarisse sous la garde de son complice, Josine s'avança et dit :

« Suffit-il de connaître le mot de l'énigme ?

— Non, dit Raoul. Il faut encore l'interpréter. Le sens même de la formule est caché sous un voile dont il faut d'abord s'affranchir.

— Et tu as pu, toi ?...

— Oui, j'avais déjà certaines idées à ce propos. Tout à coup la vérité m'a illuminé. »

Elle savait que Raoul n'était pas homme à plaisanter en pareille occurrence.

« Explique-toi, dit-elle, et Clarisse s'en ira d'ici.

— Qu'elle s'en aille, d'abord, répliqua-t-il, et je m'expliquerai. Je m'expliquerai, bien entendu, non pas la corde au cou et les mains liées, mais librement, sans la moindre entrave.

— C'est absurde. Tu retournes la situation. Je suis maîtresse absolue des événements.

— Plus maintenant, affirma-t-il. Tu dépends de moi. C'est à moi de dicter mes conditions. »

Elle haussa les épaules et, cependant, ne put s'empêcher de dire :

« Jure que tu parles selon l'exacte vérité. Jure-le sur la tombe de ta mère. »

Il prononça posément :

« Sur la tombe de ma mère, je te jure que vingt minutes après que Clarisse aura franchi ce seuil, je t'indiquerai l'endroit précis où se trouve la borne, c'est-à-dire où se trouvent les richesses accumulées par les moines des abbayes de France. »

Elle voulut s'affranchir de la fascination incroyable que Raoul exerçait tout à coup sur elle avec son offre fabuleuse, et, s'insurgeant :

« Non, non, c'est un piège... tu ne sais rien...

— Non seulement je sais, dit-il, mais je ne suis pas seul à savoir.

— Qui encore ?

— Beaumagnan et le baron.

— Impossible !

— Réfléchis. Beaumagnan était avant-hier à la Haie d'Étigues. Pourquoi ? Parce que le baron a recouvré le coffret et qu'ils étudient ensemble l'inscription. Or, s'il n'y a pas que les cinq mots révélés par le cardinal, s'il y a le mot, le mot magique qui les résume et qui donne la clef du mystère, ils l'ont vu, eux, et ils savent.

Que m'importe ! fit-elle, en observant Beaumagnan, je le tiens, lui.

— Mais tu ne tiens pas Godefroy d'Étigues, et peut-être, à l'heure actuelle est-il là-bas, avec son cousin, tous deux envoyés d'avance par Beaumagnan pour explorer les lieux et préparer l'enlèvement du coffre-fort. Comprends-tu le danger ? Comprends-tu qu'une minute perdue, c'est toute la partie que tu perds ? »

Elle s'obstina rageusement.

« Je la gagne si Clarisse parle.

— Elle ne parlera pas pour cette bonne raison qu'elle n'en sait pas davantage.

— Soit, mais alors parle, toi, puisque tu as eu l'imprudence de me faire un tel aveu. Pourquoi la délivrer ? Pourquoi t'obéir ? Tant que Clarisse est entre les mains de Léonard, je n'ai qu'à vouloir pour t'arracher ce que tu sais. »

Il hocha la tête.

« Non, dit-il, le danger est écarté, l'orage est loin. Peut-être, en effet, n'aurais-tu qu'à vouloir, mais justement tu ne peux plus vouloir cela. Tu n'en as plus la force. »

Et c'était vrai, Raoul en avait la conviction. Dure, cruelle, « infernale », comme disait Beaumagnan, mais tout de même femme et sujette à des défaillances nerveuses, la Cagliostro faisait le mal par crise plutôt que par volonté — crise de démence où il y avait de l'hystérie et que suivait une sorte de lassitude, de courbature aussi bien morale que physique. Raoul ne doutait pas qu'elle n'en fût là, en cet instant.

« Allons, Joséphine Balsamo, dit-il, sois logique avec toi-même. Tu as joué ta vie sur cette carte : la conquête de richesses illimitées. Veux-tu renier tous tes efforts au moment où je te les offre, ces richesses ? »

La résistance faiblissait. Joséphine Balsamo objecta :

« Je me défie de toi.

— Ce n'est pas vrai. Tu sais parfaitement que je tiendrai mes promesses. Si tu hésites... Mais tu n'hésites pas. Au fond de toi, ta décision est prise, et c'est la bonne. »

Elle demeura songeuse une ou deux minutes, puis elle eut un geste qui signifiait : « Après tout, je la retrouverai, la petite, et ma vengeance n'est que différée. »

« Sur le souvenir de ta mère, n'est-ce pas ? dit-elle.

— Sur le souvenir de ma mère, sur tout ce qui me reste d'honneur et de propreté, je ferai pour toi toute la lumière.

— Soit, accepta-t-elle. Mais Clarisse et toi, vous n'échangerez pas un seul mot à part.

— Pas un seul mot. D'ailleurs, je n'ai rien de secret à lui dire. Qu'elle soit libre, je n'ai pas d'autre but. »

Elle ordonna :

« Léonard, laisse la petite. Quant à lui, détache-le. »

Léonard eut un air de désapprobation. Mais il était trop asservi pour regimber. Il s'éloigna de Clarisse, puis il acheva de couper les liens qui retenaient encore Raoul.

L'attitude de Raoul ne fut pas du tout conforme à la gravité des circonstances. Il se déraidit les jambes, fit faire deux à trois exercices à ses bras, et respira profondément.

« Ouf ! J'aime mieux ça ! Je n'ai aucune vocation pour jouer les captifs. Délivrer les bons et punir les méchants, voilà ce qui m'intéresse. Tremble, Léonard. »

Il s'approcha de Clarisse et lui dit :

« Je vous demande pardon de tout ce qui vient de se passer. Cela ne se représentera plus jamais, soyez-en sûre. Désormais, vous êtes sous ma protection. Êtes-vous de force à partir ?

— Oui... oui... dit-elle. Mais vous ?

— Oh ! moi, je ne cours aucun risque. L'essentiel, c'est votre salut. Or, j'ai peur que vous ne puissiez pas marcher longtemps.

— Je n'ai pas à marcher longtemps. Hier mon père m'a conduite chez une de mes amies où il doit me reprendre demain.

— Près d'ici ?

— Oui.

— N'en dites pas davantage, Clarisse. Tout renseignement se retournerait contre vous. »

Il la mena jusqu'à la porte et fit signe à Léonard d'aller ouvrir le cadenas de la barrière. Quand Léonard eut obéi, il reprit :

« Soyez prudente et ne craignez rien, absolument rien, ni pour vous ni pour moi. Nous nous retrouverons lorsque l'heure aura sonné, et elle ne tardera pas à sonner, quels que soient les obstacles qui nous séparent. »

Il referma la porte derrière elle. Clarisse était sauvée.

Alors il eut l'aplomb de dire :

« Quelle adorable créature ! »

Par la suite, quand Arsène Lupin racontait cet épisode de sa grande aventure avec Joséphine Balsamo, il ne pouvait s'empêcher de rire :

« Eh ! oui. Je ris comme je riais à ce moment-là, et je me souviens que, pour la première fois, j'exécutai sur place un de ces petits entrechats qui me servirent bien souvent depuis à illustrer mes victoires les plus difficiles... et celle-ci l'était bigrement, difficile.

« En vérité, j'exultais. Clarisse libre, tout me semblait fini. J'allumai une cigarette, et comme Joséphine Balsamo se planta devant moi pour me rappeler notre pacte, j'eus l'incorrection de lui souffler ma fumée en plein visage. « —Voyou ! » mâchonna-t-elle.

« L'épithète que je lui relançai comme une balle fut tout simplement ignoble. Mon excuse, c'est que j'y mis beaucoup plus d'espièglerie que de grossièreté. Et puis... et puis... ai-je besoin d'analyser les sentiments excessifs et contradictoires que m'inspira cette femme ? Je ne me pique pas de faire de la psychologie à son propos, et de m'être conduit comme un gentleman avec elle. Je l'aimais et je la détestais *férocement* à la fois. Mais depuis qu'elle s'était attaquée à Clarisse, mon dégoût et mon mépris n'avaient plus de limites. Je ne voyais même plus le masque admirable de sa beauté, mais ce qui était en dessous, et c'est à la sorte de bête carnassière, qui m'apparut soudain, que je jetai en pirouettant une abominable injure. »

Arsène Lupin pouvait rire, *après*. Tout de même l'instant fut tragique, et il s'en fallut sans doute de peu que la Cagliostro ou Léonard ne l'abattissent d'un coup de feu.

Elle fit entre ses dents :

« Ah ! comme je te hais !

— Pas plus que moi, ricana-t-il.

— Et tu sais que ce n'est pas fini entre Clarisse et Joséphine Balsamo ?

— Pas plus qu'entre Clarisse et Raoul d'Andrésy, dit-il, indomptable.

— Gredin ! murmura-t-elle... tu mériterais...

— Une balle de revolver... Impossible, ma chérie !

— Ne me défie pas trop, Raoul !

— Impossible, te dis-je. Je suis sacré pour toi, actuellement. Je suis le monsieur qui représente un milliard. Supprime-moi, et le milliard passe sous ton joli nez, ô fille de Cagliostro ! C'est dire à quel point tu me respectes ! Chaque cellule de mon cerveau correspond à une pierre précieuse...

« Une petite balle là-dedans, et tu auras beau implorer les mânes de ton père... bernique ! pas un sou pour la Josette ! Je te le répète, ma petite Joséphine, je suis « tabou » comme on dit en Polynésie. Tabou des pieds à la tête ! Mets-toi à genoux et baise-moi la main, c'est ce que tu as de mieux à faire. »

Il ouvrit une fenêtre latérale qui donnait sur le clos et soupira :

« On étouffe ici. Décidément, Léonard sent le renfermé. Tu tiens beaucoup, Joséphine, à ce que ton bourreau garde sa main au fond de sa poche à revolver ? »

Elle frappa du pied.

« Assez de bêtises ! déclara-t-elle. Tu as posé tes conditions, tu connais les miennes.

— La bourse ou la vie.

— Parle, et tout de suite, Raoul.

— Comme tu es pressée ! D'abord, j'ai fixé un délai de vingt minutes pour être bien sûr que Clarisse soit à l'abri de tes griffes, et nous sommes loin des vingt minutes. En outre...

— Quoi encore ?

— En outre comment veux-tu que je déchiffre en cinq sec un problème que l'on s'évertue vainement à résoudre depuis des années et des années ? »

Elle fut abasourdie.

« Que veux-tu dire ?

— Rien que de très simple. Je demande un peu de répit.

— Du répit ? Mais pourquoi ?

— Pour déchiffrer...

— Hein ? Tu ne savais donc pas ?...

— Le mot de l'énigme ? Ma foi, non.

— Ah ! tu as menti !

— Pas de gros mots, Joséphine.

— Tu as menti, puisque tu as juré...

— Sur la tombe de ma pauvre maman oui, et je ne me dérobe pas. Mais il ne faut pas confondre autour avec alentour. Je n'ai pas juré que je savais la vérité. J'ai juré que je te dirais la vérité.

— Pour dire il faut savoir.

— Pour savoir, il faut réfléchir, et tu ne m'en laisses pas le temps ! Sacrebleu ! un peu de silence... et puis, que Léonard lâche la crosse de son revolver : ça me dérange. »

Plus encore que ses plaisanteries, le ton de persiflage et d'insolence avec lequel il les débitait avait quelque chose d'horripilant pour la Cagliostro.

Excédée, sentant la vanité de toute menace, elle lui dit :

« À ton aise ! Je te connais, tu tiendras ton engagement. »

Il s'écria :

« Ah ! si tu me prends par la douceur... je n'ai jamais pu résister à la douceur... Garçon, de quoi écrire ! Du papier de paille fine, une plume de colibri, le sang d'une mûre noire, et, comme écritoire, l'écorce d'un cédrat, ainsi qu'a dit le poète. »

Il tira de son portefeuille un crayon et une carte de visite sur laquelle quelques mots étaient déjà disposés d'une façon spéciale. Il traça quelques barres pour relier ces mots les uns aux autres. Puis, au verso, il inscrivit la formule latine :

Ad lapidem currebat olim regina.

« Quel latin de cuisine ! dit-il à mi-voix. Il me semble qu'à la place des bons moines, j'aurais trouvé mieux, tout en obtenant le même résultat. Enfin, acceptons ce qui est. Donc la reine piquait un galop vers la borne... Regarde ta montre, Joséphine. »

Il ne riait plus. Durant une ou deux minutes peut-être, sa figure fut empreinte de gravité, et ses yeux, comme fixés sur le vide, disaient l'effort de la méditation. Il s'aperçut cependant que Josine l'observait d'un regard où il y avait une admiration et une confiance illimitées, et il lui sourit distraitement sans rompre le fil de ses idées.

« Tu *vois* la vérité, n'est-ce pas ? » dit-elle.

Immobile sous ses liens, le visage tendu par l'anxiété, Beaumagnan écoutait. Est-ce que vraiment le formidable secret allait être divulgué ?

Il se passa encore une ou deux minutes, tout au plus, dans un silence infini.

Joséphine Balsamo prononça :

« Qu'est-ce que tu as, Raoul ? tu sembles tout ému.

— Oui, oui, très ému, dit-il. Toute cette histoire, ces richesses dissimulées dans une borne, en plein champ, cela déjà ne manque pas d'être assez curieux. Mais ce n'est rien, Josine, ce n'est rien à côté de l'idée même qui domine cette histoire. Tu ne peux pas t'imaginer comme c'est étrange... et comme c'est beau !... Quelle poésie et quelle naïveté ! »

Il se tut ; puis, au bout d'un instant, il affirma sentencieusement :

« Josine, les moines du Moyen Âge étaient des gourdes. »

Et, se levant :

« Mon Dieu ! oui, de pieux personnages, mais, je le répète au risque de te blesser dans tes convictions, des gourdes ! Voyons, quoi ! si un grand financier s'avisait de protéger son coffre-fort en écrivant dessus : « Défense d'ouvrir », on le traiterait de gourde, n'est-ce pas ? Eh bien ! le procédé qu'ils ont choisi pour garantir leurs richesses est à peu près aussi ingénu. »

Elle chuchota :

« Non... non... ce n'est pas croyable !... tu n'as pas deviné !... tu te trompes !...

— Des gourdes aussi, tous ceux qui ont cherché depuis et qui n'ont rien trouvé. Des gens aveugles ! Des esprits bornés ! Comment ! toi, Léonard, Godefroy d'Étigues, Beaumagnan, ses amis, toute la Société de Jésus, l'archevêque de Rouen, vous aviez sous les yeux ces cinq mots, et cela n'a pas suffi ! Sapristi ! un enfant de l'école primaire résout des problèmes autrement difficiles. »

Elle objecta :

« D'abord il s'agissait d'un mot et non de cinq.

— Mais il y est, le mot, sacrebleu ! Quand je t'ai dit tout à l'heure que la possession du coffret avait dû révéler ce mot indispensable à Beaumagnan et au baron, c'était pour t'effrayer et pour te faire lâcher prise ! Car ces messieurs n'y ont vu que du feu. Mais le mot indispensable, il y est ! Il est là, mêlé aux cinq mots latins ! Au lieu de pâlir comme vous l'avez tous fait sur cette vague formule, il fallait tout bêtement la lire, assembler les cinq premières lettres, et s'occuper du mot composé par ces cinq initiales. »

Elle dit à voix basse :

« Nous y avons pensé... le mot *Alcor*, n'est-ce pas ?

— Oui, le mot *Alcor.*

— Eh bien ! quoi ?

— Comment quoi ? Mais il contient tout, ce mot ! Sais-tu ce qu'il signifie ?

— C'est un mot arabe qui signifie « épreuve ».

— Et dont les Arabes et dont tous les peuples se servent pour désigner quoi ?

— Une étoile.

— Quelle étoile ?

— Une étoile qui fait partie de la constellation de la Grande Ourse. Mais cela n'a pas d'importance. Quelle relation peut-il y avoir ?... »

Raoul eut un sourire de pitié.

« Évidemment, n'est-ce pas ? le nom d'une étoile ne peut avoir aucun rapport avec l'emplacement d'une borne champêtre. On se tient ce raisonnement stupide, et l'effort s'arrête de ce côté. Malheureuse ! Mais c'est justement cela qui m'a frappé, moi, quand j'ai tiré le mot *Alcor* des cinq initiales de l'inscription latine ! Maître du mot-talisman, du mot magique, et, d'autre part, ayant remarqué que toute l'aventure tournait autour du nombre *sept* (*sept* abbayes, *sept* moines, *sept* branches au chandelier, *sept* pierres de couleur enchâssées dans *sept* bagues) aussitôt, tu entends, aussitôt, par une sorte de mouvement réflexe de mon esprit, j'ai noté que l'étoile *Alcor* appartenait à la constellation de la Grande Ourse. Et le problème était résolu.

— Résolu ?... Comment !

— Mais nom d'un chien ! parce que la constellation de la Grande Ourse est justement formée par *sept* étoiles principales ! Sept ! toujours le nombre sept ! Commences-tu à voir la relation ? Et dois-je te rappeler que si les Arabes ont choisi, et si les astronomes, depuis, ont accepté cette désignation d'*Alcor*, c'est parce que cette toute petite étoile, étant à peine visible, sert comme *épreuve*, tu entends ? comme *épreuve*, pour spécifier que telle personne a bonne vue puisqu'elle peut la distinguer à l'œil nu. *Alcor*, c'est ce qu'il faut voir, ce qu'on cherche, la chose dissimulée, le trésor caché, la borne invisible où l'on glisse les pierres précieuses, c'est le coffre-fort. »

Josine murmura, toute fiévreuse à l'approche de la grande révélation :

« Je ne comprends pas... »

Raoul avait tourné sa chaise de façon à se poster entre Léonard et la fenêtre qu'il avait ouverte avec l'intention bien nette de s'enfuir à la seconde même où il faudrait et, tout en parlant, il surveillait attentivement Léonard qui, lui, gardait sa main obstinément enfouie dans sa poche.

« Tu vas comprendre, dit-il. C'est tellement clair. De l'eau de roche. Regarde. »

Il montra la carte de visite qu'il tenait entre ses doigts.

« Regarde. Elle ne me quitte pas depuis des semaines. Dès le début de nos recherches, j'avais relevé sur un atlas la position exacte des sept abbayes dont j'avais inscrit les sept noms sur cette carte. Les voilà, toutes les sept, aux emplacements qu'elles occupent les unes à l'égard des autres. Or il m'a suffi, tout à l'heure, dès que j'ai connu le mot, de réunir les sept points par des lignes pour aboutir à cette constataion inouïe, Josine, miraculeuse, colossale, et pourtant très naturelle, que *la figure ainsi formée représente exactement la Grande Ourse.* Saisis-tu bien l'étonnante réalité ? Les sept abbayes du pays de Caux, les sept abbayes primordiales où convergeaient les richesses de la France chrétienne, étaient disposées comme les sept étoiles principales de la Grande Ourse ! Aucune erreur à ce propos. Qu'on prenne un atlas et qu'on fasse le décalque : c'est le dessin cabalistique de la Grande Ourse.

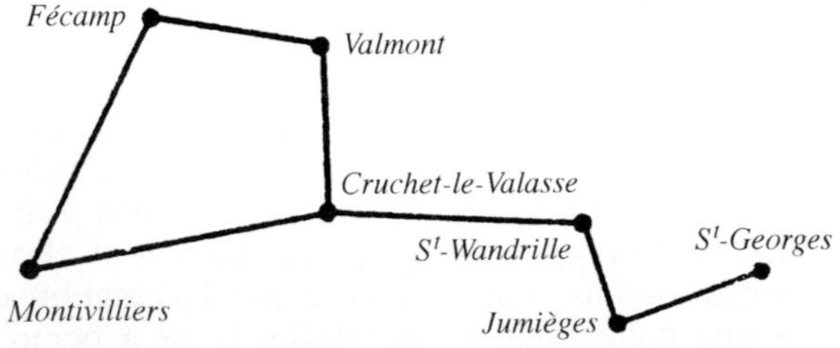

« Dès lors la vérité s'imposait aussitôt. À l'endroit même où Alcor se trouve sur la figure céleste, la borne doit fatalement se trouver sur la ligne terrestre. Et puisque Alcor se trouve, dans le ciel, un peu à droite et au-dessous de l'étoile située au milieu de la queue de la Grande Ourse, la borne doit fatalement se trouver un peu à droite et au-dessous de l'abbaye qui correspond à cette étoile, c'est-à-dire un peu à droite et au-dessous de l'abbaye de Jumièges, jadis la plus puissante et la plus riche des abbayes normandes. C'est inévitable, mathématique. La borne est là et pas ailleurs.

« Et tout de suite, comment ne pas songer : 1° que justement, un peu au sud et un peu à l'est de Jumièges, à une petite lieue de distance, il existe, au hameau de Mesnil-sous-Jumièges, tout près de la Seine, les vestiges du manoir d'Agnès Sorel, maîtresse du roi Charles VII ; 2° que l'abbaye communiquait avec le manoir par un souterrain dont on aperçoit encore l'orifice ? Conclusion : la borne légendaire se trouve près du manoir d'Agnès Sorel, à côté de la Seine, et la légende veut sans doute que la maîtresse du roi, sa *reine* d'amour, courût vers cette borne, dont elle ignorait le précieux contenu, pour s'y asseoir et pour regarder la barque royale glisser sur le vieux fleuve normand. »

« *Ad lapidem currebat olim regina.* »

Un grand silence unissait Raoul d'Andrésy et Joséphine Balsamo. Le voile était levé. La lumière chassait les ténèbres. Entre eux, il semblait que toute haine fût apaisée. Il y avait trêve aux conflits implacables qui les divisaient, et plus rien ne demeurait que l'étonnement de pénétrer ainsi dans les régions interdites du passé mystérieux que le temps et l'espace défendaient contre la curiosité des hommes.

Assis près de Josine, les yeux fixés à l'image qu'il avait dessinée, Raoul continua sourdement, avec une exaltation contenue :

« Oui, très imprudents, ces moines qui confiaient un tel secret à la garde d'un mot si transparent ! Mais quels poètes, ingénus et charmants ! Quelle jolie pensée d'associer à leurs biens terrestres le ciel lui-même ! Grands contemplateurs, grands astronomes comme leurs ancêtres de Chaldée, ils prenaient leurs inspirations là-haut ; le cours des astres réglait leur existence, et c'était aux constellations qu'ils demandaient précisément de veiller à leurs trésors. Qui sait même si le lieu de leurs sept abbayes ne fut pas choisi au préalable pour reproduire sur le sol normand la figure gigantesque de la Grande Ourse ?... Qui sait... »

L'effusion lyrique de Raoul était évidemment fort justifiée, mais il ne put la pousser jusqu'au bout. S'il se défiait de Léonard, il avait oublié Joséphine Balsamo. Brusquement, celle-ci lui frappa le crâne d'un coup de son casse-tête.

C'était bien la dernière chose à laquelle il s'attendait, quoique la Cagliostro fût coutumière de ces sortes d'attaques sournoises. Étourdi, il se plia en deux sur sa chaise, puis tomba à genoux, puis se coucha tout de son long.

Il bégayait, d'une voix incohérente :

« C'est vrai... parbleu !... je n'étais plus « tabou... »

Il dit encore, avec ce ricanement de gamin qu'il tenait sans doute de son père Théophraste Lupin, il dit encore :

« La gredine !... même pas le respect pour le génie !... Ah ! sauvage, t'as donc un caillou en guise de cœur ?... Tant pis pour toi, Joséphine, *nous aurions partagé le trésor.* Je le garderai tout entier. »

Et il perdit connaissance.

XIII

LE COFFRE-FORT DES MOINES

Simple engourdissement, pareil à celui que peut éprouver un boxeur atteint en quelque endroit sensible. Mais lorsque Raoul en sortit, il constata, sans la moindre surprise d'ailleurs, qu'il se trouvait dans la même situation que Beaumagnan, captif comme lui et, comme lui, adossé au bas du mur.

Et il n'eut guère plus de surprise à voir, devant la porte, étendue sur les deux chaises, Joséphine Balsamo, en proie à l'une de ces dépressions nerveuses que provoquaient chez elle les émotions trop violentes et trop prolongées. Le coup dont elle avait frappé Raoul avait déterminé la crise. Son complice Léonard la soignait et lui faisait respirer des sels.

Il avait dû appeler l'un de ses complices, car Raoul vit entrer l'adolescent qu'il connaissait sous le nom de Dominique, et qui gardait la berline devant la maison de Brigitte Rousselin.

« Diable ! dit le nouveau venu, en apercevant les deux captifs, il y a eu du grabuge. Beaumagnan ! d'Andrésy ! la patronne n'y va pas de main morte. Résultat, une syncope, hein ?

— Oui. Mais c'est presque fini.

— Qu'est-ce qu'on va faire ?

— La porter dans la voiture, et je la conduirai à la *Nonchalante.*

— Et moi ?

— Toi, tu vas veiller ces deux-là, dit Léonard en désignant les captifs.

— Bigre ! des clients peu commodes. J'aime pas ça. »

Ils se mirent en devoir de soulever la Cagliostro. Mais, ouvrant les yeux, elle leur dit, d'une voix si basse qu'elle ne pouvait certes pas soupçonner que Raoul eût l'oreille assez fine pour saisir la moindre bribe de l'entretien :

« Non. Je marcherai seule. Tu resteras ici, Léonard. Il est préférable que ce soit toi qui gardes Raoul.

— Laisse-moi donc en finir avec lui ! souffla Léonard, tutoyant la Cagliostro. Il nous portera malheur, ce gamin là.

— Je l'aime.

— Il ne t'aime plus.

— Si. Il me reviendra. Et puis, quoi qu'il en soit, je ne le lâche pas.

— Alors que décides-tu ?

— La *Nonchalante* doit être à Caudebec. Je vais m'y reposer jusqu'aux premières heures du jour. J'en ai besoin.

— Et le trésor ? Il faut du monde pour manœuvrer une pierre de ce calibre.

— Je ferai prévenir ce soir les frères Corbut afin qu'ils me retrouvent demain matin à Jumièges. Ensuite je m'occuperai de Raoul... à moins que... Ah ! ne m'en demande pas plus pour l'instant... Je suis brisée...

— Et Beaumagnan ?

— On le délivrera quand j'aurai le trésor.

— Tu ne crains pas que Clarisse nous dénonce ? La gendarmerie aurait beau jeu de cerner le vieux phare.

— Absurde ! Crois-tu qu'elle va mettre les gendarmes aux trousses de son père et de Raoul ? »

Elle se souleva sur sa chaise et retomba aussitôt, en gémissant. Quelques minutes s'écoulèrent. Enfin, avec des efforts qui semblaient l'épuiser, elle réussit à se tenir debout, et, appuyée sur Dominique, s'approcha de Raoul.

« Il est comme étourdi, murmura-t-elle. Garle-le bien, Léonard, et l'autre aussi. Que l'un d'eux se sauve, et tout est compromis. »

Elle s'en alla lentement. Léonard l'accompagna jusqu'à la vieille berline, et, un peu après, ayant cadenassé la barrière, revint avec un paquet de provisions. Puis on entendit le sabot des chevaux sur la route pierreuse.

Raoul déjà vérifiait la solidité de ses liens, tout en se disant :

« Un peu faiblarde, en effet, la patronne ! 1° raconter, si bas que ce soit, ses petites affaires devant témoins ; 2° confier des gaillards comme Beaumagnan et moi à la surveillance d'un seul homme... voilà des fautes qui prouvent un mauvais état physique. »

Il est vrai que l'expérience de Léonard en pareille matière rendait malaisée toute tentative d'évasion.

« Laisse tes cordes, lui dit Léonard en entrant. Sinon, je cogne... »

Le redoutable geôlier multiplia d'ailleurs les précautions qui devaient lui faciliter sa tâche. Il avait réuni les extrémités des deux cordes qui attachaient les captifs, et les avait enroulées toutes deux au dossier d'une chaise placée par lui en équilibre instable, et sur laquelle il déposa le poignard que lui avait donné Joséphine Balsamo. Que l'un des captifs bougeât et la chaise tombait.

« Tu es moins bête que tu n'en as l'air », lui dit Raoul.

Léonard grogna :

« Un seul mot et je cogne. »

Il se mit à manger et à boire, et Raoul risqua :

« Bon appétit ! S'il en reste, ne m'oublie pas. »

Léonard se leva, les poings tendus.

« Suffit, vieux camarade, promit Raoul. J'ai un bœuf sur la langue. C'est moins nourrissant que ta charcuterie, mais je m'en contenterai. »

Des heures passèrent. L'ombre vint.

Beaumagnan semblait dormir. Léonard fumait des pipes. Raoul monologuait et se gourmandait lui-même d'avoir été si imprudent avec Josine.

« J'aurais dû me défier d'elle... Que de progrès à faire encore ! La Cagliostro est loin de me valoir, mais quelle décision ! Quelle vision claire de la réalité, et quelle absence de scrupules ! Une seule tare, qui empêche le monstre d'être complet : son système nerveux de dégénérée. Et c'est heureux pour moi aujourd'hui puisque cela me permettra d'arriver avant elle au Mesnil-sous-Jumièges. »

Car il ne mettait pas en doute la possibilité d'échapper à Léonard. Il avait remarqué que les liens de ses chevilles se relâchaient sous l'influence de certains mouvements, et, comptant bien libérer sa jambe droite, il imaginait avec satisfaction l'effet d'un bon coup de chaussure sur le menton de Léonard. Dès lors, c'était la course éperdue vers le trésor.

Les ténèbres s'accumulaient dans la salle. Léonard alluma une bougie, fuma une dernière pipe et but un dernier verre de vin. Après quoi, il fut pris d'une somnolence qui lui fit faire quelques saluts de droite et de gauche. Par précaution, il tenait la bougie dans sa main, de sorte que la brûlure de la cire qui coulait le réveillait de temps à autre. Un coup d'œil à ses prisonniers, un autre à la double corde utilisée comme sonnette d'alarme, et il se rendormait.

Raoul continuait insensiblement, et non sans résultat, son petit travail de délivrance. Il devait être environ neuf heures du soir.

« Si je puis partir à onze heures, se disait-il, vers minuit je passe à Lillebonne où je soupe ; vers trois heures du matin je débouche au lieu sacré, et, dès les premières heures de l'aube, je mets dans ma poche le coffre-fort des moines. Oui, dans ma poche ! pas besoin des frères Corbut ni de personne. »

Mais, à dix heures et demie, il en était au même point. Si lâches que fussent les nœuds, ils ne cédaient pas et Raoul commençait à désespérer, lorsque soudain il lui sembla entendre un bruit léger qui différait de tous ces frémissements dont se compose le grand silence nocturne, feuilles qui voltigent, oiseaux qui remuent sur les branches, caprices du vent.

Cela se renouvela deux fois, et il eut la certitude que *cela* entrait par la fenêtre latérale qu'il avait ouverte, et que Léonard avait repoussée avec négligence.

De fait, l'un des battants parut glisser en avant.

Raoul observa Beaumagnan. Il avait entendu et regardait aussi.

En face d'eux, Léonard s'éveilla, les doigts brûlés, reprit son petit manège de surveillance, et s'assoupit de nouveau. Là-bas le bruit, un instant suspendu, recommença, ce qui prouvait bien que chacun des mouvements du geôlier était attentivement suivi.

Quel événement se préparait donc ? La barrière étant close, il fallait qu'on eût franchi le mur que hérissaient des tessons de bouteilles, escalade qui n'était possible que pour un familier des lieux et par quelque brèche dégarnie de tessons. Qui ? un paysan ? un braconnier ? Était-ce du secours ? Un ami de Beaumagnan ? ou quelque rôdeur ?

Une tête surgit, indistincte dans les ténèbres. Le rebord de la fenêtre, peu élevé, fut franchi aisément.

Tout de suite, Raoul discerna une silhouette de femme, et, aussitôt, avant même de voir, il sut que cette femme n'était autre que Clarisse.

Quelle émotion l'envahit ! Joséphine Balsamo s'était donc trompée, en supposant que Clarisse ne pourrait réagir ! Inquiète, retenue par la crainte des dangers qui le menaçaient, surmontant sa lassitude et sa peur, la jeune fille avait dû se poster aux environs du vieux phare et attendre la nuit.

Et maintenant, elle tentait l'impossible pour sauver celui qui l'avait trahie si cruellement.

Elle fit trois pas. Nouveau réveil de Léonard qui, heureusement, lui tournait le dos. Elle s'arrêta, puis reprit sa marche dès qu'il se rendormit. Ainsi parvint-elle à son côté.

Le poignard de Joséphine Balsamo se trouvait sur la chaise. Elle l'y prit. Allait-elle frapper ?

Raoul s'effraya. Le visage de la jeune fille, mieux éclairé, lui semblait contracté par une volonté farouche. Mais, leurs regards s'étant rencontrés, elle subit les ordres silencieux qu'il lui imposait, et elle ne frappa point. Raoul se pencha un peu pour que la corde qui le reliait à la chaise se détendît. Beaumagnan l'imita.

Alors, lentement, sans trembler, soulevant la corde avec une main, elle y entra le fil de la lame.

La chance voulut que l'ennemi ne se réveillât pas. Clarisse l'eût tué infailliblement. Sans le quitter des yeux, obstinée dans sa menace de mort, elle se baissa jusqu'à Raoul, et, à tâtons, chercha ses liens. Les poignets furent délivrés.

Il souffla :

« Donne-moi le couteau. »

Elle obéit. Mais une main fut plus rapide que celle de Raoul. Beaumagnan qui, lui aussi de son côté, patiemment, depuis des heures, avait attaqué ses cordes, saisit l'arme au passage.

Furieux, Raoul lui empoigna le bras. Si Beaumagnan achevait de se délier avant lui et prenait la fuite, Raoul perdait tout espoir de conquérir le trésor. La lutte fut acharnée, lutte *immobile*, où chacun employait toute sa force en se disant qu'au moindre bruit Léonard se réveillerait.

Clarisse, qui tremblait de peur, se mit à genoux, autant pour les supplier tous deux, que pour ne pas tomber à terre.

Mais la blessure de Beaumagnan, si légère qu'elle fût, ne lui permit pas de résister aussi longtemps. Il lâcha prise.

À ce moment, Léonard remua la tête, ouvrit un œil, et regarda le tableau qui s'offrait à lui, les deux hommes à moitié dressés, rapprochés l'un de l'autre et en posture de combat, et Clarisse d'Étigues à genoux.

Cela dura quelques secondes, quelques secondes effroyables, car il n'y avait point de doute que Léonard, voyant cette scène, n'abattît ses ennemis à coups de revolver. Mais il ne la *vit* pas. Son regard, fixé sur eux, ne parvint pas à les *voir*. La paupière se referma sans que la conscience pût s'éveiller.

Alors Raoul coupa ses derniers liens. Debout, le poignard à la main, il était libre. Il chuchota, pendant que Clarisse se relevait :

« Va... Sauve-toi...

— Non », fit-elle, d'un signe de tête.

Et elle lui montra Beaumagnan, comme si elle n'eût pas consenti à laisser derrière elle, exposé à la vengeance de Léonard, cet autre captif.

Raoul insista. Elle fut inébranlable.

De guerre lasse, il tendit le couteau à son adversaire.

« Elle a raison, souffla-t-il... Soyons beau joueur. Tiens, débrouille-toi... Et désormais, chacun son jeu, hein ? »

Il suivit Clarisse. L'un après l'autre, ils enjambèrent la fenêtre. Une fois dans le clos, elle lui prit la main et le conduisit jusqu'au mur, à un endroit où le faîte étant démoli, il y avait une brèche.

Aidée par lui, Clarisse passa.

Mais, quand il eut franchi le mur, il ne vit plus personne.

« Clarisse, appela-t-il, où êtes-vous donc ? »

Une nuit sans étoiles pesait sur les bois. Ayant écouté, il entendit une course légère parmi les fourrés voisins. Il y pénétra, heurta des branches et des ronces qui lui barrèrent la route, et dut revenir au sentier.

« Elle me fuit, pensa-t-il. Prisonnier, elle risque tout pour me délivrer. Libre, elle ne consent plus à me voir. Ma trahison, la monstrueuse Joséphine Balsamo, l'abominable aventure, tout cela lui fait horreur. »

Mais, comme il regagnait son point de départ, quelqu'un dégringola du mur qu'il avait franchi. C'était Beaumagnan qui s'enfuyait à son tour. Et tout de suite des coups de feu jaillirent qui venaient de la même direction. Raoul n'eut que le temps de se mettre à l'abri. Léonard, perché sur la brèche, tirait dans les ténèbres.

Ainsi, à onze heures du soir environ, les trois adversaires s'élançaient en même temps vers la pierre de la Reine, située à onze lieues de distance. Quels étaient leurs moyens individuels d'y parvenir ? Tout dépendait de cela.

D'une part il y avait Beaumagnan et Léonard, tous deux pourvus de complices et à la tête d'organisations puissantes. Que Beaumagnan fût attendu par ses amis, que Léonard pût rejoindre la Cagliostro, et le butin appartenait au plus rapide. Mais Raoul était plus jeune et plus vif. S'il n'avait pas commis la bêtise de laisser sa bicyclette à Lillebonne, toutes les chances étaient pour lui.

Il faut avouer qu'il renonça instantanément à trouver Clarisse et que la recherche du trésor devint son unique souci. En une heure, il franchit les dix kilomètres qui le séparaient de Lillebonne. À minuit, il réveillait le garçon de son hôtel, se restaurait en hâte, et, après avoir pris dans une valise deux petites cartouches de dynamite qu'il s'était procurées quelques jours auparavant, il enfourcha sa machine. Sur le guidon, il avait enroulé un sac de toile destiné à recueillir les pierres précieuses !

Son calcul était celui-ci :

« De Lillebonne au Mesnil-sous-Jumièges, huit lieues et demie... J'y serai donc avant le lever du jour. Aux premières lueurs, je trouve la borne et la fais éclater à la dynamite. Il est possible que la Cagliostro ou Beaumagnan me surprennent au milieu de l'opération. En ce cas partage. Tant pis pour le troisième. »

Ayant dépassé Caudebec-en-Caux, il suivit à pied la levée de terre qui, parmi les prairies et les roseaux, menait à la Seine. De même qu'en cette fin de journée où il avait déclaré son amour à Joséphine Balsamo, la *Nonchalante* était là, silhouette massive dans l'ombre épaisse.

Il vit un peu de lumière à la fenêtre voilée de la cabine que la jeune femme y occupait.

« Elle doit s'habiller, se dit-il. Ses chevaux viendront la chercher... Peut-être Léonard hâtera-t-il l'expédition... Trop tard, madame ! »

Il repartit à toute allure. Mais, une demi-heure après, comme il descendait une côte très dure, il eut l'impression que la roue de sa bicyclette s'empêtrait dans un obstacle, et il fut projeté violemment contre un tas de cailloux.

Aussitôt deux hommes surgirent, une lanterne fut braquée sur le talus derrière lequel il se blottit, et une voix cria :

« C'est lui ! ce ne peut être que lui !... je l'avais bien dit : « Une corde tendue, et nous l'aurons quand il passera. »

C'était Godefroy d'Étigues, et, tout de suite, Bennetot rectifia :

« Nous l'aurons... s'il y consent, le brigand ! »

Comme une bête traquée, Raoul avait piqué une tête dans un buisson de ronces et d'épines où il déchira ses vêtements, et il s'était mis hors de portée. Les autres jurèrent et sacrèrent en vain. Il était introuvable.

« Assez cherché, dit une voix défaillante qui venait de la voiture et qui était celle de Beaumagnan. L'essentiel, c'est de démolir sa machine. Occupe-toi de cela, Godefroy, et filons. Le cheval a suffisamment soufflé.

— Mais vous, Beaumagnan, êtes-vous en état ?...

— En état ou non, il faut arriver... Mais, pour Dieu ! je perds tout mon sang par cette damnée blessure... Le pansement ne tient pas. »

Raoul entendit qu'on cassait les roues de sa bicyclette à coups de talon. Bennetot défit les voiles qui encapuchonnaient les deux lanternes, et le cheval, cinglé d'un coup de fouet, partit au grand trot.

Raoul fila derrière la voiture.

Il enrageait. Pour rien au monde, il n'eût abandonné la lutte. Il ne s'agissait plus seulement de millions et de millions, et d'une chose qui donnerait à toute sa vie un sens magnifique ; il s'obstinait aussi par amour-propre. Ayant déchiffré l'énigme indéchiffrable, il devait arriver le premier au but. N'être pas là, ne pas prendre et laisser prendre, c'eût été, jusqu'au dernier de ses jours, une humiliation intolérable.

Aussi, sans tenir compte de sa fatigue, il courait à cent mètres en arrière de la voiture, encouragé par cette idée que tout le problème n'était pas résolu, que ses adversaires seraient, au même titre que lui, contraints de chercher l'emplacement de cette borne, et que, dans ces investigations, il reprendrait l'avantage.

D'ailleurs, la chance le favorisa. En approchant de Jumièges, il avisa un falot qui se balançait devant lui et perçut le bruit aigre d'une sonnette, et, tandis que les autres avaient passé droit, s'arrêta.

C'était le curé de Jumièges qui, accompagné d'un enfant, s'en revenait d'administrer l'extrême-onction. Raoul fit route avec lui, s'enquit d'une auberge, et, au cours de la conversation, se donnant pour un amateur d'archéologie, parla d'une pierre bizarre qu'on lui avait indiquée.

« Le dolmen de la Reine... quelque chose comme cela... m'a-t-on dit. Il est impossible que vous ne connaissiez pas cette curiosité, monsieur l'abbé ?

— Ma foi, monsieur, lui fut-il répondu, ça m'a tout l'air d'être ce que nous appelons par ici la pierre d'Agnès Sorel.

— Au Mesnil-sous-Jumièges, n'est-ce pas ?

— Justement, à une petite lieue d'ici. Mais ce n'est nullement une curiosité... tout au plus un amas de petites roches engagées dans le sol, et dont la plus haute domine la Seine d'un mètre ou deux.

— Un terrain communal, si je ne me trompe ?

— Il y a quelques années, oui, mais la commune l'a vendu à un de mes paroissiens, le sieur Simon Thuilard, qui voulait arrondir sa prairie. »

Tout frissonnant de joie, Raoul faussa compagnie au brave curé. Il était pourvu de renseignements minutieux qui lui furent d'autant plus utiles qu'il put éviter le gros bourg de Jumièges, et s'engager dans le lacis de chemins sinueux qui conduisent au Mesnil. De la sorte, ses adversaires étaient distancés.

« S'ils n'ont pas la précaution de se munir d'un guide, pas de doute qu'ils ne s'égarent. Impossible de conduire une voiture dans la nuit, au milieu de ce fouillis. Et puis, où se diriger ? Où trouver la pierre ? Beaumagnan est à bout de forces et ce n'est pas Godefroy qui résoudra l'équation. Allons, j'ai gagné la partie. »

De fait, un peu avant trois heures, il passait sous une perche qui fermait la propriété du sieur Simon Thuilard.

La lueur de quelques allumettes lui montra une prairie qu'il traversa en hâte. Une digue qui lui sembla récente longeait le fleuve. Il l'atteignit par l'extrémité droite et revint vers la gauche. Mais, ne voulant pas épuiser sa provision d'allumettes, il ne voyait plus rien.

Une bande plus blanche cependant rayait le ciel à l'horizon.

Il attendit, plein d'un émoi qui le pénétrait de douceur et le faisait sourire. La borne était près de lui, à quelques pas. Durant des siècles, à cette heure de nuit peut-être, des moines étaient venus furtivement vers ce point de la vaste terre, pour y enfouir leurs richesses. Un à un, les prieurs et les trésoriers avaient suivi le souterrain qui conduisait de l'Abbaye au Manoir. D'autres, sans doute, étaient arrivés sur des barques, par le vieux fleuve normand qui passait à Paris, qui passait à Rouen, et qui baignait de ses flots trois ou quatre des sept Abbayes sacrées.

Et voilà que lui, Raoul d'Andrésy, allait participer au grand secret ! Il héritait des mille et mille moines qui avaient travaillé jadis, semé par toute la France, et récolté sans relâche ! Quel miracle ! Réaliser à son âge un pareil rêve ! Être l'égal des plus puissants et régner parmi les dominateurs !

Au ciel pâlissant, la Grande Ourse s'effaçait. On devinait, plutôt qu'on ne voyait, le point lumineux d'Alcor, l'étoile fatidique qui correspondait dans l'immensité de l'espace au petit bloc de granit sur lequel Raoul d'Andrésy allait poser sa main de conquérant. L'eau clapotait contre la berge en vagues paisibles. La surface du fleuve sortait des ténèbres et luisait par plaques sombres.

Il remonta la digue. On commençait à discerner le contour et la couleur des choses. Instant solennel ! Son cœur battait violemment. Et soudain, à trente pas de lui, il aperçut un tertre qui bossuait à peine le plan égal de la prairie, et d'où émergeaient, dans l'herbe qui les recouvrait, quelques têtes de la roche grise.

« C'est là... murmura-t-il, troublé jusqu'au fond de l'âme... c'est là... je touche au but... »

Ses mains palpaient au fond de sa poche les deux cartouches de dynamite, et ses yeux cherchaient éperdument la pierre la plus haute dont le curé de Jumièges lui avait parlé. Était-ce celle-ci ? ou celle-là ? Quelques secondes lui suffiraient pour introduire les cartouches par les fissures que les plantes bouchaient. Trois minutes plus tard, il enfouirait les diamants et les rubis dans le sac qu'il avait détaché de son guidon. S'il en restait des miettes parmi les décombres, tant mieux pour ses ennemis !

Il avançait cependant, pas à pas, et, à mesure qu'il avançait, le même tertre prenait une apparence qui n'était point conforme à ce qu'attendait Raoul. Nulle pierre plus haute... Nul sommet qui pût jadis permettre à celle qu'on appelait la Dame de Beauté de venir s'asseoir et de guetter au tournant du fleuve l'arrivée des barques royales. Rien de saillant. Au contraire... Que s'était-il donc produit ? Quelque crue subite du fleuve, ou quelque orage avait-il récemment modifié ce que les intempéries séculaires avaient respecté ? Ou bien...

En deux bonds, Raoul franchit les dix pas qui le séparaient de la butte.

Un juron lui échappa. L'affreuse vérité s'offrait à ses regards. La partie centrale du monticule était éventrée. La borne, la borne légendaire était bien là, mais disjointe, brisée, morcelée, ses débris rejetés aux pentes d'une fosse béante où se voyaient des cailloux noircis et des mottes d'herbe brûlée qui fumaient encore. Pas une pierre précieuse. Pas une parcelle d'or et d'argent. L'ennemi avait passé...

En face de l'effroyable spectacle, Raoul ne demeura certes pas plus d'une minute. Immobile, sans une parole, il avisa distraitement, et releva machinalement tous les vestiges et toutes les preuves du travail effectué quelques heures auparavant, aperçut des empreintes de talons féminins, mais refusa d'en tirer une conclusion logique. Il s'éloigna de quelques mètres, alluma une cigarette et s'assit au revers de la digue.

Il ne voulait plus penser. La défaite, et surtout la façon dont elle lui avait été infligée, était trop pénible pour qu'il consentît à en étudier les effets et les causes. En ces cas-là, on doit s'exercer à l'indifférence et au sang-froid.

Mais les événements de la veille et de la soirée précédente, malgré tout, s'imposaient à lui. Qu'il le voulût ou non, les actes de Joséphine Balsamo se déroulaient dans son esprit. Il la voyait se raidissant contre le mal et recouvrant toute l'énergie nécessaire en un pareil moment. Se reposer, quand l'heure du destin sonnait ? Allons donc ! Est-ce qu'il s'était reposé, lui ? Et Beaumagnan, si meurtri qu'il fût, s'était-il accordé le moindre répit ? Non, une Joséphine Balsamo ne pouvait commettre une telle faute. Avant que la nuit fût tombée, elle arrivait dans cette même prairie avec ses acolytes, et, en plein jour, puis à la lueur de lanternes, elle dirigeait les travaux.

Et quand, lui, Raoul, il l'avait devinée, derrière les vitres voilées de sa cabine, elle ne se préparait pas à l'expédition suprême, mais elle en revenait, une fois de plus victorieuse, parce qu'elle ne permettait jamais aux petits hasards, aux vaines hésitations et aux scrupules superflus, de faire obstacle entre elle et l'accomplissement immédiat de ses projets.

Plus de vingt minutes, se délassant de sa fatigue au soleil qui surgissait des collines opposées, Raoul examina l'âpre réalité où sombraient ses rêves de domination ; et il fallait qu'il fût bien absorbé pour ne pas entendre le bruit d'une voiture qui s'arrêta dans le chemin, et pour ne voir les trois hommes qui en descendirent, qui soulevèrent la perche et traversèrent la prairie, qu'au moment où l'un d'eux, arrivé devant la butte, poussait un cri de détresse.

C'était Beaumagnan. Ses deux amis, d'Étigues et Bennetot, le soutenaient.

Si la déception de Raoul avait été profonde, quel ne fut pas l'accablement de l'homme qui avait joué toute sa vie sur cette affaire du trésor mystérieux ! Livide, les yeux hagards, du sang sur le linge qui bandait sa blessure, il regardait stupidement comme le plus affreux des spectacles le terrain dévasté où la pierre miraculeuse avait été violée.

On eût dit que le monde s'effondrait devant lui et qu'il contemplait un gouffre plein d'épouvante et d'horreur.

Raoul s'avança et murmura :

« C'est elle. »

Beaumagnan ne répondit pas. Pouvait-on douter que ce fût *elle* ? Est-ce que l'image de cette femme ne se confondait pas avec tout ce qui était ici-bas désastre, bouleversement, cataclysme, souffrance infernale ? Avait-il besoin, comme le firent ses compagnons, de se jeter à terre et de fouiller dans le chaos pour y découvrir une parcelle oubliée du trésor ? Non ! non ! après le passage de la sorcière, il n'y avait plus que poussière et que cendre ! Elle était le grand fléau qui dévaste et qui tue. Elle était l'incarnation même de Satan. Elle était le néant et la mort !

Il se dressa, toujours théâtral et romantique en ses attitudes les plus naturelles, promena autour de lui des yeux douloureux, puis, subitement, ayant fait un signe de croix, il se frappa la poitrine d'un grand coup de poignard, de ce poignard qui appartenait à Joséphine Balsamo.

Le geste fut si brusque et si inattendu que rien n'eût pu le prévenir. Avant même que ses amis et que Raoul eussent compris, Beaumagnan s'écroulait dans la fosse, parmi les débris de ce qui avait été le coffre-fort des moines. Ses amis se précipitèrent sur lui. Il respirait encore, et il balbutia :

« Un prêtre... un prêtre... »

Bennetot s'éloigna en hâte. Des paysans accouraient. Il les interrogea et sauta dans la voiture.

À genoux, près de la fosse, Godefroy d'Étigues priait et se frappait la poitrine... Sans doute Beaumagnan lui avait-il révélé que Joséphine Balsamo vivait encore et connaissait tous ses crimes. Cela, et le suicide de Beaumagnan le rendaient fou. La terreur creusait son visage.

Raoul se pencha sur Beaumagnan et lui dit :

« Je vous jure que je *la* retrouverai. Je vous jure que je *lui* reprendrai les richesses. »

La haine et l'amour persistaient au cœur du moribond. Seules de telles paroles pouvaient prolonger son existence de quelques minutes. À l'heure de l'agonie, dans l'effondrement de tous ses rêves, il se rattachait désespérément à tout ce qui était représailles et vengeance.

Ses yeux appelaient Raoul qui s'inclina davantage et entendit ce bégaiement :

« Clarisse... Clarisse d'Étigues... il faut l'épouser... Écoute... Clarisse n'est pas la fille du baron... Il me l'a avoué... c'est la fille d'un autre qu'elle aimait... »

Raoul prononça gravement :

« Je vous jure de l'épouser... je vous le jure...

— Godefroy... », appela Beaumagnan.

Le baron continuait à prier. Raoul lui frappa l'épaule et le courba au-dessus de Beaumagnan qui bredouilla :

« Clarisse épousera d'Andrésy... je le veux...

— Oui... oui..., fit le baron, incapable de résistance.

— Jure-le.

— Je le jure.

— Sur ton salut éternel ?

— Sur mon salut éternel.

— Tu lui donneras ton argent pour qu'il nous venge... toutes les richesses que tu as volées... Tu le jures ?

— Sur mon salut éternel.

— Il connaît tous tes crimes. Il en a les preuves. Si tu n'obéis pas, il te dénoncera.

— J'obéirai.

— Sois maudit si tu mens. »

La voix de Beaumagnan s'exhalait en souffles rauques où les mots devenaient de plus en plus indistincts. Couché près de lui, Raoul les recueillait avec peine.

« Raoul, tu la poursuivras... il faut *lui* arracher les bijoux... C'est le démon... Écoute... J'ai découvert... au Havre... *elle* a un bateau... *Le Ver-Luisant*... Écoute... »

Il n'avait plus la force de parler. Cependant, Raoul entendit encore :

« Va-t'en... tout de suite... cherche-la... dès aujourd'hui... »

Les yeux se fermèrent.

Le râle commençait.

Godefroy d'Étigues ne cessait de se marteler la poitrine, à genoux au creux de la fosse.

Raoul s'en alla.

Le soir, un journal de Paris publiait en dernière heure :

« M. Beaumagnan, avocat bien connu dans les cercles militants royalistes, et dont on avait déjà, par erreur, annoncé la mort en Espagne, s'est tué ce matin au village normand de Mesnil-sous-Jumièges, sur les bords de la Seine.

« Les raisons de ce suicide sont absolument mystérieuses. Deux de ses amis, MM. Godefroy d'Étigues et Oscar de Bennetot, qui l'accompagnaient, racontent que cette nuit ils couchaient au château de Tancarville où ils étaient invités pour quelques jours, lorsque M. Beaumagnan les réveilla. Il était blessé et dans un état d'agitation extrême. Il exigea de ses amis qu'on attelât et qu'on se rendît aussitôt à Jumièges, et de là au Mesnil-sous-Jumièges. Pourquoi ? Pourquoi cette expédition dans une prairie isolée ? Pourquoi ce suicide ? Autant de questions auxquelles il leur est impossible de rien comprendre. »

Le surlendemain, les journaux du Havre inséraient une série de nouvelles que cet article résume assez fidèlement :

« L'autre nuit, le prince Lavorneff, venu au Havre pour mettre à l'essai un yacht de plaisance qu'il avait récemment acheté, a été le témoin d'un drame terrifiant. Il revenait vers les côtes françaises, lorsque des flammes s'élevèrent, et qu'une explosion se fit entendre à un demi-mille de distance tout au plus. Notons en passant que cette explosion fut entendue de plusieurs endroits de la côte.

« Aussitôt le prince Lavorneff dirigea son yacht vers le lieu du sinistre, où il finit par découvrir quelques épaves qui surnageaient. L'une d'elles portait un matelot que l'on put recueillir. Mais on eut à peine le temps de l'interroger et d'apprendre de lui que le bateau s'appelait *Le Ver-Luisant* et appartenait à la comtesse de Cagliostro. Tout de suite, il plongea de nouveau, en criant : « C'est elle... c'est elle. »

« De fait, à la lueur des lanternes, on aperçut une autre épave à laquelle se cramponnait une femme dont la tête flottait sur l'eau.

« L'homme réussit à la rejoindre et à la soulever, mais elle s'accrocha si désespérément à lui qu'elle paralysa ses mouvements et qu'on les vit disparaître. Toutes les recherches furent inutiles.

« De retour au Havre, le prince Lavorneff a fait sa déposition que confirmèrent les quatre hommes de son équipage... »

Et le journal ajoutait :

« Les derniers renseignements portent à croire que la comtesse de Cagliostro était une aventurière bien connue sous le nom de la Pellegrini, et qui portait aussi à l'occasion le nom de Balsamo. Traquée par la police qui a failli deux ou trois fois la capturer dans des localités du pays de Caux où elle opérait en ces derniers temps, elle aura résolu de passer à l'étranger, et c'est ainsi qu'elle aura péri avec tous ses complices dans le naufrage de son yacht, *Le Ver-Luisant.*

« Nous mentionnerons, en outre, sous toutes réserves, un bruit d'après lequel il y aurait corrélation étroite entre certaines aventures de la comtesse de Cagliostro et le drame mystérieux du Mesnil-sous-Jumièges. On parle de trésor déterré et volé, de conspiration, de documents séculaires.

« Mais ici nous entrons dans le domaine de la fable. Arrêtons-nous et laissons la justice éclaircir cette affaire. »

L'après-midi du jour où ces lignes paraissaient, c'est-à-dire exactement soixante heures après le drame du Mesnil-sous-Jumièges, Raoul entrait dans le bureau du baron Godefroy, à la Haie d'Étigues, dans ce même bureau où, quatre mois auparavant, une nuit, il avait pénétré. Que de chemin parcouru depuis et de combien d'années l'adolescent qu'il était alors avait vieilli !

Devant un guéridon, les deux cousins fumaient et buvaient de grands verres de cognac.

Sans préambule, Raoul expliqua :

« Je viens réclamer la main de Mlle d'Étigues et je suppose... »

Il n'était guère en tenue pour une demande en mariage. Pas de chapeau ni de casquette. Sur le dos, une vieille vareuse de matelot. Aux jambes un pantalon trop court qui laissait voir ses pieds nus dans des espadrilles sans rubans.

Mais la tenue de Raoul pas plus que l'objet de sa démarche n'intéressaient Godefroy d'Étigues. Les yeux caves, le visage encore plus tourmenté, il allongea vers Raoul un paquet de journaux en gémissant :

« Vous avez lu ? La Cagliostro ?

— Oui, je sais... », dit Raoul.

Il exécrait cet homme, et il ne put s'empêcher de lui dire :

« Tant mieux pour vous, hein ? La mort *définitive* de Joséphine Balsamo, c'est une chose qui doit vous délivrer d'un rude poids !

— Mais la suite ?... les conséquences ? balbutia le baron.

— Quelles conséquences ?

— La justice ? Elle essaiera de débrouiller l'affaire. Déjà, à propos du suicide de Beaumagnan, on parla de la Cagliostro. Si la justice renoue tous les fils de l'affaire, elle ira plus loin, jusqu'au bout.

— Oui, plaisanta Raoul, jusqu'à la veuve Rousselin, jusqu'à l'assassinat du sieur Jaubert, c'est-à-dire jusqu'à vous et jusqu'au cousin Bennetot. »

Les deux hommes frissonnèrent. Raoul les apaisa :

« Soyez tranquilles, tous les deux. La justice n'éclaircira pas toutes ces sombres histoires, pour cette bonne raison qu'elle tâchera, au contraire, de les enterrer. Beaumagnan était protégé par des puissances qui n'aiment ni le scandale ni le grand jour. L'affaire sera étouffée. Ce qui m'inquiète beaucoup plus, ce n'est pas l'œuvre de la justice...

— Quoi ? fit le baron.

— C'est la vengeance de Joséphine Balsamo.

— Puisqu'elle est morte...

— Même morte, elle est à redouter. Et c'est pourquoi je suis venu. Il y a, au fond du verger, un petit pavillon de garde inhabité. Je m'y installe... jusqu'au mariage. Avertissez Clarisse de ma présence et dites-lui de ne recevoir personne... pas même moi. Elle voudra bien cependant accepter ce cadeau de fiançailles que je vous prie de lui offrir de ma part. »

Et Raoul tendit au baron stupéfait un énorme saphir, d'une pureté incomparable et taillé comme on taillait jadis les pierres précieuses...

XIV

L'INFERNALE CRÉATURE

« Qu'on jette l'ancre, chuchota Joséphine Balsamo, et qu'on amène la barque par ici. »

Il traînait sur la mer une brume lourde qui, s'ajoutant à l'obscurité de la nuit, empêchait qu'on discernât même les lumières d'Étretat. Le phare d'Antifer ne trouait d'aucune lueur le nuage impénétrable où le yacht du prince Lavorneff naviguait à tâtons.

« Qu'est-ce qui te prouve qu'on est en vue des côtes ? objecta Léonard.

— Mon désir qu'on y soit », prononça la Cagliostro.

Il s'irrita.

« C'est de la folie, cette expédition, de la pure folie ! Comment ! Voilà quinze jours que nous avons réussi et que, grâce à toi, je le reconnais, nous avons remporté la victoire la plus extraordinaire. Toute la masse des pierres précieuses est enfermée dans un coffre, à Londres. Tout danger a disparu. Cagliostro, Pelligrini, Balsamo, marquise de Belmonte, tout cela est au fond de l'eau par suite de ce naufrage du *Ver-Luisant* que tu as eu l'idée admirable d'organiser, et auquel tu as présidé avec tant d'énergie. Vingt témoins ont vu de la côte l'explosion. Pour tout le monde, tu es morte, cent fois morte, et moi aussi, et tous tes complices. Si l'on arrivait à mettre debout l'histoire du trésor des moines, on arriverait par là même à constater qu'il a coulé au fond de l'eau avec *Le Ver-Luisant,* à un endroit impossible à définir, à déterminer exactement, et que les pierres se sont répandues dans la mer. Et de ce naufrage et de cette mort, crois bien que la justice est enchantée, et qu'elle n'y regardera pas de trop près, tellement on la presse, en haut lieu, d'étouffer l'affaire Beaumagnan-Cagliostro.

« Donc, tout va bien. Tu es maîtresse des événements et victorieuse de tous tes ennemis. Et c'est le moment où la prudence la plus élémentaire nous ordonne de quitter la France et de filer aussi loin que possible de l'Europe, c'est ce moment-là que tu choisis pour revenir au lieu même qui t'a porté malheur, et pour affronter le seul adversaire qui te reste. Et quel adversaire, Josine ! Une sorte de génie si exceptionnel que, sans lui, tu n'aurais jamais découvert le trésor. Avoue que c'est de la folie. »

Elle murmura :

« L'amour est une folie.

— Alors, renonce.

— Je ne peux pas, je ne peux pas. Je l'aime. »

Elle avait appuyé ses coudes sur le bastingage et, la tête entre ses mains, elle chuchotait avec désespoir :

« J'aime... c'est la première fois... Les autres hommes, ça ne compte pas... Tandis que Raoul... Ah ! je ne veux pas parler de lui... C'est par lui que j'ai connu la seule joie de ma vie... mais aussi ma plus grande peine... Avant lui, j'ignorais le bonheur... mais aussi la douleur... et puis... et puis le bonheur est fini... et il n'y a plus que ma souffrance... Elle est horrible, Léonard... L'idée qu'il va se marier... qu'une autre vivra de sa vie... et qu'un enfant va naître de leur amour... non, c'est au-dessus de mes forces. Tout plutôt que cela !... J'aime mieux tout risquer, Léonard. J'aime mieux mourir. »

Il dit à voix basse :

« Ma pauvre Josine... »

Ils se turent assez longtemps, elle, toujours courbée et défaillante.

Puis, comme la barque approchait, elle se redressa et, tout à coup impérieuse et dure :

« Mais je ne risque rien, Léonard... pas plus de mourir que d'échouer.

— Enfin quoi ! Que veux-tu faire ?

— L'enlever.

— Oh ! oh ! tu espères...

— Tout est prêt. Les moindres détails sont réglés.

— Comment ?

— Par l'intermédiaire de Dominique.

— Dominique ?

— Oui, dès le premier jour, avant même que Raoul arrivât à la Haie d'Étigues, Dominique s'y faisait engager comme palefrenier.

— Mais Raoul le connaît...

— Raoul l'a peut-être aperçu une fois ou deux, mais tu sais à quel point Dominique est habile pour se grimer. Il est absolument impossible qu'on le distingue parmi tout le personnel du château et des écuries. Donc, Dominique m'a tenue au courant jour par jour et s'est conformé à mes instructions. Je sais les heures où Raoul se lève et se couche, comment il vit, et tout ce qu'il fait. Je sais qu'il n'a pas encore revu Clarisse, mais qu'on est en train de réunir les papiers nécessaires au mariage.

— Se défie-t-il ?

— De moi, non. Dominique a entendu les bribes d'une conversation que Raoul a eue avec Godefroy d'Étigues le jour où il s'est présenté au château. Ma mort ne faisait pas de doute pour eux. Mais Raoul n'en voulait pas moins que l'on prît contre moi, morte, toutes les précautions possibles. Donc, il observe, il guette, il monte la garde autour du château, il interroge les paysans.

— Et Dominique te laisse quand même venir ?

— Oui, mais durant une heure seulement. Un coup de main hardi, rapide, la nuit, et aussitôt la fuite.

— Et c'est ce soir ?

— Ce soir de dix à onze. Raoul occupe un pavillon de garde, isolé, non loin de la vieille tour où Beaumagnan m'avait fait conduire. Ce pavillon, à cheval sur le mur d'enceinte, n'a du côté de la campagne qu'une fenêtre au rez-de-chaussée, et pas de porte. Pour y pénétrer, si les volets sont clos, il faut franchir le grand portail du verger et rejoindre la façade intérieure. Les deux clefs seront, ce soir, sous une grosse pierre, près du portail. Raoul étant couché, on le roulera dans son matelas et dans ses couvertures qui sont larges, et on l'emportera jusqu'ici. À l'instant même, départ.

— C'est tout ? »

Joséphine Balsamo hésita, puis répondit nettement :

« C'est tout.

— Mais Dominique ?

— Il partira avec nous.

— Tu ne lui as pas donné d'ordre spécial ?

— À quel propos ?

— À propos de Clarisse ? Tu la hais, cette petite. Alors, je crains bien que tu n'aies chargé Dominique de quelque besogne... »

Josine hésita de nouveau avant de répondre :

« Cela ne te regarde pas.

— Cependant... »

La barque glissait au flanc du bateau. Josine déclara, d'un ton de plaisanterie :

« Écoute, Léonard, depuis que je t'ai créé prince Lavorneff et doté d'un yacht splendidement aménagé, tu deviens tout à fait indiscret. Ne sortons pas de nos conventions, veux-tu ? Moi, je commande, et, toi, tu obéis. Tout au plus as-tu droit à quelques explications. Je te les ai données. Fais comme si elles te suffisaient.

— Elles me suffisent, dit Léonard, et je reconnais que ton affaire est fort bien combinée.

— Tant mieux. Descendons. »

Elle descendit la première dans la barque et s'installa.

Léonard et quatre de leurs complices l'accompagnèrent. Deux d'entre eux saisirent les rames, tandis qu'elle se mettait à l'arrière et donnait ses ordres, aussi bas que possible.

« Nous doublons la porte d'Amont », dit-elle au bout d'un quart d'heure, bien que ses acolytes eussent l'impression d'avancer comme des aveugles.

Elle signalait à temps les roches à flour d'eau et redressait la direction d'après des points de repère invisibles pour les autres. Seul le grincement des galets sous la quille les avertit qu'on abordait.

Ils la prirent dans leurs bras et la portèrent jusqu'au rivage où ils tirèrent ensuite l'embarcation.

« Tu es bien certaine, souffla Léonard, que nous ne rencontrerons pas de douaniers ?

— Certes. Le dernier télégramme de Dominique est catégorique.

— Il ne vient pas au-devant de nous ?

— Non. Je lui ai écrit de rester au château, parmi les gens du baron. À onze heures, il nous rejoindra.

— Où ?

— Près du pavillon de Raoul. Assez parlé. »

Tous ils s'engouffrèrent dans l'Escalier du Curé et montèrent silencieusement.

Bien qu'ils fussent au nombre de six, nul bruit, depuis la première minute jusqu'à la dernière, n'eût signalé leur ascension à l'oreille la plus attentive.

En haut la brume flottait plus légère, et se déplaçait avec des intervalles et des déchirures qui permettaient de voir le scintillement de quelques étoiles. Ainsi la Cagliostro put-elle désigner le château d'Étigues dont brillaient les fenêtres de la façade. L'église de Bénouville sonna dix heures.

Josine frissonna.

« Oh ! le tintement de cette cloche !... Je le reconnais... Dix coups comme l'autre fois... Dix coups ! Un par un, je les comptais en allant vers la mort.

— Tu t'es bien vengée, fit Léonard.
— De Beaumagnan, oui, mais des autres ?...
— Des autres aussi. Les deux cousins sont à moitié fous.
— C'est vrai, dit-elle. Mais je ne me sentirai tout à fait vengée que dans une heure. Alors, ce sera le repos. »

Ils attendirent un retour du brouillard afin qu'aucune de leurs silhouettes ne se détachât sur la plaine nue qu'il leur fallait traverser. Puis Joséphine Balsamo s'engagea dans le sentier où l'avaient menée Godefroy et ses amis, et les autres la suivirent en file indienne, sans prononcer une seule parole. Les moissons avaient été coupées. De grosses meules arrondissaient le dos çà et là.

Au voisinage du domaine, le sentier se creusait, bordé de ronces entre lesquelles ils marchèrent avec des précautions croissantes.

La haute silhouette des murs se dressa. Quelques pas encore et le pavillon de garde, qui s'y trouvait encastré, apparut sur la droite.

D'un geste, la Cagliostro barra le chemin.

« Attendez-moi.
— Je te suis ? demanda Léonard.
— Non. Je reviens vous chercher et nous entrerons ensemble par le portail du verger qui est à l'opposé sur la gauche. »

Elle s'avança donc seule, en posant chacun de ses pieds si lentement que nulle pierre ne pouvait rouler sous ses bottines, et nulle plante se froisser au contact de sa jupe. La pavillon grandissait. Elle y parvint.

Elle toucha de la main les volets clos. La fermeture ne tenait pas, truquée par Dominique. Joséphine Balsamo écarta les battants de façon qu'une fissure se produisît. Un peu de clarté filtra.

Elle colla son front et vit l'intérieur d'une chambre avec une alcôve qu'un lit remplissait.

Raoul y était couché. Une lampe à toupie de cristal, surmontée d'un abat-jour de carton, couvrait d'un disque éclatant son visage, ses épaules, le livre qu'il lisait, et ses vêtements pliés sur une chaise voisine. Il avait un air extrêmement jeune, un air d'enfant qui apprend un devoir avec attention, mais qui lutte contre le sommeil. Plusieurs fois, sa tête pencha. Il se réveillait, se forçait à lire et, de nouveau, s'endormait.

À la fin, fermant son livre, il éteignit la lampe.

Ayant vu ce qu'elle voulait voir, Joséphine Balsamo quitta

son poste et retourna près de ses complices. Elle leur avait déjà donné ses instructions, mais, par prudence, elle recommença et, durant dix minutes, insista :

« Surtout, pas de brutalité inutile. Tu entends, Léonard ?... Comme il n'a rien à sa portée pour se défendre, vous n'aurez pas besoin de vous servir de vos armes. Vous êtes cinq, cela suffit.

— S'il résiste ? fit Léonard.

— C'est à vous d'agir de telle manière qu'il ne puisse pas résister. »

Elle connaissait si bien les lieux par les croquis que lui avait envoyés Dominique qu'elle marcha sans hésitation jusqu'à l'entrée principale du verger. Les clefs se trouvèrent à l'endroit convenu. Elle ouvrit et se dirigea vers la façade intérieure du pavillon.

La porte fut ouverte aisément. Elle entra, suivie de ses complices. Un vestibule dallé les conduisit au seuil de la chambre à coucher, dont elle poussa la porte avec une lenteur infinie.

C'était le moment décisif. Si l'attention de Raoul n'avait pas été mise en éveil, s'il dormait encore, le plan de Joséphine Balsamo se trouvait réalisé. Elle écouta. Rien ne bougeait.

Alors elle s'effaça pour livrer passage aux cinq hommes, et, d'un coup, lâcha sa meute, en lançant sur le lit le jet d'une lampe de poche.

L'assaut fut si rapide que le dormeur ne dut se réveiller que lorsque toute résistance était vaine.

Les hommes l'avaient roulé dans ses couvertures et rabattaient sur lui les deux côtés du matelas, formant comme un long paquet de linge qu'ils ficelèrent en un tournemain. La scène ne dura certes pas une minute. Il n'y eut pas un cri. Aucun meuble n'avait été dérangé.

Une fois de plus la Cagliostro triomphait.

« Bien, dit-elle, avec un émoi qui décelait l'importance qu'elle attachait à ce triomphe... Bien... Nous le tenons... et cette fois toutes les précautions seront prises.

— Que devrons-nous faire ? demanda Léonard.

— Qu'on le porte sur le bateau.

— S'il appelle au secours ?

— Un bâillon. Mais il se taira... Allez. »

Léonard s'approcha d'elle, tandis que ses acolytes chargeaient le captif.

« Tu ne viens donc pas avec nous ?

— Non.

— Pourquoi ?

— Je te l'ai dit, j'attends Dominique. »

Elle ralluma la lampe et enleva l'abat-jour.

« Comme tu es pâle ! lui dit Léonard à voix basse.

— Peut-être, fit-elle.

— C'est à cause de la petite, n'est-ce pas ?

— Oui.

— Dominique agit en ce moment ? Qui sait ! il serait encore temps d'empêcher...

— Même s'il en était encore temps, dit-elle, ma volonté ne changerait pas. Ce qui doit être sera. D'ailleurs, c'est chose faite. Va-t'en.

— Pourquoi nous en aller avant toi ?

— Le seul péril vient de Raoul. Une fois Raoul en sûreté, dans le bateau, plus rien à craindre. File, et laisse-moi. »

Elle leur ouvrit la fenêtre, qu'ils enjambèrent et par laquelle ils passèrent le prisonnier.

Elle attira les volets, puis ferma la fenêtre.

Après un instant, l'église sonna. Elle compta les onze coups. Au onzième, elle gagna l'autre façade sur le verger, et prêta l'oreille. Il y eut un léger sifflement, à quoi elle répondit en tapant du pied sur la dalle du vestibule.

Dominique accourut. Ils rentrèrent dans la chambre, et, tout de suite, avant même qu'elle eût posé la question redoutable, il murmura :

« C'est fait.

— Ah ! » dit-elle faiblement, si troublée qu'elle chancela et s'assit.

Ils se turent longtemps. Dominique reprit :

« Elle n'a pas souffert.

— Elle n'a pas souffert ? répéta-t-elle.

— Non, elle dormait.

— Et tu es bien sûr ?...

— Qu'elle est morte ? Parbleu ! J'ai frappé au cœur, à trois reprises. Ensuite j'ai eu le courage de rester... pour voir... Mais ce n'était pas la peine... elle ne respirait plus... les mains devenaient toutes froides.

— Et si on s'en aperçoit ?

— Pas possible. On n'entre dans sa chambre qu'au matin. Alors, seulement... on verra. »

Ils n'osaient pas se regarder. Dominique tendit la main. De son corsage, elle sortit dix billets de banque qu'elle lui remit.

« Merci, dit-il. Mais ce serait à recommencer que je refuserais. Que dois-je faire ?

— T'en aller. En courant, tu rattraperas les autres avant qu'ils aient rejoint la barque.

— Ils sont avec Raoul d'Andrésy ?

— Oui.

— Tant mieux, il m'en a donné du mal, celui-là, depuis quinze jours ! Il se défiait. Ah !... un mot encore... les pierres précieuses ?

— On les a.

— Plus de danger ?

— Elles sont dans le coffre d'une banque, à Londres.

— Il y en a beaucoup ?

— Une valise pleine.

— Bigre ! Plus de cent mille francs pour moi, hein ?

— Davantage. Mais dépêche-toi... À moins que tu n'aimes mieux attendre...

— Non, non, dit-il vivement. J'ai hâte d'être loin... le plus loin possible... Mais vous ?...

— Je cherche s'il n'y a pas ici des papiers dangereux pour nous et je vous rejoins. »

Il s'en alla. Aussitôt elle fouilla dans les tiroirs de la table et d'un petit secrétaire et, ne trouvant rien, explora les poches des vêtements pliés au chevet du lit.

Le portefeuille surtout attira son attention. Il contenait de l'argent, des cartes de visite, et une photographie.

C'était celle de Clarisse d'Étigues.

Joséphine Balsamo la contempla longuement, avec une expression où il n'y avait pas de haine, mais qui était dure et qui ne pardonnait pas.

Ensuite, elle demeura immobile, en une de ces attitudes absorbées, où ses yeux se fixaient sur on ne sait quel spectacle douloureux, tandis que les lèvres conservaient leur doux sourire.

Il y avait une glace en face d'elle où son image se reflétait. Elle s'y regarda en posant ses deux coudes sur le marbre de la cheminée. Son sourire s'accentua, comme si elle eût eu conscience de sa beauté et s'en fût réjouie. Elle portait un capuchon de bure marron qu'elle rabattit sur ses épaules et elle avança sur son front le voile impalpable qui ne quittait jamais ses cheveux, et qu'elle arrangeait comme la Vierge de Bernardino Luini.

Elle se regarda ainsi, durant quelques minutes. Puis elle retomba dans sa rêverie. Et le quart après onze heures sonna. Elle ne remuait plus. On eût dit qu'elle dormait, qu'elle dormait avec des yeux grands ouverts et immobiles.

À la longue, cependant, ils prirent, ces yeux, une expression moins vague, qui se fixait peu à peu. Il en est de même dans certains songes où toutes les idées, tumultueuses et incohérentes, se transforment en une idée de plus en plus précise, en une image de plus en plus exacte. Quelle était cette image déconcertante qu'il lui semblait apercevoir, et à laquelle vainement elle essayait de s'habituer ? Cela provenait de l'alcôve où s'enfermait le lit, et que les rideaux d'étoffe garnissaient tout autour. Or, derrière ces rideaux, il devait y avoir un espace libre, un couloir de dégagement, car on eût vraiment dit qu'une main les agitait.

Et cette main prenait des contours de plus en plus réels. Un bras la suivit, et, au-dessus de ce bras, bientôt surgit une tête.

Joséphine Balsamo, accoutumée aux séances spirites où l'ombre dessine des fantômes, donna un nom à celui que son imagination terrifiée faisait sortir des ténèbres. Celui-là était vêtu de blanc, et elle ne savait si la contraction de sa bouche était un sourire affectueux ou un rictus de colère.

Elle balbutia :

« Raoul... Raoul... Que me veux-tu ? »

Le fantôme écarta l'un des rideaux et longea le lit.

Josine baissa les paupières en gémissant, puis les releva aussitôt. L'hallucination continuait, et l'être s'approchait avec des mouvements qui dérangeaient les choses et qui troublaient le silence. Elle voulut fuir. Mais tout de suite elle sentit sur son épaule l'étreinte d'une main qui n'était certes pas celle d'un fantôme. Et une voix joyeuse s'exclama :

« Dis donc, ma bonne Joséphine, si j'ai un conseil à te donner, c'est de demander au prince Lavorneff de t'offrir une petite croisière de repos. Tu en as besoin, ma bonne Joséphine. Comment ! Tu me prends pour un fantôme, moi, Raoul d'Andrésy ! J'ai beau être en chemise de nuit et en caleçon, je ne suis cependant pas un inconnu pour toi. »

Tandis qu'il enfilait son costume et qu'il renouait sa cravate, elle répétait :

« Toi ! Toi !...

— Mon Dieu, oui, moi ! »

Et, s'asseyant à ses côtés, vivement il lui dit :

« Surtout, chère amie, ne gronde pas le prince Lavorneff, et ne crois pas qu'il m'ait laissé échapper une fois encore. Mais non, mais non, ce qu'ils ont emporté, ses amis et lui, c'est tout simplement un matelas et un mannequin de son, le tout roulé dans des couvertures. Quant à moi, je n'ai pas quitté cette ruelle où je m'étais réfugié, dès que tu avais abandonné ton poste derrière les volets. »

Joséphine Balsamo demeurait inerte et aussi incapable de faire un geste que si on l'avait rouée de coups.

« Fichtre ! dit-il, tu n'es pas dans ton assiette. Veux-tu un petit verre de liqueur pour te remonter ? Je t'avoue d'ailleurs, Joséphine, que je comprends ton effondrement et je ne voudrais pas être à ta place. Tous les petits camarades partis... pas de secours possible avant une heure... et en face de toi, dans une chambre close, le dénommé Raoul. Il y a de quoi voir les choses en noir ! Infortunée Joséphine... Quelle culbute ! »

Il se baissa et ramassa la photographie de Clarisse.

« Comme elle est jolie, ma fiancée, n'est-ce pas ? J'ai remarqué avec plaisir que tu l'admirais tout à l'heure. Tu sais qu'on se marie dans quelques jours ?

La Cagliostro murmura :

« Elle est morte.

— En effet, dit-il, j'ai entendu parler de cela. Le petit jeune homme de tout à l'heure l'a frappée dans son lit, n'est-ce pas ?

— Oui.

— Un coup de poignard ?

— Trois coups de poignard, en plein cœur, dit-elle.

— Oh ! un seul suffisait », observa Raoul.

Elle répéta lentement, comme en elle-même :

« Elle est morte, elle est morte. »

Il ricana.

« Que veux-tu ? Cela arrive tous les jours. Et ce n'est pas pour si peu que je vais changer mes projets. Morte ou vivante, je l'épouse. On s'arrangera comme on pourra... Tu t'es bien arrangée, toi.

— Que veux-tu dire ? demanda Joséphine Balsamo, qui commençait à s'inquiéter de ce persiflage.

— Oui, n'est-ce pas ? Le baron t'a noyée une première fois. Une seconde fois tu as sauté avec ton bateau, *Le Ver-Luisant*. Eh bien ! cela ne t'empêche pas d'être ici. De même ce n'est pas une raison parce que Clarisse a reçu trois coups de poignard dans le cœur pour que je ne l'épouse pas. D'abord es-tu bien sûre de ce que tu avances ?

— C'est un de mes hommes qui a frappé.

— Ou du moins qui t'a dit avoir frappé. »

Elle l'observa.

« Pourquoi aurait-il menti ?

— Dame ! pour toucher les dix billets de mille que tu lui as remis.

— Dominique est incapable de me trahir. Pour cent mille francs, il ne me trahirait pas. En outre il sait bien que je vais le retrouver. Il m'attend avec les autres.

— Es-tu bien sûre qu'il t'attende, Josine ? »

Elle tressaillit. Elle avait l'impression de se débattre dans un cercle de plus en plus étroit.

Raoul hocha la tête.

« C'est curieux comme nous avons fait, toi et moi, des boulettes vis-à-vis l'un de l'autre. Ainsi toi, ma bonne Joséphine, faut-il que tu sois naïve pour croire que j'aie pu couper une minute dans l'explosion du *Ver-Luisant*, dans le naufrage Pellegrini-Cagliostro, et dans les bourdes racontées par le prince Lavorneff ! Comment n'as-tu pas deviné qu'un garçon qui n'est pas un imbécile, que tu as formé à ton école — et quelle école, Vierge Marie ! — lirait dans ton jeu comme dans une Bible ouverte.

« Trop commode, en vérité, le naufrage ! On est chargé de crimes, on a les mains rouges de sang, la police court après vous. Alors on fait couler un vieux bateau, et tout le passé de crimes, le trésor volé, les richesses, tout cela fait naufrage. On passe pour mort. On fait peau neuve. Et on recommence un peu plus loin sous un autre nom, à tuer, à torturer et à se tremper les mains dans le sang. À d'autres, ma vieille ! Pour moi, quand j'ai lu ton naufrage, je me suis dit : « Ouvrons l'œil, et le bon ! » Et je suis venu ici ! »

Après un silence, Raoul reprit :

« Voyons, Joséphine, mais ta visite était inévitable ! Et fatalement tu devais la préparer à l'aide de quelque complice. Fatalement le yacht du prince Lavorneff devait voguer un soir par ici ! Fatalement tu devais escalader l'échelle de perroquet par où l'on t'avait descendue sur un brancard ! Alors, quoi ! j'ai pris mes précautions, et mon premier soin fut de regarder, autour de moi, s'il n'y avait pas quelque figure de connaissance. Un compère, c'est l'enfance de l'art.

« Et, du premier coup, j'ai reconnu le sieur Dominique pour l'avoir vu, ce que tu ignorais, sur le siège de ta berline, à la porte de Brigitte Rousselin. Dominique est un loyal serviteur, mais que la peur des gendarmes et une volée de coups de bâton administrée par moi, ont assoupli au point que toute sa loyauté est désormais à mon service, et qu'il l'a prouvé en t'envoyant de faux rapports et des fausses clefs et en ouvrant sous tes pas, de concert avec moi, le traquenard où tu as trébuché. Bénéfice pour lui : les dix billets sortis de ta poche et que tu ne reverras jamais, car ton loyal serviteur est retourné au château, sous ma protection.

« Voilà où nous en sommes, ma bonne Joséphine. J'aurais, certes, pu t'épargner cette petite comédie et t'accueillir ici, directement, pour le simple plaisir de te serrer la main. Mais j'ai voulu voir comment tu dirigeais l'opération et, tout en restant dans la coulisse, j'ai voulu voir aussi comment tu apprendrais le soi-disant assassinat de Clarisse d'Étigues. »

Josine recula. Raoul ne plaisantait plus. Penché sur elle, il lui disait d'une voix contenue :

« Un peu d'émotion... à peine... c'est tout ce que tu as éprouvé. Tu as cru que cette enfant était morte, morte par ton ordre, et cela ne t'a rien fait ! La mort des autres ne compte pas pour toi. On a vingt ans, toute la vie devant soi... de la fraîcheur, de la beauté... Tu supprimes tout cela, comme si tu écrasais une noisette ! Aucun débat de conscience. Tu n'en ris certes pas... mais tu ne pleures pas non plus. En réalité tu n'y penses pas. Je me souviens que Beaumagnan t'appelait l'infernale créature ; désignation qui me révoltait. Pourtant le mot est juste. Il y a de l'enfer en toi. Tu es une sorte de monstre auquel je ne puis plus penser sans épouvante. Mais toi-même, Joséphine Balsamo, n'es-tu pas épouvantée par moments ? »

Elle gardait la tête baissée, ses deux poings collés aux tempes, ainsi qu'elle faisait souvent. Les paroles impitoyables de Raoul ne provoquaient pas ce sursaut de rage et d'indignation qu'il attendait. Raoul sentit qu'elle était à l'un de ces moments de l'existence où l'on aperçoit le fond de son âme, où l'on ne peut pas se détourner de sa vision redoutable, et où les mots d'aveu s'échappent à votre insu.

Il n'en fut pas surpris outre mesure. Sans être fréquentes ces minutes-là ne devaient pas être très rares chez cet être déséquilibré, dont la nature, impassible à la surface, s'abîmait dans de telles crises nerveuses. Les événements se présentaient à elle d'une façon si contraire à ses prévisions, et l'apparition de Raoul était si déconcertante, qu'elle ne pouvait pas se redresser en face de l'ennemi qui l'outrageait si cruellement.

Il en profita, serré contre elle, et la voix insinuante :

« N'est-ce pas, Josine, tu es effrayée toi aussi, par moments ? N'est-ce pas, il arrive que tu te fais horreur ? »

La détresse de Josine était si profonde qu'elle murmura :

« Oui... oui... quelquefois... mais il ne faut pas m'en parler... je ne veux pas savoir... Tais-toi... tais-toi...

— Mais au contraire, dit Raoul, il faut que tu saches... Si tu as l'horreur de tels actes, pourquoi les commettre ?

— Je ne peux pas faire autrement, dit-elle avec une lassitude extrême.

— Tu essaies donc ?

— Oui, j'essaie, je lutte, mais c'est toujours la défaite. On m'a appris le mal... je fais le mal comme d'autres font le bien... Je fais le mal comme on respire... On a voulu cela...

— Qui ? »

Il entendit confusément ces deux mots :

« Ma mère » et reprit aussitôt :

« Ta mère ? l'espionne ? celle qui a combiné toute cette histoire Cagliostro ?...

— Oui... Mais ne l'accuse pas... Elle m'aimait bien... Seulement elle n'avait pas réussi... elle était devenue pauvre, misérable, et elle voulait que je réussisse... et que je sois riche...

— Mais tu étais belle, cependant. La beauté, pour une femme, c'est la plus grande richesse. La beauté suffit.

— Ma mère était belle aussi, Raoul, et pourtant sa beauté ne lui avait servi à rien.

— Tu lui ressemblais ?

— À s'y méprendre. Et c'est cela qui fut ma perte. Elle a voulu que je continue ce qui avait été sa grande idée... l'héritage Cagliostro...

— Elle avait des documents ?

— Un bout de papier... le papier des quatre énigmes qu'une de ses amies avait trouvé dans un vieux livre... et qui semblait réellement de l'écriture de Cagliostro... Ça l'avait grisée... ainsi que son succès auprès de l'impératrice Eugénie. Alors j'ai dû continuer. Tout enfant, elle m'a entré ça dans la tête. On m'a formé un cerveau avec cette idée-là seulement. Ça devait être mon gagne-pain... ma destinée... J'étais la fille de Cagliostro... Je reprenais sa vie à elle, et sa vie à lui... une vie brillante comme celle qu'il avait eue dans les romans... la vie d'une aventurière adorée de tous, et dominant le monde. Pas de scrupules... Pas de conscience... Je devais la venger de tout ce qu'elle avait souffert elle-même. Quand elle est morte, c'est le mot qu'elle m'a dit : « Venge-moi. »

Raoul réfléchissait. Il prononça :

« Soit. Mais les crimes ?... ce besoin de tuer ?... »

Il ne put saisir sa réponse, et pas davantage ce qu'elle répliqua lorsqu'il lui dit :

« Ta mère n'était pas seule à t'élever, Josine, à te dresser au mal. Qui était ton père ? »

Il crut entendre le nom de Léonard. Mais voulait-elle dire que Léonard était son père, que Léonard était l'homme qui avait été expulsé de France en même temps que l'espionne ? (et cela semblait assez plausible) ou bien que Léonard l'avait dressée au crime ?

Raoul n'en sut pas davantage, et ne put pénétrer dans ces régions obscures où s'élaborent les mauvais instincts et où fermentent tout ce qui est déséquilibre, tout ce qui détraque et désagrège, tous les vices, toutes les vanités, tous les appétits sanguinaires, toutes les passions inexorables et cruelles qui échappent à notre contrôle.

Il ne l'interrogea plus.

Elle pleurait silencieusement, et il sentait des larmes et des baisers sur ses mains qu'elle tenait éperdument et qu'il avait la faiblesse de lui abandonner. Une pitié sournoise s'infiltrait en lui. La mauvaise créature devenait une créature humaine, une femme livrée à l'instinct malade, qui subissait la loi des forces irrésistibles, et qu'il fallait peut-être juger avec un peu d'indulgence.

« Ne me repousse pas, disait-elle. Tu es le seul être au monde qui aurait pu me sauver du mal. Je l'ai senti tout de suite. Il y a en toi quelque chose de sain, de bien portant... Ah ! l'amour... l'amour... il n'y a que lui qui m'ait apaisée... et je n'ai jamais aimé que toi... Alors, si tu me rejettes... »

Les lèvres douces pénétraient Raoul d'une langueur infinie. Toute la volupté et tout le désir embellissaient cette compassion dangereuse qui amollit la volonté des hommes.

Et peut-être, si la Cagliostro se fût contentée de cette humble caresse, eût-il succombé de lui-même à la tentation de se pencher et de goûter une fois encore la saveur de cette bouche qui s'offrait à lui. Mais elle releva la tête, elle glissa ses bras le long des épaules, elle lui entoura le cou, elle le regarda, et ce regard suffit pour que Raoul ne vît plus en elle la femme qui implore, mais celle qui veut séduire et qui se sert de la tendresse de ses yeux et de la grâce de ses lèvres.

Le regard lie les amants. Mais Raoul savait tellement ce qu'il y avait derrière cette expression charmante, ingénue et douloureuse ! La pureté du miroir ne rachetait pas toutes les laideurs et toutes les ignominies qu'il voyait avec tant de lucidité.

Il se reprit peu à peu. Il se dégagea de la tentation, et, repoussant la sirène qui l'enlaçait, il lui dit :

« Tu te rappelles... un jour... sur la péniche... nous avons eu peur l'un de l'autre comme si nous cherchions à nous étrangler. Il en est de même aujourd'hui. Si je retombe dans tes bras, je suis perdu. Demain, après-demain, c'est la mort... »

Elle se redressa, tout de suite hostile et méchante. L'orgueil l'envahissait de nouveau, et la tempête s'éleva brusquement entre eux, les faisant passer sans transition de l'espèce de torpeur où les attardait le souvenir de l'amour à un âpre besoin de haine et de provocation.

« Mais oui, reprit Raoul, au fond, dès le premier jour, nous avons été des ennemis féroces. L'un et l'autre, nous ne pensions qu'à la défaite de l'autre. Toi surtout ! J'étais le rival, l'intrus... Dans ton cerveau, mon image se mêlait à l'idée de la mort. Volontairement ou non, tu m'avais condamné. »

Elle secoua la tête, et d'un ton agressif :

« Jusqu'ici, non.

— Mais maintenant, oui, n'est-ce pas ? Seulement, s'écria-t-il, un fait nouveau se présente. C'est que, maintenant, je me moque de toi, Joséphine. L'élève est devenu le maître, et c'est cela que j'ai voulu te prouver en te laissant venir ici et en acceptant la bataille. Je me suis offert, seul, à tes coups et aux coups de ta bande. Et voilà que nous sommes l'un en face de l'autre, et que tu ne peux rien contre moi. Déroute sur toute la ligne, hein ? Clarisse vivante. Moi, libre. Allons, ma belle, décampe de ma vie, tu es battue à plate couture, et je te méprise. »

Il lui jetait en pleine face les mots injurieux qui la cinglaient comme des coups de cravache. Elle était blême. Son visage se décomposait et, pour la première fois, son inaltérable beauté accusait certains signes de déchéance et de flétrissure.

Elle grinça :

« Je me vengerai.

— Impossible, ricana Raoul, je t'ai coupé les ongles. Tu as peur de moi. Voilà ce qui est merveilleux, et qui est mon œuvre d'aujourd'hui : tu as peur de moi.

— Toute ma vie sera consacrée à cela, murmura-t-elle.

— Rien à faire. Tous tes trucs sont connus. Tu as échoué. C'est fini. »

Elle hocha la tête.

« J'ai d'autres moyens.

— Lesquels ?

— Cette fortune incalculable... ces richesses que j'ai conquises.

— Grâce à qui ? demanda Raoul allégrement. S'il y a un coup d'aile dans l'étrange aventure, n'est ce pas moi qui l'ai donné ?

— Peut-être. Mais c'est moi qui ai su agir et prendre. Et tout est là. Comme paroles, tu n'es jamais en reste. Mais il fallait un acte, en cette occasion, et cet acte je l'ai accompli. Parce que Clarisse est vivante, que tu es libre, tu cries victoire. Mais la vie de Clarisse et ta liberté, Raoul, ce sont de petites choses auprès de la grande chose qui était l'enjeu de notre duel, c'est-à-dire les milliers et les milliers de pierres précieuses. La vraie bataille était là, Raoul, et je l'ai gagnée, puisque le trésor m'appartient.

— Sait-on jamais ! dit-il d'un ton gouailleur.

— Mais si, il m'appartient. Moi-même j'ai enfoui les pierres innombrables dans une valise qui a été ficelée et cachetée devant moi, que j'ai portée jusqu'au Havre, que j'ai mise à fond de cale dans *Le Ver-Luisant*, et que j'ai retirée avant que l'on fasse sauter ce bateau. Elle est à Londres maintenant, dans le coffre d'une banque, ficelée et cachetée comme à la première heure...

— Oui, oui, approuva Raoul d'un petit air entendu, la corde est toute neuve, encore raide et propre... les cachets sont au nombre de cinq, en cire violette, aux initiales J. B... Joséphine Balsamo. Quant à la valise, c'est de l'osier tressé, elle est munie de courroies et de poignées en cuir... quelque chose de simple, qui n'attire pas l'attention... »

La Cagliostro leva sur lui des yeux effarés.

« Tu sais donc ?... Comment sais-tu ?...

— Nous sommes restés ensemble, elle et moi, durant quelques heures », dit-il en riant.

Elle articula :

« Mensonges ! Tu parles au hasard... La valise ne m'a quittée d'une seconde, depuis la prairie du Mesnil-sous-Jumièges jusqu'au coffre-fort.

— Si, puisque tu l'as descendue dans la cale du *Ver-Luisant.*

— Je me suis assise sur le battant de fer qui recouvre cette cale, et un homme à moi veillait au-dessus du hublot par où tu aurais pu entrer, et cela pendant tout le temps que nous étions en rade du Havre.

— Je le sais.

— Comment le saurais-tu ?

— J'étais dans la cale. »

Phrase effrayante ! Il la répéta, puis à la stupeur de Joséphine Balsamo, s'amusant lui-même de son récit, il raconta :

« Mon raisonnement, au Mesnil-sous-Jumièges, devant la borne détruite, fut celui-ci : « Si je cherche cette bonne Joséphine, je ne la retrouverai pas. Ce qu'il faut, c'est deviner l'endroit où elle sera à la fin de cette journée, m'y rendre avant elle, être là quand elle y arrivera, et profiter de la première occasion pour barboter les pierres précieuses. » Or, traquée par la police, poursuivie par moi, avide de mettre le trésor à l'abri, inévitablement tu devais fuir, c'est-à-dire passer à l'étranger. Comment ? Grâce à ton bateau, *Le Ver-Luisant.*

« À midi, j'étais au Havre. À une heure, les trois hommes de ton équipage s'en allaient prendre leur café au bar, je franchissais le pont et plongeais à fond de cale, derrière un amoncellement de caisses, de tonneaux et de sacs de provisions. À six heures, tu arrivais et tu descendais ta valise au moyen d'une corde, la mettant ainsi sous ma protection... »

— Tu mens... tu mens... », balbutia la Cagliostro, d'une voix rageuse.

Il continua :

« À dix heures, Léonard te rejoint. Il a lu les journaux du soir et connaît le suicide de Beaumagnan. À onze heures, on lève l'ancre. À minuit, en pleine mer, on est abordé par un autre bateau. Léonard, qui devient prince Lavorneff, préside au déménagement. Tous les matelots, tous les colis ayant de la valeur, tout cela passe d'un pont à l'autre et, en particulier, bien entendu, la valise que tu remontes du fond de la cale. Et puis, au diable, *Le Ver-Luisant* !

« Je t'avoue qu'il y a eu là, pour moi, quelques vilaines

minutes. J'étais seul. Plus d'équipage. Pas de direction. *Le Ver-Luisant* semblait dirigé par un homme ivre, qui se cramponne à son gouvernail. On eût dit un jouet d'enfant, que l'on a remonté, et qui tourne, qui tourne... Et puis, je devinais ton plan, la bombe placée quelque part, le mécanisme se déclenchant, l'explosion...

« J'étais couvert de sueur. Me jeter à l'eau ? J'allais m'y décider, lorsque, au moment d'enlever mes chaussures, je me rendis compte, avec une joie qui me fit défaillir, qu'il y avait, dans le sillage du *Ver-Luisant*, attaché par une amarre, un canot qui bondissait sur l'écume. C'était le salut. Dix minutes plus tard, assis tranquillement, je voyais une flamme jaillir dans l'ombre, à quelques centaines de mètres, et j'entendais une détonation rouler à la surface de l'eau comme les échos du tonnerre. *Le Ver-Luisant* sautait...

« La nuit suivante, après avoir été quelque peu ballotté, j'étais poussé en vue des côtes, non loin du cap d'Antifer. Je me mettais à l'eau, j'atterrissais... et le jour même je me présentais ici... pour me préparer à ta bonne visite, ma chère Joséphine. »

La Cagliostro avait écouté, sans interrompre, et l'air assez rassuré. Autant de paroles inutiles, avait-elle l'air de dire. L'essentiel, c'était la valise. Que Raoul se fût caché dans le bateau, et qu'ensuite il eût évité le naufrage, cela n'avait point d'importance.

Elle hésitait cependant à poser la question définitive, sachant bien, tout de même, que Raoul n'était pas homme à tant risquer pour ne point obtenir d'autre résultat que de se sauver lui-même. Elle était toute pâle.

« Eh bien ! fit Raoul, tu ne me demandes rien ?

— Qu'ai-je à te demander ? Tu l'as dit toi-même. J'ai repris la valise. Depuis, je l'ai mise en lieu sûr.

— Et tu n'as pas vérifié ?

— Ma foi, non. L'ouvrir, à quoi bon ? Les cordes et les cachets sont intacts.

— Tu n'as pas remarqué les traces d'un trou, sur le côté, une fissure pratiquée entre les mailles de l'osier ?

— Une fissure ?

— Dame ! crois-tu que je sois resté deux heures en face de l'objet sans agir ? Voyons, Joséphine, je ne suis pourtant pas si bête.

— Alors ? fit-elle, d'une voix faible.

— Alors, ma pauvre amie, peu à peu, patiemment, j'ai extrait tout le contenu de la valise, de sorte que...

— De sorte que ?...

— De sorte que, quand tu l'ouvriras, tu n'y trouveras guère qu'un poids équivalent de denrées pas très précieuses... ce que j'avais sous la main... ce que j'ai pu prendre dans les sacs de provisions... quelques livres de haricots et de lentilles... enfin des marchandises qui ne valent peut-être pas la peine que tu paies la location d'un coffre-fort dans une banque de Londres. »

Elle essaya de protester et murmura :

« Ce n'est pas vrai... il est impossible que tu aies pu... »

Du haut d'un placard, il descendit une petite sébile d'où il versa dans le creux de sa main deux ou trois douzaines de diamants, de rubis et de saphirs et, d'un air négligent, il les fit danser, miroiter et s'entrechoquer.

« Et il y en a d'autres, dit-il. Certes, l'explosion imminente m'a empêché de prendre tout, et les richesses des moines se sont éparpillées au sein des eaux. Mais, tout de même, n'est-ce pas, pour un jeune homme, il y a de quoi s'amuser et patienter... Qu'en dis-tu, Josine ? Tu ne réponds pas ?... Mais sapristi ! qu'y a-t-il donc ? Hein ! j'espère que tu ne vas pas t'évanouir. Ah ! ces sacrées femmes, ça ne peut pas perdre un milliard sans tourner de l'œil. Quelles mazettes ! »

Joséphine Balsamo ne tournait pas de l'œil, selon l'expression de Raoul. Elle s'était dressée, livide et le bras tendu. Elle voulait insulter l'ennemi. Elle voulait le frapper. Mais elle suffoquait. Ses mains battirent l'air, comme des mains de naufragé qui s'agitent à la surface, et elle s'abattit contre le lit avec des gémissements rauques.

Raoul, sans s'émouvoir, attendit la fin de la crise. Mais il avait encore quelques paroles à placer et il ricana :

« Eh bien ! t'ai-je battue à plate couture ? Les épaules de madame ont-elles touché ? Es-tu knock-out ? Débâcle sur toute la ligne, hein ? C'est ce que j'ai voulu te faire sentir, Joséphine. Tu partiras d'ici convaincue que tu ne peux rien contre moi, et que le mieux est de renoncer à toutes tes petites machinations. Je serai heureux malgré toi, et Clarisse aussi, et nous aurons beaucoup d'enfants. Autant de vérités auxquelles il te faut consentir. »

Il se mit à marcher et il continuait de plus en plus gaiement :

« Aussi, que veux-tu, il y a de la malchance dans ton cas. Tu t'es mise en guerre contre un gaillard qui est mille fois plus fort et plus malin que toi, ma pauvre fille. Je suis ahuri moi-même de ma force et de ma malice. Tudieu ! Quel phénomène d'habileté, de ruse, d'intuition, d'énergie, de clairvoyance ! Un vrai génie ! Rien ne m'échappe. Je lis à livre ouvert dans le cerveau de mes ennemis. Leurs moindres pensées me sont connues. Ainsi, en ce moment, tu me tournes le dos, n'est-ce pas ? tu es aplatie sur le lit, et je ne vois pas ton charmant visage ? Eh bien ! je me rends parfaitement compte que tu es en train de glisser ta main dans ton corsage, et d'en tirer un revolver, et que tu vas... »

La phrase ne fut pas achevée. Brusquement la Cagliostro avait fait volte-face, un revolver à la main.

Le coup partit. Mais Raoul, qui s'y préparait, avait eu le temps de saisir le bras, de le tordre, et de le replier dans la direction même de Joséphine Balsamo. Elle tomba, atteinte à la poitrine.

La scène avait été si brutale et le dénouement si imprévu qu'il demeura interdit devant ce corps inerte soudain, et qui gisait, la face toute blanche.

Pourtant aucune inquiétude ne le tourmentait. Il ne pensait point qu'elle fût morte et, de fait, s'étant penché, il constata que le cœur battait régulièrement. Avec des ciseaux, il échancra le corsage. La balle, jaillie de biais, avait glissé, labourant la chair un peu au-dessus du signe noir qui marquait le sein droit.

« Blessure sans gravité », dit-il, tout en pensant que la mort d'une pareille créature eût été chose juste et souhaitable.

Il gardait ses ciseaux à la main, la pointe en avant, et il se demandait si son devoir n'était pas d'abîmer cette beauté trop parfaite, de taillader en pleine chair, et de mettre ainsi la sirène dans l'impossibilité de nuire. Une balafre en croix profonde, au travers du visage, et dont la cicatrice indélébile soulèverait la peau boursouflée, quel équitable châtiment et quelle utile précaution ! Que de malheurs évités et de crimes prévenus !

Il n'en eut pas le courage et ne voulut pas s'en arroger le droit. Et puis il l'avait trop aimée...

Il resta longtemps à la considérer, sans faire un mouvement, et avec une tristesse infinie. La lutte l'avait épuisé. Il se sentait plein d'amertume et de dégoût. Elle était son premier grand amour, et ce sentiment, où le cœur ingénu apporte tant de fraîcheur et dont il garde un souvenir si doux, ne lui laisserait, à lui, que rancune et que haine. Toute sa vie, il aurait aux lèvres un pli de désenchantement et dans l'âme une impression de flétrissure.

Elle respira plus fort et souleva ses paupières.

Alors il éprouva le besoin irrésistible de ne plus la voir et de ne plus même penser à elle.

Ouvrant la fenêtre, il écouta. Des pas, lui sembla-t-il, arrivaient de la falaise. Léonard avait dû constater, en atteignant le rivage, que l'expédition se réduisait à la capture d'un mannequin, et, sans doute, inquiet de Joséphine Balsamo, venait-il à son secours.

« Qu'il la trouve ici, qu'il l'emporte ! se dit-il. Qu'elle meure ou qu'elle vive ! Qu'elle soit heureuse ou malheureuse ! Je m'en moque... Je ne veux plus rien savoir d'elle. Assez ! Assez de cet enfer ! »

Et, sans une parole, sans un regard à la femme qui lui tendait les bras et le suppliait, il partit...

Le lendemain matin, Raoul se faisait annoncer chez Clarisse d'Étigues.

Pour ne pas toucher trop tôt à des blessures qu'il devinait si sensibles, il n'avait pas revu la jeune fille. Mais elle savait qu'il était là, et, tout de suite, il comprit que le temps accomplissait déjà son œuvre. Les joues étaient plus roses. Les yeux brillaient d'espoir.

« Clarisse, lui dit-il, dès le premier jour vous avez promis de tout me pardonner...

— Je n'ai rien à vous pardonner, Raoul, affirma la jeune fille, qui pensait à son père.

— Si, Clarisse, je vous ai fait beaucoup de mal. Je m'en suis fait beaucoup à moi, et ce n'est pas seulement votre amour que je demande, ce sont vos soins et votre protection. J'ai besoin de vous, Clarisse, pour oublier d'affreux souvenirs, pour reprendre confiance dans la vie, et pour combattre d'assez vilaines choses qui sont en moi et qui m'entraînent... où je ne voudrais pas aller. Si vous m'aidez, je suis sûr d'être un honnête homme, je m'y engage sincèrement, et je vous promets que vous serez heureuse. Voulez-vous être ma femme, Clarisse ? »

Elle lui tendit la main.

ÉPILOGUE

Comme le supposait bien Raoul, tout le vaste système d'intrigues tendu pour la capture du trésor fabuleux, resta dans l'ombre. Le suicide de Beaumagnan, les aventures de la Pellegrini, la personnalité mystérieuse de la comtesse de Cagliostro, sa fuite, le naufrage du *Ver-Luisant*, autant de faits divers que la justice ne put pas ou ne voulut pas relier les uns aux autres. Le mémoire du cardinal-archevêque fut détruit ou disparut. Les associés de Beaumagnan se désunirent et ne parlèrent pas. On ne sut rien.

À plus forte raison, le rôle de Raoul, dans toute cette affaire, ne pouvait être soupçonné et son mariage passa inaperçu. Par quel prodige réussit-il à se marier sous le nom de vicomte d'Andrésy ? Sans doute doit on attribuer ce tour de force aux moyens d'action formidables que lui donnaient les deux poignées de pierres précieuses prélevées sur le trésor. Avec cela, on achète bien des complicités.

Et c'est de même ainsi évidemment que le nom de Lupin se trouva un jour escamoté. Sur aucun registre d'état civil, sur aucune pièce authentique, il ne fut plus question d'Arsène Lupin, ni de son père Théophraste Lupin. Légalement, il n'y eut plus que le vicomte Raoul d'Andrésy, lequel vicomte partit en voyage à travers l'Europe avec la vicomtesse, née Clarisse d'Étigues.

Deux événements marquèrent cette époque. Clarisse mit au monde une fille qui ne vécut point. Et, quelques semaines plus tard, elle apprenait la mort de son père.

Godefroy d'Étigues, en effet, et son cousin Bennetot périrent au cours d'une promenade en barque. Accident ? Suicide ? Les deux cousins, dans les derniers temps de leur vie, passaient pour fous, et l'on admit généralement qu'ils s'étaient tués. Il y eut aussi la version du crime, et l'on s'entretint d'un yacht de plaisance qui aurait coulé la barque et se serait enfui. Mais point de preuve.

En tout état de cause, Clarisse ne voulut pas toucher à la fortune de son père. Elle en fit don à des institutions de charité.

Des années encore s'écoulèrent, années charmantes et insouciantes.

Raoul tenait l'une des promesses qu'il avait faites à Clarisse : elle fut profondément heureuse.

L'autre promesse, il ne la tint pas : il ne fut pas honnête.

Cela, il ne le pouvait pas. Il avait dans le sang le besoin de prendre, de combiner, de mystifier, de duper, de s'amuser aux dépens d'autrui. Il était, d'instinct, contrebandier, flibustier, maraudeur, pirate, conspirateur, et surtout chef de bande. En outre, à l'école de la Cagliostro, il s'était rendu compte, avec un certain orgueil, des qualités vraiment exceptionnelles qui le mettaient hors de pair. Il croyait à son génie. Il s'attribuait des droits à une destinée fantastique, en opposition avec la destinée de tous les hommes qui vivaient en même temps que lui. Il serait au-dessus de tous. Il serait le maître.

À l'insu donc de Clarisse et, sans que jamais la jeune femme eût le moindre soupçon, il monta des entreprises et réussit des affaires où, de plus en plus, s'affirma son autorité et se développèrent ses dons réellement surhumains[1].

Mais avant tout, se disait-il, le repos et la félicité de Clarisse ! Il respectait sa femme. Qu'elle fût et qu'elle se sût l'épouse d'un voleur, cela il ne l'admit pas.

Leur bonheur dura cinq ans. Au début de la sixième année, Clarisse mourut des suites d'une couche. Elle laissait un fils appelé Jean.

Or, le surlendemain, ce fils disparut, sans que le moindre indice permît à Raoul de découvrir qui avait pu pénétrer dans la petite maison d'Auteuil qu'il habitait ni comment on avait pu y pénétrer.

Quant à savoir d'où le coup provenait, là-dessus aucune hésitation. Raoul, qui ne doutait pas que le naufrage des deux cousins n'eût été provoqué par la Cagliostro, Raoul qui, depuis avait appris en outre que Dominique était mort empoisonné, Raoul considéra comme établi que la Cagliostro avait organisé l'enlèvement.

Son chagrin le transforma. N'ayant plus ni femme ni fils pour le retenir, il se jeta résolument dans la voie où l'entraînaient

1. La conquête du trésor de la maison de France, deuxième secret de Cagliostro, et la découverte de cette retraite impénétrable d'où, quinze ans plus tard, on ne put le déloger qu'à l'aide d'une flottille de torpilleurs, datent de cette époque. (Voir *L'Aiguille creuse.*)

tant de forces. Du jour au lendemain, il fut Arsène Lupin. Plus de réserve. Plus de ménagements. Au contraire. Du scandale, des provocations, de l'arrogance, un étalage de vanité et de gouaillerie, son nom sur les murs, sa carte de visite dans les coffres-forts : Arsène Lupin, quoi !

Mais, que ce fût sous ce nom, ou sous les noms divers qu'il s'amusait à prendre, qu'il se fît appeler comte Bernard d'Andrésy (il avait dérobé les papiers d'un cousin de sa famille, mort à l'étranger) ou Horace Velmont, ou colonel Sparmiento, ou duc de Charmerace, ou prince Sernine, ou don Luis Perenna, toujours et partout, au milieu de tous ses avatars et sous tous les masques, il cherchait la Cagliostro, et il cherchait son fils Jean.

Il ne retrouva pas son fils. Il ne revit jamais Joséphine Balsamo.

Vivait-elle encore ? Osait-elle se risquer en France ? Continuait-elle à persécuter et à tuer ? Devait-il admettre, en ce qui le concernait, que la menace éternellement dirigée contre lui, depuis la minute même de la rupture, aboutirait à quelque vengeance plus cruelle que l'enlèvement de son enfant ?

Toute la vie d'Arsène Lupin, folles entreprises, épreuves surhumaines, triomphes inouïs, passions démesurées, ambitions extravagantes, tout cela devait se dérouler avant que les événements lui permissent de répondre à ces questions redoutables.

Et ainsi se fait-il que sa première aventure se renoua, plus d'un quart de siècle après, à ce qu'il lui plaît de considérer aujourd'hui comme sa dernière aventure.

1928

LA DEMOISELLE AUX YEUX VERTS

L'idée de ce roman est venue à Maurice au cours de deux séjours qu'il fit en Auvergne, d'abord à l'automne 1923 à Chamalières, puis l'automne suivant au Thermal-Palace de Vichy.

Le roman paraît en feuilleton dans Le Journal *du 8 décembre 1926 au 18 janvier 1927. Il paraît en librairie le 29 juin 1927. Les 8 000 exemplaires tirés sont vite épuisés, et l'on doit faire en juillet un nouveau tirage de 3 000, et en août de 6 000. La publicité faite autour du livre note que « les passionnants volumes qui composent les Aventures extraordinaires d'Arsène Lupin ont rencontré un très gros succès qui ne s'épuise pas. Maurice Leblanc a réussi à camper un Arsène Lupin inoubliable ».*

I

... ET L'ANGLAISE AUX YEUX BLEUS

Raoul de Limézy flânait sur les boulevards, allégrement, ainsi qu'un homme heureux qui n'a qu'à regarder pour jouir de la vie, de ses spectacles charmants, et de la gaieté légère qu'offre Paris en certains jours lumineux d'avril. De taille moyenne, il avait une silhouette à la fois mince et puissante. À l'endroit des biceps les manches de son veston se gonflaient, et le torse bombait au-dessus d'une taille qui était fine et souple. La coupe et la nuance de ses vêtements indiquaient l'homme qui attache de l'importance au choix des étoffes.

Or, comme il passait devant le Gymnase, il eut l'impression qu'un monsieur, qui marchait à côté de lui, suivait une dame, impression dont il put aussitôt contrôler l'exactitude.

Rien ne semblait à Raoul plus comique et plus amusant qu'un monsieur qui suit une dame. Il suivit donc le monsieur qui suivait la dame, et tous les trois, les uns derrière les autres, à des distances convenables, ils déambulèrent le long des boulevards tumultueux.

Il fallait toute l'expérience du baron de Limézy pour deviner que ce monsieur suivait cette dame, car ce monsieur mettait une discrétion de gentleman à ce que cette dame ne s'en doutât point. Raoul de Limézy fut aussi discret, et, se mêlant aux promeneurs, pressa le pas pour prendre une vision exacte des deux personnages.

Vu de dos, le monsieur se distinguait par une raie impeccable, qui divisait des cheveux noirs et pommadés, et par une mise, également impeccable, qui mettait en valeur de larges épaules et une haute taille. Vu de face, il exhibait une figure correcte, munie d'une barbe soignée et d'un teint frais et rose. Trente ans peut-être. De la certitude dans la marche. De l'importance dans le geste. De la vulgarité dans l'aspect. Des bagues aux doigts. Un bout d'or à la cigarette qu'il fumait.

Raoul se hâta. La dame, grande, résolue, d'allure noble, posait d'aplomb sur le trottoir des pieds d'Anglaise que rachetaient des jambes gracieuses et des chevilles délicates. Le visage était très beau, éclairé par d'admirables yeux bleus et par une masse lourde de cheveux blonds. Les passants s'arrêtaient et se retournaient. Elle semblait indifférente à cet hommage spontané de la foule.

« Fichtre, pensa Raoul, quelle aristocrate ! Elle ne mérite pas le pommadé qui la suit. Que veut-il ? Mari jaloux ? Prétendant évincé ? Ou plutôt bellâtre en quête d'aventure ? Oui, ce doit être cela. Le monsieur a tout à fait la tête d'un homme à bonnes fortunes et qui se croit irrésistible. »

Elle traversa la place de l'Opéra, sans se soucier des véhicules qui l'encombraient. Un camion voulut lui barrer le passage : posément elle saisit les rênes du cheval et l'immobilisa. Furieux, le conducteur sauta de son siège et l'injuria de trop près ; elle lui décocha sur le nez un petit coup de poing qui fit jaillir le sang. Un agent de police réclama des explications : elle lui tourna le dos et s'éloigna paisiblement.

Rue Auber, deux gamins se battant, elle les saisit au collet et les envoya rouler à dix pas. Puis elle leur jeta deux pièces d'or.

Boulevard Haussmann, elle entra dans une pâtisserie et Raoul vit de loin qu'elle s'asseyait devant une table. Le monsieur qui la suivait n'entrant pas, il y pénétra et prit place de façon qu'elle ne pût le remarquer.

Elle se commanda du thé et quatre toasts qu'elle dévora avec des dents qui étaient magnifiques.

Ses voisins la regardaient. Elle demeurait imperturbable et se fit apporter quatre nouveaux toasts.

Mais une autre jeune femme, attablée plus loin, attirait aussi la curiosité. Blonde comme l'Anglaise, avec des bandeaux ondulés, moins richement vêtue, mais avec un goût plus sûr de Parisienne, elle était entourée de trois enfants pauvrement habillés, à qui elle distribuait des gâteaux et des verres de grenadine. Elle les avait rencontrés à la porte et les régalait pour la joie évidente de voir leurs yeux s'allumer de plaisir et leurs joues se barbouiller de crème. Ils n'osaient parler et s'empiffraient à plein gosier. Mais, plus enfant qu'eux, elle s'amusait infiniment, et bavardait pour eux tous : « Qu'est-ce qu'on dit à la demoiselle ?... Plus haut... Je n'ai pas entendu... Non, je ne suis pas une madame... On doit me dire : "Merci, mademoiselle..." »

Raoul de Limézy fut aussitôt conquis par deux choses : la gaieté heureuse et naturelle de son visage et la séduction pro-

« Elle semblait indifférente à cet hommage de la foule. »

fonde de deux grands yeux verts couleur de jade, striés d'or, et dont on ne pouvait détacher son regard quand on l'y avait une fois fixé.

De tels yeux sont d'ordinaire étranges, mélancoliques, ou pensifs, et c'était peut-être l'expression habituelle de ceux-là. Mais ils offraient en cet instant le même rayonnement de vie intense que le reste de la figure, que la bouche malicieuse, que les narines frémissantes, et que les joues aux fossettes souriantes.

« Joies extrêmes ou douleurs excessives, il n'y a pas de milieu pour ces sortes de créatures », se dit Raoul qui sentit en lui le désir soudain d'influer sur ces joies ou de combattre ces douleurs.

Il se retourna vers l'Anglaise. Elle était vraiment belle, d'une beauté puissante, faite d'équilibre, de proportion et de sérénité. Mais la demoiselle aux yeux verts, comme il l'appela, le fascinait davantage. Si on admirait l'une, on souhaitait de connaître l'autre et de pénétrer dans le secret de son existence.

Il hésita pourtant, lorsqu'elle eut réglé son addition et qu'elle s'en fut avec les trois enfants. La suivrait-il ? Ou resterait-il ? Qui l'emporterait ? Les yeux verts ? Les yeux bleus ?

Il se leva précipitamment, jeta de l'argent sur le comptoir et sortit. Les yeux verts l'emportaient.

Un spectacle imprévu le frappa : la demoiselle aux yeux verts causait sur le trottoir avec le bellâtre qui, une demi-heure auparavant, suivait l'Anglaise comme un amoureux timide ou jaloux. Conversation animée, fiévreuse de part et d'autre, et qui ressemblait plutôt à une discussion. Il était visible que la jeune fille cherchait à passer, et que le bellâtre l'en empêchait, et c'était si visible que Raoul fut sur le point, contre toute convenance, de s'interposer.

Il n'en eut pas le temps. Un taxi s'arrêtait devant la pâtisserie. Un monsieur en descendit qui, voyant la scène du trottoir, accourut, leva sa canne et, d'un coup de volée, fit sauter le chapeau du bellâtre pommadé.

Stupéfait, celui-ci recula, puis se précipita, sans souci des personnes qui s'attroupaient.

« Mais vous êtes fou ! vous êtes fou ! » proférait-il.

Le nouveau venu, qui était plus petit, plus âgé, se mit sur la défensive, et, la canne levée, cria :

« Je vous ai défendu de parler à cette jeune fille. Je suis son père, et je vous dis que vous n'êtes qu'un misérable, oui, un misérable ! »

Il y avait chez l'un et chez l'autre comme un frémissement de haine. Le bellâtre, sous l'injure, se ramassa prêt à sauter sur le nouveau venu que la jeune fille tenait par le bras et essayait d'entraîner vers le taxi. Il réussit à les séparer et à prendre la canne du monsieur lorsque, tout à coup, il se trouva face à face avec une tête qui surgissait entre son adversaire et lui — une tête inconnue, bizarre, dont l'œil droit clignotait nerveusement et dont la bouche, déformée par une grimace d'ironie, tenait une cigarette.

C'était Raoul qui se dressait ainsi et qui articula, d'une voix rauque :

« Un peu de feu, s'il vous plaît. »

Demande vraiment inopportune. Que voulait donc cet intrus ? Le pommadé se regimba.

« Laissez-moi donc tranquille ! Je n'ai pas de feu.

— Mais si ! tout à l'heure vous fumiez » affirma l'intrus.

L'autre, hors de lui, tâcha de l'écarter. N'y parvenant point,

« Il y avait chez l'un et chez l'autre comme un frémissement de haine. »

et ne pouvant même point bouger les bras, il baissa la tête pour voir quel obstacle l'entravait. Il parut confondu. Les deux mains du monsieur lui serraient les poignets de telle manière qu'aucun mouvement n'était possible. Un étau de fer ne l'eût pas davantage paralysé. Et l'intrus ne cessait de répéter, l'accent tenace, obsédant :

« Un peu de feu, je vous en prie. Il serait vraiment malheureux de me refuser un peu de feu. »

Les gens riaient alentour. Le bellâtre, exaspéré, proféra :

« Allez-vous me ficher la paix, hein ? Je vous dis que je n'en ai pas. »

Le monsieur hocha la tête d'un air mélancolique.

« Vous êtes bien impoli. Jamais on ne refuse un peu de feu à qui vous en demande aussi courtoisement. Mais puisque vous mettez tant de mauvaise grâce à me rendre service... »

Il desserra son étreinte. Le bellâtre, libéré, se hâta. Mais l'auto filait, emportant son agresseur et la demoiselle aux yeux verts et il fut aisé de voir que l'effort du pommadé serait vain.

« Me voilà bien avancé, se dit Raoul, en le regardant courir. Je fais le Don Quichotte en faveur d'une belle inconnue aux yeux verts et elle s'esquive, sans me donner son nom et son adresse. Impossible de la retrouver. Alors ? »

Alors, il décida de retourner vers l'Anglaise. Elle s'éloignait justement, après avoir assisté sans doute à l'esclandre. Il la suivit.

Raoul de Limézy se trouvait à l'une de ces heures où la vie est en quelque sorte suspendue entre le passé et l'avenir. Un passé, pour lui, rempli d'événements. Un avenir qui s'annonçait pareil. Au milieu, rien. Et, dans ce cas-là, quand on a trente-quatre ans, c'est la femme qui nous semble tenir en main la clef de notre destinée. Puisque les yeux verts s'étaient évanouis, il réglerait sa marche incertaine à la clarté des yeux bleus.

Or, presque aussitôt, ayant affecté de prendre une autre route et revenant sur ses pas, il s'apercevait que le bellâtre aux cheveux pommadés s'était mis de nouveau en chasse et, repoussé d'un côté, se rejetait, comme lui, de l'autre côté. Et tous trois recommencèrent à déambuler sans que l'Anglaise pût discerner le manège de ses prétendants.

Le long des trottoirs encombrés, elle marchait en flânant, toujours attentive aux vitrines, et indifférente aux hommages recueillis. Elle gagna ainsi la place de la Madeleine, et par la rue Royale atteignit le faubourg Saint-Honoré jusqu'au grand hôtel Concordia.

Le bellâtre stationna, fit les cent pas, acheta un paquet de cigarettes, puis pénétra dans l'hôtel où Raoul le vit qui s'entretenait avec le concierge. Trois minutes plus tard, il repartait et Raoul se disposait également à questionner le concierge sur la jeune Anglaise aux yeux bleus, lorsque celle-ci franchit le vestibule et monta dans une auto où l'on avait apporté une petite valise. Elle s'en allait donc en voyage ?

« Chauffeur, vous suivrez cette auto », dit Raoul, qui héla un taxi.

L'Anglaise fit des courses, et, à huit heures, descendait devant la gare de Paris-Lyon, et s'installait au buffet où elle commanda son repas.

Raoul s'assit à l'écart.

Le dîner fini, elle fuma deux cigarettes, puis, vers neuf heures trente, retrouva devant les grilles un employé de la Compagnie Cook qui lui donna son billet et son bulletin de bagages. Après quoi, elle gagna le rapide de 9 h 46.

« Cinquante francs, offrit Raoul à l'employé, si vous me dites le nom de cette dame.

— Lady Bakefield.

— Où va-t-elle ?

— À Monte-Carlo, monsieur. Elle est dans la voiture numéro cinq. »

Raoul réfléchit, puis se décida. Les yeux bleus valaient le déplacement. Et puis c'est en suivant les yeux bleus qu'il avait connu les yeux verts, et l'on pouvait peut-être, par l'Anglaise, retrouver le bellâtre, et par le bellâtre arriver aux yeux verts.

Il retourna prendre un billet pour Monte-Carlo et se précipita sur le quai.

Il avisa l'Anglaise au haut des marches d'une voiture, se glissa parmi des groupes, et la revit, à travers les fenêtres, debout, et défaisant son manteau.

Il y avait très peu de monde. C'était quelques années avant la guerre, à la fin d'avril, et ce rapide, assez incommode, sans wagons-lits ni restaurant, n'emportait vers le Midi que d'assez rares voyageurs de première classe. Raoul ne compta que deux hommes, qui occupaient le compartiment situé tout à l'avant de cette même voiture numéro cinq.

Il se promena sur le quai, assez loin de la voiture, loua deux oreillers, se munit à la bibliothèque roulante de journaux et de brochures, et, au coup de sifflet, d'un bond, escalada les marches et entra dans le troisième compartiment, comme quelqu'un qui arrive à la dernière minute.

L'Anglaise était seule, près de la fenêtre. Il s'installa sur la banquette opposée, mais près du couloir. Elle leva les yeux, observa cet intrus qui n'offrait même point la garantie d'une valise ou d'un paquet, et sans paraître s'émouvoir, se remit à manger d'énormes chocolats dont elle avait, sur ses genoux, une boîte grande ouverte.

Un contrôleur passa et poinçonna les billets. Le train se hâtait vers la banlieue. Les clartés de Paris s'espaçaient. Raoul parcourut distraitement les journaux et, n'y prenant aucun intérêt, les rejeta.

« Pas d'événements, se dit-il. Aucun crime sensationnel. Combien cette jeune personne est plus captivante ! »

Le fait de se trouver seul, dans une petite pièce close, avec une inconnue, surtout jolie, de passer la nuit ensemble et de dormir presque côte à côte, lui avait toujours paru une anomalie mondaine dont il se divertissait fort. Aussi était-il bien déterminé à ne pas perdre son temps en lectures, méditations ou coups d'œil furtifs.

Il se rapprocha d'une place. L'Anglaise dut évidemment deviner que son compagnon de voyage se disposait à lui adresser la parole, et elle ne s'en émut pas plus qu'elle ne s'y prêta. Il fallait donc que Raoul fît, à lui seul, tout l'effort d'entrer en relations. Cela ne le gênait pas. D'un ton infiniment respectueux, il articula :

« Quelle que soit l'incorrection de ma démarche, je vous demanderai la permission de vous avertir d'une chose qui peut avoir pour vous de l'importance. Puis-je me permettre quelques mots ? »

Elle choisit un chocolat, et, sans tourner la tête, répondit, d'un petit ton bref :

« S'il ne s'agit que de quelques mots, monsieur, oui.

— Voici, madame... »

Elle rectifia...

« Mademoiselle...

— Voici, mademoiselle. Je sais, par hasard, que vous avez été suivie toute la journée, d'une manière équivoque, par un monsieur, qui se cache de vous, et... »

Elle interrompit Raoul :

« Votre démarche est, en effet, d'une incorrection qui

m'étonne de la part d'un Français. Vous n'avez pas mission de surveiller les gens qui me suivent.

— C'est que celui-ci m'a paru suspect...

— Celui-ci, que je connais, et qui s'est fait présenter à moi l'année dernière, M. Marescal, a tout au moins la délicatesse de me suivre de loin et de ne pas envahir mon compartiment. »

Raoul, piqué au vif, s'inclina :

« Bravo, mademoiselle, le coup est direct. Je n'ai plus qu'à me taire.

— Vous n'avez plus qu'à vous taire, en effet, jusqu'à la prochaine station, où je vous conseille de descendre.

— Mille regrets. Mes affaires m'appellent à Monte-Carlo.

— Elles vous y appellent depuis que vous savez que j'y vais.

— Non, mademoiselle, dit Raoul nettement... mais depuis que je vous ai aperçue, tantôt, dans une pâtisserie, boulevard Haussmann. »

La riposte fut rapide.

« Inexact, monsieur, dit l'Anglaise. Votre admiration pour une jeune personne aux magnifiques yeux verts vous eût certainement entraîné dans son sillage, si vous aviez pu la rejoindre après le scandale qui s'est produit. Ne le pouvant pas, vous vous êtes lancé sur mes traces, d'abord jusqu'à l'hôtel Concordia, comme l'individu dont vous me dénoncez le manège, puis jusqu'au buffet de la gare. »

Raoul s'amusait franchement.

« Je suis flatté qu'aucun de mes faits et gestes ne vous ait échappé, mademoiselle.

— Rien ne m'échappe, monsieur.

— Je m'en rends compte. Pour un peu, vous me diriez mon nom.

— Raoul de Limézy, explorateur, retour du Thibet et de l'Asie centrale. »

Raoul ne dissimula pas son étonnement.

« De plus en plus flatté. Vous demanderai-je par suite de quelle enquête ?

— Aucune enquête. Mais quand une dame voit un monsieur se précipiter dans son compartiment à la dernière minute, et sans bagages, elle se doit à elle-même d'observer. Or, vous avez coupé deux ou trois pages de votre brochure avec une de vos cartes de visite. J'ai lu cette carte, et je me suis rappelé une interview récente où Raoul de Limézy racontait sa dernière expédition. C'est simple.

— Très simple. Mais il faut avoir de rudes yeux.

— Les miens sont excellents.

— Pourtant vous n'avez pas quitté du regard votre boîte de bonbons. Vous en êtes au dix-huitième chocolat.

— Je n'ai pas besoin de regarder pour voir, ni de réfléchir pour deviner.

— Pour deviner quoi, en l'occurrence ?

— Pour deviner que votre nom véritable n'est pas Raoul de Limézy.

— Pas possible !...

— Sans quoi, monsieur, les initiales qui sont au fond de votre chapeau ne seraient pas un H. et un V... à moins que vous ne portiez le chapeau d'un ami. »

Raoul commençait à s'impatienter. Il n'aimait pas que, dans un duel qu'il soutenait, l'adversaire eût constamment l'avantage.

« Et que signifient cet H. et ce V., selon vous ? »

Elle croqua son dix-neuvième chocolat et du même ton négligent :

« Ce sont là, monsieur, des initiales dont l'accouplement est assez rare. Quand je les rencontre par hasard, mon esprit fait toujours un rapprochement involontaire entre elles et les initiales de deux noms que j'ai remarqués une fois.

— Puis-je vous demander lesquels ?

— Cela ne vous apprendrait rien. C'est un nom inconnu pour vous.

— Mais encore ?...

— Horace Velmont.

— Et qui est cet Horace Velmont ?

— Horace Velmont est un des nombreux pseudonymes sous lesquels se cache...

— Sous lesquels se cache ?...

— Arsène Lupin. »

Raoul éclata de rire.

« Je serais donc Arsène Lupin ? »

Elle protesta :

« Quelle idée ! Je vous raconte seulement le souvenir que les initiales de votre chapeau évoquent en moi tout à fait stupidement. Et je me dis, tout aussi stupidement, que votre joli nom de Raoul de Limézy ressemble beaucoup à un certain nom de Raoul d'Andrésy qu'Arsène Lupin a porté également.

— Excellentes réponses, mademoiselle ! Mais, si j'avais

l'honneur d'être Arsène Lupin, croyez-moi, je ne jouerais pas le rôle un peu niais que je tiens en face de vous. Avec quelle maîtrise vous vous moquez de l'innocent Limézy ! »

Elle lui tendit sa boîte.

« Un chocolat, monsieur, pour compenser votre défaite, et laissez-moi dormir.

— Mais, implora-t-il, notre conversation n'en restera pas là ?

— Non, dit-elle. Si l'innocent Limézy ne m'intéresse pas, par contre les gens qui portent un autre nom que le leur m'intriguent toujours. Quelles sont leurs raisons ? Pourquoi se déguisent-ils ? Curiosité un peu perverse...

— Curiosité que peut se permettre une Bakefield », dit-il assez lourdement.

Et il ajouta :

« Comme vous le voyez, mademoiselle, moi aussi je connais votre nom.

— Et l'employé de Cook aussi, dit-elle en riant.

— Allons, fit Raoul, je suis battu. Je prendrai ma revanche à la première occasion.

— L'occasion se présente surtout quand on ne la cherche pas », conclut l'Anglaise.

Pour la première fois, elle lui donna franchement et en plein le beau regard de ses yeux bleus. Il frissonna.

« Aussi belle que mystérieuse, murmura-t-il.

— Pas le moins du monde mystérieuse, dit-elle. Je m'appelle Constance Bakefield. Je rejoins à Monte-Carlo mon père, Lord Bakefield, qui m'attend pour jouer au golf avec lui. En dehors du golf, dont je suis passionnée comme de tous les exercices, j'écris dans les journaux pour gagner ma vie et garder mon indépendance. Mon métier de "reporteresse" me permet ainsi d'avoir des renseignements de première main sur tous les personnages célèbres, hommes d'État, généraux, chefs et chevaliers d'industries, grands artistes et illustres cambrioleurs. Je vous salue, monsieur. »

Déjà elle refermait sur son visage les deux extrémités d'un châle, enfouissait sa tête blonde dans le creux d'un oreiller, jetait une couverture sur ses épaules et allongeait les jambes sur la banquette.

Raoul, qui avait tressailli sous la pointe de ce mot de cambrioleur, jeta quelques phrases qui ne portèrent point : il se heurtait à une porte close. Le mieux était de se taire et d'attendre sa revanche.

Il demeura donc silencieux dans son coin, déconcerté par l'aventure, mais au fond ravi et plein d'espoir. La délicieuse créature, originale et captivante, énigmatique et si franche ! Et quelle acuité dans l'observation ! Comme elle avait vu clair en lui ! Comme elle avait relevé les petites imprudences que le mépris du danger lui laissait parfois commettre ! Ainsi, ces deux initiales...

Il saisit son chapeau et en arracha la coiffe de soie qu'il alla jeter par une fenêtre du couloir. Puis il revint prendre place au milieu du compartiment, se cala aussi entre ses deux oreillers, et rêvassa nonchalamment.

La vie lui semblait charmante. Il était jeune. Des billets de banque, facilement gagnés, garnissaient son portefeuille. Vingt projets d'exécution certaine et de rapport fructueux fermentaient en son ingénieux cerveau. Et, le lendemain matin, il aurait en face de lui le spectacle passionnant et troublant d'une jolie femme qui s'éveille.

Il y pensait avec complaisance. Dans son demi-sommeil il voyait les beaux yeux couleur de ciel. Chose bizarre, ils se teintaient peu à peu de nuances imprévues, et devenaient verts, couleur des flots. Il ne savait plus trop si c'étaient ceux de l'Anglaise ou de la Parisienne qui le regardaient dans ce demi-jour indistinct. La jeune fille de Paris lui souriait gentiment. À la fin c'était bien elle qui dormait en face de lui. Et un sourire aux lèvres, la conscience tranquille, il s'endormit également.

Les songes d'un homme dont la conscience est tranquille et qui entretient avec son estomac des relations cordiales ont toujours un agrément que n'atténuent même pas les cahots du chemin de fer. Raoul flottait béatement dans des pays vagues où s'allumaient des yeux bleus et des yeux verts, et le voyage était si agréable qu'il n'avait pas pris la précaution de placer en dehors de lui, et pour ainsi dire en faction, comme il le faisait toujours, une petite partie de son esprit.

Ce fut un tort. En chemin de fer, on doit toujours se méfier, principalement lorsqu'il y a peu de monde. Il n'entendit donc point s'ouvrir la porte de la passerelle à soufflet qui servait de communication avec la voiture précédente (voiture numéro quatre) ni s'approcher à pas de loup trois personnages masqués et vêtus de longues blouses grises, qui firent halte devant son compartiment.

Autre tort : il n'avait pas voilé l'ampoule lumineuse. S'il l'eût voilée à l'aide d'un rideau, les individus eussent été contraints d'allumer pour accomplir leurs funestes desseins, et Raoul se fût réveillé en sursaut.

De sorte que, en fin de compte, il n'entendit ni ne vit rien. Un des hommes, revolver au poing, demeura, comme une sentinelle, dans le couloir. Les deux autres, en quelques signes, se partagèrent la besogne, et tirèrent de leurs poches des casse-tête. L'un frapperait le premier voyageur, l'autre celui qui dormait sous une couverture.

L'ordre d'attaque se donna à voix basse, mais, si bas que ce fût, Raoul en perçut le murmure, se réveilla, et, instantanément raidit ses jambes et ses bras. Parade inutile. Le casse-tête s'abattait sur son front et l'assommait. Tout au plus put-il sentir qu'on le saisissait à la gorge, et put-il apercevoir qu'une ombre passait devant lui et se ruait sur Miss Bakefield.

Dès lors, ce fut la nuit, les ténèbres épaisses, où, perdant pied comme un homme qui se noie, il n'eut plus que ces impressions incohérentes et pénibles qui remontent plus tard à la surface de la conscience, et avec lesquelles la réalité se reconstitue dans son ensemble. On le ligota, on le bâillonna énergiquement, et on lui enveloppa la tête d'une étoffe rugueuse. Ses billets de banque furent enlevés.

« Bonne affaire, souffla une voix. Mais tout ça, c'est des "hors-d'œuvre". As-tu ficelé l'autre ?

— Le coup de matraque a dû l'étourdir. »

Il faut croire que le coup n'avait pas étourdi « l'autre » suffisamment, et que le fait d'être ficelée ne lui convenait pas, car il y eut des jurons, un bruit de bousculade, une bataille acharnée qui remuait toute la banquette... et puis des cris... des cris de femme...

« Crénom, en voilà une garce ! reprit sourdement une des voix. Elle griffe... elle mord... Mais, dis donc, tu la reconnais, toi ?

— Dame ! c'est plutôt à toi de le dire.

— Que je la fasse taire d'abord ! »

Il employa de tels moyens qu'elle se tut, en effet, peu à peu. Les cris s'atténuèrent, devinrent des hoquets, des plaintes. Elle luttait cependant, et cela se passait tout contre Limézy, qui sentait, comme dans un cauchemar, tous les efforts de l'attaque et de la résistance.

Et subitement cela prit fin. Une troisième voix, qui venait du couloir, celle de l'homme en faction évidemment, ordonna, sur un ton étouffé :

« Halte !... mais lâchez-la donc ! Vous ne l'avez toujours pas tuée, hein ?

— Ma foi, j'ai bien peur... En tout cas on pourrait la fouiller.

— Halte ! et silence, nom de D... »

Les deux agresseurs sortirent. On se querella et on discuta dans le couloir, et Raoul, qui commençait à se ranimer et à bouger, surprit ces mots : « Oui... plus loin... le compartiment du bout... Et, vivement !... le contrôleur pourrait venir... »

Un des trois bandits se pencha sur lui :

« Toi, si tu remues, tu es mort. Tiens-toi tranquille. »

Le trio s'éloigna vers l'extrémité opposée, où Raoul avait remarqué la présence de deux voyageurs. Déjà il essayait de desserrer ses liens, et, par des mouvements de mâchoire, de déplacer son bâillon.

Près de lui, l'Anglaise gémissait, de plus en plus faiblement, ce qui le désolait. De toutes ses forces, il cherchait à se libérer, avec la crainte qu'il ne fût trop tard pour sauver la malheureuse. Mais ses liens étaient solides et durement noués.

Cependant, l'étoffe qui l'aveuglait, mal attachée, tomba soudain. Il aperçut la jeune fille à genoux, les coudes sur la banquette, et le regardant avec des yeux qui n'y voyaient pas.

Au loin, des détonations claquèrent. Les trois bandits masqués et les deux voyageurs devaient se battre dans le compartiment du bout. Presque aussitôt, un des bandits passa au galop, une petite valise à la main et les gestes désordonnés.

Depuis une ou deux minutes, le train avait ralenti. Il était probable que des travaux de réparation effectués sur la voie retardaient sa marche, et de là provenait le moment choisi pour l'agression.

Raoul était désespéré. Tout en se raidissant contre ses cordes impitoyables, il réussit à dire à la jeune fille, malgré son bâillon :

« Tenez bon, je vous en prie... Je vais vous soigner... Mais qu'y a-t-il ? Qu'éprouvez-vous ? »

Les bandits avaient dû serrer outre mesure la gorge de la jeune fille, et lui briser le cou, car sa face, tachetée de plaques noires et convulsée, présentait tous les symptômes de l'asphyxie. Raoul eut la notion immédiate qu'elle était près de mourir. Elle haletait et tremblait des pieds à la tête.

Son buste se ploya vers le jeune homme. Il perçut le souffle rauque de sa respiration, et, parmi des râles d'épuisement, quelques mots qu'elle bégayait en anglais :

« Monsieur... monsieur... écoutez-moi... je suis perdue.

— Mais non, dit-il, bouleversé. Essayez de vous relever... d'atteindre la sonnette d'alarme. »

Elle n'avait pas de force. Et aucune chance ne restait pour que Raoul parvînt à se dégager, malgré l'énergie surhumaine de ses efforts. Habitué comme il l'était à faire triompher sa volonté, il souffrait horriblement d'être ainsi le spectateur impuissant de cette mort affreuse. Les événements échappaient à sa domination et tourbillonnaient autour de lui dans un vertige de tempête.

Un deuxième individu masqué repassa, chargé d'un sac de voyage, et tenant un revolver. Il en venait un troisième parderrière. Là-bas, sans doute, les deux voyageurs avaient succombé et, comme on avançait de plus en plus lentement, au milieu des travaux, les meurtriers allaient s'enfuir tranquillement.

Or, à la grande surprise de Limézy, ils s'arrêtèrent net, en face même du compartiment, comme si un obstacle redoutable se dressait tout à coup devant eux. Raoul supposa que quelqu'un surgissait à l'entrée de la passerelle à soufflet... peut-être le contrôleur, au cours d'une ronde.

Tout de suite, en effet, il y eut des éclats de voix, puis, brusquement, la lutte. Le premier des individus ne put même pas se servir de son arme, qui lui échappa des mains. Un employé, vêtu d'un uniforme, l'avait assailli, et ils roulèrent tous les deux sur le tapis, tandis que le complice, un petit qui semblait tout mince dans sa blouse grise tachée de sang, et dont la tête se dissimulait sous une casquette trop large, à laquelle était attaché un masque de lustrine noire, essayait de dégager son camarade.

« Hardi, le contrôleur ! cria Raoul exaspéré... voilà du secours ! »

Mais le contrôleur faiblissait, une de ses mains immobilisée par le plus petit des complices. L'autre homme reprit le dessus et martela la figure de l'employé d'une grêle de coups de poing.

Alors le plus petit se releva, et, comme il se relevait, son masque fut accroché et tomba, entraînant la casquette trop large. D'un geste vif, il se recouvrit de l'un et de l'autre. Mais Raoul avait eu le temps d'apercevoir les cheveux blonds et l'adorable visage, effaré et livide, de l'inconnue aux yeux verts, rencontrée, l'après-midi, dans la pâtisserie du boulevard Haussmann.

La tragédie prenait fin. Les deux complices se sauvèrent. Raoul, frappé de stupeur, assista sans un mot au long et pénible manège du contrôleur qui réussit à monter sur la banquette et à tirer le signal d'alarme.

L'Anglaise agonisait. Dans un dernier soupir, elle balbutia encore des mots incohérents :

« Pour l'amour de Dieu... écoutez-moi... il faut prendre... il faut prendre...

— Quoi ? je vous promets...

— Pour l'amour de Dieu... prenez ma sacoche... enlevez les papiers... Que mon père ne sache rien... »

Elle renversa la tête et mourut... Le train stoppa.

II

INVESTIGATIONS

La mort de Miss Bakefield, l'attaque sauvage des trois personnages masqués, l'assassinat probable des deux voyageurs, la perte de ses billets de banque, tout cela ne pesa guère dans l'esprit de Raoul auprès de l'inconcevable vision qui l'avait heurté en dernier lieu. La demoiselle aux yeux verts ! La plus gracieuse et la plus séduisante femme qu'il eût jamais rencontrée surgissant de l'ombre criminelle ! La plus rayonnante image apparaissant sous ce masque ignoble du voleur et de l'assassin ! La demoiselle aux yeux de jade, vers qui son instinct d'homme l'avait jeté dès la première minute, et qu'il retrouvait en blouse tachée de sang, avec une face éperdue, en compagnie de deux effroyables meurtriers, et, comme eux, pillant, tuant, semant la mort et l'épouvante !

Bien que sa vie de grand aventurier, mêlé à tant d'horreurs et d'ignominies, l'eût endurci aux pires spectacles, Raoul (continuons de l'appeler ainsi puisque c'est sous ce nom qu'Arsène Lupin joua son rôle dans le drame), Raoul de Limézy demeurait confondu devant une réalité qu'il lui était impossible de concevoir et, en quelque sorte, d'étreindre. Les faits dépassaient son imagination.

Dehors, c'était le tumulte. D'une gare toute proche, la gare de Beaucourt, des employés accouraient, ainsi qu'un groupe d'ouvriers occupés aux réparations de la voie. Il y avait des clameurs. On cherchait d'où venait l'appel.

Le contrôleur trancha les liens de Raoul, tout en écoutant ses explications, puis il ouvrit une fenêtre du couloir et fit signe aux employés.

« Par ici ! Par ici »

Se retournant vers Raoul, il lui dit :

« Elle est morte, n'est-ce pas, cette jeune femme ?

— Oui... étranglée. Et ce n'est pas tout... deux voyageurs à l'autre extrémité. »

Ils allèrent vivement au bout du couloir.

Dans le dernier compartiment, deux cadavres. Aucune trace de désordre. Sur les filets, rien. Pas de valise. Pas de colis.

À ce moment les employés de la gare essayaient d'ouvrir la portière qui desservait la voiture de ce côté. Elle était bloquée, ce qui fit comprendre à Raoul les raisons pour lesquelles les trois bandits avaient dû reprendre le même chemin du couloir et s'enfuir par la première porte.

Celle-ci, en effet, fut trouvée ouverte. Des gens montèrent. D'autres sortaient de la passerelle à soufflet, et déjà l'on envahissait les deux compartiments, lorsqu'une voix forte proféra d'un ton impérieux :

« Que l'on ne touche à rien !... Non, monsieur, laissez ce revolver où il est. C'est une pièce à conviction extrêmement importante. Et puis il est préférable que tout le monde s'en aille. La voiture va être détachée, et le train repart aussitôt. N'est-ce pas, monsieur le chef de gare ? »

Dans les minutes de désarroi, il suffit que quelqu'un parle net, et sache ce qu'il veut, pour que toutes les volontés éparses se plient à cette énergie qui semble celle d'un chef. Or, celui-là s'exprimait puissamment, en homme accoutumé à ce qu'on lui obéisse. Raoul le regarda et fut stupéfait de reconnaître l'individu qui avait suivi Miss Bakefield et abordé la demoiselle aux yeux verts, l'individu auquel il avait demandé du feu, bref, le bellâtre pommadé, celui que l'Anglaise appelait M. Marescal. Debout à l'entrée du compartiment où gisait la jeune fille, il barrait la route aux intrus et les refoulait vers les portes ouvertes.

« Monsieur le chef de gare, reprit-il, vous aurez l'obligeance, n'est-ce pas, de surveiller la manœuvre ? Emmenez avec vous tous vos employés. Il faudrait aussi téléphoner à la gendarmerie la plus proche, demander un médecin, et prévenir le Parquet de Romillaud. Nous sommes en face d'un crime.

— De trois assassinats, rectifia le contrôleur. Deux hommes masqués se sont enfuis, deux hommes qui m'ont assailli.

— Je sais, dit Marescal. Les ouvriers de la voie ont aperçu des ombres et sont à leur poursuite. Au haut du talus, il y a un petit bois et la battue s'organise tout autour et le long de la route nationale. S'il y a capture, nous le saurons ici. »

Il articulait les mots durement, avec des gestes secs et une allure autoritaire.

Raoul s'étonnait de plus en plus et, du coup, reprenait tout son sang-froid. Que faisait là le pommadé ? et qu'est-ce qui lui donnait cet aplomb incroyable ? N'arrive-t-il pas souvent que l'aplomb de ces personnages provienne justement de ce qu'ils ont quelque chose à cacher, derrière leur façade brillante ?

Et comment oublier que Marescal avait suivi Miss Bakefield durant tout l'après-midi, qu'il la guettait avant l'heure du départ, et qu'il se trouvait là, sans doute, dans la voiture numéro quatre, à l'instant même où se machinait le crime ? D'une voiture à l'autre, la passerelle..., la passerelle par où les trois bandits masqués avaient surgi, et par où l'un des trois, le premier, avait pu retourner... Celui-là, n'était-ce pas le personnage qui maintenant « crânait » et commandait ?

La voiture s'était vidée. Il ne restait plus que le contrôleur. Raoul essaya de rejoindre sa place. Il en fut empêché.

« Comment, monsieur ! dit-il, certain que Marescal ne le reconnaissait pas. Comment ! mais j'étais ici, et je prétends y revenir.

— Non, monsieur, riposta Marescal, tout endroit où un crime a été commis appartient à la justice, et nul n'y peut pénétrer sans une autorisation. »

Le contrôleur s'interposa.

« Ce voyageur fut l'une des victimes de l'attaque. Ils l'ont ligoté et dépouillé.

— Je regrette, dit Marescal. Mais les ordres sont formels.

— Quels ordres ? fit Raoul irrité.

— Les miens. »

Raoul se croisa les bras.

« Mais enfin, monsieur, de quel droit parlez-vous ? Vous êtes là qui nous faites la loi avec une insolence que les autres personnes peuvent accepter, mais que je ne suis pas d'humeur à subir, moi. »

Le bellâtre tendit sa carte de visite, en scandant d'une voix pompeuse :

« Rodolphe Marescal, commissaire au service des recherches internationales, attaché au ministère de l'Intérieur. »

Devant de pareils titres, avait-il l'air de dire, on n'a qu'à s'incliner. Et il ajouta :

« Si j'ai pris la direction des événements, c'est d'accord avec le chef de gare, et parce que ma compétence spéciale m'y autorisait. »

Raoul, quelque peu interloqué, se contint. Le nom de Marescal, auquel il n'avait pas fait attention, éveillait subitement dans sa mémoire le souvenir confus de certaines affaires où il lui semblait que le commissaire avait montré du mérite et une clairvoyance remarquable. En tout cas, il eût été absurde de lui tenir tête.

« C'est ma faute, pensa-t-il. Au lieu d'agir du côté de l'Anglaise et de remplir son dernier vœu, j'ai perdu mon temps à faire de l'émotion avec la fille masquée. Mais tout de même, je te repincerai au détour, le pommadé, et je saurai comment il se peut que tu sois dans ce train, à point nommé, pour t'occuper d'une affaire où les deux héroïnes sont justement les jolies femmes de tantôt. En attendant, filons doux. »

Et, d'un ton de déférence, comme s'il était fort sensible au prestige des hautes fonctions :

« Excusez-moi, monsieur. Si peu Parisien que je sois, puisque j'habite le plus souvent hors de France, votre notoriété est venue jusqu'à moi, et je me rappelle, entre autres, une histoire de boucles d'oreilles... »

Marescal se rengorgea.

« Oui, les boucles d'oreilles de la princesse Laurentini, dit-il. Ce ne fut pas mal en effet. Mais nous tâcherons de réussir encore mieux aujourd'hui, et j'avoue qu'avant l'arrivée de la gendarmerie, et surtout du juge d'instruction, j'aimerais bien pousser l'enquête à un point où...

— À un point, approuva Raoul, où ces messieurs n'auraient plus qu'à conclure. Vous avez tout à fait raison, et je ne continuerai mon voyage que demain, si ma présence peut vous être utile.

— Extrêmement utile, et je vous en remercie. »

Le contrôleur, lui, dut repartir, après avoir dit ce qu'il savait. Cependant, la voiture était rangée sur une voie de garage et le train s'éloigna.

Marescal commença ses investigations, puis avec l'intention évidente d'éloigner Raoul, il le pria d'aller jusqu'à la station et de chercher des draps pour recouvrir les cadavres.

Raoul, empressé, descendit, longea la voiture, et se hissa au niveau de la troisième fenêtre du couloir.

« C'est bien ce que je pensais, se dit-il, le pommadé voulait être seul. Quelque petite machination préliminaire. »

Marescal en effet avait un peu soulevé le corps de la jeune Anglaise et entrouvert son manteau de voyage. Autour de sa taille, il y avait une petite sacoche de cuir rouge. Il dégrafa la courroie, prit la sacoche, et l'ouvrit. Elle contenait des papiers, qu'il se mit à lire aussitôt.

Raoul, qui ne le voyait que de dos et ne pouvait ainsi juger, d'après son expression, ce qu'il pensait de sa lecture, partit en grommelant :

« T'auras beau te presser, camarade, je te rattraperai toujours avant le but. Ces papiers m'ont été légués et nul autre que moi n'a droit sur eux. »

Il accomplit la mission dont il était chargé et, lorsqu'il revint avec la femme et la mère du chef de gare, qui se proposaient pour la veillée funèbre, il apprit de Marescal qu'on avait cerné dans le bois deux hommes qui se cachaient au milieu des fourrés.

« Pas d'autre indication ? demanda Raoul.

— Rien, déclara Marescal, soi-disant un des hommes boitait et l'on a recueilli derrière lui un talon coincé entre deux racines. Mais c'est un talon de soulier de femme.

— Donc, aucun rapport.

— Aucun. »

On étendit l'Anglaise. Raoul regarda une dernière fois sa jolie et malheureuse compagne de voyage, et il murmura en lui-même :

« Je vous vengerai, Miss Bakefield. Si je n'ai pas su veiller sur vous et vous sauver, je vous jure que vos assassins seront punis. »

Il pensait à la demoiselle aux yeux verts et il répéta, à l'encontre de la mystérieuse créature, ce même serment de haine et de vengeance. Puis, baissant les paupières de la jeune fille, il ramena le drap sur son pâle visage.

« Elle était vraiment belle, dit-il. Vous ne savez pas son nom ?

— Comment le saurais-je ? déclara Marescal, qui se déroba.

— Mais voici une sacoche...

— Elle ne doit être ouverte qu'en présence du Parquet », dit Marescal qui la mit en bandoulière sur son épaule et qui ajouta : « Il est surprenant que les bandits ne l'aient pas dérobée.

— Elle doit contenir des papiers...

— Nous attendrons le Parquet, répéta le commissaire. Mais il semble, en tout cas, que les bandits qui vous ont dévalisé, vous, ne lui aient rien dérobé à elle... ni ce bracelet-montre, ni cette broche, ni ce collier... »

Raoul conta ce qui s'était passé, et il le fit d'abord avec précision, tellement il souhaitait collaborer à la découverte de la vérité. Mais, peu à peu, des raisons obscures le poussant à dénaturer certains faits, il ne parla point du troisième complice et ne donna des deux autres qu'un signalement approximatif, sans révéler la présence d'une femme parmi eux.

Marescal écouta et posa quelques questions, puis laissant une des gardes, emmena l'autre dans le compartiment où gisaient les deux hommes.

Ils se ressemblaient tous deux, l'un beaucoup plus jeune, mais tous deux offrant les mêmes traits vulgaires, les mêmes sourcils épais, et les mêmes vêtements gris, de mauvaise coupe. Le plus jeune avait reçu une balle en plein front, l'autre dans le cou.

Marescal, qui affectait la plus grande réserve, les examina longuement, sans même les déranger de leur position, fouilla leurs poches, et les recouvrit du même drap.

« Monsieur le commissaire, dit Raoul, à qui la vanité et les prétentions de Marescal n'avaient pas échappé, j'ai l'impression que vous avez déjà fait du chemin sur la voie de la vérité. On sent en vous un maître. Vous est-il possible en quelques mots ?...

— Pourquoi pas ? dit Marescal, qui entraîna Raoul dans un autre compartiment. La gendarmerie ne va pas tarder, et le médecin non plus. Afin de bien marquer la position que je prends, et de m'en assurer le bénéfice, je ne suis pas fâché d'exposer au préalable le résultat de mes premières investigations. »

« Vas-y, pommadé, se dit Raoul. Tu ne peux pas choisir un meilleur confident que moi. »

Il parut confus d'une telle aubaine. Quel honneur et quelle joie ! Le commissaire le pria de s'asseoir et commença :

« Monsieur, sans me laisser influencer par certaines contradictions ni me perdre dans les détails, je tiens à mettre en évidence deux faits primordiaux, d'une importance considérable, à mon humble avis. Tout d'abord, ceci. La jeune Anglaise, comme vous la désignez, a été victime d'une méprise. Oui, monsieur, d'une méprise. Ne vous récriez pas. J'ai mes preuves. À l'heure fixée par le ralentissement prévu du train, les bandits qui se trouvaient dans la voiture suivante (je me rappelle les avoir entraperçus de loin et je les croyais même au nombre de trois) vous attaquent, vous dépouillent, attaquent votre voisine, cherchent à la ficeler... et puis brusquement, lâchent tout et s'en vont plus loin, jusqu'au compartiment du bout.

« Pourquoi cette volte-face ?... Pourquoi ? Parce qu'ils se sont trompés, parce que la jeune femme était dissimulée sous une couverture, parce qu'ils croient se ruer contre deux hommes et qu'ils aperçoivent une femme. D'où leur effarement. "Crénom, en voilà une garce !" et d'où leur éloignement précipité. Ils explorent le couloir et découvrent les deux hommes qu'ils recherchaient... les deux qui sont là. Or, ces deux-là se défendent. Ils les tuent à coups de revolver et les dépouillent au point de ne rien leur laisser. Valises, paquets, tout est parti, jusqu'aux casquettes... Premier point nettement établi, n'est-ce pas ? »

Raoul était surpris, non pas de l'hypothèse, car lui-même l'avait admise dès le début, mais que Marescal eût pu l'apercevoir avec cette acuité et cette logique.

« Second point... » reprit le policier, que l'admiration de son interlocuteur exaltait.

Il tendit à Raoul une petite boîte d'argent finement ciselée.

« J'ai ramassé cela derrière la banquette.

— Une tabatière ?

— Oui, une tabatière ancienne... mais servant d'étui à cigarettes. Sept cigarettes, tout juste, que voici... tabac blond, pour femme.

— Ou pour homme, dit Raoul, en souriant..., car enfin il n'y avait là que des hommes.

— Pour femme, j'insiste...

— Impossible !

— Sentez la boîte. »

Il la mit sous le nez de Raoul. Celui-ci, après avoir reniflé, acquiesça :

« En effet, en effet... un parfum de femme qui met son étui

à cigarettes dans son sac, avec le mouchoir, la poudre de riz et le vaporisateur de poche. L'odeur est caractéristique.

— Alors ?

— Alors je ne comprends plus. Deux hommes ici que nous retrouvons morts... et deux hommes qui ont attaqué et se sont enfuis après avoir tué.

— Pourquoi pas un homme et une femme ?

— Hein ! Une femme... Un de ces bandits serait une femme ?

— Et cette boîte à cigarettes ?

— Preuve insuffisante.

— J'en ai une autre.

— Laquelle ?

— Le talon... ce talon de soulier, que l'on a ramassé dans les bois, entre deux racines. Croyez-vous qu'il en faut davantage pour établir une conviction solide relativement au second point que j'énonce ainsi : deux agresseurs, dont un homme et une femme. »

La clairvoyance de Marescal agaçait Raoul. Il se garda de le montrer et fit, entre ses dents, comme si l'exclamation lui échappait :

« Vous êtes rudement fort ! »

Et il ajouta :

« C'est tout ? Pas d'autres découvertes ?

— Hé ! dit l'autre en riant, laissez-moi souffler !

— Vous avez donc l'intention de travailler toute la nuit ?

— Tout au moins jusqu'à ce qu'on m'ait amené les deux fugitifs, ce qui ne saurait tarder, si l'on se conforme à mes instructions. »

Raoul avait suivi la dissertation de Marescal de l'air bonasse d'un monsieur qui, lui, n'est pas rudement fort, et qui s'en remet aux autres du soin de débrouiller une affaire à laquelle il ne saisit pas grand-chose. Il hocha la tête, et prononça, en bâillant :

« Amusez-vous, monsieur le commissaire. Pour moi, je vous avouerai que toutes ces émotions m'ont diablement démoli et qu'une heure ou deux de repos...

— Prenez-les, approuva Marescal. N'importe quel compartiment vous servira de couchette... Tenez, celui-ci... Je veillerai à ce que personne ne vous dérange... et quand j'aurai fini, je viendrai m'y reposer à mon tour. »

Raoul s'enferma, tira les rideaux et voila le globe lumineux.

À ce moment, il n'avait pas une idée nette de ce qu'il voulait faire. Les événements, très compliqués, ne prêtaient pas encore une solution réfléchie, et il se contenterait d'épier les intentions de Marescal et de résoudre l'énigme de sa conduite.

« Toi, mon pommadé, se disait-il, je te tiens. Tu es comme le corbeau de la fable : avec des louanges on te fait ouvrir le bec. Du mérite, certes, du coup d'œil. Mais trop bavard. Quant à mettre en cage l'inconnue et son complice, ça m'étonnerait beaucoup. C'est là une entreprise dont il faudra que je m'acquitte personnellement. »

Or, il advint que, dans la direction de la gare, un bruit de voix s'éleva, qui prit assez vite des proportions de tumulte. Raoul écouta. Marescal s'était penché et criait, par une fenêtre du couloir, à des gens qui approchaient :

« Qu'y a-t-il ? Ah ! parfait, les gendarmes... Je ne me trompe pas, n'est-ce pas ? »

On lui répondit :

« Le chef de gare m'envoie vers vous, monsieur le commissaire.

— C'est vous, brigadier ? Il y a eu des arrestations ?

— Une seule, monsieur le commissaire. Un de ceux que l'on poursuivait est tombé de fatigue sur la grand-route, tandis que nous arrivions à un kilomètre d'ici. L'autre a pu s'échapper.

— Et le médecin ?

— Il faisait atteler, à notre passage. Mais il avait une visite en chemin. Il sera là d'ici quarante minutes.

— C'est le plus petit des deux que vous avez arrêté, brigadier ?

— Un petit tout pâle... avec une casquette trop grande... et qui pleure... et qui fait des promesses : "Je parlerai, mais à M. le juge seulement... Où est-il, M. le juge ?"

— Vous l'avez laissé à la station, ce petit-là ?

— Sous bonne garde.

— J'y vais.

— Si ça ne vous contrarie pas, monsieur le commissaire, je voudrais d'abord voir comment ça s'est passé dans le train. »

Le brigadier monta avec un gendarme... Marescal le reçut en haut des marches, et tout de suite le conduisit devant le cadavre de la jeune Anglaise.

« Tout va bien, se dit Raoul, qui n'avait pas perdu un mot du dialogue. Si le pommadé commence ses explications, il y en a pour un bout de temps. »

Cette fois, il voyait clair dans le désordre de son esprit, et discernait les intentions vraiment inattendues qui surgissaient brusquement en lui, à son insu pour ainsi dire, et sans qu'il pût comprendre le motif secret de sa conduite.

Il baissa la grande glace et se pencha sur la double ligne des rails. Personne. Aucune lumière.

Il sauta.

III

LE BAISER DANS L'OMBRE

La gare de Beaucourt est située en pleine campagne, loin de toute habitation. Une route perpendiculaire au chemin de fer la relie au village de Beaucourt, puis à Romillaud où se trouve la gendarmerie, puis à Auxerre d'où l'on attendait les magistrats. Elle est coupée à angle droit par la route nationale, laquelle longe la ligne à une distance de cinq cents mètres.

On avait réuni sur le quai toutes les lumières disponibles, lampes, bougies, lanternes, fanaux, ce qui obligea Raoul à n'avancer qu'avec des précautions infinies. Le chef de gare, un employé et un ouvrier conversaient avec le gendarme de faction dont la haute taille se dressait devant la porte ouverte à deux battants d'une pièce encombrée de colis, qui était réservée au service des messageries.

Dans la demi-obscurité de cette pièce s'étageaient des piles de paniers et de caissettes, et s'éparpillaient des colis de toute espèce. En approchant, Raoul crut voir, assise sur un amas d'objet, une silhouette courbée qui ne bougeait pas.

« C'est elle tout probablement, se dit-il, c'est la demoiselle aux yeux verts. Un tour de clef dans le fond, et la prison est toute faite, puisque les geôliers se tiennent à la seule issue possible. »

La situation lui parut favorable, mais à condition qu'il ne se heurtât pas à des obstacles susceptibles de le gêner, Marescal et le brigadier pouvant survenir plus tôt qu'il ne le supposait. Il fit donc un détour en courant et aboutit à la façade postérieure de la gare sans avoir rencontré âme qui vive. Il était plus de minuit. Aucun train ne s'arrêtait plus et, sauf le petit groupe qui bavardait sur le quai, il n'y avait personne.

Il entra dans la salle d'enregistrement. Une porte à gauche, un vestibule avec un escalier, et, à droite de ce vestibule, une autre porte. D'après la disposition des lieux ce devait être là.

Pour un homme comme Raoul, une serrure ne constitue pas un obstacle valable. Il avait toujours sur lui quatre ou cinq menus instruments avec lesquels il se chargeait d'ouvrir les portes les plus récalcitrantes. À la première tentative, celle-ci obéit. Ayant entrebâillé légèrement, il vit qu'aucun rayon lumineux ne la frappait. Il poussa donc, tout en se baissant, et entra. Les gens du dehors n'avaient pu ni le voir ni l'entendre, et pas davantage la captive dont les sanglots sourds rythmaient le silence de la pièce.

L'ouvrier racontait la poursuite à travers les bois. C'est lui qui, dans un taillis, sous le jet d'un fanal, avait levé « le gibier ». L'autre malandrin, comme il disait, était mince et de haute taille et détalait comme un lièvre. Mais il devait revenir sur ses pas et entraîner le petit. D'ailleurs, il faisait si noir que la chasse n'était pas commode.

« Tout de suite le gosse qu'est là, conta l'ouvrier, s'est mis à geindre. Il a une drôle de voix de fille, avec des larmes : "Où est le juge ?... je lui dirai tout... Qu'on me mène devant le juge !" »

L'auditoire ricanait. Raoul en profita pour glisser la tête entre deux piles de caisses à claire-voie. Il se trouvait ainsi derrière l'amoncellement de colis postaux où la captive était prostrée. Cette fois, elle avait dû percevoir quelque bruit, car les sanglots cessèrent.

Il chuchota :

« N'ayez pas peur. »

Comme elle se taisait, il reprit :

« N'ayez pas peur... je suis un ami.

— Guillaume ? » demanda-t-elle, très bas.

Raoul comprit qu'il s'agissait de l'autre fugitif et répondit :

« Non, c'est quelqu'un qui vous sauvera des gendarmes. »

Elle ne souffla pas mot. Elle devait redouter une embûche. Mais il insista :

« Vous êtes entre les mains de la justice. Si vous ne me suivez pas, c'est la prison, la cour d'assises...

— Non, fit-elle, M. le juge me laissera libre.

— Il ne vous laissera pas libre. Deux hommes sont morts... Votre blouse est couverte de sang... Venez... Une seconde d'hésitation peut vous perdre... Venez... »

Après un silence, elle murmura :
« J'ai les mains attachées. »
Toujours accroupi, il coupa les liens avec son couteau et demanda :
« Est-ce qu'ils peuvent vous voir actuellement ?
— Le gendarme seulement, quand il se retourne, et mal, car je suis dans l'ombre... Pour les autres, ils sont trop à gauche...
— Tout va bien... Ah ! un instant. Écoutez... »
Sur le quai des pas approchaient, et il reconnut la voix de Marescal. Alors il commanda :
« Pas un geste... Les voilà qui arrivent, plus tôt que je ne croyais... Entendez-vous ?...
— Oh ! j'ai peur, bégaya la jeune fille... Il me semble que cette voix... Mon Dieu, serait-ce possible !
— Oui, dit-il, c'est la voix de Marescal, votre ennemi... Mais il ne faut pas avoir peur... Tantôt, rappelez-vous, sur le boulevard, quelqu'un s'est interposé entre vous et lui. C'était moi. Je vous supplie de ne pas avoir peur.
— Mais il va venir...
— Ce n'est pas sûr...
— Mais s'il vient ?...
— Faites semblant de dormir, d'être évanouie... Enfermez votre tête entre vos bras croisés... Et ne bougez pas...
— S'il essaie de me voir ? S'il me reconnaît ?
— Ne lui répondez pas... Quoi qu'il advienne, pas un seul mot... Marescal n'agira pas tout de suite... il réfléchira... Et alors... »
Raoul n'était pas tranquille. Il supposait bien que Marescal devait être anxieux de savoir s'il ne se trompait pas et si le bandit était réellement une femme. Il allait donc procéder à un interrogatoire immédiat, et, en tout cas, jugeant la précaution insuffisante, inspecter lui-même la prison.
De fait, le commissaire s'écria aussitôt, d'un ton joyeux :
« Eh bien, monsieur le chef de gare, voilà du nouveau ! un prisonnier chez vous ! Et un prisonnier de marque ! La gare de Beaucourt va devenir célèbre... Brigadier, l'endroit me parait fort bien choisi, et je suis persuadé qu'on ne pouvait pas faire mieux. Par excès de prudence, je vais m'assurer... »
Ainsi, du premier coup, il marchait droit au but, comme Raoul l'avait prévu. L'effroyable partie allait se jouer entre cet homme et la jeune fille. Quelques gestes, quelques paroles, et la demoiselle aux yeux verts serait irrémédiablement perdue.

Raoul fut prêt de battre en retraite. Mais c'était renoncer à tout espoir et jeter à ses trousses toute une horde d'adversaires qui ne lui permettraient plus de recommencer l'entreprise. Il s'en remit donc au hasard.

Marescal pénétra dans la pièce, tout en continuant de parler aux gens du dehors, et de façon à leur cacher la forme immobile qu'il voulait être seul à contempler. Raoul demeurait à l'écart, suffisamment protégé par les caisses pour que Marescal ne le vît pas encore.

Le commissaire s'arrêta et dit tout haut :

« On semble dormir... Eh ! camarade, il n'y aurait pas moyen de faire un bout de causette ? »

Il tira de sa poche une lampe électrique dont il pressa le bouton et dirigea le faisceau lumineux. Ne voyant qu'une casquette et deux bras serrés, il écarta les bras et souleva la casquette.

« Ça y est, dit-il tout bas... Une femme... Une femme blonde!... Allons, la petite, montrez-moi votre jolie frimousse. »

Il saisit la tête de force et la tourna. Ce qu'il vit était tellement extraordinaire qu'il n'accepta pas l'invraisemblable vérité.

« Non, non, murmura-t-il, ce n'est pas admissible. »

Il observa la porte d'entrée, ne voulant pas qu'aucun des autres le rejoignît. Puis, fiévreusement il arracha la casquette. Le visage apparut, éclairé en plein, sans réserve.

« Elle ! Elle ! murmura-t-il. Mais je suis fou... Voyons, ce n'est pas croyable... Elle, ici ! Elle, une meurtrière ! Elle !... Elle ! »

Il se pencha davantage. La captive ne bronchait pas. Sa pâle figure n'avait pas un tressaillement, et Marescal lui jetait, d'une voix haletante :

« C'est vous ! Par quel prodige ? Ainsi, vous avez tué... et les gendarmes vous ont ramassée ! Et vous êtes là, vous ! Est-ce possible ! »

On eût dit vraiment qu'elle dormait. Marescal se tut. Est-ce qu'elle dormait en réalité ? Il lui dit :

« C'est cela, ne remuez pas... Je vais éloigner les autres et revenir... Dans une heure, je serai là... et on parlera... Ah ! il va falloir filer doux, ma petite. »

Que voulait-il dire ? Allait-il lui proposer quelque abominable marché ? Au fond (Raoul le devina), il ne devait pas avoir de dessein bien fixe. L'événement le prenait au dépourvu et il se demandait quel bénéfice il en pourrait tirer.

Il remit la casquette sur la tête blonde et refoula toutes les boucles, puis, entrouvrant la blouse, fouilla les poches du veston. Il n'y trouva rien. Alors il se redressa et son émoi était si grand qu'il ne pensa plus à l'inspection de la pièce et de la porte.

« Drôle de gosse, dit-il en revenant vers le groupe. Ça n'a sûrement pas vingt ans... Un galopin que son complice aura dévoyé... »

Il continua de parler, mais d'une manière distraite, où l'on sentait le désarroi de sa pensée et le besoin de réfléchir.

« Je crois, dit-il, que ma petite enquête préliminaire ne manquera pas d'intéresser ces messieurs du Parquet. En les attendant, je monterai la garde ici avec vous, brigadier... Ou même seul... car je n'ai besoin de personne, si vous voulez un peu de repos... »

Raoul sc hâta. Il saisit parmi les colis trois sacs ficelés dont la toile semblait à peu près de la même nuance que la blouse sous laquelle la captive cachait son déguisement de jeune garçon. Il éleva l'un dc ces sacs et murmura :

« Rapprochez vos jambes de mon côté... afin que je puisse passer ça par-devant, à leur place. Mais en bougeant à peine, n'est-ce pas ?... Ensuite vous reculerez votre buste vers moi... et puis votre tête. »

Il prit la main, qui était glacée, et il répéta les instructions, car la jeune fille demeurait inerte.

« Je vous en conjure, obéissez. Marescal est capable de tout... Vous l'avez humilié... Il se vengera d'une façon ou d'une autre, puisqu'il dispose de vous... Rapprochez vos jambes de mon côté... »

Elle agit par petits gestes pour ainsi dire immobiles, qui la déplaçaient insensiblement, et qu'elle mit au moins trois ou quatre minutes à exécuter. Quand la manœuvre fut finie, il y avait devant elle, et un peu plus haut qu'elle, une forme grise recroquevillée, ayant les mêmes contours, et qui donnait suffisamment l'illusion de sa présence pour que le gendarme et Marescal, en jetant un coup d'œil, pussent la croire toujours là.

« Allons-y, dit-il... Profitez d'un instant où ils sont tournés et où l'on parle un peu fort, et laissez-vous glisser... »

Il la reçut dans ses bras, la maintenant courbée, et la tira par l'entrebâillement. Dans le vestibule elle put se relever. Il referma la serrure et ils traversèrent la salle des bagages. Mais, à peine sur le terre-plein qui précédait la gare, elle eut une défaillance et tomba presque à genoux.

« Jamais je ne pourrai... gémissait-elle. Jamais... »

Sans le moindre effort il la chargea sur son épaule et se mit à courir vers des masses d'arbres qui marquaient la route de Romillaud et d'Auxerre. Il éprouvait une satisfaction profonde à l'idée qu'il tenait sa proie, que la meurtrière de Miss Bakefield ne pouvait plus lui échapper, et que son action se substituait à celle de la société. Que ferait-il ? Peu importait. À ce moment il était convaincu — ou du moins il se le disait — qu'un grand besoin de justice le guidait et que le châtiment prendrait la forme que lui dicteraient les circonstances.

Deux cents pas plus loin il s'arrêta, non qu'il fût essoufflé, mais il écoutait et il interrogeait le grand silence, qu'agitaient à peine des froissements de feuilles et le passage furtif des petites bêtes nocturnes.

« Qu'y a-t-il ? demanda la jeune fille avec angoisse.

— Rien... Rien d'inquiétant... Au contraire... Le trot d'un cheval... très loin... C'est ce que je voulais... et je suis bien content... c'est le salut pour vous... »

Il la descendit de son épaule et l'allongea sur ses deux bras comme une enfant. Il fit ainsi, à vive allure, trois ou quatre cents mètres, ce qui les mena au carrefour de la route nationale dont la blancheur apparaissait sous la frondaison noire des arbres. L'herbe était si humide qu'il lui dit, en s'asseyant au revers du talus :

« Restez étendue sur mes genoux, et comprenez-moi bien. Cette voiture qu'on entend, c'est celle du médecin que l'on a fait venir. Je me débarrasserai du bonhomme, en l'attachant bien gentiment à un arbre. Nous monterons dans la voiture et nous voyagerons toute la nuit jusqu'à une station quelconque d'une autre ligne. »

Elle ne répondit pas. Il douta qu'elle entendît. Sa main était devenue brûlante. Elle balbutia dans une sorte de délire :

« Je n'ai pas tué... je n'ai pas tué...

— Taisez-vous, dit Raoul avec brusquerie. Nous parlerons plus tard. »

Ils se turent l'un et l'autre. L'immense paix de la campagne endormie étendait autour d'eux des espaces de silence et de sécurité. Seul le trot du cheval s'élevait de temps à autre dans les ténèbres. On vit deux ou trois fois, à une distance incertaine, les lanternes de la voiture qui luisaient comme des yeux écarquillés. Aucune clameur, aucune menace du côté de la gare.

Raoul songeait à l'étrange situation, et, au-delà de l'énigmatique meurtrière dont le cœur battait si fortement qu'il en sentait le rythme éperdu, il évoquait la Parisienne, entrevue huit à neuf heures plus tôt, heureuse et sans souci apparent. Les deux images, si différentes l'une de l'autre pourtant, se confondaient en lui. Le souvenir de la vision resplendissante atténuait sa haine contre celle qui avait tué l'Anglaise. Mais avait-il de la haine ? Il s'accrochait à ce mot et pensait durement :

« Je la hais... Quoi qu'elle en dise, elle a tué... L'Anglaise est morte par sa faute et par celle de ses complices... Je la hais... Miss Bakefield sera vengée. »

Cependant il ne disait rien de tout cela et, au contraire, il se rendait compte que de douces paroles sortaient de sa bouche.

« Le malheur s'abat sur les êtres quand ils n'y songent pas, n'est-ce pas ? On est heureux... on vit... et puis le crime passe... Mais tout s'arrange... Vous vous confierez à moi... et les choses s'aplaniront... »

Il avait l'impression qu'un grand calme la pénétrait peu à peu. Elle n'était plus prise de ces mouvements fiévreux qui la secouaient des pieds à la tête. Le mal s'apaisait, les cauchemars, les angoisses, les épouvantes, tout le monde hideux de la nuit et de la mort.

Raoul goûtait violemment la manifestation de son influence et de son pouvoir, en quelque sorte magnétiques, sur certains êtres que les circonstances avaient désorbités, et auxquels il rendait l'équilibre et faisait oublier un instant l'affreuse réalité.

Lui aussi, d'ailleurs, il se détournait du drame. L'Anglaise morte s'évanouissait dans sa mémoire, et ce n'était pas la femme en blouse tachée de sang qu'il tenait contre lui, mais la femme de Paris élégante et radieuse. Il avait beau se dire : « Je la punirai. Elle souffrira », comment n'eût-il pas senti la fraîche haleine qui s'exhalait des lèvres proches ?

Les yeux des lanternes s'agrandissaient. Le médecin arriverait dans huit ou dix minutes.

« Et alors, se dit Raoul, il faudra que je me sépare d'elle et que j'agisse... et ce sera fini... Je ne pourrai plus retrouver entre elle et moi un instant comme celui-ci... un instant qui aura cette intimité... »

Il se penchait davantage. Il devinait qu'elle gardait les paupières closes et qu'elle s'abandonnait à sa protection. Tout était bien ainsi, devait-elle penser. Le danger s'éloignait.

Brusquement il s'inclina et lui baisa les lèvres.

Elle essaya faiblement de se débattre, soupira et ne dit rien. Il eut l'impression qu'elle acceptait la caresse, et que, malgré le recul de sa tête, elle cédait à la douceur de ce baiser. Cela dura quelques secondes. Puis un sursaut de révolte la secoua. Elle raidit les bras et se dégagea, avec une énergie soudaine, tout en gémissant :

« Ah ! c'est abominable ! Ah ! quelle honte ! Laissez-moi ! Laissez-moi !... Ce que vous faites est misérable. »

Il essaya de ricaner et, furieux contre elle, il aurait voulu l'injurier. Mais il ne trouvait pas de mots, et, tandis qu'elle le repoussait et s'enfuyait dans la nuit, il répétait à voix basse :

« Qu'est-ce que cela signifie ! En voilà de la pudeur ! Et après ? Quoi ! on croirait que j'ai commis un sacrilège... »

Il se remit sur pied, escalada le talus et la chercha. Où ? Des taillis épais protégeaient sa fuite. Il n'y avait aucun espoir de la rattraper.

Il pestait, jurait, ne trouvait plus en lui, maintenant, que de la haine et la rancune d'un homme bafoué, et il ruminait en lui-même l'affreux dessein de retourner à la gare et de donner l'alerte, lorsqu'il entendit des cris à quelque distance. Cela provenait de la route, et d'un endroit de cette route que dissimulait probablement une côte, et où il supposait que devait être la voiture. Il y courut. Il vit, en effet, les deux lanternes, mais elles lui semblèrent virer sur place et changer de direction. La voiture s'éloignait, et ce n'était plus au trot paisible d'un cheval, mais au galop d'une bête que surexcitaient des coups de fouet. Deux minutes plus tard, Raoul, dirigé par les cris, devinait dans l'obscurité la silhouette d'un homme qui gesticulait au milieu de fourrés et de ronces.

« Vous êtes bien le médecin de Romillaud ? dit-il. On m'envoyait de la gare à votre rencontre... Vous avez été attaqué, sans doute ?

— Oui !... un passant qui me demandait son chemin. J'ai arrêté et il m'a pris à la gorge, attaché, et jeté parmi les ronces.

— Et il a fui avec votre voiture ?

— Oui.

— Seul ?

— Non, avec quelqu'un qui l'a rejoint... C'est là-dessus que j'ai crié.

— Un homme ? Une femme ?

— Je n'ai pas vu. Ils se sont à peine parlé et tout bas. Aussitôt après leur départ, j'ai appelé. »

Raoul réussit à l'attirer et lui dit :

« Il ne vous avait donc pas bâillonné ?

— Oui, mais mal.

— À l'aide de quoi ?

— De mon foulard.

— Il y a une façon de bâillonner, et peu de gens la connaissent », dit Raoul qui saisit le foulard, renversa le docteur et se mit en devoir de lui montrer comment on opère.

La leçon fut suivie d'une autre opération, celle d'un ligotage savant exécuté avec la couverture du cheval et le licol que Guillaume avait utilisés (car on ne pouvait douter que l'agresseur ne fût Guillaume et que la jeune fille ne l'eût rejoint).

« Je ne vous fais pas de mal, n'est-ce pas, docteur ? J'en serais désolé. Et puis vous n'avez pas à craindre les épines et les orties, ajouta Raoul en conduisant son prisonnier. Tenez, voici un emplacement où vous ne passerez pas une trop mauvaise nuit. La mousse a dû être brûlée par le soleil, car elle est sèche... Non, pas de remerciements, docteur. Croyez bien que si j'avais pu me dispenser... »

L'intention de Limézy à ce moment était de prendre le pas gymnastique et d'atteindre, coûte que coûte, les deux fugitifs. Il enrageait d'avoir été ainsi roulé. Fallait-il être stupide ! Comment ! il la tenait dans ses griffes, et au lieu de la serrer à la gorge il s'amusait à l'embrasser ! Est-ce qu'on garde des idées nettes dans de telles conditions ?

Mais, cette nuit-là, les intentions de Limézy aboutissaient toujours à des actes contraires. Dès qu'il eut quitté le docteur, et, bien qu'il ne démordît pas de son projet, il s'en revint vers la station avec un nouveau plan, qui consistait à enfourcher le cheval d'un gendarme et à déterminer ainsi le succès de l'entreprise.

Il avait observé que les trois chevaux de la maréchaussée se trouvaient sous un hangar devant lequel veillait un homme d'équipe. Il y parvint. L'homme d'équipe dormait à la lueur d'un falot. Raoul tira son couteau pour couper l'une des attaches, mais, au lieu de cela, il se mit à couper, doucement, avec toutes les précautions imaginables, les sangles desserrées des trois chevaux, et les courroies des brides.

Ainsi la poursuite de la demoiselle aux yeux verts, quand on s'apercevrait de sa disparition, devenait impossible.

« Je ne sais pas trop ce que je fais, se dit Raoul en regagnant son compartiment. J'ai cette gredine en horreur. Rien ne me serait plus agréable que de la livrer à la justice et de tenir mon serment de vengeance. Or, tous mes efforts ne tendent qu'à la sauver. Pourquoi ? »

La réponse à cette question, il la connaissait bien. S'il s'était intéressé à la jeune fille parce qu'elle avait des yeux couleur de jade, comment ne l'eût-il pas protégée maintenant qu'il l'avait sentie si près de lui, toute défaillante et ses lèvres sur les siennes ? Est-ce qu'on livre une femme dont on a baisé la bouche ? Meurtrière, soit. Mais elle avait frémi sous la caresse et il comprenait que rien au monde ne pourrait faire désormais qu'il ne la défendît pas envers et contre tous. Pour lui l'ardent baiser de cette nuit dominait tout le drame et toutes les résolutions auxquelles son instinct, plutôt que sa raison, lui ordonnait de se rallier.

C'est pourquoi il devait reprendre contact avec Marescal afin de connaître le résultat de ses recherches, et le revoir également à propos de la jeune Anglaise et de cette sacoche que Constance Bakefield lui avait recommandée.

Deux heures plus tard, Marescal se laissait tomber, harassé de fatigue, en face de la banquette où, dans le wagon détaché, Raoul attendait paisiblement. Réveillé en sursaut, celui-ci fit la lumière, et, voyant le visage décomposé du commissaire, sa raie bouleversée, et sa moustache tombante, s'écria :

« Qu'y a-t-il donc, monsieur le commissaire ? Vous êtes méconnaissable »

Marescal balbutia :

« Vous ne savez donc pas ? Vous n'avez pas entendu ?

— Rien du tout. Je n'ai rien entendu depuis que vous avez refermé cette porte sur moi.

— Évadé !

— Qui ?

— L'assassin !

— On l'avait donc pris ?

— Oui.

— Lequel des deux ?

— La femme.

— C'était donc bien une femme ?

— Oui

— Et on n'a pas su la garder ?

— Si. Seulement...

— Seulement, quoi ?

— C'était un paquet de linge. »

En renonçant à poursuivre les fugitifs, Raoul avait certainement obéi, entre autres motifs, à un besoin immédiat de revanche. Bafoué, il voulait bafouer à son tour, et se moquer d'un autre comme on s'était moqué de lui. Marescal était là, victime désignée, Marescal auquel il espérait bien d'ailleurs arracher d'autres confidences, et dont l'effondrement lui procura aussitôt une émotion délicate.

« C'est une catastrophe, dit-il.

— Une catastrophe, affirma le commissaire.

— Et vous n'avez aucune donnée ?

— Pas la moindre.

— Aucune trace nouvelle du complice ?

— Quel complice ?

— Celui qui a combiné l'évasion.

— Mais il n'y est pour rien ! Nous connaissons les empreintes de ses chaussures, relevées un peu partout, dans les bois principalement. Or, au sortir de la gare, dans une flaque de boue, côte à côte avec la marque du soulier sans talon, on a recueilli des empreintes toutes différentes... un pied plus petit... des semelles plus pointues. »

Raoul ramena le plus possible sous la banquette ses bottines boueuses et questionna, très intéressé :

« Alors il y aurait quelqu'un... en dehors ?

— Indubitablement. Et, selon moi, ce quelqu'un aura fui avec la meurtrière en utilisant la voiture du médecin.

— Du médecin ?

— Sans quoi on l'aurait vu, lui, ce médecin ? Et, si on ne l'a pas vu, c'est qu'il aura été jeté à bas de sa voiture et enfoui dans quelque trou.

— Une voiture, ça se rattrape.

— Comment ?

— Les chevaux des gendarmes...

— J'ai couru vers le hangar où on les avait abrités et j'ai sauté sur l'un d'eux. Mais la selle a tourné aussitôt, et j'ai roulé par terre.

— Que dites-vous là !

— L'homme qui surveillait les chevaux s'était assoupi, et pendant ce temps on avait enlevé les brides et les sangles des selles. Dans ces conditions, impossible de se mettre en chasse. »

Raoul ne put s'empêcher de rire.

« Fichtre ! voilà un adversaire digne de vous.

— Un maître, monsieur. J'ai eu l'occasion de suivre en détail une affaire où Arsène Lupin était en lutte contre Ganimard. Le coup de cette nuit a été monté avec la même maîtrise. »

Raoul fut impitoyable.

« C'est une vraie catastrophe. Car, enfin, vous comptiez beaucoup sur cette arrestation pour votre avenir ?....

— Beaucoup, dit Marescal, que sa défaite disposait de plus en plus aux confidences. J'ai des ennemis puissants au ministère, et la capture, pour ainsi dire instantanée, de cette femme m'aurait servi au plus haut point. Pensez donc !... Le retentissement de l'affaire !... Le scandale de cette criminelle, déguisée, jeune, jolie !... Du jour au lendemain, j'étais en pleine lumière. Et puis...

— Et puis ? »

Marescal eut une légère hésitation. Mais il est des heures où nulle raison ne vous interdirait de parler et de montrer le fond même de votre âme, au risque d'en avoir le regret. Il se découvrit donc.

« Et puis, cela doublait, triplait l'importance de la victoire que je remportais sur un terrain opposé !...

— Une seconde victoire ? dit Raoul avec admiration.

— Oui, et définitive, celle-là.

— Définitive ?

— Certes, personne ne peut plus me l'arracher, puisqu'il s'agit d'une morte.

— De la jeune Anglaise, peut-être ?

— De la jeune Anglaise. »

Sans se départir de son air un peu niais, et comme s'il cédait surtout au désir d'admirer les prouesses de son compagnon, Raoul demanda :

« Vous pouvez m'expliquer ?...

— Pourquoi pas ? Vous serez renseigné deux heures avant les magistrats, voilà tout. »

Ivre de fatigue, le cerveau confus, Marescal eut l'imprudence, contrairement à ses habitudes, de bavarder comme un novice. Se penchant vers Raoul, il lui dit :

« Savez-vous qui était cette Anglaise ?

— Vous la connaissiez donc, monsieur le commissaire ?

— Si je la connaissais ! Nous étions bons amis, même. Depuis six mois, je vivais dans son ombre, je la guettais, je cherchais contre elle des preuves que je ne pouvais réunir !...

— Contre elle ?

— Eh ! parbleu, contre elle ! contre Lady Bakefield, d'un côté fille de Lord Bakefield, pair d'Angleterre et multimillionnaire, mais, de l'autre, voleuse internationale, rat d'hôtel et chef de bande, tout cela pour son plaisir, par dilettantisme. Et, elle aussi, la mâtine, m'avait démasqué, et, quand je lui parlais, je la sentais narquoise et sûre d'elle-même. Voleuse, oui, et j'en avais prévenu mes chefs.

« Mais comment la prendre ? Or, depuis hier, je la tenais. J'étais averti par quelqu'un de son hôtel, à notre service, que Miss Bakefield avait reçu de Nice, hier, le plan d'une villa à cambrioler, la villa B... comme on la désignait au cours d'une missive annexe, qu'elle avait rangé ces papiers dans une petite sacoche de cuir, avec une liasse de documents assez louches, et qu'elle filait pour le Midi. D'où mon départ. “Là bas, pensais-je, ou bien je la prends en flagrant délit, ou bien je mets la main sur ses papiers.” Je n'eus même pas besoin d'attendre si longtemps. Les bandits me l'ont livrée.

— Et la sacoche ?

— Elle la portait sous son vêtement, attachée par une courroie. Et la voici maintenant, dit Marescal, en frappant son paletot à hauteur de la taille. J'ai eu juste le temps d'y jeter un coup d'œil, qui m'a permis d'entrevoir des pièces irrécusables, comme le plan de la villa B..., où, de son écriture, elle a ajouté au crayon bleu cette date : 28 avril. Le 28 avril c'est après-demain mercredi. »

Raoul n'était pas sans éprouver quelque déception. Sa jolie compagne d'un soir, une voleuse ! Et sa déception était d'autant plus grande qu'il ne pouvait protester contre cette accusation que justifiaient de si nombreux détails et qui expliquait par exemple la clairvoyance de l'Anglaise à son égard. Associée à une bande de voleurs internationaux, elle possédait sur les uns et sur les autres des indications qui lui avaient permis d'entrevoir, derrière Raoul de Limézy, la silhouette d'Arsène Lupin.

Et ne devait-on pas croire que, à l'instant de sa mort, les paroles qu'elle s'efforçait vainement d'émettre étaient des paroles d'aveu et des supplications de coupable qui s'adressaient justement à Lupin : « Défendez ma mémoire... Que mon père ne sache rien !... Que mes papiers soient détruits !... »

« Alors, monsieur le commissaire, c'est le déshonneur pour la noble famille des Bakefield ?

— Que voulez-vous !... » fit Marescal.

Raoul reprit :

« Cette idée ne vous est pas pénible ? Et, de même, cette idée de livrer à la justice une jeune femme comme celle qui vient de nous échapper ? Car elle est toute jeune, n'est-ce pas ?

— Toute jeune et très jolie.

— Et malgré cela ?

— Monsieur, malgré cela et malgré toutes les considérations possibles, rien ne m'empêchera jamais de faire mon devoir. »

Il prononça ces mots comme un homme qui recherche évidemment la récompense de son mérite, mais dont la conscience professionnelle domine toutes les pensées.

« Bien dit, monsieur le commissaire », approuva Raoul, tout en estimant que Marescal semblait confondre son devoir avec beaucoup d'autres choses où il entrait surtout de la rancune et de l'ambition.

Marescal consulta sa montre, puis, voyant qu'il avait tout loisir pour se reposer avant la venue du Parquet, il se renversa à demi, et griffonna quelques notes sur un petit calepin, qui ne tarda pas du reste à tomber sur ses genoux. M. le commissaire cédait au sommeil.

En face de lui, Raoul le contempla durant plusieurs minutes. Depuis leur rencontre dans le train, sa mémoire lui présentait peu à peu des souvenirs plus précis sur Marescal. Il évoquait une figure de policier assez intrigant, ou plutôt d'amateur riche, qui faisait de la police par goût et par plaisir, mais aussi pour servir ses intérêts et ses passions. Un homme à bonnes fortunes, cela, Raoul s'en souvenait bien, un coureur de femmes, pas toujours scrupuleux, et que les femmes aidaient, à l'occasion, dans sa carrière un peu trop rapide. Ne disait-on pas qu'il avait ses entrées au domicile même de son ministre et que l'épouse de celui-ci n'était pas étrangère à certaines faveurs imméritées ?...

Raoul prit le calepin et inscrivit, tout en surveillant le policier :

« Observations relatives à Rodolphe Marescal.

« Agent remarquable. De l'initiative et de la lucidité. Mais trop bavard. Se confie au premier venu, sans lui demander son nom, ni vérifier l'état de ses bottines, ni même le regarder et prendre bonne note de sa physionomie.

« Assez mal élevé. S'il rencontre, au sortir d'une pâtisserie du boulevard Haussmann, une jeune fille qu'il connaît, l'accoste et lui parle malgré elle. S'il la retrouve quelques heures plus tard, déguisée, pleine de sang, et gardée par des gendarmes, ne s'assure pas si la serrure est en bon état et si le quidam qu'il a laissé dans un compartiment n'est pas accroupi derrière les colis postaux.

« Ne doit donc pas s'étonner si le quidam, profitant de fautes si grossières, décide de conserver un précieux anonymat, de récuser son rôle de témoin et de vil dénonciateur, de prendre en main cette étrange affaire et de défendre énergiquement, à l'aide des documents de la sacoche, la mémoire de la pauvre Constance et l'honneur des Bakefield, et de consacrer toute son énergie à châtier l'inconnue aux yeux verts, sans qu'il soit permis à personne de toucher à un seul de ses cheveux blonds ou de lui demander compte du sang qui souille ses adorables mains. »

Comme signature, Raoul, évoquant sa rencontre avec Marescal devant la pâtisserie, dessina une tête d'homme avec des lunettes et une cigarette aux lèvres et inscrivit : « T'as du feu, Rodolphe ? »

Le commissaire ronflait. Raoul lui remit son calepin sur les genoux, puis tira de sa poche un petit flacon qu'il déboucha et fit respirer à Marescal. Une violente odeur de chloroforme se dégagea. La tête de Marescal s'inclina davantage.

Alors, tout doucement, Raoul ouvrit le pardessus, dégrafa les courroies de la sacoche, et les passa autour de sa propre taille, sous son veston.

Justement un train passait, à toute petite allure, un train de marchandises. Il baissa la glace, sauta, sans être vu, d'un marchepied sur l'autre, et s'installa confortablement sous la bâche d'un wagon chargé de pommes.

« Une voleuse qui est morte, se disait-il, et une meurtrière dont j'ai horreur, telles sont les recommandables personnes auxquelles j'accorde ma protection. Pourquoi, diable, me suis-je lancé dans cette aventure ? »

IV

ON CAMBRIOLE LA VILLA B...

« S'il est un principe auquel je reste fidèle, me dit Arsène Lupin, lorsque, beaucoup d'années après, il me conta l'histoire de la demoiselle aux yeux verts, c'est de ne jamais tenter la solution d'un problème avant que l'heure ne soit venue. Pour s'attaquer à certaines énigmes, il faut attendre que le hasard, ou que votre habileté, vous apporte un nombre suffisant de faits réels. Il faut n'avancer, sur la route de la vérité, que prudemment, pas à pas, en accord avec le progrès des événements. »

Raisonnement d'autant plus juste dans une affaire où il n'y avait que contradictions, absurdités, actes isolés qu'aucun lien ne semblait unir les uns aux autres. Aucune unité. Nulle pensée directrice. Chacun marchait pour son propre compte. Jamais Raoul n'avait senti à un pareil point combien on doit se méfier de toute précipitation dans ces sortes d'aventures. Déductions, intuitions, analyse, examen, autant de pièges où il faut se garder de tomber.

Il resta donc toute la journée sous la bâche de son wagon, tandis que le train de marchandises filait vers le sud, parmi les campagnes ensoleillées. Il rêvassait béatement, croquant des pommes pour apaiser sa faim, et, sans perdre son temps à bâtir de fragiles hypothèses sur la jolie demoiselle, sur ses crimes et sur son âme ténébreuse, savourait les souvenirs de la bouche la plus tendre et la plus exquise que sa bouche eût baisée. Voilà l'unique fait dont il voulait tenir compte. Venger l'Anglaise, punir la coupable, rattraper le troisième complice, rentrer en possession des billets volés, évidemment, ç'eût été intéressant. Mais retrouver des yeux verts et des lèvres qui s'abandonnent, quelle volupté !

L'exploration de la sacoche ne lui apprit pas grand-chose. Listes de complices, correspondance avec des affiliés de tous pays... Hélas ! Miss Bakefield était bien une voleuse, comme le montraient toutes ces preuves que les plus adroits ont l'imprudence de ne pas détruire. À côté de cela des lettres de Lord Bakefield où se révélaient toute la tendresse et l'honnêteté du père. Mais rien qui indiquât le rôle joué par elle dans l'affaire, ni le rapport existant entre l'aventure de la jeune

Anglaise et le crime des trois bandits, c'est-à-dire, somme toute, entre Miss Bakefield et la meurtrière.

Un seul document, celui auquel Marescal avait fait allusion, et qui était une lettre adressée à l'Anglaise relativement au cambriolage de la villa B...

« Vous trouverez la villa B... sur la droite de la route de Nice à Cimiez, au-delà des Arènes romaines. C'est une construction massive, dans un grand jardin bordé de murs.

« Le quatrième mercredi de chaque mois, le vieux comte de B... s'installe au fond de sa calèche et descend à Nice avec son domestique, ses deux bonnes, et des paniers à provisions. Donc, maison vide de trois heures à cinq heures.

« Faire le tour des murs du jardin, jusqu'à la partie qui surplombe la vallée du Paillon. Petite porte de bois vermoulue, dont je vous expédie la clef par ce même courrier.

« Il y a certitude que le comte de B... qui ne s'accordait pas avec sa femme, n'a pas retrouvé le paquet de titres qu'elle a caché. Mais une lettre écrite par la défunte à une amie fait allusion à une caisse de violon brisé qui se trouve dans une espèce de belvédère où l'on entasse les objets hors d'usage. Pourquoi cette allusion que rien ne justifie ? L'amie est morte le jour même où elle recevait la lettre, laquelle fut égarée et m'est tombée entre les mains deux ans plus tard.

« Ci-inclus le plan du jardin et celui de la maison. Au haut de l'escalier se dresse le belvédère, presque en ruine. L'expédition nécessite deux personnes, dont l'une fera le guet, car il faut se méfier d'une voisine qui est blanchisseuse, et qui vient souvent par une autre entrée du jardin fermée d'une grille dont elle a la clef.

« Fixez la date (en marge une note au crayon bleu précisait : 28 avril) et prévenez-moi, afin qu'on se rencontre dans le même hôtel.

« Signé : G.

« *Post-scriptum.* — Mes renseignements au sujet de la grande énigme dont je vous ai parlé sont toujours assez vagues. S'agit-il d'un trésor considérable, d'un secret scientifique ? Je ne sais rien encore. Le voyage sera donc décisif. Combien votre intervention sera utile alors !... »

Jusqu'à nouvel ordre, Raoul négligea ce post-scriptum assez bizarre. C'était là, selon une expression qu'il affectionnait, un de ces maquis où l'on ne peut pénétrer qu'à force de suppositions et d'interprétations dangereuses. Tandis que le cambriolage de la villa B !...

Ce cambriolage prenait peu à peu pour lui un intérêt particulier. Il y songea beaucoup. Hors-d'œuvre certes. Mais il y a des hors-d'œuvre qui valent un mets substantiel. Et puisque Raoul roulait vers le Midi, c'eût été manquer à tout que de négliger une si belle occasion.

En gare de Marseille, la nuit suivante, Raoul dégringola de son wagon de marchandises et prit place dans un express d'où il descendit à Nice, le matin du mercredi 28 avril, après avoir allégé un brave bourgeois de quelques billets de banque qui lui permirent d'acheter une valise, des vêtements, du linge et de choisir le Majestic-Palace, au bas de Cimiez.

Il y déjeuna, tout en lisant dans les journaux du pays des récits plus ou moins fantaisistes sur l'affaire du rapide. À deux heures de l'après-midi il sortait, si transformé de mise et de figure, qu'il aurait été presque impossible à Marescal de le reconnaître. Mais comment Marescal eût-il soupçonné que son mystificateur aurait l'audace de se substituer à Miss Bakefield dans le cambriolage annoncé d'une villa ?

« Quand un fruit est mûr, se disait Raoul, on le cueille. Or, celui-là me semble tout à fait à point, et je serais vraiment trop bête de le laisser pourrir. Cette pauvre Miss Bakefield ne me le pardonnerait pas. »

La villa Faradoni est au bord de la route et commande un vaste terrain montueux et planté d'oliviers. Des chemins rocailleux et presque toujours déserts suivent à l'extérieur les trois autres côtés de l'enceinte. Raoul en fit l'inspection, nota une petite porte de bois vermoulue, plus loin une grille de fer, aperçut, dans un champ voisin, une maisonnette qui devait être celle de la blanchisseuse, et revint aux environs de la grande route, à l'instant où une calèche surannée s'éloignait vers Nice. Le comte Faradoni et son personnel allaient aux provisions. Il était trois heures.

« Maison vide, pensa Raoul. Il n'est guère probable que le correspondant de Miss Bakefield, qui ne peut ignorer à l'heure actuelle l'assassinat de sa complice, veuille tenter l'aventure. Donc à nous le violon brisé ! »

Il retourna vers la petite porte vermoulue, à un endroit où il avait remarqué que le mur offrait des aspérités qui en facilitaient l'escalade. De fait il le franchit aisément et se dirigea vers la maison par des sentiers à peine entretenus. Toutes les portes-fenêtres du rez-de-chaussée étaient ouvertes. Celle du vestibule le conduisit à l'escalier en haut duquel se trouvait le belvédère. Mais il n'avait pas posé le pied sur la première marche qu'un timbre électrique retentit.

« Fichtre, se dit-il, la maison est-elle truquée ? Est-ce que le comte se méfie ? »

Le timbre qui retentissait dans le vestibule, ininterrompu et horripilant, s'arrêta net lorsque Raoul eut bougé. Désireux de se rendre compte, il examina l'appareil de sonnerie qui était fixé près du plafond, suivit le fil qui descendait le long de la moulure, et constata qu'il arrivait du dehors. Donc le déclenchement ne s'était pas produit par sa faute, mais par suite d'une intervention extérieure.

Il sortit. Le fil courait en l'air, assez haut, suspendu de branche en branche, et selon la direction qu'il avait, lui, prise en venant. Sa conviction fut aussitôt faite.

« Quand on ouvre la petite porte vermoulue, le timbre est mis en action. Par conséquent, quelqu'un a voulu entrer, puis y a renoncé en percevant le bruit lointain de la sonnerie. »

Raoul obliqua un peu sur la gauche, et gagna le faîte d'un monticule, hérissé de feuillage, d'où l'on découvrait la maison, tout le champ d'oliviers, et certaines parties du mur, comme les environs de la porte de bois.

Il attendit. Une seconde tentative eut lieu, mais d'une façon qu'il n'avait pas prévue. Un homme franchit le mur, ainsi qu'il l'avait fait lui-même, et, au même endroit, en chevaucha le sommet, décrocha l'extrémité du fil, et se laissa tomber.

La porte fut, en effet, poussée du dehors, la sonnerie ne retentit pas, et une autre personne entra, une femme.

Le hasard joue, dans la vie des grands aventuriers, et surtout au début de leurs entreprises, un rôle de véritable collaborateur. Mais si extraordinaire que ce fût, était-ce vraiment par hasard que la demoiselle aux yeux verts se trouvait là, et qu'elle s'y trouvait en compagnie d'un homme qui ne pouvait être que le sieur Guillaume ? La rapidité de leur fuite et de leur voyage, leur intrusion soudaine dans ce jardin, à cette date du 28 avril et à cette heure de l'après-midi, tout cela ne montrait-il pas qu'eux aussi connaissaient l'affaire et qu'ils allaient directement au but avec la même certitude que lui ? Et, même, n'était-il

« Raoul nota une petite porte de bois vermoulue. »

pas permis de voir là ce que Raoul cherchait, une relation certaine entre les entreprises de l'Anglaise, victime, et de la Française, meurtrière ? Munis de leurs billets, leurs bagages enregistrés à Paris, les complices avaient tout naturellement continué leur expédition.

Ils s'en venaient, tous deux, le long des oliviers. L'homme assez maigre, entièrement rasé, l'air d'un acteur peu sympathique, tenait un plan à la main, et marchait, l'allure soucieuse et l'œil aux aguets.

La jeune femme... Vraiment, bien qu'il ne doutât point de son identité, Raoul la reconnaissait malaisément. Combien elle était changée, cette jolie figure heureuse et souriante qu'il avait tant admirée quelques jours auparavant dans la pâtisserie du boulevard Haussmann ! Ce n'était pas non plus l'image tragique aperçue dans le couloir du rapide, mais un pauvre visage contracté, douloureux, craintif, qui faisait peine à voir. Elle portait une robe toute simple, grise, sans ornements, et une capeline de paille qui cachait ses cheveux blonds. Or, comme ils contournaient le monticule d'où il les guettait, accroupi parmi les feuillages, Raoul eut la vision brusque, instantanée, comme celle d'un éclair, d'une tête qui surgissait au-dessus du mur, et toujours au même emplacement, tête d'homme, sans chapeau... chevelure noire en broussaille... physionomie vulgaire... Cela ne dura pas une seconde.

Était-ce un troisième complice posté dans la ruelle ?

Le couple s'arrêta plus loin que le monticule, à l'embranchement où se réunissaient le chemin de la porte et le chemin de la grille. Guillaume s'éloigna en courant vers la maison. Il laissait la jeune femme seule.

Raoul, qui se trouvait à une distance de cinquante pas tout au plus, la regardait avidement, et pensait qu'un autre regard, celui de l'homme caché, devait la contempler aussi par les fentes de la porte vermoulue. Que faire ? La prévenir ? L'entraîner, comme à Beaucourt et la soustraire à des périls qu'il ne connaissait pas ?

La curiosité fut plus forte que tout. Il voulait savoir. Au milieu de cet imbroglio où les initiatives contraires s'enchevêtraient, où les attaques se croisaient, sans qu'il fût possible de voir clair, il espérait qu'un fil conducteur se dégagerait, lui permettant, à un moment donné, de choisir une route plutôt qu'une autre, et de ne plus agir au hasard d'un élan de pitié ou d'un désir de vengeance.

Cependant, elle demeurait appuyée contre un arbre et jouait distraitement avec le sifflet dont elle devait user en cas d'alerte. La jeunesse de son visage, un visage d'enfant presque, bien qu'elle n'eût pas moins de vingt ans, surprit Raoul. Les cheveux, sous la capeline un peu soulevée, étincelaient comme des boucles de métal, et lui faisaient une auréole de gaieté.

Du temps s'écoula. Tout à coup, Raoul entendit la grille de fer qui grinçait, et il vit, de l'autre côté de son monticule, une femme du peuple, qui venait en chantonnant et se dirigeait vers la maison, un panier de linge au bras. La demoiselle aux yeux verts avait entendu, elle aussi. Elle chancela, glissa contre l'arbre, jusque sur le sol, et la blanchisseuse continua son chemin sans avoir aperçu cette silhouette, effondrée derrière le massif d'arbustes qui marquait l'embranchement.

Des instants redoutables s'écoulèrent. Que ferait Guillaume dérangé, en plein vol, et face à face avec cette intruse ? Mais il advint ce fait inattendu que la blanchisseuse pénétra dans la maison par une porte de service, et que, au moment même où elle disparaissait, Guillaume revenait de son expédition, chargé d'un paquet qu'un journal enveloppait et qui avait bien la forme d'une caisse de violon. La rencontre n'eut donc pas lieu.

Cela, l'inconnue tapie dans sa cachette ne le vit pas tout de suite, et, durant l'approche sourde de son complice, qui marchait furtivement sur l'herbe, elle garda le visage épouvanté de Beaucourt, après l'assassinat de Miss Bakefield et des deux hommes. Raoul la détestait.

Il y eut une explication brève qui révéla à Guillaume le danger couru. À son tour, il vacilla, et lorsqu'ils longèrent le monticule, ils titubaient tous deux, livides et terrifiés.

« Oui, oui, pensa Raoul, plein de mépris, si c'est Marescal, ou ses acolytes, qui sont à l'affût derrière le mur, tant mieux ! Qu'on les cueille tous deux ! Qu'on les fiche en prison ! »

Il était dit que, ce jour-là, les circonstances déjoueraient toutes les prévisions de Raoul, et qu'il serait contraint d'agir presque malgré lui, et, en tout cas, sans avoir réfléchi. À vingt pas de la porte, c'est-à-dire à vingt pas de l'embuscade supposée, l'homme, dont Raoul avait aperçu la tête au sommet du mur, bondit des broussailles qui surplombaient le sentier, d'un coup de poing en pleine mâchoire mit Guillaume hors de combat, s'empara de la jeune fille qu'il jeta sous son bras comme un paquet, ramassa la caisse à violon, et prit sa course à travers le champ d'oliviers, et dans le sens opposé à la maison.

Tout de suite, Raoul s'était élancé. L'homme, à la fois léger et de forte carrure, se sauvait très vite et sans regarder en arrière, comme quelqu'un qui ne doute pas que nul ne pourra l'empêcher d'atteindre son but.

Il franchit ainsi une cour plantée de citronniers qui s'élevait légèrement jusqu'à un promontoire où le mur, haut d'un mètre tout au plus, devait former remblai sur le dehors.

Là, il déposa la jeune fille qu'il fit ensuite glisser à l'extérieur en la tenant par les poignets. Puis il descendit, après avoir jeté le violon.

« À merveille, se dit Raoul. Il aura dissimulé une automobile dans un chemin écarté qui borde le jardin à cet endroit. Ayant ensuite épié puis, un peu plus tard, capturé la demoiselle, il revient à son point d'arrivée et la laisse tomber, inerte et sans résistance, sur le siège de la voiture. »

En approchant, Raoul constata qu'il ne se trompait pas. Une vaste auto découverte stationnait.

Le départ fut immédiat. Deux tours de manivelle... l'homme grimpa aux côtés de sa proie et démarra vivement.

Le sol était cahoteux, hérissé de pierres. Le moteur peinait et haletait. Raoul sauta, rejoignit aisément la voiture, enjamba la capote, et se coucha devant les places du fond, à l'abri d'un manteau qui pendait du siège. L'agresseur, ne s'étant pas retourné une seule fois dans le tumulte de cette mise en marche difficile, n'avait rien entendu.

On gagna le chemin extérieur aux murs, puis la grande route. Avant de virer, l'homme posa sur le cou de la jeune fille une main noueuse et puissante, et grogna :

« Si tu bronches, tu es perdue. Je te serre le gosier comme à l'autre... tu sais ce que ça veut dire... ?»

Et il ajouta en ricanant :

« D'ailleurs, pas plus que moi, tu n'as envie de crier au secours, hein, petite ? »

Des paysans, des promeneurs, suivaient la route. L'auto s'éloigna de Nice pour filer vers les montagnes. La victime ne broncha pas.

Comment Raoul n'eût-il pas tiré des faits ou des mots prononcés la signification logique qu'ils comportaient ? Au milieu de cet enchevêtrement de péripéties, dont aucune n'avait paru jusqu'ici se relier aux précédentes, il accepta brusquement l'idée que l'homme était le troisième bandit du train, celui qui avait serré la gorge de « l'autre », c'est-à-dire de Miss Bakefield.

« C'est cela, pensa-t-il. Pas la peine de s'embarrasser de méditations et de déductions logiques. C'est cela. Et voici une preuve de plus qu'il y a un rapport entre l'affaire Bakefield et l'affaire des trois bandits. Certes Marescal a raison de prétendre que l'Anglaise a été tuée par erreur, mais, tout de même, tous ces gens-là roulaient vers Nice, avec le même objectif, le cambriolage de la villa B. Ce cambriolage, c'est Guillaume qui l'a combiné. Guillaume, l'auteur évident de la lettre signée G., Guillaume qui, lui, fait partie des deux bandes, et qui poursuivait à la fois le cambriolage avec l'Anglaise, et la solution de la grande énigme dont il parle dans son post-scriptum. N'est-ce pas clair ? Par la suite, l'Anglaise étant morte, Guillaume veut exécuter le coup qu'il a combiné. Il emmène son amie aux yeux verts puisqu'il faut être deux. Et le coup réussissait, si le troisième bandit, qui surveille ses complices, ne reprenait le butin, et ne profitait de l'occasion pour enlever les "yeux verts". Dans quel but ? Y a-t-il rivalité d'amour entre les deux hommes ? Pour le moment n'en demandons pas davantage. »

Quelques kilomètres plus loin, l'auto tourna sur la droite, redescendit par des lacets brutalement dessinés, puis se dirigea vers la route de Levens, d'où l'on pouvait gagner soit les gorges du Var, soit la région des hautes montagnes. Et alors ?

« Oui, alors, se dit-il, que ferai-je si l'expédition aboutit à quelque repaire de bandits ? Dois-je attendre d'être seul en face d'une demi-douzaine de forcenés auxquels il me faudra disputer les "yeux verts" ? »

Une tentative soudaine de la jeune fille le détermina. Dans un accès de désespoir, elle essaya de fuir, au risque de se tuer. L'homme la retint de sa main implacable.

« Pas de bêtises ! Si tu dois mourir, ce sera par moi, et à l'heure fixée. T'as pas oublié ce que je t'ai dit dans le rapide, avant que Guillaume et toi zigouillent les deux frères. Aussi, je te conseille... »

Il n'acheva pas. Se retournant vers la jeune fille, entre deux virages, il aperçut une tête et un buste qui le séparaient d'elle, une tête grimaçante et un buste encombrant qui le poussait dans son coin. Et une voix ricana :

« Comment vas-tu, vieux camarade ? »

L'homme fut ahuri. Une embardée faillit les jeter tous trois dans un ravin. Il bredouilla :

« Cristi de cristi ! Qu'est-ce que c'est que ce coco-là ? D'où sort-il ?

— Comment ! dit Raoul, tu ne me remets pas ? Puisque tu parles du rapide, tu dois te souvenir, voyons ? le type que tu as cogné dès le début ? le pauvre bougre auquel tu as barbotté vingt-trois billets ? Mademoiselle me reconnaît bien, elle ? N'est-ce pas ? mademoiselle, vous reconnaissez le monsieur qui vous a emportée dans ses bras, cette nuit-là, et que vous avez quitté pas très gentiment ? »

La jeune fille se tut, courbée au-dessous de sa capeline. L'homme continuait de balbutier :

« Qu'est-ce que c'est que c't'oiseau-là ? D'où sort-il ?

— De la villa Faradoni, où j'avais l'œil sur toi. Et maintenant faut s'arrêter pour que mademoiselle descende. »

L'individu ne répondit pas. Il força l'allure.

« Tu fais le méchant ? T'as tort, camarade. Tu as dû voir dans les journaux que je te ménageais. Pas soufflé mot de toi, et, par suite, c'est moi qu'on accuse d'être le chef de la bande ! moi, voyageur inoffensif qui ne pense qu'à sauver tout le monde. Allons, camarade, un coup de frein et ralentis... »

La route serpentait dans un défilé, accrochée aux parois d'une falaise et bordée d'un parapet qui suivait les replis d'un torrent. Très étroite, elle était encore dédoublée par une ligne de tramway. Raoul jugea la situation favorable. À demi dressé, il épiait les horizons restreints qui s'offraient à chaque virage.

Subitement il se releva, obliqua, ouvrit les deux bras, les passa à droite et à gauche de l'ennemi, s'abattit réellement sur lui, et, par-dessus ses épaules, saisit le volant à pleines mains.

L'homme, déconcerté, faiblit, tout en baragouinant :

« Cristi ! mais il est fou ! Ah ! tonnerre, il va nous ficher dans le ravin !... Lâche-moi donc, abruti ! »

Il essayait de se dégager, mais les deux bras l'étreignaient comme un étau, et Raoul lui dit en riant :

« Faut choisir, mon cher monsieur. Le ravin, ou l'écrasement par le tramway. Tenez, le voilà, le tram, qui glisse à ta rencontre. Faut stopper, vieux camarade. Sans quoi... »

De fait, la lourde machine surgit à cinquante mètres. Au train dont on roulait, l'arrêt devait être immédiat. L'homme le comprit et freina, tandis que Raoul, cramponné à la direction, immobilisait l'auto sur les lignes mêmes des deux rails. Nez à nez, pourrait-on dire, les deux véhicules s'arrêtèrent.

L'homme ne dérageait pas.

« Cristi de cristi ! Qu'est-ce que c'est que ce coco-là ? Ah ! tu me le paieras !

— Fais ton compte. As-tu un stylo ? Non ? Alors, si tu n'as pas l'intention de coucher en face du tram, débarrassons la voie. »

Il tendit la main à la jeune fille qui la refusa pour descendre, et qui attendit sur la route.

Cependant les voyageurs s'impatientaient. Le conducteur criait. Dès que la voie fut libre, le tramway s'ébranla.

Raoul, qui aidait l'homme à pousser l'auto, lui disait impérieusement :

« Tu as vu comment j'opérais, hein, mon vieux ? Eh bien, si tu te permets encore d'embêter la demoiselle, je te livre à la justice. C'est toi qui as combiné le coup du rapide et qui as étranglé l'Anglaise. »

L'homme se retourna, blême. Dans sa face velue, à la peau déjà crevassée de rides, les lèvres tremblaient. Il bégaya :

« Mensonge... j'y ai pas touché...

— C'est toi, j'ai toutes les preuves... Si tu es pincé, c'est l'échafaud... Donc, décampe. Laisse-moi ta bagnole. Je la ramène à Nice avec la jeune fille. Allons, ouste ! »

Il le bouscula d'un coup d'épaule irrésistible, sauta dans la voiture et ramassa le violon enveloppé. Mais un juron lui échappa :

« Bon sang ! elle a filé. »

La demoiselle aux yeux verts n'était plus sur la route en effet. Au loin le tramway disparaissait. Profitant de ce que les deux adversaires disputaient, elle avait dû s'y réfugier.

La colère de Raoul retomba sur l'homme.

« Qui es-tu ? Hein ! tu la connais, cette femme ? Quel est son nom ? Et ton nom à toi ? Et comment se fait-il ?... »

L'homme furieux également, voulait arracher le violon à Raoul et la lutte commençait, lorsqu'un second tramway passa. Raoul s'y jeta, tandis que le bandit essayait vainement de démarrer.

Il rentra furieux à l'hôtel. Heureusement, il tenait, compensation agréable, les titres de la comtesse Faradoni.

Il défit le journal. Quoique privé de son manche et de tous ses accessoires, le violon était beaucoup plus lourd qu'il n'aurait dû l'être.

À l'examen, Raoul constata qu'une des éclisses avait été sciée habilement, tout autour, puis replacée et collée.

Il la décolla.

Le violon ne contenait qu'un paquet de vieux journaux, ce

qui laissait croire, ou bien que la comtesse avait dissimulé sa fortune autre part, ou bien que le comte, ayant découvert la cachette, jouissait paisiblement des revenus dont la comtesse avait voulu le frustrer.

« Bredouille sur toute la ligne, grommela Raoul. Ah ! mais, elle commence à m'agacer, la donzelle aux yeux verts ! Et ne voilà-t-il pas qu'elle me refuse la main ! Quoi ? M'en veut-elle de lui avoir cambriolé la bouche ? Mijaurée, va ! »

V

LE TERRE-NEUVE

Durant toute une semaine, ne sachant où porter la bataille, Raoul lut attentivement les reportages des journaux qui relataient le triple assassinat du rapide. Il est inutile de parler à fond d'événements trop connus du public, ni des suppositions que l'on fit, ni des erreurs commises, ni des pistes suivies. Cette affaire, restée si profondément mystérieuse, et qui passionna le monde entier, n'a d'intérêt aujourd'hui qu'en raison du rôle qu'Arsène Lupin y joua, et que dans la mesure où il influa sur la découverte d'une vérité que nous pouvons enfin établir d'une façon certaine. Dès lors, pourquoi s'embarrasser de détails fastidieux et jeter la lumière sur des faits qui sont passés au second plan ?

Lupin, ou plutôt Raoul de Limézy, vit d'ailleurs aussitôt à quoi se restreignaient pour lui les résultats de l'enquête, et il les nota ainsi :

1° Le troisième complice, c'est-à-dire la brute à qui je viens d'arracher la demoiselle aux yeux verts, demeurant dans l'ombre, et personne même ne supposant son existence, il advient que, aux yeux de la police, c'est le voyageur inconnu, c'est-à-dire moi, qui suis l'instigateur de l'affaire. Sous l'inspiration évidente de Marescal, que mes détestables manœuvres à son égard ont dû fortement impressionner, je me transforme en un personnage diabolique et omnipotent, qui organisa le complot et domina tout le drame. Victime apparente de mes camarades, ligoté et bâillonné, je les dirige, veille à leur salut, et m'évanouis dans l'ombre, sans laisser d'autres traces que celles de mes bottines ;

2° Pour les autres complices, il est admis, d'après le récit du docteur, qu'ils ont pris la fuite dans la voiture même du docteur. Mais jusqu'où ? Au petit matin, le cheval ramenait la voiture à travers champs. En tout cas, Marescal, lui, n'hésite point : il arrache le masque du plus jeune bandit et dénonce sans pitié une jeune et jolie femme, dont il ne donne pas toutefois le signalement, se réservant ainsi le mérite d'une arrestation sensationnelle et prochaine ;

3° Les deux hommes assassinés sont identifiés. C'étaient deux frères, Arthur et Gaston Loubeaux, associés pour le placement d'une marque de champagne, et domiciliés à Neuilly sur les bords de la Seine ;

4° Un point important : le revolver avec lequel ces deux frères ont été tués, et qui fut trouvé dans le couloir, fournit une indication formelle. Il avait été acheté quinze jours auparavant par un jeune homme mince et grand, que sa compagne, une jeune femme voilée, appelait Guillaume ;

5° Enfin, Miss Bakefield. Contre elle aucune accusation. Marescal, démuni de preuves, n'ose pas se risquer et garde un silence prudent. Simple voyageuse, mondaine très répandue à Londres et sur la Riviera, elle rejoint son père à Monte-Carlo. Voilà tout. L'a-t-on assassinée par erreur ? Possible. Mais pourquoi les deux Loubeaux furent-ils tués ? Là-dessus et sur tout le reste, ténèbres et contradictions.

« Et comme je ne suis pas d'humeur, conclut Raoul, à me creuser la tête, n'y pensons plus, laissons la police patauger à son aise, et agissons. »

Si Raoul parlait ainsi, c'est qu'il savait enfin dans quel sens agir. Les journaux de la région publiaient cette note :

« Notre hôte distingué, Lord Bakefield, après avoir assisté aux obsèques de sa malheureuse fille, est revenu parmi nous et passera cette fin de saison, selon son habitude, au Bellevue de Monte-Carlo. »

Ce soir-là, Raoul de Limézy prenait, au Bellevue, une chambre contiguë aux trois pièces occupées par l'Anglais. Toutes ces pièces, ainsi que les autres chambres du rez-de-chaussée, dominaient un grand jardin, sur lequel chacune avait son perron et sa sortie, et qui s'étendait devant la façade opposée à l'entrée de l'hôtel.

Le lendemain, il aperçut l'Anglais, au moment où celui-ci descendait de sa chambre. C'était un homme encore jeune, lourd d'aspect, et dont la tristesse et l'accablement s'exprimaient par des mouvements nerveux où il y avait de l'angoisse et du désespoir.

Deux jours après, comme Raoul se proposait de lui transmettre sa carte, avec une demande d'entretien confidentiel, il avisa dans le couloir quelqu'un qui venait frapper à la porte voisine : Marescal.

Le fait ne l'étonna point outre mesure. Puisque lui-même venait aux renseignements de ce côté, il était fort naturel que Marescal cherchât à savoir ce qu'on pouvait apprendre du père de Constance.

« Lord Bakerfield était un homme encore jeune, lourd d'aspect. »

Il ouvrit donc l'un des battants matelassés de la double porte qui le séparait de la chambre contiguë. Mais il n'entendit rien de la conversation.

Il y en eut une autre le lendemain. Raoul avait pu auparavant pénétrer chez l'Anglais et tirer le verrou. De sa chambre il entrebâilla le second battant que dissimulait une tenture. Nouvel échec. Les deux interlocuteurs parlaient si bas qu'il ne surprit pas le moindre mot.

Il perdit ainsi trois jours que l'Anglais et le policier

employèrent à des conciliabules qui l'intriguaient vivement. Quel but poursuivait Marescal ? Révéler à Lord Bakefield que sa fille était une voleuse, cela, certainement, Marescal n'y pensait même point. Mais alors devait-on supposer qu'il attendait de ces entretiens autre chose que des indications ?

Enfin, un matin, Raoul, qui jusqu'ici n'avait pu entendre plusieurs coups de téléphone reçus par Lord Bakefield dans une pièce plus lointaine de son appartement, réussit à saisir la fin d'une communication : « C'est convenu, monsieur. Rendez-vous dans le jardin de l'hôtel aujourd'hui à trois heures. L'argent sera prêt et mon secrétaire vous le remettra en échange des quatre lettres dont vous parlez... »

« Quatre lettres... de l'argent... se dit Raoul. Cela m'a tout l'air d'une tentative de chantage... Et, dans ce cas, le maître chanteur ne serait-il pas le sieur Guillaume, lequel doit évidemment rôder aux environs, et qui, complice de Miss Bakefield, essaie aujourd'hui de monnayer sa correspondance avec elle ? »

Les réflexions de Raoul l'affermirent dans cette explication qui jetait pleine lumière sur les actes de Marescal. Appelé sans doute par Lord Bakefield, que Guillaume avait menacé, le commissaire tendait une embuscade où le jeune malfaiteur devait fatalement tomber. Soit. De cela Raoul ne pouvait que se réjouir. Mais la demoiselle aux yeux verts était-elle dans la combinaison ?

Ce jour-là, Lord Bakefield retint le commissaire à déjeuner. Le repas fini, ils gagnèrent le jardin et en firent plusieurs fois le tour en causant avec animation. À deux heures trois quarts, le policier rentra dans l'appartement. Lord Bakefield se posta sur un banc, bien en vue, et non loin d'une grille ouverte par où le jardin communiquait avec le dehors.

De sa fenêtre, Raoul veillait.

« Si elle vient, tant pis pour elle ! murmura-t-il. Tant pis ! Je ne lèverai pas le petit doigt pour la secourir. »

Il se sentit soulagé quand il vit apparaître Guillaume seul, qui avançait avec précaution vers la grille.

La rencontre eut lieu entre les deux hommes. Elle fut brève, les conditions du marché ayant été fixées au préalable. Ils se dirigèrent aussitôt du côté de l'appartement, l'un et l'autre silencieux. Guillaume mal assuré et inquiet, Lord Bakefield secoué de mouvements nerveux.

Au haut du perron, l'Anglais prononça :

« Entrez, monsieur. Je ne veux pas être mêlé à toutes ces

saletés. Mon secrétaire est au courant et vous paiera les lettres si leur contenu est tel que vous l'affirmez. »

Il s'en alla.

Raoul s'était mis à l'affût derrière le battant matelassé. Il attendait le coup de théâtre, mais il comprit aussitôt que Guillaume ne connaissait pas Marescal, et que celui-ci devait passer à ses yeux pour le secrétaire de Lord Bakefield. Le policier, en effet, que Raoul entrevoyait dans une glace, articula nettement :

« Voici les cinquante billets de mille francs, et un chèque de même importance valable sur Londres. Vous avez les lettres ?

— Non, dit Guillaume.

— Comment non ? En ce cas il n'y a rien de fait. Mes instructions sont formelles. Donnant, donnant.

— Je les enverrai par la poste.

— Vous êtes fou, monsieur, ou plutôt vous essayez de nous rouler. »

Guillaume se décida.

« J'ai bien les lettres, mais je veux dire qu'elles ne sont pas sur moi.

— Alors ?

— Alors c'est un de mes amis qui les garde.

— Où est-il ?

— Dans l'hôtel. Je vais le chercher.

— Inutile », fit Marescal, qui, devinant la situation, brusqua les choses.

Il sonna. La femme de chambre vint, et il lui dit :

« Amenez donc une jeune fille qui doit attendre dans le couloir. Vous lui direz que c'est de la part de M. Guillaume. »

Guillaume sursauta. On savait donc son nom ?

« Qu'est-ce que ça signifie ? C'est contraire à mes conventions avec Lord Bakefield. La personne qui attend n'a rien à faire ici... »

Il voulut sortir. Mais Marescal s'interposa vivement et ouvrit la porte, livrant passage à la demoiselle aux yeux verts qui entra d'un pas hésitant, et qui poussa un cri de frayeur lorsque le battant fut refermé derrière elle avec violence et la clef tournée brutalement dans la serrure.

En même temps, une main l'empoignait à l'épaule. Elle gémit :

« Marescal ! »

Avant même qu'elle eût prononcé ce nom redoutable,

Guillaume, profitant du désarroi, s'enfuyait par le jardin sans que Marescal s'occupât de lui. Le commissaire ne pensait qu'à la jeune fille, qui, chancelante, éperdue, trébucha jusqu'au milieu de la pièce, tandis qu'il lui arrachait son sac à main en disant :

« Ah ! coquine, rien ne peut plus vous sauver cette fois ! En pleine souricière, hein ? »

Il fouillait le sac et grognait :

« Où sont-elles, vos lettres ? Du chantage maintenant ? Voilà où vous en êtes descendue, vous ! Quelle honte ! »

La jeune fille tomba sur un siège. Ne trouvant rien, il la brutalisa.

« Les lettres ! les lettres, tout de suite ! Où sont-elles ? Dans votre corsage ? »

D'une main, il saisit l'étoffe qu'il déchira, avec un emportement rageur et des mots d'insulte jetés à la captive, et il avançait l'autre main pour chercher, quand il s'arrêta, stupéfait, les yeux écarquillés, en face d'une tête d'homme, d'un œil clignotant, d'une cigarette braquée au coin d'une bouche sarcastique.

« T'as du feu, Rodolphe ? »

« T'as du feu, Rodolphe ? » La phrase ahurissante, déjà entendue à Paris, déjà lue sur son calepin secret !... Qu'est-ce que ça voulait dire ? et ce tutoiement insolite ? et cet œil clignotant ?...

« Qui êtes-vous ?... Qui êtes-vous ?... L'homme du rapide ? Le troisième complice ?... Est-ce possible ? »

Marescal n'était pas un poltron. En mainte occurrence, il avait fait preuve d'une audace peu commune et n'avait pas craint de s'attaquer à deux ou trois adversaires.

Mais celui-là était un adversaire comme il n'en avait jamais rencontré, qui agissait avec des moyens spéciaux et avec lequel il se sentait dans un état permanent d'infériorité. Il resta donc sur la défensive, tandis que Raoul, très calme, disait à la jeune fille, d'un ton sec :

« Posez vos quatre lettres sur le coin de la cheminée... Il y en a bien quatre dans cette enveloppe ? Une... deux... trois... quatre... Bien. Maintenant filez vite par le couloir, et adieu. Je ne pense pas que les circonstances nous remettent jamais l'un en face de l'autre. Adieu. Bonne chance. »

La jeune fille ne dit pas un mot et s'en alla.

Raoul reprit :

« Comme tu le vois, Rodolphe, je connais peu cette personne

aux yeux verts. Je ne suis ni son complice, ni l'assassin qui t'inspire une frousse salutaire. Non. Simplement un brave voyageur à qui ta binette de pommadé a déplu dès la première minute et qui a trouvé rigolo de t'arracher ta victime. Pour moi, elle ne m'intéresse plus, et je suis décidé à ne plus m'occuper d'elle. Mais je ne veux pas que tu t'en occupes. Chacun sa route. La tienne à droite, la sienne à gauche, la mienne au milieu. Saisis-tu ma pensée, Rodolphe ? »

Rodolphe esquissa un geste vers sa poche à revolver, mais ne l'acheva pas. Raoul avait tiré le sien et le regardait avec une telle expression d'énergie implacable qu'il se tint tranquille.

« Passons dans la chambre voisine, veux-tu, Rodolphe ? On s'expliquera mieux. »

Le revolver au poing, il fit passer le commissaire chez lui et referma la porte. Mais à peine dans sa chambre, subitement, il enleva le tapis d'une table et le jeta sur la tête de Marescal comme un capuchon. L'autre ne résista pas. Cet homme fantastique le paralysait. Appeler au secours, sonner, se débattre, il n'y songeait pas, certain d'avance que la riposte serait foudroyante. Il se laissa donc entortiller dans un jeu de couvertures et de draps qui l'étouffaient à moitié et lui interdisaient toute espèce de mouvement.

« Voilà, dit Raoul, quand il eut fini. Nous sommes bien d'accord. Voilà. J'estime que tu seras délivré demain matin, vers neuf heures, ce qui nous donne le temps, à toi de réfléchir, à la demoiselle, à Guillaume et à moi de nous mettre à l'abri, chacun de notre côté. »

Il fit sa valise sans se presser, et la boucla. Puis il alluma une allumette et brûla les quatre lettres de l'Anglaise.

« Un mot encore, Rodolphe. N'embête pas Lord Bakefield. Au contraire, puisque tu n'as pas de preuves contre sa fille, *et que tu n'en auras jamais*, joue au monsieur providentiel, et, donne-lui le journal intime de Miss Bakefield, que j'ai recueilli dans la sacoche de cuir jaune et que je te laisse. Le père aura ainsi la conviction que sa fille était la plus honnête et la plus noble des femmes. Et tu auras fait du bien. C'est quelque chose. Quant à Guillaume et à sa complice, dis à l'Anglais que tu t'es trompé, qu'il s'agit d'un vulgaire chantage qui n'a rien à voir avec le crime du rapide, et que tu les as relâchés. D'ailleurs, en principe, laisse cette affaire qui est beaucoup trop compliquée pour toi, et où tu ne trouveras que plaies et bosses. Adieu, Rodolphe. »

Raoul emporta la clef et se rendit au bureau de l'hôtel, où il demanda sa note en disant :

« Gardez-moi ma chambre jusqu'à demain. Je paie d'avance, au cas où je ne pourrais pas revenir. »

Dehors il se félicita de la manière dont tournaient les événements. Son rôle à lui était terminé. Que la jeune fille se débrouillât comme elle l'entendait : cela ne le regardait plus.

Sa résolution était si nette que, l'ayant aperçue dans le rapide de Paris où il monta à 3 h 50, il ne chercha pas à la rejoindre et se dissimula.

À Marseille, elle changea de direction, et s'en alla dans le train de Toulouse, en compagnie de gens avec qui elle avait fait connaissance et qui ressemblaient à des acteurs. Guillaume, surgissant, se mêla à leur groupe.

« Bon voyage ! dit Raoul en lui-même. Enchanté de n'avoir plus de rapports avec ce joli couple. Qu'ils aillent se faire pendre ailleurs ! »

Cependant, à la dernière minute, il sauta de son compartiment, et prit le même train que la jeune fille. Et, comme elle, il descendit le lendemain matin à Toulouse.

Succédant aux crimes du rapide, le cambriolage de la villa Faradoni et la tentative de chantage du Bellevue-Palace forment deux épisodes brusques, violents, forcenés, imprévus comme les tableaux d'une pièce mal faite qui ne laisse pas au spectateur le loisir de comprendre et de relier les faits les uns aux autres. Un troisième tableau devait achever ce que Lupin appela par la suite son triptyque de sauveteur, un troisième qui, comme les autres, présente le même caractère âpre et brutal. Cette fois encore l'épisode atteignit son paroxysme en quelques heures, et ne peut s'exprimer qu'à la manière d'un scénario dénué de toute psychologie et, en apparence, de toute logique.

À Toulouse, Raoul s'enquit auprès des gens de l'hôtel où la jeune fille suivit ses compagnons, et il apprit que ces voyageurs faisaient partie de la troupe en tournée de Léonide Balli, chanteuse d'opérette, qui, le soir même, jouait *Véronique* au théâtre municipal.

Il se mit en faction. À trois heures, la jeune fille sortit, l'air très agité, tout en regardant derrière elle, comme si elle eût craint que quelqu'un ne sortît également et ne l'espionnât. Était-ce de son complice Guillaume qu'elle se défiait ? Elle courut ainsi jusqu'au bureau de poste où elle griffonna d'une main fébrile un télégramme trois fois recommencé.

Après son départ, Raoul put se procurer une des feuilles chiffonnées, et il lut :

Hôtel Miramare, Luz (Hautes-Pyrénées). — Arriverai demain matin premier train. Prévenez maison.

« Que diable va-t-elle faire en pleine montagne à cette époque ? murmura-t-il. *Prévenez maison...* Est-ce que sa famille habite Luz ? »

Il reprit sa poursuite avec précaution et la vit entrer au théâtre municipal, sans doute pour assister à la répétition de la troupe. Le reste de la journée, il surveilla les abords du théâtre. Mais elle n'en bougea point. Quant au complice Guillaume, il demeurait invisible.

Le soir, Raoul se glissa au fond d'une loge et, dès l'abord, il eut une exclamation de stupeur : l'actrice qui chantait Véronique n'était autre que la demoiselle aux yeux verts.

« Léonide Balli... se dit-il... Ce serait donc là son nom ? Et elle serait chanteuse d'opérette en province ? »

Raoul n'en revenait pas. Cela dépassait tout ce qu'il avait pu imaginer à propos de la demoiselle aux yeux de jade.

Provinciale ou Parisienne, elle se montra la plus adroite des comédiennes et la plus adorable chanteuse, simple, discrète, émouvante, pleine de tendresse et de gaieté, de séduction et de pudeur. Elle avait tous les dons et toutes les grâces, beaucoup d'habileté et une inexpérience de la scène qui était un charme de plus. Il se rappelait sa première impression du boulevard Haussmann, et son idée des deux destins que vivait la jeune fille dont le masque était à la fois si tragique et si enfantin.

Raoul passa trois heures dans le ravissement. Il ne se lassait pas d'admirer l'étrange créature qu'il n'avait aperçue, depuis la jolie vision initiale, que par éclairs et en des crises d'horreur et d'effroi. C'était une autre femme, chez qui tout prenait caractère d'allégresse et d'harmonie. Et c'était pourtant bien celle qui avait tué et participé aux crimes et aux infamies. C'était bien la complice de Guillaume.

De ces deux images, si différentes, laquelle devait-on considérer comme la véritable ? Raoul observait en vain, car une troisième femme se superposait aux autres et les unissait dans une même vie intense et attendrissante qui était celle de Véronique. Tout au plus quelques gestes un peu trop nerveux, quelques expressions mal venues, montraient à des yeux avertis la femme sous l'héroïne, et révélaient un état d'âme spécial qui déformait imperceptiblement le rôle.

« Il doit y avoir du nouveau, songeait Raoul. Entre midi et trois heures, tantôt, il s'est produit un événement grave, qui l'a poussée soudain vers la poste, et dont les conséquences déforment parfois son jeu d'artiste. Elle y pense, elle s'inquiète. Et comment ne pas supposer que cet événement se rattache à Guillaume, à ce Guillaume qui a disparu tout à coup ? »

Des ovations accueillirent la jeune fille lorsqu'elle salua le public, après le baisser du rideau, et une foule de curieux se massèrent aux abords de la sortie réservée aux artistes.

Devant la porte même, un landau fermé, à deux chevaux, stationnait. Le seul train qui permît d'arriver le matin à Pierrefitte-Nestalas, station la plus proche de Luz, partant à minuit cinquante, nul doute que la jeune fille n'allât directement à la gare après y avoir envoyé ses bagages. Lui-même, Raoul avait fait porter sa valise.

À minuit quinze, elle montait dans la voiture, qui s'ébranlait lentement. Guillaume n'avait point paru, et les choses s'arrangeaient comme si le départ avait lieu en dehors de lui.

Or, trente secondes ne s'étaient pas écoulées que Raoul qui s'acheminait aussi vers la gare, frappé d'une idée subite, se mit à courir, rattrapa le landau sur les anciens boulevards, et s'y agrippa comme il put.

Aussitôt, ce qu'il avait prévu se produisit. Au moment de prendre la rue de la Gare, le cocher tourna subitement vers la droite, cingla ses chevaux d'un vigoureux coup de fouet, et mena sa voiture par les allées désertes et sombres qui aboutissent au Grand-Rond et au Jardin des Plantes. À cette allure, la jeune fille ne pouvait descendre.

La galopade ne fut pas longue. On atteignit le Grand-Rond. Là, brusque arrêt. Le cocher sauta de son siège, ouvrit la portière, et entra dans le landau.

Raoul entendit un cri de femme et ne se pressa point. Persuadé que l'agresseur n'était autre que Guillaume, il voulait écouter d'abord et surprendre le sens même de la querelle. Mais, tout de suite, l'agression lui sembla prendre une tournure si dangereuse qu'il résolut d'intervenir.

« Parle donc ! criait le complice. Alors tu supposes que tu vas décamper et me laisser en plan ?... Eh bien, oui, j'ai voulu te rouler, mais c'est justement parce que tu le sais maintenant que je ne te lâcherai pas... Allons, parle... Raconte... Sinon... »

Raoul eut peur. Il se souvenait des gémissements de Miss Bakefield. Un coup de pouce trop violent, et la victime meurt. Il ouvrit, saisit le complice par une jambe, le jeta sur le sol et le traîna vivement à l'écart.

L'autre essaya de lutter. D'un geste sec, Raoul lui cassa le bras.

« Six semaines de repos, dit-il, et si tu recommences à embêter la demoiselle, c'est la vertébrale que je te casse. À bon entendeur... »

Il revint jusqu'à la voiture. Déjà la jeune fille s'éloignait dans l'ombre.

« Cours, ma petite, fit-il. Je sais où tu vas, et tu ne m'échapperas pas. J'en ai assez de jouer les terre-neuve sans même recevoir un morceau de sucre en récompense. Quand Lupin s'engage sur une route, il va jusqu'au bout, et ne manque jamais d'atteindre son but. Son but c'est toi, ce sont tes yeux verts, et ce sont tes lèvres tièdes. »

Il laissa Guillaume avec son landau et se hâta vers la gare. Le train arrivait. Il monta de manière à n'être pas vu de la jeune fille. Deux compartiments, remplis de monde, les séparaient.

Ils quittèrent la grande ligne à Lourdes. Une heure après, Pierrefitte-Nestalas, station terminus.

À peine était-elle descendue qu'un groupe de jeunes filles, toutes habillées pareillement de robes marron avec une pèlerine bordée d'un large ruban bleu en pointe, se précipitèrent sur elle, suivies d'une religieuse que coiffait une immense cornette blanche.

« Aurélie ! Aurélie ! la voilà ! » criaient-elles toutes ensemble.

La demoiselle aux yeux verts passa de bras en bras, jusqu'à la religieuse qui la serra contre elle affectueusement, et qui dit avec joie :

« Ma petite Aurélie, quel plaisir de vous voir ! Alors, vous voilà pour un bon mois avec nous, n'est-ce pas ? »

Un break, qui faisait le service des voyageurs entre Pierrefitte et Luz, attendait devant la station. La demoiselle aux yeux verts s'y installa avec ses compagnes. Le break partit.

Raoul, qui s'était tenu à l'écart, loua une victoria pour Luz.

VI

ENTRE LES FEUILLAGES

« Ah ! demoiselle aux yeux verts, se dit Raoul, pendant que les trois mules du break, dont il entendait tinter les grelots, commençaient l'escalade des premières pentes, jolie demoiselle, vous êtes ma captive désormais. Complice d'assassin, d'escroc et de maître chanteur, meurtrière vous-même, jeune fille du monde, artiste d'opérette, pensionnaire de couvent... qui que vous soyez, vous ne me glisserez plus entre les doigts. La confiance est une prison d'où l'on ne peut s'évader, et, si fort que vous m'en vouliez d'avoir pris vos lèvres, vous avez confiance au fond du cœur en celui qui ne se lasse pas de vous sauver, et qui se trouve toujours là quand vous êtes au bord de l'abîme. On s'attache à son terre-neuve, même s'il vous a mordu une fois.

« Demoiselle aux yeux verts, qui vous réfugiez dans un couvent pour échapper à tous ceux qui vous persécutent, jusqu'à nouvel ordre vous ne serez pas pour moi une criminelle ou une redoutable aventurière, ni même une actrice d'opérette, et je ne vous appellerai pas Léonide Balli. Je vous appellerai Aurélie. C'est un nom que j'aime, parce qu'il est suranné, honnête, et petite sœur des pauvres.

« Demoiselle aux yeux verts, je sais maintenant que vous possédez, en dehors de vos anciens complices, un secret qu'ils veulent vous arracher, et que vous gardez farouchement. Ce secret m'appartiendra un jour ou l'autre, parce que les secrets c'est mon rayon, et je découvrirai celui-là, de même que je dissiperai les ténèbres où vous vous cachez, mystérieuse et passionnante Aurélie. »

Cette petite apostrophe satisfit Raoul, qui s'endormit pour ne pas penser davantage à l'énigme troublante que lui offrait la demoiselle aux yeux verts.

La petite ville de Luz et sa voisine, Saint-Sauveur, forment une agglomération thermale où les baigneurs sont rares, en cette saison. Raoul choisit un hôtel à peu près vide où il se présenta comme un amateur de botanique et de minéralogie, et, dès cette fin d'après-midi, étudia la contrée.

Un chemin étroit, fort incommode, conduit en vingt minutes

de montée à la maison des sœurs Sainte-Marie, vieux couvent aménagé en pensionnat. Au milieu d'une région âpre et tourmentée, les bâtiments et les jardins s'étendent à la pointe d'un promontoire, sur des terrasses en étage que soutiennent de puissantes murailles le long desquelles bouillonnait jadis le gave de Sainte-Marie, devenu souterrain dans cette partie de son cours. Une forêt de pins recouvre l'autre versant. Deux chemins en croix la traversent à l'usage des bûcherons. Il y a des grottes et des rochers, à silhouettes bizarres, où l'on vient en excursion le dimanche.

C'est de ce côté que Raoul se mit à l'affût. La région est déserte. La cognée des bûcherons résonnait au loin. De son poste il dominait les pelouses régulières du jardin et des lignes de tilleuls soigneusement taillés qui servent de promenades aux pensionnaires. En quelques jours, il connut les heures de récréation et les habitudes du couvent. Après le repas de midi, l'allée qui surplombe le ravin était réservée aux « grandes ».

Le quatrième jour seulement, la demoiselle aux yeux verts, que la fatigue sans doute avait retenue à l'intérieur du couvent, apparut dans cette allée. Chacune des grandes désormais sembla n'avoir d'autre but que de l'accaparer avec une jalousie manifeste qui les faisait se disputer entre elles.

Tout de suite Raoul vit qu'elle était transformée ainsi qu'un enfant qui sort de maladie et s'épanouit au soleil et à l'air plus vif de la montagne. Elle évoluait parmi les jeunes filles, vêtue comme elles, vive, allègre, aimable avec toutes, les entraînant peu à peu à jouer et à courir, et s'amusant si fort que ses éclats de rire retentissaient en échos jusqu'à la limite de l'horizon.

« Elle rit ! se disait Raoul, émerveillé, et non pas de son rire factice et presque douloureux de théâtre, mais d'un rire d'insouciance et d'oubli par où s'exprime sa vraie nature. Elle rit... Quel prodige ! »

Puis les autres rentraient pour les classes, et Aurélie demeurait seule. Elle n'en paraissait pas plus mélancolique. Sa gaieté ne tombait point. Elle s'occupait de petites choses, comme de ramasser des pommes de pin qu'elle jetait dans une corbeille d'osier, ou de cueillir des fleurs qu'elle déposait sur les marches d'une chapelle voisine.

Ses gestes étaient gracieux. Elle s'entretenait souvent à demi-voix avec un petit chien qui l'accompagnait ou avec un chat qui se caressait contre ses chevilles. Une fois elle tressa une guirlande de roses et se contempla en riant dans un miroir de poche. Furtivement elle mit un peu de rouge à ses joues et de la poudre de riz, qu'elle essuya aussitôt avec énergie. Ce devait être défendu.

Le huitième jour, elle franchit un parapet et atteignit la dernière et la plus élevée des terrasses que dissimulait, à son extrémité, une haie d'arbustes.

Le neuvième, elle y retourna, un livre à la main. Alors le dixième, avant l'heure de la récréation, Raoul se décida.

Il lui fallut d'abord se glisser parmi les taillis épais qui bordent la forêt, puis traverser une large pièce d'eau. Le gave de Sainte-Marie s'y jette, comme dans un immense réservoir, après quoi il s'enfonce sous terre. Une barque vermoulue se trouvait accrochée à un pieu et lui permit, malgré des remous assez violents, d'atteindre une petite crique, au pied même de la haute terrasse qui se dressait comme un rempart de château fort.

Les murs en étaient faits de pierres plates, simplement posées les unes sur les autres, et entre lesquelles poussaient des plantes sauvages. Les pluies avaient tracé des rigoles de sable et pratiqué des sentes que les gamins des environs escaladaient à l'occasion. Raoul monta sans peine. La terrasse, tout en haut, formait une salle d'été, entourée d'aucubas, de treillages démolis et de bancs en pierres, et ornée, en son milieu, d'un beau vase de terre cuite.

Il entendit le bourdonnement de la récréation. Puis il y eut un silence et, au bout de quelques minutes, un bruit de pas légers s'en vint de son côté. Une voix fraîche fredonnait un air de romance. Il sentit son cœur qui se serrait. Que diraitelle en le voyant ?

Des rameaux craquèrent. Le feuillage fut écarté, comme un rideau que l'on soulève à la porte d'une pièce, Aurélie entra.

Elle s'arrêta net, au seuil de la terrasse, sa chanson interrompue et l'attitude stupéfaite. Son livre, son chapeau de paille qu'elle avait rempli de fleurs et passé à son bras, tombèrent. Elle ne bougeait plus, silhouette fine et délicate sous le simple costume de lainage marron.

Elle ne dut reconnaître Raoul qu'un peu après. Alors elle devint toute rouge et recula en chuchotant :

« Allez-vous-en... Allez-vous-en... »

Pas une seconde il n'eut l'idée de lui obéir et l'on aurait même cru qu'il n'avait pas entendu l'ordre donné. Il la contemplait avec un plaisir indicible, qu'il n'avait jamais ressenti en face d'aucune femme.

Elle répéta d'un ton plus impérieux :

« Allez-vous-en.

— Non, fit-il.

— Alors, c'est moi qui partirai.

— Si vous partez, je vous suis, affirma-t-il. Nous rentrerons ensemble au couvent. »

Elle se retourna comme si elle voulait s'enfuir. Il accourut et lui saisit le bras.

« Ne me touchez pas ! fit-elle avec indignation et en se dégageant. Je vous défends d'être auprès de moi. »

Il dit, surpris par tant de véhémence :

« Pourquoi donc ? »

Très bas, elle répliqua :

« J'ai horreur de vous. »

La réponse était si extraordinaire qu'il ne put s'empêcher de sourire.

« Vous me détestez à ce point ?

— Oui.

— Plus que Marescal ?

— Oui.

— Plus que Guillaume et que l'homme de la villa Faradoni ?

— Oui, oui, oui.

— Ils vous ont fait davantage de mal cependant et sans moi qui vous ai protégée... »

Elle se tut. Elle avait ramassé son chapeau et le gardait contre le bas de sa figure, de manière qu'il ne vît pas ses lèvres. Car toute sa conduite s'expliquait ainsi. Raoul n'en doutait pas. Si elle le détestait, ce n'était pas parce qu'il avait été le témoin de tous les crimes commis et de toutes les hontes, mais parce qu'il l'avait tenue dans ses bras et baisée sur la bouche. Étrange pudeur chez une femme comme elle et qui était si sincère, qui jetait un tel jour sur l'intimité même de son âme et de ses instincts, que Raoul murmura, malgré lui :

« Je vous demande d'oublier. »

Et, reculant de quelques pas, pour bien lui montrer qu'elle était libre de partir, il reprit d'un ton de respect involontaire :

« Cette nuit-là fut une nuit d'aberration dont il ne faut pas garder le souvenir, ni vous ni moi. Oubliez la manière dont j'ai agi. Ce n'est d'ailleurs pas pour vous le rappeler que je suis venu, mais pour continuer mon œuvre envers vous. Le hasard m'a mis sur votre chemin et le hasard a voulu dès l'abord que je puisse vous être utile. Ne repoussez pas mon aide, je vous en prie. La menace du danger, loin d'être finie, s'accroît au contraire. Vos ennemis sont exaspérés. Que ferez-vous, si je ne suis pas là ?

— Allez-vous-en », dit-elle avec obstination.

Elle demeurait au seuil de la terrasse comme devant une porte ouverte. Elle fuyait les yeux de Raoul et dissimulait ses lèvres. Cependant elle ne partait pas. Comme il le pensait, on est prisonnier de celui qui vous sauve inlassablement. Son regard exprimait de la crainte. Mais le souvenir du baiser reçu cédait au souvenir infiniment plus terrible des épreuves subies.

« Allez-vous-en. J'étais en paix ici. Vous avez été mêlé à toutes ces choses... à toutes ces choses de l'enfer.

— Heureusement, dit-il. Et, de même, il faut que je sois mêlé à toutes celles qui se préparent. Croyez-vous qu'ils ne vous cherchent pas, eux ? Croyez-vous que Marescal renonce à vous ? Il est sur vos traces actuellement. Il les retrouvera jusque dans ce couvent de Sainte-Marie. Si vous y avez vécu quelques années heureuses de votre enfance, comme je le suppose, il doit le savoir et il viendra. »

Il parlait doucement, avec une conviction qui impressionnait la jeune fille, et c'est à peine s'il l'entendit balbutier encore :

« Allez-vous-en...

— Oui, dit-il, mais je serai là demain, à la même heure, et je vous attendrai tous les jours. Nous avons à causer. Oh ! de rien qui puisse vous être douloureux et vous rappeler le cauchemar de l'affreuse nuit. Là-dessus le silence. Je n'ai pas besoin de savoir, et la vérité sortira peu à peu de l'ombre. Mais il est d'autres points, des questions que je vous poserai et auxquelles il faudra me répondre. Voilà ce que je voulais vous dire aujourd'hui, pas davantage. Maintenant vous pouvez partir. Vous réfléchirez, n'est-ce pas ? Mais n'ayez plus d'inquiétude. Habituez-vous à cette idée que je suis toujours là et qu'il ne faut jamais désespérer parce que je serai toujours là, à l'instant du péril. »

Elle partit sans un mot, sans un signe de tête. Raoul l'observa qui descendait les terrasses et gagnait l'allée des tilleuls. Quand il ne la vit plus, il ramassa quelques-unes des fleurs qu'elle avait laissées, et, s'apercevant de son geste inconscient, il plaisanta :

« Bigre ! ça devient sérieux. Est-ce que... Voyons, voyons, mon vieux Lupin, rebiffe-toi. »

Il reprit le chemin de la brèche, traversa de nouveau l'étang et se promena dans la forêt, en jetant les fleurs une à une, comme s'il n'y tenait point. Mais l'image de la demoiselle aux yeux verts ne quittait pas ses yeux.

Il remonta sur la terrasse le lendemain. Aurélie n'y vint pas, et non plus les deux jours qui suivirent. Mais le quatrième jour, elle écarta les feuillages, sans qu'il eût perçu le bruit de sa marche.

« Oh ! fit-il avec émotion, c'est vous... c'est vous... »

À son attitude il comprit qu'il ne devait pas avancer ni dire la moindre parole qui pût l'effaroucher. Elle restait comme le premier jour, ainsi qu'une adversaire qui se révolte d'être dominée et qui en veut à l'ennemi du bien qu'il lui fait.

Cependant sa voix était moins dure, quand elle prononça, la tête à demi tournée :

« Je n'aurais pas dû venir. Pour les sœurs de Sainte-Marie, pour mes bienfaitrices, c'est mal. Mais j'ai pensé que je devais vous remercier... et vous aider... Et puis, ajouta-t-elle, j'ai peur... oui, j'ai peur de tout ce que vous m'avez dit. Interrogez-moi... je répondrai.

— Sur tout ? demanda-t-il.

— Non, fit-elle avec angoisse... pas sur la nuit de Beaucourt... Mais sur les autres choses... En quelques mots, n'est-ce pas ? Que voulez-vous savoir ? »

Raoul réfléchit. Les questions étaient difficiles à poser, puisque toutes devaient servir à jeter de la lumière sur un point dont la jeune fille refusait de parler.

Il commença :

« Votre nom d'abord ?

— Aurélie... Aurélie d'Asteux.

— Pourquoi ce nom de Léonide Balli ? Un pseudonyme ?

— Léonide Balli existe. Souffrante, elle était restée à Nice. Parmi les acteurs de sa troupe avec qui j'ai voyagé de Nice à Marseille, il y en avait un que je connaissais, ayant joué Véronique l'hiver dernier, dans une réunion d'amateurs. Alors, tous, ils m'ont suppliée de prendre pour un soir la place de Léonide Balli. Ils étaient si désolés, si embarrassés, que j'ai dû leur rendre ce service. Nous avons prévenu le directeur à Toulouse, qui, au dernier moment, a résolu de ne pas faire d'annonce et de laisser croire que j'étais Léonide Balli. »

Raoul conclut :

« Vous n'êtes pas actrice... J'aime mieux cela... J'aime mieux que vous soyez simplement la jolie pensionnaire de Sainte-Marie. »

Elle fronça les sourcils.

« Continuez. »

Il reprit aussitôt :

« Le monsieur qui a levé sa canne sur Marescal au sortir de la pâtisserie du boulevard Haussmann, c'était votre père ?

— Mon beau-père.

— Son nom ?

— Brégeac.

— Brégeac ?

— Oui, directeur des affaires judiciaires au ministère de l'Intérieur.

— Et, par conséquent, le chef direct de Marescal ?

— Oui. Il y a toujours eu antipathie de l'un à l'autre. Marescal, qui est très soutenu par le ministre, essaie de supplanter mon beau-père, et mon beau-père cherche à se débarrasser de lui.

— Et Marescal vous aime ?

— Il m'a demandée en mariage. Je l'ai repoussé. Mon beau-père lui a défendu sa porte. Il nous hait et il a juré de se venger.

— Et d'un, dit Raoul. Passons à un autre. L'homme de la villa Faradoni s'appelle ?...

— Jodot.

— Sa profession ?

— Je l'ignore. Il venait quelquefois à la maison pour voir mon beau-père.

— Et le troisième ?

— Guillaume Ancivel, que nous recevions aussi. Il s'occupe de Bourse et d'affaires.

— Plus ou moins véreuses ?

— Je ne sais pas... peut-être... »

Raoul résuma :

« Voilà donc vos trois adversaires... car il n'y en a pas d'autres. n'est-ce pas ?

— Si, mon beau-père.

— Comment ! le mari de votre mère ?

— Ma pauvre mère est morte.

— Et tous ces gens-là vous persécutent pour la même raison ? Sans doute à propos de ce secret que vous possédez en dehors d'eux ?

— Oui, sauf Marescal, qui, de ce côté, ignore tout et ne cherche qu'à se venger.

— Vous est-il possible de me donner quelques indications, non sur le secret lui-même, mais sur les circonstances qui l'entourent ? »

Elle médita quelques instants et déclara :

« Oui, je le peux. Je peux vous dire ce que les autres connaissent et la raison de leur acharnement. »

Aurélie, qui, jusque-là, avait répondu d'une voix brève et sèche, sembla prendre intérêt à ce qu'elle disait.

« Voici, en quelques mots. Mon père, qui était le cousin de ma mère, est mort avant ma naissance, laissant quelques rentes, auxquelles vint s'ajouter une pension que nous faisait mon grand-père d'Asteux, le père de maman, un excellent homme, artiste, inventeur, toujours en quête de découvertes et de grands secrets, qui ne cessait de voyager pour les prétendues affaires miraculeuses où nous devions trouver la fortune. Je l'ai bien connu ; je me vois encore sur ses genoux, et je l'entends me dire : “La petite Aurélie sera riche. C'est pour elle que je travaille.”

« Or, j'avais tout juste six ans quand il nous pria, par lettre, maman et moi, de le rejoindre à l'insu de tout le monde. Un soir, nous avons pris le train et nous sommes restées deux jours auprès de lui. Au moment de repartir, ma mère me dit en sa présence :

« — Aurélie, ne révèle jamais à personne où tu as été durant ces deux jours, ni ce que tu as fait, ni ce que tu as vu. C'est un secret qui t'appartient comme à nous désormais et qui, lorsque tu auras vingt ans, te donnera de grandes richesses.

« — De très grandes richesses, confirma mon grand-père d'Asteux. Aussi jure-nous de ne jamais parler de ces choses à personne, quoi qu'il arrive.

« — À personne, rectifia ma mère, sauf à l'homme que tu aimeras et dont tu seras sûre comme de toi-même. »

« Je fis tous les serments qu'on exigea de moi. J'étais très impressionnée et je pleurais.

« Quelques mois plus tard, maman se remariait avec Brégeac. Mariage qui ne fut pas heureux et qui dura peu. Dans le courant de l'année suivante, ma pauvre mère mourait d'une pleurésie, après m'avoir remis furtivement un bout de papier qui contenait toutes les indications sur le pays visité et sur ce que je devais faire à vingt ans. Presque aussitôt, mon grand-père d'Asteux mourut aussi. Je restai donc seule avec mon beau-père Brégeac, lequel se débarrassa de moi en m'envoyant aussitôt dans cette maison de Sainte-Marie. J'y arrivai bien triste, bien désemparée, mais soutenue par l'importance que me donnait à moi-même la garde d'un secret. C'était un dimanche. Je cherchai un endroit isolé et je vins ici, sur cette terrasse, pour exécuter un projet que ma cervelle d'enfant avait conçu. Je savais par cœur les indications laissées par ma mère. Dès lors, à quoi bon conserver un document que tout l'univers, me semblait-il, finirait par connaître si je le conservais. Je le brûlai dans ce vase. » Raoul hocha la tête :

« Et vous avez oublié les indications ?...

— Oui, dit-elle. Au jour le jour, sans que je m'en aperçoive, parmi les affections que j'ai trouvées ici, dans le travail et dans les plaisirs, elles se sont effacées de ma mémoire. J'ai oublié le nom du pays, son emplacement, le chemin de fer qui y mène, les actes que je devais accomplir... tout.

— Absolument tout ?

— Tout, sauf quelques paysages et quelques impressions qui avaient frappé plus vivement que les autres mes yeux et mes oreilles de petite fille... des images que je n'ai jamais cessé de voir depuis... des bruits, des sons de cloches que j'entends encore comme si ces cloches ne s'arrêtaient pas de sonner.

— Et ce sont ces impressions, ces images, que vos ennemis voudraient connaître, espérant, avec votre récit, parvenir à la vérité ?

— Oui.

— Mais comment savaient-ils ?...

— Parce que ma mère avait commis l'imprudence de ne pas détruire certaines lettres où mon grand-père d'Asteux faisait allusion au secret qui m'était confié. Brégeac, qui recueillit ces lettres plus tard, ne m'en parla jamais durant mes dix années de Sainte-Marie, dix belles années qui seront les meilleures de ma vie. Mais le jour où je retournai à Paris, il y a deux ans, il m'interrogeait. Je lui dis ce que je vous ai dit, comme j'en avais le droit, mais ne voulus révéler aucun des vagues souvenirs qui auraient pu le mettre sur la voie. Dès lors ce furent une persécution constante, des reproches, des querelles, des fureurs terribles... jusqu'au moment où je résolus de m'enfuir.

— Seule ? »

Elle rougit.

« Non, fit-elle, mais pas dans les conditions que vous pourriez croire. Guillaume Ancivel me faisait la cour, avec beaucoup de discrétion, et comme quelqu'un qui veut se rendre utile et qui n'a aucun espoir d'en être récompensé. Il gagna ainsi, sinon ma sympathie, du moins ma confiance, et j'eus le grand tort de lui raconter mes projets de fuite.

— Il vous approuva sans aucun doute ?

— Il m'approuva de toutes ses forces, m'aida dans mes préparatifs, et vendit quelques bijoux et des titres que je tenais de ma mère. La veille de mon départ, et comme je ne savais où me réfugier, Guillaume me dit : “J'arrive de Nice et je dois y retourner demain. Voulez-vous que je vous y conduise ? Vous ne trouverez pas de retraite plus tranquille à cette époque que sur la Riviera.” Quels motifs aurais-je eus de refuser son offre ? Je ne l'aimais certes pas, mais il paraissait sincère et très dévoué. J'acceptai.

— Quelle imprudence ! fit Raoul.

— Oui, dit-elle. Et d'autant plus qu'il n'y avait pas entre nous de relations amicales qui sont l'excuse d'une pareille conduite. Mais, que voulez-vous ! J'étais seule dans la vie, malheureuse et persécutée. Un appui s'offrait... pour quelques heures, me semblait-il. Nous partîmes. »

Une légère hésitation interrompit Aurélie. Puis, brusquant son récit, elle reprit :

« Le voyage fut terrible... pour les raisons que vous connaissez. Lorsque Guillaume me jeta dans la voiture qu'il avait dérobée au médecin, j'étais à bout de forces. Il m'entraîna où il voulut, vers une autre gare, et de là, comme nous avions nos billets, à Nice où je retirai mes bagages. J'avais la fièvre, le délire. J'agissais sans avoir conscience de ce que je faisais. Il en profita le lendemain pour se faire accompagner par moi dans une propriété où il devait reprendre, en l'absence des habitants, certaines valeurs qu'on lui avait volées. J'y allais, comme j'aurais été n'importe où. Je ne pensais à rien. J'obéissais passivement. C'est dans cette villa que je fus attaquée et enlevée par Jodot...

— Et sauvée, une seconde fois, par moi que vous récompensiez, une seconde fois, en fuyant aussitôt. Passons. Jodot, lui aussi, exigeait des révélations, n'est-ce pas ?

— Oui.

— Ensuite ?

— Ensuite, je rentrai à l'hôtel où Guillaume me supplia de le suivre à Monte-Carlo.

— Mais, à ce moment-là, vous étiez renseignée sur le personnage ! objecta Raoul.

— Par quoi ? On voit clair quand on regarde. Mais... depuis deux jours, je vivais dans une sorte de folie, que l'agression de Jodot avait encore exaspérée. Je suivis donc Guillaume, sans même lui demander le but de ce voyage. J'étais désemparée, honteuse de ma lâcheté, et gênée par la présence de cet homme qui me devenait de plus en plus étranger... Quel rôle ai-je joué à Monte-Carlo ? Ce n'est pas très net pour moi. Guillaume m'avait confié des lettres que je devais lui remettre dans le couloir de l'hôtel, pour qu'il les remît lui-même à un monsieur. Quelles lettres ? Quel monsieur ? Pourquoi Marescal était-il là ? Comment m'avez-vous arrachée à lui ? Tout cela est bien obscur. Cependant, mon instinct s'était réveillé. Je sentais contre Guillaume une hostilité croissante. Je le détestais. Et je suis partie de Monte-Carlo résolue à rompre le pacte qui nous liait et à venir me cacher ici. Il me poursuivit jusqu'à Toulouse, et quand je lui annonçai, au début de l'après-midi, ma décision de le quitter, et qu'il fut convaincu que rien ne me ferait revenir, froidement, durement, avec une colère qui lui contractait le visage, il me répondit :

« — Soit. Séparons-nous. Au fond, cela m'est égal. Mais j'y mets une condition.

« — Une condition ?

« — Oui. Un jour, j'ai entendu votre beau-père Brégeac parler d'un secret qui vous a été légué. Dites-moi ce secret et vous êtes libre.

« Alors je compris tout. Toutes ses protestations, son dévouement, autant de mensonges. Son seul but, c'était d'obtenir de moi, un jour ou l'autre, soit en me gagnant par l'affection, soit en me menaçant, les confidences que j'avais refusées à mon beau-père, et que Jodot avait essayé de m'arracher. »

Elle se tut. Raoul l'observa. Elle avait dit l'entière vérité, il en eut l'impression profonde. Gravement, il prononça :

« Voulez-vous connaître exactement le personnage ? »

Elle secoua la tête :

« Est-ce bien nécessaire ?

— Cela vaut mieux. Écoutez-moi. À Nice, les titres qu'il cherchait dans la villa Faradoni ne lui appartenaient pas. Il était venu simplement pour les voler. À Monte-Carlo, il exigeait cent mille francs contre la remise de lettres compromettantes. Donc, escroc et voleur, peut-être pire. Voilà l'homme. »

Aurélie ne protesta point. Elle avait dû entrevoir la réalité, et l'énoncé brutal des faits ne pouvait plus la surprendre.

« Vous m'avez sauvée de lui, je vous remercie.

— Hélas ! dit-il, vous auriez dû vous confier à moi, au lieu de me fuir. Que de temps perdu ! »

Elle était sur le point de partir, mais elle répliqua :

« Pourquoi me confier à vous ? Qui êtes-vous ? Je ne vous connais pas. Marescal, qui vous accuse, ne sait même pas votre nom. Vous me sauvez de tous les dangers... pour quelle raison ? Dans quel dessein ? »

Il ricana :

« Dans le dessein de vous arracher aussi votre secret, est-ce cela que vous voulez dire ?

— Je ne veux rien dire, murmura-t-elle, avec accablement. Je ne sais rien. Je ne comprends rien. Depuis deux ou trois semaines, je me heurte de tous côtés à des murailles d'ombre. Ne me demandez pas plus de confiance que je n'en puis donner. Je me défie de tout et de tous. »

Il eut pitié d'elle et la laissa partir.

En s'en allant (il avait trouvé une autre issue, une poterne située au-dessous de l'avant-dernière terrasse, et qu'il avait réussi à ouvrir), il pensait :

« Elle n'a pas soufflé mot de la nuit terrible. Or, Miss Bakefield est morte. Deux hommes ont été assassinés. Et je l'ai vue, elle, travestie, masquée. »

Mais, pour lui aussi, tout était mystérieux et inexplicable. Autour de lui, comme autour d'elle, s'élevaient ces mêmes murailles d'ombre, où filtraient à peine de place en place quelques pâles lumières. Pas un instant, d'ailleurs — et il en était ainsi depuis le début de l'aventure — il ne songeait en face d'elle au serment de vengeance et de haine qu'il avait fait devant le cadavre de Miss Bakefield, ni à rien de ce qui pouvait enlaidir la gracieuse image de la demoiselle aux yeux verts.

Durant deux jours, il ne la revit pas. Puis, trois jours de suite, elle vint, sans expliquer son retour, mais comme si elle eût cherché une protection dont elle ne pouvait pas se passer.

Elle resta dix minutes d'abord, puis quinze, puis trente. Ils parlaient peu. Qu'elle le voulût ou non, l'œuvre de confiance se poursuivait en elle. Plus douce, moins lointaine, elle avançait jusqu'à la brèche et regardait l'eau frémissante de l'étang. À plusieurs reprises, il essaya de lui poser des questions. Elle se dérobait aussitôt, tremblante, épouvantée par tout ce qui pouvait être allusion aux heures affreuses de Beaucourt. Elle causait pourtant davantage, mais des choses de son passé lointain, de la vie qu'elle menait jadis à Sainte-Marie, et de la paix qu'elle retrouvait encore dans cette atmosphère affectueuse et sereine.

Une fois, sa main étant posée à l'envers sur le socle du vase, il se pencha, et, sans y toucher, en examina les lignes.

« C'est bien ce que j'ai deviné dès le premier jour... Une double destinée, l'une sombre et tragique, l'autre heureuse et toute simple. Elles se croisent, s'enchevêtrent, se confondent, et il n'est pas possible encore de dire qui l'emportera. Quelle est la vraie, quelle est celle qui correspond à votre véritable nature ?

— La destinée heureuse, dit-elle. Il y a en moi quelque chose qui remonte vite à la surface, et qui me donne, comme ici, la gaieté et l'oubli quels que soient les périls. »

Il continua son examen.

« Méfiez-vous de l'eau, dit-il en riant. L'eau peut vous être funeste. Naufrages, inondations... Que de périls ! Mais ils s'éloignent... Oui, tout s'arrange dans votre vie. Déjà la bonne fée l'emporte sur la mauvaise. »

Il mentait pour la tranquilliser et avec le désir constant que, sur sa jolie bouche, qu'il osait à peine regarder, se dessinât parfois un sourire. Lui-même, du reste, il voulait oublier et se leurrer.

Il vécut ainsi deux semaines d'une allégresse profonde qu'il s'efforçait de dissimuler. Il subissait le vertige de ces heures où l'amour vous jette dans l'ivresse et vous rend insensible à tout ce qui n'est pas la joie de contempler et d'entendre. Il refusait d'évoquer les images menaçantes de Marescal, de Guillaume ou de Jodot. Si aucun des trois ennemis n'apparaissait, c'est qu'ils avaient perdu, certainement, les traces de leur victime. Pourquoi, dès lors, ne pas s'abandonner à la torpeur délicieuse qu'il éprouvait auprès de la jeune fille ?

Le réveil fut brutal. Un après-midi, penchés entre les feuillages qui dominaient le ravin, ils entrevoyaient au-dessous d'eux le miroir de l'étang, presque immobile au milieu, soulevé sur les bords par de petites vagues hâtives qui glissaient vers l'issue étroite où s'engouffrait le gave, lorsqu'une voix lointaine cria dans le jardin :

« Aurélie !... Aurélie !... Où est-elle, Aurélie ?

— Mon Dieu ! dit la jeune fille tout inquiète, pourquoi m'appelle-t-on ? »

Elle courut au sommet des terrasses et aperçut une des religieuses dans l'allée des tilleuls.

« Me voilà !... Me voilà ! Qu'y a-t-il donc, ma sœur ?

— Un télégramme, Aurélie.

— Un télégramme ! Ne vous donnez pas la peine, ma sœur. Je vous rejoins. »

Un instant plus tard, quand elle regagna la salle d'été, une dépêche à la main, elle était bouleversée.

« C'est mon beau-père, dit-elle.

— Brégeac ?

— Oui.

— Il vous rappelle ?

— Il sera là d'un moment à l'autre !

— Pourquoi ?

— Il m'emmène.

— Impossible !

— Tenez... »

Il lut deux lignes, datées de Bordeaux :

« *Arriverai quatre heures. Repartirons aussitôt. Brégeac.* »

Raoul réfléchit et demanda :

« Vous lui aviez donc écrit que vous étiez ici ?

— Non, mais il y venait jadis au moment des vacances.

— Et votre intention ?

— Que puis-je faire ?

— Refusez de le suivre.

— La supérieure ne consentirait pas à me garder.

— Alors, insinua Raoul, partez d'ici dès maintenant.

— Comment ? »

Il montra le coin de la terrasse, la forêt...

Elle protesta :

« Partir ! m'évader de ce couvent comme une coupable ? Non, non, ce serait trop de chagrin pour toutes ces pauvres femmes, qui m'aiment comme une fille, comme la meilleure de leurs filles ! Non, cela, jamais ! »

Elle était très lasse. Elle s'assit sur un banc de pierre, à l'opposé du parapet. Raoul s'approcha d'elle et, gravement :

« Je ne vous dirai aucun des sentiments que j'ai pour vous, et des raisons qui me font agir. Mais, tout de même, il faut que vous sentiez bien que je vous suis dévoué comme un homme est dévoué à une femme... qui est tout pour lui... Et il faut que ce dévouement vous donne une confiance absolue en moi, et que vous soyez prête à m'obéir aveuglément. C'est la condition de votre salut. Le comprenez-vous ?

« Un télégramme ! Ne vous donnez pas la peine, ma sœur, je vous rejoins. »

— Oui, dit-elle, entièrement dominée.

— Alors, voici mes instructions... mes ordres... oui, mes ordres. Accueillez votre beau-père sans révolte. Pas de querelle. Pas même de conversation. Pas un seul mot. C'est le meilleur moyen de ne pas commettre d'erreur. Suivez-le. Retournez à Paris. Le soir même de votre arrivée, sortez sous un prétexte quelconque. Une dame âgée, à cheveux blancs, vous attendra en automobile vingt pas plus loin que la porte. Je vous conduirai toutes deux en province, dans un asile où nul ne vous retrouvera. Et je m'en irai aussitôt, je vous le jure sur l'honneur, pour ne revenir auprès de vous que quand vous m'y autoriserez. Sommes-nous d'accord ?

— Oui, fit-elle, d'un signe de tête.

— En ce cas, à demain soir. Et souvenez-vous de mes paroles. Quoi qu'il arrive, vous entendez, quoi qu'il arrive, rien ne prévaudra contre ma volonté de protection et contre la réussite de mon entreprise. Si tout semble se tourner contre vous, ne vous découragez pas. Ne vous inquiétez même pas. Dites-vous avec foi, avec acharnement, qu'au plus fort du danger, aucun danger ne vous menace. À la seconde même où ce sera nécessaire, je serai là. Je serai toujours là. Je vous salue, mademoiselle. »

Il s'inclina et baisa légèrement le ruban de sa pèlerine. Puis écartant un panneau de vieux treillage, il sauta dans les fourrés et prit une sente à peine tracée qui conduisait à l'ancienne poterne.

Aurélie n'avait pas bougé de la place qu'elle occupait sur le banc de pierre.

Une demi-minute s'écoula.

À ce moment, ayant perçu un froissement de feuilles du côté de la brèche, elle releva la tête. Les arbustes remuaient. Il y avait quelqu'un. Oui, à n'en pas douter, quelqu'un était caché là.

Elle voulut appeler, crier au secours. Elle ne le put pas. Sa voix s'étranglait.

Les feuilles se balançaient davantage. Qui allait apparaître ? De toutes ses forces, elle souhaita que ce fût Guillaume ou Jodot. Elle les redoutait moins que Marescal, les deux bandits.

Une tête émergea. Marescal sortit de sa cachette.

D'en bas, vers la droite, monta le bruit de la poterne massive que l'on refermait.

VII

UNE DES BOUCHES DE L'ENFER

Si la situation de la terrasse, tout en haut d'un grand jardin, dans une partie où personne ne se promenait, et sous l'abri d'épaisses frondaisons, avait offert quelques semaines d'absolue sécurité à Aurélie et à Raoul, n'était-il pas à penser que Marescal allait trouver là les quelques minutes qui lui étaient nécessaires, et qu'Aurélie ne pouvait espérer aucune assistance ? Fatalement, la scène se poursuivrait jusqu'au terme voulu par l'adversaire, et le dénouement serait conforme à sa volonté implacable.

Il le sentait si bien qu'il ne se pressa pas. Il avança lentement et s'arrêta. La certitude de la victoire troublait l'harmonie de son visage régulier, et déformait ses traits d'habitude immobiles. Un rictus remontait le coin gauche de sa bouche, entraînant ainsi la moitié de sa barbe carrée. Les dents luisaient. Les yeux étaient cruels et durs.

Il ricana :

« Eh bien, mademoiselle, je crois que les événements ne me sont pas trop défavorables ! Pas moyen de m'échapper comme dans la gare de Beaucourt ! Pas moyen de me chasser comme à Paris ! Hein, il va falloir subir la loi du plus fort ! »

Le buste droit, les bras raidis, ses poings crispés sur le banc de pierre, Aurélie le contemplait avec une expression d'angoisse folle. Pas un gémissement. Elle attendait.

« Comme c'est bon de vous voir ainsi, jolie demoiselle ! Quand on aime de la façon un peu excessive dont je vous aime, ce n'est pas désagréable de trouver en face de soi de la peur et de la révolte. On est d'autant plus ardent à conquérir sa proie... sa proie magnifique, ajouta-t-il tout bas... car, en vérité, vous êtes rudement belle ! »

Apercevant le télégramme déplié, il se moqua :

« Cet excellent Brégeac, n'est-ce pas ? qui vous annonce son arrivée imminente et votre départ ?... Je sais, je sais. Depuis quinze jours, je le surveille, mon cher directeur, et je me tiens au courant de ses projets les plus secrets. J'ai des hommes dévoués près de lui. Et c'est ainsi que j'ai découvert votre retraite, et que j'ai pu le devancer de quelques heures, lui. Le temps d'explorer les lieux, la forêt, le vallon, de vous épier de loin, et de vous voir trotter en hâte vers cette terrasse, et j'ai pu grimper ici et surprendre une silhouette qui s'éloignait. Un amoureux, n'est-ce pas ? »

Il fit quelques pas en avant. Elle eut un haut-le-corps, et son buste toucha le treillage qui entourait le banc.

Il s'irrita :

« Eh ! la belle, j'imagine qu'on ne reculait pas ainsi tout à l'heure, quand l'amoureux s'occupait à vous caresser. Hein, quel est cet heureux personnage ? Un fiancé ? un amant plutôt. Allons, je vois que j'arrive tout juste pour défendre mon bien et empêcher la candide pensionnaire de Sainte-Marie de faire des bêtises ! Ah ! si jamais j'aurais supposé cela !... »

Il contint sa colère, et, penché sur elle :

« Après tout, tant mieux ! Les choses se trouvent simplifiées. La partie que je jouais était déjà admirable, puisque j'ai tous les atouts en main. Mais quel surcroît de chance ! Aurélie n'est pas une vertu farouche ! On peut voler et tuer tout en se dérobant devant le fossé. Et puis voilà qu'Aurélie est toute prête à sauter l'obstacle. Alors, pourquoi pas en ma compagnie ? Hein, Aurélie, autant moi que cet autre ? S'il a ses avantages, j'ai des raisons en ma faveur qui ne sont pas à dédaigner. Qu'en dites-vous, Aurélie ? »

Elle se taisait obstinément. Le courroux de l'ennemi s'exaspérait de ce silence terrifié, et il reprit, en scandant chaque parole :

« Nous n'avons pas le loisir de marivauder, n'est-ce pas, Aurélie, ni d'effleurer les sujets les uns après les autres ? Il faut parler net, sans avoir peur des mots, et pour qu'il n'y ait pas de malentendu. Donc droit au but. Silence sur le passé, et sur les humiliations que j'ai subies. Cela ne compte plus. Ce qui compte, c'est le présent. Un point, c'est tout. Or, le présent, c'est l'assassinat du rapide, c'est la fuite dans les bois, c'est la capture par les gendarmes, c'est vingt preuves dont chacune est mortelle pour vous. Et le présent, c'est aujourd'hui où je vous tiens sous ma griffe, et où je n'ai qu'à vouloir pour vous empoigner, pour vous conduire jusqu'à votre beau-père, et pour lui crier en pleine face, devant témoins : “La femme qui a tué, celle qu'on recherche partout, la voici... et le mandat d'arrêt, je l'ai dans ma poche. Qu'on avertisse les gendarmes !” »

Il leva le bras, prêt, comme il disait, à empoigner la criminelle.

Et, plus sourdement encore, la menace suspendue, il acheva :

« Donc, d'une part, cela, c'est-à-dire la dénonciation publique, les assises et le châtiment redoutable... Et, d'autre part, ceci, qui est le second terme de ce que je vous donne à choisir : l'accord, l'accord immédiat, aux conditions que vous devinez. C'est plus qu'une promesse que j'exige, c'est un serment, fait à genoux, le serment qu'une fois de retour à Paris, vous viendrez me voir, seule, chez moi. Et c'est plus encore, c'est tout de suite la preuve que l'accord est loyal, signé par votre bouche sur la mienne... et non pas un baiser de haine et de dégoût, mais un baiser volontaire, comme d'aussi belles et de plus difficiles que vous m'en ont donné, Aurélie... un baiser d'amoureuse... Mais, réponds donc, sacrebleu ! s'écria-t-il, dans une explosion de rage. Réponds-moi que tu acceptes. J'en ai assez de tes airs de damnée ! Réponds, ou bien je t'empoigne, et ce sera le baiser quand même, et quand même la prison ! »

Cette fois, la main s'abattit sur l'épaule avec une violence irrésistible, tandis que l'autre main, saisissant Aurélie à la gorge, lui fixa la tête contre le treillage, et que les lèvres descendirent... Mais le geste ne fut pas achevé. Marescal sentit que la jeune fille s'affaissait sur elle-même. Elle s'évanouit.

L'incident troubla profondément Marescal. Il était venu sans plan précis, en tout cas sans autre plan que celui de parler, et en une heure, avant l'arrivée de Brégeac, d'obtenir des promesses solennelles et la reconnaissance de son pouvoir. Or, voilà que le hasard lui offrait une victime inerte et impuissante.

Il demeura quelques secondes courbé sur elle, la regardant de ses yeux avides, et regardant autour de lui cette salle de feuillage, close et discrète. Nul témoin. Aucune intervention possible.

Mais une autre pensée le conduisit jusqu'au parapet, et, par la brèche pratiquée au milieu des arbustes, il contempla le vallon désert, la forêt aux arbres noirs, toute ténébreuse et mystérieuse, où il avait remarqué, en passant, l'orifice des grottes. Aurélie jetée là, emprisonnée et maintenue sous la menace épouvantable des gendarmes. Aurélie captive, deux jours, trois jours, huit jours s'il le fallait, n'était-ce pas le dénouement inespéré, triomphal, le commencement et la fin de l'aventure ?

Il donna un léger coup de sifflet. En face de lui, sur l'autre rive de l'étang, deux bras s'agitèrent au-dessus de deux buissons situés à la lisière de la forêt. Signaux convenus : deux hommes étaient là, postés par lui pour servir à ses machinations. De ce côté de l'étang, la barque se balançait.

Marescal n'hésita plus, il savait que l'occasion est fugitive et que, s'il ne la saisit pas au passage elle se dissipe comme une ombre. Il traversa de nouveau la terrasse et constata que la jeune fille semblait prête à s'éveiller.

« Agissons, dit-il. Sinon... »

Il lui jeta sur la tête un foulard, dont deux des extrémités furent nouées sur la bouche et à la manière d'un bâillon. Puis il la prit dans ses bras et l'emporta.

Elle était mince et ne pesait guère. Lui, était solide. Le fardeau lui parut léger. Néanmoins, quand il parvint à la brèche et qu'il observa la pente presque verticale du ravin creusé par les orages au milieu du soubassement, il réfléchit et jugea nécessaire de prendre des précautions. Il déposa donc Aurélie au bord de la brèche.

Attendait-elle la faute commise ? Fût-ce de sa part une inspiration subite ? En tout cas, l'imprudence de Marescal fut aussitôt punie. D'un mouvement imprévu, avec une rapidité et une décision qui le déconcertèrent, elle arracha le foulard, et, sans souci de ce qui pouvait advenir, se laissa glisser de haut en bas, comme une pierre détachée qui roule dans un éboulement de cailloux et de sable d'où monte un nuage de poussière.

Remis de sa surprise, il s'élança au risque de tomber et l'aperçut qui courait à l'aventure, en zigzag, de la falaise à la berge, comme une bête traquée qui ne sait pas où s'enfuir.

« Tu es perdue, ma pauvre petite, proféra-t-il. Rien à faire qu'à plier les genoux. »

Il la rejoignait déjà, et Aurélie vacillait de peur et trébuchait, quand il eut l'impression que quelque chose tombait du haut de la terrasse et s'abattait près de lui, ainsi que l'eût fait une branche d'arbre cassée. Il se tourna, vit un homme dont le bas du visage était masqué d'un mouchoir et qui devait être celui qu'il appelait l'amoureux d'Aurélie, eut le temps de saisir son revolver, mais n'eut pas le temps de s'en servir. Un coup de pied de l'agresseur, lancé en pleine poitrine ainsi qu'un coup de savate vigoureusement appliqué, le précipita jusqu'à mi-jambe dans un amalgame de vase liquide que formait l'étang à cette place. Furieux, pataugeant, il braqua son revolver sur cet adversaire au moment où celui-ci, vingt-cinq pas plus loin, étendait la jeune fille dans la barque.

« Halte ! ou je tire », cria-t-il.

Raoul ne répondit pas. Il dressa et appuya sur un banc comme un bouclier qui les protégeait, Aurélie et lui, une planche à moitié pourrie. Puis il poussa au large la barque qui se mit à danser sur les vagues.

Marescal tira. Il tira cinq fois. Il tira désespérément et rageusement. Mais aucune des cinq balles, mouillées sans doute, ne consentit à partir. Alors, il siffla, comme auparavant, mais d'une manière plus stridente. Là-bas les deux hommes surgirent de leurs fourrés comme des diables hors de leurs boîtes.

Raoul se trouvait au milieu de l'étang, c'est-à-dire à trente mètres peut-être de la rive opposée.

« Ne tirez pas ! » hurla Marescal.

À quoi bon, en effet. Le fugitif ne pouvait avoir d'autre but, pour ne pas être entraîné par le courant vers le gouffre où disparaissait le gave, que de filer en ligne droite et d'accoster précisément à l'endroit où l'attendaient les deux acolytes, revolver au poing.

Il dut même s'en rendre compte, le fugitif, car subitement il fit volte-face, et revint vers la rive où il n'aurait à combattre qu'un adversaire seul et désarmé.

« Tirez ! tirez ! vociféra Marescal qui devina le manège. Il faut tirer maintenant, puisqu'il revient ! Mais tirez donc, sacrebleu ! »

Un des hommes fit feu.

Dans la barque il y eut un cri. Raoul lâcha ses avirons et se renversa, tandis que la jeune fille se jetait sur lui avec des gestes de désespoir. Les avirons s'en allaient à vau-l'eau. La barque demeura un instant immobile, indécise, puis elle vira un peu, la proue pointant vers le courant, recula, glissa en arrière, lentement d'abord, plus vite ensuite.

« Crebleu de crebleu, balbutia Marescal, ils sont fichus. »

Mais que pouvait-il faire ? Le dénouement ne laissait aucun doute. La barque fut happée par deux torrents de petites vagues hâtives qui se bousculaient de chaque côté de la nappe centrale, une fois encore tourna sur elle-même, brusquement pointa en avant, les deux corps couchés au fond, et fila comme une flèche vers l'orifice béant où elle s'engloutit.

Cela ne se passa pas certainement plus de deux minutes après que les deux fugitifs eurent quitté la rive.

Marescal ne bougea point. Les pieds dans l'eau, la figure contractée d'horreur, il regardait l'emplacement maudit, comme s'il eût contemplé une bouche de l'enfer. Son chapeau flottait sur l'étang. Sa barbe et ses cheveux étaient en désordre.

« Est-ce possible ! est-ce possible !... bégayait-il... Aurélie... Aurélie... »

Un appel de ses hommes le réveilla de sa torpeur. Ils firent un grand détour pour le rejoindre et le trouvèrent en train de se sécher. Il leur dit :

« Est-ce vrai ?

— Quoi ?

— La barque ?... Le gouffre ?... »

Il ne savait plus. Dans les cauchemars, d'abominables visions passent ainsi, laissant l'impression de réalités affreuses.

Tous trois ils gagnèrent le dessus du trou que marquait une dalle et qu'entouraient des roseaux et des plantes accrochées aux pierres. L'eau arrivait en menues cascades où s'arrondissait çà et là le dos luisant de grosses roches. Ils se penchèrent. Ils écoutèrent. Rien. Rien qu'un tumulte de flots pressés. Rien qu'un souffle froid qui montait avec la poudre blanche de l'écume.

« C'est l'enfer, balbutia Marescal... c'est une des bouches de l'enfer. »

Et il répétait :

« Elle est morte... elle est noyée... Est-ce bête !... quelle mort effroyable !... Si cet imbécile-là l'avait laissée... j'aurais... j'aurais... »

Ils s'en allèrent par le bois. Marescal cheminait, comme s'il eût suivi un convoi. À diverses reprises, ses compagnons l'interrogèrent. C'étaient des individus peu recommandables, qu'il avait racolés pour son expédition, en dehors de son service, et auxquels il n'avait donné que des renseignements sommaires. Il ne leur répondit pas. Il songeait à Aurélie, si gracieuse, si vivante, et qu'il aimait si passionnément. Des souvenirs le troublaient, compliqués de remords et de frayeurs.

En outre, il n'avait pas la conscience bien tranquille. L'enquête imminente pouvait l'atteindre, lui, et, par suite, lui attribuer une part dans le tragique accident. En ce cas, c'était l'effondrement, le scandale. Brégeac serait impitoyable et poursuivrait sa vengeance jusqu'au bout.

Bientôt il ne songea plus qu'à s'en aller et à quitter le pays le plus discrètement possible. Il fit peur à ses acolytes. Un danger commun les menaçait, disait-il, et leur sécurité exigeait qu'on se dispersât, et que chacun veillât à son propre salut, avant que l'alarme fût donnée et leur présence signalée. Il leur remit le double de la somme convenue, évita les maisons de Luz, et prit la route de Pierrefitte-Nestalas avec l'espoir de trouver une voiture qui l'emmènerait en gare pour le train de sept heures du soir.

Ce n'est qu'à trois kilomètres de Luz qu'il fut dépassé par une petite charrette à deux roues, couverte d'une bâche, et que conduisait un paysan vêtu d'une ample limousine et coiffé d'un béret basque.

Il monta d'autorité, et d'un ton impérieux :

« Cinq francs si l'on arrive au train. »

Le paysan ne parut pas s'émouvoir et ne cingla même point la chétive haridelle qui bringuebalait entre des brancards trop larges.

Le trajet fut long. On n'avançait pas. On eût dit au contraire que le paysan retenait sa bête.

Marescal enrageait. Il avait perdu tout contrôle sur lui-même et se lamentait :

« Nous n'arriverons pas... Quelle carne que votre cheval... Dix francs pour vous, hein, ça colle ? »

La contrée lui paraissait odieuse, peuplée de fantômes et sillonnée de policiers aux trousses du policier Marescal. L'idée de passer la nuit dans ces régions où gisait le cadavre de celle qu'il avait envoyée à la mort, était au-dessus de ses forces.

« Vingt francs », dit-il.

Et tout à coup, perdant la tête :

« Cinquante francs ! Voilà ! Cinquante francs ! Il n'y a plus que deux kilomètres... deux kilomètres en sept minutes... sacré nom, c'est possible... Allons, crebleu, fouettez-la, votre bique !... Cinquante francs !... »

Le paysan fut pris d'une crise d'énergie furieuse et se mit, comme s'il n'avait attendu que cette proposition magnifique, à frapper avec tant d'ardeur que la bique partit au galop.

« Eh ! attention, vous, n'allez pas nous jeter dans le fossé. »

Le paysan s'en moquait bien de cette perspective ! Cinquante francs ! Il tapait à tour de bras, du bout d'un gourdin que terminait une masse de cuivre. La bête affolée redoublait de vitesse. La charrette sautait d'un bord à l'autre de la route. Marescal s'inquiétait de plus en plus.

« Mais c'est idiot !... Nous allons verser... Halte, sacrebleu !... Voyons, voyons, vous êtes toqué !... Tenez, ça y est !... Nous y sommes !.... »

« Ça y était » en effet. Un coup de rêne maladroit, un écart plus vif, et tout l'équipage piqua dans un fossé d'une façon si désastreuse que la charrette fut retournée par-dessus les deux hommes à plat ventre, et que la bique, empêtrée dans les harnais, sabots en l'air, lançait des ruades sous le plancher du siège.

Marescal se rendit compte tout de suite qu'il sortait indemne de l'aventure. Mais le paysan l'écrasait de tout son poids. Il voulut s'en débarrasser. Il ne le put. Et il entendit une voix aimable qui susurrait à son oreille :

« As-tu du feu, Rodolphe ? »

Des pieds à la tête, Marescal sentit que son corps se glaçait. La mort doit donner cette impression atroce des membres déjà refroidis, que rien ne sera plus jamais capable de ranimer. Il balbutia :

« L'homme du rapide...

— L'homme du rapide, c'est ça même, répéta la bouche qui lui chatouillait l'oreille.

— L'homme de la terrasse, gémit Marescal.

— Tout à fait juste... l'homme du rapide, l'homme de la terrasse... et aussi l'homme de Monte-Carlo, et l'homme du boulevard Haussmann, et l'assassin des deux frères Loubeaux, et le complice d'Aurélie, et le nautonier de la barque, et le paysan de la charrette. Hein, mon vieux Marescal, ça t'en fait des guerriers à combattre, et tous de taille, j'ose le dire. »

La bique avait fini ses pétarades et s'était relevée. Petit à petit, Raoul ôtait sa limousine dont il réussit à envelopper le commissaire, immobilisant ainsi les bras et les jambes. Il repoussa la charrette, attira les sangles et les rênes du harnachement et ligota solidement Marescal qu'il remonta ensuite hors du fossé et jucha sur un haut talus, parmi d'épais taillis. Deux courroies restaient, à l'aide desquelles il fixa le buste et le cou au tronc d'un bouleau.

« T'as pas de chance avec moi, mon vieux Rodolphe. Cela fait deux fois que je t'entortille, tel un pharaon. Ah ! que je n'oublie pas, comme bâillon, le foulard d'Aurélie ! Ne pas crier et n'être pas vu, telle est la règle du parfait captif. Mais tu peux regarder de tous tes yeux, et de même écouter de toutes tes oreilles. Tiens, entends-tu le train qui siffle ? Teuf... teuf... teuf... il s'éloigne et avec lui la douce Aurélie et son beau-père. Car il faut que je te rassure. Elle est aussi vivante que toi et moi, Aurélie. Un peu lasse, peut-être, après tant d'émotions ! Mais une bonne nuit, et il n'y paraîtra plus. »

Raoul attacha la bique et rangea les débris du véhicule. Puis il revint s'asseoir près du commissaire.

« Drôle d'aventure que ce naufrage, n'est-ce pas ? Mais aucun miracle, comme tu pourrais le croire. Et aucun hasard non plus. Pour ta gouverne, tu sauras que je ne compte jamais ni sur un miracle ni sur le hasard, mais uniquement sur moi. Donc... mais ça ne t'embête pas, mon petit discours ? Tu n'aimes pas mieux dormir ? Non ? Alors, je reprends... Donc je venais de quitter Aurélie sur la terrasse lorsque j'eus, en route, une inquiétude : était-ce bien prudent de la laisser ainsi ? Sait-on jamais si quelque malfaiteur ne rôde pas, si quelque bellâtre pommadé ne fouine pas aux environs ?... Ces intuitions-là, ça fait partie de mon système... J'y obéis toujours. Donc je retourne. Et qu'est-ce que j'avise ? Rodolphe, ravisseur infâme et déloyal policier, qui plonge dans le vallon à la suite de sa proie. Sur quoi, je tombe du ciel, je t'offre un bain de pieds à la vase, j'entraîne Aurélie, et vogue la galère ! L'étang, la forêt, les grottes, c'était la liberté. Patatras ! voilà que tu siffles, et deux escogriffes se dressent à l'appel. Que faire ? Problème insoluble s'il en fut ! Non, une idée géniale... Si je me faisais avaler par le gouffre ? Justement un browning me crache sa mitraille. Je lâche mes avirons. Je fais le mort au fond du canot. J'explique la chose à Aurélie, et v'lan nous piquons une tête dans la bouche d'égout. »

Raoul tapota la cuisse de Marescal.

« Non, je t'en prie, bon ami, ne t'émeus pas : nous ne courions aucun risque. Tous les gens du pays savent qu'en empruntant ce tunnel taillé en plein terrain calcaire, on est déposé deux cents mètres plus bas sur une petite plage de sable fin d'où l'on remonte par quelques marches confortables. Le dimanche, des douzaines de gosses font ainsi de la nage en traînant leur esquif au retour. Pas une égratignure à craindre. Et, de la sorte, nous avons pu assister de loin à ton effondrement, et te voir partir, la tête basse, alourdi de remords. Alors j'ai reconduit Aurélie dans le jardin du couvent. Son beau-père est venu la chercher en voiture pour prendre le train, tandis que moi j'allais quérir ma valise, j'achetais l'équipage et les frusques d'un paysan, et je m'éloignais, cahin-caha, sans autre but que de couvrir la retraite d'Aurélie. »

Raoul appuya sa tête sur l'épaule de Marescal et ferma les yeux.

« Inutile de te dire que tout ça m'a quelque peu fatigué et qu'un petit somme me paraît de rigueur. Veille sur mes rêves, mon bon Rododphe, et ne t'inquiète pas. Tout est pour le mieux dans le meilleur des mondes. Chacun y occupe la place qu'il mérite, et les gourdes servent d'oreiller aux malins de mon espèce. »

Il s'endormit.

Le soir venait. De l'ombre tombait autour d'eux. Parfois Raoul s'éveillait et prononçait quelques paroles sur les étoiles scintillantes ou sur la clarté bleue de la lune. Puis, de nouveau, c'était le sommeil.

Vers minuit, il eut faim. Sa valise contenait des aliments. Il en offrit à Marescal et lui ôta son bâillon.

« Mange, mon cher ami », dit-il, en lui mettant du fromage dans la bouche.

Mais Marescal entra aussitôt en fureur et recracha le fromage en baragouinant :

« Imbécile ! crétin ! C'est toi la gourde ! Sais-tu ce que tu as fait ?

— Parbleu ! j'ai sauvé Aurélie. Son beau-père la ramène à Paris, et moi, je l'y rejoins.

— Son beau-père ! Son beau-père ! s'écria Marescal. Tu ne sais donc pas ?

— Quoi ?

— Mais il l'aime, son beau-père. »

Raoul le saisit à la gorge, hors de lui.

« Imbécile ! crétin ! Tu ne pouvais pas le dire, au lieu d'écouter mes discours stupides ? Il l'aime ? Ah ! le misérable... Mais tout le monde l'aime donc, cette gosse-là ! Tas de brutes ! Vous ne vous êtes donc jamais regardés dans une glace ? Toi surtout, avec ta binette à la pommade ! »

Il se pencha et dit :

« Écoute-moi, Marescal, j'arracherai la petite à son beau-père. Mais laisse-la tranquille. Ne t'occupe plus de nous.

— Pas possible, fit le commissaire sourdement.

— Pourquoi ?

— Elle a tué.

— De sorte que ton plan ?...

— La livrer à la justice, et j'y parviendrai, car je la hais. »

Il dit cela d'un ton de rancune farouche qui fit comprendre à Raoul que désormais la haine, chez Marescal, l'emporterait sur l'amour.

« Tant pis pour toi, Rodolphe. J'allais te proposer de l'avancement, quelque chose comme une place de préfet de Police. Tu aimes mieux la bataille. À ton aise. Commence par une nuit à la belle étoile. Rien de meilleur pour la santé. Quant à moi, je file à cheval jusqu'à Lourdes, sur la grande ligne. Vingt kilomètres. Quatre heures de petit trot pour ma cavale. Et ce soir je suis à Paris où je commence par mettre Aurélie en sûreté. Adieu, Rodolphe. »

Il assujettit comme il put sa valise, enfourcha sa cavale et, sans étriers, sans selle, sifflotant un air de chasse, il s'enfonça dans la nuit.

Le soir, à Paris, une vieille dame qu'il appelait Victoire, et qui avait été sa nourrice, attendait en automobile devant le petit hôtel particulier de la rue de Courcelles où demeurait Brégeac. Raoul était au volant.

Aurélie ne vint pas.

Dès l'aurore, il reprit sa faction. Dans la rue, il nota un chiffonnier qui s'en allait, après avoir picoré, du bout de son crochet, au creux des boîtes à ordures. Et tout de suite, avec le sens très spécial qui lui faisait reconnaître les individus à leur marche plus encore qu'à tout autre signe, il retrouva sous les haillons et sous la casquette sordide, et bien qu'il l'eût à peine vu dans le jardin Faradoni et sur la route de Nice, l'assassin Jodot.

« Bigre, se dit Raoul, à l'œuvre déjà, celui-là ? »

Vers huit heures, une femme de chambre sortit de l'hôtel et courut à la pharmacie voisine. Un billet de banque à la main, il l'aborda et il sut qu'Aurélie, emmenée la veille par Brégeac, était couchée avec une forte fièvre et le délire.

Vers midi, Marescal rôdait autour de la maison.

VIII

MANŒUVRES ET DISPOSITIFS DE BATAILLE

Les événements apportaient à Marescal un concours inespéré. Aurélie, retenue à la chambre, c'était l'échec du plan proposé par Raoul, l'impossibilité de fuir et l'attente effroyable de la dénonciation. Marescal prit d'ailleurs ses dispositions immédiates : la garde que l'on dut placer près d'Aurélie était une créature à lui, et qui, comme Raoul put s'en assurer, lui rendait compte quotidiennement de l'état de la malade. En cas d'amélioration subite il eût agi.

« Oui, se dit Raoul, mais s'il n'a pas agi, c'est qu'il a des motifs qui l'empêchent encore de dénoncer publiquement Aurélie et qu'il préfère attendre la fin de la maladie. Il se prépare. Préparons-nous aussi. »

Bien qu'opposé aux trop logiques hypothèses que les faits démentent toujours, Raoul avait tiré des circonstances quelques conclusions pour ainsi dire involontaires. L'étrange réalité à laquelle personne au monde n'avait songé un instant, et qui était si simple, il l'entrevoyait confusément, plutôt par la force des choses que par un effort d'esprit, et il comprenait que le moment était venu de s'y attaquer avec résolution.

« Dans une expédition, disait-il souvent, la grande difficulté, c'est le premier pas. »

Or, s'il apercevait clairement certains actes, les motifs de ces actes demeuraient obscurs. Les personnages du drame conservaient pour lui une apparence d'automates qui se démènent dans la tempête et la tourmente. S'il voulait vaincre, il ne lui suffisait plus de défendre Aurélie au jour le jour, mais de fouiller le passé et de découvrir quelles raisons profondes avaient déterminé tous ces gens et influé sur eux au cours de la nuit tragique.

« Somme toute, se dit-il, en dehors de moi, il y a quatre acteurs de premier plan qui évoluent autour d'Aurélie et qui, tous quatre, la persécutent : Guillaume, Jodot, Marescal et Brégeac. Sur ces quatre, il y en a qui vont vers elle par amour, d'autres pour lui arracher son secret. La combinaison de ces deux éléments, amour et cupidité, détermine toute l'aventure. Or, Guillaume est, pour l'instant, hors de cause. Brégeac et Jodot ne m'inquiètent pas, tant qu'Aurélie sera malade. Reste Marescal. Voilà l'ennemi à surveiller. »

Il y avait, face à l'hôtel de Brégeac, un logement vacant. Raoul s'y installa. D'autre part, puisque Marescal employait la garde, il épia la femme de chambre et la soudoya. Trois fois, en l'absence de la garde, cette femme l'introduisit auprès d'Aurélie.

La jeune fille ne semblait pas le reconnaître. Elle était encore si affaiblie par la fièvre qu'elle ne pouvait dire que quelques mots sans suite et, de nouveau, fermait les yeux. Mais il ne doutait pas qu'elle l'entendît, et qu'elle sût qu'il lui parlait ainsi de cette voix douce qui la détendait et l'apaisait comme une passe magnétique.

« C'est moi, Aurélie, disait-il. Vous voyez que je suis fidèle à ma promesse et que vous pouvez avoir toute confiance. Je vous jure que vos ennemis ne sont pas capables de lutter contre moi et que je vous délivrerai. Comment en serait-il autrement ? Je ne pense qu'à vous. Je reconstruis votre vie, et elle m'apparaît peu à peu, telle qu'elle est, simple et honnête. Je sais que vous êtes innocente. Je l'ai toujours su, même quand je vous accusais. Les preuves les plus irréfutables me semblaient fausses : la demoiselle aux yeux verts ne pouvait pas être une criminelle. »

Il ne craignait pas d'aller plus loin dans ses aveux, et de lui dire des mots plus tendres, qu'elle était contrainte d'écouter, et qu'il entremêlait avec des conseils :

« Vous êtes toute ma vie... Je n'ai jamais trouvé dans une femme plus de grâce et de charme... Aurélie, confiez-vous à moi... Je ne vous demande qu'une chose, vous entendez, la confiance. Si quelqu'un vous interroge, ne répondez pas. Si quelqu'un vous écrit, ne répondez pas. Si l'on veut vous faire partir d'ici, refusez. Ayez confiance, jusqu'à la dernière minute de l'heure la plus cruelle. Je suis là. Je serai toujours là, parce que je ne vis que pour vous et par vous... »

La figure de la jeune fille prenait une expression de calme. Elle s'endormait, comme bercée par un rêve heureux.

Alors il se glissait dans les pièces réservées à Brégeac et cherchait, vainement d'ailleurs, des papiers ou des indications qui pussent le guider.

Il fit aussi dans l'appartement que Marescal occupait rue de Rivoli des visites domiciliaires extrêmement minutieuses.

Enfin, il poursuivait une enquête serrée dans les bureaux du ministère de l'Intérieur où travaillaient les deux hommes. Leur rivalité, leur haine étaient connues de tous. Soutenus l'un et l'autre en haut lieu, ils étaient l'un et l'autre combattus soit au ministère, soit à la préfecture de police, par de puissants personnages qui bataillaient au-dessus de leurs têtes. Le service en souffrait. Les deux hommes s'accusaient ouvertement de faits graves. On parlait de mise à la retraite. Lequel serait sacrifié ?

Un jour, caché derrière une tenture, Raoul aperçut Brégeac au chevet d'Aurélie. C'était un bilieux, de visage maigre et jaune, assez grand, qui ne manquait pas d'allure et qui, en tout cas, avait plus d'élégance et de distinction que le vulgaire Marescal. Se réveillant, elle le vit, qui était penché sur elle, et lui dit d'un ton dur :

« Laissez-moi... Laissez-moi...

— Comme tu me détestes, murmura-t-il, et avec quelle joie tu me ferais du mal !

— Je ne ferai jamais de mal à celui que ma mère a épousé », dit-elle.

Il la regardait avec une souffrance visible.

« Tu es bien belle, ma pauvre enfant... Mais, hélas ! pourquoi as-tu toujours repoussé mon affection ? Oui, je sais, j'ai eu tort. Bien longtemps je n'ai été attiré vers toi que par ce secret que tu me cachais sans raison. Mais si tu ne t'étais pas obstinée dans un silence absurde, je n'aurais pas songé à d'autres choses qui sont un supplice pour moi... puisque jamais tu ne m'aimeras... puisqu'il n'est pas possible que tu m'aimes. »

La jeune fille ne voulait pas écouter et tournait la tête. Cependant il dit encore :

« Durant ton délire, tu as parlé souvent de révélations que tu voulais me faire. Était-ce à ce propos ? Ou bien à propos de ta fuite insensée avec ce Guillaume ? Où t'a-t-il conduite, le misérable ? Qu'êtes-vous devenus avant que tu aies été te réfugier dans ton couvent ? »

Elle ne répondit pas, par épuisement, peut-être par mépris.

Il se tut. Quand il fut parti, Raoul, en s'éloignant à son tour, vit qu'elle pleurait.

En résumé, au bout de deux semaines d'investigations, tout autre que Raoul se fût découragé. D'une façon générale, et en dehors de certaines tendances qu'il avait à les interpréter à sa manières les grands problèmes demeuraient insolubles ou du moins, ne recevaient pas de solution apparente.

« Mais je ne perds pas mon temps, se disait-il, et c'est l'essentiel. Agir consiste très souvent à ne pas agir. L'atmosphère est moins épaisse. Ma vision des êtres et des événements se précise et se fortifie. Si le fait nouveau manque encore, je suis au cœur même de la place. À la veille d'un combat qui s'annonce violent, alors que tous les ennemis mortels vont s'affronter, les nécessités du combat et le besoin de trouver des armes plus efficaces amèneront certainement le choc inattendu d'où jailliront les étincelles. »

Il en jaillit une plus tôt que Raoul ne pensait et qui éclaira un côté des ténèbres où il ne croyait pas que pût se produire quelque chose d'important. Un matin, le front collé aux vitres, et les yeux fixés sur les fenêtres de Brégeac, il revit, sous son accoutrement de chiffonnier, le complice Jodot. Jodot, cette fois, portait sur l'épaule une poche de toile où il jetait son butin. Il la déposa contre le mur de la maison, s'assit sur le trottoir et se mit à manger, tout en farfouillant dans la plus proche des boîtes. Le geste semblait machinal, mais au bout d'un instant, Raoul discerna aisément que l'homme n'attirait à lui que des enveloppes froissées et des lettres déchirées. Il y jetait un coup d'œil distrait, puis continuait son tri, sans aucun doute, la correspondance de Brégeac l'intéressait.

Après un quart d'heure, il rechargea sa poche et s'en alla.

Raoul le suivit jusqu'à Montmartre où Jodot tenait boutique de friperie.

Il revint trois jours de suite, et chaque fois, il recommençait exactement la même opération équivoque. Mais le troisième jour, qui était un dimanche, Raoul surprit Brégeac qui épiait derrière sa fenêtre. Lorsque Jodot partit, Brégeac à son tour le suivit avec d'infinies précautions. Raoul les accompagna de loin. Allait-il connaître le lien qui unissait Brégeac et Jodot ?

Ils traversèrent ainsi, les uns derrière les autres, le quartier Monceau, franchirent les fortifications et gagnèrent, à l'extrémité du boulevard Bineau, les bords de la Seine. Quelques villas modestes alternaient avec des terrains vagues. Contre l'une d'elles, Jodot déposa sa poche et, s'étant assis, mangea.

Il resta là durant quatre ou cinq heures, surveillé par Brégeac qui déjeunait à trente mètres de distance sous les tonnelles d'un petit restaurant, et par Raoul qui, étendu sur la berge, fumait des cigarettes.

Quand Jodot partit, Brégeac s'éloigna d'un autre côté, comme si l'affaire avait perdu tout intérêt, et Raoul entra au restaurant, s'entretint avec le patron, et apprit que la villa, contre laquelle Jodot s'était assis, appartenait, quelques semaines auparavant, aux deux frères Loubeaux, assassinés dans le rapide de Marseille par trois individus. La justice y avait mis les scellés et en avait confié la garde à un voisin, lequel, tous les dimanches, allait se promener.

Raoul avait tressailli en entendant le nom des frères Loubeaux. Les manigances de Jodot commençaient à prendre une signification.

Il interrogea plus à fond et sut ainsi que, à l'époque de leur mort, les frères Loubeaux habitaient fort peu cette villa, qui ne leur servait plus que comme entrepôt pour leur commerce de vins de Champagne. Ils s'étaient séparés de leur associé et voyageaient à leur compte.

« Leur associé ? demanda Raoul.

— Oui, son nom est encore inscrit sur la plaque de cuivre accrochée près de la porte : *Loubeaux frères, et Jodot.* »

Raoul réprima un mouvement.

« Jodot ?

— Oui, un gros homme à figure rouge, l'air d'un colosse de foire. On ne l'a jamais revu par ici depuis plus d'une année. »

« Renseignements d'une importance considérable, se dit

« Jodot resta là durant quatre ou cinq heures. »

Raoul, une fois seul. Ainsi Jodot était autrefois l'associé des deux frères qu'il devait tuer par la suite. Rien d'étonnant d'ailleurs si la justice ne l'a pas inquiété, puisqu'elle n'a jamais soupçonné qu'il y ait eu un Jodot dans l'affaire, et puisque Marescal est persuadé que le troisième complice, c'est moi. Mais alors pourquoi l'assassin Jodot vient-il aux lieux mêmes où demeuraient jadis ses victimes ? Et pourquoi Brégeac surveille-t-il cette expédition ? »

La semaine s'écoula sans incidents. Jodot ne reparut plus devant l'hôtel de Brégeac. Mais le samedi soir, Raoul, persuadé que l'individu retournerait à la villa le dimanche matin, franchit le mur qui entourait un terrain vague contigu et s'introduisit par une des fenêtres du premier étage.

À cet étage, deux chambres étaient meublées encore. Des signes certains permettaient de croire qu'on les avait fouillées. Qui ? Des agents du Parquet ? Brégeac ? Jodot ? Pourquoi ?

Raoul ne s'obstina point. Ce que d'autres étaient venus chercher, ou bien ne s'y trouvait pas, ou bien ne s'y trouvait plus. Il s'installa dans un fauteuil pour y passer la nuit. Éclairé par une petite lanterne de poche, il prit sur une table un livre dont la lecture ne tarda pas à l'endormir.

La vérité ne se révèle qu'à ceux qui la contraignent à sortir de l'ombre. C'est bien souvent lorsqu'on la croit lointaine qu'un hasard vient l'installer tout bonnement à la place qu'on lui avait préparée et le mérite en est justement à la qualité de cette préparation. En s'éveillant, Raoul revit le livre qu'il avait parcouru. Le cartonnage était revêtu d'une espèce de lustrine prélevée sur un de ces carrés d'étoffe noire qu'emploient les photographes pour couvrir leur appareil.

Il chercha. Dans le fouillis d'un placard rempli de chiffons et de papiers, il retrouva l'une de ces étoffes. Trois morceaux y avaient été découpés en rond, chacun de la grandeur d'une assiette.

« Ça y est, murmura-t-il, tout ému. J'y suis en plein. Les trois masques des bandits du rapide viennent de là. Cette étoffe est la preuve irréfutable. Ce qui s'est produit, elle l'explique et le commente. »

La vérité lui paraissait maintenant si naturelle, si conforme aux intuitions inexprimées qu'il en avait eues, et, en une certaine mesure, si divertissante par sa simplicité, qu'il se mit à rire dans le silence profond de la maison.

« Parfait, parfait, disait-il. De lui-même le destin m'apportera les éléments qui me manquent. Désormais il entre à mon service, et tous les détails de l'aventure vont se précipiter à mon appel et se ranger en pleine lumière. »

À huit heures, le gardien de la villa fit sa tournée du dimanche au rez-de-chaussée et barricada les portes. À neuf heures, Raoul descendit dans la salle à manger et, tout en laissant les volets clos, ouvrit la fenêtre au-dessus de l'endroit où Jodot était venu s'asseoir.

Jodot fut exact. Il arriva avec son sac qu'il appuya au pied du mur. Puis il s'assit et mangea. Et tout en mangeant, il monologuait à voix basse, si basse que Raoul n'entendait rien. Le repas, composé de charcuterie et de fromage, fut arrosé d'une pipe dont la fumée montait jusqu'à Raoul.

Il y eut une seconde, puis une troisième pipe. Et ainsi passèrent deux heures, sans que Raoul pût comprendre les motifs de cette longue station. Par les fentes des volets, on voyait les deux jambes enveloppées de loques et les godillots éculés. Au-delà le fleuve coulait. Des promeneurs allaient et venaient. Brégeac devait être en faction dans une des tonnelles du restaurant.

Enfin, quelques minutes avant midi, Jodot prononça ces

mots : « Et alors ? Rien de nouveau ? Avoue qu'elle est tout de même raide, celle-là ! »

Il semblait parler, non à lui-même, mais à quelqu'un qui eût été près de lui. Pourtant personne ne l'avait rejoint, et il n'y avait personne près de lui.

« Bon sang de crebleu, grogna-t-il, je te dis qu'elle est là ! Ce n'est pas une fois que je l'ai tenue dans ma main et vue, de mes yeux vue. Tu as bien fait ce que je t'ai dit ? Tout le côté droit de la cave, comme l'autre jour le côté gauche ? Alors... alors... tu aurais dû trouver... »

Il se tut assez longtemps, puis reprit :

« On pourrait peut-être essayer autre part et pousser jusqu'au terrain vague, derrière la maison, au cas où ils auraient jeté la bouteille là, avant le coup du rapide. C'est une cachette en plein air qui en vaut une autre. Si Brégeac a fouillé la cave, il n'aura pas pensé au dehors. Vas-y et cherche. Je t'attends. »

Raoul n'écouta pas davantage. Il avait réfléchi et commençait à comprendre, depuis que Jodot avait parlé de la cave. Cette cave devait s'étendre d'un point à l'autre de la maison, avec un soupirail sur la rue, et un autre sur l'autre façade. La communication était aisée par cette voie.

Vivement, il monta au premier étage dont une des chambres dominait le terrain vague, et, tout de suite, il constata la justesse de sa supposition. Au milieu d'un espace non construit, où se dressait une pancarte avec ces mots « À vendre », parmi des amas de ferrailles, des tonnes démolies, et des bouteilles cassées, un petit bonhomme de sept ou huit ans, chétif, d'une minceur incroyable sous le maillot gris qui lui collait au corps, cherchait, se faufilait, et se glissait avec une agilité d'écureuil.

Le cercle de ses investigations qui semblaient avoir pour but unique la découverte d'une bouteille se trouvait singulièrement rétréci. Si Jodot ne s'était pas trompé, l'opération devait être brève. Elle le fut. Après dix minutes, ayant écarté quelques vieilles caisses, l'enfant se relevait, et sans perdre de temps, se mettait à courir vers la villa, avec une bouteille au goulot brisé et grise de poussière.

Raoul dégringola jusqu'au rez-de-chaussée afin de gagner la cave et de soustraire à l'enfant son butin. Mais la porte du sous-sol qu'il avait remarquée dans le vestibule ne put être ouverte, et il reprit sa faction devant la fenêtre de la salle.

Jodot murmurait déjà :

« Ça y est ? Tu l'as ? Ah ! chic, alors !... me voilà "paré". L'ami Brégeac ne pourra plus m'embêter. Vite, "enfourne-toi". »

Le petit dut « s'enfourner », ce qui consistait évidemment à s'aplatir entre les barreaux du soupirail et à ramper comme un furet jusqu'au fond du sac sans qu'aucun soubresaut de la toile indiquât son passage.

Et aussitôt Jodot se dressa, jeta son fardeau sur l'épaule, et s'éloigna.

Sans la moindre hésitation, Raoul fit sauter les scellés, fractura les serrures et sortit de la villa.

À trois cents mètres, Jodot cheminait, portant le complice qui lui avait servi d'abord à explorer le sous-sol de l'hôtel Brégeac, puis celui de la villa des frères Loubeaux.

Cent mètres en arrière, Brégeac serpentait entre les arbres.

Et Raoul s'aperçut que, sur la Seine, un pêcheur à la ligne ramait dans le même sens : Marescal.

Ainsi donc, Jodot était suivi par Brégeac, Brégeac et Jodot par Marescal, et tous trois par Raoul.

Comme enjeu de la partie, la possession d'une bouteille.

« Voilà qui est palpitant, se disait Raoul. Jodot tient la bouteille... c'est vrai, mais il ignore qu'on la convoite. Qui sera le plus malin des trois autres larrons ? S'il n'y avait pas Lupin, je parierais pour Marescal. Mais il y a Lupin. »

Jodot s'arrêta. Brégeac en fit autant, et de même Marescal, dans sa barque. Et de même Raoul.

Jodot avait allongé sa poche, de manière que l'enfant fût à l'aise, et, assis sur un banc, il examinait la bouteille, l'agitait et la faisait miroiter au soleil.

C'était le moment d'agir pour Brégeac. Ainsi pensa-t-il, et, très doucement, il approcha.

Il avait ouvert un parasol et le tenait comme un bouclier, dont il s'abritait le visage. Sur son bateau, Marescal disparaissait sous un vaste chapeau de paille.

Lorsque Brégeac fut à trois pas du banc, il ferma son parasol, bondit, sans se soucier des promeneurs, agrippa la bouteille, et prit la fuite par une avenue qui le ramenait du côté des fortifications.

Ce fut proprement exécuté et avec une admirable promptitude. Ahuri, Jodot hésita, cria, saisit sa poche, la redéposa comme s'il eût craint de ne pouvoir courir assez vite avec ce fardeau... bref, fut mis hors de cause.

Mais Marescal, prévoyant l'agression, avait atterri et s'était élancé ; Raoul en fit autant. Il n'y avait plus que trois compétiteurs.

Brégeac, tel un bon champion, ne pensait qu'à courir et ne se retournait pas. Marescal ne pensait qu'à Brégeac et ne se retourna pas davantage, de sorte que Raoul ne prenait aucune précaution. À quoi bon ?

En dix minutes, le premier des trois coureurs atteignit la porte des Ternes. Brégeac avait tellement chaud qu'il ôta son pardessus. Près de l'octroi, un tramway s'arrêtait, et de nombreux voyageurs attendaient à la station pour monter et rentrer dans Paris. Brégeac se mêla à cette foule. Marescal aussi.

Le receveur appela les numéros. Mais la bousculade fut si forte que Marescal n'eut aucune peine à tirer la bouteille de la poche de Brégeac, et que celui-ci ne s'aperçut de rien. Marescal aussitôt franchit l'octroi et reprit ses jambes à son cou.

« Et de deux, ricana Raoul, mes bonshommes s'éliminent entre eux, et chacun travaille pour moi. »

Lorsque, à son tour, Raoul passa l'octroi, il vit Brégeac qui faisait des efforts désespérés pour sortir du tramway, malgré la foule, et pour se mettre à la poursuite de son voleur.

Celui-ci choisissait les rues parallèles à l'avenue des Ternes, lesquelles sont plus étroites et plus tortueuses. Il courait comme un fou. Quand il fit halte sur l'avenue de Wagram, il était à bout de souffle. Le visage en sueur, les yeux injectés de sang, les veines gonflées, il s'épongea un instant. Il n'en pouvait plus.

Il acheta un journal et enveloppa la bouteille, après y avoir jeté un coup d'œil. Puis il la plaça sous son bras et repartit d'un pas chancelant, comme quelqu'un qui ne tient debout que par miracle. En vérité, le beau Marescal ne se redressait plus. Son faux-col était tordu comme un linge mouillé. Sa barbe se terminait par deux pointes d'où tombaient des gouttes.

C'est un peu avant la place de l'Étoile, qu'un monsieur, à grosses lunettes noires, qui venait en sens contraire, se présenta à lui, une cigarette allumée aux lèvres. Le monsieur lui barra la route, et bien entendu ne lui demanda pas de feu, mais, sans un mot, lui souffla sa fumée au visage, avec un sourire qui découvrait des dents, presque toutes pointues comme des canines.

Le commissaire écarquilla les yeux. Il balbutia :

« Qui êtes-vous ? Que me voulez-vous ? »

Mais à quoi bon interroger ? Ne savait-il pas que c'était là

« Brégeac à la poursuite de son voleur. »

son mystificateur, celui qu'il appelait le troisième complice, l'amoureux d'Aurélie, et son éternel ennemi, à lui, Marescal ?

Et cet homme, qui lui paraissait le diable en personne, tendit le doigt vers la bouteille et prononça d'un petit ton de plaisanterie affectueuse :

« Allons, aboule... sois gentil avec le monsieur... aboule. Est-ce qu'un commissaire de ton grade se balade avec une bouteille ? Allons, Rodolphe... aboule... »

Marescal flancha aussitôt. Crier, appeler au secours, ameuter les promeneurs contre l'assassin, il en eût été incapable. Il était fasciné. Cet être infernal lui enlevait toute énergie, et, stupidement, sans avoir une seconde l'idée de résister, comme un voleur qui trouve tout naturel de restituer l'objet dérobé, il se laissa prendre la bouteille que son bras ne pouvait plus tenir.

À ce moment, Brégeac survenait, hors d'haleine, lui aussi, et sans force non plus, ni pour se précipiter sur le troisième larron, ni pour interpeller Marescal. Et, tous deux plantés au bord du trottoir, abasourdis, ils regardèrent le monsieur aux lunettes rondes qui hélait une automobile, s'y installait et leur envoyait par la fenêtre un grand coup de chapeau.

Une fois rentré chez lui, Raoul défit le papier qui enveloppait la bouteille. C'était un litre comme on s'en sert pour les eaux minérales, un vieux litre, sans bouchon, à verre opaque et noir. Sur l'étiquette, sale et poussiéreuse aussi, et qui avait tout de même dû être protégée contre les intempéries, une inscription, en grosses lettres imprimées, se lisait aisément :

EAU DE JOUVENCE »

Dessous, plusieurs lignes qu'il eut du mal à déchiffrer, et qui constituaient évidemment la formule même de cette Eau de Jouvence :

Bicarbonate	de soude.	1.349	grammes
—	de potasse.	0.435	—
—	de chaux.	1.000	—
Millicuries, etc.			

Mais la bouteille n'était pas vide. À l'intérieur, quelque chose remuait, quelque chose de léger qui faisait le bruit d'un papier. Il retourna le litre, le secoua, rien ne sortait.

Alors il y glissa une ficelle terminée par un gros nœud, et ainsi, à force de patience, il extirpa une très mince feuille de papier, roulée en tube et maintenue par un cordon rouge. L'ayant développée, il vit que cela ne constituait guère que la moitié d'une feuille ordinaire, et que la partie inférieure avait été coupée, ou plutôt déchirée de façon inégale. Des caractères y étaient tracés à l'encre, dont beaucoup manquaient, mais qui lui suffirent à former ces quelques phrases :

L'accusation est vraie, et mon aveu est formel : je suis seul responsable du crime commis, et l'on ne doit s'en prendre ni à Jodot, ni à Loubeaux. — Brégeac.

Dès le premier coup d'œil, Raoul avait reconnu l'écriture de Brégeac, mais tracée d'une encre blanchie par le temps, et qui permettait, ainsi que l'état du papier, de faire remonter le document à quinze ou vingt ans en arrière. Quel était ce crime ? et contre qui avait-il été commis ?

Il réfléchit un long moment. Après quoi il conclut à mi-voix :

« Toute l'obscurité de cette affaire provient de ce qu'elle était double, et que deux aventures s'y mêlaient, deux drames dont le premier commande le second. Celui du rapide, avec comme personnages les deux Loubeaux, Guillaume, Jodot et Aurélie. Et un premier drame, qui eut lieu jadis, et dont aujourd'hui deux des acteurs se heurtent : Jodot et Brégeac.

« La situation, de plus en plus complexe pour qui ne posséderait pas le mot de la serrure, devient pour moi de plus en plus précise. L'heure de la bataille approche, et l'enjeu c'est Aurélie, ou plutôt le secret qui palpite au fond de ses beaux yeux verts. Qui sera, durant quelques instants, par la force, par la ruse ou par l'amour, maître de son regard ou de sa pensée, sera maître de ce secret, pour lequel il y a déjà eu tant de victimes.

« Et dans ce tourbillon de vengeances et de haines cupides, Marescal apporte, avec ses passions, ses ambitions et ses rancunes, cette effroyable machine de guerre qu'est la justice.

« En face, moi... »

Il se prépara minutieusement, et avec d'autant plus d'énergie que chacun des adversaires multipliait les précautions. Brégeac, sans aucune preuve formelle contre la garde qui renseignait Marescal, et contre la femme de chambre que Raoul avait soudoyée, les renvoya toutes deux. Les volets des fenêtres qui donnaient par-devant furent fermés. D'autre part, des agents de Marescal commençaient à se montrer dans la rue. Seul Jodot n'apparaissait plus. Désarmé sans doute par la perte du document où Brégeac avait consigné ses aveux, il devait se terrer dans quelque retraite sûre.

Cette période se prolongea durant quinze jours. Raoul s'était fait présenter, sous un nom d'emprunt, à la femme du ministre qui protégeait ouvertement Marescal, et il avait réussi à pénétrer dans l'intimité de cette dame un peu mûre, fort jalouse, et pour qui son mari n'avait aucun secret. Les attentions de Raoul la transportèrent de joie. Sans se rendre compte du rôle qu'elle jouait, et ignorant d'ailleurs la passion de Marescal pour Aurélie, heure par heure, elle tint Raoul au courant des intentions du commissaire, de ce qu'il combinait à l'égard d'Aurélie, et de la façon dont il cherchait, avec l'aide du ministre, à renverser Brégeac et ceux qui le soutenaient.

Raoul eut peur. L'attaque était si bien organisée qu'il se demanda s'il ne devait pas prendre les devants, enlever Aurélie et démolir ainsi le plan de l'ennemi.

« Et après ? se dit-il. En quoi la fuite m'avancerait-elle ? Le conflit resterait le même et tout serait à recommencer. »

Il sut résister à la tentation.

Une fin d'après-midi, rentrant chez lui, il trouva un pneumatique. La femme du ministre lui annonçait les dernières décisions prises, entre autres l'arrestation d'Aurélie, fixée au lendemain 12 juillet, à trois heures du soir.

« Pauvre demoiselle aux yeux verts ! pensa Raoul. Aura-t-elle confiance en moi, envers et contre tous, comme je le lui ai demandé ? N'est-ce pas encore des larmes et de l'angoisse pour elle ? »

Il dormit tranquillement, comme un grand capitaine à la veille du combat. À huit heures, il se leva. La journée décisive commençait.

Or, vers midi, comme la bonne qui le servait, sa vieille nourrice Victoire, rentrait par la porte de service avec son filet de provisions, six hommes, postés dans l'escalier, pénétrèrent de force dans la cuisine.

« Votre patron est là ? fit l'un d'eux brutalement. Allons, ouste, pas la peine de mentir. Je suis le commissaire Marescal et j'ai un mandat contre lui. »

Livide, tremblante, elle murmura :

« Dans son bureau.

— Conduisez-nous. »

Il appliqua sa main sur la bouche de Victoire pour qu'elle

ne pût avertir son maître, et on la fit marcher le long d'un corridor au bout duquel elle désigna une pièce.

L'adversaire n'eut pas le temps de se mettre en garde. Il fut empoigné, renversé, attaché, et expédié ainsi qu'un colis. Marescal lui jeta simplement :

« Vous êtes le chef des bandits du rapide. Votre nom, Raoul de Limézy. »

Et s'adressant à ses hommes :

« Au dépôt. Voici le mandat. Et de la discrétion, hein ! Pas un mot sur la personnalité du "client". Tony, vous répondez de lui, hein ? Vous aussi, Labonce ? Emmenez-le. Et rendez-vous à trois heures devant la maison de Brégeac. Ce sera le tour de la demoiselle et l'exécution du beau-père. »

Quatre hommes emmenèrent le client. Marescal retint le cinquième, Sauvinoux.

Aussitôt il visita le bureau et fit main basse sur quelques papiers et objets insignifiants. Mais ni lui ni son acolyte Sauvinoux ne trouvèrent ce qu'ils cherchaient, la bouteille où quinze jours auparavant, sur le trottoir, Marescal avait eu le temps de lire : « Eau de Jouvence. »

Ils allèrent déjeuner dans un restaurant voisin. Puis ils revinrent. Marescal s'acharnait.

Enfin, à deux heures un quart, Sauvinoux dénicha, sous le marbre d'une cheminée, la fameuse bouteille. Elle était munie d'un bouchon et rigoureusement cachetée de cire rouge.

Marescal la secoua et la plaça devant la clarté d'une ampoule électrique : elle contenait un mince rouleau de papier.

Il hésita. Lirait-il ce papier ?

« Non... non... pas encore !... Devant Brégeac !... Bravo, Sauvinoux, vous avez bien manœuvré, mon garçon. »

Sa joie débordait, et il partit en murmurant :

« Cette fois, nous sommes près du but. Je tiens Brégeac entre mes mains, et je n'ai qu'à serrer l'étau. Quant à la petite, plus personne pour la défendre ! Son amoureux est à l'ombre. À nous deux, ma chérie ! »

IX

SŒUR ANNE, NE VOIS-TU RIEN VENIR ?

Vers deux heures, ce même jour, « la petite », comme disait Marescal, s'habillait. Un vieux domestique, du nom de Valentin, qui composait maintenant tout le personnel de la maison, lui avait servi à manger dans sa chambre, et l'avait prévenue que Brégeac désirait lui parler.

Elle relevait à peine de maladie. Pâle, très faible, elle se contraignait à demeurer droite et la tête haute pour paraître devant l'homme qu'elle détestait. Elle mit du rouge à ses lèvres, du rouge à ses joues, et descendit.

Brégeac l'attendait au premier étage, dans son cabinet de travail, une grande pièce aux volets clos, et qu'une ampoule éclairait.

« Assieds-toi, dit-il.

— Non.

— Assieds-toi. Tu es fatiguée.

— Dites-moi tout de suite ce que vous avez à me dire, afin que je remonte chez moi. »

Brégeac marcha quelques instants dans la pièce. Il montrait un visage agité et soucieux. Furtivement, il observait Aurélie, avec autant d'hostilité que de passion, comme un homme qui se heurte à une volonté indomptable. Il avait pitié d'elle aussi.

Il s'approcha, et lui mettant la main sur l'épaule, la fit asseoir de force.

« Tu as raison, dit-il, ce ne sera pas long. Ce que j'ai à te communiquer peut être dit en quelques mots. Tu décideras ensuite. »

Ils étaient l'un près de l'autre, et plus éloignés cependant l'un de l'autre que deux adversaires, Brégeac le sentit. Toutes les paroles qu'il prononcerait ne feraient qu'élargir l'abîme entre eux. Il crispa les poings et articula :

« Alors tu ne comprends pas encore que nous sommes entourés d'ennemis, et que la situation ne peut pas durer ? »

Elle dit entre ses dents :

« Quels ennemis ?

— Eh ! fit-il, tu ne l'ignores pas, Marescal... Marescal qui te déteste, et qui veut se venger. »

Et tout bas, gravement, il expliqua :

« Écoute, Aurélie, on nous surveille depuis quelque temps. Au ministère on fouille mes tiroirs. Supérieurs et inférieurs, tout le monde est ligué contre moi. Pourquoi ? Parce qu'ils sont tous plus ou moins à la solde de Marescal, et parce que tous ils le savent puissant près du ministre. Or, toi et moi, nous sommes liés l'un à l'autre, ne fût-ce que par sa haine. Et nous sommes liés par notre passé, qui est le même, que tu le veuilles ou non. Je t'ai élevée. Je suis ton tuteur. Ma ruine c'est la tienne. Et je me demande même si ce n'est pas toi que l'on veut atteindre, pour des motifs que j'ignore. Oui, j'ai l'impression, à certains symptômes, qu'on me laisserait tranquille à la rigueur, mais que tu es menacée directement. »

Elle parut défaillir.

« Quels symptômes ? »

Il répondit :

« C'est pis que cela. J'ai reçu une lettre anonyme sur papier du ministère... une lettre absurde, incohérente, où je suis averti que des poursuites vont commencer contre toi. »

Elle eut l'énergie de dire :

« Des poursuites ? Vous êtes fou ! Et c'est parce qu'une lettre anonyme ?...

— Oui, je sais, fit-il. Quelque subalterne qui aura recueilli un de ces bruits stupides... Mais, tout de même, Marescal est capable de toutes les machinations.

— Si vous avez peur, allez-vous-en.

— C'est pour toi que j'ai peur, Aurélie.

— Je n'ai rien à craindre.

— Si. Cet homme a juré de te perdre.

— Alors, laissez-moi partir.

— Tu en aurais donc la force ?

— J'aurais toute la force qu'il faudrait pour quitter cette prison où vous me tenez, et pour ne plus vous voir. »

Il eut un geste découragé.

« Tais-toi... Je ne pourrais pas vivre... J'ai trop souffert pendant ton absence. J'aime mieux tout, tout plutôt que d'être séparé de toi. Ma vie entière dépend de ton regard, de ta vie... »

Elle se dressa, et avec indignation, toute frémissante :

« Je vous défends de me parler ainsi. Vous m'avez juré que je n'entendrais plus jamais un mot de cette sorte, un de ces mots abominables.... »

Tandis qu'elle retombait assise, aussitôt épuisée, il s'éloignait d'elle et se jetait dans un fauteuil, la tête entre ses mains, les épaules secouées de sanglots, comme un homme vaincu, pour qui l'existence est un fardeau intolérable.

Après un long silence, il reprit, l'intonation sourde :

« Nous sommes plus ennemis encore qu'avant ton voyage. Tu es revenue toute différente. Qu'as-tu donc fait, Aurélie, non pas à Sainte-Marie, mais durant les trois premières semaines où je te cherchais comme un fou, sans penser au couvent ? Ce misérable Guillaume, tu ne l'aimais pas, cela je le sais... Cependant, tu l'as suivi. Pourquoi ? Et qu'est-il advenu de vous deux ? Qu'est-il advenu de lui ? J'ai l'intuition d'événements très graves qui se sont produits... On te sent inquiète. Dans ton délire, tu parlais comme quelqu'un qui fuit sans cesse, et tu voyais du sang, des cadavres... »

Elle frissonna.

« Non, non, ce n'est pas vrai... vous avez mal entendu.

— Je n'ai pas mal entendu, fit-il, en hochant la tête. Tiens, en ce moment même, tes yeux sont effarés... On croirait que ton cauchemar continue... »

Il se rapprocha, et lentement :

« Tu as besoin d'un grand repos, ma pauvre petite. Et c'est cela que je viens te proposer. Ce matin, j'ai demandé un congé, et nous nous en irons. Je te fais le serment que je ne dirai pas un seul mot qui puisse t'offenser. Bien plus, je ne te parlerai pas de ce secret que tu aurais dû me confier, puisqu'il m'appartient comme à toi. Je n'essaierai pas de lire au fond de tes yeux où il se cache, et où j'ai tenté si souvent, par la force, je m'en accuse, de déchiffrer l'énigme impénétrable. Je laisserai tes yeux tranquilles, Aurélie. Je ne te regarderai plus. Ma promesse est formelle. Mais viens, ma pauvre petite. Tu me fais pitié. Tu souffres. Tu attends je ne sais pas quoi, et ce n'est que le malheur qui peut répondre à ton appel. Viens. »

Elle gardait le silence avec une obstination farouche. Entre eux c'était le désaccord irrémédiable, l'impossibilité de prononcer une parole qui ne fût une blessure ou un outrage. L'odieuse passion de Brégeac les séparait plus que tant de choses passées, et tant de raisons profondes qui les avaient toujours heurtés l'un à l'autre.

« Réponds, » dit-il.

Elle déclara fermement :

« Je ne veux pas. Je ne peux plus supporter votre présence. Je ne peux plus vivre dans la même maison que vous. À la première occasion, je partirai.

— Et, sans doute, pas seule, ricana-t-il, pas plus seule que la première fois... Guillaume, n'est-ce pas ?

— J'ai chassé Guillaume.

— Un autre alors. Un autre que tu attends, j'en ai la conviction. Tes yeux ne cessent de chercher... tes oreilles d'écouter... Ainsi, en ce moment... »

La porte du vestibule s'était ouverte et refermée.

« Qu'est-ce que je disais ? s'écria Brégeac, avec un rire mauvais. On croirait vraiment que tu espères... et que quelqu'un va venir. Non, Aurélie, nul ne viendra, ni Guillaume, ni un autre. C'est Valentin que j'avais envoyé au ministère pour prendre mon courrier. Car je n'irai pas tantôt. »

Les pas du domestique montèrent les marches du premier étage et traversèrent l'antichambre. Il entra.

« Tu as fait la commission, Valentin ?

— Oui, monsieur.

— Il y avait des lettres, des signatures à donner ?

— Non, monsieur.

— Tiens, c'est drôle. Mais le courrier ?...

— Le courrier venait d'être remis à M. Marescal.

— Mais de quel droit Marescal a-t-il osé ?... Il était là, Marescal ?

— Non monsieur. Il était venu et reparti aussitôt.

— Reparti ?... à deux heures et demie ! Affaire de service, alors ?

— Oui, monsieur.

— Tu as essayé de savoir ?...

— Oui, mais on ne savait rien dans les bureaux.

— Il était seul ?

— Non, avec Labonce, Tony et Sauvinoux.

— Avec Labonce et Tony ! s'exclama Brégeac. Mais, en ce cas, il s'agit d'une arrestation ! Comment n'ai-je pas été prévenu ? Que se passe-t-il donc ? »

Valentin se retira. Brégeac s'était remis à marcher et répétait pensivement :

« Tony, l'âme damnée de Marescal... Labonce, un de ses favoris... et tout cela en dehors de moi... »

Cinq minutes s'écoulèrent. Aurélie le regardait anxieusement. Tout à coup il marcha vers l'une des fenêtres, dont il entrouvrit un des volets. Un cri lui échappa et il revint en balbutiant :

« Ils sont là au bout de la rue... ils guettent.

— Qui ?

— Tous les deux... les acolytes de Marescal. Tony et Labonce.

— Eh bien ? murmura-t-elle.

— Eh bien, ce sont ces deux-là qu'il emploie toujours dans les cas graves. Ce matin encore, c'est avec eux qu'il a opéré dans le quartier.

— Ils sont là ? dit Aurélie.

— Ils sont là. Je les ai vus.

— Et Marescal va venir ?

— Sans aucun doute. Tu as entendu ce que disait Valentin.

— Il va venir... il va venir, balbutia-t-elle.

— Qu'est-ce que tu as ? demanda Brégeac, étonné de son émoi.

— Rien, fit-elle, en se dominant. Malgré soi, on s'effraie, mais il n'y a aucune raison. »

Brégeac réfléchit. Lui aussi, il cherchait à dominer ses nerfs, et il répéta :

« Aucune raison, en effet. On s'emballe, le plus souvent, pour des motifs puérils. Je vais aller les interroger et je suis sûr que tout s'expliquera. Mais oui, absolument sûr. Car enfin les événements permettent plutôt de croire que ce n'est pas nous, mais la maison d'en face qui est en surveillance. »

Aurélie releva la tête.

« Quelle maison ?

— L'affaire dont je te parlais... un individu qu'ils ont arrêté ce matin, à midi. Ah ! si tu avais vu Marescal, quand il a quitté son bureau, à onze heures ! Je l'ai rencontré. Il avait une expression de contentement et de haine féroce... C'est cela qui m'a troublé. On ne peut avoir une telle haine dans sa vie, que contre une personne. Et c'est moi qu'il hait ainsi ou plutôt nous deux. Alors j'ai pensé que la menace nous concernait. »

Aurélie s'était dressée, plus pâle encore.

« Que dites-vous ? Une arrestation en face ?

— Oui, un certain Limézy, qui se donne comme explorateur... un baron de Limézy. À une heure j'ai eu des nouvelles au ministère. On venait de l'écrouer au Dépôt. »

Elle ignorait le nom de Raoul, mais elle ne doutait pas qu'il ne s'agît de lui, et elle demanda, la voix tremblante :

« Qu'a-t-il fait ? Qui est-ce, ce Limézy ?

— D'après Marescal, ce serait l'assassin du rapide, le troisième complice que l'on recherche. »

Aurélie fut près de tomber. Elle avait un air de démence et

de vertige et tâtonnait dans le vide pour trouver un point d'appui.

« Que se passe-t-il, Aurélie ? Quel rapport cette affaire ?...

— Nous sommes perdus, gémit-elle.

— Que veux-tu dire ?

— Vous ne pouvez pas comprendre...

— Explique-toi. Tu connais cet homme ?

— Oui... oui... il m'a sauvée, il m'a sauvée de Marescal, et de Guillaume également, et de ce Jodot que vous recevez ici... Il nous aurait sauvés encore aujourd'hui. »

Il l'observait avec stupeur.

« C'est lui que tu attendais ?

— Oui, fit-elle, l'intonation distraite. Il m'avait promis d'être là... J'étais tranquille... Je lui ai vu accomplir de telles choses... se moquer de Marescal...

— Alors ?... demanda Brégeac.

— Alors, répondit-elle, du même ton égaré, il vaudrait peut-être mieux nous mettre à l'abri... Vous comme moi... Il y a des histoires que l'on pourrait interpréter contre vous... des histoires d'autrefois...

— Tu es folle ! dit Brégeac bouleversé. Il n'y a rien eu... Pour ma part, je ne crains rien. »

Malgré ses dénégations, il sortait de la pièce et entraînait la jeune fille sur le palier. Ce fut elle, au dernier moment, qui résista ;

« Et puis, non, à quoi bon ? Nous serons sauvés... Il viendra... il s'évadera... Pourquoi ne pas l'attendre ?

— On ne s'évade pas du Dépôt.

— Vous croyez ? Ah ! mon Dieu, quelle horreur que tout cela ! »

Elle ne savait à quoi se résoudre. Des idées affreuses tourbillonnaient dans son cerveau de convalescente... la peur de Marescal... et puis l'arrestation imminente... la police qui allait se précipiter et lui tordre les poignets.

L'épouvante de son beau-père la décida. Emportée dans un souffle de tempête, elle courut jusqu'à sa chambre et réapparut aussitôt avec un sac de voyage à la main. Brégeac s'était aussi préparé. Ils avaient l'air de deux criminels qui ne peuvent plus rien attendre que d'une fuite éperdue. Ils descendirent l'escalier, traversèrent le vestibule.

À cet instant même, on sonna.

« Trop tard, souffla Brégeac.

— Mais non, dit-elle, soulevée d'espoir. C'est peut-être lui qui arrive et qui va... »»

Elle pensait à son ami de la terrasse, au couvent. Il avait juré de ne jamais l'abandonner, et qu'à la dernière minute il saurait la sauver. Des obstacles, est-ce qu'il y en avait pour lui ? N'était-il pas le maître des événements et des personnes ?

On sonna de nouveau.

Le vieux domestique sortait de la salle à manger.

« Ouvre », lui dit Brégeac, à voix basse.

On percevait des chuchotements et des bruits de bottes de l'autre côté.

Quelqu'un frappa.

« Ouvre donc », répéta Brégeac.

Le domestique obéit.

Dehors, Marescal se présentait, accompagné de trois hommes, de ces hommes à tournure spéciale que la jeune fille connaissait bien. Elle s'adossa à la rampe de l'escalier, en gémissant, si bas que Brégeac seul l'entendit :

« Ah ! mon Dieu, ce n'est pas lui. »

En face de son subalterne, Brégeac se redressa.

« Que voulez-vous, monsieur ? Je vous avais défendu de revenir ici. »

Marescal répondit en souriant :

« Affaire de service, monsieur le directeur. Ordre du ministre.

— Ordre qui me concerne ?

— Qui vous concerne, ainsi que mademoiselle.

— Et qui vous oblige à demander l'assistance de trois de ces hommes ? »

Marescal se mit à rire.

« Ma foi, non !... le hasard... Ils se promenaient par là... et nous causions... Mais, pour peu que cela vous contrarie... »

Il entra, et vit les deux valises.

« Eh ! eh ! un petit voyage... Une minute de plus... et ma mission échouait.

— Monsieur Marescal, prononça fermement Brégeac, si vous avez une mission à remplir, une communication à me faire, finissons-en, et tout de suite, ici même. »

Le commissaire se pencha, et durement :

« Pas de scandale, Brégeac, pas de bêtises. Personne ne sait encore rien, pas même mes hommes. Expliquons-nous dans votre cabinet.

— Personne ne sait rien... de quoi, monsieur ?

— De ce qui se passe, et qui a quelque gravité. Si votre belle-fille ne vous en a pas parlé, peut-être avouera-t-elle qu'une explication, sans témoins, est préférable. C'est votre avis, mademoiselle ? »

Blanche comme une morte, sans quitter la rampe, Aurélie semblait prête à défaillir.

Brégeac la soutint et déclara :

« Montons. »

Elle se laissa conduire, Marescal prit le temps de faire entrer ses hommes.

« Ne bougez pas du vestibule, tous les trois, et que personne n'entre ni ne sorte, hein ! Vous, le domestique, enfermez-vous dans votre cuisine. S'il y avait du grabuge là-haut, je donne un coup de sifflet, et Sauvinoux arrive à la rescousse. Convenu ?

— Convenu, répondit Labonce.

— Pas d'erreur possible ?

— Mais non, patron. Vous savez bien qu'on n'est pas des collégiens, et qu'on vous suivra comme un seul homme.

— Même contre Brégeac ?

— Parbleu !

— Ah ! la bouteille... Donne-la-moi, Tony ! »

Il saisit la bouteille, ou plutôt le carton qui la contenait et, vivement, ses dispositions bien arrêtées, il escalada les marches, et franchit en maître le cabinet de travail d'où on l'avait chassé ignominieusement, il n'y avait pas six mois. Quelle victoire pour lui ! et avec quelle insolence il la fit sentir, se promenant d'un pas massif et le talon sonore, et contemplant tour à tour des portraits accrochés au mur, et qui représentaient Aurélie, Aurélie enfant, petite fille, jeune fille...

Brégeac essaya bien de protester. Tout de suite, Marescal le remit en place.

« Inutile, Brégeac. Votre faiblesse, voyez-vous, c'est que vous ne connaissez pas les armes que j'ai contre mademoiselle, et par conséquent contre vous. Quand vous les connaîtrez, peut-être penserez-vous que votre devoir est de vous incliner. »

L'un en face de l'autre, les deux ennemis, debout, se menaçaient du regard. Leur haine était égale, faite d'ambitions opposées, d'instincts contraires, et surtout d'une rivalité de passion que les événements exaspéraient. Près d'eux, Aurélie attendait, assise, toute droite, sur une chaise.

Chose curieuse, et qui frappa Marescal, elle semblait s'être reprise. Toujours lasse, la physionomie contractée, elle n'avait plus, cependant, comme au début de l'attaque, son air de proie impuissante et traquée. Elle gardait cette attitude rigide qu'il lui avait vue sur le banc de Sainte-Marie. Ses yeux, grands ouverts, mouillés de larmes qui coulaient le long de ses joues pâles, étaient fixes. À quoi pensait-elle ? Au fond de l'abîme, parfois, on se redresse. Croyait-elle que lui, Marescal, serait accessible à la pitié ? Avait-elle un plan de défense qui lui permettrait d'échapper à la justice et au châtiment ?

Il heurta la table d'un coup de poing.

« Nous allons bien voir ! »

Et, laissant de côté la jeune fille, tout contre Brégeac, si près que l'autre dut reculer d'un pas, il lui dit :

« Ce sera bref. Des faits, des faits seulement, dont quelques-uns vous sont connus, Brégeac, comme ils le sont de tous, mais dont la plupart n'ont eu d'autre témoin que moi, ou bien n'ont été constatés que par moi. N'essayez pas de les nier ; je vous les dis tels qu'ils furent, dans leur simplicité. Les voici, en procès-verbal. Donc, le 26 avril dernier... »

Brégeac tressaillit.

« Le 26 avril, c'est le jour de notre rencontre, boulevard Haussmann.

— Oui, le jour où votre belle-fille est partie de chez vous. »

Et Marescal ajouta nettement :

« Et c'est aussi le jour où trois personnes ont été tuées dans le rapide de Marseille.

— Quoi ? Quel rapport y a-t-il ? » demanda Brégeac interdit.

Le commissaire lui fit signe de patienter. Toutes choses seraient énoncées à leur place, dans leur ordre chronologique, et il continua :

« Donc le 26 avril, la voiture numéro cinq de ce rapide n'était occupée que par quatre personnes. Dans le premier compartiment, une Anglaise, Miss Bakefield, voleuse, et le baron de Limézy, soi-disant explorateur. Dans le compartiment de tête, deux hommes, les frères Loubeaux, résidant à Neuilly-sur-Seine.

« La voiture suivante, la quatrième, outre plusieurs personnes qui n'ont joué aucun rôle, et qui ne se rendirent compte de rien, emportait d'abord un commissaire aux recherches internationales, et un jeune homme et une jeune fille, seuls dans un compartiment dont ils avaient éteint la lumière et baissé les stores, comme des voyageurs endormis, et que nul ne put ainsi remarquer, pas même le commissaire. Ce commissaire, c'était moi, qui filais Miss Bakefield. Le jeune homme c'était Guillaume Ancivel, coulissier et cambrioleur, assidu de cette maison, et qui partait furtivement avec sa compagne.

— Vous mentez ! Vous mentez ! s'écria Brégeac, avec indignation. Aurélie est au-dessus de tout soupçon.

— Je ne vous ai pas dit que cette compagne fût mademoiselle », riposta Marescal.

Et Marescal poursuivit froidement :

« Jusqu'à Laroche, rien. Une demi-heure encore... toujours rien. Puis le drame violent, brusque. Le jeune homme et la jeune fille sortent de l'ombre et passent de la voiture quatre à la voiture cinq. Ils sont camouflés. Longues blouses grises, casquettes et masques. Tout de suite, à l'arrière de la voiture cinq, le baron de Limézy les attend. À eux trois ils assassinent et dévalisent Miss Bakefield. Puis le baron se fait attacher par ses complices, lesquels courent à l'avant, tuent et dévalisent les deux frères. Au retour, rencontre du contrôleur. Bataille. Ils s'enfuient, tandis que le contrôleur trouve le baron de Limézy attaché comme une victime, et soi-disant dévalisé aussi. Voilà le premier acte. Le second c'est la fuite par les remblais et les bois. Mais l'éveil est donné. Je m'informe. Je prends vivement les dispositions nécessaires. Résultat : les deux fuyards sont cernés. L'un d'eux s'échappe. L'autre est arrêté et enfermé. On m'avertit. Je vais vers lui, dans l'ombre où il se dissimulait. C'est une femme. »

Brégeac avait reculé de plus en plus et vacillait comme un homme ivre. Acculé au dossier d'un fauteuil, il balbutia :

« Vous êtes fou !... Vous dites des choses incohérentes !... Vous êtes fou !... »

Marescal continua, inflexible :

« J'achève. Grâce au pseudo-baron, dont j'eus tort de ne pas me méfier, la prisonnière se sauve et rejoint Guillaume Ancivel. Je retrouve leurs traces à Monte-Carlo. Puis je perds du temps. Je cherche en vain... jusqu'au jour où j'ai l'idée de revenir à Paris, et de voir si vos investigations, à vous Brégeac, n'étaient pas plus heureuses et si vous aviez découvert la retraite de votre belle-fille. C'est ainsi que j'ai pu vous précéder de quelques heures au couvent de Sainte-Marie et parvenir à certaine terrasse où mademoiselle se laissait conter fleurette. Seulement, l'amoureux a changé ; au lieu de Guillaume Ancivel, c'est le baron de Limézy, c'est-à-dire le troisième complice. »

Brégeac écoutait avec épouvante ces monstrueuses accusations. Tout cela devait lui sembler si implacablement vrai, cela expliquait si logiquement ses propres intuitions, et correspondait si rigoureusement aux demi-confidences qu'Aurélie venait de lui faire à propos de son sauveur inconnu, qu'il n'essayait plus de protester. De temps à autre, il observait la jeune fille, qui demeurait immobile et muette dans sa posture rigide. Les mots ne paraissaient pas l'atteindre. Plutôt que ces mots, on eût dit qu'elle écoutait les bruits du dehors. Est-ce qu'elle espérait encore une impossible intervention ?

« Et alors ? fit Brégeac.

— Alors, répliqua le commissaire, grâce à lui, elle réussit une fois de plus à s'échapper. Et je vous avoue que j'en ris aujourd'hui, puisque... »

Il baissa le ton.

« Puisque j'ai ma revanche... et quelle revanche, Brégeac ! Hein, vous rappelez-vous ?... il y a six mois ?... on m'a chassé comme un valet... avec un coup de pied, pourrait-on dire... Et puis... et puis... je la tiens, la petite... Et c'est fini. »

Il tourna le poing comme pour fermer à clef une serrure, et le geste était si précis, indiquait si nettement son effroyable volonté à l'égard d'Aurélie que Brégeac s'écria :

« Non, non, ce n'est pas vrai, Marescal ?... N'est-ce pas ? vous n'allez pas livrer cette enfant ?...

— Là-bas, à Sainte-Marie, dit Marescal durement, je lui ai offert la paix, elle m'a repoussé... tant pis pour elle ! Aujourd'hui, c'est trop tard. »

Et, comme Brégeac s'approchait et lui tendait les mains d'un air de supplication, il coupa court aux prières.

« Inutile ! Tant pis pour elle ! Tant pis pour vous !... Elle n'a pas voulu de moi... elle n'aura personne. Et c'est justice. Payer sa dette pour les crimes commis, c'est me la payer à moi, pour le mal qu'elle m'a fait. Il faut qu'elle soit châtiée, et je me venge en la châtiant. Tant pis pour elle ! »

Il frappait du pied ou scandait ses imprécations à coups de poing sur la table. Obéissant à sa nature grossière, il mâchonnait des injures à l'adresse d'Aurélie.

« Regardez-la donc, Brégeac ! Est-ce qu'elle y pense seulement à me demander pardon, elle ? Si vous courbez le front, est-ce qu'elle s'humilie ? Et savez-vous pourquoi ce mutisme, cette énergie contenue et intraitable ? Parce qu'elle espère, encore, Brégeac ! Oui, elle espère, j'en ai la conviction. Celui qui l'a sauvée trois fois de mes griffes la sauvera une quatrième fois. »

Aurélie ne bougeait pas.

Il saisit brusquement le cornet d'un appareil téléphonique, et demanda la préfecture de police.

« Allô, la préfecture ? Mettez-moi en communication avec M. Philippe, de la part de M. Marescal. »

Se tournant alors vers la jeune fille, il lui appliqua contre l'oreille le récepteur libre.

Aurélie ne bougea pas.

À l'extrémité de la ligne, une voix répliqua. Le dialogue fut bref.

« C'est toi, Philippe ?

— Marescal ?

— Oui. Écoute. Il y a près de moi une personne à qui je voudrais donner une certitude. Réponds carrément à ma question.

— Parle.

— Où étais-tu ce matin, à midi ?

— Au Dépôt, comme tu m'en avais prié. J'ai reçu l'individu que Labonce et Tony amenaient de ta part.

— Où l'avions-nous cueilli ?

— Dans l'appartement qu'il habite rue de Courcelles, en face même de Brégeac.

— On l'a écroué ?

— Devant moi.

— Sous quel nom ?

— Baron de Limézy.

— Inculpé de quoi ?

— D'être le chef des bandits dans l'affaire du rapide.

— Tu l'as revu depuis ce matin ?

— Oui, tout à l'heure, au service anthropométrique. Il y est encore.

— Merci, Philippe. C'est tout ce que je voulais savoir. Adieu. »

Il raccrocha le récepteur et s'écria :

« Hein ! ma belle Aurélie, voilà où il en est, le sauveur ! Coffré ! bouclé ! »

Elle prononça :

« Je le savais. »

Il éclata de rire.

« Elle le savait ! et elle attend quand même ! Ah ! que c'est drôle ! Il a toute la police et toute la justice sur le dos ! C'est une loque, un chiffon, un fétu de paille, une bulle de savon, et elle l'attend ! Les murs de la prison vont s'abattre ! Les gardiens vont lui avancer une auto ! Le voilà ! Il va entrer par la cheminée, par le plafond ! »

Il était hors de lui et secouait brutalement par l'épaule la jeune fille, impassible et distraite.

« Rien à faire, Aurélie ! Plus d'espoir ! Le sauveur est fichu. Claquemuré, le baron. Et, dans une heure, ce sera ton tour, ma jolie ! Les cheveux coupés ! Saint-Lazare ! la cour d'assises ! Ah ! coquine. J'ai assez pleuré pour tes beaux yeux verts, et c'est à eux... »

Il n'acheva pas. Derrière lui, Brégeac s'était dressé, et l'avait agrippé au cou de ses deux mains fébriles. L'acte avait été spontané. Dès la première seconde où Marescal avait touché l'épaule de la jeune fille, il s'était glissé vers lui, comme révolté par un tel outrage. Marescal fléchit sous l'élan, et les deux hommes roulèrent sur le parquet.

Le combat fut acharné. L'un et l'autre y mettaient une rage que leur rivalité haineuse exacerbait, Marescal plus vigoureux et plus puissant, mais Brégeac soulevé d'une telle fureur que le dénouement demeura longtemps incertain.

Aurélie les regardait avec horreur, mais ne bougeait pas. Tous deux étaient ses ennemis, pareillement exécrables.

À la fin, Marescal, qui avait secoué l'étreinte et dénoué les mains meurtrières, cherchait visiblement à atteindre sa poche et à attirer son browning. Mais l'autre lui tordait le bras, et tout au plus réussit-il à saisir son sifflet qui pendait à sa chaîne de montre. Un coup strident retentit. Brégeac redoubla d'efforts pour prendre de nouveau son adversaire à la gorge. La porte fut ouverte. Une silhouette bondit et se précipita sur les adversaires. Presque aussitôt Marescal se trouvait libre et Brégeac apercevait à dix centimètres de ses yeux le canon d'un revolver.

« Bravo, Sauvinoux ! s'écria Marescal. L'incident vous sera compté pour de bon, mon ami. »

Sa colère était si forte qu'il eut la lâcheté de cracher à la figure de Brégeac.

« Misérable ! bandit ! Et tu t'imagines que tu en seras quitte à si bon marché ? Ta démission d'abord, et tout de suite... Le ministre l'exige... Je l'ai dans ma poche. Tu n'as qu'à signer. »

Il exhiba un papier.

« Ta démission et les aveux d'Aurélie, je les ai rédigés d'avance... Ta signature, Aurélie... Tiens, lis... "J'avoue que j'ai participé au crime du rapide, le 26 avril dernier, que j'ai tiré sur les frères Loubeaux... j'avoue que..." Enfin toute ton histoire résumée... Pas la peine de lire... Signe !... Ne perdons pas de temps ! »

Il avait trempé son porte-plume dans l'encre et s'obstinait à le lui mettre de force entre les doigts.

Lentement, elle écarta la main du commissaire, prit le porte-plume, et signa, selon la volonté de Marescal, sans prendre la peine de lire. L'écriture fut posée. La main ne tremblait pas.

« Ah ! dit-il avec un soupir de joie... voilà qui est fait ! Je ne croyais pas que cela irait si vite. Un bon point, Aurélie. Tu as compris la situation. Et toi, Brégeac ? »

Celui-ci hocha la tête. Il refusait.

« Hein ! Quoi ? Monsieur refuse ? Monsieur se figure qu'il va rester à son poste ? De l'avancement peut-être, hein ? De l'avancement comme beau-père d'une criminelle ? Ah ! elle est bonne, celle-là ! Et tu continuerais à me donner des ordres, à moi, Marescal ? Non, mais tu en as de drôles, camarade. Crois-tu donc que le scandale ne suffira pas à te déboulonner, et que demain, quand on lira dans les journaux l'arrestation de la petite, tu ne seras pas obligé... »

Les doigts de Brégeac se refermèrent sur le porte-plume qu'on lui tendait. Il lut la lettre de démission, hésita.

Aurélie lui dit :

« Signez, monsieur. »

Il signa.

« Ça y est, dit Marescal, en empochant les deux papiers. Les aveux et la démission. Mon supérieur à bas, ce qui donne une place libre, et elle m'est promise ! et la petite en prison, ce qui me guérira peu à peu de l'amour qui me rongeait. »

Il dit cela cyniquement, montrant le fond de son âme, et il ajouta avec un rire cruel :

« Et ce n'est pas tout, Brégeac, car je ne lâche pas la partie, et j'irai jusqu'au bout. »

Brégeac sourit amèrement.

« Vous voulez aller plus loin encore ? Est-ce bien utile ?

— Plus loin, Brégeac. Les crimes de la petite, c'est parfait. Mais doit-on s'en tenir là ? »

Il plongeait ses yeux dans les yeux de Brégeac qui murmura :

« Que voulez-vous dire ?

— Tu le sais ce que je veux dire, et si tu ne le savais pas, et si ce n'était pas vrai, tu n'aurais pas signé, et tu n'admettrais pas que je parle sur ce ton. Ta résignation, c'est un aveu... et si je peux te tutoyer, Brégeac, c'est parce que tu as peur. »

L'autre protesta :

« Je n'ai peur de rien. Je supporterai le poids de ce qu'a fait cette malheureuse dans un moment de folie.

— Et le poids de ce que tu as fait, Brégeac.

— En dehors de cela il n'y a rien.

— En dehors de cela, continua Marescal, l'intonation sourde, il y a le passé. Le crime d'aujourd'hui, n'en causons plus. Mais celui d'autrefois, Brégeac ?

— Celui d'autrefois ? Quel crime ? Que signifie ?... »

Marescal frappa du poing, argument suprême chez lui et que soulignait une explosion de colère.

« Des explications ? C'est moi qui en réclame. Hein ? Que signifie certaine expédition au bord de la Seine, récemment, un dimanche matin ?... Et ta faction devant la villa abandonnée ?... et ta poursuite de l'homme à la poche ? Hein ! dois-je te rafraîchir la mémoire et te rappeler que cette villa était celle des frères que ta belle-fille a supprimés et que cet individu est un nommé Jodot que je fais rechercher actuellement ? Jodot, l'associé des deux frères... Jodot que j'ai rencontré jadis dans cette maison... Hein ! comme tout cela s'enchaîne !... et comme on entrevoit le rapport entre toutes ces machinations !... »

Brégeac haussa les épaules et marmotta :

« Absurdités... Hypothèses imbéciles...

— Hypothèses, oui, impressions auxquelles je ne m'arrêtais pas autrefois quand je venais ici, et lorsque je flairais, comme un bon chien de chasse, tout ce qu'il y avait d'embarras, de réticence, d'appréhension confuse dans tes actes et dans tes paroles... mais hypothèses qui se sont confirmées peu à peu depuis quelque temps... et que nous allons changer en certitudes, Brégeac... oui, toi et moi... et sans qu'il te soit possible de l'esquiver... une preuve irrécusable, un aveu, Brégeac, que tu vas faire à ton insu... là... tout de suite... »

Il prit le carton qu'il avait apporté et déposé sur la cheminée, et le déficela. Il contenait un de ces étuis de paille qui servent à protéger les bouteilles. Il y en avait une que Marescal tira, et qu'il planta devant Brégeac.

« Voilà, camarade. Tu la reconnais, n'est-ce pas ? C'est elle que tu as volée au sieur Jodot, et que je t'ai reprise, et qu'un autre m'a dérobée devant toi. Cet autre ? tout simplement le baron de Limézy, chez qui je l'ai trouvée tantôt. Hein ! comprends-tu ma joie ? Un vrai trésor cette bouteille. La voici, Brégeac, avec son étiquette et la formule d'une eau quelconque... l'Eau de Jouvence. La voici, Brégeac ! Limésy l'a munie d'un bouchon et cachetée de cire rouge. Regarde bien... on voit un rouleau de papier à l'intérieur. C'est cela que tu voulais certainement reprendre à Jodot, quelque aveu, sans doute... une pièce compromettante de ton écriture... Ah ! mon pauvre Brégac !... »

Il triomphait. Tout en faisant sauter la cire et en débouchant la bouteille, il lançait au hasard des mots et des interjections :

« Marescal célèbre dans le monde entier !... Arrestation des assassins du rapide !... le passé de Brégeac !... Que de coups de théâtre dans l'enquête et aux assises !... Sauvinoux, tu as les menottes pour la petite ? Appelle Labonce et Tony... Ah ! la victoire... la victoire complète... »

Il renversa la bouteille. Le papier s'échappa. Il le déplia. Et emporté par ses discours fougueux comme un coureur que son élan précipite au-delà du but, il lut, sans penser d'abord à la signification de ce qu'il disait :

« Marescal est une gourde. »

X

DES MOTS QUI VALENT DES ACTES

Il y eut un silence de stupeur où se prolongeait la phrase inconcevable. Marescal était ahuri, comme un boxeur qui va s'écrouler à la suite d'un coup au creux de l'estomac. Brégeac, toujours menacé par le revolver de Sauvinoux, semblait aussi déconcerté.

Et soudain un rire éclata, rire nerveux, involontaire, mais qui tout de même sonnait gaiement dans l'atmosphère lourde de la pièce. C'était Aurélie, que la face déconfite du commissaire jetait dans cet accès d'hilarité vraiment intempestif. Le fait surtout que la phrase comique avait été prononcée à haute voix par celui-là même qui en était l'objet ridicule, lui tirait les larmes des yeux : « Marescal est une gourde ! »

Marescal la considéra sans dissimuler son inquiétude. Comment pouvait-il advenir que la jeune fille eût une telle crise de joie dans la situation affreuse où elle se trouvait devant lui, pantelante comme elle l'était sous la griffe de l'adversaire ?

« La situation n'est-elle plus la même ? devait-il se dire. Qu'est-ce qu'il y a de changé ? »

Et sans doute faisait-il un rapprochement entre ce rire inopiné et l'attitude étrangement calme de la jeune fille depuis le début du combat. Qu'espérait-elle donc ? Était-il possible qu'au milieu d'événements qui eussent dû la mettre à genoux, elle conservât un point d'appui dont la solidité lui parut inébranlable ?

Tout cela se présentait vraiment sous un aspect désagréable, et laissait entrevoir un piège habilement tendu. Il y avait péril en la demeure. Mais de quel côté la menace ? Comment même admettre qu'une attaque pût se produire alors qu'il n'avait négligé aucune mesure de précaution ?

« Si Brégeac remue, tant pis pour lui..., une balle entre les deux yeux », ordonna-t-il à Sauvinoux.

Il alla jusqu'à la porte et l'ouvrit.

« Rien de nouveau en bas ?

— Patron ? »

Il se pencha par-dessus la rampe de l'escalier.

« Tony ?... Labonce ?... Personne n'est entré ?

— Personne, patron. Mais il y a donc du grabuge là-haut ?

— Non... non... »

De plus en plus désemparé, il retourna vivement vers le cabinet de travail. Brégeac, Sauvinoux et la jeune fille n'avaient pas bougé. Seulement... seulement, il se produisait une chose inouïe, incroyable, inimaginable, fantastique, qui lui coupa les jambes et l'immobilisa dans l'encadrement de la porte. Sauvinoux avait entre les lèvres une cigarette non allumée et le contemplait comme quelqu'un qui demande du feu.

Vision de cauchemar, en opposition si violente avec la réalité que Marescal refusa d'abord d'y attacher le sens qu'elle comportait. Sauvinoux, par une aberration dont il serait puni, voulait fumer et réclamait du feu, voilà tout. Pourquoi chercher plus loin ? Mais peu à peu, la figure de Sauvinoux s'éclaira d'un sourire goguenard où il y avait tant de malice et de bonhomie impertinente que Marescal essaya vainement de se donner le change. Sauvinoux, le subalterne Sauvinoux, devenait insensiblement, dans son esprit, un être nouveau qui n'était plus un agent, et qui, au contraire, passait dans le camp adverse. Sauvinoux, c'était...

Dans les circonstances ordinaires de sa profession, Marescal se serait débattu davantage contre l'assaut d'un fait aussi monstrueux. Mais les événements les plus fantasmagoriques lui semblaient naturels lorsqu'il s'agissait de celui qu'il appelait l'homme du rapide. Bien que Marescal ne voulût pas prononcer, même au fond de lui, la parole d'aveu irrémédiable et se soumettre à une réalité vraiment odieuse, comment se dérober devant l'évidence ? Comment ne pas savoir que Sauvinoux, agent remarquable que le ministre lui avait recommandé huit jours auparavant, n'était autre que le personnage infernal qu'il avait arrêté le matin, et *qui se trouvait actuellement au Dépôt, dans les salles du service anthropométrique ?*

« Tony ! hurla le commissaire, en sortant une seconde fois. Tony ! Labonce ! montez donc, sacrebleu ! »

Il appelait, vociférait, se démenait, frappait, se cognait dans la cage de l'escalier comme un bourdon aux vitres d'une fenêtre.

Ses hommes le rejoignirent en hâte. Il bégaya :

« Sauvinoux... Savez-vous ce que c'est que Sauvinoux ? C'est le type de ce matin... le type d'en face, évadé, déguisé... »

Tony et Labonce semblaient abasourdis.

Le patron délirait. Il les poussa dans la pièce, puis, s'armant d'un revolver :

« Haut les mains, bandit ! Haut les mains ! Labonce, vise-le, toi aussi. »

Sans broncher, ayant dressé sur le bureau un petit miroir de poche, le sieur Sauvinoux commençait soigneusement à se démaquiller. Il avait même déposé près de lui le browning dont il menaçait Brégeac quelques minutes plus tôt.

Marescal fit un saut en avant, saisit l'arme, et recula aussitôt, les deux bras tendus.

« Haut les mains, ou je tire ! Entends-tu, gredin ? »

Le « gredin » ne semblait guère s'émouvoir. Face aux brownings braqués à trois mètres de lui, il arrachait quelques poils follets qui dessinaient des côtelettes sur ses joues ou qui donnaient à ses sourcils une épaisseur insolite.

« Je tire ! je tire ! Tu entends, canaille ? Je compte jusqu'à trois et je tire ! Une... deux... Trois.

— Tu vas faire une bêtise, Rodolphe », susurra Sauvinoux.

Rodolphe fit la bêtise. Il avait perdu la tête. Des deux poings, il tira, au hasard, sur la cheminée, sur les tableaux, stupidement, comme un assassin que grise l'odeur du sang et qui plante à coups redoublés un poignard dans le cadavre pantelant. Brégeac se courbait sous la rafale. Aurélie ne risqua pas un geste.

Puisque son sauveur ne cherchait pas à la protéger, puisqu'il laissait faire, c'est qu'il n'y avait rien à craindre. Sa confiance était si absolue qu'elle souriait presque. Avec son mouchoir enduit d'un peu de gras, Sauvinoux enlevait le rouge de sa figure. Raoul apparaissait peu à peu.

Six détonations avaient claqué. De la fumée jaillissait. Glaces brisées, éclats de marbre, tableaux crevés..., la pièce semblait avoir été prise d'assaut. Marescal, honteux de sa crise de démence, se contint, et dit à ses deux agents :

« Attendez sur le palier. Au moindre appel, venez.

— Voyons, patron, insinua Labonce, puisque Sauvinoux n'est plus Sauvinoux, il vaudrait peut-être mieux emballer le personnage. Il ne m'a jamais plu à moi, depuis que vous l'avez engagé, la semaine dernière. Ça va ? On le cueille à nous trois ?

— Fais ce que je te dis », ordonna Marescal, pour qui la proportion de trois à un n'était sans doute pas suffisante.

Il les refoula et ferma la porte sur eux.

Sauvinoux achevait sa transformation, retournait son veston, arrangeait le nœud de sa cravate et se levait. Un autre homme apparaissait. Le petit policier malingre et pitoyable de tout à l'heure, devenait un gaillard d'aplomb, bien vêtu, élégant et jeune, en qui Marescal retrouvait son persécuteur habituel.

« Je vous salue, mademoiselle, dit Raoul. Puis-je me présenter ? Baron de Limézy, explorateur... et policier depuis une semaine. Vous m'avez reconnu tout de suite, n'est-ce pas ? Oui, je l'ai deviné, en bas, dans le vestibule... Surtout, gardez le silence, mais riez encore, mademoiselle. Ah ! votre rire, tout à l'heure, comme c'était bon de l'entendre ! Et quelle récompense pour moi ! »

Il salua Brégeac.

« À votre disposition, monsieur. »

Puis, se retournant vers Marescal, il lui dit gaiement :

« Bonjour, mon vieux. Ah ! toi, par exemple, tu ne m'avais pas reconnu ! Encore maintenant, tu te demandes comment j'ai pu prendre la place de Sauvinoux. Car tu crois à Sauvinoux ! Seigneur tout-puissant ! dire qu'il y a un homme qui a cru à Sauvinoux, et que cet homme a un grade de grosse légume dans le monde policier ! Mais, mon bon Rodolphe, Sauvinoux n'a jamais existé. Sauvinoux, c'est un mythe. C'est un personnage irréel, dont on a vanté les qualités à ton ministre, et dont ce ministre t'a imposé la collaboration par l'intermédiaire de sa femme. Et c'est ainsi que, depuis dix jours, je suis à ton service, c'est-à-dire que je te dirige dans le bon sens, que je t'ai indiqué le logis du baron de Limésy, que je me suis fait arrêter par moi ce matin, et que j'ai découvert, là où je l'avais cachée, la mirifique bouteille qui proclame cette fondamentale vérité : "Marescal est une gourde." »

On eût cru que le commissaire allait s'élancer et prendre Raoul à la gorge. Mais il se maîtrisa. Et Raoul repartit, de ce ton de badinage qui maintenait Aurélie en sécurité, et qui cinglait Marescal comme une cravache :

« T'as pas l'air dans ton assiette, Rodolphe ? Qu'est-ce qui te chatouille ? Ça t'embête que je sois ici et non dans un cachot ? et tu te demandes comment j'ai pu à la fois aller en prison comme Limézy et t'accompagner comme Sauvinoux ? Enfant, va ! Détective à la manque ! Mais, mon vieux Rodolphe, c'est d'une simplicité ! L'invasion de mon domicile ayant été préparée par moi, j'ai substitué au baron de Limézy un quidam grassement payé, ayant avec le baron la plus vague ressemblance, et auquel j'ai donné comme consigne d'accepter toutes les mésaventures qui pourraient lui arriver aujourd'hui. Conduit par ma vieille servante, tu as foncé comme un taureau sur le quidam, auquel, moi, Sauvinoux, j'enveloppai tout de suite la tête d'un foulard. Et en route pour le Dépôt !

« Résultat : débarrassé du redoutable Limézy absolument rassuré, tu es venu arrêter mademoiselle, ce que tu n'aurais pas osé faire si j'avais été libre. *Or il fallait que ce fût fait*. Tu entends, Rodolphe, il le fallait. Il fallait cette petite séance entre nous quatre. Il fallait que toutes choses fussent mises au point, pour qu'on n'eût pas à y revenir. Et elles y sont au point, n'est-ce pas ? Comme on respire à l'aise ! Comme on se sent délivré d'un tas de cauchemars ! Comme il est agréable, même pour toi, de penser que, d'ici dix minutes, mademoiselle et moi, nous allons tirer notre révérence. »

Malgré ce persiflage horripilant, Marescal avait retrouvé son sang-froid. Il voulut paraître aussi tranquille que son adversaire, et, d'un geste négligent, il saisit le téléphone.

« Allô !... La préfecture de police, s'il vous plaît... Allô !... La préfecture ? Donnez-moi M. Philippe... Allô... c'est toi, Philippe ?... Eh bien ?... Ah ! déjà ! On s'est aperçu de l'erreur ?... Oui, je suis au courant, et plus que tu ne peux croire... Écoute... Prends deux cyclistes avec toi... des bougres !... et vivement ici, chez Brégeac... Tu sonneras... Compris, hein ? Pas une seconde à perdre. »

Il raccrocha et observa Raoul.

« Tu t'es découvert un peu tôt, mon petit, dit-il, se moquant à son tour, et visiblement satisfait de sa nouvelle attitude. L'attaque est manquée... et tu connais la riposte. Sur le palier, Labonce et Tony. Ici, Marescal, avec Brégeac, lequel au fond n'a rien à gagner avec toi. Voilà pour le premier choc, si tu avais la fantaisie de délivrer Aurélie. Et puis, dans vingt minutes, trois spécialistes de la préfecture, ça te suffit ? »

Raoul s'occupait gravement à planter des allumettes dans une rainure de table. Il en planta sept à la queue leu leu, et une toute seule, à l'écart.

« Bigre, dit-il. Sept contre un. C'est un peu maigre. Qu'est-ce que vous allez devenir ? »

Il avança la main timidement vers le téléphone.

« Tu permets ? »

Marescal le laissa faire, tout en le surveillant. Raoul, à son tour, saisit le cornet :

« Allô... le numéro Élysée 22.23, mademoiselle... Allô... C'est le président de la République ? Monsieur le Président, envoyez d'urgence à M. Marescal un bataillon de chasseurs à pied... »

Furieux, Marescal lui arracha le téléphone.

« Assez de bêtises, hein ? Je suppose que si tu es venu ici, ce n'est pas pour faire des blagues. Quel est ton but ? Que veux-tu ? »

Raoul eut un geste désolé.

« Tu ne comprends pas la plaisanterie. C'est pourtant l'occasion ou jamais de rigoler un brin.

— Parle donc », exigea le commissaire.

Aurélie supplia :

« Je vous en prie... »

Il dit en riant :

« Vous, mademoiselle, vous avez peur des "bougres" de la préfecture et vous voulez qu'on leur brûle la politesse. Vous avez raison. Parlons. »

Sa voix se faisait plus sérieuse. Il répéta :

« Parlons... puisque tu y tiens, Marescal. Aussi bien, parler, c'est agir, et rien ne vaut la réalité solide de certaines paroles. Si je suis le maître de la situation, je le suis pour des raisons encore secrètes, mais qu'il me faut exposer si je veux donner à ma victoire des bases inébranlables... et te convaincre.

— De quoi ?

— De l'innocence absolue de mademoiselle, dit nettement Raoul.

— Oh ! oh ! ricana le commissaire, elle n'a pas tué ?

— Non.

— Et toi non plus, peut-être ?

— Moi non plus.

— Qui donc a tué ?

— D'autres que nous.

— Mensonges !

— Vérité. D'un bout à l'autre de cette histoire, Marescal, tu t'es trompé. Je te répète ce que je t'ai dit à Monte-Carlo : c'est à peine si je connais mademoiselle. Quand je l'ai sauvée en gare de Beaucourt, je ne l'avais aperçue qu'une fois, l'après-midi, au thé du boulevard Haussmann. C'est à Sainte-Marie seulement que nous avons eu, elle et moi, quelques entrevues. Or, au cours de ces entrevues, elle a toujours évité de faire allusion aux crimes du rapide, et je ne l'ai jamais interrogée. La vérité s'est établie en dehors d'elle, grâce à mes efforts acharnés, et grâce surtout à ma conviction instinctive, et cependant solide comme un raisonnement, qu'avec son pur visage on n'est pas une criminelle. »

Marescal haussa les épaules, mais ne protesta point. Malgré tout il était curieux de connaître comment l'étrange personnage pouvait interpréter les événements.

Il consulta sa montre et sourit. Philippe et les « bougres » de la préfecture approchaient.

Brégeac écoutait sans comprendre et regardait Raoul. Aurélie, anxieuse soudain, ne le quittait pas des yeux.

Il commença, employant à son insu les termes mêmes dont Marescal s'était servi.

« Donc le 26 avril dernier, la voiture numéro cinq du rapide de Marseille n'était occupée que par quatre personnes, une Anglaise, Miss Bakefield... »

Mais il s'interrompit brusquement, réfléchit durant quelques secondes, et repartit d'un ton résolu :

« Non, ce n'est pas ainsi qu'il faut procéder. Il faut remonter plus haut, à la source même des faits et dérouler toute l'histoire, ce qu'on pourrait appeler les deux époques de l'histoire. J'en ignore certains détails. Mais ce que je sais, et ce que l'on peut supposer en toute certitude, suffit pour que tout soit clair et pour que tout s'enchaîne. »

Et, lentement, il prononça :

« Il y a environ dix-huit ans — je répète le chiffre, Marescal... dix-huit ans... c'est-à-dire la première époque de l'histoire — donc, il y a dix-huit ans, à Cherbourg, quatre jeunes gens se rencontraient au café de façon assez régulière, un nommé Brégeac, secrétaire au commissariat maritime, un nommé Jacques Ancivel, un nommé Loubeaux, et un sieur Jodot. Relations superficielles qui ne durèrent pas, les trois derniers ayant eu maille à partir avec la justice, et le poste administratif du premier, c'est-à-dire de Brégeac, ne lui permettant pas de continuer de telles fréquentations. D'ailleurs Brégeac se maria et vint habiter Paris.

« Il avait épousé une veuve, mère d'une petite fille appelée Aurélie d'Asteux. Le père de sa femme, Étienne d'Asteux, était un vieil original de province, inventeur, chercheur toujours aux aguets, et qui, plusieurs fois, avait failli conquérir la grande fortune ou découvrir le grand secret qui vous la donne. Or, quelque temps avant le second mariage de sa fille avec Brégeac, un de ces secrets miraculeux, il sembla l'avoir découvert. Il le prétend du moins dans des lettres écrites à sa fille, en dehors de Brégeac, et, pour le lui prouver, il la fait venir un jour avec la petite Aurélie. Voyage clandestin, dont malheureusement Brégeac eut connaissance, non pas plus tard, comme le croit mademoiselle, mais presque aussitôt. Brégeac alors interroge sa femme. Tout en se taisant sur l'essentiel, comme elle l'a juré à son père, et tout en refusant de révéler l'endroit visité, elle fait certains aveux qui laissent croire à Brégeac qu'Étienne d'Asteux a enfoui quelque part un trésor. Où ? et pourquoi n'en pas jouir dès maintenant ? L'existence du ménage devient pénible. Brégeac s'irrite de jour en jour, importune Étienne d'Asteux, interroge l'enfant qui ne répond pas, persécute sa femme, la menace, bref, vit dans un état d'agitation croissante.

« Or, coup sur coup, deux événements mettent le comble à son exaspération. Sa femme meurt d'une pleurésie. Et il apprend que son beau-père d'Asteux, atteint de maladie grave, est condamné. Pour Brégeac, c'est l'épouvante. Que deviendra le secret, si Étienne d'Asteux ne parle pas ? Que deviendra le trésor si Étienne d'Asteux le lègue à sa petite-fille Aurélie, "comme cadeau de majorité" (l'expression se trouve dans une des lettres) ? Alors, quoi, Brégeac n'aurait rien ? Toutes ces richesses qu'il présume fabuleuses passeraient à côté de lui ? Il faut savoir, à tout prix, par n'importe quel moyen.

« Ce moyen, un hasard funeste le lui apporte. Chargé d'une affaire où il poursuit les auteurs d'un vol, il met la main sur le trio de ses anciens camarades de Cherbourg, Jodot, Loubeaux et Ancivel. La tentation est grande pour Brégeac. Il y succombe et parle. Aussitôt le marché est conclu. Pour les trois chenapans, ce sera la liberté immédiate. Ils fileront vers le village provençal où agonise le vieillard, et ils lui arracheront de gré ou de force les indications nécessaires. Complot manqué. Le vieillard assailli en pleine nuit par les trois forbans, sommé de répondre, brutalisé, meurt sans un mot. Les trois meurtriers s'enfuient. Brégeac a sur la conscience un crime dont il n'a tiré aucun bénéfice. »

Raoul de Limézy fit une pause et observa Brégeac. Celui-ci se taisait. Refusait-il de protester contre des accusations invraisemblables ? Avouait-il ? On eût dit que tout cela lui était indifférent, et que l'évocation du passé, si terrible qu'elle fût, ne pouvait accroître sa détresse présente.

Aurélie avait écouté, sa figure entre les mains, et sans rien manifester non plus de ses impressions. Mais Marescal reprenait peu à peu son aplomb, étonné certainement que Limézy révélât devant lui des faits aussi graves et lui livrât, pieds et poings liés, son vieil ennemi Brégeac. Et de nouveau, il consulta sa montre.

Raoul poursuivit :

« Donc crime inutile, mais dont les conséquences se feront durement sentir, bien que la justice n'en ait jamais rien su. D'abord, un des complices, Jacques Ancivel, effrayé, s'embarque pour l'Amérique. Avant de partir, il confie tout à sa femme. Celle-ci se présente chez Brégeac et l'oblige, sous peine de dénonciation immédiate, à signer un papier par lequel il revendique toute la responsabilité du crime commis contre Étienne d'Asteux, et innocente les trois coupables. Brégeac a peur et stupidement signe. Remis à Jodot, le document est enfermé par lui et par Loubeaux dans une bouteille qu'ils ont trouvée sous le traversin d'Étienne d'Asteux et qu'ils conservent à tout hasard. Dès lors, ils tiennent Brégeac et peuvent le faire chanter quand ils voudront.

« Ils le tiennent. Mais ce sont des gaillards intelligents et qui préfèrent, plutôt que de s'épuiser en menus chantages, laisser Brégeac gagner ses grades dans l'administration. Au fond, ils n'ont qu'une idée, la découverte de ce trésor dont Brégeac a eu l'imprudence de leur parler. Or, Brégeac ne sait encore rien.

Personne ne sait rien... personne, sauf cette petite fille *qui a vu le paysage* et qui, dans le mystère de son âme garde obstinément la consigne du silence. Donc il faut attendre et veiller. Quand elle sortira du couvent où Brégeac l'a enfermée, on agira...

« Or, elle revient du couvent, et le lendemain même de son arrivée, il y a deux ans, Brégeac reçoit un billet où Jodot et Loubeaux lui annoncent qu'ils sont entièrement à sa disposition pour la recherche du trésor. Qu'il fasse parler la petite, et qu'il les mette au courant. Sans quoi...

« Pour Brégeac, c'est un coup de tonnerre. Après douze ans, il espérait bien que l'affaire était enterrée définitivement. Au fond, il ne s'y intéresse plus. Elle lui rappelle un crime dont il a horreur, et une époque dont il ne se souvient qu'avec angoisse. Et voilà que toutes ces infamies sortent des ténèbres ! Voilà que les camarades d'autrefois surgissent ! Jodot le relance jusqu'ici. On le harcèle. Que faire ?

« La question posée est une de celles qui ne se discutent même pas. Qu'il le veuille ou non, il faut obéir, c'est-à-dire tourmenter sa belle-fille et la contraindre à parler. Il s'y décide, poussé lui aussi, d'ailleurs, par un besoin de savoir et de s'enrichir qui l'envahit de nouveau. Dès lors, pas un jour ne se passe sans qu'il y ait interrogatoire, disputes et menaces. La malheureuse est traquée dans sa pensée et dans ses souvenirs. À cette porte close derrière laquelle, tout enfant, elle a enfermé un petit groupe débile d'images et d'impressions, on frappe à coups redoublés. Elle voudrait vivre : on ne le lui permet pas. Elle voudrait s'amuser, elle s'amuse même parfois, fréquente quelques amies, joue la comédie, chante... Mais, au retour, c'est le martyre de chaque minute.

« Un martyre auquel s'ajoute quelque chose de vraiment odieux et que j'ose à peine évoquer : l'amour de Brégeac. N'en parlons pas. Là-dessus, tu en sais autant que moi, Marescal, puisque, dès le moment où tu as vu Aurélie d'Asteux, entre Brégeac et toi ce fut la haine féroce de deux rivaux.

« C'est ainsi que, peu à peu, la fuite apparaît à la victime comme la seule issue possible. Elle y est encouragée par un personnage que Brégeac supporte malgré lui, Guillaume, le fils du dernier camarade de Cherbourg. La veuve Ancivel le tenait en réserve, celui-là. Il joue sa partie, dans l'ombre jusqu'ici, très habilement, sans éveiller la méfiance. Guidé par sa mère, et sachant qu'Aurélie d'Asteux, le jour où elle aimera, aura toute latitude pour confier son secret au fiancé choisi, il rêve de se faire aimer. Il propose son assistance. Il conduira la jeune fille dans le Midi où, précisément, dit-il, ses occupations l'appellent.

« Et le 26 avril arrive.

« Note bien, Marescal, la situation des acteurs du drame à cette date et comment les choses se présentent. Tout d'abord, mademoiselle qui fuit sa prison. Heureuse de cette liberté prochaine, elle a consenti, pour le dernier jour, à prendre le thé avec son beau-père dans une pâtisserie du boulevard Haussmann. Elle t'y rencontre par hasard. Scandale. Brégeac la ramène chez lui. Elle s'échappe et rejoint, à la gare, Guillaume Ancivel.

« Guillaume, en cette occasion, poursuit deux affaires. Il séduira Aurélie, mais en même temps il effectuera un cambriolage à Nice, sous la direction de la fameuse Miss Bakefield, à la bande de laquelle il est affilié. Et c'est ainsi que l'infortunée Anglaise se trouve prise dans un drame où elle ne jouait, elle, aucune espèce de rôle.

« Enfin, nous avons Jodot et les deux frères Loubeaux. Ces trois-là ont agi si adroitement que Guillaume et sa mère ignorent qu'ils ont réapparu et qu'on est en compétition avec eux. Mais les trois bandits ont suivi toutes les manœuvres de Guillaume, ils savent tout ce qui se fait et se projette dans la maison et ils sont là le 26 avril. Leur plan est prêt : ils enlèveront Aurélie et l'obligeront, *de quelque manière que ce soit, à parler.* C'est clair, n'est-ce pas ?

« Et maintenant voici la distribution des places occupées. Voiture numéro cinq : en queue, Miss Bakefield et le baron de Limézy ; en tête, Aurélie et Guillaume Ancivel... Tu comprends bien, n'est-ce pas, Marescal ? *En tête de la voiture,* Aurélie et Guillaume, et non pas les deux frères Loubeaux comme on l'a cru jusqu'ici. Les deux frères ainsi que Jodot sont ailleurs. Ils sont dans la voiture numéro quatre, dans la tienne, Marescal, bien dissimulés sous le voile tiré de la lampe. Comprends-tu ?

— Oui, fit Marescal à voix basse.

— Pas malheureux ! Et le train file. Deux heures se passent. Station de Laroche. On repart. C'est le moment. Les trois hommes de la voiture quatre, c'est-à-dire Jodot et les frères Loubeaux, sortent de leur compartiment obscur. Ils sont masqués, vêtus de blouses grises et coiffés de casquettes. Ils pénètrent dans la voiture cinq. Tout de suite, à gauche, deux silhouettes endormies, un monsieur, et une dame dont on devine les cheveux blonds. Jodot et l'aîné des frères se précipitent tandis que l'autre fait le guet. Le baron est assommé et ficelé. L'Anglaise se défend. Jodot la saisit à la gorge et s'aperçoit seulement alors de l'erreur commise : ce n'est pas Aurélie, mais une autre femme aux cheveux du même blond doré. À cet instant le jeune frère revient et emmène les deux complices tout au bout du couloir où se trouvent réellement Guillaume et Aurélie. Mais, là, tout change. Guillaume a entendu du bruit. Il se tient sur ses gardes. Il a son revolver et l'issue du combat est immédiate : deux coups de feu, les deux frères tombent, et Jodot s'enfuit.

« Nous sommes bien d'accord, n'est-ce pas, Marescal ? Ton erreur, mon erreur au début, l'erreur de la magistrature, l'erreur de tout le monde, c'est qu'on a jugé les faits d'après les apparences, et d'après cette règle, fort logique d'ailleurs : quand il y a crime, ce sont les morts qui sont les victimes et les fugitifs qui sont les criminels. On n'a pas pensé que l'inverse peut se produire, que les agresseurs peuvent être tués, et que les assaillis, sains et saufs, peuvent s'enfuir. Et comment Guillaume n'y songerait-il pas aussitôt, à la fuite ? Si Guillaume attend, c'est la débâcle.

« Guillaume le cambrioleur n'admet pas que la justice mette le nez dans ses affaires. À la moindre enquête, les dessous de son existence équivoque surgiront en pleine clarté. Va-t-il se résigner ? Ce serait trop bête, alors que le remède est à portée de sa main. Il n'hésite pas, bouscule sa compagne, lui montre le scandale de l'aventure, scandale pour elle, scandale pour Brégeac. Inerte, le cerveau en désordre, épouvantée par ce qu'elle a vu et par la présence de ces deux cadavres, elle se laisse faire. Guillaume lui met de force la blouse et le masque du plus jeune des frères. Lui-même s'affuble, l'entraîne, emporte les valises pour ne rien laisser derrière lui. Et ils courent tous deux le long du couloir, se heurtent au contrôleur, et sautent du train.

« Une heure plus tard, après une effroyable poursuite à travers les bois, Aurélie était arrêtée, emprisonnée, jetée en face de son implacable ennemi, Marescal, et perdue.

« Seulement, coup de théâtre. J'entre en scène... »

Rien, ni la gravité des circonstances, ni l'attitude douloureuse de la jeune fille qui pleurait au souvenir de la nuit maudite, rien n'eût empêché Raoul de faire le geste du monsieur qui entre en scène. Il se leva, poussa jusqu'à la porte, et revint dignement s'asseoir avec toute l'assurance d'un acteur dont l'intervention va produire un effet foudroyant.

« Donc j'entre en scène, répéta-t-il, en souriant d'un sourire satisfait. Il était temps. Je suis sûr que, toi aussi, Marescal, tu te réjouis d'apercevoir au milieu de cette tourbe de fripouilles et d'imbéciles, un honnête homme qui se pose tout de suite, avant même de rien savoir, et simplement parce que mademoiselle a de beaux yeux verts, en défenseur de l'innocence persécutée. Enfin, voici une volonté ferme, un regard clairvoyant, des mains secourables, un cœur généreux ! C'est le baron de Limézy. Dès qu'il est là, tout s'arrange. Les événements se conduisent comme de petits enfants sages, et le drame s'achève dans le rire et dans la bonne humeur. »

Seconde petite promenade. Puis il se pencha sur la jeune fille, et lui dit :

« Pourquoi pleurez-vous, Aurélie, puisque toutes ces vilaines choses sont terminées, et puisque Marescal lui-même s'incline devant une innocence qu'il reconnaît ? Ne pleurez pas, Aurélie. J'entre toujours en scène à la minute décisive. C'est une habitude et je ne manque jamais mon entrée. Vous l'avez bien vu, cette nuit-là : Marescal vous enferme, je vous sauve. Deux jours après, à Nice, c'est Jodot, je vous sauve. À Monte-Carlo, à Sainte-Marie, c'est encore Marescal, et je vous sauve. Et tout à l'heure n'étais-je pas là ? Alors que craignez-vous ? Tout est fini, et nous n'avons plus qu'à nous en aller tout tranquillement, avant que les deux bougres n'arrivent et que les chasseurs à pied ne cernent la maison. N'est-ce pas, Rodolphe ? Tu n'y mets aucun obstacle, et mademoiselle est libre ?... N'est-ce pas, tu es ravi de ce dénouement qui satisfait ton esprit de justice et de courtoisie ? Vous venez, Aurélie ? »

Elle vint timidement, sentant bien que la bataille n'était pas gagnée. De fait, au seuil de la porte, Marescal se dressa, impitoyable. Brégeac le rejoignit. Les deux hommes faisaient cause commune contre le rival qui triomphait...

XI

DU SANG...

Raoul s'approcha et, dédaignant Brégeac, il dit d'un ton paisible au commissaire :

« La vie semble très compliquée parce que nous ne la voyons jamais que par bribes, par éclairs inattendus. Il en est ainsi de cette affaire du rapide. C'est embrouillé comme un roman-feuilleton. Les faits éclatent au hasard, stupidement, comme des pétards qui n'exploseraient pas dans l'ordre où on les a disposés. Mais qu'un esprit lucide les remette à leur place, tout devient logique, simple, harmonieux, naturel comme une page d'histoire. C'est cette page d'histoire que je viens de te lire, Marescal. Tu connais maintenant l'aventure et tu sais qu'Aurélie d'Asteux est innocente. Laisse-la s'en aller. »

Marescal haussa les épaules.

« Non.

— Ne t'entête pas, Marescal. Tu vois, je ne plaisante plus, je ne me moque plus. Je te demande simplement de reconnaître ton erreur.

— Mon erreur ?

— Certes, puisqu'elle n'a pas tué, puisqu'elle ne fut point complice, mais victime. »

Le commissaire ricana :

« Si elle n'a pas tué, pourquoi a-t-elle fui ? De Guillaume, j'admets la fuite. Mais elle ? Qu'y gagnait-elle ? Et pourquoi, depuis, n'a-t-elle rien dit ? À part quelques plaintes au début, lorsqu'elle supplie les gendarmes : "Je veux parler au juge, je veux lui raconter..." À part cela, le silence.

— Un bon point, Marescal, avoua Raoul. L'objection est sérieuse. Moi aussi, ce silence m'a souvent déconcerté, ce silence opiniâtre dont elle ne s'est jamais départie, même avec moi, qui la secourais, et qu'un aveu eût puissamment aidé dans mes recherches. Mais ses lèvres demeurèrent closes. Et c'est ici seulement, dans cette maison, que j'ai résolu le problème. Qu'elle me pardonne si j'ai fouillé ses tiroirs, durant sa maladie. Il le fallait. Marescal, lis cette phrase, parmi les instructions que sa mère mourante, et qui ne se faisait pas d'illusions sur Brégeac, lui a laissées : "*Aurélie, quoi qu'il arrive et quelle que soit la conduite de ton beau-père, ne l'accuse jamais.*

Défends-le, même si tu dois souffrir par lui, même s'il est coupable : j'ai porté son nom." »

Marescal protesta :

« Mais elle l'ignorait, le crime de Brégeac ! Et l'aurait-elle su, que ce crime n'a pas de rapports avec l'attaque du rapide. Brégeac ne pouvait donc pas y être mêlé !

— Si.

— Par qui ?

— Par Jodot...

— Qui le prouve ?

— Les confidences que m'a faites la mère de Guillaume, la veuve Ancivel que j'ai retrouvée à Paris, où elle demeure, et à qui j'ai payé fort cher une déclaration écrite de tout ce qu'elle sait du passé et du présent. Or, son fils lui a dit que dans le compartiment du rapide, face à mademoiselle, près des deux frères morts, et son masque étant arraché, Jodot a juré, le poing tendu :

"*Si tu souffles mot de l'affaire, Aurélie, si tu parles de moi, si je suis arrêté, je raconte le crime d'autrefois. C'est Brégeac qui a tué ton grand-père d'Asteux.*" C'est cette menace répétée depuis à Nice, qui a bouleversé Aurélie d'Asteux et l'a réduite au silence. Ai-je dit l'exacte vérité, mademoiselle ? »

Elle murmura :

« L'exacte vérité.

— Donc, tu le vois, Marescal, l'objection tombe. Le silence de la victime, ce silence qui te laissait des soupçons, est au contraire une preuve en sa faveur. Pour la seconde fois, je te demande de la laisser partir.

— Non, fit Marescal, en frappant du pied.

— Pourquoi ? »

La colère de Marescal se déchaîna subitement.

« Parce que je veux me venger ! Je veux le scandale ! je veux qu'on sache tout, la fuite avec Guillaume, l'arrestation, le crime de Brégeac ! Je veux le déshonneur pour elle, et la honte. Elle m'a repoussé. Qu'elle paie ! Et que Brégeac paie aussi ! Tu as été assez bête pour me donner des précisions qui me manquaient. Je tiens Brégeac, et la petite, mieux encore que je ne croyais... Et Jodot ! Et les Ancivel ! Toute la bande ! Pas un n'échappera, et Aurélie est dans le lot ! »

Il délirait de colère et carrait devant la porte sa haute taille. Sur le palier, on entendait Labonce et Tony.

Raoul avait recueilli sur la table le morceau de papier tiré de la bouteille, et où se lisait l'inscription : « Marescal est une gourde. » Il le déplia nonchalamment et le tendit au commissaire :

« Tiens, mon vieux, fais encadrer ça, et mets-le au pied de ton lit.

— Oui, oui, rigole, proféra l'autre, rigole tant que tu voudras, n'empêche que je te tiens, toi aussi ! Ah ! tu m'en as fait voir depuis le début ! Hein, le coup de la cigarette ! Un peu de feu, s'il vous plaît. J'vais t'en donner, moi, du feu ! De quoi fumer toute ta vie au bagne ! Oui, au bagne d'où tu viens et où tu rentreras bientôt. Au bagne je le répète, au bagne. Si tu crois qu'à force de lutter contre toi, je n'ai pas percé à jour ton déguisement ! Si tu crois que je ne sais pas qui tu es, et que je n'ai pas déjà toutes les preuves nécessaires pour te démasquer ? Regarde-le, Aurélie, ton amoureux, et si tu veux savoir ce que c'est, pense un peu au roi des escrocs, au plus gentleman des cambrioleurs, au maître des maîtres, et dis-toi qu'en fin de compte le baron de Limézy, faux noble et faux explorateur, n'est autre... »

Il s'interrompit. En bas on sonnait. C'étaient Philippe et ses deux bougres. Ce ne pouvait être qu'eux.

Marescal se frotta les mains et respira longuement.

« Je crois que tu es bien fichu, Lupin... Qu'en dis-tu ? »

Raoul observa Aurélie. Le nom de Lupin ne parut pas la frapper ; elle écoutait avec angoisse les bruits du dehors.

« Pauvre demoiselle aux yeux verts, dit-il, votre foi n'est pas encore parfaite. En quoi, diable, le dénommé Philippe peut-il vous tourmenter ? »

Il entrouvrit la fenêtre, et s'adressant à l'un de ceux qui étaient sur le trottoir, au-dessous de lui :

« Le dénommé Philippe, n'est-ce pas, de la préfecture ? Dites donc, camarade... deux mots à part de vos trois bougres (car ils sont trois, fichtre !). Vous ne me reconnaissez pas ? Baron de Limézy. Vite ! Marescal vous attend. »

Il repoussa la fenêtre.

« Marescal, le compte y est. Quatre d'un côté... et trois de l'autre, car je ne compte pas Brégeac, qui semble se désintéresser de l'aventure, ça fait sept bougres à trois poils qui ne feront qu'une bouchée de moi. J'en frémis ! Et la demoiselle aux yeux verts aussi. »

Aurélie se contraignit à sourire, mais ne put que bredouiller des syllabes inintelligibles.

Marescal attendait sur le palier. La porte du vestibule fut ouverte. Des pas montèrent, précipités. Bientôt, Marescal eut sous la main, prêts à la curée, comme une meute qu'il suffit de déchaîner, six hommes. Il leur donna des ordres à voix basse, puis rentra, le visage épanoui.

« Pas de bataille inutile, n'est-ce pas, baron ?

— Pas de bataille, marquis. L'idée de vous tuer tous les sept, comme les femmes de Barbe-Bleue, m'est intolérable.

— Donc tu me suis ?

— Jusqu'au bout du monde.

— Sans condition, bien entendu ?

— Si, à une condition ; offre-moi à goûter.

— D'accord. Pain sec, biscuit pour les chiens, et de l'eau, plaisanta Marescal.

— Non, fit Raoul.

— Alors, ton menu ?

— Le tien, Rodolphe : meringues Chantilly, babas au rhum, et vin d'Alicante.

— Qu'est-ce que tu dis ? demanda Marescal, d'un ton de surprise inquiète.

— Rien que de fort simple. Tu m'invites à prendre le thé. J'accepte sans cérémonie. N'as-tu pas rendez-vous à cinq heures ?

— Rendez-vous ?... fit Marescal, de plus en plus gêné.

— Mais oui... tu te rappelles ? Chez toi... ou plutôt dans ta garçonnière... rue Duplan... un petit logement... sur le devant... N'est-ce pas là que tu retrouves chaque après-midi, et que tu bourres de meringues arrosées d'alicante, la femme de ton...

— Silence ! » chuchota Marescal qui était blême.

Tout son aplomb s'en allait. Il n'avait plus envie de plaisanter.

« Pourquoi veux-tu que je garde le silence ? demanda Raoul, ingénument. Quoi, tu ne m'invites plus ? Tu ne veux pas me présenter à...

— Silence, sacrebleu ! » répéta Marescal.

Il rejoignit ses hommes et prit Philippe à part.

« Un instant, Philippe. Quelques détails à régler avant d'en finir. Éloigne tes bougres, de manière qu'ils ne puissent pas entendre. »

Il referma la porte, revint vers Raoul, et lui dit, les yeux dans les yeux, la voix sourde, se défiant de Brégeac et d'Aurélie :

« Qu'est-ce que ça signifie ? Où veux-tu en venir ?

— À rien du tout.

— Pourquoi cette allusion ?... Comment sais-tu ?...

— L'adresse de ta garçonnière et le nom de ta bonne amie ? Ma foi, il m'a suffi de faire pour toi ce que j'ai fait pour Brégeac, pour Jodot et consorts, une enquête discrète sur ta vie intime, laquelle enquête m'a conduit jusqu'à un mystérieux rez-de-chaussée, douillettement aménagé, où tu reçois de belles dames. De l'ombre, des parfums, des fleurs, des vins sucrés, des divans profonds comme des tombeaux... La Folie-Marescal, quoi !

— Et après ? bégaya le commissaire, n'est-ce pas mon droit ? Quel rapport y a-t-il entre cela et ton arrestation ?

— Il n'y en aurait aucun si, par malheur, tu n'avais commis la bourde (bourde rime avec gourde) de choisir ce petit temple de Cupidon pour y cacher les lettres de ces dames.

— Tu mens ! Tu mens !

— Si je mentais, tu ne serais pas couleur de navet.

— Précise !

— Dans un placard, il y a un coffre secret. Dans ce coffre, une cassette. Dans cette cassette, de jolies lettres féminines, nouées avec des rubans de couleur. De quoi compromettre deux douzaines de femmes du monde et d'actrices dont la passion pour le beau Marescal s'exprime sans la moindre retenue. Dois-je citer ? La femme du procureur B..., Mlle X... de la Comédie-Française... et surtout, surtout la digne épouse, un peu mûre, mais encore présentable de...

— Tais-toi, misérable !

— Le misérable, dit Raoul paisiblement, c'est celui qui se sert de son physique avantageux pour obtenir protection et avancement. »

L'allure louche, la tête basse, Marescal fit deux ou trois fois le tour de la pièce, puis il revint près de Raoul et lui dit :

« Combien ?

— Combien, quoi ?

— Quel prix veux-tu de ces lettres ?

— Trente deniers, comme Judas.

— Pas de bêtises. Combien !

— Trente millions. »

Marescal frémissait d'impatience et de colère. Raoul lui dit en riant :

« Te fais pas de bile, Rodolphe. Je suis bon garçon et tu m'es sympathique. Je ne te demande pas un sou de ta littérature comico-amoureuse. J'y tiens trop. Il y a là de quoi s'amuser pendant des mois. Mais j'exige...

— Quoi ?

— Que tu mettes bas les armes, Marescal. La tranquillité absolue pour Aurélie et pour Brégeac, même pour Jodot et pour les Ancivel, dont je me charge. Comme toute cette affaire, au point de vue policier, repose sur toi, qu'il n'y a aucune preuve réelle, aucun indice sérieux, abandonne-la : elle sera classée.

— Et tu me rendras les lettres ?

— Non... C'est un gage. Je le conserve. Si tu ne marches pas droit, j'en publie quelques-unes, nettement, crûment. Tant pis pour toi et tant pis pour tes belles amies. »

Des gouttes de sueur coulaient sur le front du commissaire. Il prononça :

« J'ai été trahi.

— Peut-être bien.

— Oui, oui, trahi par *elle*. Je sentais depuis quelque temps qu'elle m'épiait. C'est par elle que tu as conduit l'affaire où tu le voulais et que tu t'es fait recommander à son mari auprès de moi.

— Que veux-tu ? dit Raoul gaiement, c'est de bonne guerre. Si tu emploies, pour combattre, des moyens aussi malpropres, pouvais-je faire autrement que toi, quand il s'agissait de défendre Aurélie contre ta haine abominable ! Et puis, tu as été trop naïf, Rodolphe. Car, enfin, supposais-tu qu'un type de mon espèce s'endormait depuis un mois et attendait les événements et ton bon plaisir ? Pourtant tu m'as vu agir à Beaucourt, à Monte-Carlo, à Sainte-Marie, et tu as vu comment j'escamotais la bouteille et le document. Alors pourquoi n'as-tu pas pris tes précautions ? »

Il lui secoua l'épaule.

« Allons, Marescal, ne plie pas sous l'orage. Tu perds la partie, soit. Mais tu as la démission de Brégeac dans ta poche et, comme tu es bien en cour, et que la place t'es promise, c'est un rude pas en avant. Les beaux jours reviendront, Marescal, sois-en persuadé. À une condition, cependant : méfie-toi des femmes. Ne te sers pas d'elles pour réussir dans ta profession, et ne te sers pas de ta profession pour réussir auprès d'elles. Sois amoureux, si cela te plaît, sois policier, si ça te chante, mais ne sois ni un amoureux policier, ni un policier amoureux. Comme conclusion, un bon avis : si jamais tu rencontres Arsène Lupin sur ta route, file par la tangente. Pour un policier, c'est le commencement de la sagesse. J'ai dit. Donne tes ordres. Et adieu. »

Marescal rongeait son frein. Il tournait et tordait dans sa main l'une des pointes de sa barbe. Céderait-il ? Allait-il se jeter sur l'adversaire et appeler ses bougres ? « Une tempête sous un crâne, pensa Raoul. Pauvre Rodolphe, à quoi bon te débattre ? »

Rodolphe ne se débattit pas longtemps. Il était trop perspicace pour ne pas comprendre que toute résistance ne ferait qu'aggraver la situation. Il obéit donc, en homme qui avoue ne pouvoir pas ne pas obéir. Il rappela Philippe et s'entretint avec lui. Puis Philippe s'en alla et emmena tous ses camarades, même Labonce et Tony. La porte du vestibule fut ouverte et refermée. Marescal avait perdu la bataille.

Raoul s'approcha d'Aurélie.

« Tout est réglé, mademoiselle, et nous n'avons plus qu'à partir. Votre valise est en bas, n'est-ce pas ? »

Elle murmura, comme si elle s'éveillait d'un cauchemar :

« Est-ce possible !... Plus de prison ?... Comment avez-vous obtenu ?...

— Oh ! fit-il avec allégresse, on obtient tout ce qu'on veut de Marescal par la douceur et le raisonnement. C'est un excellent garçon. Tendez-lui la main, mademoiselle. »

Aurélie ne tendit pas la main et passa toute droite. Marescal, d'ailleurs, tournait le dos, les deux coudes sur la cheminée et sa tête entre les mains.

Elle eut une légère hésitation en s'approchant de Brégeac. Mais il semblait indifférent et gardait un air étrange dont Raoul devait se souvenir par la suite.

« Un mot encore, fit Raoul, en s'arrêtant sur le seuil. Je prends l'engagement devant Marescal et devant votre beau-père de vous conduire dans une retraite paisible où, durant un mois, vous ne me verrez jamais. Dans un mois j'irai vous demander comment vous entendez diriger votre vie. Nous sommes bien d'accord ?

— Oui, dit-elle.

— Alors, partons. »

Ils s'en allèrent. Dans l'escalier il dut la soutenir.

« Mon automobile est près d'ici, dit-il. Aurez-vous la force de voyager toute la nuit ?

— Oui, affirma-t-elle. C'est une telle joie pour moi d'être libre !... et une telle angoisse ! » ajouta-t-elle à voix basse.

Au moment où ils sortaient, Raoul tressaillit. Une détonation avait retenti à l'étage supérieur. Il dit à Aurélie, qui n'avait pas entendu :

« L'auto est à droite... Tenez, on la voit d'ici... Il y a une dame à l'intérieur, celle dont je vous ai déjà parlé. C'est ma vieille nourrice. Allez vers elle, voulez-vous ? Pour moi je dois remonter là-haut. Quelques mots, et je vous rejoins. »

Il remonta précipitamment, tandis qu'elle s'éloignait.

Dans la pièce, Brégeac, renversé sur un canapé, le revolver en main, agonisait, soigné par son domestique et par le commissaire. Un flot de sang jaillit de sa bouche. Une dernière convulsion. Il ne remua plus.

« J'aurais dû m'en douter, bougonna Raoul. Son effondrement, le départ d'Aurélie... Pauvre diable ! il paie sa dette. »

Il dit à Marescal :

« Débrouille-toi avec le domestique et téléphone pour qu'on t'envoie un médecin. Hémorragie, n'est-ce pas ? Surtout qu'il ne soit pas question de suicide. À aucun prix. Aurélie n'en saura rien pour l'instant. Tu diras qu'elle est en province, souffrante, chez une amie. »

Marescal lui saisit le poignet.

« Réponds, qui es-tu ? Lupin, n'est-ce pas ?

— À la bonne heure, fit Raoul. La curiosité professionnelle reprend le dessus. »

Il se mit bien en face du commissaire, s'offrit de profil et de trois quarts, et ricana :

« Tu l'as dit, bouffi. »

Il redescendit en hâte et rejoignit Aurélie que la vieille dame installait dans le fond d'une limousine confortable. Mais, ayant jeté par habitude de précaution un coup d'œil circulaire dans la rue, il dit à la vieille :

« Tu n'as vu personne rôder autour de la voiture ?

— Personne, déclara-t-elle.

— Tu es sûre ? Un homme un peu gros accompagné d'un autre dont le bras est en écharpe ?

— Oui ! ma foi, oui ! ils allaient et venaient sur le trottoir, mais bien plus bas. »

Il repartit vivement et rattrapa, dans un petit passage qui contourne l'église Saint-Philippe du Roule, deux individus dont l'un portait le bras en écharpe.

Il les frappa tous deux sur l'épaule et leur dit gaiement :

« Tiens, tiens, tiens, on se connaît donc tous deux ? Comment ça va, Jodot ? Et toi, Guillaume Ancivel ? »

Ils se retournèrent. Jodot, vêtu en bourgeois, le buste énorme, avec une figure velue de dogue hargneux, ne marqua aucun étonnement.

« Ah ! c'est vous le type de Nice ! J'disais bien que c'était vous qui accompagniez la petite, tout à l'heure.

— Et c'est aussi le type de Toulouse », dit Raoul à Guillaume.

Il reprit aussitôt :

« Que fichez-vous par-là, mes gaillards ? On surveillait la maison de Brégeac, hein ?

— Depuis deux heures, dit Jodot, avec arrogance. L'arrivée de Marescal, les trucs des policiers, le départ d'Aurélie, on a tout vu.

— Et alors ?

— Alors, je suppose que vous êtes au courant de toute l'histoire, que vous avez pêché en eau trouble, et qu'Aurélie file avec vous, tandis que Brégeac se débat contre Marescal. Démission sans doute... Arrestation...

— Brégeac vient de se tuer », dit Raoul.

Jodot sursauta.

« Hein ! Brégeac... Brégeac mort ! »

Raoul les entraîna contre l'église.

« Écoutez-moi, tous les deux. Je vous ai défendu de vous mêler de cette affaire. Toi, Jodot, c'est toi qui as tué le grand-père d'Asteux, qui as tué Miss Bakefield et qui as causé la mort des frères Loubeaux, tes amis, associés et complices. Dois-je te livrer à Marescal ?... Toi, Guillaume, tu dois savoir que ta mère m'a vendu tous ses secrets contre la forte somme, et à condition que tu ne serais pas inquiété. J'ai promis pour le passé. Mais, si tu recommences, ma promesse ne tient plus. Dois-je te casser l'autre bras et te livrer à Marescal ? »

Guillaume, interloqué, eût voulu tourner bride. Mais Jodot se rebiffa.

« Bref, le trésor pour vous, voilà ce qu'il y a de plus clair ? »

Raoul haussa les épaules.

« Tu crois donc au trésor, camarade ?

— J'y crois comme vous. Voilà près de vingt ans que je travaille là-dessus et j'en ai assez de toutes vos manigances pour me le souffler.

— Te le souffler ! Faudrait d'abord que tu saches où il est et ce que c'est.

— Je ne sais rien... et vous non plus, pas plus que Brégeac. Mais la petite sait. Et voilà pourquoi...

— Veux-tu qu'on partage ? dit Raoul en riant.

— Pas la peine. Je saurai bien prendre ma part tout seul, et ma bonne part. Et tant pis pour ceux qui me gênent : j'ai plus d'atouts dans les mains que vous ne croyez. Bonsoir, vous êtes averti. »

Raoul les regarda filer. L'incident l'ennuyait. Que diable venait faire ce carnassier de mauvais augure ?

« Bah ! dit-il, s'il veut courir après l'auto pendant quatre cents kilomètres, je vais lui mener un de ces petits trains !... »

Le lendemain, à midi, Aurélie se réveilla dans une chambre claire d'où elle voyait, par-dessus des jardins et des vergers, la sombre et majestueuse cathédrale de Clermont-Ferrand. Un ancien pensionnat, transformé en maison de repos et situé sur une hauteur, lui offrait l'asile le plus discret et le plus propre à rétablir définitivement sa santé.

Elle y passa des semaines paisibles, ne parlant à personne qu'à la vieille nourrice de Raoul, se promenant dans le parc, rêvant des heures entières, les yeux fixés sur la ville ou sur les montagnes du Puy-de-Dôme dont les collines de Royat marquaient les premiers contreforts.

Pas une seule fois Raoul ne vint la voir. Elle trouvait dans sa chambre des fleurs et des fruits que la nourrice y déposait, des livres et des revues. Lui, Raoul, se cachait au long des petits chemins qui serpentent entre les vignes des ondulations proches. Il la regardait et lui adressait des discours où s'exhalait sa passion chaque jour grandissante.

Il devinait aux gestes de la jeune fille et à sa démarche souple que la vie remontait en elle, comme une source presque tarie où l'eau fraîche afflue de nouveau. L'ombre s'étendait sur les heures effroyables, sur les visages sinistres, sur les cadavres et sur les crimes, et, par-dessus l'oubli, c'était l'épanouissement d'un bonheur tranquille, grave, inconscient, à l'abri du passé et même de l'avenir.

« Tu es heureuse, demoiselle aux yeux verts, disait-il. Le bonheur est un état d'âme qui permet de vivre dans le présent. Tandis que la peine se nourrit de souvenirs mauvais et d'espoirs dont elle n'est pas dupe, le bonheur se mêle à tous les petits faits de la vie quotidienne et les transforme en éléments de joie et de sérénité. Or, tu es heureuse, Aurélie. Quand tu cueilles des fleurs ou quand tu t'étends sur ta chaise longue, tu fais cela avec un air de contentement. »

Le vingtième jour, une lettre de Raoul lui proposa une excursion en automobile pour un matin de la semaine qui suivait. Il avait des choses importantes à lui dire.

Sans hésiter, elle fit répondre qu'elle acceptait.

Le matin désigné, elle s'en alla par de petits chemins rocailleux, qui la conduisirent sur la grande route où l'attendait Raoul. En le voyant, elle s'arrêta, soudain confuse et inquiète, comme une femme qui se demande, dans une minute solennelle, vers quoi elle se dirige et où l'entraînent les circonstances. Mais Raoul s'approcha et lui fit signe de se taire. C'était à lui de dire les mots qu'il fallait dire.

« Je n'ai pas douté que vous viendriez. Vous saviez que nous devions nous revoir parce que l'aventure tragique n'est pas terminée et que certaines solutions demeurent en suspens. Lesquelles ? Peu vous importe, n'est-ce pas ? Vous m'avez donné mission de tout régler, de tout ordonner, de tout résoudre et de tout faire. Vous m'obéirez tout simplement. Vous vous laisserez guider par la main et, quoi qu'il arrive, vous n'aurez plus peur. Cela, c'est fini, la peur, la peur qui bouleverse et qui montre des visions d'enfer. N'est-ce pas ? vous sourirez d'avance aux événements et vous les accueillerez comme des amis. »

Il lui tendit la main. Elle lui laissa presser la sienne. Elle aurait voulu parler et sans doute lui dire qu'elle le remerciait, qu'elle avait confiance... Mais elle dut comprendre la vanité de telles paroles, car elle se tut. Ils partirent et traversèrent la station thermale et le vieux village de Royat.

L'horloge de l'église marquait huit heures et demie. C'était un samedi, à la date du 15 août. Les montagnes se dressaient sous un ciel splendide.

Ils n'échangèrent pas un mot. Mais Raoul ne cessait de l'apostropher tendrement, en lui-même.

« Hein, on ne me déteste plus, mademoiselle aux yeux verts ? On a oublié l'offense de la première heure ? Et, moi-même, j'ai tant de respect pour vous que je ne veux pas m'en souvenir auprès de vous. Allons, souriez un peu, puisque vous avez maintenant l'habitude de penser à moi comme à votre bon génie. On sourit à son bon génie. »

Elle ne souriait pas. Mais il la sentait amicale et toute proche.

L'auto ne roula guère plus d'une heure. Ils contournèrent le Puy de Dôme et prirent un chemin assez étroit qui se dirigeait

« Ils traversèrent le vieux village de Royat. »

vers le sud, avec des montées en lacets et des descentes au milieu de vallées vertes ou de forêts sombres.

Puis la route se resserra encore, courut au milieu d'une région déserte et sèche et devint abrupte. Elle était pavée d'énormes plaques de lave, inégales et disjointes.

« Une ancienne chaussée romaine, dit Raoul. Il n'est pas un vieux coin de France où l'on ne trouve quelque vestige analogue, quelque voie de César. »

Elle ne répondit pas. Voilà que, tout à coup, elle semblait songeuse et distraite.

La vieille chaussée romaine n'était plus guère qu'un sentier de chèvres. L'escalade en fut pénible. Un petit plateau suivit, avec un village presque abandonné, dont Aurélie vit le nom sur un poteau : Juvains. Puis un bois, puis une plaine soudain verdoyante, aimable d'aspect. Puis de nouveau la chaussée romaine qui grimpait, toute droite, entre des talus d'herbe épaisse. Au bas de cette échelle, ils s'arrêtèrent. Aurélie était de plus en plus recueillie. Raoul ne cessait de l'observer avidement.

Lorsqu'ils eurent gravi les dalles disposées en degrés, ils parvinrent à une large bande de terrain circulaire, qui charmait par la fraîcheur de ses plantes et de son gazon, et qu'emprisonnait un haut mur de moellons dont les intempéries n'avaient pas altéré le ciment et qui s'en allait au loin, vers la droite et vers la gauche. Une large porte le trouait. Raoul en avait la clef. Il ouvrit. Le terrain continuait à monter. Quand ils eurent atteint le faîte de ce remblai, ils virent devant eux un lac qui était figé comme la glace, au creux d'une couronne de rochers qui le dominaient régulièrement.

Pour la première fois, Aurélie posa une question où se montrait tout le travail de réflexion qui se poursuivait en elle.

« Puis-je vous demander si, en me conduisant ici, plutôt qu'ailleurs, vous avez un motif ? Est-ce le hasard ?....

— Le spectacle est plutôt morne, en effet, dit Raoul, sans répondre directement, mais, tout de même, il y a là une âpreté, une mélancolie sauvage qui a du caractère. Les touristes n'y viennent jamais en excursion, m'a-t-on dit. Cependant on s'y promène en barque, comme vous voyez. »

Il la mena vers un vieux bateau qu'une chaîne retenait contre un pieu. Elle s'y installa sans mot dire. Il prit les rames, et ils s'en allèrent doucement.

L'eau couleur d'ardoise ne reflétait pas le bleu du ciel, mais plutôt la teinte sombre de nuages invisibles. Au bout des avirons luisaient des gouttes qui paraissaient lourdes comme du mercure, et l'on s'étonnait que la barque pût pénétrer dans cette onde pour ainsi dire métallique. Aurélie y trempa sa main, mais dut la retirer aussitôt, tellement l'eau était froide et désagréable.

« Oh ! fit-elle avec un soupir.

— Quoi ? Qu'avez-vous ? demanda Raoul.

— Rien... ou du moins, je ne sais pas...

— Vous êtes inquiète... émue...

— Émue, oui... Je sens en moi des impressions qui m'étonnent... qui me déconcertent. Il me semble...

— Il vous semble ?

— Je ne saurais dire... il me semble que je suis un autre être... et que ce n'est pas vous qui êtes ici. Est-ce que vous comprenez ?

— Je comprends », dit-il en souriant.

Elle murmura :

« Ne m'expliquez pas. Ce que j'éprouve me fait mal et cependant, pour rien au monde, je ne voudrais ne pas l'éprouver. »

Le cirque de falaises, au sommet desquelles le grand mur apparaissait de place en place et qui se développait sur un rayon de cinq à six cents mètres, offrait, tout au fond, une échancrure où commençait un chenal resserré que ses hautes murailles cachaient aux rayons du soleil. Ils s'y engagèrent. Les roches étaient plus noires et plus tristes. Aurélie les contemplait avec stupeur et levait les yeux vers les silhouettes étranges qu'elles formaient : lions accroupis, cheminées massives, statues démesurées, gargouilles géantes.

Et subitement, alors qu'ils arrivaient au milieu de ce couloir fantastique, ils reçurent comme une bouffée de rumeurs lointaines et indistinctes qui venaient, par ce même chemin qu'eux, des régions qu'ils avaient quittées un peu plus d'une heure auparavant.

C'étaient des sonneries d'églises, des tintements de cloches légères, des chansons d'airain, des notes allègres et joyeuses, tout un frémissement de musique divine où grondait le bourdon frémissant d'une cathédrale.

La jeune fille défaillit. Elle comprenait, elle aussi, la signification de son trouble. Les voix du passé, de ce passé mystérieux qu'elle avait tout fait pour ne pas oublier, retentissaient en elle et autour d'elle. Cela se heurtait aux remparts où le granit se mêlait à la lave des anciens volcans. Cela sautait d'une roche à l'autre, de statue en gargouille, glissait à la surface dure de l'eau, montait jusqu'à la bande bleue du ciel, retombait comme de la poudre d'écume jusqu'au fond du gouffre, et s'en allait par échos bondissants vers l'autre issue du défilé où étincelait la lumière du grand jour.

Éperdue, palpitante de souvenirs, Aurélie essaya de lutter, et se raidit pour ne pas succomber à tant d'émotions. Mais elle n'avait plus de forces. Le passé la courbait comme une branche qui ploie, et elle s'inclina, en murmurant, avec des sanglots :

« Mon Dieu ! mon Dieu, qui donc êtes-vous ? »

Elle était stupéfiée par ce prodige inconcevable. N'ayant jamais révélé le secret qu'on lui avait confié, jalouse, depuis son enfance, du trésor de souvenirs que sa mémoire gardait pieusement, et qu'elle ne devait livrer, selon l'ordre de sa mère, qu'à celui qu'elle aimerait, elle se sentait toute faible devant cet homme déconcertant qui lisait au plus profond de son âme.

« Je ne me suis donc pas trompé ? et c'est bien ici, n'est-ce pas ? dit Raoul que l'abandon charmant de la jeune fille touchait infiniment.

— C'est bien ici, chuchota Aurélie. Déjà au long du trajet, les choses se rappelaient à moi comme des choses déjà vues... la route... les arbres... ce chemin dallé qui montait entre deux talus... et puis ce lac, ces rochers, la couleur et le froid de cette eau... et puis surtout, ces sonneries de cloches... Oh ! ce sont les mêmes que jadis... elles sont venues nous rejoindre au même endroit où elles avaient rejoint ma mère, le père de ma mère et la petite fille que j'étais. Et, comme aujourd'hui, nous sommes sortis de l'ombre, pour entrer dans cette autre partie du lac, sous un même soleil... »

Elle avait relevé la tête et regardait. Un autre lac, en effet, plus petit, mais plus grandiose, s'ouvrait devant eux, avec des falaises plus escarpées et un air de solitude plus sauvage encore et plus agressif.

Un à un, les souvenirs ressuscitaient. Elle les disait doucement, tout contre Raoul, comme des confidences que l'on fait à un ami. Elle évoquait devant lui une petite fille heureuse, insouciante, amusée par le spectacle des formes et des couleurs qu'elle contemplait aujourd'hui avec des yeux mouillés de larmes.

« C'est comme si vous me meniez en voyage dans votre vie, fit Raoul, que l'émotion étreignait, et j'ai autant de plaisir à voir ce qu'elle fut ce jour-là, que vous-même à la retrouver. »

Elle continua :

« Ma mère était assise à votre place, et son père en face de vous. J'embrassais la main de maman. Tenez, cet arbre tout seul, dans cette crevasse, il était là... et aussi ces grosses taches de soleil qui coulent sur cette roche... Et voilà que tout se resserre encore, comme tout à l'heure. Mais il n'y a plus de passage, c'est l'extrémité du lac. Il est allongé, ce lac, et courbé comme un croissant... On va découvrir une toute petite plage qui est à l'extrémité même... Tenez, la voici... avec une cascade à gauche, qui sort de la falaise... Il y en a une deuxième à droite... Vous allez voir le sable... Il brille comme du mica... Et il y a une grotte tout de suite... Oui, j'en suis sûre... Et à l'entrée de cette grotte....

— À l'entrée de cette grotte ?

— Il y avait un homme qui nous attendait... un drôle d'homme à longue barbe grise, vêtu d'une blouse de laine marron... On le voyait d'ici, debout, très grand. Ne va-t-on pas le voir ?

— Je pensais qu'on le verrait, affirma Raoul, et je suis très étonné. Il est presque midi, et notre rendez-vous était fixé à midi. »

XII

L'EAU QUI MONTE

Ils débarquèrent sur la petite plage où les grains de sable brillaient au soleil comme du mica. La falaise de droite et la falaise de gauche, en se rejoignant, formaient un angle aigu qui se creusait, à sa partie inférieure, en une petite anfractuosité que protégeait l'avancée d'un toit d'ardoises.

Sous ce toit, une petite table était dressée, avec une nappe, des assiettes, du laitage et des fruits.

Sur une des assiettes, une carte de visite portait ces mots :

« Le marquis de Talençay, ami de votre grand-père d'Asteux, vous salue, Aurélie. Il sera là tantôt et s'excuse de ne pouvoir vous présenter ses hommages que dans la journée. »

« Il attendait donc ma venue ? dit Aurélie.

— Oui, fit Raoul. Nous avons parlé longtemps, lui et moi, il y a quatre jours, et je devais vous amener aujourd'hui à midi. »

Elle regardait autour d'elle. Un chevalet de peintre s'appuyait à la paroi, sous une large planche encombrée de cartons à dessin, de moulages et de boîtes de couleurs, et qui portait aussi de vieux vêtements. Par le travers de l'angle, un hamac. Au fond, deux grosses pierres formaient un foyer où l'on devait allumer du feu, car les parois étaient noires et un conduit s'ouvrait dans une fissure du roc, comme un tuyau de cheminée.

« Est-ce qu'il habite là ? demanda Aurélie.

— Souvent, surtout en cette saison. Le reste du temps, au village de Juvains où je l'ai découvert. Mais, même alors, il vient ici chaque jour. Comme votre grand-père défunt, c'est un vieil original, très cultivé, très artiste, bien qu'il fasse de bien mauvaise peinture. Il vit seul, un peu à la façon d'un ermite, chasse, coupe et débite ses arbres, surveille les gardiens de ses troupeaux, et nourrit tous les pauvres de ce pays qui lui appartient à deux lieues à la ronde. Et voilà quinze ans qu'il vous attend, Aurélie.

— Ou du moins qu'il attend ma majorité.

— Oui, par suite d'un accord avec son ami d'Asteux. Je l'ai interrogé à ce propos. Mais il ne veut répondre qu'à vous. J'ai dû lui raconter toute votre vie, toutes les histoires de ces derniers mois, et, comme je lui promettais de vous amener, il m'a prêté la clef du domaine. Sa joie de vous revoir est immense.

— Alors, pourquoi n'est-il pas là ? »

L'absence du marquis de Talençay surprenait Raoul de plus en plus, bien qu'aucune raison ne lui permît d'y attacher de l'importance. En tout cas, ne voulant point inquiéter la jeune fille, il dépensa toute sa verve et tout son esprit durant ce premier repas qu'ils prenaient ensemble dans des circonstances si curieuses et dans un cadre si particulier.

Toujours attentif à ne pas la froisser pas trop de tendresse, il la sentait en pleine sécurité près de lui. Elle devait se rendre compte, elle-même, qu'il n'était plus l'adversaire qu'elle fuyait au début, mais l'ami qui ne vous veut que du bien. Tant de fois déjà, il l'avait sauvée ! Tant de fois elle s'était surprise à n'espérer qu'en lui, à ne voir sa propre vie que dépendante de cet inconnu, et son bonheur que bâti selon la volonté de cet homme !

Elle murmura :

« J'aimerais vous remercier. Mais je ne sais comment. Je vous dois trop pour m'acquitter jamais. »

Il lui dit :

« Souriez, demoiselle aux yeux verts, et regardez-moi. »

Elle sourit et le regarda.

« Vous êtes quitte », dit-il.

À deux heures trois quarts, la musique des cloches recommença et le bourdon de la cathédrale vint se cogner à l'angle des falaises.

« Rien que de très logique, expliqua Raoul, et le phénomène est connu dans toute la région. Quand le vent descend du nord-est, c'est-à-dire de Clermont-Ferrand, la disposition acoustique des lieux fait qu'un grand courant d'air entraîne toutes ces rumeurs par un chemin obligatoire qui serpente entre des rem parts montagneux et qui aboutit à la surface du lac. C'est fatal, c'est mathématique. Les cloches de toutes les églises de Clermont-Ferrand et le bourdon de sa cathédrale ne peuvent faire autrement que de venir chanter ici, comme elles font en ce moment... »

Elle hocha la tête.

« Non, dit-elle, ce n'est pas cela. Votre explication ne me satisfait pas.

— Vous en avez une autre ?

— La véritable.

— Qui consiste ?

— À croire fermement que c'est vous qui m'amenez ici le son de ces cloches pour me rendre toutes mes impressions d'enfant.

— Je puis donc tout ?

— Vous pouvez tout, dit-elle, avec foi.

— Et je vois tout également, plaisanta Raoul. Ici, à la même heure, il y a quinze ans, vous avez dormi.

— Ce qui veut dire ?

— Que vos yeux sont lourds de sommeil, puisque votre vie d'il y a quinze ans recommence. »

Elle n'essaya point de se dérober à son désir et s'étendit dans le hamac.

Raoul veilla un instant au seuil de la grotte. Mais, ayant consulté sa montre, il eut un geste d'agacement. Trois heures un quart : le marquis de Talençay n'était pas là.

« Et après ! se dit-il avec irritation. Et après ! Cela n'a aucune importance. »

Si, cela avait de l'importance. Il le savait. Il y a des cas où tout a de l'importance.

Il rentra dans la grotte, observa la jeune fille qui dormait sous sa protection, voulut encore lui adresser des discours et la remercier en lui-même de sa confiance. Mais il ne le put point. Une inquiétude croissante l'envahissait.

Il franchit la petite plage et constata que la barque, dont il avait fait reposer la proue sur le sable, flottait maintenant à deux ou trois mètres de la berge. Il dut l'agripper avec une perche, et il fit alors une seconde constatation, c'est que cette barque qui, pendant la traversée, s'était remplie de quelques centimètres d'eau, en contenait trente ou quarante centimètres.

Il parvint à la retourner sur la berge.

« Bigre, pensa-t-il, quel miracle que nous n'ayons pas coulé ! »

Il ne s'agissait pas d'une voie d'eau ordinaire, facile à aveugler, mais d'une planche entière pourrie, et *d'une planche qui avait été récemment plaquée à cet endroit et qui ne tenait que par quatre clous.*

Qui avait fait cela ? Tout d'abord Raoul songea au marquis

de Talençay. Mais dans quel dessein le vieillard aurait-il agi ? Quel motif avait-on de penser que l'ami de d'Asteux voulût provoquer une catastrophe, au moment même où la jeune fille était conduite près de lui ?

Une question cependant se posait : par où Talençay venait-il quand il n'avait pas de barque à sa disposition ? Par où allait-il arriver ? Il y avait donc un chemin terrestre qui s'amorçait à cette même plage, pourtant limitée par le double avancement des falaises ?

Raoul chercha. Aucune issue possible à gauche, le jaillissement des deux sources s'ajoutant à l'obstacle de granit. Mais sur la droite, juste avant que la falaise trempât dans le lac et fermât la plage, une vingtaine de marches étaient taillées dans le roc, et de là, au flanc du rempart, s'élevait un sentier qui était plutôt un ressaut naturel, une sorte de corniche si étroite qu'il fallait s'accrocher parfois aux aspérités de la pierre.

Raoul poussa une pointe de ce côté. De place en place on avait dû river un crampon de fer dont on s'aidait pour ne pas tomber dans le vide. Et ainsi put-il arriver, malaisément, au plateau supérieur et s'assurer que la sente faisait le tour du lac et se dirigeait vers le défilé. Un paysage de verdure, bossué de roches, s'étendait alentour. Deux bergers s'éloignaient, poussant leurs troupeaux vers la haute muraille qui entourait le vaste domaine. La haute silhouette du marquis de Talençay n'apparaissait nulle part.

Raoul revint après une heure d'exploration. Or, durant cette heure, il s'en rendit compte avec désagrément lorsqu'il eut regagné le bas de la falaise, l'eau avait monté et recouvrait les premières marches. Il dut sauter.

« Bizarre », murmura-t-il, d'un air soucieux.

Aurélie avait dû l'entendre. Elle courut au-devant de lui et s'arrêta, stupéfaite.

« Qu'y a-t-il ? demanda Raoul.

— L'eau... prononça-t-elle... comme elle est haute ! Elle était bien plus basse tantôt, n'est-ce pas ?... Il n'y a pas de doute...

— En effet.

— Comment expliquez-vous ?

— Phénomène bien naturel, comme les cloches. »

Et, s'efforçant de plaisanter :

« Le lac subit la loi des marées, qui, comme vous le savez, provoquent les alternances du flux et du reflux.

— Mais à quel moment l'avance va-t-elle cesser ?

— Dans une heure ou deux.

— C'est-à-dire que l'eau remplira la moitié de la grotte ?

— Oui. Parfois même la grotte doit être envahie, comme le prouve cette marque noire sur le granit qui est évidemment une cote de niveau extrême. »

La voix de Raoul s'assourdit un peu. Au-dessus de cette première cote, il y en avait une autre qui devait correspondre au plafond même de l'abri. Que signifiait-elle, celle-là ? Fallait-il admettre qu'à certaines époques l'eau pouvait atteindre ce plafond ? Mais à la suite de quels phénomènes exceptionnels, de quels cataclysmes anormaux ?

« Mais non, mais non, pensa-t-il, en se raidissant. Toute hypothèse de ce genre est absurde. Un cataclysme ? Il y en a tous les mille ans ! Une oscillation de flux et de reflux ? Fantaisies auxquelles je ne crois pas. Ce ne peut être qu'un hasard, un fait passager... »

Soit. Mais ce fait passager, qu'est-ce qui le produisait ?

D'involontaires raisonnements se poursuivaient en lui. Il songeait à l'absence inexplicable de Talençay. Il songeait aux rapports qui pouvaient exister entre cette absence et la menace sourde d'un danger qu'il ne comprenait pas encore. Il songeait à cette barque démolie.

« Qu'avez-vous ? interrogea Aurélie. Vous êtes distrait.

— Ma foi, dit-il, je commence à croire que nous perdons notre temps ici. Puisque l'ami de votre grand-père ne vient pas, allons au-devant de lui. L'entrevue aura tout aussi bien lieu dans sa maison de Juvains.

— Mais comment partir ? La barque semble hors d'usage.

— Il y a un chemin à droite, fort difficile pour une femme, mais tout de même praticable. Seulement il faudra accepter mon aide et vous laisser porter.

— Pourquoi ne pas marcher, moi aussi ?

— Pourquoi vous mouiller ? dit-il. Autant que je sois seul à entrer dans l'eau. »

Il avait fait cette proposition sans arrière-pensée. Mais il s'aperçut qu'elle était toute rouge. L'idée d'être portée par lui, comme sur le chemin de Beaucourt, devait lui être intolérable.

Ils se turent, embarrassés l'un et l'autre.

Puis la jeune fille qui était au bord du lac y plongea sa main et murmura :

« Non... non... je ne pourrai pas supporter cette eau glacée, je ne pourrai pas. »

Elle rentra suivie par lui et un quart d'heure s'écoula, qui parut très long à Raoul.

« Je vous en prie, dit-il, allons-nous-en. La situation devient dangereuse. »

Elle obéit et ils quittèrent la grotte. Mais, au moment même où elle se pendait à son cou, quelque chose siffla près d'eux, et un éclat de pierre sauta. Au loin, une détonation retentit.

Raoul renversa brusquement Aurélie. Une deuxième balle siffla, écornant le roc. D'un geste il enleva la jeune fille, la poussa vers l'intérieur et s'élança, comme s'il eût voulu courir à l'assaut.

« Raoul ! Raoul ! je vous défends... On va vous tuer... »

Il la saisit de nouveau, et la remit de force à l'abri. Mais cette fois elle ne le lâcha pas, et, se cramponnant, l'arrêta.

« Je vous en supplie, restez...

— Mais non, protesta Raoul, vous avez tort, il faut agir.

— Je ne veux pas... je ne veux pas... »

Elle le retenait de ses mains frissonnantes, et, elle qui avait si peur d'être portée par lui, quelques instants plus tôt, elle le serrait contre elle avec une indomptable énergie.

« Ne craignez rien, dit-il doucement.

— Je ne crains rien, dit-elle tout bas, mais nous devons rester ensemble... Les mêmes dangers nous menacent. Ne nous quittons pas.

— Je ne vous quitterai pas, promit Raoul, vous avez raison. »

Il passa seulement la tête, afin d'observer l'horizon.

Une troisième balle troua l'une des ardoises sur le toit.

Ainsi ils étaient assiégés, immobilisés. Deux tireurs, munis de fusils à longue portée, leur interdisaient toute tentative de sortie. Ces tireurs, Raoul, d'après deux petits nuages de fumée qui tourbillonnaient au loin, avait eu le temps de discerner leur position. Peu distants l'un de l'autre, ils se tenaient sur la rive droite, au-dessus du défilé, c'est-à-dire à deux cent cinquante mètres environ. De là, postés bien en face, ils commandaient le lac sur toute sa longueur, battaient le petit coin qui demeurait de la plage et pouvaient atteindre à peu près tout l'intérieur de la grotte. Elle s'offrait à eux, en effet, tout entière, sauf un renfoncement situé à droite et où l'on devait s'accroupir, et sauf l'extrême fond au-dessus de l'âtre marqué par deux pierres, et que masquait la retombée du toit.

Raoul fit le violent effort de rire.

« C'est drôle », dit-il.

Son hilarité semblait si spontanée qu'Aurélie se domina, et Raoul reprit :

« Nous voilà bloqués. Au moindre mouvement, une balle, et la ligne de feu est telle que nous sommes obligés de nous cacher dans un trou de souris. Avouez que c'est rudement bien combiné.

— Par qui ?

— J'ai pensé tout de suite au vieux marquis. Mais non, ce n'est pas lui, ce ne peut pas être lui...

— Qu'est-il devenu, alors ?

— Enfermé sans doute. Il sera tombé dans quelque piège que lui auront tendu précisément ceux qui nous bloquent.

— C'est-à-dire ?

— Deux ennemis redoutables, de qui nous ne devons attendre aucune pitié. Jodot et Guillaume Ancivel. »

Il affectait sur ce point une franchise brutale, pour diminuer dans l'esprit d'Aurélie l'idée du véritable péril qui les menaçait. Les noms de Jodot et de Guillaume, les coups de fusil, rien de tout cela ne comptait pour lui auprès de l'envahissement progressif de cette eau sournoise dont les bandits avaient fait leur alliée redoutable.

« Mais pourquoi ce guet-apens ? dit-elle.

— Le trésor, affirma Raoul, qui, plus encore qu'à Aurélie, se donnait à lui-même les explications les plus vraisemblables. J'ai réduit Marescal à l'impuissance, mais je n'ignorais pas qu'un jour ou l'autre il faudrait en finir avec Jodot et avec Guillaume. Ils ont pris les devants. Au courant de mes projets, je ne sais par quel artifice, ils ont attaqué l'ami de votre grand-père, l'ont emprisonné, lui ont volé les papiers et documents qu'il voulait vous communiquer, et, dès ce matin, nos adversaires étaient prêts.

« S'ils ne nous ont pas accueillis à coups de feu quand nous traversions le défilé, c'est que des bergers rôdaient sur le plateau. D'ailleurs, pourquoi se presser ? Il était évident que nous attendrions Talençay, sur la foi de sa carte de visite et des quelques mots que l'un des deux complices y a griffonnés. Et c'est ici qu'ils nous ont tendu leur embûche. À peine avions-nous franchi le défilé que les lourdes écluses étaient fermées, et que le niveau du lac, grossi par les deux cascades, commençait à s'élever, sans qu'il nous fût possible de nous en apercevoir avant quatre ou cinq heures. Mais alors les bergers retournaient au village, et le lac devenait le plus désert et le plus magnifique des champs de tir. La barque étant coulée et les balles interdisant toute sortie aux assiégés, impossible de prendre la fuite. Et voilà comment Raoul de Limézy s'est laissé rouler comme un vulgaire Marescal. »

Tout cela fut dit sur un ton de badinage nonchalant, par un homme qui se divertit le premier du bon tour qui lui est joué. Aurélie avait presque envie de rire.

Il alluma une cigarette et tendit, au bout de ses doigts, l'allumette qui flambait.

Deux détonations, sur le plateau. Puis, immédiatement, une troisième et une quatrième. Mais les coups ne portaient pas.

L'inondation, cependant, continuait avec rapidité. La plage formant cuvette, l'eau en avait dépassé le bord extrême et glissait maintenant en menues vagues sur un terrain plat. L'entrée de la grotte fut atteinte.

« Nous serons plus en sécurité sur les deux pierres du foyer. »

Ils y sautèrent vivement. Raoul fit coucher Aurélie dans le hamac. Puis, courant vers la table, il rafla dans une serviette ce qui restait du déjeuner, et le plaça sur la planche aux dessins. Des balles jaillirent.

« Trop tard, dit-il. Nous n'avons plus rien à craindre. Un peu de patience et nous en sortirons. Mon plan ? Nous reposer et nous restaurer. Durant quoi, la nuit vient. Aussitôt je vous porte sur mes épaules jusqu'au sentier des falaises. Ce qui fait la force de nos adversaires, c'est le grand jour, grâce auquel ils peuvent nous bloquer. L'obscurité, c'est le salut.

— Oui, mais l'eau monte pendant ce temps, dit Aurélie et il faut une heure avant que l'obscurité soit suffisante.

— Et après ? Au lieu d'en être quitte pour un bain de pieds, j'en aurai jusqu'à mi-corps. »

C'était très simple, en effet. Mais Raoul savait fort bien toutes les lacunes de son plan. D'abord le soleil venait à peine de disparaître derrière le sommet des montagnes, ce qui indiquait encore une heure et demie ou deux heures de grand jour. En outre, l'ennemi se rapprocherait peu à peu, prendrait position sur le sentier, et comment Raoul pourrait-il accoster avec la jeune fille et forcer le passage ?

Aurélie hésitait, se demandant ce qu'elle devait croire. Malgré elle, ses yeux fixaient des points de repère qui lui permettaient de suivre les progrès de l'eau et par moments elle frissonnait. Mais le calme de Raoul était si impressionnant !

« Vous nous sauverez, murmura-t-elle, j'en suis certaine.

— À la bonne heure, dit-il, sans se départir de sa gaieté, vous avez confiance.

— Oui, j'ai confiance. Vous m'avez dit un jour... rappelez-vous... en lisant les lignes de ma main, que je devais redouter le péril de l'eau. Votre prédiction s'accomplit. Et cependant je ne redoute rien, car vous pouvez tout... vous faites des miracles...

— Des miracles ? dit Raoul qui cherchait toutes les occasions de la rassurer par l'insouciance de ses discours. Non, pas de miracles. Seulement je raisonne et j'agis selon les circonstances. Parce que je ne vous ai jamais interrogée sur vos souvenirs d'enfance, et que cependant je vous ai conduite ici, parmi les paysages que vous aviez contemplés, vous me considérez comme une espèce de sorcier. Erreur. Tout cela fut affaire de raisonnement et de réflexion, et je ne disposais pas de renseignements plus précis que les autres. Jodot et ses complices connaissaient aussi la bouteille et avaient lu, comme moi, la formule inscrite sous le nom d'Eau de Jouvence.

« Quelle indication en ont-ils tirée ? Aucune. Moi, je me suis enquis, et j'ai vu que presque toute la formule reproduit exactement, sauf une ligne, l'analyse des eaux de Royat, une des principales stations thermales d'Auvergne. Je consulte les cartes d'Auvergne et j'y découvre le village et le lac de Juvains (Juvains, contraction évidente du mot latin *Juventia,* qui signifie Jouvence). J'étais renseigné. En une heure de promenade et de bavardage à Juvains, je me rendais compte que le vieux M. de Talençay, marquis de Carabas de tout ce pays, devait être au centre même de l'aventure, et je me présentai à lui comme votre envoyé. Dès qu'il m'eut révélé que vous étiez venue jadis le dimanche et le lundi de l'Assomption, c'est-à-dire le 14 et le 15 août, j'ai préparé notre expédition pour ce même jour. Précisément le vent souffle du nord comme autrefois. D'où l'escorte des cloches. Et voici ce que c'est qu'un miracle, demoiselle aux yeux verts. »

Mais les mots n'étaient plus suffisants pour distraire l'attention de sa compagne. Au bout d'un instant, Aurélie chuchota :

« L'eau monte... L'eau monte... Elle recouvre les deux pierres et mouille vos chaussures. »

Il souleva l'une des pierres et la posa sur l'autre. Ainsi exhaussé, il appuya son coude à la corde du hamac, et l'air toujours dégagé, il se remit à causer, car il avait peur du silence pour la jeune fille. Mais, au fond de lui, tout en disant des paroles de sécurité, il se livrait à d'autres raisonnements et à d'autres réflexions sur l'implacable réalité dont il constatait avec effarement la menace croissante.

Que se passait-il ? Comment envisager la situation ? À la suite des manœuvres exécutées par Jodot et par Guillaume, le niveau de l'eau s'élève. Soit. Mais les deux bandits ne font évidemment que profiter d'un état de choses existant déjà, et remontant sans doute à une époque fort reculée. Or, ne doit-on pas supposer que ceux qui ont rendu possible cette élévation de niveau pour des motifs encore secrets (motifs qui n'étaient certes pas de bloquer et de noyer des gens dans la grotte) ont également rendu possible un abaissement du niveau ? La fermeture des écluses devait avoir pour corollaire l'établissement d'un trop-plein à mécanisme invisible, permettant aux eaux de s'écouler et au lac de se vider, suivant les circonstances. Mais où chercher ce trop-plein ? Où trouver ce mécanisme dont le fonctionnement se conjuguait avec le jeu des écluses ?

Raoul n'était pas de ceux qui attendent la mort. Il songeait bien à se précipiter vers l'ennemi malgré tous les obstacles, ou à nager jusqu'aux écluses. Mais qu'une balle le frappât, que la température glacée de l'eau paralysât ses efforts, que deviendrait Aurélie ?

Si attentif qu'il fût à dissimuler aux yeux d'Aurélie l'inquiétude de ses pensées, la jeune fille ne pouvait pas se méprendre sur certaines inflexions de voix ou sur certains silences chargés d'une angoisse qu'elle éprouvait elle-même. Elle lui dit soudain, comme si elle eût été débordée par cette angoisse qui la torturait :

« Je vous en prie, répondez-moi, je vous en prie. J'aimerais mieux connaître la vérité. Il n'y a plus d'espoir, n'est-ce pas ?

— Comment ! Mais le jour baisse...

— Pas assez vite... Et quand il fera nuit, nous ne pourrons plus partir.

— Pourquoi ?

— Je l'ignore. Mais j'ai l'intuition que tout est fini et que vous le savez. »

Il dit d'un ton ferme :

« Non... Non... Le péril est grand, mais encore lointain. Nous y échapperons si nous ne perdons pas une seconde notre calme. Tout est là. Réfléchir, comprendre. Quand j'aurai tout compris, je suis sûr qu'il sera temps encore d'agir. Seulement...

— Seulement...

— Il faut m'aider. Pour comprendre tout à fait, j'ai besoin de vos souvenirs, de tous vos souvenirs. »

La voix de Raoul se faisait pressante et il continua avec une ardeur contenue :

« Oui, je sais, vous avez promis à votre mère de ne les révéler qu'à l'homme que vous aimeriez. Mais la mort est une raison de parler plus forte que l'amour, et, si vous ne m'aimez pas, je vous aime comme votre mère aurait pu souhaiter que l'on vous aimât. Pardonnez-moi de vous le dire, malgré le serment que je vous ai fait... Mais il y a des heures où l'on ne peut plus se taire. Je vous aime... Je vous aime et je veux vous sauver... Je vous aime... Je n'admets pas votre silence qui serait un crime contre vous. Répondez. Quelques mots seront peut-être suffisants pour m'éclairer. »

Elle murmura :

« Interrogez-moi. »

Il dit aussitôt :

« Que s'est-il passé autrefois après votre arrivée ici, avec votre mère ? Quels paysages avez-vous vus ? Où votre grand-père et votre ami vous ont-ils conduite ?

— Nulle part, affirma-t-elle. Je suis sûre d'avoir dormi ici, oui, dans un hamac comme aujourd'hui... On causait autour de moi. Les deux hommes fumaient. Ce sont des souvenirs que j'avais oubliés et que je retrouve. Je me rappelle l'odeur du tabac et le bruit d'une bouteille qu'on a débouchée. Et puis... et puis... je ne dors plus... on me fait manger... Dehors, il y a du soleil...

— Du soleil ?

— Oui, ce doit être le lendemain.

— Le lendemain ? vous êtes certaine ? Tout est là, dans ce détail.

— Oui, j'en suis certaine. Je me suis réveillée ici, le lendemain, et dehors, il y avait du soleil. Seulement, voilà... tout a changé... Je me vois encore ici, et cependant c'est ailleurs. J'aperçois les rochers, mais ils ne sont plus au même endroit.

— Comment ?... ils ne sont plus au même endroit ?

— Non, l'eau ne les baigne plus.

— L'eau ne les baigne plus, et cependant vous sortiez de cette grotte ?

— Je sortais de cette grotte. Oui, mon grand-père marche devant nous. Ma mère me tient par la main. Ça glisse, sous nos pieds. Autour de nous, il y a des sortes de maisons... comme des ruines... Et puis de nouveau les cloches... ces mêmes cloches que j'entends toujours...

— C'est cela... c'est bien cela, dit Raoul entre ses dents. Tout s'accorde avec ce que je supposais. Aucune hésitation possible. »

Un lourd silence tomba sur eux. L'eau clapotait avec un bruit sinistre. La table, le chevalet, des livres et des chaises flottaient. Il dut s'asseoir à l'extrémité du hamac et se courber sous le plafond de granit.

Dehors l'ombre se mêlait à la lumière défaillante. Mais à quoi lui servirait l'ombre, si épaisse qu'elle fût ? De quel côté agir ?

Il étreignait désespérément sa pensée, la forçant à trouver la solution. Aurélie s'était à moitié dressée avec des yeux qu'il devinait affectueux et doux. Elle prit une de ses mains, s'inclina, et la baisa.

« Mon Dieu ! mon Dieu ! dit-il, éperdu, que faites-vous ? »

Elle murmura :

« Je vous aime. »

Les yeux verts brillaient dans la demi-obscurité. Il entendait battre le cœur de la jeune fille, et jamais il n'avait éprouvé une telle joie.

Elle reprit tendrement, en lui entourant le cou de ses bras :

« Je vous aime. Voyez-vous, Raoul, c'est là mon grand et mon seul secret. L'autre ne m'intéresse pas. Mais celui-là c'est toute ma vie ! et toute mon âme ! Je vous ai aimé tout de suite, sans vous connaître, avant même de vous voir... Je vous ai aimé dans les ténèbres, et c'est pour cela que je vous détestais... Oui, j'avais honte... Ce sont vos lèvres qui m'ont prise, là-bas, sur la route de Beaucourt. J'ai senti quelque chose que j'ignorais et qui m'a effrayée. Tant de plaisir, tant de félicité, en cette nuit atroce et par un homme qui m'était inconnu ! Jusqu'au fond de l'être, j'ai eu l'impression délicieuse et révoltante que je vous appartenais... et que vous n'auriez qu'à vouloir pour faire de moi votre esclave. Si je vous ai fui dès lors, c'est à cause de cela, Raoul, non pas parce que je vous haïssais, mais parce que je vous aimais trop et que je vous redoutais. J'étais confuse de mon trouble... Je ne voulais plus vous voir, à aucun prix, et cependant je ne songeais qu'à vous revoir... Si j'ai pu supporter l'horreur de cette nuit et de toutes les abominables tortures qui ont suivi, c'est pour vous, pour vous que je fuyais, et qui reveniez sans cesse aux heures du danger. Je vous en voulais de toutes mes forces, et à chaque fois je me sentais à vous davantage. Raoul, Raoul, serrez-moi bien. Raoul, je vous aime. »

« Aurélie murmura : "Je vous aime". »

Il la serra avec une passion douloureuse. Au fond il n'avait jamais douté de cet amour que l'ardeur d'un premier baiser lui avait révélé et qui, à chacune de leurs rencontres, se manifestait par un effarement dont il devinait la raison profonde. Mais il avait peur du bonheur même qu'il éprouvait. Les mots tendres de la jeune fille, la caresse de son haleine fraîche l'engourdissaient. L'indomptable volonté de la lutte s'épuisait en lui. Elle eut l'intuition de sa lassitude secrète, et elle l'attira plus près d'elle encore.

« Résignons-nous, Raoul. Acceptons ce qui est inévitable. Je ne crains pas la mort avec vous. Mais je veux qu'elle me surprenne dans vos bras... ma bouche sur votre bouche, Raoul. Jamais la vie ne nous donnera plus de bonheur. »

Ses deux bras l'enlaçaient comme un collier qu'il ne pouvait plus détacher. Peu à peu, elle avançait la tête vers lui.

Il résistait cependant. Baiser cette bouche qui s'offrait, c'était consentir à la défaite, et, comme elle disait, se résigner à l'inévitable. Et il ne voulait pas. Toute sa nature s'insurgeait contre une telle lâcheté. Mais Aurélie le suppliait, et balbutiait les mots qui désarment et affaiblissent.

« Je vous aime... ne refusez pas ce qui doit être... je vous aime... je vous aime... »

Leurs lèvres se joignirent. Il goûta l'ivresse d'un baiser où il y avait toute l'ardeur de la vie et l'affreuse volupté de la mort. La nuit les enveloppa, plus rapide, semblait-il, depuis qu'ils s'abandonnaient à la torpeur délicieuse de la caresse. L'eau montait.

Défaillance passagère à laquelle Raoul s'arracha brutalement. L'idée que cet être charmant, et qu'il avait tant de fois sauvé, allait connaître l'épouvantable martyre de l'eau qui vous pénètre, et qui vous étouffe, et qui vous tue, cette idée le secoua d'horreur.

« Non, non, s'écria-t-il... Cela ne sera pas... La mort pour vous ?... non... je saurai empêcher une telle ignominie. »

Elle voulut le retenir. Il lui saisit les poignets, et elle suppliait d'une voix lamentable :

« Je t'en prie, je t'en prie... Que veux-tu faire ?

— Te sauver... me sauver moi-même.

— Il est trop tard !

— Trop tard ? Mais la nuit est venue ! Comment, je ne vois plus tes chers yeux... je ne vois plus tes lèvres... et je n'agirais pas !

— Mais de quelle façon ?

— Est-ce que je sais ? L'essentiel est d'agir. Et puis tout de même j'ai des éléments de certitude... Il doit y avoir fatalement des moyens prévus pour maîtriser, à un certain moment, les effets de l'écluse fermée. Il doit y avoir des vannes qui permettent un écoulement rapide. Il faut que je trouve... »

Aurélie n'écoutait pas. Elle gémissait :

« Je vous en prie... Vous me laisseriez seule dans cette nuit effrayante ? J'ai peur, mon Raoul.

— Non, puisque vous n'avez pas peur de mourir, vous n'avez pas peur de vivre non plus... de vivre deux heures, pas davantage. L'eau ne peut pas vous atteindre avant deux heures. Et je serai là... Je vous jure, Aurélie, que je serai là, quoi qu'il arrive... pour vous dire que vous êtes sauvée... ou pour mourir avec vous. »

Peu à peu, sans pitié, il s'était dégagé de l'étreinte éperdue. Il se pencha vers la jeune fille, et lui dit passionnément :

« Aie confiance, ma bien-aimée. Tu sais que je n'ai jamais failli à la tâche. Dès que j'aurai réussi, je te préviendrai par un signal... deux coups de sifflet... deux détonations... Mais, alors même que tu sentirais l'eau te glacer, crois en moi aveuglément. »

Elle retomba sans forces.

« Va, dit-elle, puisque tu le veux.

— Tu n'auras pas peur ?

— Non, puisque tu ne le veux pas. »

Il se débarrassa de son veston, de son gilet et de ses chaussures, jeta un coup d'œil sur le cadran lumineux de sa montre, l'attacha à son cou, et sauta.

Dehors, les ténèbres. Il n'avait aucune arme, aucune indication.

Il était huit heures...

XIII

DANS LES TÉNÈBRES

La première impression de Raoul fut affreuse. Une nuit sans étoiles, lourde, implacable, faite de brume épaisse, une nuit immobile pesait sur le lac invisible et sur les falaises indistinctes. Ses yeux ne lui servaient pas plus que des yeux d'aveugle. Ses oreilles n'entendaient que le silence. Le bruit des cascades ne résonnait plus : le lac les avait absorbées. Et, dans ce gouffre insondable, il fallait voir, entendre, se diriger, et atteindre le but.

Les vannes ? Pas une seconde il n'y avait songé réellement. C'eût été de la folie de jouer au jeu mortel de les chercher. Non, son objectif, c'était de rejoindre les deux bandits. Or, ils se cachaient. Redoutant sans doute une attaque directe contre un adversaire tel que lui, ils se tenaient prudemment dans l'ombre, armés de fusils et tous leurs sens aux aguets. Où les trouver ?

Sur le rebord supérieur de la plage, l'eau glacée lui recouvrait la poitrine et lui causait une telle souffrance qu'il ne considérait pas comme possible de nager jusqu'à l'écluse. D'ailleurs comment eût-il pu manœuvrer cette écluse, sans connaître l'emplacement du mécanisme ?

Il longea la falaise, en tâtonnant, gagna les marches submergées, et arriva au sentier qui s'accrochait à la paroi.

L'ascension était extrêmement pénible. Il l'interrompit tout à coup. Au loin, à travers la brume, une faible lumière brillait.

Où ? Impossible de le préciser. Était-ce sur le lac ? Au haut des falaises ? En tout cas cela venait d'en face, c'est-à-dire des environs du défilé, c'est-à-dire de l'endroit même d'où les bandits avaient tiré et où l'on pouvait supposer qu'ils campaient. Et cela ne pouvait pas être vu de la grotte, ce qui montrait leurs précautions et ce qui constituait une preuve de leur présence.

Raoul hésita. Devait-il suivre le chemin de terre, subir tous les détours des pics et des vallonnements, monter sur des roches, descendre dans des creux d'où il perdrait de vue la précieuse lumière ? C'est en songeant à Aurélie, emprisonnée au fond du terrifiant sépulcre de granit, qu'il prit sa décision. Vivement, il dégringola le sentier parcouru, et se jeta, d'un élan, à la nage.

Il crut qu'il allait suffoquer. La torture du froid lui paraissait intolérable. Bien que le trajet ne comportât pas plus de deux cents à deux cent cinquante mètres, il fut sur le point d'y renoncer, tellement cela semblait au-dessus des forces humaines. Mais la pensée d'Aurélie ne le quittait pas. Il la voyait sous la voûte impitoyable. L'eau poursuivait son œuvre féroce, que rien ne pouvait arrêter ni ralentir. Aurélie en percevait le chuchotement diabolique et sentait son souffle glacial. Quelle ignominie !

Il redoublait d'efforts. La lumière le guidait comme une étoile bienfaisante, et ses yeux la considéraient ardemment, comme s'il eût peur qu'elle ne s'évanouît subitement sous l'assaut formidable de toutes les puissances de l'obscurité. Mais d'autre part est-ce qu'elle n'annonçait pas que Guillaume et Jodot étaient à l'affût, et que, tournée et baissée vers le lac, elle leur servait à fouiller du regard la route par où l'attaque aurait pu se produire ?

En approchant, il éprouvait un certain bien-être, dû évidemment à l'activité de ses muscles. Il avançait à larges brassées silencieuses. L'étoile grandissait, doublée par le miroir du lac.

Il obliqua, hors du champ de clarté. Autant qu'il put en juger, le poste des bandits était établi en haut d'un promontoire qui empiétait sur l'entrée du défilé. Il se heurta à des récifs, puis rencontra une berge de petits galets où il aborda.

Au-dessus de sa tête, mais plutôt vers la gauche, des voix murmuraient.

Quelle distance le séparait de Jodot et de Guillaume ? Comment se présentait l'obstacle à franchir ? Muraille à pic ou pente accessible ? Aucun indice. Il fallait tenter l'escalade au hasard.

Il commença par se frictionner vigoureusement les jambes et le torse avec de petits graviers secs dont il remplit sa main. Puis il tordit ses vêtements mouillés, qu'il remit ensuite, et, bien dispos, il se risqua.

Ce n'était ni une muraille abrupte, ni une pente accessible. C'étaient des couches de rocs superposés comme les soubassements d'une construction cyclopéenne. On pouvait donc grimper, mais grâce à quels efforts, à quelle audace, à quelle gymnastique périlleuse ! On pouvait grimper, mais les cailloux auxquels les doigts tenaces s'agrippaient comme des griffes, sortaient de leurs alvéoles, les plantes se déracinaient, et là-haut, les voix devenaient de plus en plus distinctes.

En plein jour, Raoul n'eût jamais tenté cette entreprise de folie. Mais le tic-tac ininterrompu de sa montre le poussait comme une force irrésistible ; chaque seconde qui battait ainsi près de son oreille, c'était un peu de la vie d'Aurélie qui se dissipait. Il fallait donc réussir. Il réussit. Soudain il n'y eut plus d'obstacles. Un dernier étage de gazon couronnait l'édifice. Une lueur vague flottait dans l'ombre, comme une nuée blanche.

Devant lui se creusait une dépression, un terrain en cuvette, au centre duquel s'écroulait une cabane à moitié démolie. Un tronc d'arbre portait une lanterne fumeuse.

Sur le rebord opposé, deux hommes lui tournaient le dos, étendus à plat ventre, penchés vers le lac, des fusils et des revolvers à portée de leurs mains. Près d'eux une seconde lumière, provenant d'une lampe électrique, celle dont la lueur avait guidé Raoul.

Il regarda sa montre et tressaillit. L'expédition avait duré cinquante minutes, beaucoup plus longtemps qu'il ne le croyait.

« J'ai une demi-heure tout au plus pour arrêter l'inondation, pensa-t-il. Si, dans une demi-heure, je n'ai pas arraché à Jodot le secret des vannes, je n'ai plus qu'à retourner près d'Aurélie, selon ma promesse, et à mourir avec elle. »

Il rampa dans la direction de la cabane, caché par les hautes herbes. Une douzaine de mètres plus loin, Jodot et Guillaume causaient en sécurité absolue, assez haut pour qu'il reconnût leurs voix, pas assez pour qu'il recueillit une seule parole. Que faire ?

Raoul était venu sans plan précis et avec l'intention d'agir selon les circonstances. N'ayant aucune arme, il jugeait dangereux d'entamer une lutte qui, somme toute, pouvait tourner contre lui. Et, d'autre part, il se demandait si, en cas de victoire, la contrainte et les menaces détermineraient un adversaire comme Jodot à parler, c'est-à-dire à se déclarer vaincu et à livrer des secrets qu'il avait eu tant de mal à conquérir.

Il continua donc de ramper, avec des précautions infinies, et dans l'espoir qu'un mot surpris pourrait le renseigner. Il gagna deux mètres, puis trois mètres. Lui-même, il ne percevait pas le froissement de son corps sur le sol, et ainsi il parvint à un point où les phrases prenaient un sens plus net.

Jodot disait :

« Eh ! ne te fais donc pas de bile, sacrebleu ! Quand nous sommes descendus à l'écluse, le niveau atteignait la cote cinq, qui correspond au plafond de la grotte, et, puisqu'ils n'avaient pas pu sortir, leur *affaire* était déjà réglée. Sûr et certain, comme deux et deux font quatre.

— Tout de même, fit Guillaume, vous auriez dû vous établir plus près de la grotte, et, de là, les épier.

— Pourquoi pas toi, galopin ?

— Moi, avec mon bras encore tout raide ! C'est tout au plus si j'ai pu tirer.

— Et puis t'as peur de ce bougre-là...

— Vous aussi, Jodot.

— Je ne dis pas non. J'ai préféré les coups de fusil... et le truc de l'inondation, puisqu'on avait les cahiers du vieux Talençay.

— Oh ! Jodot, ne prononcez pas ce nom-là... »

La voix de Guillaume faiblissait. Jodot ricana :

« Poule mouillée, va !

— Rappelez-vous, Jodot. À mon retour à l'hôpital, quand vous êtes venu nous trouver, maman vous a répondu : "Soit. Vous savez où ce diable d'homme, ce Limézy de malheur, a niché Aurélie, et vous prétendez qu'en le surveillant on ira jusqu'au trésor. Soit. Que mon garçon vous donne un coup de main. Mais pas de crime, n'est-ce pas ? pas de sang..."

— Il n'y en a pas eu une goutte, fit Jodot d'un ton goguenard.

— Oui, oui, vous savez ce que je veux dire, et ce qu'il est advenu de ce pauvre homme. Quand il y a mort, il y a crime... C'est comme pour Limésy et pour Aurélie, direz-vous qu'il n'y a pas crime ?

— Alors, quoi, il fallait abandonner toute cette histoire ? Crois-tu qu'un type comme Limézy t'aurait cédé la place comme ça, pour tes beaux yeux ? Tu le connais pourtant, le damné personnage. Il t'a cassé un bras... il aurait fini par te casser la gueule. Lui ou nous, c'était à choisir.

— Mais Aurélie ?

— Les deux font la paire. Pas moyen de toucher à l'un sans toucher à l'autre.

— La malheureuse...

— Et après ? Veux-tu le trésor, oui ou non ? Ça ne se gagne pas en fumant sa pipe, des machines de ce calibre-là.

— Cependant...

— Tu n'as pas vu le testament du marquis ? Aurélie héritière de tout le domaine de Juvains... Alors qu'aurais-tu fait ? L'épouser peut-être ? Pour se marier, il faut être deux, mon garçon, et j'ai idée que le sieur Guillaume...

— Alors ?

— Alors, mon petit, voilà ce qui se passera. Demain le lac de Juvains redeviendra comme avant, ni plus haut ni plus bas. Après-demain, pas plus tôt, puisque le marquis le leur a défendu, les bergers rappliquent. On trouve le marquis, mort d'une chute, dans un ravin du défilé, sans que personne puisse supposer qu'une main secourable lui a donné le petit coup qui fait perdre l'équilibre. Donc succession ouverte. Pas de testament, puisque c'est moi qui l'ai. Pas d'héritier, puisqu'il n'a aucune famille. En conséquence l'État s'empare légalement du domaine. Dans six mois, la vente. Nous achetons.

— Avec quel argent ?

— Six mois pour en trouver, ça suffit, dit Jodot, l'intonation sinistre. D'ailleurs, que vaut le domaine pour qui ne sait pas ?

— Et s'il y a des poursuites ?

— Contre qui ?

— Contre nous.

— À propos de quoi ?

— À propos de Limézy et d'Aurélie ?

— Limézy ? Aurélie ? Noyés, disparus, introuvables.

— Introuvables ! On les trouvera dans la grotte.

— Non, car nous y passerons demain matin, et, deux bons galets attachés aux jambes, ils iront au fond du lac. Ni vu ni connu...

— L'auto de Limézy ?

— Dans l'après-midi, nous filons avec, de sorte que personne ne saura même qu'ils sont venus de ce côté. On croira que la petite s'est fait enlever de la maison de santé par son amoureux et qu'ils voyagent on ne sait où. Voilà mon plan. Qu'en dis-tu ?

— Excellent, vieille canaille, dit une voix près d'eux. Seulement, il y a un accroc. »

Ils se retournèrent, dans un sursaut d'effroi. Un homme était là, accroupi à la manière arabe, un homme qui répéta :

« Un gros accroc. Car, enfin, tout ce joli plan repose sur des actes accomplis. Or, que devient-il si le monsieur et la dame de la grotte ont pris la poudre d'escampette ? »

Leurs mains cherchaient à tâtons les fusils, les brownings. Plus rien.

« Des armes ?... pour quoi faire ? dit la voix gouailleuse. Est-ce que j'en ai, moi ? Un pantalon mouillé, une chemise mouillée, un point c'est tout. Des armes... entre braves gens comme nous ! »

Jodot et Guillaume ne bougeaient plus, interloqués. Pour Jodot, c'était l'homme de Nice qui réapparaissait. Pour Guillaume, l'homme de Toulouse. Et surtout, c'était l'ennemi redoutable dont ils se croyaient débarrassés, et dont le cadavre...

« Ma foi, oui, dit-il, en riant, et en affectant l'insouciance, ma foi, oui, vivant. La cote numéro 5 ne correspond pas au plafond de la grotte. Et d'ailleurs si vous vous imaginez que c'est avec de petits trucs de ce genre qu'on a raison de moi ! Vivant, mon vieux Jodot ! Et Aurélie aussi. Elle est bien à l'abri, loin de la grotte, et pas une goutte d'eau sur elle. Donc nous pouvons causer. Du reste ce sera bref. Cinq minutes, pas une seconde de plus. Tu veux bien ? »

Jodot se taisait, stupide, effaré. Raoul regarda sa montre, et paisiblement, nonchalamment, comme si son cœur n'avait pas sauté dans sa poitrine étreinte par une angoisse indicible, il reprit :

« Voilà. Ton plan ne tient plus. Dès l'instant où Aurélie n'est pas morte, elle hérite, et il n'y a pas vente. Si tu la tues et qu'il y ait vente, moi, je suis là, et j'achète. Il faudrait me tuer aussi. Pas possible. Invulnérable. Donc tu es coincé. Un seul remède. »

Il fit une pause. Jodot se pencha. Il y avait donc un remède ?

« Oui, il y en a un, prononça Raoul, un seul : t'entendre avec moi. Le veux-tu ? »

Jodot ne répondit point. Il s'était accroupi à deux pas de Raoul et fixait sur lui des yeux brillants de fièvre.

« Tu ne réponds pas. Mais tes prunelles s'animent. Je les vois qui brillent comme des prunelles de bête fauve. Si je te propose quelque chose, c'est que j'ai besoin de toi ? Pas du tout. Je n'ai jamais besoin de personne. Seulement depuis quinze ou dix-huit ans, tu poursuis un but que tu es près d'atteindre, et cela te donne des droits, des droits que tu es résolu à défendre par tous les moyens, assassinat compris.

« Ces droits, je te les achète, car je veux être tranquille, et qu'Aurélie le soit aussi. Un jour ou l'autre, tu trouverais moyen de nous faire un mauvais coup. Je ne veux pas. Combien demandes-tu ? »

Jodot semblait se détendre. Il gronda :

« Proposez.

— Voici, dit Raoul. Comme tu le sais, il ne s'agit pas d'un trésor dont chacun peut prendre sa part, mais d'une affaire à mettre debout, d'une exploitation, dont les bénéfices...

— Seront considérables, fit Jodot.

— Je te l'accorde. Aussi mon offre est en rapport. Cinq mille francs par mois. »

Le bandit sursauta, ébloui par un tel chiffre.

« Pour tous les deux ?

— Cinq mille pour toi... Deux pour Guillaume. »

Celui-ci ne put s'empêcher de dire :

« J'accepte.

— Et toi, Jodot ?

— Peut-être, fit l'autre. Mais il faudrait un gage, une avance.

— Un trimestre, ça va-t-il ? Demain à trois heures, rendez-vous, à Clermont-Ferrand, place Jaude, et remise d'un chèque.

— Oui, oui, dit Jodot, qui se défiait. Mais rien ne me prouve que demain le baron de Limézy ne me fera pas arrêter.

— Non, car on m'arrêterait en même temps.

— Vous ?

— Parbleu ! La capture serait meilleure que tu ne supposes.

— Qui êtes-vous ?

— Arsène Lupin. »

Le nom eut un effet prodigieux sur Jodot. Il s'expliquait maintenant la ruine de tous ses plans et l'ascendant que cet homme exerçait sur lui.

Raoul répéta :

« Arsène Lupin, recherché par toutes les polices du monde. Plus de cinq cents vols qualifiés, plus de cent condamnations. Tu vois, on est fait pour s'entendre. Je te tiens. Mais tu me tiens, et l'accord est signé, j'en suis sûr. J'aurais pu tout à l'heure te casser la tête. Non. J'aime autant une transaction. Et puis, je t'emploierai au besoin. Tu as des défauts, mais de rudes qualités. Ainsi la manière dont tu m'as filé jusqu'à Clermont-Ferrand, c'est de premier ordre, puisque je n'ai pas encore compris. Donc, tu as ma parole, et la parole de Lupin... c'est de l'or. Ça colle ? »

Jodot consulta Guillaume à voix basse, et répliqua :

« Oui, nous sommes d'accord. Que voulez-vous ?

— Moi ? Mais rien du tout, mon vieux, dit Raoul toujours insouciant. Je suis un monsieur qui cherche la paix et qui paie ce qu'il faut pour l'obtenir. On devient des associés... voilà le vrai mot. Si tu désires verser dans l'association dès aujourd'hui une part quelconque, à ta guise. Tu as des documents ?

— Considérables. Les instructions du marquis, rapport au lac.

— Évidemment puisque tu as pu fermer l'écluse. Elles sont détaillées, ces instructions ?

— Oui, cinq cahiers d'écriture fine.

— Et tu les as là ?

— Oui. Et j'ai le testament aussi... en faveur d'Aurélie.

— Donne.

— Demain, contre les chèques, déclara Jodot nettement.

— Entendu, demain, contre les chèques. Serrons-nous la main. Ce sera la signature du pacte. Et séparons-nous. »

Une poignée de main fut échangée.

« Adieu », fit Raoul.

L'entrevue était finie, et cependant la vraie bataille allait se livrer en quelques mots. Toutes les paroles prononcées jusque-là, toutes les promesses, autant de balivernes propres à dérouter Jodot. L'essentiel, c'était l'emplacement des vannes. Jodot parlerait-il ? Jodot devinerait-il la situation véritable, la raison sournoise de la démarche faite par Raoul ?

Jamais Raoul ne s'était senti à ce point anxieux. Il dit négligemment :

« J'aurais bien aimé voir "la chose" avant de partir. Tu ne pourrais pas ouvrir les vannes d'écoulement devant moi ? »

Jodot objecta :

« C'est qu'il faut, d'après les cahiers du marquis, sept à huit heures pour que les vannes opèrent jusqu'au bout.

— Eh bien, ouvre-les tout de suite. Demain matin, toi d'ici, Aurélie et moi de là-bas, on verra "la chose", c'est-à-dire les trésors. C'est tout près, n'est-ce pas, les vannes ? au-dessous de nous ? près de l'écluse ?

— Oui.

— Il y a un sentier direct ?

— Oui.

— Tu connais le maniement ?

— Facile. Les cahiers l'indiquent.

— Descendons, proposa Raoul, je vais te donner un coup de main. »

Jodot se leva et prit la lampe électrique. Il n'avait pas flairé le piège. Guillaume le suivit. En passant, ils aperçurent les fusils que Raoul, au début, avait attirés près de lui et poussés un peu plus loin. Jodot mit l'un d'eux en bandoulière. Guillaume également.

Raoul qui avait saisi la lanterne emboîta le pas aux deux bandits.

« Cette fois, se disait-il avec une allégresse qu'eût trahie l'expression de son visage, cette fois, nous y sommes. Quelques convulsions peut-être encore. Mais le grand combat est gagné. »

Ils descendirent. Au bord du lac, Jodot s'orienta sur une digue de sable et de gravier qui bordait le pied de la falaise, contourna une roche qui masquait une anfractuosité assez profonde où une barque était attachée, s'agenouilla, déplaça quelques gros cailloux, et découvrit un alignement de quatre poignées de fer que terminaient quatre chaînes engagées dans des tuyaux de poterie.

« C'est là, tout à côté de la manivelle de l'écluse, dit-il. Les chaînes actionnent les plaques de fonte posées au fond. »

Il tira l'une des poignées. Raoul en fit autant, et il eut l'impression immédiate que la commande se transmettait à l'autre bout de la chaîne et que la plaque avançait. Les deux autres épreuves réussirent également. Il y eut dans le lac, à quelque distance, une série de petits bouillonnements.

La montre de Raoul marquait neuf heures vingt-cinq. Aurélie était sauvée.

« Prête-moi ton fusil, dit Raoul. On plutôt, non. Tire toi-même... deux coups.

— Pour quoi faire ?

— C'est un signal.

— Un signal ?

— Oui. J'ai laissé Aurélie dans la grotte, laquelle est presque remplie d'eau et tu te rends compte de son épouvante. Alors, en la quittant, j'ai promis de l'avertir, par un moyen quelconque, dès qu'elle n'aurait plus rien à craindre. »

Jodot fut stupéfait. L'audace de Raoul, cet aveu du danger que courait encore Aurélie le confondaient, et en même temps augmentaient à ses yeux le prestige de son ancien adversaire. Pas une seconde, il ne songea à profiter de la situation. Les deux coups de fusil retentirent parmi les rocs et les falaises. Et, tout de suite, Jodot ajouta :

« Tenez, vous êtes un chef, vous. Il n'y a qu'à vous obéir et sans barguigner. Voici les cahiers et voici le testament du marquis.

— Un bon point, s'écria Raoul, qui empocha les documents. Je ferai quelque chose de toi. Pas un honnête homme, ça jamais, mais une fripouille acceptable. Tu n'as pas besoin de cette barque ?

— Ma foi non.

— Elle me sera commode pour rejoindre Aurélie. Ah ! un conseil encore : ne vous montrez plus dans la région. Si j'étais de vous, je filerais cette nuit jusqu'à Clermont-Ferrand. À demain, camarades. »

Il monta dans la barque et leur fit encore quelques recommandations. Puis Jodot enleva l'amarre. Raoul partit.

« Quels braves gens ! se dit-il en ramant avec vigueur. Dès qu'on s'adresse à leur bon cœur, à leur générosité naturelle, ils marchent à fond. Bien sûr, camarades, que vous les aurez les deux chèques. Je ne garantis pas qu'il y ait encore une provision à mon compte Limézy. Mais vous les aurez tout de même, et signés loyalement, comme je l'ai juré. »

Deux cent cinquante mètres, avec de bons avirons, et après une expédition aussi féconde en résultats, ce n'était rien pour Raoul. Il atteignit la grotte en quelques minutes, et y pénétra directement, proue en avant, et lanterne sur la proue.

« Victoire ! s'exclama-t-il. Vous avez entendu mon signal, Aurélie ? Victoire ! »

Une clarté joyeuse emplit le réduit exigu où ils avaient failli trouver la mort. Le hamac traversait d'un mur à l'autre. Aurélie y dormait paisiblement. Confiante en la promesse de son ami, convaincue que rien ne lui était impossible, échappant aux angoisses du danger et aux affres de cette mort tant désirée, elle avait succombé à la fatigue. Peut-être aussi avait-elle perçu le bruit des deux détonations. En tout cas, nul bruit ne la réveilla...

Lorsqu'elle ouvrit les yeux le lendemain, elle vit des choses surprenantes dans la grotte où la lumière du jour se mêlait à la clarté d'une lanterne. L'eau s'était écoulée. Au creux d'une barque appuyée contre la paroi, Raoul, vêtu d'une houppelande de berger et d'un pantalon de toile qu'il avait dû prendre sur la planche, parmi les effets du vieux marquis, dormait aussi profondément qu'elle avait dormi.

Durant de longues minutes, elle le contempla, d'un regard affectueux où il y avait une curiosité refrénée. Qui était cet être extraordinaire, dont la volonté s'opposait aux arrêts du destin, et dont les actes prenaient toujours un sens et une apparence de miracles ? Elle avait entendu, sans aucun trouble — d'ailleurs que lui importait ? — l'accusation de Marescal et le nom d'Arsène Lupin lancé par le commissaire. Devait-elle croire que Raoul n'était autre qu'Arsène Lupin ?

« Qui es-tu, toi que j'aime plus que ma vie ? pensait Aurélie. Qui es-tu, toi qui me sauves incessamment, comme si c'était ton unique mission ? Qui es-tu ?

— L'oiseau bleu. »

Raoul se réveillait, et l'interrogation muette d'Aurélie était si claire qu'il y répondait sans hésitation.

« L'oiseau bleu, chargé de donner le bonheur aux petites filles sages et confiantes, de les défendre contre les ogres et les mauvaises fées et de les conduire dans leur royaume.

— J'ai donc un royaume, mon bien-aimé Raoul ?

— Oui. À l'âge de six ans vous vous y êtes promenée. Il vous appartient aujourd'hui, de par la volonté d'un vieux marquis.

— Oh ! vite, Raoul, vite, que je voie... ou plutôt que je revoie.

— Mangeons d'abord, dit-il. Je meurs de faim. Du reste la visite ne sera pas longue, et il ne faut pas qu'elle le soit. Ce qui a été caché pendant des siècles ne doit apparaître définitivement au grand jour que lorsque vous serez maîtresse de votre royaume. »

Selon son habitude elle évita toutes questions sur la façon dont il avait agi. Qu'étaient devenus Jodot et Guillaume ? Avait-il des nouvelles du marquis de Talençay ? Elle préférait ne rien savoir et se laisser guider.

Un instant plus tard, ils sortaient ensemble, et Aurélie, de nouveau bouleversée par l'émotion, appuyait sa tête contre l'épaule de Raoul, en murmurant :

« Oh ! Raoul, c'est bien cela... c'est bien cela que j'ai vu autrefois, le second jour... avec ma mère... »

XIV

LA FONTAINE DE JOUVENCE

Spectacle étrange ! Au-dessous d'eux, dans une arène profonde d'où l'eau s'était retirée, sur tout l'espace allongé que limitait la couronne de roches, s'étendaient les ruines de monuments et de temples encore debout, mais aux colonnes tronquées, aux marches disjointes, aux péristyles épars, sans toits, ni frontons, ni corniches, une forêt décapitée par la foudre mais où les arbres morts avaient encore toute la noblesse et toute la beauté d'une vie ardente. De tout là-bas s'avançait la Voie romaine, Voie triomphale, bordée de statues brisées, encadrée de temples symétriques, qui passait entre les piliers des arcs démolis et qui montait jusqu'au rivage, jusqu'à la grotte où s'accomplissaient les sacrifices.

Tout cela humide, luisant, vêtu par places d'un manteau de vase, ou bien alourdi de pétrifications et stalactites, avec des morceaux de marbre ou d'or qui étincelaient au soleil. À droite et à gauche deux longs rubans d'argent serpentaient. C'étaient les cascades qui avaient retrouvé leurs eaux canalisées.

« Le Forum... prononça Raoul, qui était un peu pâle, et dont la voix trahissait l'émoi. Le Forum... À peu près les mêmes dimensions et la même disposition. Les papiers du vieux marquis contiennent un plan et des explications que j'ai étudiés cette nuit. La ville de Juvains était au-dessous du grand lac. Au-dessous de celui-ci, les thermes et les temples consacrés aux dieux de la Santé et de la Force, tous distribués autour du temple de la Jeunesse, dont vous apercevez la colonnade circulaire. »

Il soutint Aurélie par la taille. Ils descendirent la Voie sacrée. Les grandes dalles glissaient sous leurs pieds. Des mousses et des plantes aquatiques alternaient avec des espaces de galets fins où l'on avisait parfois des pièces de monnaie. Raoul en ramassa deux : elles portaient les effigies de Constantin.

Mais ils arrivaient devant le petit édifice dédié à la Jeunesse. Ce qui en demeurait était délicieux et suffisait pour que l'imagination pût reconstituer une rotonde harmonieuse, exhaussée sur quelques marches, avec un bassin où se dressait une vasque soutenue par quatre enfants râblés et joufflus, et que devait dominer la statue de la Jeunesse. On n'en voyait plus que deux, admirables de formes et de grâce, qui trempaient leurs pieds dans cette vasque où les quatre enfants jadis lançaient des jets d'eau.

De gros tuyaux de plomb, autrefois dissimulés sans doute et qui paraissaient venir d'un endroit de la falaise où devait se cacher la source, émergeaient du bassin. À l'extrémité de l'un d'eux, un robinet avait été soudé récemment. Raoul le tourna. Un flot jaillit, tiède, avec un peu de buée.

« L'eau de Jouvence, dit Raoul. C'est cette eau que contenait la bouteille prise au chevet de votre grand-père et dont l'étiquette donnait la formule. »

Durant deux heures ils déambulèrent dans la fabuleuse cité. Aurélie retrouvait ses sensations d'autrefois, éteintes au fond de son être, et ranimées tout à coup. Elle avait vu ce groupe d'urnes funéraires, et cette déesse mutilée, et cette rue aux pavés inégaux, et cette arcade toute frissonnante d'herbes échevelées, et tant de choses, tant de choses, qui la faisaient frémir d'une joie mélancolique.

« Mon bien-aimé, disait-elle, mon bien-aimé, c'est à vous que je rapporte tout ce bonheur. Sans vous, je n'éprouverais que de la détresse. Mais près de vous, tout est beau et délicieux. Je vous aime. »

À dix heures les cloches de Clermont-Ferrand chantèrent la grand-messe. Aurélie et Raoul étaient parvenus à l'entrée du défilé. Les deux cascades y pénétraient, couraient à droite et à gauche de la Voie triomphale, et s'abîmaient dans les quatre vannes béantes.

La visite prodigieuse se terminait. Comme le répéta Raoul,

« Raoul et Aurélie descendirent la Voie sacrée. »

ce qui avait été caché durant des siècles ne devait pas encore apparaître au grand jour. Nul ne devait le contempler avant l'heure où la jeune fille en serait la maîtresse reconnue.

Il ferma donc les vannes d'écoulement et tourna lentement la manivelle de l'écluse pour ouvrir les portes de façon progressive. Tout de suite l'eau s'accumula dans l'espace restreint, le grand lac se déversant par une large nappe et les deux cascades se cabrant hors de leurs lits de pierre. Alors, ils s'en revinrent au sentier que Raoul avait descendu la veille au soir avec les deux bandits, et, s'arrêtant à mi-chemin, ils aperçurent l'onde rapide qui remontait le petit lac, cernait le soubassement des temples et se hâtait vers la fontaine magique.

« Oui, magique, dit Raoul, c'est le mot employé par le vieux marquis. Outre les éléments des eaux de Royat, elle contient, d'après lui, des principes d'énergie et de puissance qui en font vraiment une fontaine de jeunesse, principes provenant de la radioactivité stupéfiante qui en émane, et qui s'évalue par un chiffre *millicuries*, selon l'expression technique, tout à fait incroyable. Les riches Romains des troisième et quatrième siècles venaient se retremper à cette source, et c'est le dernier proconsul de la province gauloise qui, après la mort de Théodose et la chute de l'Empire, a voulu cacher aux yeux des envahisseurs barbares et protéger contre leurs entreprises les merveilles de Juvains. Entre beaucoup d'autres, une inscription secrète en fait foi : "Par la volonté de Fabius Aralla, proconsul, et en prévision des Scythes et des Borusses, les eaux du lac ont recouvert les dieux que j'aimais et les temples où je les vénérais."

« Par-dessus quoi, quinze siècles ! quinze siècles durant lesquels les chefs-d'œuvre de pierre et de marbre se sont effrités... Quinze siècles qui auraient pu être suivis de cent autres où la mort d'un passé glorieux se serait parachevée, si votre grand-père, en sa promenade dans le domaine abandonné de son ami Talençay, n'avait découvert, par hasard, le mécanisme de l'écluse. Aussitôt les deux amis cherchent, tâtonnent, observent, s'ingénient. On répare. On remet en action les vieilles portes de bois massif qui, jadis, maintenaient le niveau du petit lac et submergeaient les plus hautes parties des constructions.

« Voilà toute l'histoire, Aurélie, et voilà tout ce que vous avez visité à l'âge de six ans. Votre grand-père mort, le marquis n'a plus quitté son domaine de Juvains et s'est consacré corps et âme à la résurrection de la cité invisible. Avec l'aide de ses deux bergers, il a creusé, fouillé, nettoyé, consolidé, reconstitué l'effort du passé, et c'est le cadeau qu'il vous offre. Cadeau merveilleux qui ne vous apporte pas seulement la fortune incalculable d'une source à exploiter, plus précieuse que toutes celles de Royat et de Vichy, mais qui vous donne un ensemble d'œuvres et de monuments comme il n'en existe pas. »

Raoul s'enthousiasmait. Là encore s'écoula plus d'une heure durant laquelle il dit toute l'exaltation que lui causait la belle aventure de la ville engloutie. La main dans la main, ils regardaient l'eau qui s'élevait, les colonnes et les statues qui s'abaissaient peu à peu.

Aurélie, cependant, gardait le silence. À la fin, étonné de sentir qu'elle n'était plus en communion de pensées avec lui, il lui en demanda la raison. Elle ne répondit point d'abord, puis, au bout d'un instant, murmura :

« Vous ne savez pas encore ce qu'est devenu le marquis de Talençay ?

— Non, dit Raoul, qui ne voulait pas assombrir la jeune fille, mais je suis persuadé qu'il est rentré chez lui, au village, malade peut-être... à moins qu'il ait oublié le rendez-vous. »

Mauvaise excuse. Aurélie ne parut pas s'en contenter. Il devina qu'après les émotions ressenties et tant d'angoisses abolies, elle songeait à tout ce qui demeurait dans l'ombre et qu'elle s'inquiétait de ne pas comprendre.

« Allons-nous-en », dit-elle.

Ils montèrent jusqu'à la cabane démolie qui indiquait le campement nocturne des deux bandits. De là, Raoul voulait gagner la haute muraille et l'issue par où les bergers étaient sortis du domaine.

Mais comme ils contournaient la roche voisine, elle fit remarquer à Raoul un paquet assez volumineux, un sac de toile posé sur le rebord de la falaise.

« On croirait qu'il remue », dit-elle.

Raoul jeta un coup d'œil, pria Aurélie de l'attendre et courut. Une idée subite l'assaillait.

Ayant atteint le rebord, il saisit le sac et plongea la main dans l'intérieur. Quelques secondes plus tard, il en tira une tête, puis un corps d'enfant. Tout de suite, il reconnut le petit complice de Jodot, celui que le bandit portait avec lui comme un furet, et envoyait à la chasse dans les caves et à travers les barreaux et les palissades.

L'enfant dormait à moitié. Raoul, furieux, déchiffrant soudain l'énigme qui l'avait tant intrigué, le secoua :

« Galopin ! c'est toi qui nous as suivis, n'est-ce pas, depuis la rue de Courcelles ? Hein ! c'est toi ? Jodot avait réussi à te cacher dans le coffre arrière de ma voiture et tu as voyagé comme cela jusqu'à Clermont-Ferrand, d'où tu lui as mis une carte à la poste ? Avoue... sinon, je te gifle. »

L'enfant ne comprenait pas trop ce qui lui arrivait, et sa figure pâle de gamin vicieux prenait une expression effarée. Il marmotta :

« Oui, c'est Tonton qui a voulu...

— Tonton ?

— Oui, mon oncle Jodot.

— Et où est-il en ce moment, ton oncle ?

— On est parti cette nuit, tous les trois, et puis on est revenu.

— Et alors ?

— Alors ce matin, ils ont descendu là, en bas, quand l'eau était partie, et ils ont fouillé partout et ramassé des choses.

— Avant moi ?

— Oui, avant vous et la demoiselle. Quand vous êtes sortis de la grotte, ils se sont cachés derrière un mur là-bas, là-bas, dans le fond de l'eau qui était partie. Mais je voyais tout ça d'ici où Tonton m'avait dit de l'attendre.

— Et maintenant, où sont-ils tous deux ?

— J'sais pas. Il faisait chaud, je me suis endormi. Un moment je me suis réveillé, ils se battaient.

— Ils se battaient ?...

— Oui, pour une chose qu'ils avaient trouvée, une chose qui brillait comme de l'or. J'ai vu qu'ils tombaient... Tonton a donné un coup de couteau... et puis... et puis je ne sais pas... je dormais peut-être... j'ai vu comme si le mur se démolissait et les écrasait tous deux.

— Quoi ? Quoi ? Qu'est-ce que tu dis ? balbutia Raoul épouvanté... Réponds... Où ça se passait-il ? À quel moment ?

— Quand les cloches sonnaient... tout au bout... tout au bout... tenez, là. »

L'enfant se pencha au-dessus du vide et parut stupéfait.

« Oh ! dit-il, l'eau qui est revenue !... »

Il réfléchit, puis se mit à pleurer et à crier, en gémissant.

« Alors... alors... si l'eau est revenue... Ils n'ont pas pu s'en aller et ils sont là, au fond... et alors, Tonton... »

Raoul lui ferma la bouche.

« Tais-toi... »

Aurélie était devant eux, le visage contracté. Elle avait entendu. Jodot et Guillaume blessés, évanouis, incapables de bouger ou d'appeler avaient été recouverts par le flot, étouffés, engloutis. Les pierres d'un mur écroulé sur eux retenaient leurs cadavres.

« C'est effroyable, balbutia Aurélie. Quel supplice pour ces deux hommes ! »

Cependant les sanglots de l'enfant redoublaient. Raoul lui donna de l'argent et une carte.

« Tiens, voilà cent francs. Tu vas aller prendre le train pour Paris et tu iras te présenter à cette adresse. On y prendra soin de toi. »

Le retour fut silencieux et, aux abords de la maison de repos où rentrait la jeune fille, l'adieu fut grave. Le destin meurtrissait les deux amants.

« Séparons-nous quelques jours, dit Aurélie. Je vous écrirai. »

Raoul protesta.

« Nous séparer ? Ceux qui s'aiment ne se séparent pas.

— Ceux qui s'aiment n'ont rien à craindre de la séparation. La vie les réunit toujours. »

Il céda, non sans tristesse. Car il la sentait désemparée. De fait, une semaine plus tard, il reçut cette courte lettre :

« Mon ami,

« Je suis bouleversée. Le hasard m'apprend la mort de mon beau-père Brégeac. Suicide, n'est-ce pas ? Je sais aussi qu'on a trouvé le marquis de Talençay au fond d'un ravin, où il était tombé, dit-on, par accident. Crime, n'est-ce pas ? Assassinat ? Et puis la mort affreuse de Jodot et de Guillaume... Et puis tant de morts ! Miss Bakefield... et les deux frères... et, jadis, mon grand-père d'Asteux...

« Je m'en vais, Raoul. Ne cherchez pas à savoir où je suis. Moi-même je ne sais pas encore. J'ai besoin de réfléchir, d'examiner ma vie, de prendre des décisions.

« Je vous aime, mon ami. Attendez-moi et pardonnez-moi. »

Raoul n'attendit pas. L'égarement de cette lettre, ce qu'il devinait dans Aurélie de souffrance et de détresse, sa souffrance à lui et son inquiétude, tout le portait à l'action et l'incitait aux recherches.

Elles n'aboutirent point. Il pensa qu'elle s'était réfugiée à Sainte-Marie : il ne l'y trouva pas. Il s'enquit de tous côtés. Il mobilisa tous ses amis. Efforts inutiles. Désespéré, craignant que quelque adversaire nouveau ne tourmentât la jeune fille, il passa deux mois vraiment douloureux. Puis, un jour, il reçut un télégramme. Elle le priait de venir à Bruxelles le lendemain, et lui fixait rendez-vous au bois de la Cambre.

La joie de Raoul fut sans réserve quand il la vit arriver, souriante, résolue, avec un air de tendresse infini et un visage libéré de tout mauvais souvenir.

Elle lui tendit la main.

« Vous me pardonnez, Raoul ? »

Ils marchèrent un moment, aussi près l'un de l'autre que s'ils ne s'étaient pas quittés. Puis elle s'expliqua :

« Vous me l'avez dit, Raoul, il y a en moi deux destins contraires, qui se heurtent et me font du mal. L'un est un destin de bonheur et de gaieté, qui correspond à ma véritable nature. L'autre est un destin de violence, de mort, de deuil, et de catastrophes, tout un ensemble de forces ennemies qui me persécutent depuis mon enfance et cherchent à m'entraîner dans un gouffre où, dix fois je serais tombée, si, dix fois, vous ne m'aviez sauvée.

« Or, après les deux journées de Juvains, et malgré notre amour, Raoul, j'étais si lasse que la vie m'a fait horreur. Toute cette histoire que vous jugiez merveilleuse et féerique prenait pour moi un aspect de ténèbres et d'enfer. Et n'est-ce pas juste, Raoul ? Pensez à tout ce que j'ai enduré ! Et pensez à tout ce que j'ai vu ! "Voilà votre royaume", disiez-vous. Je n'en veux pas, Raoul. Entre le passé et moi, je ne veux pas qu'il y ait un seul lien. Si j'ai vécu depuis plusieurs semaines à l'écart, c'est parce que je sentais confusément qu'il fallait échapper à l'étreinte d'une aventure dont je suis la dernière survivante. Après des années, après des siècles, elle aboutit à moi, et c'est moi qui ai pour tâche de remettre au jour ce qui est dans l'ombre et profiter de tout ce qu'elle contient de magnifique et d'extraordinaire. Je refuse. Si je suis l'héritière des richesses et des splendeurs, je suis aussi l'héritière de crimes et de forfaits dont je ne pourrais supporter le poids.

— De sorte que le testament du marquis ?... » fit Raoul, qui tira de sa poche un papier et le lui tendit.

Aurélie saisit la feuille et la déchira en morceaux qui voltigèrent au vent.

« Je vous le répète, Raoul, tout cela est fini. L'aventure ne sera pas renouée par moi. J'aurais trop peur qu'elle ne suscitât encore d'autres crimes et d'autres forfaits. Je ne suis pas une héroïne.

— Qu'êtes-vous donc ?

— Une amoureuse, Raoul... une amoureuse qui a refait sa vie... et qui l'a refaite pour l'amour et rien que pour l'amour.

— Oh ! demoiselle aux yeux verts, dit-il, c'est bien grave de prendre un tel engagement !

— Grave pour moi, mais non pour vous. Soyez sûr que, si je vous offre ma vie, je ne veux de la vôtre que ce que vous pouvez m'en donner. Vous garderez autour de vous ce mystère qui vous plaît. Vous n'aurez jamais à le défendre contre moi. Je vous accepte tel que vous êtes, et vous êtes ce que j'ai rencontré de plus noble et de plus séduisant. Je ne vous demande qu'une chose, c'est de m'aimer aussi longtemps que vous pourrez.

— Toujours, Aurélie.

— Non, Raoul, vous n'êtes pas homme à aimer toujours, ni même, hélas ! bien longtemps. Si peu qu'il dure, j'aurai connu un tel bonheur que je n'aurai pas le droit de me plaindre. Et je ne me plaindrai pas. À ce soir. Venez au Théâtre-Royal. Vous y trouverez une baignoire. »

Ils se quittèrent.

Le soir, Raoul se rendit au Théâtre-Royal. On y jouait *La Vie de bohème* avec une jeune chanteuse nouvellement engagée, Lucie Gautier.

Lucie Gautier, c'était Aurélie.

Raoul comprit. La vie indépendante d'une artiste permet que l'on s'affranchisse de certaines conventions. Aurélie était libre.

La représentation terminée — et au milieu de quelles ovations ! — il se fit conduire dans la loge de la triomphatrice. La jolie tête blonde s'inclina vers lui. Leurs lèvres s'unirent.

Ainsi finit l'étrange et redoutable aventure de Juvains qui, durant quinze ans, fut la cause de tant de crimes et de tels désespoirs. Raoul essaya d'arracher au mal le petit complice de Jodot. Il l'avait placé chez la veuve Ancivel. Mais la mère de Guillaume, à qui il avait révélé la mort de son fils, se mit à boire. L'enfant, trop tôt corrompu, ne put se relever. On dut l'enfermer dans une maison de santé. Il s'en échappa, retrouva la veuve, et tous deux passèrent en Amérique.

Quant à Marescal, assagi, mais obsédé de conquêtes féminines, il a monté en grade. Un jour, il demanda audience à M. Lenormand, le fameux chef de la Sûreté[1]. La conversation terminée, M. Lenormand s'approcha de son inférieur, et lui dit, une cigarette aux lèvres : « Un peu de feu, s'il vous plaît », cela d'un ton qui fit tressaillir Marescal. Tout de suite il avait reconnu Lupin.

Il le reconnut encore sous d'autres masques, toujours gouailleur et l'œil clignotant. Et chaque fois il recevait à bout portant la petite phrase terrible, âpre, cinglante, inattendue, et si cocasse par suite de l'effet produit sur lui.

« Un peu de feu, s'il vous plaît. »

Et Raoul acheta le domaine de Juvains. Mais, par déférence

1. Voir *813*.

envers la demoiselle aux yeux verts, il ne voulut pas en divulguer le secret prodigieux. Le lac de Juvains et la fontaine de Jouvence comptent au nombre de ces merveilles accumulées et de ces trésors fabuleux que la France héritera d'Arsène Lupin...

1927

L'HOMME À LA PEAU DE BIQUE

Ce texte a été écrit par Maurice Leblanc à la demande de son ami Georges Bourdon, qui sollicitait souvent ses relations, afin qu'elles lui fournissent de quoi publier des recueils, vendus au profit du Syndicat des Journalistes. Maurice avait ainsi déja donné en 1926 Un début littéraire, *pour le recueil* Une heure de ma carrière, *dans lequel chaque écrivain ou journaliste évoquait un moment important de sa vie professionnelle.*

La nouvelle L'Homme à la peau de bique *a paru en mai 1927, aux éditions Baudinière, dans un recueil intitulé* L'Amour selon les romanciers français.

Maurice y fait l'éloge d'Edgar Poe, un écrivain pour lequel il a souvent dit son admiration. Et Régis Messac, en 1929, dans sa thèse sur le « Detective novel *», soulignera que « Maurice Leblanc a magistralement appliqué les règles de concentration et de gradation formulées par Edgar Poe ».*

Le village fut terrifié.

C'était un dimanche. Les paysans de Saint-Nicolas et des environs sortaient de l'église et se répandaient à travers la place quand, tout à coup, des femmes, qui marchaient en avant et tournaient déjà sur la grande route, refluèrent en poussant des cris d'épouvante.

Et aussitôt on aperçut, énorme, effroyable, pareille à un monstre, une automobile qui débouchait à une allure vertigineuse. Parmi les clameurs et la fuite éperdue des gens, elle piqua droit vers l'église, vira au moment même où elle allait se briser contre les marches, frôla le mur du presbytère, retrouva le prolongement de la route nationale, s'éloigna, sans même avoir — miracle incompréhensible ! — effleuré, en ce crochet diabolique, une seule des personnes qui encombraient la place... et disparut.

Mais on avait vu ! On avait vu, sur le siège, couvert d'une peau de bique, coiffé de fourrure, le visage masqué de grosses lunettes, un homme qui conduisait ; et, près de lui, sur le devant de ce siège, renversée, ployée en deux, une femme dont la tête ensanglantée pendait au-dessus du capot.

Et on avait entendu ! On avait entendu les cris de cette femme, cris d'horreur, cris d'agonie...

Et ce fut une telle vision de carnage et d'enfer que les gens demeurèrent, quelques secondes, immobiles, stupides.

— Du sang ! hurla quelqu'un.

Il y en avait partout, du sang, sur les cailloux de la place, sur la terre que les premières gelées de l'automne avaient durcie, et, lorsque des gamins et des hommes s'élancèrent à la poursuite de l'auto, ils n'eurent qu'à se diriger d'après ces marques sinistres.

Elles suivaient d'ailleurs la grande route, mais d'une si étrange manière ! allant d'un côté à l'autre, et traçant, près du sillage des pneumatiques, une piste en zigzag qui donnait le frisson. Comment l'automobile n'avait-elle pas heurté cet arbre ? Comment avait-on pu la redresser avant qu'elle ne fît panache au long de ce talus ? Quel novice, quel fou, quel ivrogne, ou plutôt criminel effaré, conduisait cette voiture avec de tels soubresauts ?

Un des paysans proféra :

— Jamais ils ne prendront le tournant de la forêt.

Et un autre dit :

— Parbleu non ! c'est la culbute.

À cinq cents mètres de Saint-Nicolas commençait la forêt de Morgues, et la route, droite jusque-là, sauf un coude léger au sortir du village, montait dès son entrée dans la forêt, et faisait un tournant brusque parmi les rocs et les arbres. Ce tournant, aucune automobile ne pouvait le prendre sans avoir ralenti au préalable. Des poteaux indicateurs signalaient le danger.

Essoufflés, les paysans arrivèrent au quinconce de hêtres qui formaient la lisière.

Et, tout de suite, l'un d'eux s'écria :

— Ça y est !

— Quoi ?

— La culbute.

« ... pareille à un monstre, une automobile qui débouchait à une allure vertigineuse. »

L'automobile en effet — une limousine — gisait, retournée, démolie, tordue, informe. Près d'elle, le cadavre de la femme. Mais ce qu'il y avait de plus affreux, spectacle ignoble et stupéfiant, c'est que la tête de cette femme était écrasée, aplatie, invisible, sous un bloc de pierre énorme, posé là on ne pouvait savoir par quelle force prodigieuse.

Quant à l'homme à la peau de bique, on ne le trouva point. On ne le trouva point sur le lieu de l'accident. On ne le trouva point non plus aux environs. En outre, des ouvriers qui descendaient la côte de Morgues déclarèrent qu'ils n'avaient rencontré personne.

Donc, l'homme s'était sauvé par les bois. Ces bois, que l'on appelle forêt à cause de la beauté et de la vieillesse des arbres, sont de dimensions restreintes. La gendarmerie aussitôt prévenue fit, avec l'aide de paysans, une battue minutieuse. On ne découvrit rien. De même les magistrats instructeurs ne tirèrent, de l'enquête approfondie qu'ils poursuivirent pendant plusieurs jours, aucun indice susceptible de leur donner la moindre lumière sur ce drame inexplicable. Au contraire, les investigations aboutissaient à d'autres énigmes et à d'autres invraisemblances.

Ainsi, on constata que le bloc de pierre provenait d'un éboulement distant d'au moins quarante mètres. Or, l'assassin, en quelques minutes, l'avait apporté et jeté sur la tête de sa victime.

D'autre part, cet assassin, qui, en toute certitude, n'était pas caché dans la forêt — sans quoi on l'aurait inévitablement découvert — cet assassin, huit jours après le crime, eut l'audace de revenir au tournant de la côte et d'y laisser sa peau de bique. Pourquoi ? Dans quel but ? Sauf un tire-bouchon et une serviette, cette fourrure ne contenait aucun objet. Alors ? On s'adressa au fabricant de l'automobile, qui reconnut cette limousine pour l'avoir vendue trois ans auparavant à un Russe, lequel Russe, affirma le fabricant, l'avait vendue aussitôt. À qui ? Elle ne portait pas de numéro matricule.

De même, il fut impossible d'identifier le cadavre de la morte. Ses vêtements, son linge n'offraient aucune marque.

Quant à son visage, on l'ignorait.

Cependant des émissaires de la Sûreté remontaient en sens inverse la route nationale suivie par les acteurs de ce drame mystérieux. Mais qui prouvait que, dans le courant de la nuit précédente, l'automobile eût justement suivi cette route ?

On vérifia, on interrogea. Enfin on réussit à établir que, la veille au soir, à trois cents kilomètres de là, dans une petite ville située le long d'un chemin de grande communication qui s'embranchait sur la route nationale, une limousine s'était arrêtée devant un magasin d'épicerie et d'alimentation.

Le conducteur avait d'abord empli son réservoir d'essence, acheté de l'huile et des bidons de rechange, puis avait emporté quelques provisions, du jambon, des fruits, des gâteaux secs, du vin et une demi-bouteille de cognac Trois Étoiles. Sur le siège, il y avait une dame. Elle ne descendit point. Les rideaux de la limousine étaient baissés. L'un de ces rideaux bougea plusieurs fois. Le garçon de magasin ne doutait pas qu'il n'y eût quelqu'un à l'intérieur.

Si la déposition de ce garçon était juste, le problème se compliquait encore, car aucun indice n'avait révélé la présence d'une troisième personne.

En attendant, puisque les voyageurs s'étaient munis de provisions, il restait à établir ce qu'ils en avaient fait et ce qu'étaient devenus les débris de ces provisions.

Les agents revinrent sur leurs pas. Ce n'est qu'à la bifurcation des deux routes, c'est-à-dire à dix-huit kilomètres de Saint-Nicolas, qu'un berger, questionné par eux, leur signala une prairie voisine, que cachait un rideau d'arbustes et où il avait vu une bouteille vide et différentes choses. Au premier examen, les agents furent convaincus. L'automobile avait stationné là, et les inconnus, probablement après une nuit de repos dans leur automobile, s'étaient restaurés et avaient repris leur voyage au cours de la matinée. Comme preuve irrécusable, on retrouva la demi-bouteille de cognac Trois Étoiles vendue par l'épicier.

Cette bouteille avait été brisée net, au ras du goulot.

Le caillou dont on s'était servi fut recueilli, ainsi que le goulot muni de son bouchon cacheté. Sur le cachet de métal se voyait la trace des tentatives faites pour déboucher normalement la bouteille. Les agents continuèrent leurs recherches et suivirent un fossé qui bordait la prairie, perpendiculairement à la route. Il aboutissait à une petite source cachée sous des ronces, et d'où il semblait que se dégageât une odeur putride.

Ayant soulevé ces ronces, ils aperçurent un cadavre, le cadavre d'un homme, dont la tête fracassée ne formait plus qu'une sorte de bouillie où les bêtes pullulaient. Il était habillé d'un pantalon et d'une veste de cuir marron. Les poches étaient vides. Ni papiers, ni portefeuille, ni montre.

Le surlendemain l'épicier et son garçon de magasin, convoqués en hâte, reconnaissaient formellement, à son costume et à sa stature, le voyageur qui, la veille du crime avait acheté des provisions et de l'essence.

Ainsi donc toute l'affaire recommençait sur de nouvelles bases. Il ne s'agissait plus d'un drame à deux personnages — un homme et une femme — dont l'un avait tué l'autre ; mais d'un drame à trois personnages, avec deux victimes dont l'une était précisément l'homme que l'on accusait d'avoir tué sa compagne ! Quant à l'assassin, aucun doute. C'était le troisième personnage qui voyageait à l'intérieur de l'automobile, et qui prenait la précaution de se dissimuler derrière les rideaux. Se débarrassant d'abord du conducteur, il l'avait dépouillé, puis, blessant la femme, il l'emportait dans une véritable course à la mort.

Affaire nouvelle, découvertes inopinées, témoignages imprévus... On pouvait espérer que le mystère allait s'éclaircir, ou, tout au moins, que l'instruction ferait quelques pas dans la voie de la vérité. Il n'en fut rien. Un cadavre se rangea auprès du premier cadavre. Des problèmes s'ajoutèrent aux autres problèmes. L'accusation d'assassinat passa de celui-ci à celui-là.

Voilà tout. En dehors de ces faits tangibles, évidents, les ténèbres.

Le nom de la femme, le nom de l'homme, le nom de l'assassin, autant d'énigmes.

Et puis, qu'était devenu cet assassin ? S'il avait disparu d'une minute à l'autre, c'eût été déjà un phénomène passablement curieux. Mais le phénomène touchait au miracle en ce que l'assassin n'avait pas absolument disparu ! Il était là ! Il revenait sur le lieu de la catastrophe ! Outre la peau de bique, on ramassa un jour une casquette de fourrure, et, prodige inouï, un matin, après une nuit complète passée en faction dans les rochers du fameux tournant, des lunettes de chauffeur, cassées, rouillées, salies, hors d'usage. Comment l'assassin avait-il pu rapporter ces lunettes sans que les agents le vissent ? Et surtout, pourquoi les avait-il rapportées ?

Il y eut mieux. La nuit suivante, un paysan, obligé de traverser la forêt, et qui, par précaution, avait emporté son fusil et emmené ses deux chiens, s'arrêta net au passage d'une ombre dans les ténèbres. Ses chiens — deux chiens-loups à demi sauvages et d'une vigueur exceptionnelle — bondirent au milieu des taillis et la poursuite commença.

Elle dura peu. Presque aussitôt le paysan perçut deux hurlements horribles, qui s'achevèrent du même coup en plaintes d'agonie. Et puis le silence, le silence absolu.

Terrifié, il prit la fuite, abandonnant son fusil.

Or le lendemain, on ne retrouva aucun des deux chiens. On ne retrouva pas non plus la crosse du fusil. Quant au canon, il était fiché en terre, tout droit, et il y avait, dans un de ses tubes, une fleur, une colchique d'automne, cueillie à cinquante pas de là !

Qu'est-ce que cela signifiait ? Pourquoi cette fleur ? Pourquoi toutes ces complications dans le crime ? Pourquoi ces actes inutiles ? La raison se troublait devant de telles anomalies. Ce n'est qu'avec une sorte de crainte que l'on se risquait dans cette aventure équivoque. On avait l'impression d'une atmosphère lourde, étouffante, où il était impossible de respirer, qui voilait les yeux, et qui déconcertait les plus clairvoyants.

Le juge d'instruction tomba malade. Au bout de quatre jours, son remplaçant avoua que l'affaire lui semblait inextricable. On arrêta deux chemineaux qu'on relâcha sur-le-champ. On en poursuivit un troisième qu'on ne put rejoindre et contre lequel, d'ailleurs, on ne possédait aucune preuve. Bref, ce n'était que désordre, obscurité et contradiction.

Un hasard conduisit à la solution, ou plutôt détermina un ensemble de circonstances qui conduisirent à la solution. Un simple hasard. Le rédacteur d'une grande feuille parisienne envoyé sur place résumait son article en ces termes :

« Par conséquent, je le répète, il faut attendre la collaboration du destin. Sans quoi, on perd son temps. Les éléments de vérité ne suffisent même pas à établir une hypothèse plausible. C'est la nuit épaisse, absolue, angoissante. Il n'y a rien à faire. Tous les Sherlock Holmes du monde n'y verraient que du feu, et Arsène Lupin lui-même, passez-moi l'expression, donnerait sa langue au chat. »

Or, le lendemain du jour où parut cet article, le journal publiait le télégramme ci-après :

« Ai quelquefois donné ma langue au chat, mais jamais pour des bêtises. Le drame Saint-Nicolas est un mystère pour enfants en nourrice. Arsène Lupin. »

La dépêche fit du bruit. On se la rapelle, et on se rappelle les polémiques que suscita aussitôt l'intervention du célèbre aventurier.

Intervention réelle ? On en doutait. Le journal lui-même se méfiait et prenait ses précautions.

« À titre de document, ajoutait-il, nous insérons ce télégramme, qui est certainement l'œuvre d'un farceur. Arsène Lupin, quoique passé maître en mystification, ne montrerait tout de même pas cette outrecuidance un peu puérile. »

Quelques jours s'écoulèrent. Chaque matin, la curiosité, déçue, devenait plus vive. Allait-on savoir ? Enfin le journal publia cette fameuse lettre si précise, si catégorique, où Arsène Lupin donnait le mot de l'énigme. La voici dans son intégralité.

« Monsieur le directeur,

En me mettant au défi, vous me prenez par mon faible. Provoqué, je réponds.

Et tout de suite, j'affirme à nouveau : le drame de Saint-Nicolas est un mystère pour enfants en nourrice. Je ne connais rien qui soit aussi naïf, et la preuve de cette simplicité sera justement la brièveté de ma démonstration.

Elle tient, cette démonstration, en ces quelques mots :

Quand un crime semble échapper à la mesure ordinaire des choses, quand il semble hors nature, stupide, il y a bien des chances pour qu'il ne puisse trouver son explication que dans des motifs extraordinaires, extra-naturels, extra-humains. Je dis qu'il y a bien des chances, car il faut toujours admettre la part de l'absurdité dans les événements les plus logiques et les plus vulgaires. Mais là, en vérité, comment ne pas voir ce qui est, et ne pas faire entrer en ligne de compte l'absurdité et le disproportionné ?

Dès le début, le caractère très net d'anomalie me frappa. Les zigzags d'abord, l'allure maladroite de l'automobile, que l'on eût dit menée par un novice. On a parlé d'un ivrogne ou d'un fou. Supposition justifiée. Mais ni la folie ni l'ivresse ne peuvent provoquer l'exaspération de force nécessaire pour transporter, et surtout en si peu de temps, la pierre qui écrasa la tête de la malheureuse femme. Pour cela il faut une puissance de muscles telle que je n'hésite pas à y voir un second signe de cette anomalie qui domine tout le drame.

Et pourquoi le transport de cette pierre énorme, quand il suffisait d'un caillou pour achever la victime ? Et comment d'un autre côté, dans la culbute effroyable de la voiture, l'assassin ne fut-il pas tué ou tout au moins réduit à une immobilité temporaire ? Comment a-t-il disparu ? Et pourquoi, ayant disparu, est-il revenu sur le lieu de l'accident ? Pourquoi avoir jeté là sa fourrure, puis un autre jour sa casquette, puis un autre jour ses lunettes ?

Anomalies, actes inutiles et stupides.

Pourquoi, d'ailleurs, avoir emmené cette femme blessée, moribonde, sur ce siège d'automobile où tout le monde pouvait la voir ? Pourquoi cela au lieu de l'enfermer à l'intérieur, ou de la jeter morte, en quelque coin, comme on avait jeté l'homme sous les ronces de la rivière ?

Anomalie. Stupidité.

Tout est absurde dans l'aventure. Tout y dénote le balbutiement, l'incohérence, la gaucherie, la bêtise d'un enfant, ou plutôt d'un sauvage imbécile et forcené, d'une brute.

Regardez la bouteille de cognac. Il y avait un tire-bouchon (on l'a retrouvé dans la poche de la fourrure). Le meurtrier s'en est-il servi ? Oui, les traces de tire-bouchon sont visibles sur le cachet. Mais le geste était trop compliqué pour lui. Il a cassé le goulot avec une pierre.

Toujours des pierres, notez ce détail. C'est la seule arme et le seul instrument qu'emploie cet individu. C'est son arme habituelle, c'est son instrument familier. Il tue l'homme avec une pierre, la femme avec une pierre, et il débouche les bouteilles avec une pierre.

Une brute, je le répète, un sauvage forcené, détraqué, rendu fou subitement. Par quoi ? Eh ! morbleu, justement par cette eau-de-vie, qu'il a avalée d'un coup, tandis que le conducteur de l'auto et sa compagne déjeunaient dans la prairie. Il est sorti de la limousine, au fond de laquelle il voyageait couvert d'une peau de bique et coiffé d'une casquette, et il a pris la bouteille, et il l'a brisée, et il a bu. Voilà toute l'histoire. Ayant bu, il est devenu fou furieux, il a frappé au hasard, sans raison. Puis, saisi d'une peur instinctive, craignant l'inévitable châtiment, il a dissimulé le cadavre de l'homme. Puis, idiotement, il a enlevé la femme blessée et il s'est enfui. Il s'est enfui dans cette automobile qu'il ne savait pas manœuvrer, mais qui, pour lui, représentait le salut, l'impossibilité d'être rattrapé.

— Mais l'argent ? me direz-vous. Le portefeuille volé ?

— Eh ! qui vous dit que c'est lui le voleur ? Qui vous dit que ce n'est pas tel chemineau, tel paysan attiré par l'odeur du cadavre ?

— Soit, soit, objectez-vous encore, mais on l'eût retrouvée, cette brute, puisqu'elle se cache aux environs mêmes du tournant et puisque, après tout, il faut qu'elle mange et qu'elle boive...

— Quoi ?

— Vous ne devinez pas ?

— Non ! Et cependant, vous êtes sûr qu'elle est toujours là ?

— Certes, et la preuve, c'est le paysan qui a vu son ombre. Et c'est aussi, ajouterai-je, la disparition de ces deux chiens-loups, des molosses, qu'elle a escamotés comme des caniches d'appartement...

Et c'est aussi ce canon de fusil fiché en terre, stupidement, avec une fleur. Est-ce assez bête cela ? et niais ? et grotesque ? Allons, vous n'y êtes pas ? Aucun détail ne vous éclaire ? Non ? Alors le plus simple, voyez-vous, pour en finir et pour répondre à vos objections, c'est d'aller droit au but. Assez d'explications... Des actes. Donc, que ces messieurs de la police et de la gendarmerie veuillent bien y aller eux-mêmes, à ce but. Qu'ils prennent des fusils. Qu'ils explorent la forêt dans un rayon de deux ou trois cents mètres, pas davantage. Mais que, au lieu d'explorer, la tête basse et les yeux fixés au sol, ils regardent en l'air, oui, en l'air, parmi les branches et les feuilles des chênes les plus hauts et des hêtres les plus inaccessibles. Et croyez-moi, ils le verront. Il est là. Il est là, désemparé, pitoyable, en quête de celui et de celle qu'il a tués, et les cherchant, et les attendant, et n'osant s'éloigner, et ne comprenant pas...

Pour moi, je regrette infiniment d'être retenu à Paris par de grosses occupations et la mise en train d'affaires très compliquées, car j'aurais eu plaisir à suivre jusqu'au bout cette assez curieuse aventure.

Veuillez donc m'excuser auprès de mes bons amis de la justice, et croire, Monsieur le Directeur, à l'assurance de mes sentiments distingués.

Signé : Arsène Lupin. »

On se rappelle le dénouement. Ces messieurs de la justice et de la gendarmerie haussèrent les épaules et ne tinrent aucun compte de cette élucubration. Mais quatre hobereaux de la contrée prirent leurs fusils et se mirent en chasse, les yeux au ciel, comme s'ils eussent voulu démolir quelques corbeaux. Au bout d'une demi-heure, ils apercevaient l'assassin. Deux coups de feu : il dégringola de branche en branche.

Il n'était que blessé. On le captura.

Le soir, un journal de Paris, lequel ne connaissait pas encore cette capture, publiait la note suivante :

« On est sans nouvelles d'un monsieur et d'une madame Bragoff, débarqués, il y a six semaines, à Marseille où ils avaient loué une automobile.

« Habitant l'Australie depuis de longues années, ils venaient en Europe pour la première fois, et ils avaient prévenu le directeur du Jardin d'Acclimatation, avec qui ils étaient en correspondance, qu'ils amenaient avec eux un être bizarre, d'une espèce absolument inconnue, et dont on ne pouvait dire si c'était un homme ou un singe.

« D'après M. Bragoff, archéologue distingué, on serait en présence du singe-anthropoïde, ou plutôt de l'homme singe dont on n'avait pu jusqu'ici prouver l'existence. Sa structure serait exactement pareille à celle du Pithécanthrope Rectus découvert à Java en 1891 par le docteur Dubois, et certaines particularités sembleraient donner raison aux théories du naturaliste argentin M. Ameghino, lequel, avec des fragments de crâne trouvés lors des travaux de creusement du port de Buenos Aires, avait pu reconstituer le Diprothomme.

« Intelligent, observateur, cet animal singulier servait de domestique à ses maîtres dans la propriété qu'ils occupaient en Australie, nettoyait leur automobile, essayait même de la conduire.

« Que sont devenus M. et Mme Bragoff ? Qu'est devenu l'étrange primate qui les accompagnait ?... »

La réponse à cette question était facile maintenant. Grâce aux indications d'Arsène Lupin, on connaissait tous les éléments du drame. Grâce à lui le coupable se trouvait entre les mains de la justice.

On peut le voir au Jardin d'Acclimatation où il est emprisonné sous le nom de Trois Étoiles. C'est un singe, en effet. Mais c'est un homme aussi. Il a la douceur et la sagesse des animaux domestiques, et la tristesse qu'ils éprouvent quand leur maître est mort. Mais il a beaucoup d'autres caractères qui le rattachent de plus près à l'humanité. Il est fourbe, cruel, paresseux, gourmand, rageur et, surtout, il a pour l'eau-de-vie une passion immodérée.

À part cela, décidément, c'est un singe.

À moins que...

Quelques jours après son... arrestation, j'aperçus, immobile devant la cage, Arsène Lupin, qui, sans aucun doute, cherchait à résoudre cet intéressant problème. Tout de suite, je lui dis — car la chose me tenait à cœur :

— Vous savez, Lupin... eh bien, votre intervention dans cette affaire, votre démonstration, votre lettre enfin ne m'a pas épaté.

— Ah ! fit-il tranquillement, et pourquoi ?

— Pourquoi ? parce que l'aventure s'est déjà produite, il y a soixante-dix ou quatre-vingts ans. Edgar Poe en a fait le sujet d'un de ses plus beaux contes. Dans ces conditions, le mot de l'énigme se trouvait aisément.

Arsène Lupin me prit le bras et m'entraîna :

— Quand donc, dit-il, l'avez-vous deviné, vous ?

Je confessai :

— En lisant votre lettre.

— Et à quel endroit de ma lettre ?

— Vers la fin.

— Vers la fin, n'est-ce pas ? après que j'eus mis les points sur les i. Ainsi donc, voilà un crime que le hasard répète, dans des circonstances tout à fait différentes évidemment, mais pourtant avec la même sorte de héros, et, à vous comme aux autres, du reste, il a fallu qu'on ouvrît les yeux. Il a fallu le secours de ma lettre, de cette lettre où je me suis amusé — j'y étais d'ailleurs contraint par les faits — à employer la démonstration, quelquefois même les termes dont s'est servi le grand poète américain. Vous voyez bien que ma lettre n'était pas absolument inutile, et que l'on peut se permettre de redire aux gens ce qu'ils n'ont appris que pour l'oublier.

Sur quoi Lupin se retourna et pouffa de rire au nez du vieux singe qui méditait avec l'air grave d'un philosophe...

Table